A GUIDE TO THE MICROFILM COLLECTION

OF EARLY STATE RECORDS

Prepared by the

Library of Congress in association with the University of North Carolina

COLLECTED AND COMPILED UNDER THE DIRECTION OF

WILLIAM SUMNER JENKINS

Edited by LILLIAN A. HAMRICK

PHOTODUPLICATION SERVICE
THE LIBRARY OF CONGRESS
1950

THIS PUBLICATION IS SOLD BY THE PHOTODUPLICATION SERVICE, LIBRARY OF CONGRESS, WASHINGTON 25, D. C. PRICE $5.00. CHECK OR MONEY ORDER SHALL BE MADE PAYABLE TO THE LIBRARIAN OF CONGRESS. POSTAGE STAMPS ARE NOT ACCEPTED

PURCHASES FROM FOREIGN COUNTRIES FOR THIS PUBLICATION MAY BE MADE WITH *UNESCO BOOK COUPONS*

POSITIVE COPIES OF THE MICROFILM LISTED IN THIS PUBLICATION ARE AVAILABLE IN QUANTITIES OF ONE OR MORE REELS AT THE CURRENTLY PUBLISHED RATES OF THE PHOTODUPLICATION SERVICE

L. C. card, 50–62956

TABLE OF CONTENTS

	Page
Foreword	v
Preface	vii-viii
Arrangement Outline	ix-xii
Introduction	xiii-xxvii
Key to Location Symbols	xxix-xxxviii
Class A. Legislative Records	
A.1 Journals, Minutes and Proceedings	1-295
A.2 Legislative Debates	296-299
A.3 Proceedings of Extraordinary Bodies	300-302
A.6 Legislative Papers	303-308
Class B. Statutory Law	
B.1 Codes and Compilations	1-30
B.2 Session Laws	31-202
B.3 Special Laws	203-206
Class C. Constitutional Records	1-44
Class D. Administrative Records	1-101
Class E. Executive Records	1-56
Class F. Court Records	1-9
An Addendum	1-26
List of Errata	27-38

FOREWORD

Not so many years ago I headed the Historical Records Survey (1935-39) which gave prime emphasis to the Inventory of County Archives, chiefly because the program distributed work opportunities to the greater number. When, however, the State Records Microfilm Project was proposed by the University of North Carolina to the Library of Congress, the seed fell on well-harrowed soil. Over the years, through too many vicissitudes the Project has been brought near completion. Here, in sub-publication form on a scale never before attempted is 160,000 feet of film or the equivalent of about 2,500,000 pages or 8,333 three-hundred page volumes assembled under one title. Gaps there are sure to be and our attention will be devoted to filling those gaps. Errors will certainly be noted, and we will welcome learning of them. By and large, however, we consider this *Records of the States*, a milestone in the democratic process of making the materials, recording the workings of a democratic society, available to all who would learn how we came to be what we are as a people.

LUTHER H. EVANS
Librarian of Congress

PREFACE

The State Records Microfilm Project was launched in 1941 as a joint enterprise of the Library of Congress and the University of North Carolina. As originally conceived and prosecuted, the scope of the Project was limited to locating and reproducing the legislative proceedings of the American Colonies, Territories, and States. Interrupted for several years by the war, when work was resumed in 1946, coverage was expanded to include, in addition, statutory laws, constitutional records, administrative records, executive records, court records, some local records (county and city), records of American Indian Nations, records of rudimentary states and courts, and, inevitably, a group only describable as "Miscellany."

Field work involved expeditions to each of the forty-eight states, more than 60,000 miles of travel, and the exposure of 160,000 feet of film. The result integrates and preserves approximately 2,500,000 pages of widely scattered State Papers on 1600 reels. Unrolled, they would extend for a distance of over thirty miles, but they may be stored in less than twenty-seven cubic feet of shelf space, roughly the equivalent of eight small book cases. Actually, the entire collection might have been transported to Washington in the trunk of the small coupe which was used throughout the undertaking as a conveyance for photographic equipment.

The program has been divided into three successive operations. It was, of course, necessary first to locate and copy the appropriate documents in whatever form they might survive--in print or manuscript separately produced or buried deep in the files of crumbling newspapers. The successful attainment of that objective has been made possible only by the unstinted cooperation of hundreds of agencies of state and local governments through the officers who administer them, as well as by many private collections throughout the country who, convinced of the public service implicit in their participation, have most generously permitted the filming of unique items in their possession.

The second operation has consisted of the organization of the collection. To that end a relatively simple system of classification has been developed and that system has governed the collation of material. The reels have been divided, first by State, then by Class, and then chronologically thereunder.

Within each State collection, documents have been compiled in accordance with the eleven chapters in the classification. As a consequence of this arrangement the microfilms may be reproduced either by jurisdictions, or by regions, or (broadly defined) by subject matter. This organization presents a further advantage by facilitating the intercalation of additional documents whenever they are discovered. For the preparation of an inventory and the formulation of the expansive order of arrangement or classification the Project was fortunate in securing the expert services of Miss Adelaide R. Hasse who was persuaded for a time to emerge from well-earned retirement and to assume that important portion of the task. Her outstanding competence in this field has strengthened confidence in the maximum utility of the resource.

The third operation has been the preparation of a *Guide to the Records of the States*, under the immediate editorial supervision of Lillian A. Hamrick. Miss Hamrick has had not only to establish a satisfactory format but also to penetrate the mass of bibliographical detail and thereafter to devise the method which seemed most effectively to assure the exploitability of the resource. That she has accomplished this labor in a minimum of time does credit to her imagination, experience and zeal.

The *Guide* has been designed to serve a dual purpose: (1) to supply the user with information as to the location of the original of each of the documents and its location on the reels, and (2) to provide a catalog from which orders for the reproduction of portions of the collection may be submitted and filled. At the same time it should be understood that although the *Guide* attempts an authoritative listing of discovered sources, it makes no pretense to be, in fact, a repertory of definitive State bibliographies. It is, rather, a reservoir from which hereafter definitive bibliographies may be drawn. For that purpose it assigns a repository symbol for the location of the original of each document facsimiled on the film and a classification symbol indicating the nature of material under each unit of a reel. Thus the *Guide* contributes to the mechanization of bibliographical registers.

Materials which are known to exist but which (for whatever reason) had not yet been procured on film at the time of the preparation of the *Guide* are recorded in the *Guide* as [W] items. Many of these have since been obtained and corrections have been noted in the errata section. The *Guide* may be revised from time to time as additions to the collection impose that requirement.

Meanwhile the *State Records Microfilms* constitute a unique compendium of primary source materials for research. For size, organization, and potential usefulness it is, perhaps, unparalleled. The story of America, American institutions and the conditions, progress, and privileges of American life are in it. To the students of America it is dedicated.

W. S. JENKINS

Washington
March 30, 1950

ARRANGEMENT OUTLINE

CLASSES

A. LEGISLATIVE RECORDS

Parts

A.1 Journals, Minutes and Proceedings

- A.1a Journals of Upper Houses
- A.1b Journals of Lower Houses
- A.1c Journals of Unicameral Bodies

A.2 Legislative Debates

A.3 Proceedings of Extraordinary Bodies

A.4 Committee Reports

A.5 Hearings and Investigations.

A.6 Legislative Papers

A.X Miscellany

B. STATUTORY LAW

Parts

B.1 Codes and Compilations

B.2 Session Laws

B.3 Special Laws

B.X Miscellany

C. CONSTITUTIONAL RECORDS

Parts

C.1 Texts of Constitutions

C.2 Proceedings of Constitutional Conventions

C.3 Debates of Constitutional Conventions

C.4 Constitutional Convention Papers

C.5 Records of Constitutional Commissions

C.X Miscellany

ARRANGEMENT OUTLINE

CLASSES

D. ADMINISTRATIVE RECORDS

Parts

D.1 Collected Public Documents
- D.11 Executive Documents
- D.12 Legislative Documents
  - D.12a Senate Documents
  - D.12b House Documents

D.2 Reports and Papers of Permanent Agencies
- D.21 Governor's Messages
- D.22 Auditor's Reports and Papers
- D.23 Comptroller's Reports and Papers
- D.24 Treasurer's Reports and Papers
- D.25 Reports of Departments, Boards, Commissions and Institutions
  - D.25ad Adjutant General
  - D.25at Attorney General
  - D.25ba Bank Commissioners
  - D.25bl Academy for the Blind
  - D.25co Board of Control
  - D.25dd Asylum for the Deaf and Dumb
  - D.25e Literary Fund
  - D.25ed Department of Education
    - Commissioner of Common Schools
    - Commissioner of School Fund
    - School Laws
    - Superintendent of Common Schools
    - Superintendent of Public Instruction
  - D.25en Engineer
  - D.25ge Geologist
  - D.25i Board of Internal Improvements
  - D.25im Board of Immigration
  - D.25in Insane or Lunatic Asylum
    - Directors
    - Keeper
    - Physician
  - D.25 la Land Office
    - Land Colonization Companies
    - Surveyor General
  - D.25 li Librarian
  - D.25pr Prison or Penitentiary
    - Directors
    - Warden
  - D.25ss Secretary of State
  - D.25un University
    - Building Committee
    - Regents or Trustees
    - President

ARRANGEMENT OUTLINE

CLASSES

D.25ve Veterinarian
D.25x Other Agencies

D.3 Publications and Papers of Temporary Agencies

D.X Miscellany

E. EXECUTIVE RECORDS

Parts

E.1 Executive Department Journals

E.1a Governor's Messages
E.1b Governor's Proclamation
E.1c Appointments and Commissions
E.1x Miscellaneous functions

E.2 Governor's Letterbooks and Papers

E.3 Secretary's Journals and Papers

E.4 Proceedings of extraordinary executive bodies

E.X Miscellany

F. COURT RECORDS

Parts

F.1 Records of Appellate Courts
F.12 Court Minutes
F.13 Court Dockets
F.14 File Papers

F.2 Courts of General Original Jurisdiction
F.21 Court Minutes
F.22 Court Dockets
F.23 File Papers

F.3 Admiralty Court Records
F.31 Court Minutes
F.32 Court Dockets
F.33 File Papers

F.4 Chancery Court Records
F.41 Court Minutes
F.42 Court Dockets
F.43 File Papers

F.5 Courts of Specialized Jurisdiction
F.51 Court Minutes
F.52 Court Dockets
F.53 File Papers

ARRANGEMENT OUTLINE

CLASSES

F.X Miscellany

SPECIAL CLASSES

L. LOCAL RECORDS - COUNTY AND CITY

M. RECORDS OF AMERICAN-INDIAN NATIONS

N. NEWSPAPERS

R. RUDIMENTARY STATES AND COURTS

X. MISCELLANY

INTRODUCTION

CLASS A. LEGISLATIVE RECORDS. Class A contains the records of the lawmaking division of state government as it has operated under the traditional principle of a threefold separation of powers. The records of the legislative department reveal the origin and development of the principle of representative government in America and its crystallization into the "Republican Form" of government. This class is subdivided into seven parts: Part 1, Journals, Minutes and Proceedings; Part 2, Legislative Debates; Part 3, Proceedings of Extraordinary Bodies; Part 4, Committee Reports; Part 5, Hearings and Investigations; Part 6, Legislative Papers; and Part X, Miscellany.

Part 1 presents the proceedings session by session of the legislative assemblies of the American colonies, territories and states. The plan has been to copy the complete file of journals, beginning in each state with the earliest record extant, down to a terminal date varying from state to state. This date is governed by the scarcity of these journals in the research libraries of the country and also by the value of legislative proceedings at a particular period. The plan provides for terminal extensions at a later date if it seems feasible. The printed editions of the journals have been microfilmed when they could be found. Manuscript copies have been used for the period previous to the printed records or to fill in gaps when there was no provision for printing. If the original manuscript copy has disappeared, an attempt has been made to reconstruct the proceedings from secondary or semiofficial accounts published in newspapers.

This microfacsimile condensation of the legislative records of the states is the result of a nation-wide search which has continued for more than fifteen years. It has been supplemented for the colonial period from records available only in the British Public Record Office. Piecing together a series from such varied sources has required precise work which has proceeded with the same care and exactness needed in constructing the statutory law in Class B.

Part 1 of Class A is a significant segment of the microfilms as it is the foundation on which *Records of the States* has been built. Since its beginning in 1941 it has afforded an opportunity to demonstrate the feasibility of a comprehensive program of itinerant microphotography. Its success in collecting one group of source materials suggested the desirability of an expanded program in allied fields. The problems of procedure encountered and solved during this pioneer stage served well in the later phases of the work.

Legislative journals form the core of the microfilm collection. They make up by far the largest of any of the series and contain the most generally useful group of source materials in any of the classes. Historically the legislative journals might be considered the most valuable of any of the published series of public documents because for so long they were general carriers of various types of documents. The appendix to the journal continued as a medium for official publication by all agencies of government until the advent of the Collected Public Documents series; therefore, today it is an important documents source book for that period.

Part 2, Legislative Debates, includes the verbatim record of legislative deliberations in states which have printed their debates in form comparable to the *Congressional Record*. For the most part these have been occasional publications of particular sessions of legislatures, or have continued serially for a short period of time. In Pennsylvania and Maine, however, the series has continued over a long period and is currently published today.

Part 3 includes the proceedings of extraordinary bodies that have at times exercised legislative powers but which were not regularly constituted legislatures. The Provincial Congresses which acted as legislative bodies during the transition from colony to state are examples. Some of them served as constitutional conventions in framing the first state constitutions and their proceedings, therefore, were both legislative and constitutional in character. If the records of these functions cannot be separated, they will be placed on a composite reel or series of reels bearing the joint symbol A.3 and C.2 with cross references under the unit numbers to indicate their location. The records of Provincial Councils and Committees of Safety, which exercised both legislative and executive functions, will be arranged as convenience dictates under A.3 or E.4 with cross references.

Part 4, Committee Reports, and Part 5, Hearings and Investigations, offer categories for placing groups of legislative documents separately printed but not issued in a regular series. For the most part such documents will be found in the appendices to the journals or under Class D, Part 1, Collected Public Documents.

Part 6, Legislative Papers, includes various types of sessional papers in unpublished form which were deposited in file boxes in the legislative archives. No systematic attempt has been made to copy these in a comprehensive way. A method of selection has been followed, but Part 6 offers a large field for later supplementation of Class A.

Part X provides a catch-all for miscellaneous legislative materials that do not fit into one of the regular categories.

Location symbols in the table of contents serve two purposes. They give credit to holdings which have contributed materials to be copied for the collection and they indicate rarity of items. By far the largest number of legislative journals making up Part 1 were microfilmed in the Library of Congress. The Library of the University of North Carolina, the Massachusetts State Library, the New York Public Library and the New York State Library, in that order, furnished the next largest numbers. State Departments of Archives and the archives of the Secretaries of State furnished most of the manuscript journals. The State Library and historical societies in most cases furnished runs for rare periods. The *lacunae* and *unica* for this series have been gathered from a great variety of public and private libraries more than for any other group in the collection.

Under Part 1, journals of upper houses will bear the reel symbol A.1a, journals of lower houses will bear the symbol A.1b and journals of unicameral bodies, A.1c. When journals of both houses in a series of sessions of a bicameral legislature are published in single volumes, or when for convenience they are arranged on the films sessionally in juxtaposition, the reel symbol will bear A.la:b. In cases in which both journals for a single session are bound together interrupting a regular "a" or "b" series, the volume will be placed under either A.la or A.lb and the fact will be indicated under the unit number and be cross references in the table of contents. Organically the Governor and Council of the Colonial Period represented a functional union of the executive, legislative and judicial authority. When the records of these functions are interspersed through the same journal they will be located as convenience dictates and a combination reel symbol E.1 and A.la, and/or F.1 will be used with cross references in the tables of contents.

The *Check-List of Legislative Journals* published in 1938 by the National Association of State Libraries served as a guide in the location of journals and was an invaluable aid in planning the initial work. The *Supplement Check List,* published in 1941, was the result of additional findings made by the project.

CLASS B. STATUTORY LAW. Class B constructs the body of statutory law, as it has been enacted in each of the states, into a number of companion series arranged in chronological sequence. The class is subdivided into four parts: Part 1, Codes and Compilations; Part 2, Session Laws; Part 3, Special Laws; and Part X, Miscellany.

Part 1 consists of the compiled and codified law of the states and includes abstracts, abridgments of the law, collections of laws in special fields, codes, compilations, revisions and digests. This part groups the classics of American statute law. The first of these to be adopted in each colony and territory formed the core and the base support for the future build-up of enactment in the state. Later ones reveal the results of reform in the basic system of law in particular jurisdictions and show the status of enactment in its breadth as of a certain time. These masterpieces in the summation and statement of the law reflect the contributions of great legal scholars and their influence on the development of the American system of law.

Part 2 contains the sessional laws enacted from the beginning by the legislatures of each of the states. The original session laws contain much basic information, not carried forward in the periodic revisions of the body of law, which retains present value for the lawmaker engaged in the formulation of new legislation. Development trends in any subject division of the law may be traced historically state by state through the series of session laws, and comparative studies may be made of the progress of legal reform at any given time throughout the states.

Part 3 contains many types of specialized legislation separately printed and issued collaterally with the regular sessional volumes. Series of special laws provide a rich source for specialists studying institutional development and social and administrative reforms in the law.

Part X provides a catch-all for miscellaneous statutory materials that do not fit into one of the regular catagories.

Class B is a closely unified segment of the microfilm collection. The purpose in its arrangement has been to prepare a statutory source book generally useful to the largest possible number of libraries and institutions engaged in legal research. The plan followed, therefore, has been to select a terminal date for each state on the basis of the unavailability of the laws of the state in law libraries generally, and then to microfilm the entire series from the earliest copy found down to the terminal date rather than to copy as fill in material only exceptionally rare periods of various series. The aim has been to construct on microfilm complete series of volumes of laws, state by state, with perfect text volume by volume of each series. This has required painstaking piecing together of materials copied at widely separated holdings over the nation in order to fill in missing pages and eliminate imperfections in volumes so that the entire body of statutory law might be presented for research use complete and perfect. Manuscript copies of the laws have been filmed when found, in order to reconstruct the record when printed copies could not be located. The materials of which Class B is formed lend themselves readily to a systematic arrangement, but the precision work necessary in preparing the reels with the textual exactness required in legal publication has been time consuming.

Location symbols in the table of contents serve two purposes. They give credit to holdings which have contributed materials to be copied for the collection and they indicate rarity of items. Symbols sometimes have not been indicated for late periods where the materials could have been copied in any one of a number of libraries. Because of the convenience and economy in time, the greatest part of the materials forming Class B was furnished by the Law Library of the Library of Congress, which holds the nation's largest single collection of statutory laws. Secondly, the Harvard Law School, the Charlemagne Tower Collection of colonial laws in the Historical Society of Pennsylvania and the Association of the Bar of the City of New York, in that order, have contributed the largest number of individual items to Class B. Each state law library has generally supplied missing volumes to complete the file of its particular state, and a great number of collections throughout the country have furnished rare items needed to fill gaps in various series. For the colonial period the British Public Record Office has furnished a large complement of laws in manuscript for a number of the original colonies.

Following Part 2 in the symbol, in states where two or more companion series of session laws were published concurrently for a period of years, lower case "a" will indicate Public or General Laws, lower case "b" Private, Local or Special Laws, and lower case "c" Resolves. Following Part 3 lower case letters will also be assigned to the various types of special legislation.

The *Check-List of Session Laws* and the *Check-List of Statutes...* published by the National Association of State Libraries have been the basic guides used in assembling Class B.

CLASS C. CONSTITUTIONAL RECORDS. Class C relates to the exercise of the constituent power of the states. In the aggregate, these records sum up the basic principles that have controlled the development of the fundamental law of the nation. These records describe the behavior of constitutional conventions, the agents through which the political sovereign from time to time acts in making the body of law which is basic in the structure of government and which shapes the contours of authority of its established organs.

Part 1 includes patents, grants, charters and constitutions - landmark expressions of the fundamental law. These have been the builders' frames basic to the structure and form of government and have served as guaranty reservoirs for repose of the liberties of the people. Historically they mark the constitutional revolution of America from authority granted downward in concessions of Colonial charters of privileges to the spring of popular sovereignty with reservation of liberty in the Bill of Rights.

Part 2 includes journals of the proceedings of constitutional conventions, and Part 3, constitutional convention debates. Part 4, constitutional convention papers, contains various file papers and committee drafts sometimes preserved but seldom published. The constitutional convention is the primary assembly of representatives of the people where sovereignty, the constitution making power infinitely divisible in its make-up, is channeled into a unity of action - the great contribution of America to the science of the body politic.

Part 5 includes the proceedings and reports of constitutional commissions and councils of censors, occasional bodies doing the spade work for constitutional revision. Part X provides a catch-all for miscellaneous materials that do not fit into one of the regular parts.

Location symbols show that first, the Library of Congress and second, the New York Public Library furnished the largest number of printed materials making up Class C and that the remainder was contributed widely by holders throughout the states. This class contains a substantial body of unpublished material and a number of journals of little known conventions. These should form an additional source of considerable importance to the constitutional historian as the Constitution of America becomes fully annotated. Due to the limited amount of material contained in Class C for each of the states as compared with the other regular classes, it will be feasible, in most cases, to arrange all of the parts for a state on a composite reel. The reel symbol, therefore, will contain only "C," the reel number and its inclusive dates. The materials will be grouped on the reel chronologically.

In Class C the regular scheme of placing part symbols with the units or entries has been altered. Instead there are captions in the tables of contents for each constitutional convention with its inclusive dates, and under these captions, without differentiating part symbols, the various parts of Class C are arranged in numerical order.

Official Publications Relating to American State Constitutional Conventions published by the University of Chicago Libraries has been the principal guide in compiling Class C.

CLASS D. ADMINISTRATIVE RECORDS. Class D includes records of the administrative departments in state governments. The clear-cut functional division existing between the executive, legislative and judicial branches of government does not differentiate the activities of the administrative offices. In addition to records of strictly administrative agencies this classification includes publications issuing from the executive and legislative divisions which contribute to the hybrid nature of this grouping of reports. Class D is subdivided into four parts: Part 1, Collected Public Documents; Part 2, Reports and Papers of Permanent Agencies; Part 3, Publications and Papers of Temporary Agencies; and Part X, Miscellany.

Part 1 contains varied types of executive, administrative and legislative documents as they were collected and issued in bound serial form by the states. One main category of these documents includes the messages of the executives and gathers up the annual or biennial reports of administrative officers, departments, boards, commissions, institutions, etc. The other consists of committee reports, hearings, resolutions and miscellaneous papers submitted during a session which the legislatures order to have printed. In state government Collected Public Documents are the counterpart of the Serial Set issued by Congress. They embody some of the most valuable and varied sources of material available for research in government and politics. This set has the greatest volume of any of the series in the collection although some states never issued a collected document series and other states discontinued their publication after a short period. In many cases important documents not obtainable in any other form are included in Collected Public Documents.

The origin and development of Collected Public Documents as a published series in the states is important. From the earliest colonial times the regular message of the governor was the occasion for transmitting to the assembly documents that had accumulated in the executive office, along with various kinds of reports. The clerk collected these and added them at the end of the journal volume. As the administrative structure of the states expanded, the number of separately reporting agencies multiplied and the appendices became quite bulky. In time it was necessary to print the appendix as a separate volume. In the 1830's the states began to issue a regular series of documents printed separately from the journals. Each of the states has published such a series for varying periods except Arizona, Delaware, Georgia, Idaho and Oklahoma.

Due to the great volume of materials contained in Collected Public Documents, it has not been feasible, so far, to extend the microfilm program to a comprehensive coverage of the field. The work has been limited to supplementing the large document depositories of the country. This resulted in copying the early periods and in filling gaps when the copies are now rare items. Terminal supplements can be added as a broader objective and may appear desirable later.

Part 1 has been arranged with less precision than the other printed series. This has been due to the fact that the materials do not lend themselves to exactness of arrangement. It is difficult to check these collections for omissions because of the variations in format and irregularities in document numbering and in pagination. In many cases the only integrity of a volume of Collected Public Documents is a loose binding thrown around a group of unnumbered reports.

From time to time states have issued companion series of collected documents. In such cases Executive Documents will be indicated by D.11 and Legislative Documents by D.12. When a companion series was printed for each house of the legislature, Senate Documents will be indicated by D.12a and House Documents by D.12b.

Location symbols in the tables of contents show that the Library of Congress, the Massachusetts State Library, the Library of the University of North Carolina and the New York State Library, in that order, furnished most of Part 1 and that a number of State Libraries contributed for particular states. *Collected Public Documents--A Check List* was published by the National Association of State Libraries and prepared in conjunction with this work.

Part 2 includes the same type of material as Part 1. The plan has been to reconstruct from the ephemeral issues of many separate agencies a collected documents series for a period prior to the actual binding of the material in collected form. The purpose is to arrange the sets of reports and papers of each agency on individual reels. In cases of certain long established agencies, materials will be sufficient in volume to warrant their arrangement on individual reels. In such cases, separate classification numbers are assigned to the reports of each agency: D.21, Governor's messages and proclamations; D.22, Auditor; D.23, Comptroller; and D.24, Treasurer. In order to present the record of the fiscal officers prior to the time of printed reports, original reports in manuscript and ledger account books have been copied. The reports of all other departments, boards, institutions and commissions are grouped under D.25 with lower case letters to designate each type of agency, e.g., D.25i for Internal Improvements as the arrangement outline will indicate. When the reports and papers of an agency are not sufficient in volume to warrant their arrangement on an individual reel, the materials of a number of such agencies may be consolidated on a reel or reels having the identification symbol D.2. In such cases, the classification for each agency will appear under the unit number, or with each individual entry if the materials of more than one agency are given under a single unit. Although D.2 is confined generally to administrative records, materials logically belonging to Class X or Part X of any of the classes may be included in order that miscellaneous ephemeral material may not become fugitive within the collection. Whenever the consolidated materials of D.2 for an inclusive period require more than a single reel, such reels will be numbered "1a," "1b," etc.

Part 3 will include a grouping of the publications and papers of temporary agencies when the volume of material is sufficient to organize a reel; otherwise Part 3 may be combined with Part 2. Part X provides a catch-all for miscellaneous materials that do not fit into one of the three parts. Materials contained in Parts 2 and 3 were furnished for each state principally by the State Library and a number of university libraries. The Library of Congress and the New York Public Library contributed the largest number of items for all states. The Bancroft Collection at the University of California and the Coe Collection at Yale contributed most for the western states. The *American Imprints Inventories* have been valuable aids in locating materials for Part 2 and Part 3.

CLASS E. EXECUTIVE RECORDS. Class E contains records of the executive department of government as it has been organized under the traditional principle of a three-fold separation of powers. The class is subdivided into five parts: Part 1, Executive Department Journals; Part 2, Governor's Letterbooks and Papers; Part 3, Secretary's Journals and Papers; Part 4, Proceedings of Extraordinary Executive Bodies; and Part X, Miscellany. The division into parts is based on a distribution of the executive function among the various officers and bodies that have carried on the work of the department from time to time.

Part 1 contains the journals that have recorded the day by day exercise of the executive authority. These were kept in the form of large manuscript ledgers and in only a few cases have they been printed at a later time. In the colonial period they took the form of a record of the Governor and Council sitting in an executive capacity and contain a breadth of information due to the general advisory and limiting capacity of the Council. Organically the Governor and Council of the colonial period represented a fusion of the functions of the executive, legislative and judicial powers. Usually the record of these different functions was segregated in separate journals. In some cases, however, the union of functions is demonstrated by the interspersion of records of the executive, the legislative and, even at times, the judicial functions on pages of the same ledger. Such cases offer a practical problem in the classed arrangement scheme and necessitate a combination reel symbol E.1 and A.1a, and/or F.1. In some cases during the transition period from colony to state this body continued as a Provincial Council.

In most of the states after independence the Council lost its significance as an integral part of the executive organ and became a perfunctory body. In accord with the Revolutionary distrust of the colonial Governor, the framework of government provided in the first state constitutions placed a predominance of authority on the legislature by conferring much of the traditional executive power upon that organ. Gradually, a balance of power was attained and an independent executive department with a responsible head freed from legislative control evolved.

In some of the New England states, however, a virile Council was carried over into statehood and continued to play an important role as an organ of administration as that fourth function of government began to develop and expand. Likewise, during the first stage of the government of the western territories, before provision was made for an elective legislative assembly, a union of legislative, judicial and executive powers was vested in an appointive Governor and Judges. Their journals also show that certain administrative duties were conferred upon and exercised by them.

Part 1 of Class E affords a series where the records of all of the incidents of the executive authority were kept in a general ledger. Part 1a segregates in the same journal the Governor's official messages to the legislature wherein he regularly surveyed conditions in the state and made proposals for reform. As a matter of convenience, in many cases the printed series of messages will be included under Part 1a, but in other cases these will be grouped under Class D along with reports of administrative agencies. Part 1b segregates in a single journal or in a printed series the Governor's proclamations. Part 1c carries a record of the Governor's appointments and commissions. Part 1x includes miscellaneous functions of the executive office such as pardons, requisitions, etc., and cases in which a number of functions are combined in the same record book. E.1x also includes records in the form of miscellaneous papers of the executive department.

Part 2 of Class E includes the Governor's official letterbooks and his miscellaneous correspondence and papers when such correspondence was kept in a separate series rather than in a general executive journal. When there are a series of transcribed letterbooks and a series of loose or mounted papers, the identification symbol for the first will bear lower case "a" after Part 2 and the second lower case "b."

Part 3 contains the records of the Secretary of the colony, territory or state such as journals or miscellaneous papers in book form. If both series are found in the same jurisdiction, lower case "a" following the part number will designate the first and lower case "b" the second. Originally, the Secretary's functions were primarily executive as he was closely associated with the Governor and often acted for him in his absence. As time passed, however, many of his duties became administrative and eventually a separate department of state developed.

Part 4 includes the proceedings and reports of extraordinary bodies which have exercised executive authority on occasions such as Interim Committees of the Revolutionary period or Boards of War created for emergency purposes.

Part X provides a catch-all for miscellaneous executive records that do not fit into one of the regular categories.

Materials forming Class E consist almost entirely of manuscript records and the technique of their arrangement has been mainly archival. Location symbols in the table of contents show that Class E has been furnished largely by the official archive departments of the states and from the holdings of a number of historical societies. Individual items, however, have been contributed by various libraries and private collections.

CLASS F. COURT RECORDS. Class F consists of the records of the judicial branch of the state governments. The court records were the last of the groups to be added to the expanding program of the project. It is the least complete of the six regular classes and therefore offers the largest opportunity for future supplements.

At this time the records of the courts of the colonial period of North Carolina and the Supreme Courts of many of the western territories have been microfilmed. Plans have been made to copy a large body of records of the courts of colonial Maryland and it is hoped in the course of time that similar programs can be arranged on a comprehensive scale in other states. The archives of the courts, almost entirely in unpublished form, are a valuable source of legal and historical material. In some cases they are the only existing archives where executive and legislative records have been destroyed by fire or flood or through the negligence of custodians.

Because of the incompleteness of this collection it is difficult to plan the expansion of Class F into exact subdivisions. It seems advisable, therefore, to prepare a tentative Arrangement Outline which will be subject to readjustment as the work progresses. As more is learned about the varied functions of the court systems and their organization at different periods and in different jurisdictions, it will be possible to classify the records and assign them to particular catagories.

Part 1 consists of the records of appellate courts; Part 2 contains the records of courts of general original jurisdiction. Part 3 includes the records of Admiralty Courts and Part 4 consists of the records of Chancery Courts - courts operating under peculiar forms of judicial procedure and applying specialized bodies of substantive law. Part 5 includes the records of various courts of specialized jurisdiction. Part X provides a catch-all for judicial materials of a miscellaneous nature, such as charges to grand juries, court rules of procedure and legal forms, and treatises on court organization and functions.

Within each of the five regular parts of Class F the materials may be separated uniformly into three sections: Court Minutes, Court Dockets and miscellaneous File Papers relating to the cases. When these three types of records are grouped on the same reel or when they appear in sequence on consecutively numbered reels, the reel symbol contains the part number only. The section number designating the type of records, e.g., F.12, F.13 or F.14, etc., appears below the unit number in the table of contents. When two or more parts are so arranged on one or more composite reels, the symbol bears only the class letter F. The part number appears below the unit number; the section number is indicated to the left of the individual entry.

Location symbols in the table of contents show that Class F has been furnished largely by the archives of the courts, but some of the records have been contributed by the official state archives departments and a few have come from other sources.

Terminal extensions made to the parts of any of the classes in the future will continue the regular order of numbering the reels of the series involved. A collateral series added will be indicated in the identification symbol following the part number by lower case "s"; reels preliminary to the present beginning dates of a series will be indicated by lower case "p." When both preliminary and collateral materials are arranged on the same reel, the identification symbol will contain lower case "p:s." In cases in which the additions will fill gaps at present intervening within a series of consecutively numbered reels, lower case "a," "b," etc. will follow the reel number so that the material may be placed in its proper chronological progression.

When duplicate records or materials of a similar kind are allocated to the same numbered part and appear on consecutively numbered reels within overlapping periods of years, ".1," ".2," etc. will follow the reel numbers in order to show date progression. In states where there are two or more companion series of records running concurrently over the same period of years in any of the parts, the materials will be arranged on separate series of reels and lower case "a," "b," etc. will be assigned to the part number.

Principles of logic cannot be followed strictly in grouping certain types of materials on some of the reels due to practical factors involved in their physical assembly. Economy and facility in printing, cataloging, shelving and marketing the reels and use of the material by students dictate a hundred feet as the practical length of a standardized reel of microfilm. The retention of association of materials within their proper holding collections, the identification of their original issuing authority, and the inclusion and preservation of stray items and hybrid materials present additional problems in making up individual reels. These considerations have required a continuing readjustment of the arrangement scheme to meet new situations and to allow for contingencies arising in future preparation of reels. Notes and cross references in the tables of contents are being used as aids in locating and correlating materials which may logically appear to be displaced from a normal order. These are carried forward in the *Guide*. In time a general index of the collection will provide a more adequate finding tool.

The materials on the film can be identified with contributors by checking their symbols against the list of holders in the *Guide*. The make up of the holders' symbols follows, with one exception, the plan used by *Location Symbols for Libraries in the United States*, published by the Historical Records Survey. In order to differentiate between library and archive holdings, the regular letters of the symbol are followed by - Ar, i.e. Nc-Ar for North Carolina Department of Archives and History. In addition to the many libraries and archives that have given access to microfilm their holdings, others have furnished microcopy of their materials. Thus the Public Record Office contributed a significant complement in microfacsimile from the British public records to fill an hiatus in the account of our colonial origins which had existed in American archives. The New York Public Library, Harvard University and the Henry E. Huntington Library have supplied large orders of microfilm and many others occasional orders of microfilm and photostatic copies during the last nine months after field trips were discontinued. In this way it has been possible to obtain many splices needed to remove [W]s and complete reels. Of great assistance during recent months, also, has been the cooperation of a number of libraries in making loans of their holdings so that the microfilming could be done in the photoduplication laboratory. The Massachusetts State Library, the New York State Library, the Pennsylvania State Library and Duke University in that order have sent the largest shipments, and many other libraries and individuals have sent occasional items that were needed.

William J. Kimmel, photographer of the initial Legislative Journals Microfilm Project, through his initiative and resourcefulness, contributed greatly toward the working out of a system of extensive microcopy collecting. He has continued to serve the project as liaison in coordinating the editorial phase of the work with those phases done in the laboratory. James C. Hiatt served as photographic assistant during the summer and fall of 1946 on the long field trip to the West Coast. Benjamin R. Wilkinson in like capacity made the trip to New England in July and August of 1947. Peter F. Long assisted with the work from September 1947 until September 1948 making the long trip through the Midwest and Southwest, back through the South, up the Atlantic Seaboard, and later through the Middle Atlantic States, New England and across the Old Northwest as far as Dakota. Wallace C. Wade served as photographer on a number of short make-up trips during the last year of the project. Much credit for the productive success of the field work is due to the devotion, energy, endurance and efficiency with which these companions of the road performed their tasks. Lena H. Slevin microfilmed most of the material copies in the laboratory and Alice Rami microfilmed and attached the leaders and trailers to the completed reels.

William R. Pullen has been an operations manager for the workshop and has effected a smooth coordination with phases of the work done in the laboratory. He has made a definite contribution in working out methods of procedure and in maintaining a close control over the various phases of operations. Pauline E. Pullen has worked most closely with the director throughout the entire assembly and editorial phases of the project. She has supervised various stages of the work from that of preparation of materials for microfilming, proofreading of the exposed film, through physical assembly of make-up reels to the preparation of tables of contents for the reel leaders. Her contribution has been in the development of techniques of assembling and splicing together make-up reels and working out the forms and filling in data in the tables of contents. Her intimate attention to detail has resulted in both accuracy and excellence of the work that she has done. She has gathered information and descriptive data from the record books of the project and checked this against the film itself in order to prepare the tables of contents for the leaders and then channel it on for use in the preparation of the *Guide*. Mrs. Pullen assembled and arranged the materials on the film and prepared the tables of contents for Class B and Class C, and the latter class was completed almost entirely during the director's absence. Mr. Pullen performed a similar job for Classes E and F, and the two collaborated on Class A. Class D was prepared by the director.

Mr. C. H. McDougall drew the reel symbols which are the identification exposures at the beginning of the leaders. Miss Betty Anne Siegfried typed the material for the *Guide*. During the past eighteen months, additional personnel has served the project, and the director expresses his gratitude for the assistance of each.

CLASS L. LOCAL GOVERNMENT RECORDS. Class L, the first of the five special classes, is divided into two parts: Part 1, City Records, and Part 2, County Records. Here, as in the case of Court Records, the coverage is limited at the present time and merely suggests the possibilities and values of a comprehensive exposure of the records of local units of government. Since the city and the county were the historical springs of population in the settlement of the country, their archives contain many of the organic roots which were transplanted and grew elsewhere in the constitution of government as the nation expanded. Local archives in some cases contain the soil through which the seed of organic growth stemmed as local units expanded into a state unit of government.

CLASS M. RECORDS OF AMERICAN INDIAN NATIONS. Class M includes Part 1, Records of the "Five Civilized Tribes," and Part 2, Records of Indian Relations with the Colonies and States.

Part 1 delineates the international records of the constituted governments of Indians through their treaties, conventions and councils; it is divided, by function, into the records of the operation of the governments of the Cherokee, the Chickasaw, the Choctaw, the Creek (or Muskogee) and the Seminole. These records are the best example in

Anglo-American history of the adaptation of our constitutional and legal system by the native and reflect the influence of the body of Anglo-American law on the development of native institutions. Indeed, their pattern of executive, legislative, judicial and administrative structure of government was a copy of those of the states. The efficiency with which it operated, as indicated by the systematic records they kept, suggests a distinctive contribution and a lesson in the science of government.

Part 2 contains the record of the official relations of our governments with the Indian tribes over the span of American history as conflicts arose over land, commerce and authority and as their treks and peregrinations embroiled them in our westward movement.

CLASS N. NEWSPAPERS. Class N affords a place in the scheme of arrangement for a source that is the only extant carrier of certain official records. A close alliance of the newspaper collation is made with the regular and special classed series of documents so that by cross reference these exclusive records may be correlated.

CLASS R. RUDIMENTARY STATES AND COURTS. Class R includes Part 1, Rudimentary States, and Part 2, Rudimentary Courts, and collects the records of those organized bodies that have possessed at sometime during American history the rudiments of operating governments. Part 1 presents a myriad of forms, sometimes abortive in attempt, sometimes preorganic in life--here revolutionary in design, and there rival in status --usually extra legal in origin but always transitory in existence, e.g., forming a "Mayflower Compact," a bill of rights, or a constitution of government. Collectively, these phantom governments moving through the past have been expressions of the political genius of the American people for self-government when removed beyond the pale of constituted authority.

Part 2 centers on the mining districts throughout the West, in which organized groups of miners legislated in primary "Town Meeting" fashion and established courts for the administration of civil and criminal justice. The records of these bodies reveal the need for the protective controls of government by individuals in the wilderness. Their codes of laws and regulations constitute an indigenous contribution to the American system of law.

CLASS X. MISCELLANY. Class X is designed as a miscellany to hold various types of materials many of which overflow from the other classes. It makes provision for additional materials issued under authority of the states and for non-official material about the states. It includes census reports of the states, many of which antedate the Federal census. These are valuable for studies of population movements and the settlement of the frontier. It also contains the records of the corporate land companies and the proprietaries, offshoots of the early English trading companies and bodies exercising quasi-political powers, which played an important part in the settlement of certain regions of the country. Much of this will show the points of impact of foreign races and languages on our system of government and the coalescence of their ethnic and cultural influences in the rise of American civilization. Here may be mapped out a study of the Nation's ethnography. The Miscellany will also include a category of early Americana, rare book imprints gathered from widely scattered sources. And finally, broadsides will be isolated within the Miscellany. The broadside and the broadsheet, precursors of the newspaper, were the earliest carriers of official information and continued to be a principal form of official publication through the period of colonial printing. In them is revealed a wealth of colonial history relating to the many political currents that swept into the formation of the Union.

It does not appear feasible at this time to arrange and present as independent classes the material assigned to the special classes. Additional collecting in the field and further bibliographical research will be necessary before these less regular records can be prepared in an orderly and definitive manner as integrated classes. During the course of preparation of the regular classes, however, adjustments of the arrangement scheme have permitted the salvage of many special materials that otherwise would have remained for a time in a state of repose unavailable for use. These materials have been tied into various reels of the regular classes with their classification identity being preserved by unit or entry symbols. Class D.2 has been used to serve as a general carrier of miscellaneous items and Class D.25 as a carrier of series of records of special bodies. For example, the records of land companies and the proprietaries, quasi-governmental bodies, were lifted entirely from Class X and placed under D.25 1a. In the meantime Class X will continue to cumulate miscellaneous records and serve as a reservoir from which additional material may be lifted from time to time and assigned to a regular class. Already a new regular class is indicated - Class G, Intergovernmental Records. This class would include records of the colonial attempts at confederation and union, commercial agreements, Indian treaties, boundary disputes, etc., and would carry over into interstate compacts and relationships under the constitution.

The addendum section of the microfilms is in the nature of a heterogeneous supplement to the first edition of the six regular classes. It is composed of two groups of materials. The first will include new materials that are not entered in the *Guide* under any of the regular classes; the second will consist of [W] entries in the *Guide* which have been copied and added to the collection too late to be spliced into the original reel. The addendum will be arranged into separate reels alphabetically by states and within each state alphabetically by classes and numerically by parts to the extent that the materials are sufficient to constitute a reel of reasonable length. Thus a single reel may combine materials of all parts of a class or of all classes for a single state in order to make up a single reel. Where the composite reel includes a number of classes, A is used as a generic symbol. The make-up of the reel symbols will follow the regular scheme. Where the addendum materials of a state are insufficient to form a single composite reel, a number of states will be grouped in the same order on the same reel. These reels will consist of individual [W] entries, splices for missing pages and short length new materials. The reel symbol will be Ad, the reel number and the states included on the reel, i.e. Ala.-Nev. At later times a group of *lacunae* may be arranged into supplementary reels, as Ads.

KEY TO LOCATION SYMBOLS

In order to secure perfect copies of some items on the microfilm, it has been necessary to film parts of two copies from different locations. The joint holders are indicated by a dash between the symbols, i.e., MHL - DLC.

Unique items are indicated by a -1 following the symbol for the holders, i.e., MHL-1.

ALABAMA

AB-Brantley	Birmingham	Collection of Mr. William H. Brantley, Jr.
AB	Birmingham	Public Library
A-Ar	Montgomery	Department of Archives and History
A-SC	Montgomery	Supreme Court Library

ARIZONA

Az	Phoenix	Department of Library and Archives
Az-Secy.	Phoenix	Secretary of State
Az-S-Ed	Phoenix	Superintendent of Public Education
Az-S-Ar	Phoenix	Supreme Court Archives
AzPrHi	Prescott	Sharlot Hall, Historical Society of Arizona
AzTP	Tucson	Arizona Pioneers Historical Society
AzU	Tucson	University of Arizona Library

ARKANSAS

ArU	Fayetteville	University of Arkansas Library
ArHi	Little Rock	Arkansas History Commission
Ar-Secy.	Little Rock	Secretary of State

CALIFORNIA

CU	Berkeley	University of California Library
CU-B	Berkeley	---- Bancroft Library
CU-L	Berkeley	---- Law Library
CLCM	Los Angeles	Los Angeles County Museum Library
CLSM	Los Angeles	Southwest Museum Library
CLU	Los Angeles	University of California at Los Angeles

KEY TO LOCATION SYMBOLS

CALIFORNIA-Continued

C-Ar	Sacramento	California Archives
C	Sacramento	California State Library
CSmH	San Marino	Henry E. Huntington Library
CSt	Stanford University	Stanford University Library

COLORADO

CoBo-Bunzel	Boulder	Collection of Mr. P. M. Bunzel
CoCe	Central City	Clerk and Recorder, Gilpin Co.
CoHi	Denver	Colorado Historical Society Library
CoD	Denver	Denver Public Library
Co-Gov	Denver	Executive Archives
Co-Secy.	Denver	Secretary of State
Co-SC	Denver	Supreme Court Library
CoGe	Georgetown	Clerk and Recorder, Clear Creek Co.
CoG	Golden	Colorado School of Mines

CONNECTICUT

CtHi	Hartford	Connecticut Historical Society Library
Ct	Hartford	Connecticut State Library
Ct-Secy.	Hartford	Secretary of State
CtY	New Haven	Yale University Library
CtY-Coe	New Haven	---- Coe Collection
CtY-L	New Haven	---- Law School Library
CtSoP	Southport	Pequot Library

DELAWARE

De	Dover	Delaware State Library
De-Ar	Dover	Public Archives Commission
DeHi	Wilmington	Historical Society of Delaware Library
DeWI	Wilmington	Wilmington Institute Free Library

DISTRICT OF COLUMBIA

DLC	Library of Congress
DNA	National Archives
DS	U. S. Department of State Library
DE	U. S. Office of Education Library
DSG	U. S. Surgeon General's Office

KEY TO LOCATION SYMBOLS

FLORIDA

FU	Gainesville	University of Florida Library
FU-Yonge	Gainesville	---- Yonge Library of Florida History
FHi	St. Augustine	Florida Historical Society
FSaHi	St. Augustine	St. Augustine Historical Society
F	Tallahassee	Florida State Library
F-Ar	Tallahassee	Florida State Library, Archives Department
F-S-Ar	Tallahassee	Supreme Court Archives
F-Secy.	Tallahassee	Secretary of State

GEORGIA

GU	Athens	University of Georgia Library
GU-De	Athens	---- DeRenne Collection
G	Atlanta	Georgia State Library
G-Ar	Atlanta	Department of Archives and History
G-Secy.	Atlanta	Secretary of State
GAu-Ord	Augusta	Ordinary's Office, Richmond Co.
GEU	Emory	Emory University Library
GHi	Savannah	Georgia Historical Society Library

IDAHO

IdB-Stewart	Boise	Collection of Mr. Henry C. Stewart
IdHi	Boise	Idaho Historical Society
Id-L	Boise	Idaho State Law Library
Id-Secy.	Boise	Secretary of State

ILLINOIS

ICHi	Chicago	Chicago Historical Society Library
ICU	Chicago	The University of Chicago Library
ICU-L	Chicago	---- Law Library
IHi	Springfield	Illinois State Historical Library
I	Springfield	Illinois State Library
I-Ar	Springfield	---- Archives Division
I-S-Ar	Springfield	Supreme Court Archives
IU	Urbana	University of Illinois Library

INDIANA

In-SC	Indianapolis	Indiana Law Library
In	Indianapolis	Indiana State Library
In-Ar	Indianapolis	---- Archives Division
InI	Indianapolis	Indianapolis Public Library

KEY TO LOCATION SYMBOLS

IOWA

Ia	Des Moines	Iowa State Library
Ia-Ar	Des Moines	State Department of History and Archives
Ia-S-Ar	Des Moines	Supreme Court Archives
IaHi	Iowa City	State Historical Society of Iowa Library

KANSAS

K	Topeka	Kansas State Library
KHi	Topeka	State Historical Society Library

KENTUCKY

KyHi	Frankfort	Kentucky Historical Society Library
Ky	Frankfort	Legislative and Law Library
KyU	Lexington	University of Kentucky Library
KyL-Bullitt	Louisville	Collection of Mr. William Marshall Bullitt
KyLoF	Louisville	Filson Club Library

LOUISIANA

LU	Baton Rouge	Louisiana State University Library
LU-Ar	Baton Rouge	---- Archives
LN-BP	New Orleans	Bibliotheca Parsoniana
LN-Ar	New Orleans	City Archives
LN-Fed.Dist.Ct.-Ar	New Orleans	Federal District Court Archives
L	New Orleans	Louisiana State Library
LNSM	New Orleans	Louisiana State Museum Library
LN	New Orleans	Public Library
LNT	New Orleans	Tulane University Library
LNT-Favrot	New Orleans	---- Favrot Collection

MAINE

Me	Augusta	Maine State Library
Me-Secy.	Augusta	Secretary of State
MeHi	Portland	Maine Historical Society Library

MARYLAND

Md-Ar	Annapolis	Hall of Records
Md	Annapolis	Maryland State Library

KEY TO LOCATION SYMBOLS

MARYLAND-Continued

MdB-Garrett	Baltimore	Johns Hopkins University Library, John Work Garrett Library
MdBD	Baltimore	Maryland Diocesan Library
MdHi	Baltimore	Maryland Historical Society

MASSACHUSETTS

MBAt	Boston	Boston Athenaeum
MB	Boston	Boston Public Library
MHi	Boston	Massachusetts Historical Society Library
M-Ar	Boston	Massachusetts State Archives
M	Boston	Massachusetts State Library
MH	Cambridge	Harvard University Library
MHL	Cambridge	---- Law School Library
MWA	Worcester	American Antiquarian Society Library

MICHIGAN

MiU-L	Ann Arbor	University of Michigan, Law School Library
MiD-B	Detroit	Burton Historical Collection
MiD	Detroit	Public Library
Mi	Lansing	Michigan State Library
Mi-Secy.	Lansing	Secretary of State

MINNESOTA

MnU-L	Minneapolis	University of Minnesota, Law School Library
MnHi	St. Paul	Minnesota Historical Society Library
Mn	St. Paul	Minnesota State Library
Mn-S-Ar	St. Paul	Supreme Court Archives

MISSISSIPPI

Ms-Ar	Jackson	Department of Archives and History
Ms	Jackson	Mississippi State Library
MsN-Chan.Ct.	Natchez	Office of Clerk of Chancery Court
MsU	University	University of Mississippi Library
MsWJ	Washington	Jefferson College Library

MISSOURI

MoHi	Columbia	State Historical Society of Missouri Library
Mo	Jefferson City	Missouri State Library
Mo-Secy.	Jefferson City	Secretary of State
Mo-S-Ar	Jefferson City	Supreme Court Archives
MoSL	Saint Louis	Law Association of Saint Louis Library

KEY TO LOCATION SYMBOLS

MISSOURI-Continued

MoSHi	Saint Louis	Missouri Historical Society Library
MoSM	Saint Louis	Saint Louis Mercantile Library
MoS	Saint Louis	Saint Louis Public Library

MONTANA

MtHi	Helena	Historical Society of Montana Library
Mt	Helena	Montana State Law Library
Mt-Secy.	Helena	Secretary of State

NEBRASKA

Nb-Secy.	Lincoln	Secretary of State
NbHi	Lincoln	State Historical Society Library
Nb-S-Ar	Lincoln	Supreme Court Archives
NbU	Lincoln	University of Nebraska Library
NbO	Omaha	Public Library

NEVADA

NvC-Sanford	Carson City	Collection of Mr. George Sanford
Nv	Carson City	Nevada State Library
Nv-Secy.	Carson City	Secretary of State
NvHi	Reno	Nevada Historical Society
NvU-Mines	Reno	University of Nevada, School of Mines

NEW HAMPSHIRE

NhHi	Concord	The Historical Society
Nh	Concord	The State Library

NEW JERSEY

NjMo-Streeter	Morristown	Collection of Mr. Thomas W. Streeter
NjP	Princeton	Princeton University Library
Nj-Ar	Trenton	New Jersey Archives
Nj	Trenton	New Jersey State Library
Nj-Secy.	Trenton	Secretary of State

NEW MEXICO

NmU-Ar	Albuquerque	University of New Mexico Archives
NmU	Albuquerque	University of New Mexico Library
NmHi	Santa Fe	Historical Society of New Mexico
NmStM	Santa Fe	Museum of New Mexico Library

KEY TO LOCATION SYMBOLS

NEW MEXICO-Continued

NmSt-U.S.Eng.	Santa Fe	Office of the United States Engineer, Archives of the Surveyor General
Nm-Secy.	Santa Fe	Secretary of State
Nm	Santa Fe	State Law Library
Nm-S-Ar	Santa Fe	Supreme Court Archives

NEW YORK

N-Ar	Albany	New York State Archives
N	Albany	New York State Library
NNB	New York City	Association of the Bar of the City of New York Library
NN-Hargrett	New York City	Collection of Mr. Felix Hargrett
NHi	New York City	New York Historical Society Library
NN	New York City	New York Public Library

NORTH CAROLINA

NcU-Jenkins	Chapel Hill	Collection of Mr. William S. Jenkins
NcU	Chapel Hill	University of North Carolina Library
NcU-SHi	Chapel Hill	University of North Carolina, Southern Historical Collection
NcD	Durham	Duke University Library
Nc-Ar	Raleigh	Department of Archives and History
Nc-Secy.	Raleigh	Secretary of State
Nc	Raleigh	State Library
Nc-S-Ar	Raleigh	Supreme Court Archives
Nc-SC	Raleigh	Supreme Court Library
NcWsM	Winston-Salem	Moravian Archives

NORTH DAKOTA

NdPI	Bismarck	Department of Public Instruction
Nd-Gov	Bismarck	Executive Archives
Nd-L	Bismarck	North Dakota State Law Library
Nd-Secy.	Bismarck	Secretary of State
NdHi	Bismarck	State Historical Society Library
Nd-S-Ar	Bismarck	Supreme Court Archives
NdU	Grand Forks	University of North Dakota Library
NdJI	Jamestown	Insane Asylum Library

OHIO

OCHP	Cincinnati	Historical and Philosophical Society of Ohio Library
OClWHi	Cleveland	Western Reserve Historical Society Library

OHIO-Continued

O-LR	Columbus	Legislative Reference Bureau
OHi	Columbus	Ohio State Archaeological and Historical Society Library
O	Columbus	Ohio State Library
OU	Columbus	Ohio State University Library
OCoSC	Columbus	Ohio Supreme Court Law Library
OFH	Fremont	Hayes Memorial Library

OKLAHOMA

OkBea-Tracy	Beaver	Collection of Mr. Fred C. Tracy
OkMu-Foreman	Muskogee	Collection of Mr. Grant Foreman
OkU	Norman	University of Oklahoma Library
OkOk-Wright	Oklahoma City	Collection of Miss Muriel H. Wright
OkHi	Oklahoma City	Oklahoma Historical Society
OkHi-Indian Ar	Oklahoma City	---- Indian Archives
Ok	Oklahoma City	Oklahoma State Library
OkPaw	Pawhuska	Osage Indian Agency Archives
OkT-Hargrett	Tulsa	Collection of Mr. Lester Hargrett
OkTG	Tulsa	Thomas Gilcrease Foundation Library

OREGON

OrHi	Portland	Oregon Historical Society Library
Or-Ar	Salem	Oregon Archives
Or	Salem	Oregon State Library
Or-Secy.	Salem	Secretary of State
Or-S-Ar	Salem	Supreme Court Archives
Or-SC	Salem	Supreme Court Library

PENNSYLVANIA

P-Ar	Harrisburg	Pennsylvania Historical and Museum Commission
P	Harrisburg	Pennsylvania State Library
PPAmP	Philadelphia	American Philosophical Society Library
PHi	Philadelphia	Historical Society of Pennsylvania Library
PPL	Philadelphia	Library Company of Philadelphia
PU-Curtis	Philadelphia	University of Pennsylvania Library, Curtis Collection

RHODE ISLAND

RPB	Providence	Brown University Library

KEY TO LOCATION SYMBOLS

RHODE ISLAND-Continued

R-Ar	Providence	Department of State
RPJCB	Providence	John Carter Brown Library
RHi	Providence	Rhode Island Historical Society Library
R	Providence	Rhode Island State Library

SOUTH CAROLINA

ScHi	Charleston	South Carolina Historical Society Library
Sc-Ar	Columbia	Historical Commission of South Carolina

SOUTH DAKOTA

SdHi	Pierre	Historical Society
SdYH	Yankton	State Hospital Library

TENNESSEE

T-Ar	Nashville	Tennessee Archives
THi	Nashville	Tennessee Historical Society
T	Nashville	Tennessee State Library

TEXAS

Tx-LO	Austin	State Land Office
Tx-S-Ar	Austin	Supreme Court Archives
Tx-Ar	Austin	Texas State Archives
Tx	Austin	Texas State Library
TxU-Ar	Austin	University of Texas Archives
TxU	Austin	University of Texas Library
TxDaHi	Dallas	Dallas Historical Society
TxSjMu	San Jacinto	San Jacinto Museum of History

UTAH

USlC	Salt Lake City	Church Historical Office, Church of Latter Day Saints
U-Secy.	Salt Lake City	Secretary of State
U-SC	Salt Lake City	Supreme Court Library
U	Salt Lake City	Utah State Library

VERMONT

VtU	Burlington	University of Vermont Library
VtU-W	Burlington	---- Wilbur Collection
Vt-Secy.	Montpelier	Secretary of State
VtHi	Montpelier	Vermont Historical Society
Vt	Montpelier	Vermont State Library

KEY TO LOCATION SYMBOLS

VIRGINIA

ViU	Charlottesville	University of Virginia Library
Vi	Richmond	Virginia State Library
ViW-Coleman	Williamsburg	Collection of Mrs. George P. Coleman

WASHINGTON

Wa-Secy.	Olympia	Secretary of State
Wa-L	Olympia	Washington State Law Library
Wa	Olympia	Washington State Library
WaU	Seattle	University of Washington Library

WISCONSIN

WHi	Madison	State Historical Society of Wisconsin Library
W-S-Ar	Madison	Supreme Court Archives

WYOMING

Wy-Secy.	Cheyenne	Secretary of State
WyHi	Cheyenne	State Historical Department
Wy	Cheyenne	Wyoming State Library

GREAT BRITAIN

BrMus	London	British Museum
PRO	London	Public Record Office

JOURNALS, MINUTES AND PROCEEDINGS

ALABAMA

General Assembly

Journal of the Legislative Council

A.la — Reel 1

Unit 1

1818 Jan. 19-Feb. 14 1st sess. 56, iv p.
DLC

1818 Nov. 2-21 2d sess. (Not found)

Journal of the Senate

Unit 2

1819 Oct. 25-Dec. 17 1st sess. 203 p.
1820 Nov. 6-Dec. 21 2d sess. 131 p.
1821* June 4-18 Call. sess. 62 p.
1821 Nov. 5-Dec. 19 3d sess. 168 p.
A-SC - *1

Unit 3

1822* Nov. 18-Jan. 1 4th sess. 168 p.
1823** Nov. 17-Dec. 31 5th sess. 172 p.
1824 Nov. 15-Dec. 25 6th sess. 151 p.
1825 Nov. 21-June 14 7th sess. 168 p.
AB **A-SC - *1

Unit 4

1826* Nov. 20-Jan. 13 8th sess. 156 p.
1827 Nov. 19-Jan. 15 9th sess. 195 p.
1828 Nov. 17-Jan. 29 10th sess. 222 p.
AB - A-SC *AB-Brantley

Unit 5

1829 Nov. 16-Jan. 20 11th sess. 214 p.
1830* Nov. 15-Jan. 15 12th sess. 198 p.
AB *A-SC

Unit 6

1831* Nov. 21-Jan. 21 13th sess. 207 p.
1832 Nov. 5-15 Call. sess. 40 p.
1832** Nov. 19-Jan. 12 14th sess. 188 p.
AB *A-SC **AB - A-SC

A.la — Reel 2

Unit 1

1833 Nov. 18-Jan. 27 15th sess. 184 p.
1834* Nov. 17-Jan. 10 16th sess. 194 p.
1835 Nov. 16-Jan. 9 17th sess. 168 p.
A-Ar *AB

Unit 2

1836 Nov. 7-Dec. 23 18th sess. 128 p.
1837* June 12-30 Call. sess. 40 p.

ALABAMA-Continued

1837 Nov. 6-Dec. 25 19th sess. 136 p.
AB *A-Ar

Unit 3

1838* Dec. 3-Feb. 2 20th sess. 237 p.
1839 Dec. 2-Feb. 5 21st sess. 336 p.
A-Ar *AB-1

Unit 4

1840 Nov. 2-Jan. 3 22d sess. 320 p.
1841* Apr. 19-28 Call. sess. 76 p. MS.
1841 Apr. 19-28 Call. sess. 48 p.
BrMus-1 *A-Ar

Unit 5

1841 Nov. 1-Dec. 31 23d sess. 331 p.
BrMus-1

Unit 6

1842 Dec. 5-Feb. 15 24th sess. 387 p.
A-Ar

A.1a Reel 3

Unit 1

1843 Dec. 4-Jan. 17 25th sess. 286 p.
A-Ar

Unit 2

1844 Dec. 2-Jan. 27 26th sess. 320 p.
A-Ar

Unit 3

1845 Dec. 1-Feb. 5 27th sess. 299 p.
NcD

Unit 4

1847 Dec. 6-Mar. 6 1st bien. sess. 432 p.
A-Ar

Unit 5

1849 Nov. 12-Feb. 13 2d bien. sess. 501 p.
A-Ar

Unit 6

1851 Nov. 10-Feb. 10 3d bien. sess. 575 p.
DLC

Unit 7

1853 Nov. 14-Feb. 18 4th bien. sess.
342 p. DLC

A.1a Reel 4

Unit 1

1855 Nov. 12-Feb. 15 5th bien. sess.
372 p.
1857 Nov. 9-Feb. 8 6th bien. sess. 356 p.
DLC

Unit 2

1859 Nov. 14-Feb. 27 7th bien. sess.
411 p. DLC

ALABAMA-Continued

Unit 3

1861 Jan. 14-Feb. 9 1st call. sess. 115 p.
1861* Oct. 28-Nov. 11 2d call. sess. 70 p.
1861* Nov. 11-Dec. 10 1st ann. sess. [71]-247 p.

A-Aa *AB

Unit 4

1862 Oct. 27-Nov. 10 Call. sess. 65 p.
1862 Nov. 10-Dec. 9 2d ann. sess. [66]-238 p.
1863 Aug. 17-29 Call. sess. 72 p.
1863 Nov. 9-Dec. 8 3d ann. sess. [73]-252 p.
1864 Sept. 26-Oct. 7 Call. sess. (Not found)
1864 Nov. 14-Dec. 13 4th ann. sess. (Not found)

A-Ar

Unit 5

1865 Nov. 23-Feb. 23 Reg. sess. 359 p. AB

Unit 6

1866 Nov. 12-Feb. 19 Reg. sess. 423 p. DLC

A.1a Reel 5

Unit 1

1868 July 13-Aug. 12 Ext. sess. 158 p.
1868 Sept. 16-Oct. 10 Call. sess. [159]-239 p.
1868 Nov. 2-Dec. 31 Reg. sess. [241]-482 p.

A-Ar

Unit 2

1869 Nov. 15-Mar. 3 Reg. sess. 476 p. AB

Unit 3

1870 Nov. 21-Mar. 9 Reg. sess. 373 p. DLC

General Assembly

Journal of the House of Representatives

A.1b Reel 1

Unit 1

1818 Jan. 19-Feb. 14 1st sess. 180, iv p.
1818* Nov. 2-Nov. 21 2d sess. 120 p.

DLC *PHi

Unit 2

1819 Oct. 25-Dec. 17 1st sess. 203 p.
1820 Nov. 6-Dec. 21 2d sess. 132 p.
1821* June 4-18 Call. sess. 65 p.

A-SC *BrMus-1

Unit 3

1821* Nov. 5-Dec. 19 3d sess. 240 p.
1822 Nov. 18-Jan. 1 4th sess. 176 p.
1823 Nov. 17-Dec. 31 5th sess. 192 p.

A-SC *DLC

Unit 4

1824 Nov. 15-Dec. 25 6th sess. 172 p.
1825 Nov. 21-June 14 7th sess. 230 p.

AB

ALABAMA-Continued

Unit 5

1826 Nov. 20-Jan. 13 8th sess. 279 p.
1827* Nov. 19-Jan. 15 9th sess. 289 p.
A-SC *AB

Unit 6

1828 Nov. 17-Jan. 29 10th sess. 272 p.
AB

A.1b Reel 2

Unit 1

1829 Nov. 16-Jan. 20 11th sess. 296 p.
1830* Nov. 15-Jan. 15 12th sess. 274 p.
AB *A-SC

Unit 2

1831 Nov. 21-Jan. 21 13th sess. 246 p.
1832 Nov. 5-15 Call. sess. 48 p.
1832* Nov. 19-Jan. 12 14th sess. 224 p.
A-SC *AB

Unit 3

1833 Nov. 18-Jan. 17 15th sess. 246 p.
1834* Nov. 17-Jan. 10 16th sess. 197 p.
A-SC *AB

Unit 4

1835 Nov. 16-Jan. 9 17th sess. 209 p.
1836 Nov. 7-Dec. 23 18th sess. 200 p.
AB

Unit 5

1837 June 12-30 Call. sess. 91 p.
1837* Nov. 6-Dec. 25 19th sess. 208 p.
A-SC *AB

Unit 6

1838 Dec. 3-Feb. 2 20th sess. 296 p.
A-SC

Unit 7

1839 Dec. 2-Feb. 5 21st sess. 376 p. AB

A.1b Reel 3

Unit 1

1840 Nov. 2-Jan. 3 22d sess. 335 p.
(w: p. 299-304) A-SC

Unit 2

1841 Apr. 19-28 Call. sess. 80 p. MS.
1841* Apr. 19-28 Call. sess. 52 p.
1841** Nov. 1-Dec. 31 23d sess. 356 p.
A-Ar *BrMus-1 **A-SC

Unit 3

1842 Dec. 5-Feb. 15 24th sess. 472 p.
A-SC

Unit 4

1843 Dec. 4-Jan. 17 25th sess. 292 p.
A-SC

ALABAMA-Continued

Unit 5

1844 Dec. 2-Jan. 27 26th sess. 403 p.
A-SC

Unit 6

1845 Dec. 1-Feb. 5 27th sess. 507 p.
A-SC

Unit 7

1847 Dec. 6-Mar. 6 1st bien. sess. 29, 7-482 p.[1] (29 p., MS.)
A-Ar - AB-Brantley-1

A.1b Reel 4

Unit 1

1849 Nov. 12-Feb. 13 2d bien. sess. 559 p.
A-SC

Unit 2

1851 Nov. 10-Feb. 10 3d bien. sess. 586 p.
DLC

Unit 3

1853 Nov. 14-Feb. 18 4th bien. sess. 563 p.
DLC

Unit 4

1855 Nov. 12-Feb. 15 5th bien. sess. 648 p.
DLC

Unit 5

1857 Nov. 9-Feb. 8 6th bien. sess. 604 p.
DLC

A.1b Reel 5

Unit 1

1859 Nov. 14-Feb. 27 7th bien. sess. 543 p.
DLC

Unit 2

1861 Jan. 14-Feb. 9 1st call. sess. 198 p.
A-SC

Unit 3

1861 Oct. 28-Nov. 11 2d call. sess. 89 p.
1861 Nov. 11-Dec. 10 1st ann. sess. 90-296 p.
A-Ar

Unit 4

1862 Oct. 27-Nov. 10 Call. sess. 76 p.
1862 Nov. 10-Dec. 9 2d ann. sess. 77-273 p.
AB

1. This is an incomplete volume. Twenty-nine pages of the manuscript volume have been included for the missing p. 1-6 of the printed volume. All but the first two pages, p. [481]-482, of the index are missing.

ALABAMA-Continued

Unit 5

1863 Aug. 17-29 Call. sess. 67 p.
1863 Nov. 9-Dec. 8 3d ann. sess. [68]-266 p.
A-Ar

Unit 6

1864 Sept. 26-Oct. 7 Call. sess. 151-222 p. MS.
1864 Nov. 14-Dec. 13 4th ann. sess. 223-442 p.
MS. (w: p. 237-238)
A-Ar

Unit 7

1865 Nov. 23-Feb. 23 Reg. sess. 454 p. A-SC

Unit 8

1866 Nov. 12-Feb. 19 Reg. sess. 509 p. A-Ar

A.1b Reel 6

Unit 1

1868 July 13-Aug. 12 Ext. sess. 150 p.
1868 Sept. 16-Oct. 10 Call. sess. [151]-232 p.
1868 Nov. 2-Dec. 31 Reg. sess. [233]-493 p.
NcU

Unit 2

1869 Nov. 15-Mar. 3 Reg. sess. 584 p. DLC

Unit 3

1870 Nov. 21-Mar. 9 Reg. sess. 609 p. NcD

Unit 4

1899 May 2-17 Spec. sess. 70 p. DLC

ARIZONA

Legislative Assembly

Journals of the Council and House of Representatives

A.1a:b Reel 1

Unit 1

1864 Sept. 26-Nov. 10 1st Assy. 250, xviii p.
DLC

Unit 2

1865 Dec. 6-30 2d Assy. 258, [1] p. DLC

Unit 3

1866 Oct. 3-Nov. 6 3d Assy. 267, [2] p. DLC

Unit 4

1867 Sept. 4-Oct. 7 4th Assy. 261, [2] p. NcU

Unit 5

1868 Nov. 10-Dec. 16 5th Assy. 268, [4] p. Az

Unit 6

1871 Jan. 11-Feb. 20 6th Assy. 396 p. NcU

Unit 7

1873 Jan. 6-Feb. 14 7th Assy. 366 p. Az

ARIZONA-Continued

A.la:b Reel 2

Unit 1

1875 Jan. 4-Feb. 12 8th Assy. 341 p. Az

Unit 2

1877 Jan. 1-Feb. 9 9th Assy. 404 p. NcU

Unit 3

1879 Jan. 6-Feb. 14 10th Assy. 442 p. NcU

Unit 4

1881 Jan. 3-Mar. 12 11th Assy. 1053 p. NcU

A.la:b Reel 3

Unit 1

1883 Jan. 8-Mar. 8 12th Assy. 684 p. NcU

Unit 2

1885 Jan. 12-Mar. 12 13th Assy. 968 p. Az

Unit 3

1887 Jan. 10-Mar. 10 14th Assy. 652 p. NcU

A.la:b Reel 4

Unit 1

1889 Jan. 21-Apr. 10 15th Assy. 451 p. Az

Unit 2

1899 Jan. 16-Mar. 16 20th Assy. 903, 16 p. Az

ARKANSAS

General Assembly

Journals of the Legislative Council and House of Representatives

A.la:b Reel 1

Unit 1

1819 Enrolled bills. 21 p. MS. (C)
1820 Enrolled bills. 139 p. MS. (C)
Ar-Secy.

Unit 2

1820 Feb. 7-24 1st reg. sess. [18] p. MS. (Rough draft) (C)
1820 Oct. 2-23 Adj. sess. [18] p. MS. (Rough draft) (C)
1820 Feb. 7-24 1st reg. sess. 27 p. MS. (C)
1820 Oct. 2-5 Adj. sess. 28-58 p. MS. (C)
1821 Oct. 1-24 2d reg. sess. (Not found) (C)
1823 Oct. 6-31 3d reg. sess. 59-127 p. MS. (C)
1825 Oct. 3-Nov. 3 4th reg. sess. [56] p. MS. (C)
[W] 1825* Oct. 3-Nov. 3 4th reg. sess. 96 p. (C & H)

Ar-Secy. *ArU-1

ARKANSAS-Continued

Unit 3

1820 Feb. 7-24 1st reg. sess. [63] p. MS. (H)
(w: p. 60-63)
1820 Oct. 2-25 Adj. sess. [56] p. MS. (H)
1821 Oct. 1-24 2d reg. sess. (Not found) (H)
1823 Oct. 6-31 3d reg. sess. [47] p. MS. (H)
1825 Oct. 3-Nov. 3 4th reg. sess. [104] p. MS. (H)
Ar-Secy.

Unit 4

1827 Oct. 1-31 5th reg. sess. [93] p. MS. (C)
[W] 1827* Oct. 1-31 5th reg. sess. 119 p. (C & H)
1828 Oct. 6-22 Spec. sess. [51] p. MS. (C)
[W] 1828* Oct. 6-22 Spec. sess. 96 p. (C & H)
Ar-Secy. *ArU-1

Unit 5

1827 Oct. 1-31 5th reg. sess. [108] p. MS. (H)
1828 Oct. 6-22 Spec. sess. [55] p. MS. (H)
Ar-Secy.

Unit 6

1829 Oct. 5-Nov. 21 6th reg. sess. 294 p. (C & H)
DLC

Unit 7

1831 Oct. 3-Nov. 7 7th reg. sess. 328 p. (C & H)
DLC

A.1a:b Reel 2

Unit 1

1833 Oct. 7-Nov. 14 8th reg. sess. 249-469 p. MS. (C)
Ar-Secy.

Unit 2

1833 Oct. 7-Nov. 14 8th reg. sess. 236 p. MS. (H)
Ar-Secy.

Unit 3

1835 Oct. 5-Nov. 3 9th reg. sess. [136] p. MS. (H)
(An incomplete volume. Proceedings begin with Oct. 16.) The Council and House proceedings are also reported in the *Arkansas Advocate**, vol. 6, no. 27, Oct. 9; no. 31, Nov. 1, 1835.
Ar-Secy. *Ar-Hi

Journals of the Senate and House of Representatives

Unit 4

1836 Sept. 12-Nov. 8 1st reg. sess. 160 p. (S)
1836 Sept. 12-Nov. 8 1st reg. sess. 210 p. (H)
DLC

Unit 5

1837 Nov. 6-Mar. 5 Spec. sess. 474 p. (S & H) DLC

Unit 6

1838 Nov. 5-Dec. 17 2d reg. sess. 326 p. (S & H) DLC

Unit 7

1840 Nov. 2-Dec. 28 3d reg. sess. 512, 52 p. (S & H)
DLC

ARKANSAS-Continued

General Assembly

Journal of the Senate

A.1a Reel 3

Unit 1

1842 Nov. 7-Feb. 4 4th reg. sess. 338 p. DLC

Unit 2

1844 Nov. 4-Jan. 10 5th reg. sess. 291, 50 p. DLC

Unit 3

1846 Nov. 2-Dec. 23 6th reg. sess. 314 p. DLC

Unit 4

1848 Nov. 6-Jan. 10 7th reg. sess. 351, [1] p. DLC

Unit 5

1850 Nov. 4-Jan. 13 8th reg. sess. 452 p. DLC

Unit 6

1852 Nov. 1-Jan. 12 9th reg. sess. 573, 2 p. DLC

A.1a Reel 4

Unit 1

1854 Nov. 6-Jan. 22 10th reg. sess. 442, 365, [1] p. DLC

Unit 2

1856 Nov. 3-Jan. 15 11th reg. sess. 372, 418, [1] p. DLC

Unit 3

1858 Nov. 1-Feb. 21 12th reg. sess. 595, [1] p. DLC

A.1a Reel 5

Unit 1

1860 Nov. 5-Jan. 21 13th reg. sess. 951 p. DLC

Unit 2

1861 Nov. 4-18 Spec. sess. 111 p. MS.
1862 Mar. 5-22 Spec. sess. 113-156 p. MS.
1862 Nov. 3-Dec. 1 Spec. sess. 159-399 p. MS. Ar-Secy.

Unit 3

1864 Sept. 22-Oct. 2 Spec. sess. 65 p. MS. Ar-Secy.

Unit 4

1874 May 11-28 Spec. sess. 116 p. MS. Ar-Secy.

A.1a Reel 6

Unit 1

1874 Nov. 10-Mar. 5 20th reg. sess. 2 v. MS.
Nov. 10-Jan. 30 v. 1: 612 p. Ar-Secy.

Unit 2

Feb. 1-Mar. 5 v. 2: 337 p. Ar-Secy.

ARKANSAS-Continued

Unit 3

1875 Nov. 1-Dec. 10 Adj. sess. 340-684 p. MS. Ar-Secy.

A.1a Reel 7

Unit 1

1877 Jan. 8-Mar. 8 Reg. sess. 693 p. MS. Ar-Secy.

Unit 2

1879 Jan. 13-Mar. 13 Reg. sess. 2 v. MS.
Jan. 13-Mar. 4 v. 1: 471 p.
Ar-Secy.

Unit 3

Mar. 5-13 v. 2: 193 p. Ar-Secy.

A.1a Reel 8

Unit 1

1919 July 28-July 30 1st spec. sess. 20 p. Typescript.
1919 Sept. 22-Oct. 21 2d spec. sess. 5, 5, 21-238 p. Typescript.
Ar-Secy.

Unit 2

1920 Jan. 26-Feb. 21 3d spec. sess. 6, 7, 387 p. Typescript.
Ar-Secy.

Unit 3

1933 Aug. 14-24 1st spec. sess. 1, 1, 163 p. Typescript.
Ar-Secy.

Unit 4

1934 Apr. 9-12 3d spec. sess. 1, 1, 32 p. Typescript.
Ar-Secy.

A.1a Reel 9

Unit 1

1935 Jan. 14-Mar. 14 Reg. sess. 12, 5, 1010 p. Typescript.
Ar-Secy.

A.1a Reel 10

Unit 1

1941 Jan. 13-Mar. 13 Reg. sess. [32], 2200 p. Typescript.
Jan. 13-Mar. 3 1203 p.
Ar-Secy.

A.1a Reel 11

Unit 1

1941 Jan. 13-Mar. 13 Reg. sess. [32], 2200 p. Typescript.
Mar. 4-13 p. 1205-2142.
App. p. 2144-2200.
Ar-Secy.

General Assembly

Journal of the House of Representatives

A.1b Reel 3

Unit 1

1842 Nov. 7-Feb. 4 4th reg. sess. 334, 147 p. DLC

Unit 2

1844 Nov. 4-Jan. 10 5th reg. sess. 254, 192 p. DLC

Unit 3

1846 Nov. 2-Dec. 23 6th reg. sess. 307, 55 p. DLC

ARKANSAS-Continued

Unit 4

1848 Nov. 6-Jan. 10 7th reg. sess. 515 p.
DLC

Unit 5

1850 Nov. 4-Jan. 13 8th reg. sess. 467, xx p. tables.
DLC

A.1b Reel 4

Unit 1

1852 Nov. 1-Jan. 12 9th reg. sess. 536, 117 p.
DLC

Unit 2

1854 Nov. 6-Jan. 22 10th reg. sess. 456, 295 p.
DLC

Unit 3

1856 Nov. 3-Jan. 15 11th reg. sess. 589, 403 p.
DLC

A.1b Reel 5

Unit 1

1858 Nov. 1-Feb. 21 12th reg. sess. 896 p.
DLC

Unit 2

1860 Nov. 5-Jan. 21 13th reg. sess. 971 p.
DLC

A.1b Reel 6

Unit 1

1861 Nov. 4-18 Spec. sess. 156 p. MS.
1862 Mar. 5-22 Spec. sess. 165-232 p. MS.
1862 Nov. 3-Dec. 1 Spec. sess. 235-480, [7] p. MS.
Ar-Secy.

Unit 2

1864 Sept. 22-Oct. 2 Spec. sess. 3-83 p. MS.
Ar-Secy.

Unit 3

First act of the Arkansas Secession Legislature.
Ar-Secy.

A.1b Reel 7

Unit 1

1873 Jan. 6-Apr. 25 Reg. sess. 3 v. MS.
Jan. 6-Mar. 5 v. 1: 620 p.
Mar. 6-Apr. 10 v. 2: [460] p.
Apr. 11-25 v. 3: [429] p.
Ar-Secy.

A.1b Reel 8

Unit 1

1874 May 11-28 Spec. sess. 369 p. MS.
Ar-Secy.

ARKANSAS-Continued

Unit 2

1874 Nov. 10-Mar. 5 20th reg. sess. 4 v. MS.
Nov. 10-Dec. 8 v. 1: 576 p.
Ar-Secy.

Unit 3

Dec. 8-Feb. 2 v. 2: 640 p. Ar-Secy.

A.1b Reel 9

Unit 1

1874 Nov. 10-Mar. 5 20th reg. sess. 4 v. MS.
Feb. 3-Mar. 4 v. 3: 572 p.
Mar. 5 v. 4: 79 p.
Ar-Secy.

Unit 2

1875 Nov. 1-Dec. 10 Adj. sess. 2 v. MS.
Nov. 1-18 v. 1: 630 p.
Ar-Secy.

Unit 3

Nov. 19-Dec. 10 v. 2: 447 p. Ar-Secy.

A.1b Reel 10

Unit 1

1877 Jan. 8-Mar. 8 21st reg. sess. 2 v. MS.
Jan. 8-Feb. 26 v. 1: 800 p.
Ar-Secy.

Unit 2

Feb. 26-Mar. 8 v. 2: 389 p. Ar-Secy.

A.1b Reel 11

Unit 1

1879 Jan. 13-Mar. 13 22d reg. sess. 2 v. MS.
Jan. 13-Mar. 10 v. 1: 639 p.
Ar-Secy.

Unit 2

Mar. 11-13 v. 2: 58 p. Ar-Secy.

Unit 3

1919 July 28-30 1st spec. sess. 1, 19 p. Typescript.
1919 Sept. 22-Oct. 1 2d spec. sess. 5, 4, 21-253 p.
Typescript.
Ar-Secy.

A.1b Reel 12

Unit 1

1920 Jan. 26-Feb. 21 3d spec. sess. 8, 6, 1, 4, 5-365 p.
Typescript. Ar-Secy.

Unit 2

1933 Aug. 14-24 1st spec. sess. 1, 1, [1], 196 p. Type-
script. Ar-Secy.

Unit 3

1934 Apr. 9-12 3d spec. sess. 1, 45 p. Typescript.
Ar-Secy.

ARKANSAS-Continued

A.1b Reel 13

Unit 1

1935 Jan. 14-Mar. 14 Reg. sess. 13, 7, 12, 7, 1467 p. Typescript.
Jan. 14-Mar. 11 1190 p.

Ar-Secy.

A.1b Reel 14

Unit 1

1935 Jan. 14-Mar. 14 Reg. sess. 13, 7, 12, 7, 1467 p. Typescript.
Mar. 12-14 1191-1350 p.
Appendix. 1351-1467 p.

Ar-Secy.

Unit 2

1941 Jan. 13-Mar. 13 Reg. sess. 30, 2152 p. Typescript.
Jan. 13-Feb. 21 1034 p.

Ar-Secy.

A.1b Reel 15

Unit 1

1941 Jan. 13-Mar. 13 Reg. sess. 30, 2152 p. Typescript.
Feb. 25-Mar. 13 1035-2152 p.

Ar-Secy.

CALIFORNIA

Legislature

Journals of the Senate and Assembly

A.1a:b Reel 1

Unit 1

1849 Dec. 15-Apr. 22 1st sess. 1347 p.
(Pages 1313-1332 are missing, but text is continuous.)

NcU

A.1a:b Reel 2

Unit 1

1851 Jan. 6-May 1 2d sess. 1865 p. DLC

Legislature

Journal of the Senate

A.1a Reel 3

Unit 1

1852 Jan. 5-May 4 3d sess. 794 p. DLC

Unit 2

1853 Jan. 3-May 19 4th sess. 624 p., App., v.p., [627]-664 p. DLC

Unit 3

1854 Jan. 2-May 15 5th sess. 688 p., App., v.p. DLC

Legislature

Journal of the Assembly

A.1b Reel 3

Unit 1

1852 Jan. 5-May 4 3d sess. 882 p. DLC

CALIFORNIA-Continued

Unit 2

1853 Jan. 3-May 19 4th sess. 688 p.,
App., v.p., [689]-729 p. DLC

A.1b Reel 4

Unit 1

1854 Jan. 2-May 15 5th sess. 645 p.,
App., v.p., [647]-693 p. DLC

COLORADO

Legislative Assembly

Journal of the Council

A.1a Reel 1

Unit 1

1861 Sept. 9-Nov. 7 1st sess. 198 p.
1862 July 7-Aug. 15 2d sess. 188 p.
DLC

Unit 2

1864 Feb. 1-Mar. 11 3d sess. 216 p.
1865 Jan. 2-Feb. 10 4th sess. 157 p.
DLC

Unit 3

1866 Jan. 1-Feb. 9 5th sess. 170 p.
1866 Dec. 3-Jan. 11 6th sess. 147 p.
DLC

Unit 4

1867 Dec. 2-Jan. 10 7th sess. 188 p.
1870 Jan. 3-Feb. 11 8th sess. 289 p.
DLC

Unit 5

1872 Jan. 1-Feb. 9 9th sess. 326 p.
DLC

Unit 6

1874 Jan. 5-Feb. 13 10th sess. 292 p.
DLC

A.1a Reel 2

Unit 1

1876 Jan. 3-Feb. 11 11th sess. 228 p.
DLC

General Assembly

Journal of the Senate

Unit 2

1876 Nov. 1-Mar. 20 1st sess.
Nov. 1-Dec. 23 v. 1: [523] p.
MS.
Co-Secy.

Unit 3

Jan. 3-Jan. 31 v. 2: [412] p.
MS. Co-Secy.

COLORADO-Continued

A.la Reel 3

Unit 1

1876 Nov. 1-Mar. 20 1st sess.
Feb. 1-Feb. 28 v. 3: [456] p.
MS.
Co-Secy.

Unit 2

Mar. 1-Mar. 20 v. 4: [447] p.
MS. Co-Secy.

Legislative Assembly

Journal of the House of Representatives

A.lb Reel 1

Unit 1

1861 Sept. 9-Nov. 7 1st sess. 398 p.
CoHi

Unit 2

1862 July 7-Aug. 15 2d sess. 362 p.
CoHi

Unit 3

1864 Feb. 1-Mar. 11 3d sess. 276 p.
DLC

Unit 4

1865 Jan. 2-Feb. 10 4th sess. 215 p.
1866 Jan. 1-Feb. 9 5th sess. 188 p.
DLC

Unit 5

1866 Dec. 3-Jan. 11 6th sess. 153 p.
1867 Dec. 2-Jan. 10 7th sess. 253 p.
DLC

Unit 6

1870 Jan. 3-Feb. 11 8th sess. 231 p.
DLC

Unit 7

1872 Jan. 1-Feb. 9 9th sess. 225 p.
DLC

A.lb Reel 2

Unit 1

1874 Jan. 5-Feb. 13 10th sess. [183] p.
MS.
(Original. Proceedings missing for
the following days: Jan. 6, 7, 10,
23, 24, 26, 27, 28, 29, 30, 31;
Feb. 2, 3, 4, 5, 6, 7, 9, 10, 11,
12 and 13.)
Co-Secy.

Unit 2

1876 Jan. 3-Feb. 11 11th sess. 304 p.
CoHi

COLORADO-Continued

General Assembly

Unit 3

1876 Nov. 1-Mar. 20 1st sess.
Nov. 1-Dec. 23 v. 1: [499] p. MS.
Co-Secy.

A.1b Reel 3

Unit 1

1876 Nov. 1-Mar. 20 1st sess.
Jan. 3-Jan. 31 v. 2: [489] p. MS.
Co-Secy.

Unit 2

Feb. 1-Feb. 28 v. 3: [468] p. MS.
Co-Secy.

A.1b Reel 4

Unit 1

1876 Nov. 1-Mar. 20 1st sess.
Mar. 1-20 v. 4: [505] p. MS.
Co-Secy.

CONNECTICUT

General Assembly

Journal of the Upper House

A.1a Reel 1

Unit 1

A.6

1677 Oct.-1804 May Legislative papers, including Journals of the General Court and Governor and Council. v.p. MS.
CtHi

Unit 2

1708 May 13-27 [16] p. MS.
1708 Oct. 14-27 [10] p. MS.
1709 May 12-17 [4] p. MS.
1709 June 8-11 [2] p. MS.
1709 Oct. 13-27 [6] p. MS.
1710 May 11-26 (Not found)
1710 Aug. (Not found)
1710 Oct. (Not found)
1711 May 10-June 1 [7] p. MS. (Follows June, 1711 sess.)
1711 June 19-25 [10] p. MS.
1712 May 8-23 [5] p. MS.
1712 Oct. 9-17 [3] p. MS.
1713 May 14-27 [6] p. MS.
1713 Oct. 8-21 [19] p. MS.
1714 May 13-27 [14] p. MS.
1714 Oct. 14-29 [14] p. MS.

CONNECTICUT-Continued

1715 May 12-June 2 [15] p. MS.
(Follows May, 1717 sess.)
1715 Oct. 13-Oct. 26 [13] p. MS.
(Follows May, 1715 sess.)
1716 May 10-June 7 [23] p. MS.
1716 ? -June 8 [2] p. MS.
(Follows Oct., 1714 sess.)
1716 Oct. 10-25 [15] p. MS.
1717 May 9-29 [2] p. MS.
1717 Aug. 11?-Sept. 1 (Not found)
1717 Oct. 10-31 [30] p. MS.
1718 May 8-26 [18] p. MS.
1718 Oct. 9-28 [21] p. MS.
1719 May 14-25 [13] p. MS.
1719 Oct. 8-20 [12] p. MS.
1720 May 13-31 [16] p. MS.
1720 Oct. 13-31 [14] p. MS.
1721 May 11-26 [25] p. MS.
1721 Oct. 12-27 [18] p. MS.
1722 May 10-June 1 [21] p. MS.
1722 Oct. 11-31 [21] p. MS.
1723 May 9-31 [22] p. MS.
1723 Oct. 10-23 [17] p. MS.
(Follows Oct., 1722 sess.)
1724 May 14-June 2 [15] p. MS.
1724 Oct. 15-27 [10] p. MS.
1725 May 13-28 [22] p. MS.
1725 Oct. 14-28 [12] p. MS.
1726 May 12-June 2 [16] p. MS.
1726 Oct. 13-27 [12] p. MS.
1727 May 11-May 19 [8] p. MS.
1727 Sept. 18-19 [2] p. MS.
1727 Oct. 16-26 [9] p. MS.
1728 May 9-28 [11] p. MS.
1728 July 3-4 [2] p. MS.
1728 Oct. 10-29 [12] p. MS.
1729 May 8-22 [12] p. MS.
1729 Oct. 9-24 [12] p. MS.
1730 May 14-29 [13] p. MS.
1730 Oct. 8-22 [10] p. MS.
1731 May 13-20? [6] p. MS.
1731 Oct. 14-29 [11] p. MS.
1732 May 11-31 [13] p. MS.
1732 Oct. 12-26 [10] p. MS.
1733 Feb. 15-22 [4] p. MS.
1733 May 10-June 1 [16] p. MS.
1733 Oct. 11-26 [12] p. MS.
1734 May 9-28 [22] p. MS.
1734 Oct. 22?-23? [7] p. MS.
1735 May 7-23 [17] p. MS.

CONNECTICUT-Continued

1735 Oct. 9-24 [15] p. MS.
1736 May 13-29 [18] p. MS.
1736 Oct. 14-28 [14] p. MS.
1737 May 12-31 (Not found)
1737 Oct. 13-Nov. 2 [19] p. MS.
1738 May 11-31 (Not found)
1738 Oct. 12-Nov. 1 [19] p. MS.
1739 May (Not found)
1739 Oct. 11-31 [18] p. MS.
1740 May 8-June 5 [24] p. MS.
1740 July (Not found)
1740 Oct. 9-31 [15] p. MS.
1741 May sess.-1818 Oct. sess.
(Not found)

Ct

A.1a Reel 2

Journal of the Senate

Unit 1

1819 May 5-June 5 53 p. MS.
1820 May 3-June 3 55-113 p. MS.
1821 May 2-June 5 115-169 p. MS.
1822 May 1-31 171-229 p. MS.
1823 May 7-June 3 231-275 p. MS.
1824 May 6-June 4 277-321 p. MS.
1825 May 4-June 3 322-403 p. MS.
1826 May 3-24 405-450 p. MS.
In 1 vol.

Ct

Unit 2

1826 May 25-June 2 36 p. MS.
1827 May 2-June 1 39-145 p. MS.
1828 May 7-June 4 147-262 p. MS.
1829 May 6-June 4 265-367 p. MS.
1830 May 5-28 [70] p. MS.
In 1 vol.

Ct

Unit 3

1830 May 31-June 5 21 p. MS.
1831 May 4-June 2 100 p. MS.
1832 May 2-31 82 p. MS.
1833 May 1-June 5 [84] p. MS.
1834 May 7-June 6 [100] p. MS.
1835 May 6-June 1 [68] p. MS.
In 1 vol.

Ct

Unit 4

1835 June 1-5 [21] p. MS.
1836 May 4-June 4 [66] p. MS.
1836 Dec. 21-28 [10] p. MS.
1837 May 3-June 10 [70] p. MS.

CONNECTICUT-Continued

1838 May 2-June 1 [84] p. MS.
1839 May 1-June 7 [94] p. MS.
In 1 vol.
Ct

Unit 5

1819 May sess.-1839 May sess.
(Ex. Jour.) 87, [150] p.
MS. Ct

A.1a Reel 3

Unit 1

1840 May 6-June 8 sess. 94 p.
1841 May 5-June 10 sess. 120 p.
1842 May 4-June 10 sess.
1842 Oct. 25-28 Spec. sess.
In 1 vol. 152 p.
DLC

Unit 2

1843 May 3-June 8 sess. 138,
8 p.
1844 May 1-June 7 sess. 190,
8 p.
DLC

Unit 3

1845 May 7-June 14 sess. 270,
9 p.
1846 May 6-June 18 sess. 112,
8 p.
DLC

Unit 4

1847 May 5-June 24 sess. 315,
8 p. DLC

Unit 5

1848 May 3-June 28 sess. 307,
9 p. DLC

Unit 6

1849 May 2-June 22 sess. 263,
8 p.
1850 May 1-June 22 sess. 284,
8, 10 p.
DLC

General Assembly

Journal of the Lower House

A.1b Reel 1

Unit 1

1708 May 13-27 [9] p. MS.
1708 Oct. 14-28 [15] p. MS.
1709 May 12-20 [8] p. MS.
1709 June 8 [4] p. MS.
1709 June 11- (Not found)

CONNECTICUT-Continued

1709 Oct. 13-28 [10] p. MS.
1710 May 11-26 [11] p. MS.
1710 Aug.-1712 May 23 (Not found)
1702-1711? Acts.[1] 20, [1] fol. MS.
1712 Oct. 9-18 [25] p. MS.
1713 May 14-29 [25] p. MS.
1713 Oct. 8-21 [21] p. MS.
1714 May 13-27 [31] p. MS.
1714 Oct. 14-30 [33] p. MS.
1715 May 12-June 2 [47] p. MS.
1715 Oct. 13-25 [12] p. MS.
1716 May 10-June 6 [22] p. MS.
1716 Oct. 11-25 [22] p. MS.
1717 May 9-29 [18] p. MS.
1717 Aug. 11?-Sept. 1 [30] p. MS.
1717 Oct. 11 [1] p. MS.
1718 May 8 [32] p. MS.
1718 Oct. 9-28 [19] p. MS.
1719 May 14-19 [5] p. MS.
1719 Oct.-1724 Oct. 26 (Not found)
1725 May 14?-28 [18] p. MS.
1725 Oct. 14-29 [14] p. MS.
1726 May 12-30? [22] p. MS.

Journal of the House of Representatives

1726 Oct. 24?-28 [8] p. MS.
1727 May 11-26 [19] p. MS.
1727 Sept. 18 [3] p. MS.
1727 Oct. 12-27 [20] p. MS.
1728 May 9?-13 [7] p. MS.
1728 July 3-4 (Not found)
1728 Oct. 10-29 (Not found)
1729 May 8-23 [20] p. MS.
1729 Oct. 9-24 [16] p. MS.
1730 May 14-29 [18] p. MS.
1730 Oct. 8-22 [16] p. MS.
1731 May 13-June 2 [19] p. MS.
1731 Oct. 14-29 [13] p. MS.
1732 May 11-31 [22] p. MS.
1732 Oct. 12-26 [10] p. MS.
1732/3 Feb. 15-24 [4] p. MS.
1733 May 10-June 1 [19] p. MS.
1733 Oct. 11-26 [15] p. MS.
1734 May 9-28 [16] p. MS.
1734 Oct. 10-25 [16] p. MS.
1735 May 8-14? [15] p. MS.
1735 Oct. 9-24 [16] p. MS.

1. Since this was bound irregularly in the volume, it is included here.

CONNECTICUT-Continued

1736 May 13-26 [16] p. MS.
1737 Oct. 14-29 [15] p. MS.
1737 May 12-31 [20] p. MS.
1737 Oct. 13?-Nov. 2 [17] p. MS.
1738 May 11-31 [32] p. MS.
1738 Oct. 12-Nov. 2 [24] p. MS.
1739 May sess.-1779 Apr. sess. (Not found)
1710-1711 Minutes of the Court of Assistance.[1] 23 p. MS.

Ct

A.1b Reel 2

Unit 1

1780-1790 General Assembly rolls. v.p. MS.

Unit 2

1779 May 13-June 18 86 p. MS.
1779 Oct. 14-Nov. 5 57 p. MS.
1780 Jan. 19-Mar. 2 [80] p. MS.
1780 Apr. 13-22 [23] p. MS.
1780 May 11-June 22 [92] p. MS.
1780 Oct. (Not found)
1780 Nov. (Not found)
1781 Feb. 21-Mar. 16 [32, 2] p. MS. (Incomplete)
1781 May 12-June 3 42 p. MS.

Ct

Unit 3

1781 Oct. 11-23 [22] p. MS.
1782 Jan. 10-Feb. 16 [52] p. MS.
1782 May 9-June 15 [54] p. MS.
1782 Oct. 10-25 [29] p. MS.
1783 Jan. 8-Feb. 7 [43] p. MS.

Ct

Unit 4

1783 May 8-June 7 40 p. MS.
1783 Oct. 8-31 42-77 p. MS.
1784 Jan. 8-Feb. 11 78-109 p. MS.
1784 May 9-June 10 111-158 p. MS.
1784 Oct. 14-Nov. 6 150-196 p. MS.
1785 May 15-June 9 197-246, [6] p. MS.

Ct

Unit 5

1785 Oct. 13-Nov. 5 59 p. MS.
1786 May 11-June 9 60-136 p. MS.
1786 Oct. 12-Nov. 4 137-154, [18] p. MS.

Ct

1. Since this was bound irregularly in the volume, it is included here.

CONNECTICUT-Continued

Unit 6

1787 May 2-June 8 [55] p. MS.
1787 Oct. 11-Nov. 1 [32] p. MS.
1788 May 2-May 29 [51] p. MS.
Ct

Unit 7

1788 Oct. 9-18 [18] p. MS.
1789 Jan. 1-27 [36] p. MS.
1789 May 14-June 6 [46] p. MS.
1789 Oct. 8-29 [36] p. MS.
1790 May 13-20 [16] p. MS.
Ct

Unit 8

1790 May 25-June 5 [27] p. MS.
1790 Oct. 14-Nov. 5 [26] p. MS.
1790 Dec. 29-Jan. 14 [26] p. MS.
Ct

A.1b Reel 3

Unit 1

1791 May 12-June 3 [42] p. MS.
1791 Oct. 13-Nov. 4 [36] p. MS.
1792 May 10-June 1 [38] p. MS.
1792 Oct. 11-Nov. 5 [40] p. MS.
1793 May 9-31 [42] p. MS.
1793 Oct. 10-31 [27] p. MS.
1794 May 8-30 [68] p. MS.
1794 Oct. 3-31 [42] p. MS.
Ct

Unit 2

1795 May 14-June 5 [66] p. MS.
1795 Oct. 8-29 [56] p. MS.
1796 May 12-June 4 [92] p. MS.
1796 Oct. 13-20 [26] p. MS.
1796 Oct. 21-Nov. 4 [44] p. MS.
1797 May 11-June 2 [70] p. MS.
1797 Oct. 12-Nov. 3 [39] p. MS.
1798 May 10-June 1 [52] p. MS.
1798 Oct. 11-Nov. 2 [39] p. MS.
1799 May 9-24 [24] p. MS.
Ct

Unit 3

1799 May 25-31 [20] p. MS.
1799 Oct. 10-Nov. 1 [32] p. MS.
1800 May 8-30 [50] p. MS.
1800 Oct. 9-Nov. 1 [40] p. MS.
1801 May 14-June 5 [62] p. MS.
1801 Oct. 8-30 [29] p. MS.
1802 May 13-June 4 [45] p. MS.
Ct

CONNECTICUT-Continued

Unit 4

1802 Oct. 14-Nov. 5 [38] p. MS.
1803 May 12-June 3 [64] p. MS.
1803 Oct. 13-Nov. 4 [48] p. MS.
1804 May 10-June 1 [64] p. MS.
1804 Oct. 10-Nov. 2 [50] p. MS.
1805 May 9-31 [66] p. MS.

Ct

Unit 5

1805 Oct. 11-Nov. 1 [39] p. MS.
1806 May 8-29 [58] p. MS.
1806 Oct. 9-Oct. 30 [52] p. MS.
1807 May 14-June 5 [86] p. MS.
1807 Oct. 8-Oct. 30 [52] p. MS.
1808 May 12-June 3 [74] p. MS.

Ct

A.1b Reel 4

Unit 1

1808 Oct. 13-Nov. 4 [38] p. MS.
1809 Feb. 23-Mar. 12 Spec. sess. [11] p. MS.
1809 May 11-June 2 [60] p. MS.
1809 Oct. 12-Nov. 2 [52] p. MS.
1810 May 10-May 30 [50] p. MS.

Ct

Unit 2

1810 Oct. 11-30 [36] p. MS.
1811 May 9-28 [56] p. MS.
1811 Oct. 10-30 [50] p. MS.
1812 May 14-June 3 [60] p. MS.
1812 Aug. 25-29 Spec. sess. [10] p. MS.

Ct

Unit 3

1812 Oct. 8-30 [36] p. MS.
1813 May 13-June 3 [44] p. MS.
1813 Oct. 14-Nov. 3 [40] p. MS.
1814 May 12-June 7 [66] p. MS.
1814 Oct. 13-Nov. 8 [50] p. MS.
1815 Jan. 25-Feb. 3 [16] p. MS.
1815 May 11-June 2 [58] p. MS.
1815 Oct. 12-Nov. 3 [34] p. MS.

Ct

Unit 4

1816 May 9-31 [54] p. MS.
1816 Oct. 10-Nov. 1 [48] p. MS.
1817 May 8-21 [54] p. MS.
1817 Oct. 9-30 [56] p. MS.
1818 May 14-June 4 [76] p. MS.
1818 Oct. 8-30 [50] p. MS.

Ct

CONNECTICUT-Continued

Unit 5

1819 May 5-June 5 [46] p. MS.
1820 May 3-June 2 [66] p. MS.
1821 May 2-June 5 [72] p. MS.
1822 May 1-31 [64] p. MS.
1823 May 7-June 2 [74] p. MS.
1824 May 5-June 4 [64] p. MS.
1825 May 4-June 1 [64] p. MS.

Ct

Unit 6

1825 June 1-3 [8] p. MS.
1826 May 3-June 2 [58] p. MS.
1827 May 2-June 1 [52] p. MS.
1828 May 8-June 4 [59] p. MS.
1829 May 7-June 5 [82] p. MS.

Ct

A.1b Reel 5

Unit 1

1830 May 5-June 5 [106] p. MS.
1831 May 4-June 2 [40] p. MS.
1832 May 2-30 [60] p. MS.
1833 May 1-June 6 [68] p. MS.
1834 May 7-June 6 [58] p. MS.

Ct

Unit 2

1835 May 6-June 5 [72] p. MS.
1836 May 4-June 4 [84] p. MS.
1836 Dec. 21-29 Spec. sess. [18] p. MS.

Ct

Unit 3

1837 May 3-June 10 94 p.
1841 May 5-June 10 156 p. MS.

Ct

A.1b Reel 6

Unit 1

1838 May 2-June 1 sess. 113 p.
1839 May 1-June 7 sess. 136 p.
1840 May 6-June 8 sess. 126 p.

DLC

Unit 2

1841 May 5-June 10 sess. See MS., A.1b, Reel 5.
1842 May 4-June 10 sess. 148 p.
1842 Oct. 25-28 Spec. sess. 22 p.
1843 May 3-June 8 sess. 158 p.
1844 May 1-June 7 sess. 183 p.

DLC

CONNECTICUT-Continued

Unit 3

1845 May 7-June 14 sess. 248 p.
1846 May 6-June 18 sess. 239 p.

DLC

Unit 4

1847 May 5-June 24 sess. 270 p. DLC

Unit 5

1848 May 3-June 28 sess. 270 p. DLC

A.1b Reel 7

Unit 1

1849 May 2-June 22 sess. 452, 68 p.

DLC

Unit 2

1850 May 1-June 22 sess. 272 p. DLC

DAKOTA

Legislative Assembly

Journal of the Council

A.1a Reel 1

Unit 1

1862 Mar. 17-May 15 1st sess. 209 p.
1862 Dec. 1-Jan. 9 2d sess. 176 p.

NcU

Unit 2

1863 Dec. 7-Jan. 15 3d sess. 222 p.
1864 Dec. 5-Jan. 13 4th sess. 247 p.

NcU

Unit 3

1865 Dec. 4-Jan. 12 5th sess. 256 p.
1866 Dec. 3-Jan. 11 6th sess. 254 p.

NcU

Unit 4

1867 Dec. 2-Jan. 10 6th (sic 7th) sess.
326 p.
1868 Dec. 7-Jan. 15 8th sess. 240 p.

NcU

A.1a Reel 2

Unit 1

1870 Dec. 5-Jan. 13 9th sess. 263 p.

NcU

Unit 2

1872 Dec. 2-Jan. 10 10th sess. 292 p.

DLC

DAKOTA-Continued
Unit 3
A.la:b

Journals of the Council and House of Representatives

1872 Dec. 2-Jan. 10 10th sess.
The Yankton press (Yankton, Dakota Territory) vol. III, no. 18, Dec. 4, 1872-no. 26, Jan. 29, 1873.
Vol. III, no. 18 1st-3d sess. days. (C & H)
Vol. III, no. 19 4th-8th sess. days. (C & H)
Vol. III, no. 20 9-15th sess. days. (C & H)
Vol. III, no. 21 16th-19th sess. days. (C & H)
[W] Vol. III, no. 22* 20th-26th sess. days. (H)
20th-27th sess. days. (C)
[W] Vol. III, no. 23* 27th-29th sess. days. (H)
28th-29th sess. days. (C)
[W] Vol. III, no. 24* 32d-38th sess. days. (H)
30th-36th sess. days. (C)
[W] Vol. III, no. 25* 37th-40th sess. days. (H)
37th-39th sess. days. (C)
[W] Vol. III, no. 26* 40th sess. day. (C)

1874 Dec. 7-Jan. 13 11th sess.
The Yankton press and Dakotaian (Yankton, Dakota Territory) vol. XIII, no. 36, Dec. 10, 1874-no. 45, Feb. 11, 1875.
Vol. XIII, no. 36 1st-2d sess. days. (C & H)
Vol. XIII, no. 37 3d-9th sess. days. (C & H)
Vol. XIII, no. 38 10th-15th sess. days. (C & H)
Vol. XIII, no. 39 16th-23d sess. days. (C & H)
Vol. XIII, no. 40 24th-30th sess. days. (C & H)
Vol. XIII, no. 41 30th-33d sess. days. (C & H)
Vol. XIII, no. 42 34th-38th sess. days. (C & H)
Vol. XIII, no. 43 39th sess. day. (C)
Vol. XIII, no. 44 39th-40th sess. days. (H)

1877 Jan. 9-Feb. 17 12th sess.
[W] *The Yankton press and Dakotaian*, vol. 15, no. 41, Jan. 11, 1877-no. 48, Mar. 1, 1877.* (Missing: no. 46 which was located at SdHi.)

1879 Jan. 14-Feb. 22 13th sess.
The Yankton press and Dakotaian, vol. XVII, no. 39, Jan. 16, 1879-no. 45, Feb. 27, 1879.
Vol. XVII, no. 39 1st sess. day. (C & H)
Vol. XVII, no. 40 2d-8th sess. days. (C & H)
Vol. XVII, no. 41 9th-15th sess. days. (C & H)
Vol. XVII, no. 42 16th-22d sess. days. (C & H)
Vol. XVII, no. 43 23d-29th sess. days. (C & H)
Vol. XVII, no. 44 30th-36th sess. days. (C & H)
Vol. XVII, no. 45 37th-40th sess. days. (C & H)

1881 Jan. 11-Mar. 7 14th sess.
The Yankton press and Dakotaian, vol. XIX, no. 45, Jan. 13, 1881-vol. XX, no. 2, Mar. 10, 1881.
Vol. XIX, no. 45 1st sess. day. (C & H)

DAKOTA-Continued

Vol. XIX, no. 46 1st-8th sess. days. (C & H)
Vol. XIX, no. 47 9th-15th sess. days. (C & H)
Vol. XIX, no. 50(?) 16th-21st sess. days. (C & H)
Vol. XIX, no. 50 22d-29th sess. days. (C & H)
Vol. XIX, no. 51 30th-36th sess. days. (C & H)
Vol. XIX, no. 52 37th-43d sess. days. (C & H)
Vol. XX, no 1 44th-50th sess. days. (C & H)

1883 Jan. 9-Mar. 9 15th sess.
The Yankton press and Dakotaian, vol. XXII, no. 44, Jan. 11, 1883-no. 51, Feb. 29, 1883.
Vol. XXII, no. 44 1st-2d sess. days. (C & H)
Vol. XXII, no. 45 3d-7th sess. days. (C & H)
Vol. XXII, no. 46 9th-15th sess. days. (C & H)
Vol. XXII, no. 47 16th-21st sess. days. (C & H)
Vol. XXII, no. 48 23d-28th sess. days. (C & H)
Vol. XXII, no. 49 28th-36th sess. days. (C & H)
Vol. XXII, no. 50 37th-43d sess. days. (C & H)
Vol. XXII, no. 51 44th-50th sess. days. (C & H)

[W] File of *The Yankton press and Dakotaian* after Mar. 1, 1883 has been located at SdHi.

DLC *MnHi

Unit 4

1872-77 A calendar of Council and House bills. 2-411 p. MS. Nd-Secy.

Journal of the Council

A.1a Reel 3

Unit 1

1885 Jan. 13-Mar. 13 16th sess. 606, xxxiv p. NcU

Unit 2

1887 Jan. 11-Mar. 11 17th sess. 841, xix, xv p. NcU

Unit 3

1889 Jan. 8-Mar. 8 18th sess. 1 p.l., 892, xxii p. NcU

Legislative Assembly

Journal of the House of Representatives

A.1b Reel 1

Unit 1

1862 Mar. 17-May 15 1st sess. 265 p.
1862 Dec. 1-Jan. 9 2d sess. 271 p.

NcU

Unit 2

1863 Dec. 7-Jan. 15 3d sess. 1 p.l., 193 (sic 194) p.
1864 Dec. 5-Jan. 13 4th sess. 236 p.

NcU

Unit 3

1865 Dec. 4-Jan. 12 5th sess. 276 p.
1866* Dec. 3-Jan. 11 6th sess. 228 p.

DLC *NcU

DAKOTA-Continued

Unit 4

1867 Dec. 2-Jan. 10 7th sess. 365 p. NcU

Unit 5

1868 Dec. 7-Jan. 15 8th sess. 248 p. DLC

A.1b Reel 2

Unit 1

1870 Dec. 5-Jan. 13 9th sess. 274 p. NcU

Unit 2

1872 Dec. 2-Jan. 10 10th sess. See Dakota, A.1a, Reel 2.

1874 Dec. 7-1883 Mar. 9 11th-15th sess. See Dakota, A.1a, Reel 2.

1885 Jan. 13-Mar. 13 16th sess. 972, xv p. NcU

Unit 3

1887 Jan. 11-Mar. 11 17th sess. 679, 780-1078, xxxii p. NcU

A.1b Reel 3

Unit 1

1889 Jan. 8-Mar. 8 18th sess. [2], 1027, xviii p. NcU

DELAWARE

General Assembly

Journal of the Legislative Council

A.1a Reel 1

Unit 1

1776 Oct.-1782 May (Not found)

[W] 1782 Oct. 21-Nov. 1 Reg. sess. 17 p. MS.

1783 Jan. 6-Feb. 8 Adj. sess. (Not found)

1783 May 26-June 23 Adj. sess. (Not found)

[W] 1783* Oct. 20-Nov. 15 Reg. sess. 16 p.

[W] 1784* Jan. 5-13 Adj. sess. 17 p.

[W] 1784* Mar. 29-Apr. 9 Adj. sess. 19-23 p.

[W] 1784* May 24-June 26 Adj. sess. 25-44 p.

[W] 1784* Oct. 20-30 Reg. sess. 45-54 p.

[W] 1785* Jan. 3-Feb. 5 Adj. sess. 55-83 p.

[W] 1785* May 16-June 6 Adj. sess. 85-97 p.

[W] 1785* Oct. 20-Nov. 5 Reg. sess. 99-109 p.

[W] 1786* Jan. 3-Feb. 3 Adj. sess. 111-133 p.

[W] 1786* May 29-June 24 Adj. sess. 135-175 p.

DELAWARE-Continued

[W] 1786* Oct. 20-28 Reg. sess. 177-184 p.
[W] 1787* Jan. 10-Feb. 5 Adj. sess. 184-210 p.
[W] 1787* May 28-June 8 Adj. sess. 211-291 p.
[W] 1787* Aug. 27-31 Spec. sess. 4 p.
[W] 1787* Oct. 20-Nov. 10 Reg. sess. 5-24 p.
1788 Jan. 7-Feb. 2 Adj. sess. (Not found)
1788 May 28-June 11 Adj. sess. (Not found)
[W] 1788 Oct. 20-28 Reg. sess. 2 p. MS. (Fragment)
[W] 1789 Jan. 12-Feb. 4 Adj. sess. ? p. MS.
[W] 1789 May 26-June 5 Call. sess. ? p. MS.
[W] 1789 Oct. 20-24 Reg. sess. ? p. MS.
[W] 1790 Jan. 4-29 Adj. sess. 32, [1] p. MS.
[W] 1790 Oct. 20-26 Reg. sess. 34-44 p. MS.
[W] 1791 Jan. 4-29 Adj. sess. [44] p. MS.

De-Ar - *1

Unit 2
E.1

Minutes of the Privy Council
1778 June 8-1792 Nov. 2 [108] p. MS.
Appended: Constitution of Delaware. [44] p. MS.

DeHi

Journal of the Senate
Unit 3

1792 Nov. 1-3 Call. sess. 9 p.
1793* Jan. 1-Feb. 2 Reg. sess. 41 p.
1793 May 27-June 19 Call. sess. 40 p.
1794* Jan. 7-Feb. 8 Reg. sess. 78, [3] p.
1795* Jan. 6-Feb. 7 Reg. sess. 68, [9] p.
[W] 1796 Jan. 5-Feb. 10 Reg. sess. 82, [9] p.
1796 Nov. 9-11 Call. sess. 10 p.
1797 Jan. 3-24 Reg. sess. [13]-49 p.
1797 May 31-June 3 Call. sess. (Not found)
1798* Jan. 2-27 Reg. sess. 49 p.

DeHi *DLC

DELAWARE-Continued

A.1a Reel 2

Unit 1

1800 Jan. 7-25 Reg. sess. 59 p.
1800 Nov. 3-5 Call. sess. 12 p.
1801 Jan. 6-30 Reg. sess. 80 p.
1802 Jan. 5-Feb. 5 Reg. sess. 57 p.
1803 Jan. 4-28 Reg. sess. 44 p.
1804 Jan. 3-27 Reg. sess. 43, [1] p.
1804 Nov. 12-13 Call. sess. 11, [1] p.
1805 Jan. 1-25 Reg. sess. 48 p.
DLC

Unit 2

1806 Jan. 7-Feb. 3 Reg. sess. 62, [1] p.
1807 Jan. 6-Feb. 6 Reg. sess. 74 p.
1807 Aug. 4-13 Call. sess. 15 p.
1808 Jan. 5-Feb. 5 Reg. sess. 73 p.
DLC

Unit 3

1808 Nov. 14-16 Call. sess. 13 p.
1809 Jan. 3-Feb. 1 Reg. sess. 82 p.
1810 Jan. 2-Feb. 2 Reg. sess. 82, [1] p.
1811 Jan. 1-Feb. 4 Reg. sess. 83, [1] p.
DLC

Unit 4

1812 Jan. 7-Feb. 12 Reg. sess. 73 p.
1812 May 19-25 Call. sess. 19, [1] p.
1812 Nov. 9-10 Spec. sess. 11, [1] p.
1813 Jan. 5-Feb. 3 Reg. sess. 81 p.
1813 Apr. 6-15 Call. sess. 21, [1] p.
1813 May 25-28 Adj. sess. 15 p.
1813 Aug. 24-25 Adj. sess. 4 p.
1814 Jan. 4-Feb. 16 Reg. sess. 87 (sic 91), [1] p.
DLC

Unit 5

1815 Jan. 3-Feb. 10 Reg. sess. 103, [1] p.
1816 Jan. 2-Feb. 16 Reg. sess. 186, [1] p.
1816 Nov. 11-12 Spec. sess. 11 p.
1817 Jan. 7-Feb. 7 Reg. sess. 135 p.
DLC

A.1a Reel 3

Unit 1

1818 Jan. 6-Feb. 6 Reg. sess. 132 p.
1819 Jan. 5-Feb. 10 Reg. sess. 177, [1], 6 p.
1820 Jan. 4-Feb. 11 Reg. sess. 171, [1], 9 p.
DLC

Unit 2

1820 Nov. 13-14 Spec. sess. 8 p.
1821 Jan. 2-Feb. 5 Reg. sess. 122, 19, [1] p.

DELAWARE-Continued

1822 Jan. 1-Feb. 8 Reg. sess. 127, 23 p.
1823 Jan. 7-Feb. 7 Reg. sess. 137, 25, 1 p.
De

Unit 3

1824 Jan. 6-Feb. 2 Reg. sess. 184 p.
1824* Nov. 8-9 Spec. sess. 12 p.
1825* Jan. 4-Feb. 11 Reg. sess. 13-193 p.
DLC *De

Unit 4

1826 Jan. 3-Feb. 10 Reg. sess. 167, [1] p.
1827 Jan. 2-Feb. 9 Reg. sess. 182 p.
De

Unit 5

1828* Nov. 10-11 Spec. sess. 10, [1] p.
1829* Jan. 6-Feb. 14 Reg. sess. 193, [1] p.
1830 Jan. 5-29 Reg. sess. 108, [1] p.
1831 Jan. 4-28 Reg. sess. 108 p.
1832 Jan. 3-Feb. 10 Reg. sess. 148, [1] p.
De *DLC

A.1a Reel 4

Unit 1

1833 Jan. 1-Feb. 8 Reg. sess. 159 p.
1835 Jan. 6-Feb. 13 Bien. sess. 124, [1] p.
1835* July 21-25 Spec. sess. 12 p. (Incomplete)
1836** June 14-20 Spec. sess. 27, [1] p.
1837 Jan. 3-Feb. 22 Bien. sess. 182, [1] p.
De *De-Ar - 1 **NN

Unit 2

1839 Jan. 1-Feb. 22 Bien. sess. 264 p.
1841 Jan. 5-Feb. 22 Bien. sess. 360 p.
NcD

Unit 3

1843 Jan. 3-Feb. 28 Bien. sess. 224, 60, 21 p.
1845 Jan. 7-Feb. 25 Bien. sess. 222 p.
De

Unit 4

1847 Jan. 5-Feb. 26 Bien. sess. 258, [1] p.
DLC

Unit 5

1849 Jan. 2-Feb. 28 Bien. sess. 309 p. DLC

A.1a Reel 5

Unit 1

1851 Jan. 7-Mar. 6 Reg. sess. 406, [1] p.
DLC

Unit 2

1852 Jan. 6-Feb. 27 Adj. sess. 264 p.
1853 Jan. 4-Mar. 4 Bien. sess. 252, [1] p.
DLC

DELAWARE-Continued

Unit 3

1855 Jan. 2-Mar. 2 Bien. sess. 272 p.
1857 Jan. 6-Mar. 5 Bien. sess. 251, [1] p.

DLC

Unit 4

1859 Jan. 4-Feb. 25 Bien. sess. 303 p. DLC

Unit 5

1861 Jan. 1-Mar. 8 Bien. sess. 338, 55, [1], 51 p. DLC

Unit 6

1861 Nov. 25-27 Spec. sess. 17 p.
1862 Jan. 14-Feb. 27 Adj. sess. 18-118, 30, 20 p.

DLC

A.1a Reel 6

Unit 1

1863 Jan. 6-Mar. 25 Bien. sess. 299, xxx, 358, 116, 34, [1] p.

De

Unit 2

1863 June 9-10 Adj. sess. 13 p.
1864 Jan. 12-Feb. 12 Adj. sess. 15-115 p.
1864 July 28-Aug. 12 Spec. sess. 117-155 p.
1864 Oct. 18-Nov. 2 Adj. sess. [157]-191, 20, [2] p.

De

Unit 3

1865 Jan. 3-Mar. 23 Bien. sess. 1 p.l., 347, [1], 238, 52 p.

DLC

Unit 4

1865 June 13 Adj. sess. 17 p.
1866 Jan. 9-Feb. 17 Adj. sess. [19]-247, [1], 43 p.

DLC

A.1a Reel 7

Unit 1

1867 Jan. 1-Mar. 22 Bien. sess. 488, [2], 96, 74 p. DLC

Unit 2

1869 Jan. 5-Apr. 9 Bien. sess. 580, [1], 78 p. DLC

Unit 3

1871 Jan. 3-Mar. 30 Bien. sess. 579, [1], 85 p. DLC

Unit 4

1873 Jan. 7-Apr. 12 Bien. sess. 749, [1], 86 p. DLC

General Assembly

Votes and Proceedings of the House of Representatives

A.1b Reel 1

Unit 1

[W] 1739* Apr. 5-Oct. 24 ? p. MS.
[W] 1740* Aug. 6-Mar. 13 ? p. MS.
1762** Oct. 20-Nov. 2 Reg. sess. 27 p.
1765 Oct. 21-26 Reg. sess. 26 p.
1766 May 26-June 9 Adj. sess. 27-61 p.
1766 Oct. 20-Nov. 1 Reg. sess. 63-92 p.
1767 Oct. 20-31 Reg. sess. 93-127 p.

DELAWARE-Continued

1768 Oct. 20-27 Reg. sess. 129-154 p.
1769 June 1-17 Adj. sess. 154-189 p.
1769 Oct. 20-28 Reg. sess. 191-205 p.
1770 Mar. 6-24 Adj. sess. 206-233 p.
DeHi *De-Ar **PHi

Unit 2

1770** Oct.-Apr. 1773 37-81 p. MS.
1773 Oct. 20-Nov. 6 Reg. sess. 46 p.
1774 Oct. 20-26 Reg. sess. 16 p.
1775 Mar. 13-29 Adj. sess. 17-57 p.
1775 June 5-7 Adj. sess. 57-58 p.
1775 Aug. 21-Sept. 2 Adj. sess. 59-74 p. (Incomplete)
[W] 1775* Oct. Reg. sess. ? p. MS.?
PHi *De-Ar **DLC

Unit 3

Votes of the House of Assembly

1776 Oct. 28-Nov. 9 Reg. sess. 28 p.
1777 Jan. 6-Feb. 22 Adj. sess. 29-107 p.
1777 May 1-12 Call. sess. 109-134 p.
1777 June 2-7 Adj. sess. 135-155 p.
1777* Dec. 1-20 Call. sess. 43 p. MS.
1778* Feb. 17-May 20 Call. sess. 94 p. MS.
1778* June 19-26 Call. sess. 13 p. MS.
Appended: Transactions of the government, 1781-82, 1784-86. 20 p. MS.

[W] Extracts from Assembly journals.** 35 p. MS.

1777 Dec. 12
1777 Dec. 20
1778 Feb. 28
1778 Apr. 20, 30
1778 May 2, 7, 9
1778 Oct. 31
1778 Dec. 4, 9
1779 Feb. 5
1779 June 2
1780 Oct. 31
1780 Nov. 3, 4
1781 Jan. 29
1781 Nov. 8
1781 Feb. 12
1781 Nov. 13
1782 Feb. 4, 5
1782 June 22, 25
1784 Apr. 9
1784 June 23, 26

PHi *DLC **De-Ar

DELAWARE-Continued

Unit 4

1779 Oct. 20-30 Reg. sess. 30 p.
1779 Nov. 29-Dec. 28 Adj. sess. 31-88 p.
1780 Mar. 28-Apr. 16 Spec. sess. 89-118 p.
1780 June 5-21 Spec. sess. 119-149 p.
[W] 1780** Oct.-May 1782 ? p. MS.?
1782*** May 27-June 22 Adj.(?) sess. 32 p. MS.
1782*** Oct. 21-Nov. 1 Reg. sess. 37-59 p. MS.
[W] 1782* Oct. 21-Nov. 1 Reg. sess. 17 p.
[W] 1783* Jan. 6-Feb. 8 Adj. sess. 19-75 p.
1783* May 26-June 23 Adj. sess. 77-119 p.
1783 Oct. 20-Nov. 15 Reg. sess. (Not found)
1784 Jan. 5-13 Adj. sess. (Not found)
1784 Mar. 29-Apr. 9 Adj. sess. (Not found)
1784 May 24-June 26 Adj. sess. (Not found)

PHi **De-Ar - *1 ***DeHi

Unit 5

1784 Oct. 20-30 Reg. sess. 15 p.
1785 Jan. 3-Feb. 5 Adj. sess. 17-61 p.
1785 May 16-June 6 Adj. sess. 25 p.
1785 Oct. 20-Nov. 5 Reg. sess. 19 p.
1786 Jan. 3-Feb. 3 Adj. sess. 21-50 p.
1786 May 29-June 24 Adj. sess. 36 p.
1786 Oct. 20-28 Reg. sess. 11 p.
1787 Jan. 10-Feb. 5 Adj. sess. 61 p.
1787 May 28-June 8 Adj. sess. 12 p.
1787 Aug. 27-31 Spec. sess. 1 p.l., [1] p.
1787 Oct. 20-Nov. 10 Reg. sess. 29 p. (Pages 26-29 appear between p. 5-6)
1788 Jan. 7-Feb. 2 Adj. sess. 43 p.
1788 May 27-June 11 Adj. sess. 37 p.
1788 Oct. 20-28 Reg. sess. 16 p.
1789 Jan. 12-Feb. 4 Adj. sess. 57 p.

PHi

Unit 6

1789 May 26-June 5 Call. sess. 17 p.
1789 Oct. 20-24 Reg. sess. 17 p.
1790 Jan. 4-29 Adj. sess. 47 p.
1790 Oct. 20-26 Reg. sess. 17 p.
1791 Jan. 4-29 Adj. sess. 56 p.
1791 Sept. 5-8 Call. sess. 11 p.

Journal of the House of Representatives

[W] 1791* Oct. 20-26 Reg. sess. 13 p.
1792 Jan. 2-Feb. 2 Adj. sess. (Not found)
1792 May 1-5 Call. sess. (Not found)

PHi *De-Ar - 1

DELAWARE-Continued

A.1b Reel 2

Unit 1

1792 Nov. 1-3 Call. sess. 13 p.
1793 Jan. 1-Feb. 2 Reg. sess. 82 p.
1793 May 27-June 19 Call. sess. 55 p.
1794 Jan. 7-Feb. 8 Reg. sess. 100, [2] p.
1795 Jan. 6-Feb. 7 Reg. sess. 92 p.
1796* Jan. 5-Feb. 10 Reg. sess. 147, 8 p.
DeHi *DLC

Unit 2

1796 Nov. 9-Nov. 11 Call. sess. 13 p.
1797 Jan. 3-24 Reg. sess. 57, 27 p.
1797 May 31-June 3. Call. sess. 12 p.
1798* Jan. 2-27 Reg. sess. 71, 14 p.
1799* Jan. 1-Feb. 2 Reg. sess. 112, 66 p.
DeHi *DLC

Unit 3

1800 Jan 7-25 Reg. sess. 85, 114 p.
1800 Nov. 3-5 Call. sess. 18 p.
1801 Jan. 6-30 Reg. sess. 123, 133 p.
DLC

Unit 4

1802 Jan. 5-Feb. 5 Reg. sess. 72, 79 p.
1803 Jan. 4-28 Reg. sess. 73, 77 p.
1804 Jan. 3-27 Reg. sess. 67, [1], 92, [3] p.
DLC

A.1b Reel 3

Unit 1

1804 Nov. 12-13 Call. sess. 12 p.
1805 Jan. 1-25 Reg. sess. 71, [1], 100 p.
1806 Jan. 7-Feb. 3 Reg. sess. 90, [1], 94 p.
DLC

Unit 2

1807 Jan. 6-Feb. 6 Reg. sess. 102, [1], 79 p.
1807 Aug. 4-13 Call. sess. 21 p.
1808 Jan. 5-Feb. 5 Reg. sess. 111, 91 p.
DLC

Unit 3

1808 Nov. 14-16 Call. sess. 13 p.
1809 Jan. 3-Feb. 1 Reg. sess. 87, 85 p.
1810 Jan. 2-Feb. 2 Reg. sess. 99, [1], 83 p.
DLC

Unit 4

1811 Jan. 1-Feb. 4 Reg. sess. 92, 84 p.
1812 Jan. 7-Feb. 12 Reg. sess. 107, [1], 75 p.
DLC

A.1b Reel 4

Unit 1

1812 May 19-25 Call. sess. 24 p.

DELAWARE-Continued

1812 Nov. 9-10 Spec. sess. 15 p.
1813 Jan. 5-Feb. 3 Reg. sess. [17]-134, [1], 97 p.
1813 Apr. 6-15 Call. sess. 21, [1] p.
1813 May 25-28 Adj. sess. 16 p.
1813 Aug. 24-25 Adj. sess. 6 p.
1814 Jan. 4-Feb. 16 Reg. sess. 108, 112 p.
DLC

Unit 2

1815 Jan. 3-Feb. 10 Reg. sess. 175, [2], 94 p.
DLC

Unit 3

1816 Jan. 2-Feb. 16 Reg. sess. 232, 15, 88 p.
1816 Nov. 11-12 Spec. sess. 10 p.
DLC

Unit 4

1817 Jan. 7-Feb. 7 Reg. sess. 182, 14, 92 p. DLC

A.1b Reel 5

Unit 1

1818 Jan. 6-Feb. 6 Reg. sess. 152, 8, 92, 9 p.
DLC

Unit 2

1819 Jan. 5-Feb. 10 Reg. sess. 232, 10, 93, [1] p.
DLC

Unit 3

1820 Jan. 4-Feb. 11 Reg. sess. 209, [1], 15, 89 p.
DLC

Unit 4

1820 Nov. 13-14 Spec. sess. 9 p.
1821 Jan. 2-Feb. 5 Reg. sess. [11]-320 p.
DLC

Unit 5

1822 Jan. 1-Feb. 8 Reg. sess. 255, 28 p. NcU

A.1b Reel 6

Unit 1

1823 Jan. 7-Feb. 7 Reg. sess. 326, [1] p.
1824 Jan. 6-Feb. 2 Reg. sess. 292 p.
1824 Nov. 8-9 Spec. sess. 17, [1] p.
DLC

Unit 2

1825 Jan. 4-Feb. 11 Reg. sess. 318 p. De

Unit 3

1826 Jan. 3-Feb. 10 Reg. sess. 404 p. DLC

Unit 4

1827 Jan. 2-Feb. 9 Reg. sess. 329, [1] p.
1828* Nov. 10-11 Spec. sess. 12 p.
De *NN

Unit 5

1829 Jan. 6-Feb. 14 Reg. sess. 328 p. DLC

Unit 6

1830 Jan. 5-29 Reg. sess. 220 p. De

DELAWARE-Continued

A.1b Reel 7

Unit 1

1831 Jan. 4-28 Reg. sess. 234 p.
1832 Jan. 3-Feb. 10 Reg. sess. 294 p.
De

Unit 2

1833 Jan. 1-Feb. 8 Reg. sess. 326, 7, 9-80 p.
DLC

Unit 3

1835 Jan. 6-Feb. 13 Bien. sess. 323, [1] p.
1835* July 21-25 Spec. sess. 28 p.
1836** June 14-20 Spec. sess. 83, [1] p.
De *NN - 1 **DeWi - 1

Unit 4

1837 Jan. 3-Feb. 22 Bien sess. 425, [1] p.
De

Unit 5

1839 Jan. 1-Feb. 22 Bien. sess. 456 p. NcU

A.1b Reel 8

Unit 1

1841 Jan. 5-Feb. 22 Bien. sess. 669, [1] p.
NcU

Unit 2

1843 Jan. 3-Feb. 28 Bien. sess. 758 p. De

Unit 3

1845 Jan. 7-Feb. 25 Bien. sess. 495, [1] p.
De

Unit 4

1847 Jan. 5-Feb. 26 Bien. sess. 487, [1] p.
De

A.1b Reel 9

Unit 1

1849 Jan. 2-Feb. 28 Bien. sess. 518, [1] p.
DLC

Unit 2

1851 Jan. 7-Mar. 6 Reg. sess. 607 p. DLC

Unit 3

1852 Jan. 6-Feb. 27 Adj. sess. 391 p. DLC

Unit 4

1853 Jan. 4-Mar. 4 Bien. sess. 581 p. DLC

Unit 5

1855 Jan. 2-Mar. 2 Bien. sess. 414, 119, 43 p.
DLC

A.1b Reel 10

Unit 1

1857 Jan. 6-Mar. 5 Bien. sess. 299, 142, 35 p.
De - 1

Unit 2

1859 Jan. 4-Feb. 25 Bien. sess. 395, 160,
69 p. DLC

DELAWARE-Continued

Unit 3

1861 Jan. 1-Mar. 8 Bien. sess. 642, 143, 44, 124 p.
De

Unit 4

1861 Nov. 25-27 Spec. sess. 31 p.
1862 Jan. 14-Feb. 27 Adj. sess. [33]-293, 42 p.
De

A.1b Reel 11

Unit 1

1863 Jan. 6-Mar. 25 Bien. sess. 389 p., App. v.p.
DLC

Unit 2

1863 June 9-10 Adj. sess. 16 p.
1864 Jan. 12-Feb. 12 Adj. sess. 17-181 p.
1864 July 28-Aug. 12 Spec. sess. [183]-224 p.
1864 Oct. 18-Nov. 2 Adj. sess. [227]-272, 32, [1] p.
DLC

Unit 3

1865 Jan. 3-Mar. 23 Bien. sess. 354, [1], 238, 47 p.
De

Unit 4

1865 June 13 Adj. sess. (Not found)
1866 Jan. 9-Feb. 17 Adj. sess. (Not found)
1867 Jan. 1-Mar. 22 Bien. sess. 637, [2], 96, 101 p.
De

A.1b Reel 12

Unit 1

1869 Jan. 5-Apr. 9 Bien. sess. 771, [1], 203, 130 p.
DLC

Unit 2

1871 Jan. 3-Mar. 30 Bien. sess. 595, [1], 227, 109 p.
DLC

A.1b Reel 13

Unit 1

1873 Jan. 7-Apr. 12 Bien. sess. 976, 103, 133 p.
DLC

FLORIDA

Legislative Council

Journal

A.1c Reel 1

Unit 1

1822 Aug. 1st sess.
Message. [14] p. MS.
Loose papers. 2 items. MSS.
1823 May 24-July 5 2d sess.
Loose papers. 7 items. MSS.

FLORIDA-Continued

*East Florida herald** (St. Augustine)
vol. I, no. 19, Jan. 4, 1823-vol. II, no. 21, Jan. 17, 1824. Vol. 1, nos. 40-44 report sess. days of May 26-June 21. (Missing: vol. I, nos. 22, 25, 29, 34, 38, 39, 45; vol. II, nos. 1, 6, 9, 11, 13, 16, 19.)
*The Floridian** (Pensacola) vol. 1, no. 1, Mar. 8-no. 34, Oct. 25, 1823. Nos. 16, 18, 19 and 22 report sess. days of May 24-June 13, 21-26. (Missing: nos. 2, 3, 5, 14, 29, 31.)
F-Ar *F

Unit 2

1824 Nov. 8-Jan. 2 3d sess.
Message. 12 p. MS.
Loose paper. 2 p. MS.
*Pensacola gazette and West Florida advertiser.**
Vol. 1, no. 40, Dec. 11, 1024, no. 45, Jan. 25, 1825 and no. 48, Feb. 5, 1825 report sess. days nos. 8-27, 29 and Dec. 11-Jan. 2.

1825 Nov. 14-? 4th sess.
Message. 6 p. MS.
Loose paper. 4 p. MS.
Letter from the Gov., Nov. 25, 1825. 4 p. MS.
*Pensacola gazette and West Florida advertiser.**
Vol. II, no. 42, Dec. 17 and no. 43, Dec. 24 report sess. days nos. 14-29. (Reports are incomplete. See note, no. 43, p. 3, col. 1.)
F-Ar *F

1826 Dec. 12-Jan. 17 5th sess.
Loose papers. 20 items. MSS.
Letter from the Gov. 6 p. MS.
*Pensacola gazette and West Florida advertiser,**
vol. III, no. 43, Dec. 28, 1826, no. 49, Feb. 9, 1827; vol. IV, no. 2, Mar. 16, 1827-no. 14, June 8, 1827. Vol. III, nos. 43 and 49 and vol. IV, nos. 2, 4, 9, 13 and 14 report sess. days of Dec. 12-Jan. 17. (Missing: vol. IV, nos. 3,5,6,7, 8, 10, 11, 12.)

1827 Dec. 10-31 6th sess.
Message. 38 p. MS.
Loose papers. 47 items. MSS.
*Pensacola gazette and West Florida advertiser.**
Vol. IV, no. 41, Dec. 28, 1827, no. 42, Jan. 4, no. 43, Jan. 11 and no. 45, Jan. 25, 1828 report sess. days of Dec. 10-31. (Incomplete)

1828 Oct. 13-Nov. 18 7th sess. 34 p. MS.
(Rough draft of proceedings for Nov. 6, 8, 10, 11, 17 and 20, 1828.)
Letter from the Gov. 4 p. MS.
Rules. n.d. Printed broadside.

FLORIDA-Continued

*Pensacola gazette and West Florida advertiser,**
vol. V, no. 30, Oct. 7, 1828-no. 43, Dec. 5, 1828; vol. VI, no. 38, Oct. 27, 1829-vol. VII, no. 12, May 22, 1830. Vol. V, nos. 33-35, 38-39, 41 and 43 report sess. days of Oct. 13-Nov. 18. (Missing: vol. V, nos. 31, 32, 36, 37, 40, 41 and 42.)
F-Ar *F

A.1c Reel 2

Unit 1

1831 Jan. 3-Feb. 13 9th sess. [99] p. F

Unit 2

1832 Jan. 2-Feb. 12 10th sess. 120 p.
1833 Jan. 7-Feb. 17 11th sess. 110, xix p.
1834 Jan. 6-Feb. 16 12th sess. 147 p.
F

Unit 3

1835 Jan. 5-Feb. 14 13th sess. 113 p.
1836 Jan. 4-Feb. 14 14th sess. 136 p.
1837* Jan. 2-Feb. 12 15th sess. 120 p.
F *DLC

Unit 4

1838 Jan. 1-Feb. 11 16th sess. 144, 16, [15] p.
FU-Yonge

Legislative Council

Journal of the Senate

A.1a Reel 1

Unit 1

1839 Jan. 7-Mar. 4 1st (sic 17th) sess. 111, 1, 8, [8] p.
1840 Jan. 6-Mar. 2 2d (sic 18th) sess. 132, 10, [26], 61 p.
1841 Jan. 4-Mar. 4 3d (sic 19th) sess. 150, lxxviii, 12 p.
1842 Jan. 3-Mar. 5 4th (sic 20th) sess. 172 p.
F

Unit 2

1843 Jan. 2-Mar. 16 21st sess. 216, 39 p. F

Unit 3

1844 Jan. 1-Mar. 15 6th (sic 22d) sess. 228, 24 p.
1845 Jan. 6-Mar. 11 23d sess. 218, 48 p.
F

General Assembly

Unit 4

1845 June 23-July 26 1st sess. 135 p.
1845 Nov. 17-Dec. 29 Adj. sess. 216, 55 p.
F

Unit 5

1846 Nov. 23-Jan. 6 2d sess. 228, 69 p. F

Unit 6

1847 Nov. 22-Jan. 8 3d sess. 244, 78 p.
1848 Nov. 27-Jan. 13 4th sess. 258, 64 p.
F

FLORIDA-Continued

A.1a Reel 2

Unit 1

1850 Nov. 25-Jan. 24 5th sess. 403, 113 p. DLC

Unit 2

1852 Nov. 22-Jan. 14 6th sess. 351, 144 p. DLC

Unit 3

1854 Nov. 27-Jan. 13 7th sess. 337, 54 p. DLC

Unit 4

1855 Nov. 26-Dec. 15 Adj. sess. 152, 28 p. NcU

Unit 5

1856 Nov. 24-Dec. 27 8th sess. 216, 32, 136 p. DLC

Unit 6

1858 Nov. 22-Jan. 15 9th sess. 424, 37, 172 p. DLC

A.1a Reel 3

Unit 1

1859 Nov. 28-Dec. 22 Adj. sess. 274, 16 p. DLC

Unit 2

1860 Nov. 26-Feb. 14 10th sess. 400, 24 p. DLC

Unit 3

1861 Nov. 18-Dec. 17 11th sess. 308, [1], 20 p. F

Unit 4

1862 Nov. 17-Dec. 15 12th sess. 252, 80 p. F

Unit 5

1863 Nov. 16-Dec. 4 12th Gen. Assy., 2d sess. 233, 55 p. F

Unit 6

1864 Nov. 21-Dec. 7 13th sess. 127, 30, [1] p.
1865 Dec. 18-Jan. 16 14th sess. 268 p. F

Unit 7

1866 Nov. 14-Dec. 14 14th Gen. Assy. 2d sess. 240, 29 p. DLC

Legislature

A.1a Reel 4

Unit 1

1868 June 8-Aug. 6 1st sess. 246 p. F

Unit 2

Journal of the Senate and Assembly in Joint Convention

1868 Nov. 3-7 Ext. sess. 46 p. DLC

FLORIDA-Continued

Unit 3

Journal of the Senate

1869 Jan. 5-Feb. 1 2d sess. 164, 20 p. DLC

Unit 4

Journal of the Senate and House of Representatives

1912 Oct. 1-3 Ext. sess. 60 p. (S)
1912 Oct. 1-3 Ext. sess. [8], 76 p. (H)

FU-Yonge

Legislative Council

Journal of the House of Representatives

A.1b Reel 1

Unit 1

1839* Jan. 7-Mar. 4 17th sess. 150, [18] p.
1840 Jan. 6-Mar. 2 18th sess. 200, 104, [24], 10, 3 p.

F *NN - 1

Unit 2

1841 Jan. 4-Mar. 4 19th sess. 222, lxxviii, 12 p.
1842 Jan. 3-Mar. 5 20th sess. 307, [1], 31, [1], 11, 32-38, 8-11 p.

F

Unit 3

1843 Jan. 2-Mar. 16 21st sess. 230, 28 p.
1844 Jan. 1-Mar. 15 22d sess. 284, 15, 9-16 p.

F

Unit 4

1845 Jan. 6-Mar. 11 23d sess. 260, 32 p. F

General Assembly

Unit 5

1845 June 23-July 26 1st sess. 184 p.
1845* Nov. 17-Dec. 29 Adj. sess. 264, 52 p.

F *FU

Unit 6

1846 Nov. 23-Jan. 6 2d sess. 1-8, 8a-z, 9-208, 71 p.

FU

A.1b Reel 2

Unit 1

1847 Nov. 22-Jan. 8 3d sess. 280, 44 p. FU - DLC

Unit 2

1848 Nov. 27-Jan. 13 4th sess. 218, 32 p. FU

Unit 3

1850 Nov. 25-Jan. 24 5th sess. 444, 109 p. DLC

Unit 4

1852 Nov. 22-Jan. 14 6th sess. 399, 136 p. DLC

Unit 5

1854 Nov. 27-Jan. 13 7th sess. 340, 54 p. DLC

Unit 6

1855 Nov. 26-Dec. 15 Adj. sess. 175, 28 p. DLC

FLORIDA-Continued

A.1b Reel 3

Unit 1

1856 Nov. 24-Dec. 27 8th sess. 264, 32, 136 p. DLC

Unit 2

1858 Nov. 22-Jan. 15 9th sess. 456, 76 p. DLC

Unit 3

1859 Nov. 28-Dec. 22 Adj. sess. 254, 16 p. DLC

Unit 4

1860 Nov. 26-Feb. 14 10th sess. 390 p. DLC

Unit 5

1861 Nov. 18-Dec. 17 11th sess. 333, 38 p. DLC

Unit 6

1862 Nov. 17-Dec. 15 12th sess. 311, 102 p. F

A.1b Reel 4

Unit 1

1863 Nov. 16-Dec. 4 12th Gen. Assy., 2d sess. 189, 76 p.
1864 Nov. 21-Dec. 7 13th sess. 169, 30, [1] p. F

Unit 2

1865 Dec. 18-Jan. 16 14th sess. 323 p. DLC

Unit 3

1866 Nov. 14-Dec. 14 14th Gen. Assy., 2d sess. 308, 29 p. DLC

Legislature

Journal of the Assembly

Unit 4

1868 June 8-Aug. 6 1st sess. 225 p. DLC

Unit 5

1869 Jan. 5-Feb. 1 2d sess. 164, 20 p.
1869 June 8-24 Ext. sess. 100 p. F

1912 Oct. 1-3 Ext. sess. See Fla., A.1a, Reel 4.

GEORGIA

General Assembly

Journal of the Commons House of Assembly

A.1c Reel 1

Unit 1

1769 Oct. 30-Feb. 10 7th sess. 52 p. DLC - Photo. of MH - 1

GEORGIA-Continued

Journal of the General Assembly

Unit 2

1783 Jan. 7-Feb. 18 74 p. MS. (Incomplete)
1783 May 1-July 31 74-173 p. MS.
1784 Jan. 6-20 177-212 p. MS.
G-Ar

Unit 3

1784 Jan. 21-Aug. 15 129 p. MS.
1784 Oct. 6-14 130-132 p. MS.
1785 Jan. 4-Feb. 22 132-280 p. MS.
1786 Jan. 3-Feb. 14 280-399 p. MS.
1786 July 17-Aug. 15 399-548 p. MS.
G-Ar

Unit 4

1787 Jan. 2-Feb. 11 222 p. MS.
1787 July 3-July 11 222-224 p. MS.
1787 Sept. 20-Oct. 31 224-253 p. MS.
1787 Jan. 17-Feb. 8[1] Ex. Council. [23] p. MS.
1787 Oct. 26-31[1] Ex. Council. [6] p. MS.
1788 Jan. 19-Feb. 1[1] Ex. Council. [20] p. MS.
G-Ar

Unit 5

1788 Jan. 1-Feb. 1 1 p.l., 183 p. MS.
1788 July 22-Aug. 6 184-189 p. MS.
1788 Nov. 4-Nov. 13 189-194 p. MS.
G-Ar

Unit 6

1787 Jan. 2-1788 Nov. 13 Index. 51 p. Typescript.
G-Ar

Unit 7

1789 Jan. 6-Feb. 4 226 p. MS.
G-Ar

General Assembly

Journal of the Senate

A.1a Reel 1

Unit 1

1789 Nov. 2-Dec. 24 Reg. sess. 5-185 p. MS.
1790 June 7-June 11 Ext. sess. 25 p. MS.
G-Ar

Unit 2

1790 Nov. 1-Dec. 11 Reg. sess. 112 p. MS.
1791 Nov. 7-Dec. 18 Reg. sess. 115-272 p. MS.
G-Ar

Unit 3

1791 Dec. 19-24 Reg. sess. 75 p. MS.

1. Legislative proceedings of the Executive Council acting as a body of revision.

GEORGIA-Continued

1792 Nov. 5-Dec. 20 Reg. sess. 76-259 p. MS. (Incomplete)

G-Ar

Unit 4

1793 Nov. 6-Dec. 19 Reg. sess. (Not found)
1794 Nov. 3 ? Reg. sess. (Not found)
1796* Jan. 12-Feb. 22 Reg. sess. 38 p.
1797 Jan. 10-Feb. 11 Reg. sess. (Not found)
1798 Jan. 20 ? Reg. sess. (Not found)
1799** Jan. 8-Feb. 16 Ann. sess. 36, 9 p.
1799 Nov. 4-Dec. 5 Ann. sess. 37 p.
1800 Nov. 3-Dec. 2 Ann. sess. 53 p.
1801 Nov. 2-Dec. 5 Ann. sess. 56 p.
1802*** June 10-16 Ext. sess. 283-307 p. MS.
1802 Nov. 1-27 Ann. sess. 55 p.

G *MHi - 1 **NN-Hargrett - 1 ***G-Ar

Unit 5

1803 Apr. 18-May 11 Ext. sess. 132 p. MS.
1803 Nov. 8-Dec. 11 Ann. sess. (Not found)

G-Ar

Journal of the Senate and House of Representatives

Unit 6

1804 May 14-19 Ext. sess. 26 p. NN - 1

Journal of the Senate

Unit 7

1804 Nov. 5-Dec. 12 Ann. sess. 58 p.
1805 Nov. 4-Dec. 7 Ann. sess. 62 p.
1806 June 9-26 Ext. sess. (Not found)
1806 Nov. 3-Dec. 6 Ann. sess. (Not found)
1807 Nov. 2-Dec. 10 Ann. sess. (Not found)
1808 May 9-22 Ann. sess. (Not found)

G - 1

A.la Reel 2

Unit 1

1808 Nov. 7-Dec. 21 Ann. sess. 172 p.
1809 Nov. 6-Dec. 14 Ann. sess. 118 p.
1810 Nov. 5-Dec. 14 Ann. sess. 118 p. table.

DLC

Unit 2

1811 Nov. 4-Dec. 14 Ann. sess. 127 p.
1812 Nov. 2-Dec. 10 Ann. sess. 112 p. table.
1813 Nov. 1-Dec. 4 Ann. sess. 96 p. tables.
1814 Oct. 17-Nov. 23 Ann. sess. 50 p. table.

DLC

Unit 3

1815 Nov. 6-Dec. 16 Ann. sess. 63 p. table.
1816 Nov. 4-Dec. 18 Ann. sess. 71 p. table.
1817 Nov. 3-Dec. 20 Ann. sess. 73, [1] p. table.
1818 Nov. 2-Dec. 19 Ann. sess. 81, [1] p. table.

GEORGIA-Continued

1819 Nov. 1-Dec. 20 Ann. sess. 103, [1] p. table.
DLC

Unit 4

1820 Nov. 6-Dec. 20 Ann. sess. 68, v p. table.
1821* Apr. 30-May 15 Ext. sess. 74 p. MS.
1821 Nov. 5-Dec. 22 Ann. sess. 176 p. table.
DLC *G-Ar

Unit 5

1822 Nov. 4-Dec. 24 Ann. sess. 271 p. DLC

A.1a Reel 3

Unit 1

1823 Nov. 3-Dec. 20 Ann. sess. 336 p. DLC

Unit 2

1824 Nov. 1-Dec. 18 Ann. sess. 304 p. DLC

Unit 3

1825 May 23-June 11 Ext. sess. 132 p.
1825 Nov. 7-Dec. 22 Ann. sess. 311 p.
DLC

General Assembly

Journal of the House of Representatives

A.1b Reel 1

Unit 1

1789 Nov. 2-Dec. 24 Reg. sess. 322 p. MS.
1790 June 7-11 Ext. sess. 325-349 p. MS.
G-Ar

Unit 2

1790 Nov. 1-Dec. 11 Reg. sess.
The Augusta chronicle (Augusta, Ga.) Vol. IV, no. CCXVI, Nov. 27, 1790, no. CCXVIII, Dec. 11, 1790, no. CCXX, Dec. 25, 1790 and no. CCXXIII, Jan. 15, 1791 report sess. days of Nov. 4-11. No. CCXVII, Dec. 4, 1790 reports message of the governor.

1791 Nov. 7-Dec. 18 Reg. sess.
The Augusta chronicle (Augusta, Ga.) Vol. V, no. CCLXVIII, Nov. 28, 1791, no. CCLXX, Dec. 10, 1791, and vol. VI, no. CCXC, Apr. 28 print extracts from the journal.

1792 Nov. 5-Dec. 20
The Augusta chronicle (Augusta, Ga.) Vol. VI, no. CCCI, July 14, 1792-vol. 8, no. 377, Dec. 28, 1793. Vol. VII, no. 318, Nov. 10, 1792 reports message of the governor.

1793 Nov. 6-Dec. 19
*The Augusta chronicle** (Augusta, Ga.) Vol. VIII, no. 370, Nov. 9, 1793 reports message of the governor. No. 371, Nov. 16,

GEORGIA-Continued

reports sess. days of Nov. 8 and 9; no. 372, Nov. 23, reports sess. days of Nov. 14-19; no. 373, Dec. 7, reports sess. days of Nov. 20-29 and Dec. 5; no. 375, Dec. 14, reports sess. days of Nov. 30-Dec. 7; and no. 376, Dec. 21, reports sess. days of Dec. 9-10.

DLC *GU

Unit 3

1794 Nov. 3?
The Augusta chronicle (Augusta, Ga.)
Vol. IX, no. 422, Nov. 8, 1794 reports message of the governor.

1796* Jan. 12-Feb. 22 Ann. sess. 34 p.

GU *MWA

Unit 4

1796 Jan. 12-Feb. 22 Ann. sess. 174 p. MS.

1797 Jan. 10-Feb. 11 Reg. sess. 175-361, [1] p. MS.

G-Ar

Unit 5

1798 Jan. 8? Reg. sess.
*The Augusta chronicle** (Augusta, Ga.) Vol. XII, no. 589, Jan. 20, 1798 reports message of the governor.

1799** Jan. 8-Feb. 16 [3]-84, 4 p. (w: p. 4 of 4 p.)

1799 Nov. 4-Dec. 5 Ann. sess. 55 p.

1800 Nov. 3-Dec. 2 Ann. sess. 66 p.

1801*** Nov. 2-Dec. 5 Ann. sess. 78 p.

1802 June 10-16 Ext. sess. (Not found)

1802 Nov. 1-27 Ann. sess. 70 p.

G *GU **NN-Hargrett - 1 ***GAu-Ord

A.1b Reel 2

Unit 1

1803 Apr. 18-May 11 Ext. sess. 40-136 p. MS.
(Incomplete - p. 40 begins with the proceedings for Apr. 24.)

1803 Nov. 8-Dec. 11 Ann. sess. 6-136 p. MS.
(Incomplete - p. 6 begins in the middle of the proceedings for Nov. 8.)

G-Ar

Unit 2

1804 May 14-19 Ext. sess. See Ga., A.1a, Reel 1.

1804* Nov. 5-Dec. 12 Ann. sess. 56 p.

1805 Nov. 4-Dec. 7 Ann. sess. 78 p.

1806** June 9-26 Ext. sess. 101 p. MS. (w: p. 92-99)

GEORGIA-Continued

1806** Nov. 3-Dec. 6 Ann. sess. 105-246 p. MS.
[W] 1806*** Nov. 3-Dec. 6 Ann. sess. 88 p.
G - 1 *NN **G-Ar ***G

Unit 3

1807* Nov. 2-Dec. 10 Ann. sess. 69, [3] p. (w: p. 21-24)
1808** May 9-22 Ext. sess. 139 p. MS.
1808 Nov. 7-Dec. 21 Ann. sess. 133 p.
1809* Nov. 6-Dec. 14 Ann. sess. 96 p. (w: p. 37-40)
G - *1 **G-Ar

Unit 4

1810 Nov. 5-Dec. 14 Ann. sess. 91 p.
1811 Nov. 4-Dec. 14 Ann. sess. 1 p.l., 85 p.
1812 Nov. 2-Dec. 10 Ann. sess. 1 p.l., 83 p.
1813 Nov. 1-Dec. 4 Ann. sess. 63 p.
1814 Oct. 17-Nov. 23 Ann. sess. 66, [1] p.
DLC

Unit 5

1815 Nov. 6-Dec. 16 Ann. sess. 88 p.
1816 Nov. 4-Dec. 18 Ann. sess. 104, iii p.
1817 Nov. 3-Dec. 20 Ann. sess. 101, ii p.
DLC

A.1b Reel 3

Unit 1

1818 Nov. 2-Dec. 19 Ann. sess. 108 p.
1819* Nov. 1-Dec. 20 Ann. sess. 286 p. MS.
G *G-Ar

Unit 2

1820 Nov. 6-Dec. 20 Ann. sess. 108 p. table.
1821 Apr. 30-May 15 Ext. sess. 32, [2], ii p.
1821* Nov. 5-Dec. 22 Ann. sess. 328 p.
G *DLC

Unit 3

1822 Nov. 4-Dec. 24 Ann. sess. 384 p. DLC

Unit 4

1823 Nov. 3-Dec. 20 Ann. sess. 332 p. NcU

Unit 5

1824 Nov. 1-Dec. 18 Ann. sess. 376 p. DLC

A.1b Reel 4

Unit 1

1825 May 25-June 11 Ext. sess. 116 p.
1825 Nov. 7-Dec. 22 Ann. sess. 360 p.
DLC

Unit 2

1826 Nov. 6-Dec. 22 Ann. sess. 348 p. DLC

Unit 3

1827 Nov. 5-Dec. 24 Ann. sess. 443 p. G

JOURNALS, MINUTES AND PROCEEDINGS

IDAHO

Legislative Assembly

Journal of the Council

A.1a — Reel 1

Unit 1

1863 Dec. 7-Feb. 4 1st sess. 134 p.
1864 Nov. 14-Dec. 23 2d sess. 164 p.
Id-L

Unit 2

1865 Dec. 4-Jan. 12 3d sess. 237, [1] p.
Id-L

Unit 3

A.1a:b

Journals of the Council and House of Representatives

1866 Dec. 3-Jan. 11 4th sess. 474 p. Id-L

Journal of the Council

Unit 4

1868 Dec. 7-Jan. 15 5th sess. 273 p. MS.
Id-Secy.

Unit 5

1870 Dec. 5-Jan. 13 6th sess. 174 p., App., v.p.
1872 Dec. 2-Jan. 10 7th sess. 227 p.
Id-L

Unit 6

1874 Dec. 7-Jan. 15 8th sess. 271 p. MS.
Id-Secy.

Unit 7

1876 Dec. 4-Jan. 12 9th sess. 169 p.
1879* Jan. 13-Feb. 21 10th sess. 146 p.
NcU *DLC

A.1a — Reel 2

Unit 1

1880 Dec. 13-Feb. 10 11th sess. 298 p. NcU

Unit 2

1882 Dec. 11-Feb. 8 12th sess. 208 p. Id-L

Unit 3

1884 Dec. 8-Feb. 5 13th sess. 258 p. NcU

Unit 4

1886 Dec. 13-Feb. 10 14th sess. 224 p. NcU
1888 Dec. 10-Feb. 7 15th sess. [2], 215 p.
Id-L

Legislature

Journal of the Senate

Unit 5

1890 Dec. 8-Mar. 14 1st sess. 220 p. DLC

Unit 6

1893 Jan. 2-Mar. 6 2d sess. 280 p. DLC

Unit 7

1895 Jan. 7-Mar. 9 3d sess. 248 p. DLC

IDAHO-Continued

A.1a Reel 3

Unit 1

1897 Jan. 4-Mar. 8 4th sess. 1 p.l., 199 p.
Id-L

Unit 2

1899 Jan. 2-Mar. 7 5th sess. 210 p. Id-L

Unit 3

1901 Jan. 7-Mar. 12 6th sess. 201 p. DLC

Unit 4

1903 Jan. 5-Mar. 7 7th sess. 172 p. Id-L

Unit 5

1913 Jan. 6-Mar. 8 12th sess. 1 p.l., 554 p.
Id-L

Legislative Assembly

Journal of the House of Representatives

A.1b Reel 1

Unit 1

1863 Dec. 7-Feb. 4 1st sess. 156 p. Id-L
1864 Nov. 14-Dec. 23 2d sess. 182 p. NcU

Unit 2

1865 Dec. 4-Jan. 12 3d sess. 270, [1] p.
NcU

1866 Dec. 3-Jan. 11 4th sess. See Idaho, A.1a, Reel 1, Unit 4.

Unit 3

1868 Dec. 7-Jan. 15 5th sess. 277 p. MS.
Id-Secy.

Unit 4

1870 Dec. 5-Jan. 13 6th sess. 204 p.
1872 Dec. 2-Jan. 10 7th sess. 218 p.
NcU

Unit 5

1874 Dec. 7-Jan. 15 8th sess. 401 p. MS.
Id-Secy.

A.1b Reel 2

Unit 1

1876 Dec. 4-Jan. 12 9th sess. 171 p.
NcU

1879 Jan. 13-Feb. 21 10th sess. 143 p.
DLC

Unit 2

1880 Dec. 13-Feb. 10 11th sess. 1 p.l., 295 p. NcU

Unit 3

1882 Dec. 11-Feb. 8 12th sess. 347 p.
Id-L

Unit 4

1884 Dec. 8-Feb. 5 13th sess. 274 p. NcU

Unit 5

1886 Dec. 13-Feb. 10 14th sess. 216 p.
Id-L

IDAHO-Continued

Unit 6

1888 Dec. 10-Feb. 7 15th sess. 1 p.l., 246 p. (Pages 128-145 are photoprints of the New York Public Library copy.) Id-L

Legislature

Unit 7

1890 Dec. 8-Mar. 14 1st sess. 221 p. DLC

Unit 8

1893 Jan. 2-Mar. 6 2d sess. 294 p. DLC

A.1b Reel 3

Unit 1

1895 Jan. 7-Mar. 9 3d sess. 309 p. Id-L

Unit 2

1897 Jan. 4-Mar. 8 4th sess. 248 p. Id-L

Unit 3

1899 Jan. 2-Mar. 7 5th sess. 348 p. Id-L

Unit 4

1901 Jan 7-Mar. 12 6th sess. 257 p. Id-L

Unit 5

1903 Jan. 5-Mar. 7 7th sess. 251 p. Id-L

Unit 6

1909 Jan. 4-Mar. 6 10th sess. 663 p. Id-L

A.1b Reel 4

Unit 1

1911 Jan. 2-Mar. 4 11th sess. 619 p. Id-L

Unit 2

1915 Jan. 4-Mar. 8 13th sess. 619, 226 p. Id-L

ILLINOIS

General Assembly

Journal of the Legislative Council

A.1a Reel 1

Unit 1

1812 Nov. 25-Dec. 26 1st Assy., 1st sess. 1 p.l., 44 p. MS.

ILLINOIS-Continued

1813 Nov. 14-Dec. 11? 1st Assy., 2d sess. (Not found)
1814 Nov. 4-Dec. 24 2d Assy., 1st sess. 90 p. MS.
1815 Dec. 15-Jan. 11 2d Assy., 2d sess. 70, [5] p. MS.
1816 Dec. 2-Jan. 14 3d Assy., 1st sess. 136 p. MS.
1817* Dec. 1-Jan. 12 3d Assy., 2d sess. 84 p.
I-Ar *I - 1

Journal of the Senate

Unit 2

1818 Oct. 5-13* 1st Assy., 1st sess. 43 p.
1819 Jan. 18-Mar. 31 1st Assy., 2d sess. 224 p.
1820 Dec. 4-Feb. 15 2d Assy. 187 p.
I *IHi

Unit 3

1822 Dec. 2-Feb. 18 3d Assy. 320 p. I

Unit 4

1824 Nov. 15-Jan. 18 4th Assy., 1st sess. 282 p.
1826 Jan. 2-28 4th Assy., 2d sess. 135 p.
I

Unit 5

1826 Dec. 4-Feb. 19 5th Assy. 330 p. I

Unit 6

1828 Dec. 1-Jan. 23 6th Assy. 294 p. I

A.1a Reel 2

Unit 1

1830 Dec. 6-Feb. 16 7th Assy. 472 p. I

Unit 2

1832 Dec. 3-Mar. 2 8th Assy. 639, 91 p. I

Unit 3

1834 Dec. 1-Feb. 13 9th Assy., 1st sess. 542 p.
DLC

Unit 4

1835 Dec. 7-Jan. 18 9th Assy., 2d sess. 296, [1] p.
DLC

General Assembly

Journal of the House of Representatives

A.1b Reel 1

Unit 1

1812 Nov. 25-Dec. 26 1st Assy., 1st sess. 105 p. MS.
1813 Nov. 14-Dec. 11? 1st Assy., 2d sess. [6] p. MS. (Only fragment of manuscript)
1814 Nov. 4-Dec. 24 2d Assy., 1st sess. [4], 110 p., 2 l., 111-135 p. MS.
1815 Dec. 15-Jan. 11 1 p. MS. (Only fragment of manuscript)
1816 Dec. 2-Jan. 14 3d Assy., 1st sess. (Not found)
1817* Dec. 1-Jan. 12 3d Assy., 2d sess. 84 p.
I-Ar *I - 1

ILLINOIS-Continued

Unit 2

1818 Oct. 5-13 1st Assy., 1st sess. 39 p.
1819* Jan. 18-Mar. 31 1st Assy., 2d sess. 192 p.
IHi - *1

Unit 3

1820 Dec. 4-Feb. 15 2d Assy. 356 p. I

Unit 4

1822 Dec. 2-Feb. 18 3d Assy. 306 p. IHi - 1

Unit 5

1824 Nov. 15-Jan. 18 4th Assy., 1st sess. 305 p.
1826 Jan. 2-28 4th Assy., 2d sess. 149 p.
I

Unit 6

1826 Dec. 4-Feb. 19 5th Assy. 595 p. IHi

Unit 7

1828 Dec. 1-Jan. 23 6th Assy. 351 p.
I - IHi

A.1b Reel 2

Unit 1

1830 Dec. 6-Feb. 6 7th Assy. 560 p.
I - IHi

Unit 2

1832 Dec. 3-Mar. 2 8th Assy. 746 p. DLC

Unit 3

1834 Dec. 1-Feb. 13 9th Assy., 1st sess. 574 p.
DLC

A.1b Reel 3

Unit 1

1835 Dec. 7-Jan. 18 9th Assy., 2d sess. 414 p.
DLC

Unit 2

1836 Dec. 5-Mar. 6 10th Assy., 1st sess. 856 p.

INDIANA

General Assembly

Journals of the Council and House of Representatives

A.1a:b Reel 1

Unit 1

1805 July 29-Aug. 26 1st Gen. Assy., 1st sess. (C) (Not found)

1805 July 29-Aug. 26 1st Gen. Assy., 1st sess. [89] p. MS. (H) (Incomplete proceedings are included only through Aug. 17, 1805.)
In-Ar

Unit 2

1806 Nov. 3-Dec. 6 1st Gen. Assy., 2d sess. (C) (Not found)

INDIANA-Continued

1806 Nov. 3-Dec. 6 1st Gen. Assy., 2d sess. (H) (Not found)
1807 Aug. 16-Sept. 19 2d Gen. Assy., 1st sess. (C) (Not found)
1807 Aug. 16-Sept. 19 2d Gen. Assy., 1st sess. (H) (Not found)
1808 Sept. 26-Oct. 26 2d Gen. Assy., 2d sess. 58 p. Typescript.[1] (C)
1808 Sept. 26-Oct. 26 2d Gen. Assy., 2d sess. [166] p. MS. (H)
1808 Sept. 28 Court of Impeachment. 3 p. MS.

In-Ar

Unit 3

1809 Oct. 16-Oct. 21 2d Gen. Assy., 3d sess. (C) (Not found)
1809 Oct. 16-Oct. 21 2d Gen. Assy., 3d sess. [33] p. MS. (H)
1810 Nov. 10-Dec. 19 3d Gen. Assy., 1st sess. (C) (Not found)
1810 Nov. 10-Dec. 19 3d Gen. Assy., 1st sess. (H) (Not found)
1811 Nov. 11-Dec. 19 3d Gen. Assy., 2d sess. (C) (Not found)
1811 Nov. 11-Dec. 19 3d Gen. Assy., 2d sess. [280] p. MS. (C)
1811 Nov. 11-Dec. 19 3d Gen. Assy., 2d sess. [72] p. MS. (H) (Incomplete mutilated copy)

In-Ar

Unit 4

1813 Feb. 1-Mar. 12 4th Gen. Assy., 1st sess. (C) (Not found)
1813 Feb. 1-Mar. 12 4th Gen. Assy., 1st sess. [168] p. MS. (H) (Includes Executive proceedings, Nov. 9, 1822-Jan. 10, 1823.)

In-Ar

A.1a:b Reel 2

Unit 1

1813 Dec. 6-Jan. 6 4th Gen. Assy., 2d sess. [88] p. MS. (C)
1813 Dec. 6-Jan. 6 4th Gen. Assy., 2d sess. [166] p. MS. (H)
1814 June 1- 4th Gen. Assy., spec. sess. [8] p. (H)

In-Ar

Unit 2

1814 Aug. 15-Sept. 10 5th Gen. Assy., 1st sess. (C) (Not found)
1814 Aug. 15-Sept. 10 5th Gen. Assy., 1st sess. [108] p. MS. (H)
1815 Dec. 4-Dec. 28 5th Gen. Assy., 2d sess. (C) (Not found)
1815 Dec. 4-Dec. 28 5th Gen. Assy., 2d sess. [109-214] p. MS. (H)

In-Ar

General Assembly

Journal of the Senate

A.1a Reel 3

Unit 1

1816 Nov. 4-Jan. 3 1st sess. 90 p.
1817 Dec. 1-Jan. 29 2d sess. 215 p.

In

Unit 2

1818 Dec. 7-Jan. 2 3d sess. 120 p.
1819 Dec. 6-Jan. 22 4th sess. 274 p.

In

Unit 3

1820 Nov. 27-Jan. 9 5th sess. 241, vi p.

1. Typed copy of proceedings reported in *Western sun* (Vincennes) Jan. 21, 1809, p. 1, col. 1-4; p. 2, col. 1-2.

INDIANA-Continued

1821 Nov. 19-Jan. 3 6th sess. 296, xx, vii p.
In

Unit 4

1822 Dec. 2-Jan. 11 7th sess. 288 p.
1823 Dec. 1-Jan. 31 8th sess. 270 p.
In

Unit 5

1825 Jan. 10-Feb. 12 9th sess. 197 p.
1825 Dec. 5-Jan. 21 10th sess. 247 p.
In

Unit 6

1826 Dec. 4-Jan. 27 11th sess. 287 p.
1827 Dec. 3-Jan. 24 12th sess. 232, 239-265 p.
In

A.la Reel 4

Unit 1

1828 Dec. 1-Jan. 24 13th sess. 355 p.
InI

Unit 2

1829 Dec. 7-Jan. 30 14th sess. 436, xiii, [6] p.

Unit 3

1830 Dec. 6-Feb. 10 15th sess. 556 p., App., v.p.
ICU

Unit 4

1831 Dec. 5-Feb. 3 16th sess. 410, 22, 9, [1] p.
DLC

Unit 5

1832 Dec. 3-Feb. 4 17th sess. 489 p., App., v.p.
DLC

Unit 6

1833 Dec. 2-Feb. 3 18th sess. 459 p.
DLC

A.la Reel 5

Unit 1

1834 Dec. 1-Feb. 9 19th sess. 657 p.
DLC

Unit 2

1835 Dec. 7-Feb. 3 20th sess. 736 p.
DLC

Unit 3

1836 Dec. 5-Feb. 6 21st sess. 706 p.
DLC

A.la Reel 6

Unit 1

1837 Dec. 4-Feb. 19 22d sess. 840 p.
DLC

INDIANA-Continued

Unit 2

1838 Dec. 3-Feb. 18 23d sess. 787 p.
DLC

Unit 3

1839 Dec. 2-Feb. 24 24th sess. 536 p.
DLC

A.1a Reel 7

Unit 1

1840 Dec. 7-Feb. 15 25th sess. 716 p.
DLC

Unit 2

1841 Dec. 6-Jan. 31 26th sess. 708 p.
DLC

Unit 3

1842 Dec. 5-Feb. 13 27th sess. 750 p.
DLC

A.1a Reel 8

Unit 1

1843 Dec. 4-Jan. 15 28th sess. 684 p.
DLC

Unit 2

1844 Dec. 2-Jan. 13 29th sess. 799 p.
DLC

Unit 3

1845 Dec. 1-Jan. 20 30th sess. 754 p.
DLC

A.1a Reel 9

Unit 1

1846 Dec. 7-Jan. 28 31st sess. 750 p.
DLC

Unit 2

1847 Dec. 6-Feb. 17 32d sess. 774 p.
DLC

Unit 3

1848 Dec. 4-Jan. 17 33d sess. 657 p.
DLC

A.1a Reel 10

Unit 1

1849 Dec. 3-Jan. 21 34th sess. 975 p.
DLC

General Assembly

Journal of the House of Representatives

A.1b Reel 3

Unit 1

1816* Nov. 4-Jan. 3 1st sess. 122 p.
1817 Dec. 1-Jan. 29 2d sess. 257 p.
In *NN

INDIANA-Continued

Unit 2

1818 Dec. 7-Jan. 2 3d sess. 185 p.
1819 Dec. 6-Jan. 22 4th sess. 383 p.
In

Unit 3

1820 Nov. 27-Jan. 9 5th sess. 322 p.
In

Unit 4

1821 Nov. 19-Jan. 3 6th sess. 422 p.
In

Unit 5

1822 Dec. 2-Jan. 11 7th sess. 325 p.
In

Unit 6

1823 Dec. 1-Jan. 31 8th sess. 342 p.
In

Unit 7

1825 Jan. 10-Feb. 12 9th sess. 264 p.
In

Unit 8

1825 Dec. 5-Jan. 21 10th sess. 387 p.
In

A.1b Reel 4

Unit 1

1826 Dec. 4-Jan. 27 11th sess. 527 p.
In

Unit 2

1827 Dec. 3-Jan. 24 12th sess. 483 p.
In

Unit 3

1828 Dec. 1-Jan. 24 13th sess. 558, [3] p.
InI

Unit 4

1829 Dec. 7-Jan. 30 14th sess. 552 p., App., v.p.
IcU

Unit 5

1830 Dec. 6-Feb. 10 15th sess. 517 p., App., v.p.
In

A.1b Reel 5

Unit 1

1831 Dec. 5-Feb. 3 16th sess. 451 p., App., v.p.
DLC

Unit 2

1832 Dec. 3-Feb. 4 17th sess. 640 p., App., v.p.
DLC

Unit 3

1833 Dec. 2-Feb. 3 18th sess. 534 p., App., v.p.
DLC

Unit 4

1834 Dec. 1-Feb. 9 19th sess. 708 p.
DLC

INDIANA-Continued

A.1b Reel 6

Unit 1

1835 Dec. 7-Feb. 8 20th sess. 562 p.
DLC

Unit 2

1836 Dec. 5-Feb. 6 21st sess. 566 p.
DLC

Unit 3

1837 Dec. 4-Feb. 19 22d sess. 826, 44 p.
DLC

Unit 4

1838 Dec. 3-Feb. 18 23d sess. 690 p.
DLC

A.1b Reel 7

Unit 1

1839 Dec. 2-Feb. 24 24th sess. 1056 p.
DLC

Unit 2

1840 Dec. 7-Feb. 15 25th sess. 916 p.
DLC

Unit 3

1841 Dec. 6-Jan. 31 26th sess. 763 p.
DLC

A.1b Reel 8

Unit 1

1842 Dec. 5-Feb. 13 27th sess. 904 p.
DLC

Unit 2

1843 Dec. 4-Jan. 15 28th sess. 734 p.
DLC

Unit 3

1844 Dec. 2-Jan. 13 29th sess. 707, 2 p.
In

A.1b Reel 9

Unit 1

1845 Dec. 1-Jan. 20 30th sess. 743 p.
In

Unit 2

1846 Dec. 7-Jan. 28 31st sess. 825, [1] p.
DLC

Unit 3

1847 Dec. 6-Feb. 17 32d sess. 780 p.
DLC

A.1b Reel 10

Unit 1

1848 Dec. 4-Jan. 17 33d sess. 780 p.
DLC

Unit 2

1849 Dec. 3-Jan. 21 34th sess. 1094 p.
DLC

IOWA

Legislative Assembly

Journal of the Council

A.1a Reel 1

Unit 1

1838 Nov. 12-Jan. 25 1st sess. 226 p.
1839 Nov. 4-Jan. 17 2d sess. 221 p.

Ia

Unit 2

1840 July 13-Aug. 1 Ext. sess. v, 114 p.
1840* Nov. 2-Jan. 15 3d sess. 263 p.

NcU *IaHi

Unit 3

1841 Dec. 6-Feb. 18 4th sess. 308 p. (w: p. 260, 261, 294, 295)
1842 Dec. 5-Feb. 17 5th sess. 235 p.

Ia

Unit 4

1843 Dec. 4-Feb. 16 6th sess. 266 p.
1844* June 18-19 Ext. sess. 12, 23 p. MS. Appended: Council bills with endorsements. [29] p. MS.

IaHi *Ia-Ar

Unit 5

1845 May 5-June 11 7th sess. 231 p.
1845 Dec. 1-Jan. 19 8th sess. 280 p. (w: p. 202-203, 232-233)

IaHi

Legislative Assembly

Journal of the House of Representatives

A.1b Reel 1

Unit 1

1838 Nov. 12-Jan. 25 1st sess. 314 p.
1839 Nov. 4-Jan. 17 2d sess. 285 p.

IaHi

Unit 2

1840 July 13-Aug. 1 Ext. sess. iii, 116 p. (Not printed until 1902)
1840* Nov. 2-Jan. 15 3d sess. 330 p.

NcU *IaHi

Unit 3

1841 Dec. 6-Feb. 18 4th sess. 294 p.

IaHi

A.1b Reel 2

Unit 1

1842 Dec. 5-Feb. 17 5th sess. 388 p.
1843 Dec. 4-Feb. 16 6th sess. 314 p.
1844 June 18-19 Ext. sess. (Not found)

IOWA-Continued

1845 May 5-June 11 7th sess. 256 p.
1845 Dec. 1-Jan. 19 8th sess. 293 p.

Ia

KANSAS

Legislative Assembly

Journal of the Council

A.1a Reel 1

Unit 1

1855 July 2-Aug. 30 1st sess. 260, 80 p.
1857 Jan. 12-Feb. 20 2d sess. 351 p.

DLC

Unit 2

1857 Dec. 7-17 Ext. sess. 72 p.
1858 Jan. 4-Feb. 12 4th sess. 351 p.

DLC

Unit 3

1859 Jan. 3-Feb. 11 5th sess. 333 p.

DLC

Unit 4

A.1a:b

Journal of the Council and House of Representatives

1860 Jan. 2-18 6th sess. 162 p. (H)
1860 Jan. 2-18 6th sess. 95 p. (C)

DLC

A.1a Reel 2

Journal of the Council

Unit 1

1860 Jan. 19-Feb. 27 Spec. sess. 666 p.

DLC

Unit 2

1861 Jan. 7-Feb. 2 7th sess. 310 p.

DLC

Legislative Assembly

Journal of the House of Representatives

A.1b Reel 1

Unit 1

1855 July 2-Aug. 30 1st sess. 382, 69 p.

DLC

Unit 2

1857 Jan. 12-Feb. 20 2d sess. 356 p.

DLC

Unit 3

1857 Dec. 7-17 Ext. sess. 80 p.
1858 Jan. 4-Feb. 12 4th sess. 451 p.

DLC

KANSAS-Continued

Unit 4

1859 Jan. 3-Feb. 11 5th sess. 373 p.
1860 Jan. 2-18 6th sess. See Kans., A.1a, Reel 1, Unit 4.

DLC

A.1b

Reel 2

Unit 1

1860 Jan. 19-Feb. 27 Spec. sess. 745 p. DLC

Unit 2

1861 Jan. 7-Feb. 2 7th sess. 494 p. DLC

KENTUCKY

General Assembly

Journal of the Senate

A.1a

Reel 1

Unit 1

1792 June 4-29 1st Assy., 1st sess. 31 p. (t.-p. w.)
1792 Nov. 5-Dec. 22 1st Assy., 2d sess. (Not found)
1793* Nov. 4-Dec. 21 2d Assy. 14 p. (Incomplete. Proceedings included through Nov. 19.)
1794* Nov. 3-Dec. 20 3d Assy. 56 p.
1795 Nov. 2-Dec. 21 4th Assy. 47 p.
1796 Nov. 7-Dec. 19 5th Assy., 1st sess. (Not found)
1797 Feb. 6-Mar. 17 5th Assy., 2d sess. (Not found)
1797 Nov. 27-30 6th Assy., 1st sess. (Not found)
1798** Jan. 1-Feb. 13 6th Assy., 2d sess. 70 p.

IcU - *1 **Ky

Unit 2

1798 Nov. 5-Dec. 22 7th Assy. See Ky., A.1b, Reel 2.
1799 Nov. 4-Dec. 26 8th Assy. (Not found)
1800 Nov. 3-Dec. 20 9th Assy. See Ky., A.1b, Reel 2.
1801 Nov. 2-Dec. 19 10th Assy. 115 p.
1802 Nov. 1-Dec. 24 11th Assy. See Ky., A.1b, Reel 2.

DLC - 1

Unit 3

1803 Nov. 7-Dec. 27 12th Assy. 124 p. (w: p. 1-8)
1804* Nov. 5-Dec. 19 13th Assy. 116 p.
1805** Nov. 4-Dec. 26 14th Assy. 131 p.

KyHi - 1 *DLC **KyU

KENTUCKY-Continued

Unit 4

1806 Nov. 3-Dec. 27 15th Assy. 148 p.
1807* Dec. 28-Feb. 24 16th Assy. 159 p.
KyU *Ky

Unit 5

1808 Dec. 12-Feb. 11 17th Assy. 225 p.
1809 Dec. 4-Jan. 31 18th Assy. 186 p.
ICU - 1 Ky - 1

Unit 6

1810 Dec. 3-Jan. 31 19th Assy. 195 p.
1811 Dec. 2-Feb. 8 20th Assy. 224 p.
Ky

A.1a Reel 2

Unit 1

1812 Dec. 7-Feb. 2 21st Assy. 222 p.
1813 Dec. 6-Feb. 1 22d Assy. 209 p.
Ky

Unit 2

1814 Dec. 5-Feb. 8 23d Assy. 206 p.
1815 Dec. 4-Feb. 8 24th Assy. 255 p.
Ky

Unit 3

1816 Dec. 2-Feb. 5 25th Assy. 242 p.
1817* Dec. 1-Feb. 4 26th Assy. 261 p.
ICU *KyU

Unit 4

1818 Dec. 7-Feb. 10 27th Assy. 288 p.
1819 Dec. 6-Feb. 14 28th Assy. 324 p.
KyU

Unit 5

1820 Oct. 16-Dec. 27 29th Assy. 279 p.
1821 Oct. 15-Dec. 21 30th Assy., 1st sess. 354 p.
KyU

General Assembly

Journal of the House of Representatives

A.1b Reel 1

Unit 1

1792 June 4-29 1st Assy., 1st sess. 35 p.
1792* Nov. 5-Dec. 22 1st Assy., 2d sess. 193 p. MS.
1793 Nov. 4-Dec. 21 2d Assy. 92 p. (Pages 39-48 are missing, but text is continuous.)
1793** Nov. 4-Dec. 21 2d Assy. 36 p. (Incomplete)
ICU *KyHi **MH

KENTUCKY-Continued

Unit 2

1794 Nov. 3-Dec. 20 3d Assy. 84 p.
1794** Nov. 3-Dec. 20 3d Assy. 38 p. (Incomplete)
1795* Nov. 2-Dec. 21 4th Assy. 74 p.
1796*** Nov. 7-Dec. 19 5th Assy., 1st sess. 186 p. MS.

ICU - *1 **MH ***KyHi

Unit 3

1797 Feb. 6-Mar. 17 5th Assy., 2d sess. 103 p. MS.
1797* Nov. 27-30 6th Assy., 1st sess. p. 11 (w: p. 1-10)
1797*** Nov. 27-30 6th Assy., 1st sess. 26 p. MS.
1798*** Jan. 1-Feb. 13 6th Assy., 2d sess. 26-255 p. MS.
1798**** Jan. 1-Feb. 13 6th Assy., 2d sess. t.-p., 7-104 p. (Incomplete. Proceedings reported through Feb. 12.)
1798** Jan. 1-Feb. 13 6th Assy., 2d sess. 12-46 p. (Incomplete. Proceedings reported through Jan. 18.)

KyHi **ICU - *1 ***Ky ****KyLof

A.1b Reel 2

Unit 1

1798 Nov. 5-Dec. 22 7th Assy. 94 p. (Incomplete)
*The Palladium** (Frankfort, Ky.) Vol. 1, no. 14, Nov. 6, 1798 - no. 21, Dec. 25, 1798 report a sketch of the proceedings of the Senate and House for sess. days Nov. 5-Dec. 22.
1799 Nov. 4-Dec. 26 8th Assy. 5-136 p. (Incomplete)
*The Palladium** (Frankfort) Vol. II, no. 14, Nov. 7, 1799 - no. 21, Dec. 26, 1799 report a sketch of the proceedings of the House for sess. days Nov. 4-Dec. 26.
1800 Nov. 3-Dec. 20 9th Assy.
*The Palladium** (Frankfort) Vol. III, no. 14, Nov. 14, 1800 - no. 22, Dec. 30, 1800 report a sketch of the proceedings of the Senate and House for sess. days Nov. 3-Dec. 19.

M - 1 *ICU

Unit 2

1801 Nov. 2-Dec. 19 10th Assy. 130 p.
1802 Nov. 1-Dec. 24 11th Assy.
*The Palladium** (Frankfort) Vol. V, no. 14, Nov. 4, 1802 - no. 21, Dec. 25, 1802 report a sketch of the proceedings of the Senate and House for sess. days of Nov. 1-Dec. 8.
1803 Nov. 7-Dec. 27 12th Assy.
*The Palladium** (Frankfort) Vol. VI, no. 15, Nov. 12 - no. 22, Dec. 31, 1803 report a sketch of the proceedings of the House for sess. days of Nov. 7-30 and reports of the Auditor and Treasurer.

Ky *ICU

KENTUCKY-Continued

Unit 3

1804 Nov. 5-Dec. 19 13th Assy. 127 p.
1805* Nov. 4-Dec. 26 14th Assy. 164 p.
DLC - 1 *Ky

Unit 4

1806 Nov. 3-Dec. 27 15th Assy. 201 p.
(w: p. 194-201)
1807* Dec. 28-Feb. 24 16th Assy. [3]
230 p. (Incomplete. Proceedings reported to Feb. 23.)
ICU - 2 *Ky - 1

A.1b Reel 3

Unit 1

1808 Dec. 12-Feb. 11 17th Assy. 335 p.
(w: p. 335) ICU Ky

Unit 2

1809 Dec. 4-Jan. 31 18th Assy. 247 p.
1810 Dec. 3-Jan. 31 19th Assy. 211 p.
Ky

Unit 3

1811 Dec. 2-Feb. 8 20th Assy. 249 p.
1812 Dec. 7-Feb. 2 21st Assy. 206 p.
Ky

Unit 4

1813 Dec. 6-Feb. 1 22d Assy. 241 p.
1814 Dec. 5-Feb. 8 23d Assy. 254 p.
Ky

Unit 5

1815 Dec. 4-Feb. 8 24th Assy. 311 p.
1816 Dec. 2-Feb. 5 25th Assy. 291 p.
DLC

A.1b Reel 4

Unit 1

1817 Dec. 1-Feb. 4 26th Assy. 336 p.
Ky

Unit 2

1818 Dec. 7-Feb. 10 27th Assy. 325 p.
DLC

Unit 3

1819 Dec. 6-Feb. 14 28th Assy. 424,
40 p.
Ky

Unit 4

1820 Oct. 16-Dec. 27 29th Assy. 383 p.
Ky

Unit 5

1821 Oct. 15-Dec. 21 30th Assy., 1st sess.
514 p.
Ky

Unit 6

1823 Nov. 3-Jan. 8 32d Assy. 488 p.
Ky

JOURNALS, MINUTES AND PROCEEDINGS

LOUISIANA

Legislative Council

Journal of the Legislative Council

A.la:b

Reel 1

Unit 1

A.lc

1804 Dec. 4-Apr. 4? 1st Legis. Coun., 1st sess.
The Louisiana gazette (New Orleans) vol. I, no. 17-87, Dec. 7, 1804-Aug. 27, 1805.[1]
Vol. I, no. 17 reports sess. day of Dec. 4.
Vol. I, no. 18 reports sess. days of Dec. 5-7.
Vol. I, no. 19 reports sess. days of Dec. 7-12.
Vol. I, no. 20 reports sess. days of Dec. 14-15.
Vol. I, no. 21 reports sess. days of Dec. 17-29.
Vol. I, no. 22 reports sess. day of Dec. 31.
Vol. I, no. 27 reports sess. days of Jan. 4-15.
Vol. I, no. 29 reports sess. days of Jan. 16-30.
Vol. I, no. 31 reports sess. days of Jan. 31-Feb. 2.
Vol. I, no. 32 reports sess. day of Feb. 2.
Vol. I, no. 37 reports sess. days of Feb. 11-15.
Vol. I, no. 38 reports sess. days of Feb. 19-21.
Vol. I, no. 40 reports sess. days of Feb. 25-Mar. 4.
Vol. I, no. 48 reports sess. days of Mar. 6-7.
Vol. I, no. 49 reports sess. days of Mar. 7-11.
Vol. I, no. 50 reports sess. days of Mar. 12-26.
Vol. I, no. 51 reports sess. days of Mar. 28-Apr. 4.

1805 June 20-26 1st Legis. Coun., 2d sess.
The Louisiana gazette (New Orleans)
Vol. I, no. 72 reports sess. days of June 20-25.
Vol. I, no. 73 reports sess. day of June 26.

LN-Ar

Legislature

Journals of the Council and House of Representatives

Unit 2

1805 Nov. 4-14 1st Legis., prov. sess.
*Mississippi messenger** (Natchez) Vol. II, no. 66, Dec. 3, 1805 reports the proceedings of the House of Representatives for the entire session.

1806 Jan.-Mar. 25? 1st Legis., 1st sess.
The Louisiana gazette (New Orleans) vol. II, no. 124, Jan. 3-no. 149, Apr. 1, 1806.

1807 Jan. 12-? 1st Legis., 2d sess.
The Louisiana gazette (New Orleans) vol. III, no. 232, Jan. 16-no. 255, Apr. 7, 1807. Vol. III, no. 232 reports sess. days of Jan. 12-13. Part of the debates appear in nos. 233-255. (Nos. 241 and 242 are missing.)

LN-Ar *Ms-Ar

1. Issues of *The Louisiana gazette* through Aug. 27, 1805 are included on film.

LOUISIANA-Continued

Unit 3

1808 Jan. 18-Feb. 23? 2d Legis., 1st sess.
*Courrier de la Louisiane** (New Orleans) Jan. 18, 1808 contains Governor's message, Jan. 18, 1808.
The Louisiana gazette (New Orleans) vol. IV, no. 337, Jan. 19-no. 360, Apr. 6, 1808.
Vol. IV, no. 337 reports sess. day of Jan. 18.
Vol. IV, no. 338 reports sess. day of Jan. 19.
Vol. IV, no. 341 reports sess. days of Jan. 20-22.
Vol. IV, no. 345 reports sess. days of Jan. 22-Feb. 10.
Vol. IV, no. 347 reports sess. days of Feb. 10-15.
Vol. IV, no. 350 reports sess. days of Feb. 16-23.

1809 Jan. 13-Mar. ? 2d Legis., 2d sess.
The Louisiana gazette (New Orleans) vol. V, no. 440, Jan. 13-no. 461, Mar. 28, 1809.
Vol. V, no. 441 reports sess. days of Jan. 13-14.
Vol. V, no. 443 reports sess. day of Jan. 17.
Courrier de la Louisiane (New Orleans) vol. II, no. 191, Jan. 2-no. 231, Mar. 31, 1809. Vol. II, nos. 197-220 report parts of proceedings for sess. days Jan. 14-Mar. 3.
LN-Ar *LNSM

Unit 4

1810 Jan. 3d Legis., 1st sess. (Not found)
1811 Jan. 29 3d Legis., 2d sess.
The Louisiana gazette (New Orleans) vol. VII, no. 821, Jan. 30-no. 841, Mar. 1, 1811.
*Courrier de la Louisiane** (New Orleans) vol. IV, no. 507, Jan. 2-no. 544, Mar. 29, 1811. Vol. IV, nos. 512-532 report parts of the proceedings from Jan. 14-Feb. 25.
LN-Ar *LNSM

Legislature

Journal of the Senate

A.la Reel 2

Unit 1

1812 July 27-Sept. 7 1st Legis., 1st sess. (Not found)
1812* July 27-Sept. 7 1st Legis., 1st sess. 94 p. (Fr.)
1812* Nov. 23-Mar. 29 1st Legis., 2d sess. 68 p.
1814 Jan. 3-Mar. 7 1st Legis., 3d sess. (Not found)
1814** Jan. 3-Mar. 7 1st Legis., 3d sess. 70 p. (Fr.)
1814 Nov. 10-Feb. 6 2d Legis., 1st sess. 78 p.
1816 Jan. 1-Mar. 20 2d Legis., 2d sess. 68 p.
1816 Nov. 18-Feb. 22 3d Legis., 1st sess. 66 p.
1818 Jan. 5-Mar. 20 3d Legis., 2d sess. 58 p.
1819 Jan. 4-Mar. 8 4th Legis., 1st sess. 52 p.
LU - *1 **L

Unit 2

1820 Jan. 3-Mar. 18 4th Legis., 2d sess. 75 p.
1820 Nov. 20-Feb. 17 5th Legis., 1st sess. 70 p.
1822 Jan. 7-Mar. 23 5th Legis., 2d sess. 68 p.

LOUISIANA-Continued

1823 Jan. 6-Mar. 27 6th Legis., 1st sess. 76 p.
1824 Jan. 5-Apr. 12 6th Legis., 2d sess. 51, 34 p.
1824 Nov. 15-Feb. 19 7th Legis., 1st sess. 1 p.l., 89 p.
1826 Jan. 2-Apr. 25 7th Legis., 2d sess. 101 p.
1827 Jan. 1-Mar. 23 8th Legis., 1st sess. 71 p.
1828 Jan. 7-Mar. 25 8th Legis., 2d sess. 68 p.

LU

Unit 3

1828 Nov. 17-Feb. 7 9th Legis., 1st sess. 82 p.
1830* Jan. 4-Mar. 16 9th Legis., 2d sess. 68 p.
1831 Jan. 3-Mar. 25 10th Legis., 1st sess. 74 p.
1831* Nov. 14-19 10th Legis., ext. sess. 8 p.
1832* Jan. 2-Apr. 3 10th Legis., 3d sess. 68 p.
1833* Jan. 7-Apr. 1 11th Legis., 1st sess. 59 p.
1833* Dec. 9-Mar. 10 11th Legis., 2d sess. 80 p.
1835* Jan. 5-Apr. 2 12th Legis., 1st sess. 64, [1] p.

LNT *L

Unit 4

1836* Jan. 4-Mar. 14 12th Legis., 2d sess. 1 p.l., 72 p.
1837 Jan. 2-Mar. 13 13th Legis., 1st sess. 42 p.
1837 Dec. 11-Mar. 12 13th Legis., 2d sess. 68, 3 p.
1839 Jan. 7-Mar. 20 14th Legis., 1st sess. 86 p.
1839** Jan. 7-Mar. 20 14th Legis., 1st sess. 89 p. (Fr.)
1840** Jan. 6-Mar. 28 14th Legis., 2d sess. 82 p.

L *M - 1 **LNT

Unit 5

1841 Jan. 4-Mar. 8 15th Legis., 1st sess. 122, A, B p.
1841 Dec. 13-Mar. 26 15th Legis., 2d sess. [Pt. 1] 82 p.
1841 Dec. 13-Mar. 26 15th Legis., 2d sess. [Pt. 2] 105 p.
1843* Jan. 2-18 16th Legis., 1st sess. 22 p.
1843* Jan. 19-Apr. 6 16th Legis., 1st sess. 85, 6, 1 p.

L *M

A.1a

Reel 3

Unit 1

1844 Jan. 1-Mar. 25 16th Legis., 2d sess. 87 p., App., v.p.
1845 Jan. 6-Mar. 10 17th Legis., 1st sess. 73, [36] p.
1846 Feb. 9-Mar. 16 1st Legis., 1st sess. 60 p.
1846 Mar. 17-June 1 1st Legis., 1st sess. 150, 25 p.
1847* Jan. 11-Mar. 16 1st Legis., 2d sess. 24, 118, 1 p.
1847* Mar. 17-May 4 1st Legis., 2d sess. 103 p.

L *LNT

Unit 2

1848 Jan. 17-Mar. 16 2d Legis., 1st sess. 169, 15, 12 p.
1848 Dec. 4-20 2d Legis., ext. sess. 38 p., App., v.p.
1850 Jan. 21-Mar. 21 3d Legis., 1st sess. 26, 195 p.
1852* Jan. 19-Mar. 18 4th Legis., 1st sess. 196 p., App., v.p.
1853 Jan. 17-Apr. 30 1st Legis., 1st sess. 197, 12 p.
1854** Jan. 16-Mar. 16 2d Legis., 1st sess. 6, 140 p.

LU *DLC **LNT

LOUISIANA-Continued

Unit 3

1855 Jan. 15-Mar. 15 2d Legis., 2d sess. 126, 1 p.
1856 Jan. 21-Mar. 20 3d Legis., 1st sess. 90, 15, 71 p.
1857* Jan. 19-Mar. 18 3d Legis., 2d sess. 100, 9, 138 p.
1858** Jan. 18-Mar. 18 4th Legis., 1st sess. 137, 15 p.
1858** Jan. 18-Mar. 18 4th Legis., 1st sess. 118, 14 p. (Fr.)

LNT *M - DLC **DLC

Unit 4

1859 Jan. 17-Mar. 17 4th Legis., 2d sess. 121, 10 p.
1860* Jan. 16-Mar. 15 5th Legis., 1st sess. 147, 17 p.
1860** Dec. 10-12 5th Legis., ext. sess. 301-328 p. MS. (Fr.)

NN - 1 *M **LN-Ar

A.la Reel 4

Unit 1

1860 Dec. 10-12 5th Legis., ext. sess. 14, 1 p.
1860 Dec. 10-12 5th Legis., ext. sess. 14, 1 p. (Fr.)
1861* Jan. 21-Mar. 21 5th Legis., 2d sess. 116, 13, 13, 1 p.
1861* Nov. 25-Jan. 23 6th Legis., 1st sess. 112, 11 p.
1862 Dec.-?-Jan. 3 "27th Legis.," ext. sess. (Not found)
[W] 1863** May 4-June 20 6th Legis., ext. sess. 67, 4 p.
[W] 1864** Jan. 18-Feb. 11 7th Legis., 1st sess. 76, 8 p.
1864*** Oct. 3-Apr. 4 1st Assy., 1st & 2d sess. 197 p.

N - 1 *NN - 2 **OkT-Hargrett - 1 ***LU

Unit 2

1865* Jan. 16-Feb. 4 7th Legis., 2d sess. 68 p.
1865 Nov. 23-Dec. 22 1st Assy., ext. sess. 83 p.
1866 Jan. 22-Mar. 22 Reg. sess. 174 p.
1867 Jan. 28-Mar. 28 Reg. sess. 191 p.

DLC *NN - 2

Unit 3

1868 June 29-Oct. 20 Ext. sess. 269, 50, 2 p.
1869 Jan. 4-Mar. 4 Reg. sess. 246, 45 p.

DLC - LU

Unit 4

1870 Jan. 3-Mar. 3 Reg. sess. 240 p.
1870 Mar. 7-16 Ext. sess. [241]-395, [1], 192 p.

LU - DLC

Unit 5

1871 Jan. 2-Mar. 2 Reg. sess. 351 p. LU

A.la Reel 5

Unit 1

1871 Dec. 6-7 Ext. sess. 4 p.
1872 Jan. 1-Feb. 29 Reg. sess. 246 p.
1872* Dec. 9-Jan. 6 Ext. sess. 47 p.
1873* Jan. 6-Mar. 6 Reg. sess. [49]-294, 14 p.

DLC *LU

LOUISIANA-Continued

Unit 2

1874 Jan. 5-Mar. 5 Reg. sess. 1 p.l., 310 p. DLC

Unit 3

1875 Jan. 4-Mar. 3 Reg. sess. 176, 43 p.
1875 Apr. 14-24 Ext. sess. 79 p.

LNT

Legislature

Journal of the House of Representatives

A.1b Reel 2

Unit 1

1812 July 27-Sept. 7 1st Legis., 1st sess. 94, vi, v p.
1812 Nov. 23-Mar. 29 1st Legis., 2d sess. 117 p.
1814 Jan. 3-Mar. 7 1st Legis., 3d sess. 70 p.
1814 Nov. 10-Feb. 6 2d Legis., 1st sess. 121 p.

DLC - 1

Unit 2

1816 Jan. 1-Mar. 20 2d Legis., 2d sess. 109 p.
1816* Jan. 1-Mar. 20 2d Legis., 2d sess. 116 p. (Fr.)
1816** Nov. 18-Feb. 22 3d Legis., 1st sess. 82 p.
1818* Jan. 5-Mar. 20 3d Legis., 2d sess. 68 p.

CtY-L *L **N

Unit 3

1819 Jan. 4-Mar. 8 4th Legis., 1st sess. 72 p.
1819* Jan. 4-Mar. 8 4th Legis., 1st sess. 74 p. (Fr.)
1820 Jan. 3-Mar. 18 4th Legis., 2d sess. 86 p.
1820 Nov. 20-Feb. 17 5th Legis., 1st sess. 92 p.
1820* Nov. 20-Feb. 17 5th Legis., 1st sess. 94 p. (Fr.)

LNT *LU

Unit 4

1822 Jan. 7-Mar. 23 5th Legis., 2d sess. 88 p.
1823 Jan. 6-Mar. 27 6th Legis., 1st sess. 107 p.
1824 Jan. 5 Apr. 12 6th Legis., 2d sess. 81, 47 p.
1824* Jan. 5-Apr. 12 6th Legis., 2d sess. 79, 49 p. (Fr.)

LNT *LU

Unit 5

1824 Nov. 15-Feb. 19 7th Legis., 1st sess. 129 p.
1826* Jan. 2-Apr. 25 7th Legis., 2d sess. 135 p.
1827 Jan. 1-Mar. 23 8th Legis., 1st sess. 99 p.
1828 Jan. 7-Mar. 25 8th Legis., 2d sess. 111 p.

LNT *L

Unit 6

1828 Nov. 17-Feb. 7 9th Legis., 1st sess. 111 p.
1830* Jan. 4-Mar. 16 9th Legis., 2d sess. 112 p.
1831** Jan. 3-Mar. 25 10th Legis., 1st sess. 158 p.
1831** Nov. 14-19 10th Legis., ext. sess. 13 p.

L *LNT **LU

A.1b Reel 3

Unit 1

1832 Jan. 2-Apr. 3 10th Legis., 3d sess. 127 p.

LOUISIANA-Continued

1832* Jan. 2-Apr. 3 10th Legis., 1st sess. 126 p. (Fr.)
1833 Jan. 7-Apr. 1 11th Legis., 1st sess. 118 p.
1833* Dec. 9-Mar. 10 11th Legis., 2d sess. 125 p.

DLC *LU

Unit 2

1835 Jan. 5-Apr. 2 12th Legis., 1st sess. 137, 5 p.
1836* Jan. 4-Mar. 14 12th Legis., 2d sess. 1 p.l., 106 p.
1837** Jan. 2-Mar. 13 13th Legis., 1st sess. 84 p.
1837** Dec. 11-Mar. 12 13th Legis., 2d sess. 103 p.

DLC *M **LU

Unit 3

1839 Jan. 7-Mar. 20 14th Legis., 1st sess. 114 p.
1840 Jan. 6-Mar. 28 14th Legis., 2d sess. 138, [8] p.
1841 Jan. 4-Mar. 8 15th Legis., 1st sess. 106 p., App., v.p.

LNT

Unit 4

1841 Dec. 13-Mar. 26 15th Legis., 2d sess. [Pt. 1] 54 p., App., v.p.
1841 Dec. 13-Mar. 26 15th Legis., 2d sess. [Pt. 2] 96 p.
1843 Jan. 2-Apr. 6 16th Legis., 1st sess. 20, 126 p., App., v.p.
1844* Jan. 1-Mar. 25 16th Legis., 2d sess. 135, xlviii, [2] p.

LNT *LNT - LU

Unit 5

1845 Jan. 6-Mar. 10 17th Legis., 1st sess. 113 p., App., v.p.
1846* Feb. 9-June 1 1st Legis., 1st sess. 44, 198 p.

LNT *LU

Unit 6

1847 Jan. 11-May 4 1st Legis., 2d sess. 98, 140 p.
1848 Jan. 17-Mar. 16 2d Legis., 1st sess. 177 p.
1848 Dec. 4-20 2d Legis., ext. sess. 40 p.
1848 Dec. 4-20 2d Legis., ext. sess. 41 p.

LU

A.1b Reel 4

Unit 1

1850 Jan. 21-Mar. 21 3d Legis., 1st sess. 177 p., App., v.p.
1852* Jan. 19-Mar. 18 4th Legis., 1st sess. 198, 158 p., App., v.p.

LU *NcU

Unit 2

1853 Jan. 17-Apr. 30 1st Legis., 1st sess. 246, 5 p., App., v.p.
1854 Jan. 16-Mar. 16 2d Legis., 1st sess. 163 p., App., v.p.

LOUISIANA-Continued

Unit 3

1855 Jan. 15-Mar. 15 2d Legis., 2d sess. 160, 11 p.
1856 Jan. 21-Mar. 20 3d Legis., 1st sess. 120, 74 p.

LNT

Unit 4

1857 Jan. 19-Mar. 18 3d Legis., 2d sess. 109 p.
1858* Jan. 18-Mar. 18 4th Legis., 1st sess. 109 p.
1859** Jan. 17-Mar. 17 4th Legis., 2d sess. 108 p.

LU *DLC **LNT

Unit 5

1860 Jan. 16-Mar. 15 5th Legis., 1st sess. 120 p.
1860 Dec. 10-12 5th Legis., ext. sess. (Not found)
1861* Jan. 21-Mar. 21 5th Legis., 2d sess. 98 p.

LU *NN

Unit 6

1861 Nov. 25-Jan. 23 6th Legis., 1st sess. 264 p. MS.

LU-Ar

A.1b Reel 5

Unit 1

1862 Dec. ?-Jan. 3 "27th Legis.," ext. sess. (Not found)
[W] 1863 May 4-June 20 6th Legis., ext. sess. 60 p.
[W] 1864 Jan. 8-Feb. 11 7th Legis., 1st sess. 75 p.
1864* Oct. 3-Apr. 4 1st Assy., 1st & 2d sess. 226 p.
1865** Jan. 16-Feb. 4 7th Legis., 2d sess. 61 p.

OkT Hargrett - 1 *DLC **NN

Unit 2

1865 Nov. 23-Dec. 22 1st Assy., ext. sess. 75 p.
1866 Jan. 22-Mar. 22 Reg. sess. 147 p.
1867 Jan. 28-Mar. 28 Reg. sess. 157 p.

DLC

Unit 3

1868 June 29-Oct. 20 Ext. sess. 304 p. LU

Unit 4

1869 Jan. 4-Mar. 4 Reg. sess. 298 p. NN

Unit 5

1870 Jan. 3-Mar. 3 Reg. sess. 315 p.
1870 Mar. 7-16 Ext. sess. [316]-384 p.
In 1 vol.

DLC

Unit 6

1871 Jan. 2-Mar. 2 Reg. sess. 225 p.
1872* Jan. 1-Feb. 29 Reg. sess. 225 p.

LU *NcU

Unit 7

1872 Dec. 9-Jan. 6 Ext. sess. 56 p.
1873 Jan. 6-Mar. 6 Reg. sess. 57-246 p.
In 1 vol.
1874* Jan. 5-Mar. 5 Reg. sess. 274 p.

LU *DLC

LOUISIANA-Continued

Unit 8

1875 Jan. 4-Mar. 3 Reg. sess. 147 p.
1875* Apr. 14-24 Ext. sess. 64 p.

LNT *DLC

Unit 9

A.la:b

1903 Dec. 10-21 Ext. sess. 31, 14 p. (H)
1903 Dec. 10-21 Ext. sess. 48 p. (S)

LU

MAINE

Legislature

Journal of the Senate

A.la Reel 1

Unit 1

1820 May 31-June 28 1st Legis., 1st sess. [14], 136 p. MS.
1821 Jan. 10-Mar. 22 1st Legis., 2d sess. 141-402, [52] p. MS.

Me-Secy.

Unit 2

1822 Jan. 2-Feb. 9 2d Legis. 208, [29] p. MS.

Me-Secy.

Unit 3

1823 Jan. 1-Feb. 11 3d Legis. 320, [36] p. MS.

Me-Secy.

Unit 4

1824 Jan. 7-Feb. 25 4th Legis. 284, [34] p. MS.

Me-Secy.

Unit 5

1825 Jan. 5-Feb. 28 5th Legis. 304, [31] p. MS.

Me-Secy.

A.la Reel 2

Unit 1

1826 Jan. 4-Mar. 8 6th Legis. 345, [37] p. MS.

Me-Secy.

Unit 2

1827 Jan. 3-Feb. 26 7th Legis. 243, [53] p. MS.

Me-Secy.

Unit 3

1828 Jan. 2-Feb. 26 8th Legis. 214, [56] p. MS.

Me-Secy.

Unit 4

1829 Jan. 7-Mar. 6 9th Legis. 241, [42] p. MS.

Me-Secy.

Unit 5

1830 Jan. 6-Mar. 19 10th Legis. 291, xliv, 39 p. MS.

Me-Secy.

A.la Reel 3

Unit 1

1831 Jan. 5-Apr. 2 11th Legis. 320, xlvi, [47] p. MS.

Me-Secy.

MAINE-Continued

Unit 2

1832 Jan. 4-Mar. 9 12th Legis. 325, xxxix, [37] p. MS.
Me-Secy.

Unit 3

1833 Jan. 2-Mar. 4 13th Legis. 324, xxvii, [45] p. MS.
Me-Secy.

Unit 4

1834 Jan. 1-Mar. 13 14th Legis. 369, xxvi, 52 p. MS.
Me-Secy.

A.1a Reel 4

Unit 1

1835 Jan. 7-Mar. 24 15th Legis. 355, xxiii, [70] p. MS.
Me-Secy.

Unit 2

1836 Jan. 6-Apr. 4 16th Legis. 492, xxxvi, [90] p. MS.
Me-Secy.

Unit 3

1837 Jan. 4-Mar. 30 17th Legis. 476, 41, [68] p. MS.
Me-Secy.

Unit 4

1838 Jan. 3-Mar. 23 18th Legis. 457, 145 p. MS.
Me-Secy.

A.1a Reel 5

Unit 1

1839 Jan. 2-Mar. 25 19th Legis. 466, 171 p. MS.
Me-Secy.

Unit 2

1840 Jan. 1-Mar 18 20th Legis. 457, 53, 59 p. MS.
Me-Secy.

Unit 3

1840 Sept. 17-Oct. 27 20th Legis., adj. sess. 170, 36, 34 p. MS.
Me-Secy.

Unit 4

1841 Jan. 6-Apr. 17 21st Legis., adj. sess. 488, 73, 44 p. MS.
Me-Secy.

A.1a Reel 6

Unit 1

1842 Jan. 5-Mar. 18 22d Legis. 487, 28, 64 p. MS.
1842 May 18-May 30 22d Legis., spec. sess. 63, 15, 8 p. MS.
Me-Secy.

Unit 2

1843 Jan. 4-Mar. 24 23d Legis. 590, 59, 32 p. MS.
Me-Secy.

Unit 3

1844 Jan. 3-Mar. 2 24th Legis. 579, 62 p. MS.
Me-Secy.

A.1a Reel 7

Unit 1

1845 Jan. 1-Apr. 8 25th Legis. 549, 37 p. MS.
Me-Secy.

MAINE-Continued

Unit 2

1846 May 13-Aug. 10 26th Legis. 546, [21], 49 p. MS.
Me-Secy.

Unit 3

1847 May 12-Aug. 3 27th Legis. 526, 36, [17], 83 p. MS.
Me-Secy.

A.1a Reel 8

Unit 1

1848 May 10-Aug. 11 28th Legis. 587, [73] p. MS.
Me-Secy.

Unit 2

1849 May 9-Aug. 15 29th Legis. 499, 4, [15] p. MS.
Me-Secy.

Unit 3

1850 May 8-Aug. 29 30th Legis. 508, [15], 50 p. MS.
Me-Secy.

A.1a Reel 9

Unit 1

1851 May 14-June 3 31st Legis. v. 1: 181 p. MS.
1852 Jan. 7-Feb. 24 31st Legis., adj. sess. v. 1: 182-420, 63 p. MS.
Me-Secy.

Unit 2

1852 Feb. 25-Apr. 26 31st Legis., adj. sess. v. 2: 421-833, 25, 63 p. MS.
Me-Secy.

Unit 3

1853 Jan. 5-Apr. 1 32d Legis. 437 p. MS.
1853 Sept. 20-28 32d Legis., spec. sess. 441-543 p. MS.
Me-Secy.

Unit 4

1854 Jan. 4-Apr. 20 33d Legis. 545 p. NcU

A.1a Reel 10

Unit 1

1855 Jan. 3-Mar. 17 34th Legis. 515 p. MS. Me-Secy.

Unit 2

1856 Jan. 2-Apr. 10 35th Legis. 477 p. M

Unit 3

1857 Jan. 7-Apr. 17 36th Legis. 493 p. M

Unit 4

1858 Jan. 6-Mar. 29 37th Legis. 535 p. M

A.1a Reel 11

Unit 1

1859 Jan. 5-Apr. 6 38th Legis. 675 p. MS. Me-Secy.

Unit 2

1860 Jan. 4-Mar. 20 39th Legis. 404 p. NcU

Unit 3

1861 Jan. 2-Mar. 16 40th Legis. 311 p.
1861 Apr. 22-25 40th Legis., ext. sess. [315]-396 p.
DLC

MAINE-Continued

A.1a Reel 12

Unit 1

1862 Jan. 1-Mar. 19 41st Legis. 469 p. MS. Me-Secy.

Unit 2

1863 Jan. 7-Mar. 26 42d Legis. 326 p. DLC

Legislature

Journal of the House of Representatives

A.1b Reel 1

Unit 1

1820 May 31-June 28 1st Legis., 1st sess. 262 p. MS. Me-Secy.

Unit 2

1821 Jan. 10-Mar. 22 1st Legis., 2d sess. v. 1: 477 p.; v. 2: 478-579 p. MS. Me-Secy.

Unit 3

1822 Jan. 3-Feb. 9 2d Legis. 293, [20] p. MS. Me-Secy.

Unit 4

1823 Jan. 1-Feb. 11 3d Legis. 294 p. MS. Me-Secy.

Unit 5

1824 Jan. 7-Feb. 25 3d Legis. 230, [17] p. MS. Me-Secy.

A.1b Reel 2

Unit 1

1825 Jan. 5-Feb. 28 5th Legis. 251 p. MS. Me-Secy.

Unit 2

1826 Jan. 4-Mar. 8 6th Legis. 358 p. MS. Me-Secy.

Unit 3

1827 Jan. 3-Feb. 26 7th Legis. 307 p. MS. Me-Secy.

Unit 4

1828 Jan. 2-Feb. 26 8th Legis. 329 p. MS. Me-Secy.

Unit 5

1829 Jan. 7-Mar. 6 9th Legis. 363 p. MS. Me-Secy.

A.1b Reel 3

Unit 1

1830 Jan. 6-Mar. 19 10th Legis. 389, [34] p. MS. Me-Secy.

Unit 2

1831 Jan. 5-Apr. 2 11th Legis. 524, [36] p. MS. Me-Secy.

Unit 3

1832 Jan. 4-Mar. 9 12th Legis. 298, 215, [48] p. MS. Me-Secy.

A.1b Reel 4

Unit 1

1833 Jan. 2-Mar. 4 13th Legis. 319, 230, [34] p. MS. Me-Secy.

Unit 2

1834 Jan. 1-Mar. 13 14th Legis. 393, 148, [42] p. MS. Me-Secy.

MAINE-Continued

Unit 3

1835 Jan. 7-Mar. 24 15th Legis. 500, [58] p. MS. Me-Secy.

A.1b Reel 5

Unit 1

1836 Jan. 6-Apr. 4 16th Legis. 421, 265, [71] p. MS.
Me-Secy.

Unit 2

1837 Jan. 4-Mar. 30 17th Legis. 471, [19], 253, [66] p. MS.
Me-Secy.

A.1b Reel 6

Unit 1

1838 Jan. 3-Mar. 23 18th Legis. 357, 332, [70] p. MS.
Me-Secy.

Unit 2

1839 Jan. 2-Mar. 25 19th Legis. 483, [1], 269, [70] p. MS.
Me-Secy.

A.1b Reel 7

Unit 1

1840 Jan. 1-Mar. 18 20th Legis. 396, 179, 79 p. MS.
1840 Sept. 17-Oct. 22 20th Legis., adj. sess. 107, 35, 37 p.
MS.
Me-Secy.

Unit 2

1841 Jan. 6-Apr. 17 21st Legis. 386, 486, [54] p. MS.
Me-Secy.

A.1b Reel 8

Unit 1

1842 Jan. 5-Mar. 18 22d Legis. 939, [74] p. MS.
1842 May 18-30 22d Legis. 156, [8] p. MS.
Me-Secy.

Unit 2

1843 Jan. 4-Mar. 24 23d Legis. 1008, [63] p. MS. Me-Secy.

A.1b Reel 9

Unit 1

1844 Jan. 3-Mar. 22 24th Legis. 976, [42] p. MS. Me-Secy.

Unit 2

1845 Jan. 1-Apr. 8 25th Legis. 513, 374, 54 p. MS.
Me-Secy.

A.1b Reel 10

Unit 1

1846 May 13-Aug. 10 26th Legis. 686, 53 p. MS.
Me-Secy.

Unit 2

1847 May 12-Aug. 3 27th Legis. 455, 325, 52 p. MS.
Me-Secy.

MAINE-Continued

Unit 3

1848 May 10-Aug. 11 28th Legis. 852, 53 p. MS.
Me-Secy.

A.1b
Reel 11

Unit 1

1849 May 9-Aug. 15 29th Legis. 480, 95, 42 p. MS.
Me-Secy.

Unit 2

1850 May 8-Aug. 28 30th Legis. 523, 48 p. MS.
Me-Secy.

Unit 3

1851 May 14-June 3 31st Legis. 134 p. MS.
1852 Jan. 7-Apr. 26 31st Legis., adj. sess. 135-644, 65 p. MS.
Me-Secy.

A.1b
Reel 12

Unit 1

1853 Jan. 5-Feb. 26 32d Legis. v. 1: 240, 37 p. MS.
Me-Secy.

Unit 2

1853 Feb. 28-Apr. 1 32d Legis. v. 2: 241-428 p. MS.
1853 Sept. 20-28 32d Legis., ext. sess. v. 2: 26, 36, [7] p. MS.
Me-Secy.

Unit 3

1854 Jan. 4-Mar. 7 33d Legis. v. 1: 263, 55 p. MS.
Me-Secy.

Unit 4

1854 Mar. 8-Apr. 20 33d Legis. v. 2: 264-538, 56 p. MS.
Me-Secy.

Unit 5

1855 Jan. 3-Mar. 17 34th Legis. 404 p.
[W] 1856* Jan. 2-Apr. 10 35th Legis. 379 p.
NN *Me

Unit 6

1857 Jan. 7-Apr. 17 36th Legis. 551 p.
M

A.1b
Reel 13

Unit 1

[W] 1858 Jan. 6-Mar. 29 37th Legis. 569 p.
1859* Jan. 5-Apr. 5 38th Legis. 589 p. MS.
Me Me-Secy.

Unit 2

1860 Jan. 4-Mar. 20 39th Legis. 339 p.
NN

Unit 3

1861 Jan. 2-Mar. 16 40th Legis. 291 p.
1861 Apr. 22-25 40th Legis., ext. sess. [292]-347 p.
NcU

Unit 4

1862 Jan. 1-Mar. 19 41st Legis. 390 p. MS. Me-Secy.

Unit 5

1863 Jan. 7-Mar. 26 42d Legis. 392, [14] p. MS.
Me-Secy.

JOURNALS, MINUTES AND PROCEEDINGS

MAINE-Continued

A.1b Reel 14

Unit 1

1864 Jan. 6-Mar. 25 43d Legis. 562, [26] p. MS. Me-Secy.

MARYLAND

General Assembly

Journal of the Upper House of Assembly

A.1a Reel 1

Unit 1

1659 Jan. 12-1698 Nov. 12 1032 p. MS. Md-Ar - no. 3871

Unit 2

1699 Apr. ?-1701 Nov. [Council proceedings, no. 13½] [7-18], 19-71 p. MS.

1701 May 8-17 [Council proceedings, no. 29½] 1 p.l., [71]-121 p. MS.

1701 Nov. 29 [Council proceedings, no. 13½] 1 p.l., 10 p. MS. Md-Ar - no. 3828

A.1a Reel 2

Unit 1

[W] 1699 June 29-1714 Oct. 9 956 p. MS.
1699 June 29-1714 Oct. 9 943 p.
1708 Sept. 27-1708 Oct. 5 945-956 p.
Md-Ar - no. 3894

A.1a Reel 3

Unit 1

[W] 1715 Apr. 26-1722 Nov. 3 1044 p. MS. Md-Ar - no. 3905

A.1a Reel 4

Unit 1

[W] 1723 Sept. 23-1729 Aug. 8 461 p. MS. Md-Ar - no. 3908

Unit 2

[W] 1730 May 21-1742 Oct. 29 [873] p. MS. Md-Ar - no. 3909

A.1a Reel 5

Unit 1

[W] 1744 May 1-1754 Dec. 12 529 p. MS. Md-Ar - no. 3911

Unit 2

[W] 1755 Feb. 22-1761 Apr. 13 493 p. MS. Md-Ar - no. 35

MARYLAND-Continued

A.1a Reel 6

Unit 1

[W] 1762 Mar. 17-1773 Dec. 23 737 p. MS.
Md-Ar - no. 36

Unit 2

[W] 1774 Mar. 23-Apr. 19 29 p. MS.
Md-Ar - no. 37

Votes and Proceedings of the Senate

A.1a Reel 7

Unit 1

1777 Feb. 5-Apr. 20 63 p.
1777 June 16-29 [65]-81 p.
1777 Oct. 22-Dec. 23 32 p.
1778 Mar. 13-Apr. 22 [33]-56 p.
1778 June 1-23 [57]-68 p.
1778 Oct. 19 Dec. 15 36 p.
1779 Mar. 2-25 [37]-54 p.
1779 July 15-Aug. 15 [55]-77 p.
1779 Nov. 8-Dec. 30 46 p.
1780 Mar. 2-May 16 [47]-95 p.
1780 June 7-July 5 [97]-120 p.
1780 Oct. 17-Feb. 2 52 p.
1781 May 10-June 27 [53]-78 p.
MdHi

Unit 2

1781 Nov. 1-Jan. 22 34 p.
1782 Apr 25-June 15 [35] 69 p.
1782 Nov. 4-Jan. 15 50 p.
1783 Apr. 21-June 1 [51]-84 p.
1783* Nov. 3-Dec. 26 36 p.
1784* Nov. 1-Jan. 22 71 p.
1785* Nov. 7-Mar. 12 91 p.
1786 Nov. 6-Jan. 20 44 p.
MdHi *Md

Unit 3

1787 Apr. 10-May 26 [45]-83 p.
1787 Nov. 5-Dec. 17 29 p.
1788 May 12-27 [31]-46 p.
1788 Nov. 3-Dec. 23 42 p.
1789 Nov. 2-Dec. 25 46 p.
1790 Nov. 1-Dec. 22 53 p.
MdHi

Unit 4

1791 Nov. 7-Dec. 30 57 p.
1792* Apr. 2-6 [59]-66 p.
1792 Nov. 5-Dec. 23 49 p.
1793 Nov. 4-Dec. 29 47 p.
1794 Nov. 3-Dec. 27 53 p.
1795 Nov. 2-Dec. 24 50 p.
1796 Nov. 7-Dec. 31 59 p.

MARYLAND-Continued

1797 Nov. 6-Jan. 21 70 p.
1798 Nov. 5-Jan. 20 74 p.
1799 Nov. 4-Jan. 3 47 p.
Md *MdHi

A.la Reel 8

Unit 1

1800 Nov. 3-Dec. 19 51 p.
1801 Nov. 2-Dec. 31 61 p.
1802 Nov. 1-Jan. 11 67 p.
1803 Nov. 7-Jan. 7 50 p.
1804 Nov. 5-Jan. 20 61 p.
1805 Nov. 4-Jan. 28 55 p.
1806 Nov. 3-Jan. 5 45 p.
Md

Unit 2

1807 Nov. 2-Jan. 20 61 p.
1808 Nov. 7-Dec. 25 47 p.
1809 June 5-10 14 p.
1809 Nov. 6-Jan. 8 54 p.
1810 Nov. 5-Dec. 25 47 p.
Md

Votes and Proceedings of the General Assembly

A.la:b Reel 9

Unit 1

1811 Nov. 4-Jan. 7 429 p.
House journal. 275 p.
Senate journal. p. [277]-429.
Md

Unit 2

1812 June 15-18 35 p.
House journal. 21 p.
Senate journal. p. [23]-35.

1812 Nov. 2-Jan. 2 182 p.
House journal. 124 p.
Senate journal. p. [125]-182.

1813 May 17-30 47 p.
House journal. 30 p.
Senate journal. p. [31]-47.

1813 Dec. 6-Jan. 31 168 p.
House journal. 114 p.
Senate journal. p. [115]-168.
MdHi

MARYLAND-Continued

Unit 3

1814 Dec. 5-Feb. 3 162 p.
House journal. 107 p.
Senate journal. p. [108]-162.

1815 Dec. 4-Jan. 30 158 p.
House journal. 111 p.
Senate journal. p. [113]-158.

MdHi

Votes and Proceedings of the Senate

A.1a Reel 10

Unit 1

1816 Dec. 2-Feb. 5 61 p.
1817 Dec. 1-Feb. 16 52 p.
1818 Dec. 7-Feb. 20 62 p.
1819 Dec. 6-Feb. 15 75 p.
1820 Dec. 4-Feb. 19 68 p.

DLC

Journal of the Senate

Unit 2

1821 Dec. 3-Feb. 23 80 p.
1822 Dec. 2-Feb. 24 87, 22 p.
1823 Dec. 1-Feb. 26 81 p.
1824 Dec. 6-Feb. 26 68 p.
1825 Dec. 26-Mar. 9 239 p.

DLC

Unit 3

1826 Dec. 25-Mar. 13 232 p.
1827 Dec. 31-Mar. 16 300 p.

DLC

Unit 4

1828 Dec. 29-Mar. 14 334 p. DLC

Unit 5

1829 Dec. 28-Mar. 1 255, xix, [21]-59 p. DLC

A.1a Reel 11

Unit 1

1830 Dec. 27-Feb. 24 253, xvi, [17]-50 p. DLC

Unit 2

1831 Dec. 26-Mar. 14 376, lxxvii, [78]-127 p. DLC

Unit 3

1832 Dec. 31-Mar. 23 112, 109-440, 88 p. DLC

Unit 4

1833 Dec. 30-Mar. 15 412 p., Docs., v.p., 102 p. NcU

MARYLAND-Continued

A.1a Reel 12

Unit 1

1834 Dec. 29-Mar. 21 366 p., Repts., v.p., 119 p.

DLC

Unit 2

1835 Dec. 28-Apr. 4 160, 181-377, 86 p.
Appended: 1836 Rules and orders for the regulation of the Senate of Maryland. 7, [3]-26 p.

1836 May 23-June 4 55, 16, 5, [1] p.

DLC

General Assembly

Journal of the Lower House of Assembly

A.1b Reel 1

Unit 1

1637 Jan.-1658 Apr. [Assembly proceedings] Liber M. C. 481 p. MS. (Consolidated and transcribed)

Md-Ar - no. 3860

Unit 2

1649 ?-1669 Apr. Assembly journal. 5-288 p. MS.

Md-Ar - no. 3861

Unit 3

1666 Apr. 10-May 1 [Original state papers, no. 39½ (1)] 101 p. MS. Md-Ar - no. 3919

1674/5 Feb. 12-23 [Original state papers, no. 39½ (2)] 24 p. MS. Md-Ar - no. 3920

1676 May 10-June 15 [Original state papers, no. 39½ (2½)] 54 p. MS. Md-Ar - no. 3921

Votes and Proceedings of the Lower House of Assembly

Unit 4

1676 May-1702 Mar. 2 p.l., 36, 116, 365, 39, 29 p. MS. (Transcribed 1836-1838)

- 1676 May 15-June 15 2 p.l., 36 p.
- 1683 Oct. 2-Nov. 6 69 p.
- 1683 Nov. 6 p. 70.
- 1684 Apr. 1-26 70-116 p.
- 1694/5 Feb. 28-Mar. 1 9 p.
- 1695 May 8-22 10-30 p.
- 1695 Oct. 3-18 48 p.
- 1696 Apr. 30-May 14 49-90 p.
- 1696 July 1-10 91-104 p.
- 1696 Sept. 16-Oct. 2 105-124 p.
- 1697 May 26-June 11 125-156 p.
- 1697/8 Mar. 10-Apr. 4 157-220 p.
- 1698 Oct. 20-27 221-230 p.
- 1698 Oct. 28-Nov. 12 231-284 p.
- 1699 June 29-July 22 285-365 p.
- 1701 May 8-17 39 p.
- 1701/2 Mar. 7-25 29 p.

Md-Ar - no. 3935

MARYLAND-Continued

Journal of the House of Delegates

A.1b Reel 2

Unit 1

1704 Dec. 5- ? 14 p. MS. (Incomplete)
1705 ? - May 25 39-61 p. MS. (Incomplete)
1706 Apr. 2-13 63-124 p. MS.
1707 Mar. 26-Apr. 3 125-202 p. MS.
1708 Nov. 29-Dec. 17 203-272 p. MS.
1709 Oct. 25-Nov. 11 273-326 p. MS.
1710 Oct. 24-Nov. 4 337-377 p. MS.
1711 Oct. 23-Nov. 3 379-418 p. MS.
1708 Sept. 27-Oct. 5 419-442 p. MS.
1712 Oct. 28-Nov. 4 443-503 p. MS.
1713 Oct. 27-Nov. 14 505-556 p. MS.
Md-Ar - no. 3942

Unit 2

1704 Dec. 5-1715 June 3 590 p. MS. (Transcribed from original, July 27, 1760)
1704 Dec. 5-9 20 p.
1705 May 15-25 21-46 p.
1706 Apr. 2-18 47-94 p.
1707 Mar. 26-Apr. 3 95-156 p.
1708 Nov. 29-Dec. 17 157-212 p.
1709 Oct. 25-Nov. 11 213-260 p.
1710 Oct. 24-Nov. 4 261-290 p.
1711 Oct. 23-Nov. 3 291-316 p.
1708 Sept. 27-Oct. 5 317-333 p.
1712 Oct. 28-Nov. 4 334-376 p.
1713 Oct. 27-Nov. 14 377-425 p.
1714 June 22-July 3 429-469 p.
1714 Oct. 5-9 471-484 p.
1715 Apr. 6-June 3 485-590 p.
Md-Ar - no. 3939

Journal of the Lower House of Assembly

A.1b Reel 3

Unit 1

1714 June 28-1722 Nov. 3 Liber R. U. 13-366, [367-655] p. MS.
1714 June 28-July 3 32 p.
1714 Oct. 5-9 33-43 p.
1715 Apr. 26-June 3 44-134 p.
1716 Apr. 23-24 135-141 p.
1716 July 17-Aug. 10 142-232 p.
1717 May 28-June 8 225-279 p.
1718 Apr. 22-May 10 279-[370] p.
1719 May 14-June 6 [372-445] p.
1720 Apr. 5-22 [446-532] p.

MARYLAND-Continued

1720 Oct. 11-27 [534-564] p.
1721 July 18-Aug. 5 [566-605] p.
1721/2 Feb. 20-28 [606-619] p.
1722 Oct. 9-Nov. 3 [620-655] p.

Md-Ar - no. 3947

Unit 2

1714 June 28-1722 Nov. 3 671 p. MS. (Transcription)

Md-Ar - no. 3358

A.1b Reel 4

Unit 1

A.1a:b

Charter...with debates and proceedings of the Upper and Lower Houses of Assembly... 1722-1724. 1 p.l., 10, iv, 64 p.

1722 Oct. 12-Nov. 3 4 p.
1723 Sept. 23-Oct. 26 4-37 p.
1724 Oct. 6-Nov. 4 38-64 p.

----* 1 p.l., 10, iv, 64, [1] p.

PPAmP *MdHi

Proceedings of the Assembly

Unit 2

1725 Oct. 5-Nov. 6
1725/6 Mar. 15-23
1726 July 12-25
Together 1 p.l., 33 p.

MdHi - 1

Votes and Resolves of the Lower House of Assembly

Unit 3

1727 Oct. 10-30 (Not found)
1728* Oct. 3-Nov. 2 Nos. I-XIV. v.p.
1729** July 10-Aug. 8 Nos. I-XIV. v.p.
1729 July 10-Aug. 8 Nos. I-XIV. v.p.
1730 May 21-June 16 Nos. I-X. v.p.
1730*** May 21-June 16 Nos. I-X. v.p.

NN *Md - 1 **BrMus ***Md

Votes and Proceedings of the Lower House of Assembly

Unit 4

1731* July 13-29 287-314 p. MS.
1731 Aug. 19-Sept. 6 Nos. I-VIII. 32 p.
1732 July 11-Aug. 8 Nos. I-XXV. 57 p.
1732/3** Mar. 13-Apr. 12 36 p.
1733/4* Mar. 20-24 499-509 p. MS.
1734/5 Mar. 20-Apr. 24 36 p.
1735/6* Mar. 19-Apr. 10 602-647 p. MS.
1736* Apr. 20-May 6 650-680 p. MS.
1737*** Apr. 26-May 28 24 p. (Incomplete. Concludes with proceedings of May 26.)
1737* Aug. 11-16 730-745 p. MS.
1738* May 3-23 750-777 p. MS.

Md *Md-Ar **NN - 1 ***Md - 1

MARYLAND-Continued

Unit 5

Collection of the Governor's several speeches, and
the addresses of each House... 1739 May sess.
1 p.l., 80 p.

At a Council... 1739 Aug. 1-Dec. 21*** 15 p.
1739 May 1-June 12 197 p.
----* May 1-June 12 197 p.
1740** Apr. 23-June 5 [199]-341 p.
1740** July 7-29 [343]-410 p.
1741*** May 26-June 22 411-477 p.

Md *MdHi **MdHi - 1 ***RPJCB

A.1b Reel 5

Unit 1

1742** Sept. 21-Oct. 29 92 p.
1744* May 1-June 4 100 p. (w: p. 33-36, 101-102?)
1745 Aug. 5-Sept. 28 93 p.
1745/6* Mar. 12-29 23 p.
1746* June 17-July 8 42 p.
1746*** Nov. 6-12 661-683 p. MS.
1747 May 16-July 11 65 p.
1747 Dec. 22-23 6 p.
1748 May 10-June 11 82 p.
1749 May 9-11 8 p.
1749 May 24-June 24 56 p.
1750 May 8-June 2 56 p.
1751 May 15-June 8 52 p.
1751 Dec. 7-14 18 p.
1752 June 3-23 40 p.

Md *Md - 1 **RPJCB ***Md-Ar

Unit 2

1753 Oct. 2-Nov. 17 82 p.
1754 Feb. 26-Mar. 9 21 p.
1754 May 8-30 40 p.
1754 July 17-25 14 p.
1754 Dec. 12-24 22 p.
1755 Feb. 22-Mar. 26 46 p.
1755 June 23-July 8 44 p.
1756 Feb. 23-May 22 97 p.
1756 Sept. 14-Oct. 9 37 p.
1757 Apr. 8-May 9 52 p.
1757 Sept. 28-Dec. 16 106 p.
1758 Feb. 13-Mar. 9 24 p.
1758 Mar. 28-May 13 105 p.
1758 Oct. 23-Nov. 4 15 p.
1758 Nov. 22-Dec. 24 [17]-53 p.
1759 Apr. 4-17 [57]-76 p.
1760 Mar. 22-Apr. 11 [77]-103 p.
1760 Sept. 26-Oct. 15 [105]-125 p.
1761 Apr. 13-May 6 [127]-163 p.
Appended: By His Excellency the Governor and
Council, July 10, 1761. 8 p.

MARYLAND-Continued

1761* Apr. 13-May 6 [127]-163 p.
Appended:
A bill for raising a supply for His Majesty's service ... Mar. 1762. 10 p.
To His Excellency...address of Upper House of Assembly... Apr. 24, 1762. [4] p.
Tax act. n.d. [11]-59 p.
DLC *Md

Unit 3

1762 Mar. 17-Apr. 24 55 p.
1763 Oct. 4-Nov. 26 [57]-127 p.
1765 Sept. 23-28 12 p.
1765 Nov. 1-Dec. 20 [13]-86, [6] p.
Md

A.1b Reel 6

Unit 1

1766 May 9-27 [87]-106 p.
1766* Nov. 1-Dec. 6 [107]-154 p.
1768 May 24-June 22 [155]-207 p.
1769** Nov. 17-Dec. 20 [207]-253 p.
1770 Sept. 25-Nov. 2 [255]-305 p.
1770 Nov. 5-21 [307]-340 p.
Appended: A bill, entitled, An act to redress evils... Oct. 31, 1770. [3] p.
1771 Oct. 2-Nov. 30 89 p.
1773 June 15-July 3 28 p.
1773 Oct. 13-30 [29]-42 p.
1773 Nov. 16-Dec. 23 [43]-78 p. (Incomplete. Concludes with proceedings of Dec. 22.)
1774 Mar. 23-Apr. 19 [83]-112 p.
MdHi *MdHi - 1 **MdBD - 1

Votes and Proceedings of the House of Delegates

Unit 2

1777 Feb. 5-Apr. 20 108 p.
1777 June 16-29 [109]-133 p.
1777 Oct. 31-Dec. 23 68 p.
1778 Mar. 17-Apr. 22 [69]-116 p.
1778 June 8-23 [117]-141 p.
MdHi

Unit 3

1778 Oct. 26-Dec. 15 87 p.
1779 Mar. 2-25 (Not found)
1779 July 22-Aug. 15 [123]-156 p.
1779 Nov. 1-Dec. 30 88 p. (Pages 1-16, 84-109 are supplied in MS.)

MARYLAND-Continued

1780 Mar. 2-May 16 [89]-183 p.
1780 June 7-July 5 [185]-231 p.

MdHi

Unit 4

1780 Oct. 17-Feb. 2 122 p.
1781 May 10-June 27 [123]-178 p.
1781 Nov. 5-Jan. 22 88 p.
1782 Apr. 25-June 15 [89]-168 p.

MdHi

A.1b Reel 7

Unit 1

1782* Nov. 4-Jan. 15 95 p.
1783 Apr. 21-June 1 56 p.
1783 Nov. 1-Dec. 26 92 p.
1784 Nov. 1-Jan. 22 129 p.
1785 Nov. 7-Mar. 12 202 p.

Md *DLC

Unit 2

1786* Nov. 6-Jan. 20 107 p.
1787 Apr. 10-May 26 [109]-189 p.
1787 Nov. 5-Dec. 17 63 p.
1788 May 12-27 [65]-100 p.
1788 Nov. 3-Dec. 23 102 p.

Md *MdHi

Unit 3

1789 Nov. 2-Dec. 25 121 p.
1790 Nov. 1-Dec. 22 112 p.
1791 Nov. 7-Dec. 30 136 p.
1792 Apr. 2-6 [137]-146 p.

Md

Unit 4

1792 Nov. 5-Dec. 23 115 p.
1793 Nov. 4-Dec. 29 125 p.
1794 Nov. 3-Dec. 27 114 p.
1795 Nov. 2-Dec. 24 105 p.

Md

Unit 5

1796 Nov. 7-Dec. 31 117 p.
1797 Nov. 6-Jan. 21 149 p.
1798 Nov. 5-Jan. 20 147 p.
1799 Nov. 4-Jan. 3 112 p.

Md

A.1b Reel 8

Unit 1

1800 Nov. 3-Dec. 19 94 p.
1801 Nov. 2-Dec. 31 124, 14 p.
1802 Nov. 1-Jan. 11 121 p.
1803 Nov. 7-Jan. 7 108, 2 p.

Md

MARYLAND-Continued

Unit 2

1804 Nov. 5-Jan. 20 138 p.
1805 Nov. 4-Jan. 28 128 p.
1806 Nov. 3-Jan. 5 101 p.
1807 Nov. 2-Jan. 20 128 p.

Md

Unit 3

1808 Nov. 7-Dec. 25 102, [1] p.
1809 June 5-10 21 p.
1809 Nov. 6-Jan. 8 131, 3 p.
1810 Nov. 5-Dec. 25 111 p.

Md

A.1a:b Reel 9

Listed in chronological order under Maryland, A.1a.

Journal of the House of Delegates

A.1b Reel 10

Unit 1

1816 Dec. 2-Feb. 5 138, 3 p.
1817 Dec. 1-Feb. 16 134 p.
1818* Dec. 7-Feb. 20 126 p.

DLC *M

Unit 2

1819 Dec. 6-Feb. 15 128 p.
1820 Dec. 4-Feb. 19 119 p.
1821* Dec. 3-Feb. 23 155 p.

Md *DLC

Unit 3

1822 Dec. 2-Feb. 24 170 p.
1823 Dec. 1-Feb. 26 136, 157-173 p.
1824 Dec. 6-Feb. 26 164 p.

DLC

Unit 4

1825 Dec. 26-Mar. 9 420 p. DLC

Unit 5

1826 Dec. 25-Mar. 13 600 p. DLC

A.1b Reel 11

Unit 1

1827 Dec. 31-Mar. 16 638 p. DLC

Unit 2

1828 Dec. 29-Mar. 14 668 p. DLC

Unit 3

1829 Dec. 28-Mar. 1 600, xxviii, [29]-112 p. NcU

A.1b Reel 12

Unit 1

1830 Dec. 27-Feb. 24 420, xxvi, [27]-98 (sic 78) p. DLC

MARYLAND-Continued

Unit 2

1831 Dec. 26-Mar. 14 720, xxxii p. DLC

Unit 3

1832 Dec. 31-Mar. 23 799, 24, 10 p. DLC

A.1b Reel 13

Unit 1

1833 Dec. 30-Mar. 15 726, [2], 20, 12 p. DLC

Unit 2

1834 Dec. 29-Mar. 21 824 p., Repts., v.p. DLC

A.1b Reel 14

Unit 1

1835 Dec. 28-Apr. 4 944, 18, 24 p.
1836 May 23-June 4 154, 6, 12 p.
In 1 vol.

DLC

MASSACHUSETTS

General Court

Records of the Council

A.1a Reel 1a

Unit 1

1686 May 25-1695 Aug. 17 560 p. MS. PRO - 785

A.1a Reel 1b

Unit 1

1686 May 25-Dec. 16 Dudley Period. Records of Council published in the *Proceedings of the Massachusetts Historical Society* (Boston) second series, vol. XIII, p. 223-286.

M-Ar

Unit 2

1686-1687 Andros Period. *Massachusetts archives,* vol. CXXVI.
Minutes, Aug. 25, 26, 1686. p. 69-71. MS.
Names of councilors of New England. p. 77-78. MS.
Minutes of Council, Sept. 15, 1686. p. 92. MS.
---- Dec. 30, 1686. p. 175-176. MS.
---- Dec. 31, 1686. p. 186-188. MS.
---- Dec. 21-Jan. 14, 1686. p. 205-213. MS.
---- Jan. 22, 1686 (87). p. 220-221. MS.
---- Feb. 4, 1686 (87). p. 225. MS.
---- Mar. 6, 10, 1686 (87). p. 238-242. MS.
---- Mar. 17, 1686-7. p. 270-273. MS.
---- May 21, 1687. p. 334. MS.

M-Ar

1687 Andros Period. *Massachusetts archives,* vol. CXXVII.
Minutes of Council, May 4-Sept. 21, 1687. p. 121-144. MS.

M-Ar

MASSACHUSETTS-Continued

1687/88 Andros Period. *Massachusetts archives*, vol. CXXIII.
Minutes of Council, Jan. 4, 1687/88. p. 10, 10A. MS.
---- Feb. 29-Mar. 4, 1687. p. 68, 68A. MS.
---- Mar. 6, 1687/88. p. 81-82. MS.
M-Ar

Unit 3

1686 Dec. 20-1687 Apr. 25 Records of Council published in the *Proceedings of the American Antiquarian Society* (Worcester, Mass.) new series, vol. XIII, p. 237-268, 463-499.

Unit 4

1689 Apr. 18-1698 Dec. 10 Vol. 6. 587, [20] p. MS.
M - Copy of original in M-Ar

Unit 5

1699 May 31-1703 Sept. 9 Vol. 7. 382, [11] p. MS.
M - Copy of original in M-Ar

Unit 6

1703 Oct. 24-1709 Nov. 18 Vol. 8. 519, [27] p. MS.
M - Copy of original in M-Ar

A.1a Reel 2

Unit 1

1709/10 Feb. 1-1715 Aug. 27 Vol. 9. 422, [17] p. MS.
M - Copy of original in M-Ar

Unit 2

1715 Nov. 23-1719 Dec. 10 Vol. 10. [23], 526 p. MS.
M - Copy of original in M-Ar

Unit 3

1720 May 25-1723 July 2 Vol. 11. [21], 536 p. MS.
M - Copy of original in M-Ar

Unit 4

1723 Aug. 7-1725 June 24 Vol. 12. [9], 401 p. MS.
M - Copy of original in M-Ar

A.1a Reel 3

Unit 1

1725 Nov. 3-1727 Jan. 12 Vol. 13. 534, [15] p. MS.
M - Copy of original in M-Ar

Unit 2

1727 Jan. 13-1730 Jan. 2 Vol. 14. 523, [15] p. MS.
M - Copy of original in M-Ar

Unit 3

1730 Feb. 10-1734 Apr. 19 Vol. 15. 493, [18] p. MS.
M - Copy of original in M-Ar

Unit 4

1734 May 29-1737 July 5 Vol. 16. 522, [20] p. MS.
M - Copy of original in M-Ar

A.1a Reel 4

Unit 1

1737 Aug. 4-1739 Apr. 26 Vol. 17-I. 460, [22] p. MS.
M-Ar - Transcript made in 1846 of original in PRO

MASSACHUSETTS-Continued

Unit 2

1739 May 30-1741 May 28 Vol. 17-II. 575, [25] p. MS.
M-Ar - Transcript made in 1846 of original in PRO

A.1a Reel 5

Unit 1

1741 July 8-1743 Apr. 23 Vol. 17-III. 682, [34] p. MS.
M-Ar - Transcript made in 1846 of original in PRO

Unit 2

1743 May 25-1745 Apr. 25 Vol. 17-IV. 745, [38] p. MS.
M-Ar - Transcript made in 1846 of original in PRO

A.1a Reel 6

Unit 1

1745 May 29-1746 Sept. 13 Vol. 17-V. 614, [32] p. MS.
M-Ar - Transcript made in 1846 of original in PRO

Unit 2

1746 Sept. 30-1747 Oct. 24 Vol. 17-VI. 617-1093, [26] p. MS.
M-Ar - Transcript made in 1846 of original in PRO

Unit 3

1749 May 31-1750 Apr. 20 [83] p. MS. MHi

E.1

1749 June 1-1750 May 18 [46] p. MS. MHi

A.1a Reel 7

Unit 1

1746 Sept. 30-1749 Apr. 22 Vol. 18. 471, [15] p. MS.
M - Copy of original in M-Ar

Unit 2

1749 May 31-1753 Jan. 5 Vol. 19. [16], 538 p. MS.
M - Copy of original in M-Ar

Unit 3

1753 Mar. 28-1755 Sept. 9 Vol. 20. 533, [32] p. MS.
M - Copy of original in M-Ar

A.1a Reel 8

Unit 1

1755 Sept. 24-1757 Apr. 25 Vol. 21. 503, [37] p. MS.
M - Copy of original in M-Ar

Unit 2

1757 May 25-1759 Apr. 24 Vol. 22. [31], 691 p. MS.
M - Copy of original in M-Ar

A.1a Reel 9

Unit 1

1759 May 30-1761 Apr. 21 Vol. 23. 769, [32] p. MS.
M - Copy of original in M-Ar

Unit 2

1761 May 27-1763 Feb. 25 Vol. 24. 619, [63] p. MS.
M - Copy of original in M-Ar

A.1a Reel 10

Unit 1

1763 May 25-1765 Mar. 9 Vol. 25. 471, [24] p. MS.

MASSACHUSETTS-Continued

Appended: The case of...Massachusetts Bay and New York respecting the boundary line between the two provinces. Boston: Green and Russell, 1764.
M - Copy of original in M-Ar

Unit 2

1765 May 29-1767 Mar. 20 Vol. 26. [26], 488 p. MS.
M - Copy of original in M-Ar

Unit 3

1767 May 27-1768 June 3 Vol. 27. [18], 407 p. MS.
M - Copy of original in M-Ar

A.1a Reel 11

Unit 1

1769 May 31-1771 Apr. 26 Vol. 28. [23], 575 p. MS.
M - Copy of original in M-Ar

Unit 2

1771 May 29-1773 Mar. 6 Vol. 29. [28], 578 p. MS.
M - Copy of original in M-Ar

Unit 3

1773 May 26-1774 June 17 Vol. 30. [16], 338 p. MS.
M - Copy of original in M-Ar

A.1a Reel 12

Unit 1

1775 July 26-1776 Feb. 20 Vol. 31. [35], 600 p. MS.
M - Copy of original in M-Ar

Unit 2

1776 Mar. 13-1776 Sept. 18 Vol. 32. 637, [29] p. MS.
M - Copy of original in M-Ar

A.1a Reel 13

Unit 1

1776 Oct. 9-1777 Feb. 6 Vol. 33. 596, [28] p. MS.
M - Copy of original in M-Ar

Unit 2

1777 Feb. 7-1777 Oct. 25 Vol. 34. 922, [48] p. MS.
1777 Nov. 26-1778 Jan. 27 Vol. 35. 157 p. MS.
M - Copy of original in M-Ar

A.1a Reel 14

Unit 1

1777 Aug.-1778 Oct. 14 Vol. 38. [38], 686 p. MS.
M-Ar

Unit 2

1778 Oct. 15-1779 Sept. 28 Vol. 39. [22], 522 p. MS.
M-Ar

A.1a Reel 15

Unit 1

1779 Sept. 28-1780 Oct. 4 Vol. 40. [21], 609 p. MS.
M-Ar

Journal of the Senate

Unit 2

1780 Oct. 25-Dec. 4 86 p.
1781 Jan. 4-Mar. 10 87-202 p.

MASSACHUSETTS-Continued

1781 Apr. 11-May 19 203-280 p.
Vol. 1. 23, 280 p. MS.
M-Ar

Unit 3

1781 May 30-July 6 87 p.
1781 Sept. 12-Nov. 3 89-199 p.
1782 Jan. 16-Mar. 9 201-330 p.
1782 Apr. 10-May 10 331-406 p.
Vol. 2. 48, 406 p. MS.
M-Ar

A.1a Reel 16

Unit 1

1782 May 29-July 6 129 p.
1782 Sept. 19-Nov. 14 130-299 p.
1783 Jan. 9-Mar. 26 301-478 p.
Vol. 3. [60], 478 p. MS.
M-Ar

Unit 2

1783 May 28-July 11 139 p.
1783 Sept. 24-Oct. 28 141-269 p.
1784 Jan. 21-Mar. 25 271-457 p.
Vol. 4. [52], 457 p. MS.
M-Ar

Unit 3

1784 May 26-July 9 149 p.
1784 Oct. 13-Nov. 13 151-235 p.
1785 Jan. 19-Mar. 18 237-379 p.
Vol. 5. [52], 379 p. MS.
M-Ar

Unit 4

1785 May 25-July 4 172 p.
1785 Oct. 19-Dec. 1 173-293 p.
1786 Feb. 1-Mar. 24 294-454 p.
Vol. 6. [52], 454 p. MS.
M-Ar

A.1a Reel 17

Unit 1

1786 May 31-July 8 163 p.
1786 Sept. 27-Nov. 18 165-312 p.
1787 Jan. 31-Mar. 10 313-460 p.
1787 Apr. 25-May 3 461-489 p.
Vol. 7. [50], 489 p. MS.
M-Ar

Unit 2

1787 May 30-July 7 147 p.
1787 Oct. 17-Nov. 27 149-286 p.
1788 Feb. 27-Apr. 1 287-409 p.
Vol. 8. [50], 409 p. MS.
M-Ar

MASSACHUSETTS-Continued

Unit 3

1788 May 28-June 20 109 p.
1788 Oct. 29-Nov. 24 111-188 p.
1788 Dec. 31-Feb. 17 189-378 p.
Vol. 9. [52], 378 p. MS.
M-Ar

Unit 4

1789 May 27-June 26 143 p.
1790 Jan. 13-Mar. 9 145-293 p.
Vol. 10. [52], 293 p. MS.
M-Ar

A.1a Reel 18

Unit 1

1790 May 26-June 25 104 p.
1790 Sept. 15-Sept. 17 105-114 p.
1791 Jan. 26-Mar. 12 115-230 p.
Vol. 11. [52], 230 p. MS.
M-Ar

Unit 2

1791 May 25-June 18 93 p.
1792 Jan. 11-Mar. 10 94-238 p.
Vol. 12. [52], 238 p. MS.
M-Ar

Unit 3

1792 May 30-July 2 100 p.
1792 Nov. 7-17 101-133 p.
1793 Jan. 30-Mar. 28 134-310 p.
Vol. 13. [52], 310 p. MS.
M-Ar

Unit 4

1793 May 29-June 24 98 p.
1793 Sept. 18-28 101-139 p.
1794 Jan. 15-Feb. 28 141-276 p.
Vol. 14. [52], 276 p. MS.
M-Ar

Unit 5

1794 May 28-June 27 115 p.
1795 Jan. 14-Mar. 2 116-239 p.
Vol. 15. [52], 239 p. MS.
M-Ar

Unit 6

1795 May 27-June 25 104 p.
1796 Jan. 13-Feb. 29 105-244 p.
Vol. 16. [52], 244 p. MS.
M-Ar

A.1a Reel 19

Unit 1

1796 May 25-June 18 115 p.
1796 Nov. 16-26 117-153 p.

MASSACHUSETTS-Continued

1797 Jan. 25-Mar. 11 155-281 p.
Vol. 17. [52], 281 p. MS.
M-Ar

Unit 2

1797 May 31-June 23 107 p.
1798 Jan. 10-Mar. 3 108-292 p.
Vol. 18. [52], 292 p. MS.
M-Ar

Unit 3

1798 May 30-June 29 [50], 156 p.
1799 Jan. 9-Mar. 1 157-302 p.
Vol. 19. [50], 302 p. MS.
M-Ar

Unit 4

1799 May 29-June 22 [50], 109 p.
1800 Jan. 8 Mar. 5 111-290 p.
Vol. 20. [50], 290 p. MS.
M-Ar

General Court

Journal of the House of Representatives

A.1b Reel 1

Unit 1

1715 May 25-June 21 34 p.
1715 July 20-Aug. 1 35-50 p.
1715 Aug. 24-27 51-56 p.
1715 Nov. 23-Dec. 22 (Not found)
1716 May 30 June 27 28 p.
1716 Aug. 1-3 29-32 p.
1716 Nov. 7-Dec. 4 33-55 p.
1717 Apr. 10-12 57-60 p.
1717* May 29-June 22 22 p.
1717* Oct. 23-Nov. 22 23-44 p.
1717/18* Feb. 6-14 45-52 p.
1718* May 28-July 5 34 p.
1718* Oct. 29-Dec. 4 35-62 p.
1718/19* Mar. 11-12 (Not found)
1719* May 27-June 30 34 p.
1719* Nov. 4-Dec. 10 35-58 p.
1719* Dec. 3-10 11 p.
1720* May 25-30 4 p.
1720* July 13-23 27 p.
MB *M

Unit 2

1720 Nov. 2-Dec. 17 86 p.
1720/21 Mar. 15-31 32 p.
1721 Mar. 31-June 1 4 p.
1721 June 6-July 20 5-75 p.
1721* Aug. 23-Sept. 9 [4], 48 p.
1721* Nov. 7-17 24 p.

MASSACHUSETTS-Continued

1721/22*** Mar. 2-27 50 p.
1722** May 30-July 7 64 p.
1722* Aug. 8-18 18 p.
1722* Nov. 15-Jan. 19 88 p.
M *MBAt **MB - M ***PHi

Unit 3

1723 May 29-July 2 [26], 71 p.
1723 Aug. 7-Sept. 21 91 p.
1723 Oct. 23-Dec. 27 81 p.
1724 Apr. 22-23 8 p.
1724 May 27-June 20 61 p.
1724 Nov. 11-Dec. 24 89 p.
1725 May 26-June 24 69 p.
1725 Nov. 3-Jan. 17 114 p.
MH

Unit 4

1726 Apr. 13-14 (Not found)
1726 May 25-June 28 74 p.
1726 Aug. 24-27 9 p.
1726 Nov. 23-Jan. 5 84 p.
1727 May 31-July 8 87 p.
1727 Aug. 16-30 89-116 p.
1727* Oct. 4-14 117-132 p.
MH *M

A.1b Reel 2

Unit 1

1727 Nov. 22-Feb. 21 124 p.
1728 May 29-June 21 57 p.
1728 July 24-Dec. 20 128 p.
1729 Apr. 2-18 30 p.
MH

Unit 2

1729 May 28-29 7 p.
1729 June 25-July 10 9-35 p.
1729 Aug. 20-Sept. 26 37-112 p.
1729 Nov. 19-Dec. 20 113-194 p.
1730 May 27-30 17 p.
1730 June 30-July 3 19-32 p.
1730 Sept. 9-Oct. 3 72 p.
1730 Oct. 7-21 73-101 p.
1730 Oct. 22-28 103-113 p.
1730 Dec. 16-Jan. 2 115-155 p.
1730/31 Feb. 10-Apr. 24 132 p.
1731 May 26-Aug. 25 143 p.
1731 Sept. 22-Oct. 6 145-161 p.
1731 Nov. 3-9 163-170 p.
1731 Dec. 1-Feb. 2 114 p.
MH

Unit 3

1732 May 31-July 7 60 p.

MASSACHUSETTS-Continued

1732 Nov. 1-Jan. 4 61-136 p.
1733 Apr. 4-26 137-166 p.
1733 May 30-June 22 40 p.
1733 Aug. 15-25 41-63 p.
1733 Oct. 3-Nov. 8 65-110 p.
1734 Jan. 24-Mar. 4 111-161 p.
1734 Apr. 10-19 163-181 p.

MH

Unit 4

1734 May 29-July 4 70 p.
1734 Sept. 11-14 71-77 p.
1734 Nov. 20-Jan. 1 79-155 p.
1735 Apr. 9-19 157-187 p.
1735 May 28-July 3 92 p.
1735 Sept. 10-11 93-95 p.
1735 Nov. 19-Jan. 16 97-233 p.
1735/36 Mar. 17-27 235-267 p.
1736 May 26-July 6 102 p.
1736 Nov. 24-Feb. 4 152 p.

MH

A.1b Reel 3

Unit 1

1737 May 25-July 5 108 p.
1737 Aug. 4-6 12 p.
1737 Aug. 10-Sept. 7 13-38 p.
1737 Oct. 12-25 39-54 p.
1737 Nov. 30-Jan. 15 55-158 p.
1737 Apr. 19-21 159-166 p.
1738 May 31-June 29 89 p.
1738 Nov. 29-Jan. 26 133 p.
1739 Apr. 19-26 135-151 p.
Appended: An act for the emission of sixty thousand pounds in bills of credit, 1737. 5 p.
1739 May 30-July 11 105 p.
1739 Sept. 19-Oct. 9 107-147 p.
1739 Dec. 5-Jan. 11 149-222 p.
1739/40 Mar. 14-28 223-251 p.

MH

Unit 2

1740 May 28-July 11 93 p.
1740 Aug. 20-Sept. 12 95-128 p.
1740 Nov. 21-Jan. 9 129-196 p.
1741 Mar. 26-Apr. 25 197-229 p.
1741 May 27-28 8 p.
1741 July 8-Aug. 8 51 p.
1741 Aug. 11-29 53-74 p.
1741 Sept. 16-Oct. 16 75-112 p.
1741 Nov. 25-Jan. 22 113-190 p.

MASSACHUSETTS-Continued

1741/42 Mar. 17-Apr. 23 191-263 p.
1742 May 26-July 2 67 p.
1742 Sept. 2-10 69-80 p.
1742 Nov. 18-Jan. 15 81-155 p.
1743 Mar. 31-Apr. 23 157-183 p.

MH

Unit 3

1743 May 25-June 25 74 p.
1743 Sept. 8-17 75-97 p.
1743 Oct. 20-Nov. 12 99-137 p.
1743/44 Feb. 8-Apr. 28 139-222 p.
1744 May 30-July 20 61 p.
1744 Aug. 9-18 63-77 p.
1744 Oct. 10-26 79-107 p.
1744 Nov. 28-Apr. 25 109-238 p.
1745 May 29-July 2 65 p.
1745 July 17-Aug. 2 67-95 p.
1745 Sept. 25-28 97-105 p.
1745 Oct. 30-Nov. 2 107-111 p.
1745 Nov. 28-30 113-117 p.
1745 Dec. 11-Feb. 13 119-193 p.
1745/46 Mar. 5-22 195-223 p.
1746 Apr. 9-26 225-250 p.

MH

A.1b Reel 4

Unit 1

1746 May 28-June 28 72 p.
1746 July 15-Aug. 15 73-113 p.
1746 Aug. 27-Sept. 12 115-141 p.
1746 Sept. 30-Oct. 11 143-160 p.
1746 Nov. 6-15 161-181 p.
1746 Dec. 24-Feb. 14 183-255 p.
1746/47 Mar. 5-Apr. 8 257-300 p.
1747 Apr. 16-25 301-320 p.
1747 May 27-June 30 75 p.
1747 Aug. 12-Sept. 30 77-124 p.
1747 Oct. 14-Nov. 5 125-163 p.
1747 Nov. 17-Dec. 12 165-188 p.
1747/48 Feb. 3-Mar. 11 189-248 p.
1748 Apr. 5-23 249-286 p.
1748 May 25-June 24 62 p.
1748 Oct. 26-Nov. 23 63-114 p.
1748 Dec. 21-Feb. 1 115-158 p.
1749 Apr. 5-22 159-193 p.

MH

Unit 2

1749 May 31-June 29 56 p.
1749 Aug. 2-19 57-83 p.
1749 Nov. 23-Jan. 27 85-189 p.
1750 Mar. 22-Apr. 20 191-240 p.

MASSACHUSETTS-Continued

1750 May 30-July 3 60 p.
1750 Sept. 26-Oct. 11 61-100 p.
1750/51 Jan. 10-Feb. 22 101-180 p.
1751 Mar. 27-Apr. 27 181-237 p.
1751 May 29-June 22 50 p.
1751 Oct. 2-11 51-69 p.
1751 Dec. 27-Jan. 30 71-125 p.
1752 Apr. 2-7 127-132 p.

MH

Unit 3

1752 May 27-June 5 30 p.
1752 Nov. 22-Jan. 5 31-121 p.
1753 Mar. 28-Apr. 13 123-173 p.
1753 May 30-June 22 60 p.
1753 Sept. 5-14 61-93 p.
1753 Dec. 4-Jan. 25 95-207 p.
1754 Mar. 27-Apr. 23 209-273 p.

MH

A.1b Reel 5

Unit 1

1754 May 29-June 19 49 p.
1754 Oct. 17-Jan. 11 51-212 p.
1755 Feb. 5-27 213-260 p.
1755 Mar. 25-29 261-272 p.
1755 Apr. 22-28 273-294 p.
1755 May 28-June 26 118 p.
1755 Aug. 6-16 119-150 p.
1755 Sept. 5-9 151-165 p.
1755 Sept. 24-Oct. 3 167-188 p.
1755 Oct. 22-Nov. 7 189-226 p.
1755 Dec. 11-29 227-267 p.
1756 Jan. 14-Mar. 10 269-413 p.
1756 Mar. 30-Apr. 21 415-508 p.

MH

Unit 2

1756 May 26-June 11 72 p.
1756 July 1-8 73-97 p.
1756 Aug. 11-Sept. 11 99-181 p.
1756 Oct. 5-25 183-223 p.
1756 Nov. 17-19 225-230 p.
1757 Jan. 6-Feb. 26 231-376 p.
1757 Mar. 30-Apr. 25 377-480 p.

MH

Unit 3

1757 May 25-June 16 80 p.
1757 Aug. 16-31 81-135 p.
1757 Nov. 23-Jan. 25 137-308 p.
1758 Mar. 2-25 309-391 p.
1758 Apr. 18-29 393-450 p.

MH

MASSACHUSETTS-Continued

A.1b Reel 6

Unit 1

1758 May 31-June 15 69 p.
1758 Oct. 4-14 71-104 p.
1758 Dec. 29-Feb. 13 105-258 p.
1759 Feb. 28-Mar. 28 259-321 p.
1759 Apr. 11-24 323-360 p.

MH

Unit 2

1759 May 30-June 15 53 p.
1759 Oct. 3-30 55-101 p.
1759 Nov. 1-10 103-126 p.
1760 Jan. 2-Feb. 13 127-260 p.
1760 Mar. 19-29 261-305 p.
1760 Apr. 16-28 307-351 p.

MH

Unit 3

1760 May 28-June 21 82 p.
1760 Aug. 13-15 83-97 p.
1760 Dec.17-Jan. 31 99-248 p.
1761 Mar. 25-Apr. 21 249-371 p.

MH

Unit 4

1761 May 27-July 11 112 p.
1761 Nov. 12-28 113-166 p.
1762 Jan. 13-May 6 167-299 p.
1762 Apr. 14-24 301-333 p.

MH

Unit 5

1762 May 26-June 15 81 p.
1762 Sept. 8-18 83-122 p.
1763 Jan. 12-Feb. 25 123-287, xix p.

MH

A.1b Reel 7

Unit 1

1763 May 25-June 16 116 p.
1763 Dec. 21-Feb. 4 117-275, xxx, 1 p.
1764 May 30-June 15 91 p.
1764 Oct. 18-Nov. 3 93-139 p.
1765 Jan. 9-Mar. 9 141-311 p.

MH

Unit 2

1765 May 29-June 25 115 p.
1765 Sept. 25-Nov. 8 117-190 p.
1766 Jan. 15-Feb. 21 191-312 p.
1766 May 28-June 28 146 p.
1766 Oct. 29-Dec. 9 147-221 p.
1767 Jan. 28-Mar. 20 223-422 p.

MH

MASSACHUSETTS-Continued

Unit 3

1767 May 27-June 25 85 p.
1767 Dec. 30-Mar. 4 87-214, 35 p.

MH

Unit 4

1768 May 25-June 30 98, 14 p. MH

Unit 5

1769 May 31-July 15 87 p.
1770 Mar. 15-Apr. 26 89-196, 83 p.

MH

A.1b Reel 8

Unit 1

1770 May 30-June 25 55 p.
1770 July 25-Aug. 3 57-78 p.
1770 Sept. 26-Nov. 3 79-184 p.
1771 Apr. 3-26 185-253, [3], 33 p.

MH

Unit 2

1771 May 29-July 5 117 p.
1772 Apr. 8-25 119-195 p.

MH

Unit 3

1772 May 27-July 14 135 p.
1773 Jan. 6-Mar. 6 137-299 p.

MH

Unit 4

1773 May 26-June 29 99 p.
1774 Jan. 26-Mar. 9 101-243 p.

MH

Unit 5

1774 May 25-June 17 47 p.
1775 July 19-Aug. 24 [16], 106 p.
([16] p. MS.)
1775 Sept. 20-Nov. 11 107-271 p.
1775 Nov. 29-Feb. 20 [14], 322 p.
([14] p. MS.)
1776 Mar. 13-May 10 [16], 277 p.
([16] p. MS.)

M

A.1b Reel 9

Unit 1

1776 May 29-June 27 148 p. (Incomplete)

M

Unit 2

1776 May 29-July 13 71 p. (2d ed.)
1776 Aug. 28-Sept. 18 73-112 p.
1776 Oct. 9-Nov. 9 113-150 p.
1776 Nov. 12-Dec. 11 151-196 p.
1776 Dec. 24-Feb. 7 197-254 p.

MASSACHUSETTS-Continued

1777 Mar. 5-May 10 255-292 p. (Incomplete)

MWA

Unit 3

1776 May 29-July 13 71 p. (1st ed.)
1776 Aug. 28-Sept. 18 73-112 p. (1st ed.)
1776 Oct. 9-Nov. 9 113-144 p. (Incomplete)
1776 Nov. 12-Dec. 11 173-196 p. (Incomplete)
1777 Dec. 24-Feb. 7 205-208 p. (Incomplete)
1777 Mar. 5-11 261-264 p. (Incomplete)

PHi

Unit 4

1777 May 28-July 8 54 p.
1777 Aug. 5-16 55-68 p.
1777 Sept. 10-Oct. 25 69-120 p.
1777 Nov. 26-Dec. 15 121-143 p.
1778 Jan. 7-Mar. 13 145-212 p.
1778 Apr. 1-May 1 213-248 p.

M-Ar

Unit 5

1778 May 27-June 23 38 p.
1778 Sept. 16-Oct. 16 39-84 p.
1779 Jan. 6-Mar. 1 85-163 p.
1779 Apr. 7-May 3 165-208 p.

M-Ar

Unit 6

1779 May 26-June 30 76 p.
1779 Sept. 8-Oct. 9 67 p.

M

Unit 7

1779 Nov. 10-Dec. 7 49 p.
1779 Dec. 14-31? 25 p. (Incomplete)

PHi

Unit 8

1780 Mar.-Apr. Session days Mar. 24, 25, Apr. 6, 7, 19 in *Massachusetts archives*, no. 142, p. 202.
1780 Apr. 10-25 44 p. MS.

M-Ar

A.1b

Reel 10

Unit 1

1780 Oct. 25-Dec. 4 182 p.
1781 Jan. 4-Mar. 10 183-414 p.
1781 Apr. 11-May 19 416-586 p.
Vol. 1. [65], 596 p. MS.

M-Ar

Unit 2

1781 May 30-July 6 184 p.
1781 Sept. 12-Nov. 2 185-438 p.
1782 Jan. 16-Mar. 9 441-650 p.
1782 Apr. 10-May 10 651-760 p.
Vol. 2. [72], 760 p. MS.

M-Ar

MASSACHUSETTS-Continued

Unit 3

1782 May 29-July 6 171 p.
1782 Sept. 19-Nov. 14 173-384 p.
1783 Jan. 29-Mar. 26 385-616 p.
Vol. 3. [47], 616, [20] p. MS.
M-Ar

A.1b Reel 11

Unit 1

1783 May 28-July 11 181 p.
1783 Sept. 24-Oct. 28 182-301 p.
1784 Jan. 21-Mar. 25 303-503 p.
Vol. 4. [46], 503 p. MS.
M-Ar

Unit 2

1784 May 26-July 9 131 p.
1784 Oct. 13-Nov. 13 133-209 p.
1785 Jan. 19-Mar. 18 210-369 p.
Vol. 5. [48], 369 p. MS.
M-Ar

Unit 3

1785 May 25-July 4 200 p.
1785 Oct. 19-Dec. 1 203-365 p.
1786 Feb. 1-Mar. 24 367-548 p.
Vol. 6. [70], 548 p. MS.
M-Ar

Unit 4

1786 May 31-July 8 194 p.
1786 Sept. 27-Nov. 18 195-366 p.
1787 Jan. 31-Mar. 10 367-503 p.
1787 Apr. 25-May 3 504-538 p.
Vol. 7. [50], 538, [21] p. MS.
M-Ar

A.1b Reel 12

Unit 1

1787 May 30-July 7 149 p.
1787 Oct. 17-Nov. 27 151-371 p.
1788 Feb. 27-Apr. 1 373-528 p.
Vol. 8. [23], 528, [23] p. MS.
M-Ar

Unit 2

1788 May 28-June 20 138 p.
1788 Oct. 29-Nov. 24 137-252 p.
1788 Dec. 31-Feb. 17 253-410 p.
Vol. 9. [48], 410, [22] p. MS.
1789 May 27-June 26 143 p.
1790 Jan. 13-Mar. 9 145-320 p.
Vol. 10. 72, 320 p. MS.
M-Ar

MASSACHUSETTS-Continued

Unit 3

1790 May 26-June 25 138 p.
1790 Sept. 15-17 139-156 p.
1791 Jan. 26-Mar. 12 157-326 p.
Vol. 11. [48], 325, [22] p. MS.
1791 May 25-June 18 125 p.
1792 Jan. 11-Mar. 10 127-312 p.
Vol. 12. [48], 312, [22] p. MS.
M-Ar

A.1b Reel 13

Unit 1

1792 May 30-July 2 155 p.
1792 Nov. 7-17 156-198 p.
1793 Jan. 30-Mar. 28 201-458 p.
Vol. 13. [48], 458, [22] p. MS.
(w: p. 252-261)
M-Ar

Unit 2

1793 May 29-June 24 159, [20] p.
1793 Sept. 18-28 161-218, [1] p.
1794 Jan. 15-Feb. 28 219-407 p.
Vol. 14. [48], 407, [12] p. MS.
M-Ar

Unit 3

1794 May 28-June 27 158 p.
1795 Jan. 14-Mar. 2 159-367 p.
Vol. 15. [48], 367, [12] p. MS.
M-Ar

Unit 4

1795 May 27-June 25 193 p.
1796 Jan. 13-Feb. 29 195-416 p.
Vol. 16. [48], 416, [8] p. MS.
M-Ar

A.1b Reel 14

Unit 1

1796 May 25-June 18 167 p.
1796 Nov. 16-26 169-235 p.
1797 Jan. 25-Mar. 11 237-445 p.
Vol. 17. [48], 445, [16] p. MS.
M-Ar

Unit 2

1797 May 31-June 23 154 p.
1798 Jan. 10-Mar. 3 155-363 p.
Vol. 18. [48], 363, [14] p. MS.
M-Ar

Unit 3

1798 May 30-June 29 157 p.
1799 Jan. 9-Mar. 1 159-342 p.
Vol. 19. [48], 342, [14] p. MS.
M-Ar

MASSACHUSETTS-Continued

Unit 4

1799 May 29-June 22 150 p.
1800 Jan. 8-Mar. 5 151-370 p.
Vol. 20. [48], 370, [14] p. MS.

M-Ar

MICHIGAN

Journal of Proceedings in Their Legislative Capacity

A.1c Reel 1

Unit 1

Index. [47] p. MS.
1805 July 1-5 6 p. MS.
1808 Oct. 18-1809 Feb. 26 13-38 p. MS.
1809 May 11 p. 38. MS.
1809 Oct. 12-13 39-40 p. MS.
1810 Aug. 9-28 40-43 p. MS.
1815 Nov. 6 56-60 p. MS.

Mi-Secy.

Unit 2

Rough Minutes No. 2B

1809 May 11 p.1. MS.
1809 Oct. 12 2-3 p. MS.
1810 Aug. 9-10 4-5 p. MS.
1810 Aug. 23-Sept. 28 5-24 p. MS.
1810 Oct. 11-13 24-28 p. MS.

Rough Minutes C

1810 Oct. 15-22 2 p. MS.
1810 Nov. 5 p. 2. MS.
1811 Jan. 3-19 3-8 p. MS.
1811 May 27-June 10 9-12 p. MS.
1811 Dec. 12-31 12-16 p. MS.
1812 Jan. 9-14 16-23 p. MS.

Rough Minutes D

1812 Feb. 17-26 2 p. MS.
1812 Aug. p. 3. MS.

MiD-B

Legislative Council

Journal of the Legislative Council

Unit 3

1824* June 7-Aug. 5 1st Coun., 1st sess. 1 p.l., 114 p.
1825 Jan. 17-Apr. 21 1st Coun., 2d sess. 88 p.
1826 Nov. 2-Dec. 30 2d Coun., 1st sess. 80 p.
1827 Jan. 1-Apr. 13 2d Coun., 2d sess. 138 p.

Mi *MiD-B

Unit 4

1828 May 5-July 3 3d Coun., 1st sess. 136 p.

MICHIGAN-Continued

1829 Sept. 7-Nov. 5 3d Coun., 2d sess. 143 p.
Mi

Unit 5

1830 May 11-July 3 4th Coun., 1st sess. 148 p.
1831 Jan. 4-Mar. 4 4th Coun., 2d sess. 192 p.
1832 May 1-June 29 5th Coun., 1st sess. 226 p.
MiD-B

Unit 6

1833* Jan. 1-Apr. 23 5th Coun., 2d sess. 152 p.
1834* Jan. 7-Mar. 7 6th Coun., 1st sess. 180 p.
---- Bills: Nos. 12, 15, 17-20, 22, 23, 25-27, 29-34, 36, 37, 39-55, 31,* 38,* 6.* v.p. (No. 22 incomplete)
Mi *MiD-B

Unit 7

1834* Sept. 1-Dec. 31 6th Coun., ext. sess. 91 p.
1835* Jan. 12-Mar. 28 6th Coun., 2d ext. sess. 23-35, 41-65, 71-72 p. (Incomplete)
1835 Aug. 17-20 6th Coun., spec. sess. (Not found)
1834 Sept. 1-Dec. 31 6th Coun., ext. sess. 68 p. (State reprint, 1894)
1835 Jan. 12-Mar. 28 6th Coun., 2d ext. sess. 69-205 p. (State reprint, 1894)
1835** Aug. 17-20 6th Coun., spec. sess. 25 p. (State reprint, 1894)
Mi - *1 **DLC

Legislature

Journal of the Senate

A.1a Reel 1

Unit 1

1835 Nov. 2-Nov. 14 1st sess. 60 p.
1836 Feb. 1-Mar. 28 Adj. sess. [61]-303 p.
1836 July 11-26 Ext. sess. 305-396, [6], 45, xxxiii p.
MiD-B

Unit 2

1837 Jan. 2-Mar. 22 Ann. sess. 385 p.
1837 June 12-22 Ext. sess. 387-529, 192, [1] p.
DLC

Unit 3

1837 Nov. 9-Dec. 30 Adj. sess. 279, 13, 1 p.
DLC

Unit 4

1838 Jan. 1-Apr. 6 Reg. sess. 468, 32, [1] p.
DLC

A.1a Reel 2

Unit 1

1839 Jan. 7-Apr. 20 Ann. sess. 572 p. DLC

MICHIGAN-Continued

Unit 2

1840 Jan. 6-Apr. 1 Ann. sess. 716 p. DLC

Unit 3

1841 Jan. 4-Apr. 13 Ann. sess. 569 p. DLC

Unit 4

1842 Jan. 3-Feb. 17 Ann. sess. 342 p. DLC

Unit 5

1843 Jan. 2-Mar. 9 Ann. sess. 491, [1] p. DLC

A.1a Reel 3

Unit 1

1844 Jan. 1-Mar. 12 Ann. sess. 1 p.l., 455, [1], 38 p.
Executive journal. 38 p.
DLC

Unit 2

1845 Jan. 6-Mar. 24 Ann. sess. 1 p.l., 470, [1], 49, 16 p.
Executive journal. 49 p.
DLC

Unit 3

1846 Jan. 5-May 18 Ann. sess. 1 p.l., 644, 27, 125, 47 p.
Executive journal. 27 p.
DLC

Unit 4

1847 Jan. 4-Mar. 17 Ann. sess. 1 p.l., 568 p.
Executive journal. p. [435]-471.
M

A.1a Reel 4

Unit 1

1848 Jan. 3-Apr. 3 Ann. sess. 761, [1] p.
Executive journal. p. [669]-719.
DLC

Unit 2

1849 Jan. 1-Apr. 2 Ann. sess. 824 p.
Executive journal. p. [733]-781. DLC

Unit 3

1850 Jan. 7-Apr. 2 Ann. sess. 1 p.l., 859 p.
Executive journal. p. [779]-813.
DLC

A.1a Reel 5

Unit 1

1851 Feb. 5-Apr. 5 Ann. sess. 1 p.l., 509, [1] p.
Executive journal. p. [457]-481. DLC

Unit 2

A.1a;b

Journals of the Senate and House of Representatives

1851 June 9-28 Ext. sess. 1 p.l., 159 p. (S)
Executive journal. p. [153]-159.

MICHIGAN-Continued

1851 June 9-28 Ext. sess. 1 p.l., 214, 16, 217-237 p. (H)

Legislature

Journal of the House of Representatives

A.1b Reel 1

Unit 1

1835 Nov. 2-14 1st sess. 55 p.
1836 Feb. 1-Mar. 28 Adj. sess. 55-294 p.
1836 July 11-26 Ext. sess. 294-415, xxxiv p. Mid-B

Unit 2

1837 Jan. 2-Mar. 22 Ann. sess. 423 p.
1837 June 12-22 Ext. sess. [425]-629 p. DLC

Unit 3

1837 Nov. 9-Dec. 30 Adj. sess. 187, 50, 9 p. DLC

Unit 4

1838 Jan. 1-Apr. 6 Reg. sess. 515 p. DLC

A.1b Reel 2

Unit 1

1839 Jan. 7-Apr. 20 Ann. sess. 734 p. DLC

Unit 2

1840 Jan. 6-Apr. 1 Ann. sess. 797 p. DLC

Unit 3

1841 Jan. 4-Apr. 13 Ann. sess. 771 p. DLC

A.1b Reel 3

Unit 1

1842 Jan. 3-Feb. 17 Ann. sess. 422 p. DLC

Unit 2

1843 Jan. 2-Mar. 9 Ann. sess. 575 p. DLC

Unit 3

1844 Jan. 1-Mar. 12 Ann. sess. 1 p.l., 586 p. DLC

Unit 4

1845 Jan. 6-Mar. 24 Ann. sess. 1 p.l., 528, 48 p. DLC

A.1b Reel 4

Unit 1

1846 Jan. 5-May 18 Ann. sess. 1 p.l., 786 p. DLC

Unit 2

1847 Jan. 4-Mar. 17 Ann. sess. 589 p. DLC

Unit 3

1848 Jan. 3-Apr. 3 Ann. sess. 822 p. DLC

A.1b Reel 5

Unit 1

1849 Jan. 1-Apr. 2 Ann. sess. 793 p. M

MICHIGAN-Continued

Unit 2

1850 Jan. 7-Apr. 2 Ann. sess. 1 p.l., 880 p. DLC

Unit 3

1851 Feb. 5-Apr. 5 Ann. sess. 1 p.l., 736 p. DLC

1851 June 9-28 Ext. sess. See Mich., A.la, Reel 5.

MINNESOTA

Legislative Assembly

Journal of the Council

A.la Reel 1

Unit 1

1849 Sept. 3-Nov. 1 1st sess. 255, [1] p. NcU

Unit 2

1851 Jan. 1-Mar. 31 2d sess. 224 p. NcU

Unit 3

1852 Jan. 7-Mar. 6 3d sess. 258 p. NcU

Unit 4

1853 Jan. 5-Mar. 5 4th sess. 193 p. NcU

Unit 5

1854 Jan. 4 Mar. 4 5th sess. 342, 223 p. NcU

A.la Reel 2

Unit 1

1855 Jan. 3-Mar. 3 6th sess. 307, 131 p. NcU

Unit 2

1856 Jan. 2-Mar. 1 7th sess. 2 p.l., 254, 49, [4] p. NcU

Unit 3

1857 Jan. 7-Mar. 7 8th sess. 184 p.

1857 Apr. 27-May 25 Ext. sess. 77, [1] p. NcU

Legislative Assembly

Journal of the House of Representatives

A.lb Reel 1

Unit 1

1849 Sept. 3-Nov. 1 1st sess. 250 p. NcU

Unit 2

1851 Jan. 1-Mar. 31 2d sess. 241 p. NcU

Unit 3

1852 Jan. 7-Mar. 6 3d sess. 279 p. NcU

Unit 4

1853 Jan. 5-Mar. 5 4th sess. 285 p. NcU

Unit 5

1854 Jan. 4-Mar. 4 5th sess. 354, 223 p. NcU

MINNESOTA-Continued

A.1b Reel 2

Unit 1

1855 Jan. 3-Mar. 3 6th sess. 547, 172 p. NcU

Unit 2

1856 Jan. 2-Mar. 1 7th sess. 2 p.l., 336, [1], 186 p. NcU

Unit 3

1857 Jan. 7-Mar. 7 8th sess. 243 p.
1857 Apr. 27-May 25 Ext. sess. 94 p. NcU

MISSISSIPPI

General Assembly

Journal of the Legislative Council

A.1a Reel 1

Unit 1

1800 Sept. ?-? 1st Assy., 1st sess. (Not found)
1801 July ?-? 1st Assy., ext. sess. (Not found)
1801 Oct. ?-? 1st Assy., ext. sess. (Not found)
1801 Dec. ?-? 1st Assy., 2d sess. (Not found)
1802 May ?-? 2d Assy., 1st sess. (Not found)
1803 May ?-? 2d Assy., ext. sess. (Not found)
1803 Oct. 3-Nov. 19 2d Assy., 2d sess. 1 p.l., 34 p.
1804 Dec. 3-Mar. 7 3d Assy., 1st sess. 68 p. (w: p. 1-2)
1804* Dec. 3-Mar. 7 3d Assy., 1st sess. 142 p. MS.
1805 July ?-? 3d Assy., 2d sess. (?) (Not found)
1805 Dec. 1-29 3d Assy., 3d sess. 42 p.
1806 Dec. 1-Feb. 10 4th Assy., 1st sess. 84 p. (Pages 7-8 of unidentified MS. inserted. Pages 77-78 are missing.)

Ms-Ar - 1 *Ms-Ar

Unit 2

1807 Dec. ?-? 4th Assy., 2d sess. (Not found)
1808 Sept. 15-19 ? Assy., ? sess. (Not found)
1809 Feb. ?-? ? Assy., ? sess. (Not found)
1809 Nov. 6-? ? Assy., ? sess. (Not found)
1810 Nov. 27-? 6th Assy., 2d sess. (Not found)
1811 Nov. 2-Dec. 18 7th Assy., 1st sess. (Not found)
1812* Nov. 2-Dec. 24 7th Assy., 2d sess. 4, 4 p. (Fragment)
1813 Dec. 6-Jan. 22 8th Assy., 1st sess. (Not found)
1814 Nov. 7-Dec. 27 8th Assy., 2d sess. (Not found)
1815 Nov. 6-Dec. 27 9th Assy., 1st sess. 171 p.

MISSISSIPPI-Continued

1815* Nov. 6-Dec. 27 9th Assy., 1st sess. [178] p. MS.

A-Ar *Ms-Ar

Unit 3

1816 Nov. 4-Dec. 13 9th Assy., 2d sess. 156 p.

1816* Nov. 4-Dec. 13 9th Assy., 2d sess. [139] p. MS.

A-Ar *Ms-Ar

Journal of the Senate

Unit 4

1817 Oct. 6-Feb. 6 1st sess. 286 p.

DLC - Ms-Ar

A.la Reel 2

Unit 1

1819 Jan. 4-Feb. 20 2d sess. 60-212, 313-320 p. MS. (w: p. 1-59)

Ms-Ar

Unit 2

1820 Jan. 3-Feb. 12 3d sess. 165 p.

1821* Jan. 1-Feb. 12 4th sess. 194 p.

DLC *M

Unit 3

1821 Nov. 5-28 5th sess. 122 p.

1822 June 3-30 Adj. sess. 151 p.

M

Unit 4

1822* Dec. 23-Jan. 21 6th sess. 124 p.

1823 Dec. 22-Jan. 23 7th sess. 152 p.

1825 Jan. 3-Feb. 4 8th sess. 175 p.

Ms *DLC

Unit 5

1826 Jan. 2-31 9th sess. 183 p.

1826 Jan. 2-31 9th sess. 183 p.

Ms

Unit 6

1827 Jan. 1-Feb. 8 10th sess. 235 p.

1828 Jan. 7-Feb. 16 11th sess. 254 p.

Ms

Unit 7

1829 Jan. 5-Feb. 6 12th sess. 203 p.

1830* Jan. 4-Feb. 12 13th sess. 182 p.

Ms *NN

A.la Reel 3

Unit 1

1830 Nov. 15-Dec. 16 14th sess. 206 p.

1831 Nov. 21-Dec. 20 15th sess. 219 p.

Ms

MISSISSIPPI-Continued

Unit 2

1833 Jan. 7-Mar. 2 16th sess. 204 p.
1833* Nov. 18-Dec. 25 17th sess. 218 p.
DLC *Ms-Ar - WHi

Unit 3

1835 Jan. 19-31 Call. sess. 95 p.
1835* Dec. 3 Call. sess. 7 p.
1836* Jan. 4-Feb. 27 Reg. sess. [9]-400 p.
Ms *NcU-Jenkins

Unit 4

1837 Jan. 2-21 Adj. sess. 140 p.
1837 Apr. 17-May ? Call. sess. (Not found)
1838* Jan. 1-Feb. 16 Reg. sess. 383 p.
Ms-Ar *Ms

Unit 5

1839 Jan. 7-Feb. 16 Adj. sess. 365 p.
Ms

A.la Reel 4

Unit 1

1840 Jan. 6-Feb. 22 Reg. sess. 904 p.
DLC

Unit 2

1841 Jan. 4-Feb. 6 Adj. sess. 435 p.
DLC

Unit 3

1842 Jan. 3-Feb. 28 Reg. sess. 784 p.
DLC

A.la Reel 5

Unit 1

1843 July 10-26 Call. sess. 242 p.
DLC

Unit 2

1844 Jan. 1-Feb. 24 Reg. sess. 704 p.
DLC

Unit 3

1846 Jan. 5-Mar. 5 Reg. sess. 769 p.
NcU-Jenkins

A.la Reel 6

Unit 1

1848 Jan. 3-Mar. 4 Reg. sess. 1006 p.
NcD

Unit 2

1850 Jan. 7-Mar. 9 Reg. sess. 775 p.
DLC

Unit 3

1850* Nov. 18-29 Call. sess. 83 p.
1851 Nov. 24-25 Ext. sess. 11 p.
1852 Jan. 5-Mar. 16 Reg. sess. [13]-683 p.
DLC *NcU

MISSISSIPPI-Continued

Unit 4

1852 Oct. 4-21 Call. sess. 169 p. NN

A.1a Reel 7

Unit 1

1854 Jan. 2-Mar. 2 Reg. sess. 650 p. NcD

Unit 2

1856 Jan. 7-Mar. 12 Reg. sess. 597, 85, [687]-728 p. DLC

Unit 3

1856 Dec. 1-Feb. 3 Adj. sess. 365 p. DLC

Unit 4

1857 Nov. 2-19 Reg. sess. 133, 302 p. DLC

A.1a Reel 8

Unit 1

1858 Nov. 1-Dec. 3 Call. sess. 270, 735 p. DLC

Unit 2

1859 Nov. 7-Feb. 11 Reg. sess. 478, 542 p. DLC

Unit 3

1860 Nov. 26-30 Call. sess. 36 p.
1861 Jan. 15-22 Call. sess. 31, 94, [1] p. DLC

A.1a Reel 9

Unit 1

1861 July 25-Aug. 6 Call. sess. 285, [1] p. DLC

Unit 2

1861 Nov. 4-Jan. 29 Reg. sess. 390, 536 p. DLC

Unit 3

1862 Dec. 17-Jan. 3 Call. sess.
1863 Nov. 2-Dec. 9 Reg. sess.
In 1 vol. 343, 234 p. DLC

Unit 4

1864* Mar. 24-Apr. 5 Call. sess. 84 p.
1864 Aug. 3-13 Call. sess. 89 p.
1865** Feb. 20-Mar. 10 Call. sess. 100 p.
DLC *N **DLC - WHi

A.1a Reel 10

Unit 1

1865 Oct. 16-Dec. 6 Reg. sess. 334, 80 p. DLC

Unit 2

1866 Oct. 15-30 Call. sess.
1867 Jan. 21-Feb. 21 Adj. sess.
In 1 vol. 404, 220 p. NcU

MISSISSIPPI-Continued

General Assembly

Journal of the House of Representatives

A.1b Reel 1

Unit 1

1800 Sept. ?-? 1st Assy., 1st sess. (Not found)
1801 July ?-? 1st Assy., ext. sess. (Not found)
1801 Oct. ?-? 1st Assy., ext. sess. (Not found)
1801 Dec. ?-? 1st Assy., 2d sess. (Not found)
1802 May ?-? 2d Assy., 1st sess. (Not found)
1803 May ?-? 2d Assy., ext. sess. (Not found)
1803 Oct. 3-Nov. 19 2d Assy., 2d sess. 1 p.l., 147 p. MS.
1804 Dec. 3-Mar. 7 3d Assy., 1st sess. (Not found)
1805 July ?-? 3d Assy., 1st sess. (Not found)
1805 Dec. ?-? 3d Assy., ext. sess. (Not found)

Ms-Ar

Unit 2

1806 Dec. 1-Feb. 10 4th Assy., 1st sess.
The Mississippi messenger (Natchez) Vol. III, no. 119, Dec. 9, 1806 reports the Governor's message and the reply of the two Houses, Dec. 1, 1806. Vol. III, no. 124, Jan. 13, 1807 contains the reply of Committee to Governor.
1806* Dec. ?-Feb. 10 4th Assy., 1st sess. 9-118 p. (w: p. 1-8)
1807 Dec. 9-? 4th Assy., 2d sess. (Not found)
1808 Sept. 15-19 ? Assy., ? sess. 21 p. MS. (w: p. 16-21; p. 12-15 mutilated)
1808 Sept. 15-19 ? Assy., ? sess.
The Weekly chronicle (Natchez) Vol. I, no. 12 missing from files of the Department of Archives and History, Jackson, Miss. Vol. I, no. 13, Sept. 28, 1808 reports sess. day Sept. 19. Vol. I, no. 14, Oct. 5; no. 15, Oct. 12; no. 16, Oct. 19; no. 17, Oct. 26; no. 18, Nov. 2, 1808 report debates on the motion to nominate members of the Legislative Council. Vol. I, no. 33, Feb. 15; no. 34, Feb. 22; no. 35, Mar. 1; no. 38, Mar. 22 report proceedings.

Ms-Ar *Ms-Ar - 1

Unit 3

1809 Feb. ?-? ? Assy., ? sess. (Not found)
1809 Nov. 6-? ? Assy., ? sess. 108 p. MS. (Incomplete)
1810 Nov. 27-? 6th Assy., 2d sess. 1 p. MS. (Fragment)

MISSISSIPPI-Continued

1811* Nov. 2-Dec. 18 7th Assy., 1st sess. 196 p.
(w: p. 169-176)
1812** Nov. 2-Dec. 24 7th Assy., 2d sess. 251 p.
Ms-Ar *DLC - 1 **M - 1

Unit 4

1813 Dec. 6-Jan. 22 8th Assy., 1st sess. [374] p.
MS.
1813 Dec. 6-Jan. 22 8th Assy., 1st sess.
Washington republican (Washington, Miss.) vol. I, no. 35, Dec. 8, 1813-vol. I, no. 43, Feb. 2, 1814.
Ms-Ar

A.1b Reel 2

Unit 1

1814 Nov. 7-Dec. 27 8th Assy., 2d sess. 316 p.
DLC

Unit 2

1814 Nov. 7-Dec. 27 8th Assy., 2d sess. [256] p.
MS. Ms-Ar

Unit 3

1814 Nov. 7-Dec. 27 8th Assy., 2d sess.
Washington republican (Washington, Miss.) Vol. II, no. 30, Nov. 9, 1814-vol. II, no. 42, Feb. 1, 1815.
1815 Nov. 6-Dec. 27 9th Assy., 1st sess. 335 p.
MS.
Ms-Ar

Unit 4

1815* Nov. 6-Dec. 27 9th Assy., 1st sess.
Washington republican (Washington, Miss.) vol. III, no. 29, Nov. 11, 1815.
1816 Nov. 4-Dec. 13 9th Assy., 2d sess.
The Washington republican and Natchez intelligencer (Natchez) vol. IV, no. 29, Nov. 6, 1816.
1816 Nov. 4-Dec. 13 9th Assy., 2d sess. 252 p.
(Incomplete)
A-Ar - 1 *Ms-Ar

Unit 5

1817 Oct. 6-Feb. 6 1st sess. 414 p. (Incomplete)
(t.-p.w.) Ms - 1

A.1b Reel 3

Unit 1

1819 Jan. 4-Feb. 20 2d sess. [348] p. MS.
Ms-Ar

Unit 2

1820 Jan. 3-Feb. 12 3d sess. 216 p. DLC

Unit 3

1821 Jan. 1-Feb. 12 4th sess. 216 p.
1821 Nov. 5-28 5th sess. 153 p.
Ms

MISSISSIPPI-Continued

Unit 4

1822 June 3-30 Adj. sess. 186 p.
1822 Dec. 23-Jan. 21 6th sess. 180 p.

M

Unit 5

1823 Dec. 22-Jan. 23 7th sess. 223 p. NcD

Unit 6

1825 Jan. 3-Feb. 4 8th sess. 290 p. NcD

Unit 7

1826 Jan. 2-31 9th sess. 273 p.
1827 Jan. 1-Feb. 8 10th sess. 308 p.

Ms

A.1b Reel 4

Unit 1

1828 Jan. 7-Feb. 16 11th sess. 368 p.
1829 Jan. 5-Feb. 6 12th sess. 308 p.

Ms

Unit 2

1830 Jan. 4-Feb. 12 13th sess. 295 p. Ms

Unit 3

1830 Nov. 15-Dec. 16 14th sess. 262 p. Ms

Unit 4

1831 Nov. 21-Dec. 20 15th sess. 273 p.
1833* Jan. 7-Mar. 2 16th sess. 415 p.

Ms *NcU

Unit 5

1833 Nov. 18-Dec. 25 17th sess. 343 p. Ms-Ar

Unit 6

1835 Jan. 19-31 Call. sess. 110 p.
1836* Jan. 4-Feb. 27 Reg. sess. 486 p.

Ms-Ar *DLC

A.1b Reel 5

Unit 1

1837 Jan. 2-21 Adj. sess. 178 p.
1837* Apr. 17-May ? Call. sess. 244 p. (Incomplete) (w: t.-p., p. 202-214)

Ms *Ms-Ar - 1

Unit 2

1838 Jan. 1-Feb. 16 Reg. sess. 439 p. Ms-Ar

Unit 3

1839 Jan. 7-Feb. 16 Adj. sess. 482 p. DLC

Unit 4

1840 Jan. 6-Feb. 22 Reg. sess. 967 p. DLC

A.1b Reel 6

Unit 1

1841 Jan. 4-Feb. 6 Adj. sess. 543 p. DLC

Unit 2

1842 Jan. 3-Feb. 28 Reg. sess. 1138 p.
(w: p. 163-178) Ms - 1

MISSISSIPPI-Continued

A.1b Reel 7

Unit 1

1843 July 10-26 Call. sess. 311 p.
1844* Jan. 1-Feb. 24 Reg. sess. 809 p.
(Pages 807-809 are missing in copies examined.)
DLC - Ms *Ms

Unit 2

1846 Jan. 5-Mar. 5 Reg. sess. 842 p. (t.-p.w.) NcU-Jenkins

A.1b Reel 8

Unit 1

1848 Jan. 3-Mar. 4 Reg. sess. 1070 p.
DLC - M

Unit 2

1850 Jan. 7-Mar. 9 Reg. sess. 796 p. DLC

Unit 3

1850 Nov. 18-29 Call. sess. 72, [4] p.
NcU

A.1b Reel 9

Unit 1

1852 Jan. 5-Mar. 16 Reg. sess. 764 p. Ms

Unit 2

1852 Oct. 4-21 Call. sess. 215 p. DLC

Unit 3

1854 Jan. 2-Mar. 2 Reg. sess. 723 p. DLC

A.1b Reel 10

Unit 1

1856 Jan. 7-Mar. 12 Reg. sess. 798 p. DLC

Unit 2

1856 Dec. 1-Feb. 3 Adj. sess. 480 p. DLC

Unit 3

1857 Nov. 2-19 Reg. sess. 179, 308 p.
DLC

A.1b Reel 11

Unit 1

1858 Nov. 1-Dec. 3 Call. sess. 274, 79, 160-364, 369-735 (sic 740) p. DLC

Unit 2

1859 Nov. 7-Feb. 11 Reg. sess. 499, 537, [527]-542 p. DLC

A.1b Reel 12

Unit 1

1860 Nov. 26-30 Call. sess. 47 p.
1861* Jan. 15-22 Call. sess. 40, 95, [1] p.
1861 July 25-Aug. 6 Call. sess. 296 p.
DLC *NcU

Unit 2

1861 Nov. 4-Jan. 29 Reg. sess. 432, 536 p.
DLC

MISSISSIPPI-Continued

Unit 3

1862 Dec. 17-Jan. 3 Call. sess.
1863 Nov. 2-Dec. 9 Reg. sess.
In 1 vol. 328, 237 p.

DLC

A.1b Reel 13

Unit 1

1864 Mar. 24-Apr. 5 Call. sess. 131 p. MS.
(p. 7-11 defective) Ms-Ar

Unit 2

1864 Aug. 3-13 Call. sess. 104 p.
1865* Feb. 20-Mar. 10 Call. sess. 111 p.

Ms-Ar *Ms

Unit 3

1865 Oct. 16-Dec. 6 Reg. sess. 425, 89 p. DLC

Unit 4

1866 Oct. 15-30 Call. sess.
1867 Jan. 21-Feb. 21 Adj. sess.
In 1 vol. 519, 256 p.

NcU-Jenkins

MISSOURI

Journal of the Proceedings of the Legislature

A.1a:b Reel 1

Unit 1

A.1c

1806 June 3-July 9 7 fol. MS.
1806 Oct. 27-1807 Oct. 20 8-26 fol. MS.
1806 June 13-Nov. 11 26-42 fol. MS.
1809 Aug. 29-30 42-44 fol. MS.
1810 Oct. 19-1811 Oct. 9 45-65 fol. MS.

MoSM

General Assembly

Journal of the Legislative Council and House of Representatives

Unit 2

1812 Dec. 7-12 1st Legis., 1st sess. (Not found) (C)
1812 Dec. 7-12 1st Legis., 1st sess. (H)
Missouri gazette (St. Louis) Vol. V, no. 226, Dec. 19, 1812-no. 227, Dec. 26, 1812 report sess. days Dec. 7-12.

DLC - Photo. from original at MoSHi

Unit 3

1813 Dec. 6-Jan. 19 1st Legis., 2d sess. (Not found) (C)
1813 Dec. 6-Jan. 19 1st Legis., 2d sess. (H)

MISSOURI-Continued

Missouri gazette (St. Louis) Vol. ?, no. ?, Jan. 1, 1814-vol. VI, no. 28, Apr. 9, 1814 report sess. days Dec. 6, 1813-Jan. 19, 1814.

DLC - Photo. from original at MoSHi

Unit 4

1814 Dec. 5-Jan. 21 2d Legis., 1st sess. (Not found) (C)

1814 Dec. 5-Jan. 21 2d Legis., 1st sess. (H)
Missouri gazette and Illinois advertiser (St. Louis) Vol. VII, no. 323, Dec. 10, 1814-no. 337, June (sic Mar.) 18, 1815 report sess. days Dec. 5, 1814-Jan. 10, 1815. Vol. VIII, no. 366, Oct. 7, 1815-no. 376, Dec. 16, 1815 report sess. days Dec. 22, 1814-Jan. 21, 1815.

1815 Dec. 4-Jan. 25 2d Legis., 2d sess. (Not found) (C)

1815 Dec. 4-Jan. 25 2d Legis., 2d sess. (H)
Missouri gazette (St. Louis) Vol. VIII, no. 375, Dec. 9, 1815-vol. IX, no. 427, Dec. 7, 1816 report sess. days Dec. 4, 1815-Jan. 25, 1816.

1816 Dec. 2-Feb. 1 3d Gen. Assy., 1st sess. (C)
Missouri gazette (St. Louis) Vol. IX, no. 427, Dec. 7, 1816-no. 437, Feb. 15, 1817 report sess. days Dec. 2, 1816-Feb. 1, 1817.

1816 Dec. 2-Feb. 1 3d Gen. Assy., 1st sess. (H)
Missouri gazette (St. Louis) Vol. IX, no. 427, Dec. 7, 1816-vol. X, no. 482, Dec. 27, 1817 report sess. days Dec. 2, 1816-Feb. 1, 1817.

DLC - Photo. from original at MoSHi

Unit 5

1818 Oct. 26-Dec. 24 4th Gen. Assy., 1st sess. (Not found) (C)

1818 Oct. 26-Dec. 24 4th Gen. Assy., 1st sess. [112] p. MS. (H)

MoHi

General Assembly

Journal of the Senate

A.1a — Reel 2

Unit 1

1820 Sept. 18-Dec. 12 1st Assy., 1st sess. 172 p.

MoHi

Unit 2

1821 June 4-29 1st Assy., ext. sess. (Not found)

1821 Nov. 5-Jan. 12 1st Assy., 2d sess. 216 p.

MoHi - MoSL

Unit 3

1822 Nov. 4-Dec. 19 2d Assy., 1st sess. 136 p.

MoHi

Unit 4

1824 Nov. 15-Feb. 21 3d Assy., 1st sess. 288 p.

MISSOURI-Continued

1826 Jan. 19-21 3d Assy., spec. sess. 17 p.
MoSL

Unit 5

1826 Nov. 20-Jan. 3 4th Assy., 1st sess. 135 p.
1828 Nov. 17-Jan. 23 5th Assy., 1st sess. 214, [11] p.
MoSL

A.1a Reel 3

Unit 1

1830 Nov. 15-Jan. 19 6th Assy. 243 p.
1832 Nov. 19-Feb. 14 7th Assy. 271 p.
DLC

Unit 2

1834 Nov. 17-Mar. 21 8th Assy. 412 p. DLC

Unit 3

1836 Nov. 21-Feb. 6 9th Assy. 349, xiii p. DLC

Unit 4

1838 Nov. 19-Feb. 13 10th Assy. 368 p. DLC

Unit 5

1840 Nov. 16-Feb. 16 11th Assy. 603 p. DLC

A.1a Reel 4

Unit 1

1842 Nov. 21-Feb. 28 12th Assy. 584 p. DLC

Unit 2

1844 Nov. 18-Mar. 28 13th Assy. 512, 276, xxix p.
DLC

Unit 3

1846 Nov. 16-Feb. 16 14th Assy. 508, 252, lxiv p.
DLC

General Assembly

Journal of the House of Representatives

A.1b Reel 2

Unit 1

1820 Sept. 18-Dec. 12 1st Assy., 1st sess. 208 p.
MoSL - 1

Unit 2

1821 June 4-29 1st Assy., ext. sess. 144 p. MoHi - 1

Unit 3

1821 Nov. 5-Jan. 12 1st Assy., 2d sess. 203 p. MoSL

Unit 4

1822 Nov. 4-Dec. 19 2d Assy., 1st sess. 196 p. MoSL

Unit 5

1824 Nov. 15-Feb. 21 3d Assy., 1st sess. 364 p.
1826 Jan. 19-21 3d Assy., spec. sess. 19 p.
MoSL

Unit 6

1826 Nov. 20-Jan. 3 4th Assy., 1st sess. 151 p. MoSL

Unit 7

1828 Nov. 17-Jan. 23 5th Assy., 1st sess. 207, [1], [13] p. MoSL

MISSOURI-Continued

A.1b Reel 3

Unit 1

1830 Nov. 15-Jan. 19 6th Assy. 285 p.
DLC

Unit 2

1832 Nov. 19-Feb. 14 7th Assy. 327 p.
DLC

Unit 3

1834 Nov. 17-Mar. 21 8th Assy. 546 p.
DLC

Unit 4

1836 Nov. 21-Feb. 6 9th Assy. 474 p.
DLC

Unit 5

1838 Nov. 19-Feb. 13 10th Assy. 471, [1] p.
DLC

A.1b Reel 4

Unit 1

1840 Nov. 16-Feb. 16 11th Assy. 605 p.
DLC

Unit 2

1842 Nov. 21-Feb. 28 12th Assy. 794 p.
DLC

A.1b Reel 5

Unit 1

1844 Nov. 18-Mar. 28 13th Assy. 546, 330, [1] p.
M

Unit 2

1846 Nov. 16-Feb. 16 14th Assy. 499, 303, xlvii p.
M

MONTANA

Legislative Assembly

Journal of the Council

A.1a Reel 1

Unit 1

1864 Dec. 12-Feb. 9 1st sess. 304 p.
NcU

Unit 2

1866 Mar. 5-Apr. 14 2d sess. 347 p.
NcU

Unit 3

1866 Nov. 5-Dec. 15 3d sess. 345 p.
NcU

Unit 4

1867 Nov. 4-Dec. 13 4th sess. 299 p.
1867 Dec. 14-24 Ext. sess. 86 p.
NcU

MONTANA-Continued

Unit 5

1868 Dec. 7-Jan. 15 5th sess. 333 p.
NcU

Unit 6

1869 Dec. 6-Jan. 7 6th sess. 276 p.
NcU

A.1a Reel 2

Unit 1

1871 Dec. 4-Jan. 12 7th sess. 123, [1] p.
1873 Apr. 14-May 8 Ext. sess. 157 p.
NcU

Unit 2

1874 Jan. 5-Feb. 13 8th sess. 228 p.
NcU

Unit 3

1876 Jan. 3-Feb. 11 9th sess. 259 p.
NcU

Unit 4

1877 Jan. 8-Feb. 16 10th sess. v, [2]-298 p.
NcU

Unit 5

1879 Jan. 13-Feb. 21 11th sess. 192 p.
MS. Mt-Secy.

Unit 6

A.1a:b

Journals of the Council and House of Representatives

1879 July 1-22 Ext. sess. 197 p.
NcU

Journal of the Council

Unit 7

1881 Jan. 10-Feb. 23 12th sess. 230 p.
NcU

A.1a Reel 3

Unit 1

1883 Jan. 8-Mar. 8 13th sess. 248 p.
NcU

Unit 2

1885 Jan. 12-Mar. 12 14th sess. 271 p.
NcU

Unit 3

1887 Jan. 10-Mar. 10 15th sess. 389 p.
MS. Mt-Secy.

Unit 4

1887 Aug. 29-Sept. 14 Ext. sess. 125 p.
MS. Mt-Secy.

Unit 5

1889 Jan. 17-Mar. 14 16th sess. 2 p.l., 316 p.
NcU

MONTANA-Continued

Journal of the Senate

Unit 6

1889 Nov. 23-Feb. 20 1st sess. 155 p.
MS. Mt-Secy.

A.1a Reel 4

Unit 1

1891 Jan. 5-Mar. 5 2d sess. 414 p.
DLC

Unit 2

1893 Jan. 2-Mar. 2 3d sess. 179 p.
DLC

Unit 3

1895 Jan. 7-Mar. 7 4th sess. 351 p.
MtHi

Unit 4

1897 Jan. 4-Mar. 4 5th sess. 323 p.
DLC

Unit 5

1899 Jan. 2-Mar. 2 6th sess. 326 p.
DLC

Unit 6

A.1a:b

Journals of the Senate and House of Representatives

1909 Dec. 27 Ext. sess. 39 p.
MtHi

Legislative Assembly

Journal of the House of Representatives

A.1b Reel 1

Unit 1

1864 Dec. 12-Feb. 9 1st sess. 257 p.
MS. Mt-Secy.

Unit 2

1866 Mar. 5-Apr. 14 2d sess. 2 p.l.,
129 p. NcU

Unit 3

1866 Nov. 5-Dec. 15 3d sess. 395 p.
NcU

Unit 4

1867 Nov. 4-Dec. 13 4th sess. 313 p.
1867 Dec. 14-24 Ext. sess. 95 p.
NcU

Unit 5

1868 Dec. 7-Jan. 15 5th sess. 351 p.
NcU

Unit 6

1869 Dec. 6-Jan. 7 6th sess. 260 p.
NcU

MONTANA-Continued

A.1b Reel 2

Unit 1

1871 Dec. 4-Jan. 12 7th sess. 143 p.
1873 Apr. 14-May 8 Ext. sess. 187 p.
NcU

Unit 2

1874 Jan. 5-Feb. 13 8th sess. 256 p.
NcU

Unit 3

1876 Jan. 3-Feb. 11 9th sess. 1 p.l., 404 p.
NcU

Unit 4

1877 Jan. 8-Feb. 16 10th sess. v, [1], 364 p.
NcU

Unit 5

1879 Jan. 13-Feb. 21 11th sess. 347 p. MS.
Mt-Secy.

1879 July 1-22 Ext. sess. See Mont., A.1a, Reel 2, Unit 6.

A.1b Reel 3

Unit 1

1881 Jan. 10-Feb. 23 12th sess. 252, [1] p.
NcU

Unit 2

1883 Jan. 8-Mar. 8 13th sess. 342 p.
NcU

Unit 3

1885 Jan. 12-Mar. 12 14th sess. 299 p.
NcU

Unit 4

1887 Jan. 10-Mar. 10 15th sess. 301 p. MS.
Mt-Secy.

Unit 5

1887 Aug. 29-Sept. 14 Ext. sess. 96 p. MS.
Mt-Secy.

Unit 6

1889 Jan. 17 (sic 14)-Mar. 14 16th sess. 2 p.l., 287 p.
NcU

A.1b Reel 4

Unit 1

1889 Nov. 23-Feb. 20 1st sess. 184 p. MS.
Mt-Secy.

Unit 2

1889 Nov. 23-Feb. 20 1st sess. 208 p. MS.
Mt-Secy.

Unit 3

1891 Jan. 5-Mar. 5 2d sess. 507 p.
DLC

MONTANA-Continued

Unit 4

1893 Jan. 2-Mar. 2 3d sess. 389 p.

DLC

Unit 5

1895 Jan. 7-Mar. 7 4th sess. 576 p.

MtHi

A.1b Reel 5

Unit 1

1897 Jan. 4-Mar. 4 5th sess. 457 p.

MtHi

Unit 2

1899 Jan. 2-Mar. 2 6th sess. 430 p.

MtHi

Unit 3

1903 Dec. 1-11 Ext. sess. 39 p.

1909 Dec. 27 Ext. sess. See Mont., A.1a, Reel 4.

MtHi

NEBRASKA

Legislative Assembly

Journal of the Council

A.1a Reel 1

Unit 1

1855 Jan. 16-Mar. 16 1st sess. 157 p.

1855 Dec. 18-Jan. 26 2d sess. 155 p.

DLC

Unit 2

1857 Jan. 5-Feb. 13 3d sess. 184 p.

1857 Dec. 8-Jan. 16 4th sess. 162 p.

DLC

Unit 3

1858 Sept. 21-Nov. 4 5th sess. 292 p.

DLC

Unit 4

1859 Dec. 5-Jan. 13 6th sess. 348 p.

DLC

Unit 5

1860 Dec. 3-Jan. 11 7th sess. 1 p.l., 268 p.

DLC

Unit 6

1861 Dec. 2-Jan. 10 8th sess. 229 p.

DLC

Unit 7

1864 Jan. 7-Feb. 15 9th sess. 302 p.

DLC

NEBRASKA-Continued

A.la Reel 2

Unit 1

1865 Jan. 5-Feb. 13 10th sess. 258 p.
DLC

Unit 2

1866 Jan. 4-Feb. 12 11th sess. 227 p.
DLC

Unit 3

1867 Jan. 10-Feb. 18 12th sess. 222, [127]-132 p.
DLC

Legislature

Journal of the Senate

Unit 4

1866 July 4-11 1st sess. 24 p.
1867 Feb. 20-21 2d sess. [25]-38 p.
1867 May 16-June 24 3d sess. [39]-258 p.
DLC

Unit 5

1869 Jan. 7-Feb. 15 5th sess. 286 p.
1868 Oct. 27-28 4th sess. [287]-386 p.
DLC

Unit 6

1870 Feb. 17-Mar. 4 6th sess. 95 p.
1870 Mar. 4 7th sess. 97-111 p.
DLC

Unit 7

1871 Jan. 5-June 7 8th sess. 550 p.
DLC

A.la Reel 3

Unit 1

1872 Jan. 9-24 Adj. sess. [4], 5, [1], 13, [1], 13, 17, [3], 13, 30, 23, 13, 10, 7, 6, 12, 28, 26, 18, 14, 12, 22, 22, [4], [1], 7 p. MS. (Rough draft)
Nb-Secy.

Legislative Assembly

Journal of the House of Representatives

A.1b Reel 1

Unit 1

1855 Jan. 16-Mar. 16 1st sess. 160 p.
1855 Dec. 18-Jan. 26 2d sess. 207 p.
DLC

Unit 2

1857 Jan. 5-Feb. 13 3d sess. 216 p.
1857 Dec. 8-Jan. 16 4th sess. 191 p.
DLC

Unit 3

1858 Sept. 21-Nov. 4 5th sess. 274 p.
DLC

NEBRASKA-Continued

Unit 4

1859 Dec. 5-Jan. 13 6th sess. 406 p.
DLC

Unit 5

1860 Dec. 3-Jan. 11 7th sess. 345 p.
DLC

Unit 6

1861 Dec. 2-Jan. 10 8th sess. 339 p.
DLC

A.1b Reel 2

Unit 1

1864 Jan. 7-Feb. 15 9th sess. 288 p.
DLC

Unit 2

1865 Jan. 5-Feb. 13 10th sess. 336 p.
DLC

Unit 3

1866 Jan. 4-Feb. 12 11th sess. 207 p.
DLC

Unit 4

1867 Jan. 10-Feb. 18 12th sess. 281 p.
DLC

Legislature

Unit 5

1866 July 4-11 1st sess. 39 p.
1867 Feb. 20-21 2d sess. [40]-54 p.
1867 May 16-June 24 3d sess. [55]-265 p.
DLC

Unit 6

1868 Oct. 27-28 4th sess. [23] p. MS.
1869* Jan. 7-Feb. 15 5th sess. 432 p.
Nb-Secy. *DLC

Unit 7

1870 Feb. 17-Mar. 4 6th sess. 101 p.
1870 Mar. 4 7th sess. 103-120 p.
DLC

A.1b Reel 3

Unit 1

1871 Jan. 5-June 7 8th sess. 828 p.
DLC

Unit 2

1872 Jan. 9-24 Adj. sess. 11, 17, 33, 33, 10, 14, 29, 27, 24, 27, 6, 11, 2, 2, 12, 19 p. MS. (Rough draft)
Nb-Secy.

NEVADA

Legislative Assembly

Journal of the Council

A.1a Reel 1

Unit 1

1861 Oct. 1-Nov. 29 1st sess. 295 p.
NvHi

Unit 2

1862 Nov. 11-Dec. 20 2d sess. 266 p. MS.
Nv-Secy.

Unit 3

1864 Jan. 12-Feb. 20 3d sess. 318 p. MS.
Nv-Secy.

Legislature

Journal of the Senate

Unit 4

1864 Dec. 12-Mar. 11 1st sess. 470 p.
DLC

Unit 5

1866 Jan. 1-Mar. 1 2d sess. 291 p., App., v.p.
DLC

Legislative Assembly

Journal of the House of Representatives

A.1b Reel 1

Unit 1

1861 Oct. 1-Nov. 29 1st sess. 422 p.
NvHi

Unit 2

1862 Nov. 11-Dec. 20 2d sess. 442 p. MS.
Nv-Secy.

Unit 3

1864 Jan. 12-Feb. 20 3d sess. 565 p. MS.
Nv-Secy.

A.1b Reel 2

Unit 1

1864 Dec. 12-Mar. 11 1st sess. 524 p.
DLC

Unit 2

1866 Jan. 1-Mar. 1 2d sess. 375, 32 p.
DLC

NEW HAMPSHIRE

General Court

Journal of the Senate

A.1a Reel 1

Unit 1

1784* June 2-15 19 p.
1784* Oct. 20-Nov. 11 21-44 p.

NEW HAMPSHIRE-Continued

1785 Feb. 9-24 45-67 p.
1785** June 1-23 29 p.
1785** Oct. 19-Nov. 10 31-50 p.
1786*** Feb. 1-Mar. 4 [51]-79 p.
1786 June 7-27 48 p.
1786 Sept. 6-23 24 p.
1786 Dec. 13-Jan. 18 52 p.
1787 June 6-30 51 p.
1787 Sept. 12-29 31 p.
1787*** Dec. 5-15 16 p.

DLC *Nh **M ***NhHi

Unit 2

1788 Jan. 23-Feb. 13 38 p.
1788* June 4-18 43 p.
1788 Nov. 5-13 21 p.
1788 Dec. 24-Feb. 7 32, 25-75 p.
1789 June 3-19 45 p.
1789 Dec. 23-Jan. 26 69 p.

DLC *NN

Unit 3

1790 June 2-19 51 p.
1791 Jan. 5-Feb. 18 85 p.
1791* June 1-17 48 p.
1791 Nov. 30-Jan. 6 71 p.
1792** June 6-22 47 p.
1792 Nov. 21-Dec. 28 67 p.

DLC *NN **M

Unit 4

1793 June 5-21 53 p.
1793 Dec. 25-Feb. 22 95 p.
1794 June 4-21 59 p.
1794 Dec. 16-Jan. 16 77 p.

DLC

Unit 5

A.1a:b

Journals of the Senate and House of Representatives

1794 Dec. 16-Jan. 16 144 p. (H)
1795 June 3-18 90 p. (H)
1795 June 3-18 54 p. (S)
1795 Dec. 2-Jan. 1 152 p. (H)
1795 Dec. 2-Jan. 1 72 p. (S)

MH

Journal of the Senate

A.1a Reel 2

Unit 1

1796* June 1-17 57 p.
1796** Nov. 23-Dec. 16 89 p.
1797 June 7-22 58 p.
1797 Nov. 22-Dec. 21 80 p.

NEW HAMPSHIRE-Continued

1798 June 6-20 48 p.
1798 Nov. 21-Dec. 28 72 p.
1799 June 5-15 47 p.
1799* Dec. 4-31 60, 51-57 p.
DLC *MH **M

Unit 2

1800* June 4-16 48 p.
1800* Nov. 19-Dec. 10 52 p.
1801 June 3-17 54 p.
1802 June 2-18 68 p.
1803 June 1-11 56 p.
1803 Nov. 23-Dec. 30 67 p.
DLC *MH

Unit 3

1804* June 6-21 37 p.
1804 Nov. 21-Dec. 13 55 p.
1805 June 5-19 52 p.
1805 Dec. 4-31 63, [1] p.
1806 June 4-20 52 p.
1807 June 3-19 60 p.
DLC *NcU

Unit 4

1808 June 1-15 71 p.
1808 Nov. 23-Dec. 23 67 p.
1809 June 7-28 95 p.
1810 June 6-27 82, [2] p.
DLC

Unit 5

1811 June 5-21 95, [2] p.
1812 June 3-19 85, [1] p.
1812 Nov. 18-Dec. 18 124 p.
DLC

A. 1a Reel 3

Unit 1

1813 June 2-24 113, [1] p.
1813 Oct. 27-Nov. 5 72 p.
1814 June 1-24 137, [1] p.
1815 June 7-29 124, [1] p.
DLC

Unit 2

1816 June 5-29 170 p.
1816 Nov. 20-Dec. 27 159 p.
DLC

Unit 3

1817 June 4-28 217, [1] p.
1818 June 3-30 271, [1] p.
DLC

Unit 4

1819 June 2-July 2 312 p.
1820 June 7-23 223, [1] p.
DLC

NEW HAMPSHIRE-Continued

Unit 5

1820 Nov. 15-Dec. 23 222, [2] p.
1821 June 6-30 231, 9 p.

DLC

A.1a Reel 4

Unit 1

1822 June 5-July 4 222 p.
1823 June 4-July 3 211 p.

DLC

Unit 2

1824 June 2-16 118 p.
1824 Nov. 17-Dec. 22 184 p.

DLC

Unit 3

1825 June 1-July 2 236 p.
1826 June 7-July 8 260 p.

DLC

Unit 4

1827 June 6-July 7 270 p.
1828 June 4-19 118 p.

DLC

Unit 5

1828 Nov. 19-Jan. 3 278 p.
1829 June 3-July 4 127 p.

DLC

Unit 6

1830 June 2-July 3 109 p.
1831 June 1-July 2 126 p.

DLC

General Assembly

Journal of the House of Representatives

A.1b Reel 1

Unit 1

1730 Aug. 25-Dec. 3 4 fol., 1 l., 41 p. MS.
1730/1 Feb. 3-May 10 42-57 p. MS.
1731 July 1-Oct. 7 57-80 p. MS.
1731/2 May 4-18 80-92 p. MS.
1732 Aug. 29 93-95 p. MS.
1732/3 Feb. -Mar. 10 95-120 p. MS.
1733/4 Jan. 1-23 121-151 p. MS.
1734 Oct. 9-22 152-166 p. MS.
1735 Apr. 9-May 17 167-199 p. MS.
1736 Apr. 21-May 12 200-221 p. MS.
1736/7 Mar. 8-Apr. 1 222-245 p. MS.
1737 Aug. 4-Sept. 2 245-262 p. MS.
1737 Oct. 13-20 262-280 p. MS.

NEW HAMPSHIRE-Continued

1738 Nov. 1-17 281-292, [1] p. MS.
MWA

Unit 2

1744/5 Jan. 24-May 3 1 p.l., 45 p.
1762 Jan. 19-Feb. 4 1 p.l., 13 p.
1767* July 1-Oct. 3 31 p.
1768* Feb. 10-Mar. 24 33-60 p.
1768 May 17-Oct. 29 61-96 p.
NhHi *Nh

General Court

Unit 3

1784 June 2-15 26 p.
1784 Oct. 20-Nov. 11 27-68 p.
1785 Feb. 9-24 69-104 p.
1785* June 1-23 54 p.
1785* Oct. 19-Nov. 10 55-97 p.
1786* Feb. 1-Mar. 4 99-170 p.
1786** June 7-27 78 p.
1786* Sept. 6-23 81-116 p.
1786* Dec. 13-Jan. 18 119-190 p.
1787* June 6-30 70 p.
1787* Sept. 12-29 [71]-117 p.
1787* Dec. 5-15 [119]-138 p.
1788* Jan. 23-Feb. 13 [139]-197 p.
Nh *DLC **NN

Unit 4

1788 June 4-18 56 p.
1788 Nov. 5-13 [57]-83 p.
1788 Dec. 24-Feb. 7 [85]-226 p.
DLC

Unit 5

1789 June 3-19 64 p.
1789 Dec. 23-Jan. 26 97 p.
DLC

A.1b Reel 2

Unit 1

1790 June 2-19 82 p.
1791 Jan. 5-Feb. 18 175 p.
1791 June 1-17 96 p.
DLC

Unit 2

1791 Nov. 30-Jan. 6 151 p.
1792 June 6-22 88 p.
1792 Nov. 21-Dec. 28 143 p.
1793 June 5-21 109 p.
DLC

Unit 3

1793 Dec. 25-Feb. 22 20(sic 220) p.
1794 June 4-21 107 p.
DLC

NEW HAMPSHIRE-Continued

Unit 4

1794 Dec. 16-Jan. 16 See A.la, Reel 1, Unit 5.
1795 June 3-18 See A.la, Reel 1, Unit 5.
1795 Dec. 2-Jan. 1 See A.la, Reel 1, Unit 5.

Unit 5

1796* June 1-17 90 p.
1796 Nov. 23-Dec. 16 141 p.
1797 June 7-22 96 p.

DLC *MH

A.lb Reel 3

Unit 1

1797 Nov. 22-Dec. 21 127 p.
1798 June 6-20 76 p.
1798 Nov. 21-Dec. 28 93 p.
1799 June 5-15 78 p.

DLC

Unit 2

1799* Dec. 4-31 106 p.
1800* June 4-16 71 p.
1800 Nov. 19-Dec. 10 106 p.
1801 June 3-17 72 p.

DLC *MH

Unit 3

1802 June 2-18 109 p.
1803 June 1-11 85 p.
1803 Nov. 23-Dec. 30 134 p.
1804 June 6-21 72 p.

DLC

Unit 4

1804 Nov. 21-Dec. 14 104 p.
1805 June 5-19 82 p.
1805 Dec. 4-31 96 p.
1806 June 4-20 80 p.

DLC

A.lb Reel 4

Unit 1

1807 June 3-19 96 p.
1808 June 1-15 83 p.
1808 Nov. 23-Dec. 23 133 p.
1809 June 7-28 136 p.

DLC

Unit 2

1810 June 6-27 110, [1] p.
1811 June 5-21 136 p.
1812 June 3-19 136 p.

DLC

NEW HAMPSHIRE-Continued

Unit 3

1812 Nov. 18-Dec. 18 182 p.
1813 June 2-24 141 p.
1813 Oct. 27-Nov. 5 91 p.
DLC

Unit 4

1814 June 1-24 195 p.
1815 June 7-29 176 p.
DLC

Unit 5

1816 June 5-29 267 p. DLC

A.1b Reel 5

Unit 1

1816 Nov. 20-Dec. 27 271 p.
1817 June 4-28 280 p.
DLC

Unit 2

1818 June 3-30 350, [1] p. DLC

Unit 3

1819 June 2-July 2 381, [1] p.
DLC

Unit 4

1820 June 7-23 279, [1] p.
DLC

Unit 5

1820 Nov. 15-Dec. 23 389, [1] p.
DLC

A.1b Reel 6

Unit 1

1821 June 6-30 388, 14, [14] p.
DLC

Unit 2

1822 June 5-July 4 409 p.
DLC

Unit 3

1823 June 4-July 3 342 p.
DLC

Unit 4

1824 June 2-16 205 p. DLC

Unit 5

1824 Nov. 17-Dec. 22 376 p.
DLC

A.1b Reel 7

Unit 1

1825 June 1-July 2 472 p.
DLC

Unit 2

1826 June 7-July 8 408 p.
DLC

Unit 3

1827 June 6-July 7 435 p.
DLC

NEW HAMPSHIRE-Continued

Unit 4

1828 June 4-19 192 p. DLC

A.1b Reel 8

Unit 1

1828 Nov. 19-Jan. 3 448 p. DLC

Unit 2

1829 June 3-July 4 230 p. DLC

Unit 3

1830 June 2-July 3 220, [213]-228 p.
DLC

Unit 4

1831 June 1-July 2 266 p. DLC

General Court

Journals of the Senate and House of Representatives

A.1a:b Reel 9

Unit 1

1832 June 6-23 140 p. (H)
1832 June 6-23 75 p. (S)
In 1 vol.
1832 Nov. 21-Jan. 5 125 (sic 225) p. (H)
1832 Nov. 21-Jan. 5 82 p. (S)
In 1 vol.

DLC

Unit 2

1833 June 5-July 6 110 p. (S)
1833 June 5-July 6 215 p. (H)
In 1 vol.

DLC

Unit 3

1834 June 4-July 5 117 p. (S)
1834 June 4-July 5 203 p. (H)
In 1 vol.

DLC

Unit 4

1835 June 3-27 106 p. (S)
1835 June 3-27 204 p. (H)
In 1 vol.

DLC

Unit 5

1836 June 1-18 124 p. (S)
1836 June 1-18 248 p. (H)
In 1 vol.

DLC

A.1a:b Reel 10

Unit 1

1836 Nov. 23-Jan. 14 195 p. (S)
1836 Nov. 23-Jan. 14 416 p. (H)
In 1 vol.

DLC

NEW HAMPSHIRE-Continued

Unit 2

1837 June 7-July 8 144 p. (S)
1837 June 7-July 8 303 p. (H)
In 1 vol.

DLC

Unit 3

1838 June 6-July 5 144 p. (S)
1838 June 6-July 5 395 p. (H)
In 1 vol.

DLC

Unit 4

1839 June 5-July 6 160 p. (S)
1839 June 5-July 6 448 p. (H)
In 1 vol.

DLC

A.1a:b Reel 11

Unit 1

1840 June 3-20 87 p. (S)
1840 June 3-20 239 p. (H)
In 1 vol.

DLC

Unit 2

1840 Nov. 18-Dec. 24 119 p. (S)
1840 Nov. 18-Dec. 24 456 p. (H)
In 1 vol.

DLC

Unit 3

1841 June 2-July 3 162 p. (S)
1841 June 2-July 3 430 p. (H)
In 1 vol.

DLC

Unit 4

1842 June 1-24 136 p. (S)
1842 June 1-24 292 p. (H)
In 1 vol.

DLC

A.1a:b Reel 12

Unit 1

1842 Nov. 2-Dec. 23 184 p. (S)
1842 Nov. 2-Dec. 23 448 p. (H)
In 1 vol.

DLC

Unit 2

1843 June 7-July 1 146 p. (S)
1843 June 7-July 1 374 p. (H)
In 1 vol.

DLC

Unit 3

1844 June 5-19 94 p. (S)

NEW HAMPSHIRE-Continued

1844 June 5-19 282 p. (H)
In 1 vol.

DLC

Unit 4

1844 Nov. 20-Dec. 28 145 p. (S)
1844 Nov. 20-Dec. 28 422 p. (H)
In 1 vol.

DLC

A.1a:b Reel 13

Unit 1

1845 June 4-July 3 154 p. (S)
1845 June 4-July 3 435 p. (H)
In 1 vol.

DLC

Unit 2

1846 June 3-July 10 204 p. (S)
1846 June 3-July 10 420, cviii, [733]-749 p. (H)
In 1 vol.

DLC

Unit 3

1847 June 2-July 3 200 p. (S)
1847 June 2-July 3 725 p. (H)
In 1 vol.

DLC

A.1a:b Reel 14

Unit 1

1848 June 7-24 163 p. (S)
1848 June 7-24 460 p. (H)
In 1 vol.

DLC

Unit 2

1848 Nov. 22-Jan. 4 204 p. (S)
1848 Nov. 22-Jan. 4 612 p. (H)
In 1 vol.

DLC

Unit 3

1849 June 6-July 7 207 p. (S)
1849 June 6-July 7 624 p. (H)
In 1 vol.

DLC

A.1a:b Reel 15

Unit 1

1850 June 5-July 13 232 p. (S)
1850 June 5-July 13 818 p. (H)
In 1 vol.

DLC

NEW JERSEY

A.1a Reel 1

Unit 1

Journal of the procedure of the Governor and Council of the Province of East New Jersey... 1682 Dec.-1703 Apr. 89, 100-127, [128-299] p. MS.

Nj-Ar

Legislature

Journal of the Legislative Council

Unit 2

1776 Aug. 27-Oct. 8 1st Assy., 1st sit. 34 p.
1776 Nov. 13-30 1st Assy., 2d sit. 34-44 p.
1777 Jan. 22-24 1st Assy., 3d sit. 44-45 p.
1777 Jan. 29-Mar. 18 1st Assy., 4th sit. 45-76 p.
1777 May 7-June 7 1st Assy., 5th sit. 76-95 p.
1777 Sept. 3-24 1st Assy., 6th sit. [97]-114 p.
1777 Sept. 29-Oct. 11 1st Assy., 7th sit. 115-126 p.
1777 Oct. 28-Dec. 12 2d Assy., 1st sit. 27 p.
1778 Feb. 11-Apr. 18 2d Assy., 2d sit. 27-68 p.
1778 May 27-June 22 2d Assy., 3d sit. 68-88 p.
1778 Sept. 8-Oct. 8 2d Assy., 4th sit. 88-114 p.

Nj

Unit 3

1778 Oct. 27-Dec. 12 3d Assy., 1st sit. 35 p.
1779 Apr. 20-June 12 3d Assy., 2d sit. 35-82 p.
1779 Sept. 15-Oct. 9 3d Assy., 3d sit. 83-106 p.
1779 Oct. 26-Dec. 26 4th Assy., 1st sit. 46 p.
1780 Feb. 16-Mar. 21 4th Assy., 2d sit. [47]-73 p.
1780 May 10-June 19 4th Assy., 3d sit. [75]-108 p.
1780 Sept. 13-Oct. 7 4th Assy., 4th sit. 109-126 p.
1780 Oct. 24-Jan. 9 5th Assy., 1st sit. 70, [1] p.
1781 May 15-June 28 5th Assy., 2d sit. 35 p.
1781 Sept. 19-Oct. 6 5th Assy., 3d sit. 36-50 p.

Nj

Unit 4

1781 Oct. 23-Dec. 29 6th Assy., 1st sit. 37 p.
1782 May 15-June 24 6th Assy., 2d sit. 27 p.
1782 Sept. 18-Oct. 5 6th Assy., 3d sit. 28-39 p.
1782 Oct. 22-Dec. 26 7th Assy., 1st sit. 38 p.
1783 May 15-June 19 7th Assy., 2d sit. [39]-69 p.
1783 Oct. 28-Dec. 24 8th Assy., 1st sit. 39 p.
1784 Aug. 5-Sept. 2 8th Assy., 2d sit. 24 p.
1784 Oct. 26-Dec. 24 9th Assy., 1st sit. 47 p.
1785 Oct. 25-Nov. 29 10th Assy., 1st sit. 31 p.
1786 Feb. 15-Mar. 24 10th Assy., 2d sit. 46 p.
1786 May 17-June 2 10th Assy., 3d sit. 14 p.
1786 Oct. 24-Nov. 24 11th Assy., 1st sit. 32 p.
1787 May 16-June 7 11th Assy., 2d sit. 23 p.

Nj

Unit 5

1787 Oct. 23-Nov. 7 12th Assy., 1st sit. 21 p.

NEW JERSEY-Continued

1788 Aug. 27-Sept. 9 12th Assy., 2d sit. 16 p.
1788 Oct. 28-Dec. 1 13th Assy., lst sit. 32 p.
1789 Oct. 27-Dec. 1 14th Assy., lst sit. 38 p.
1790 May 18-June 12 14th Assy., 2d sit. 33 p.
1790 Oct. 26-Nov. 26 15th Assy., lst sit. 39 p.
1791 Oct. 25-Nov. 25 16th Assy., lst sit. 30 p.
1792 May 15-June 2 16th Assy., 2d sit. 21 p.
1792 Oct. 23-Nov. 30 17th Assy., lst sit. 40 p.
1793 May 15-June 6 17th Assy., 2d sit. 23 p.

Nj

A. la Reel 2

Unit 1

1793 Oct. 22-26 18th Assy., lst sit. 9 p.
1794 Jan. 8-Feb. 21 18th Assy., 2d sit. 9-44 p.
1794 June 11-20 18th Assy., 3d sit. 12 p.
1794 Oct. 28-Dec. 3 19th Assy., lst sit. 36 p.
1795 Feb. 11-Mar. 19 19th Assy., 2d sit. 40 p.
1795 Oct. 27-Nov. 25 20th Assy., lst sit. 24 p.
1796 Feb. 3-Mar. 18 20th Assy., 2d sit. 25-61 p.
1796 Oct. 25-Nov. 17 21st Assy., lst sit. 37 p.
1797 Jan. 25-Mar. 10 21st Assy., 2d sit. 38-86 p.
1797 Oct. 24-Nov. 10 22d Assy., lst sit. 24 p.
1798 Jan. 17-Mar. 16 22d Assy., 2d sit. 25-76 p.
1798 Oct. 23-Nov. 8 23d Assy., lst sit. 20 p.
1799 Jan. 16-Feb. 21 23d Assy., 2d sit. 21-56 p.
1799 May 21-June 13 23d Assy., 3d sit. 35 p.
1799 Oct. 22-Nov. 21 24th Assy., lst sit. 36 p.

Nj

Unit 2

A. la:b

Minutes of the Council and General Assembly in Joint Meeting

1776 Aug. 30-1780 Mar. 17 34 p.
1780 June 17-1783 Dec. 20 41-60 p.
1784 Aug. 18-Sept. 2 25-26 p.
1784 Oct. 29-Dec. 21 49-53 p.
1785 Oct. 28-Nov. 28 33-37 p.
1786 Mar. 17-21 47-48 p.
1786 June 1 15-16 p.
1786 Oct. 31-Nov. 23 33-36 p.
1787 May 18-June 5 25-26 p.
1787 Oct. 31-Nov. 7 23-26 p.
1788 Sept. 4 17-18 p.
1788 Oct. 31-Nov. 25 33-35 p.
1789 Nov. 2-30 39-43 p.
1790 Oct. 29-Nov. 13 41-47 p.
1791 Oct. 29-Nov. 24 31-34 p.
1792 May 23 23-24 p.
1792 Oct. 29-Nov. 6 41-44 p.
1793 May 23-June 5 25-29 p.

NEW JERSEY-Continued

1793 Oct. 24-1794 Feb. 19 45-48 p.
1794 Nov. 6-1795 Mar. 17 41-48 p.
1795 Nov. 3-1796 Mar. 16 63-69 p.
1796 Oct. 28-1797 Mar. 3 87-93 p.
1797 Oct. 30-1798 Mar. 10 77-83 p.
1798 Nov. 1-1799 Feb. 15 37-42 p.
1799 Oct. 29-Nov. 18 37-47 p.

Nj

Journal of the Legislative Council
Unit 3

1800 Oct. 28-Nov. 20 25th Assy., 1st sit. 34 p.
1801 Feb. 4-Mar. 9 25th Assy., 2d sit. 35-87 p.
Joint meeting, 1800 Oct. 30-Nov. 13. p. 77-87.
1801 Oct. 27-Dec. 3 26th Assy., 1st sit. [88]-144, [3], [13]-28 p.
Joint meeting, 1801 Oct. 31-Nov. 25. [13]-28 p.
1802 Oct. 26-Dec. 2 27th Assy., 1st sit. [148]-208, [31]-36 p.
Joint meeting, 1802 Oct. 28-Nov. 25. [31]-36 p.
1803 Oct. 25-Nov. 11 28th Assy., 1st sit. [210]-266 p.
1804 Feb. 1-Mar. 2 28th Assy., 2d sit. [268]-340, [39]-65 p.
Joint meeting, 1803 Oct. 27-1804 Feb. 28. [39]-65 p.

Nj

Unit 4

1804 Oct. 23-Dec. 4 29th Assy., 1st sit. [342]-413, [66]-84 p.
Joint meeting, 1804 Oct. 25-Nov. 30. [66]-84 p.
1805 Oct. 22-Nov. 15 30th Assy., 1st sit. [414]-455, [86]-95 p.
Joint meeting, 1805 Oct. 25-Nov. 14. [86]-95 p.
1806 Feb. 5-Mar. 14 30th Assy., 2d sit. [456]-533, [96]-105 p.
Joint meeting, 1806 Mar. 12. [96]-105 p.
1806 Oct. 28-Nov. 28 31st Assy., 1st sit. [535]-606 (sic 607), [107]-126, [1] p.
Joint meeting, 1806 Oct. 31-Nov. 25. [107]-126, [1] p.
1807 Oct. 27-Dec. 5 32d Assy., 1st sit. [609]-709, [127]-142 p.
Joint meeting, 1807 Oct. 30-Dec. 2. [127]-142 p.

Nj

NEW JERSEY-Continued

A.1a

Reel 3

Unit 1

1808 Oct. 25-Nov. 26 33d Assy., 1st sit. [711]-818, [143]-168 p.
  Joint meeting, 1808 Oct. 31-Nov. 23. [143]-168 p.
1809 Oct. 24-Nov. 29 34th Assy., 1st sit. [819]-911, [169]-198 p.
  Joint meeting, 1809 Oct. 27-Nov. 25. [169]-198 p.
1810 Oct. 23-Nov. 3 35th Assy., 1st sit. [913]-952, [199]-205 p.
  Joint meeting, 1810 Oct. 26-Nov. 1. [199]-205 p.
1811 Jan. 15-Feb. 23 35th Assy., 2d sit. [953]-1084, [207]-221 p.
  Joint meeting, 1811 Feb. 19. [207]-221 p.
1811 Oct. 22-Nov. 4 36th Assy., 1st sit. [1085]-1130 p.
1812 Jan. 8-Feb. 5 36th Assy., 2d sit. [1131]-1240, [223]-245 p.
  Joint meeting, 1811 Oct. 25-Nov. 2, 1st sit. [223]-235 p.
  Joint meeting, 1812 Feb. 3, 2d sit. [237]-245 p.

Nj

Unit 2

1812* Aug. 4-7 36th Assy., 3d sit. [246]-258 p.
1812 Oct. 27-Nov. 11 37th Assy., 1st sit. [1241]-1301 p.
1813 Jan. 20-Feb. 20 37th Assy., 2d sit. [1302]-1433, [245]-271 p.
  Joint meeting, 1812 Oct. 29-Nov. 6, 1st sit. [245]-262 p.
  Joint meeting, 1813 Feb. 19, 2d sit. [263]-271 p.
1813 Oct. 26-Nov. 4 38th Assy., 1st sit. [1435]-1472 p.
1814 Jan. 12-Feb. 14 38th Assy., 2d sit. [1475]-1594, [273]-287, [289]-296 p.
  Joint meeting, 1813 Oct. 29-Nov. 3, 1st sit. [273]-287 p.
  Joint meeting, 1814 Feb. 9, 2d sit. [289]-296 p.
1814 Oct. 25-Nov. 4 38th Assy., 1st sit. [1595]-1639 p.
1815 Jan. 11-Feb. 18 38th Assy., 2d sit. [1643]-1766, [297]-319 p.
  Joint meeting, 1814 Oct. 28-Nov. 3, 1st sit. [297]-308 p.
  Joint meeting, 1815 Feb. 17, 2d sit. [309]-319 p.

Nj *M

Unit 3

1815 Oct. 24-Nov. 1 40th Assy., 1st sit. [1767]-1791 p.
1816 Jan. 10-Feb. 16 40th Assy., 2d sit. [1793]-1928, [321]-347 p.
  Joint meeting, 1815 Oct. 26-31, 1st sit. [321]-333 p.
  Joint meeting, 1816 Feb. 10, 2d sit. [335]-347 p.
1816 Oct. 22-30 41st Assy., 1st sit. [1929]-1954 p.

Nj

NEW JERSEY-Continued

Unit 4

1817 Jan. 8-Feb. 14 41st Assy., 2d sit. [1957]-2078, [351]-374 p.
Joint meeting, 1816 Oct. 28, 1st sit. [351]-356 p.
Joint meeting, 1817 Jan. 23-Feb. 6, 2d sit. [359]-374 p.
1817 Oct. 28-Nov. 7 42d Assy., 1st sit. [2081]-2108 p.
1818 Jan. 7-Feb. 16 42d Assy., 2d sit. [2109]-2222, [375]-394 p.
Joint meeting, 1817 Nov. 1-6, 1st sit. [375]-382 p.
Joint meeting, 1818 Feb. 11-13, 2d sit. [383]-394 p.

Nj

Unit 5

1818 Oct. 27-Nov. 6 43d Assy., 1st sit. 17 p.
1819 Jan. 6-Feb. 19 43d Assy., 2d sit. [19]-85, 10 p.
Joint meeting, 1818 Oct. 30-Nov. 4, 1st sit. 5 p.
Joint meeting, 1819 Feb. 5-17, 2d sit. [6]-10 p.
1819 Oct. 26-Nov. 5 44th Assy., 1st sit. [86]-101 p.
1820 Jan. 12-Mar. 3 44th Assy., 2d sit. [102]-170, [11]-20 (sic 21) p.
Joint meeting, 1819 Oct. 29-Nov. 4, 1st sit. [11]-16 p.
Joint meeting, 1820 Jan. 15-Mar. 1, 2d sit. [17]-20 p.
1820 May 17-June 13 44th Assy., 3d sit. [171]-220 p.

Nj

A.1a Reel 4

Unit 1

1820 Oct. 24-Nov. 21 45th Assy., 1st sit. 221-268, [22]-37 p.
Joint meeting, 1820 Oct. 27-Nov. 21. [22]-37 p.
1821 Oct. 23-Nov. 27 46th Assy., 1st sit. 63, [1], 15 p.
Joint meeting, 1821 Oct. 25-Nov. 23. 15 p.
1822 Oct. 22-Nov. 29 47th Assy., 1st sit. 74, 17 p.
Joint meeting, 1822 Oct. 25-Nov. 29. 17 p.
1823 Oct. 28-Dec. 12 48th Assy., 1st sit. 95, 33 p.
Joint meeting, 1823 Oct. 31-Dec. 9. 33 p.

DLC

Unit 2

1824 Oct. 26-Dec. 31 49th Assy., 1st sit. 124, 24 p.
Joint meeting, 1824 Oct. 29-Dec. 20 24 p.
1825 Oct. 25-Dec. 12 50th Assy., 1st sit. 79, 21 p.
Joint meeting, 1825 Oct. 28-Dec. 7. 21 p.
1826 Oct. 24-Dec. 28 51st Assy., 1st sit. 95, 40 p.
Joint meeting, 1826 Oct. 27-Dec. 27. 40 p.
1827 Oct. 23-Nov. 7 52d Assy., 1st sit.
1828 Jan. 16-Mar. 7 52d Assy., 2d sit.
In 1 vol. 123, 36 p.
Joint meetings, 1827 Oct. 26-1828 Mar. 1, 1st & 2d sit. 36 p.

NEW JERSEY-Continued

Unit 3

1828 Oct. 28-Nov. 2 53d Assy., 1st sit.
1828 Jan. 6-Feb. 24 53d Assy., 2d sit.
In 1 vol. 101, 71 p.
Joint meetings, 1828 Oct. 31-1829 Feb. 20, 1st & 2d sit. 71 p.
1829 Oct. 27-Nov. 10 54th Assy., 1st sit.
1830 Jan. 5-Mar. 2 54th Assy., 2d sit.
In 1 vol. 117, 58, 26 p.
Joint meetings, 1829 Oct. 30-1830 Feb. 27, 1st & 2d sit. 58 p.
Minutes of the...Court of Impeachment, 1830 Mar. 2-May 25. 26 p.
1830 Oct. 26-Nov. 9 55th Assy., 1st sit.
1831 Jan. 5-Feb. 17 55th Assy., 2d sit.
In 1 vol. 130, 32 p.
Joint meetings, 1830 Oct. 29-1831 Feb. 15 1st & 2d sit. 32 p.
1831 Oct. 25-Dec. 2 56th Assy., 1st sit.
1832 Feb. 7-Mar. 16 56th Assy., 2d sit.
In 1 vol. 191, 100 p.
Joint meetings, 1831 Oct. 28-1832 Mar. 14, 1st & 2d sit. 100 p.
1832 Oct. 23-Nov. 2 57th Assy., 1st sit.
1833 Jan. 9-Feb. 28 57th Assy., 2d sit.
In 1 vol. 216, [1], 68 p.
Joint meetings, 1832 Oct. 26-1833 Feb. 27, 1st & 2d sit. 68 p.
DLC

A.1a Reel 5

Unit 1

1833 Oct. 22-Nov. 1 58th Assy., 1st sit.
1834 Jan. 8-Feb. 28 58th Assy., 2d sit.
In 1 vol. 195, 43 p.
Joint meetings, 1833 Oct. 25-1834 Feb. 26, 1st & 2d sit. 43 p.
1834 Oct. 28-Nov. 12 59th Assy., 1st sit.
1835 Jan. 7-Mar. 5 59th Assy., 2d sit.
In 1 vol. 226, 74 p.
Joint meetings, 1834 Oct. 31-1835 Mar. 4, 1st & 2d sit. 74 p.
1835 Oct. 27-Nov. 11 60th Assy., 1st sit.
1836 Jan. 5-Mar. 11 60th Assy., 2d sit.
In 1 vol. 349, 33 p.
Joint meetings, 1835 Oct. 30-1836 Mar. 10, 1st & 2d sit. 33 p.

Unit 2

1836 Oct. 25-Nov. 10 61st Assy., 1st sit.
1837 Jan. 3-Mar. 16 61st Assy., 2d sit.
1837 May 22-June 2 61st Assy., 3d sit.
In 1 vol. 451, 52, 17 p.
Joint meetings, 1837 (sic 1836) Oct. 28-Nov. 9. 52 p.
Minutes of the...Court of Impeachment, 1837 Mar. 7-May 20. 17 p.
1837 Oct. 24-Nov. 15 62d Assy., 1st sit.
1838 Jan. 9-Mar. 2 62d Assy., 2d sit.
In 1 vol. 347, 84 p.
Joint meetings, 1837 Oct. 27-1838 Feb. 28, 1st & 2d sit. 84 p.
DLC

NEW JERSEY-Continued

A.1a Reel 6

Unit 1

1838 Oct. 23-Nov. 17 63d Assy., 1st sit.
1839 Jan. 15-Mar. 13 63d Assy., 2d sit.
In 1 vol. 372, 72 p.
Joint meetings, 1838 Oct. 26-1839 Mar. 12, 1st & 2d sit. 72 p.
1839 Oct. 22-Nov. 8 64th Assy., 1st sit.
1840 Jan. 14-Feb. 29 64th Assy., 2d sit.
In 1 vol. 331, 74 p.
Joint meetings, 1839 Oct. 25-1840 Feb. 27, 1st & 2d sit. 74 p.

Unit 2

1840 Oct. 27-Nov. 14 65th Assy., 1st sit.
1841 Jan. 12-Mar. 12 65th Assy., 2d sit.
In 1 vol. 317, 54 p.
Joint meetings, 1840 Oct. 30-1841 Mar. 9, 1st & 2d sit. 54 p.

DLC

Votes and Proceedings of the General Assembly

A.1b Reel 1a

Unit 1

1703 Nov. 10-Dec. 13 1st Assy., 1st sess. 22 p. MS.
1704 Sept. 1-28 1st Assy., 2d sess. 23-36 p. MS.
1704 Nov. 13-Dec. 12 2d Assy., 1st sess. [38]-57 p. MS.
1705 Oct. 15-Nov. 8 2d Assy., 2d sess. 59-66 p. MS.
1706 Oct. 25- ? 2d Assy., 3d sess. p. 69. MS. (Incomplete?)
1707 Apr. 5-May 16 3d Assy., 1st sess., 1st sit. 73-122 p. MS.
1707 Oct. 16-31 3d Assy., 1st sess., 2d sit. 123-149 p. MS.
1708 May 5-12 3d Assy., 1st sess., 3d sit. p. 150, 160-165. MS.
1708/9 Mar. 3-June 30 4th Assy., 1st sess. 166-244 p. MS.
1709 Nov. 21-Jan. 31 5th Assy., 1st sess. 250-370 p. MS.

Nj-Ar

Unit 2

1710 Dec. 6-Feb. 10 6th Assy., 1st sess. 162 p. MS.
1711 July 6-16 6th Assy., 2d sess. 164-181 p. MS.
1713 Dec. 7-Mar. 17 6th Assy., 3d sess. 181-255 p. MS.
1716 Apr. 4-28 7th Assy., 1st sess. 256-271 p. MS.
1716 May 7-June 1 7th Assy., 2d sess. 271-284 p. MS.
1716 Nov. 27-Jan. 26 7th Assy., 3d sess. 285-333 p. MS.
1718 Apr. 8-12 7th Assy., 4th sess. 335-340 p. MS.
1718/19 Jan. 13-Mar. 28 7th Assy., 5th sess. 341-409 p. MS.
1720/21 Feb. 27-May 26 7th Assy., 6th sess. (Not found)

Nj-Ar

Unit 3

1721/22 Mar. 7-May 5 8th Assy., 1st sess. 1 p.l., 51 p. MS.
1723 Sept. 27-Nov. 30 8th Assy., 2d sess. 52-94 p. MS.

NEW JERSEY-Continued

1725 May 25-Aug. 23 8th Assy., 3d sess. 95-130 p. MS.
1727 Dec. 9-Feb. 10 9th Assy., 1st sess. 131-183 p. MS.
1728 Dec. 12-Jan. 9 9th Assy., 2d sess. 185-196 p. MS.
1730 May 7-July 8 10th Assy., 1st sess. 198-265 p. MS.
1732 May (Not found)
1733 Apr. 26-Aug. 16 10th Assy., 2d sess. 265a-310 p. MS.
1735 Sept. 10th Assy., 3d sess. (Not found)
1738 Oct. 27-Mar. 15 11th Assy., 1st sess. 311-411 p. MS.
1740 Apr. 10-July 31 12th Assy., 1st sess. 412-516 p. MS.

Nj-Ar

A.1b Reel 1b

Unit 1

1741-1747 Table. [8] p. MS.
1741 Oct. 2-Nov. 4 12th Assy., 2d sess. 45 p. MS.
1742 Oct. 16-Nov. 25 12th Assy., 3d sess. 46-83 p. MS.
1743 Oct. 10-Dec. 10 13th Assy., 1st sess. 84-145 p. MS.
1744 June 22-July 3 13th Assy., 2d sess. 146-159 p. MS.
1744 Aug. 18-25 14th Assy., 1st sess., 1st sit. 160-166 p. MS.
1744 Oct. 4-Dec. 8 14th Assy., 1st sess., 2d sit. 167-225 p. MS.
1745 Apr. 4-Aug. 24 15th Assy., 1st sess. 226-291 p. MS.
1745 Sept. 24-Oct. 18 15th Assy., 2d sess. 292-314 p. MS.
1745/6 Feb. 26-May 10 16th Assy., 1st sess. 315-354 p. MS.
1746 June 11-28 16th Assy., 2d sess., 1st sit. 355-372 p. MS.
1746 Oct. 9-Nov. 1 16th Assy., 2d sess., 2d sit. 373-386 p. MS.
1747 May 4-9 16th Assy., 2d sess., 3d sit. 387-394 p. MS.
1747 Aug. 20-25 16th Assy., 2d sess., 4th sit. 395-403 p. MS.
1747 Nov. 17-Feb. 18 16th Assy., 2d sess., 5th sit. 403-454 p. MS.
1748 July 6-8 16th Assy., 3d sess., 1st sit. 455-459 p. MS.

Nj-Ar

Unit 2

1748-1753 Table. [10] p. MS.
1748 Oct. 21-Dec. 16 16th Assy., 3d sess., 2d sit. 55 p. MS.
1748/9 Feb. 20-Mar. 28 17th Assy., 1st sess. 56-99 p. MS.
1749 Sept. 25-Oct. 20 17th Assy., 2d sess. 100-145 p. MS.
1749/50 Feb. 13-27 17th Assy., 3d sess. 146-166 p. MS.
1750 Sept. 20-Oct. 8 17th Assy., 4th sess., 1st sit. 167-180 p. MS.
1750/1 Jan. 24-Feb. 22 17th Assy., 4th sess., 2d sit. 181-256 p. MS.
1751 May 20-June 7 18th Assy., 1st sess., 1st sit. 256-274 p. MS.
1751 Sept. 10-Oct. 23 18th Assy., 1st sess., 2d sit. 275-330 p. MS.
1752 Jan. 25-Feb. 12 18th Assy., 2d sess. 331-348 p. MS.
1752 Dec. 14-22 18th Assy., 3d sess. 349-360 p. MS.
1753 May 16-June 8 18th Assy., 4th sess. 361-414 p. MS.
1754 Apr. 17-29 18th Assy., 5th sess., 1st sit. 415-423 p. MS.
1754 June 3-21 18th Assy., 5th sess., 2d sit. 424-457, [2] p. MS.

Nj-Ar

A.1b Reel 1

Unit 1

1710* Dec. 6-Feb. 10 6th Assy., 1st sess. 40 p.

NEW JERSEY-Continued

1710 Dec. 6-Feb. 10 6th Assy., 1st sess. p. 1-2. (Fragment)
1711* July 6-16 6th Assy., 2d sess. 5 p.
1713 Dec. 7-Mar. 17 6th Assy., 3d sess. (Not found. See MS.)
1716 Apr. 4-28 7th Assy., 1st sess. 12 p.
1716 May 14-June 1 7th Assy., 2d sess. 12-20 p.
1716 Nov. 27-Jan. 26 7th Assy., 3d sess. 28 p.
1718* Apr. 8-12 7th Assy., 4th sess. 4 p.
1718/19* Jan. 13-Mar. 28 7th Assy., 5th sess. 4-36 p.
1720/21 Feb. 7th Assy., 6th sess. (Not found)
1721/22 Mar. 7-May 5 8th Assy., 1st sess. (Not found. See MS.)
1723 Sept. 27-Nov. 30 8th Assy., 2d sess. 23 p.
[W] 1723* Sept. 27-Nov. 30 8th Assy., 2d sess. 23 p.
[W] 1725* May 25-Aug. 23 8th Assy., 3d sess. 44 p.
[W] 1727* Dec. 9-Feb. 10 9th Assy., 1st sess. 53 p.
1727** Dec. 9-Feb. 10 9th Assy., 1st sess. 10, 10-14 p. (Incomplete)
1728 Dec. 12-Jan. 9 9th Assy., 2d sess. (Not found. See MS.)
1730* May 7-July 8 10th Assy., 1st sess. 60 p.
1732 May (Not found)
1733 Apr. 26-Aug. 16 10th Assy., 2d sess. 41 p.
1735 Sept. 10th Assy., 3d sess. (Not found)
[W] 1737* Apr. 27-28 ? Assy., ? sess. 13-15 p.
[W] 1738* Oct. 27-Mar. 15 11th Assy., 1st sess. 70 (sic 74) p.
1738 Oct. 27-Mar. 15 11th Assy., 1st sess. 68 (sic 72) p. (Incomplete)

Nj *PRO - 1 **NN

Unit 2

1740 Apr. 10-July 31 12th Assy., 1st sess. 92 p.
1741 Oct. 2-Nov. 4 12th Assy., 2d sess. 32, 35-46 p.
1742 Oct. 16-Nov. 25 12th Assy., 3d sess. 41 p.
1742 Oct. 16 Extracts from the minutes and votes of the House of Assembly. 56 p.

NN

Unit 3

1743* Oct. 10-Dec. 10 13th Assy., 1st sess. 3-75 p.
1743 Oct. 10-Dec. 10 13th Assy., 1st sess. 12, 14-47, 56-73 p. (Incomplete)
1744 June 22-July 3 13th Assy., 2d sess. 28 p.
1744 Aug. 18-25 13th Assy., 3d sess. 10 p.
1744 Oct. 4-Dec. 8 14th Assy., 1st sess. 125 p.
1745 Apr. 4-Aug. 24 15th Assy., 1st sess. 73 p.
1745 Sept. 24-Oct. 18 15th Assy., 2d sess. 26 p.
1745/46 Feb. 26-May 8 16th Assy., 1st sess. 46 p.
1746 May 9-June 28 16th Assy., 2d sess., 1st sit. 23 p.
1746 Oct. 9-Nov. 1 16th Assy., 2d sess., 2d sit. 25-38 p.
1747 May 4-9 16th Assy., 2d sess., 3d sit. 39-46 p.

Nj *PRO - 1

Unit 4

1747 Aug. 20-25 16th Assy., 2d sess., 4th sit. 11 p.
1747 Nov. 17-Feb. 18 16th Assy., 2d sess., 5th sit. 13-108 p.

NEW JERSEY-Continued

1748 July 6-8 16th Assy., 3d sess., 1st sit. 6 p.
1748 Oct. 21-Dec. 16 16th Assy., 3d sess., 2d sit. 7-60 p.
1748/49 Feb. 20-Mar. 28 17th Assy., 1st sess. 42 p.
1749 Sept. 25-Oct. 20 17th Assy., 2d sess. 43-90 p.
1749/50 Feb. 13-27 17th Assy., 3d sess. 18 p.
1750 Sept. 20-Oct. 8 17th Assy., 4th sess., 1st sit. 18 p.
1750/51 Jan. 24-Feb. 22 17th Assy., 4th sess., 2d sit. 58 p.
1751 May 20-June 7 18th Assy., 1st sess., 1st sit. 25 p.
1751 Sept. 10-Oct. 23 18th Assy., 1st sess., 2d sit. 48 p.
1752 Jan. 25-Feb. 12 18th Assy., 2d sess. 22 p.
1752 Dec. 14-22 18th Assy., 3d sess. 12 p.
1753 May 16-June 8 18th Assy., 4th sess. 52 p.
1754 Apr. 17-29 18th Assy., 5th sess., 1st sit. 10 p.
1754 June 3-21 18th Assy., 5th sess., 2d sit. 11-39 p.
1754 Oct. 1-21 19th Assy., 1st sess. 27 p.

Nj

A.1b

Reel 2

Unit 1

1755 Feb. 24-Mar. 3 19th Assy., 2d sess. 13 p.
1755 Apr. 7-22 19th Assy., 3d sess. 16 p.
1755 Apr. 23-26 19th Assy., 4th sess. 17-22 p.
1755 July 31-Aug. 20 19th Assy., 5th sess., 1st sit. 33 p.
1755 Nov. 12-14 19th Assy., 5th sess., 2d sit. 9 p.
1755 Dec. 15-24 19th Assy., 6th sess., 1st sit. 20 p.
1756 Mar. 9-16 19th Assy., 6th sess., 2d sit. 15 p.
(Pages 13-15 are missing; MS. is inserted.)
[W] 1756* May 20-June 2 19th Assy., 6th sess., 3d sit. 21 p.
1756 May 20-June 2 19th Assy., 6th sess., 3d sit. 41 p. MS.
1756 July 22-27 19th Assy., 6th sess., 4th sit. 11 p.
1756 Oct. 12-15 19th Assy., 7th sess., 1st sit. 7 p.
1756 Dec. 17-24 19th Assy., 7th sess., 2d sit. 8 p.
1757 Mar. 15-31 19th Assy., 7th sess., 3d sit. 23 p.
1757 Mar. 31 19th Assy., 7th sess., 4th sit. [24]-27 p.
1757 May 24-June 3 19th Assy., 8th sess., 1st sit. 19 p.
1757 Aug. 19-Sept. 13 19th Assy., 8th sess., 2d sit. 17 p.
1757 Oct. 10-22 19th Assy., 8th sess., 3d sit. 1 p.l.,
15 p. (1 p.l., p. 1-4 are missing; MS. is inserted.)
1758 Mar. 23-Apr. 18 19th Assy., 9th sess., 1st sit. 28 p.
1758 July 25-Aug. 12 19th Assy., 9th sess., 2d sit. 38 p.
1759 Mar. 8-17 19th Assy., 10th sess. 23 p.

Nj *PRO

Unit 2

1760 Mar. 11-26 19th Assy., 11th sess. 15 p.
1760 Oct. 29-Dec. 5 19th Assy., 12th sess. 67 p.
1761 Mar. 27-Apr. 7 20th Assy., 1st sess. 19 p.
1761 July 4-8 20th Assy., 2d sess. 8 p.
1761 Nov. 30-Dec. 12 20th Assy., 3d sess. 28 p.
1762 Mar. 3-10 20th Assy., 4th sess. 20 p.
1762 Apr. 26-28 20th Assy., 5th sess. 8 p.
1762 Sept. 14-25 20th Assy., 6th sess. 24 p.

NEW JERSEY-Continued

1763 May 25-June 3 20th Assy., 7th sess. 27 p.
1763 Nov. 15-Dec. 7 20th Assy., 8th sess. 1 p.l., 38 p. (1 p.l., p. 1-18 are mutilated; MS., p. 152-179, inserted.)
1764 Feb. 14-23 20th Assy., 9th sess. 21 p.
1764 Feb. 23 20th Assy., 10th sess. 21-22 p.

Nj

Unit 3

1765 May 21-June 20 20th Assy., 11th sess. 74 p.
1765 Nov. 26-30 20th Assy., 12th sess. 11 p.
1766 June 11-28 20th Assy., 13th sess. 54 p.
1767 June 9-24 20th Assy., 14th sess. 34 p.

Nj

Unit 4

1768 Apr. 12-May 10 20th Assy., 15th sess. 43 p.
1769 Oct. 10-Dec. 6 21st Assy., 1st sess. 94 p.
1770 Mar. 14-27 21st Assy., 2d sess. 25 p.
1770 Sept. 26-Oct. 27 21st Assy., 3d sess. 53 p.
1771 Apr. 17-29 21st Assy., 4th sess., 1st sit. 32 p.
1771 May 28-June 1 21st Assy., 4th sess., 2d sit. [33]-39 p.
1771 Nov. 20-Dec. 21 21st Assy., 4th sess., 3d sit. 79 p.
1772 Aug. 19-Sept. 26 22d Assy., 1st sess. 105 p.

Nj

Unit 5

1773 Nov. 10-Mar. 11 22d Assy., 2d sess. 215 p.
1775 Jan. 11-Feb. 13 22d Assy., 3d sess. 62 p.
1775 May 15-20 22d Assy., 4th sess., 1st sit. 31 p.
1775 Nov. 15-Dec. 6 22d Assy., 4th sess., 2d sit. 39 p.
1702-1776 Sittings of members... [7] p. MS.
1702-1776 List of members... [8] p. MS.

Nj

Legislature

Votes and Proceedings of the General Assembly

A.1b Reel 3

Unit 1

1776 Aug. 27-Oct. 8 1st Assy., 1st sit. 2 p.l., 40 p.
1776 Nov. 13-Dec. 2 1st Assy., 2d sit. 40-52 p.
1777 Jan. 22-24 1st Assy., 3d sit. 52-53 p.
1777 Jan. 29-Mar. 18 1st Assy., 4th sit. 53-115 p.
1777 May 7-June 7 1st Assy., 5th sit. 115-148 p.
1777 Sept. 3-24 1st Assy., 6th sit. 2 p.l., 153-187 p.
1777 Sept. 29-Oct. 11 1st Assy., 7th sit. 188-206 p.
1777 Oct. 28-Dec. 12 2d Assy., 1st sit. 48 p.
1778 Feb. 11-Apr. 18 2d Assy., 2d sit. 48-116 p.
1778 May 27-June 22 2d Assy., 3d sit. 116-160 p.
1778 Sept. 9-Oct. 8 2d Assy., 4th sit. 160-204 p.
1778 Oct. 27-Dec. 12 3d Assy., 1st sit. 64 p.

NEW JERSEY-Continued

1779 Apr. 20-June 12 3d Assy., 2d sit. [65]-156 p.
1779 Sept. 15-Oct. 9 3d Assy., 3d sit. [157]-208 p.
1779 Oct. 26-Dec. 26 4th Assy., 1st sit. 112 p.
1780 Feb. 16-Mar. 21 4th Assy., 2d sit. [113]-182 p.
1780 May 10-June 19 4th Assy., 3d sit. [183]-252 p.
1780 Sept. 13-Oct. 7 4th Assy., 4th sit. [253]-299 p.

Unit 2

1780 Oct. 24-Jan. 9 5th Assy., 1st sit. 108 p.
1781 May 15-June 28 5th Assy., 2d sit. 101, [1] p.
1781 Sept. 19-Oct. 6 5th Assy., 3d sit. 34 p.
1781 Oct. 23-Dec. 29 6th Assy., 1st sit. 81 p.
1782 May 15-June 24 6th Assy., 2d sit. 50 p.
(p. 20-22 mutilated)
1782 Sept. 18-Oct. 5 6th Assy., 3d sit. 24 p.
1782 Oct. 22-Dec. 26 7th Assy., 1st sit. 89 p.
1783 May 15-June 19 7th Assy., 2d sit. [91]-150 p.
1783 Oct. 20-Dec. 24 8th Assy., 1st sit. 90 p.
1784 Aug. 5-Sept. 2 8th Assy., 2d sit. [91]-146 p.
1784 Oct. 26-Dec. 24 9th Assy., 1st sit. 101 p.
1785 Oct. 25-Nov. 29 10th Assy., 1st sit. 83 p.

Nj

A.1b Reel 4

Unit 1

1786 Feb. 15-Mar. 24 10th Assy., 2d sit. 87 p.
1786 May 17-June 2 10th Assy., 3d sit. 81 p.
1786 Oct. 24-Nov. 24 11th Assy., 1st sit. 76 p.
1787 May 16-June 7 11th Assy., 2d sit. 44 p.
1787 Oct. 23-Nov. 7 12th Assy., 1st sit. 66 p.
1788 Aug. 27-Sept. 9 12th Assy., 2d sit. 33 p.
1788 Oct. 28-Dec. 1 13th Assy., 1st sit. 103 p.
1789 Oct. 27-Dec. 1 14th Assy., 1st sit. 111 p.
1790 May 18-June 12 14th Assy., 2d sit. 71 p.
1790 Oct. 26-Nov. 26 15th Assy., 1st sit. 100 p.
1790 Oct. 25-Nov. 25 16th Assy., 1st sit. 91 p.

Nj

Unit 2

1792 May 15-June 2 16th Assy., 2d sit. 45 p.
1792 Oct. 23-Nov. 30 17th Assy., 1st sit. 98 p.
1793 May 15-June 6 17th Assy., 2d sit. [99]-149 p.

Nj

Unit 3

1793 Oct. 22-26 18th Assy., 1st sit. 17 p.
1794 Jan. 8-Feb. 21 18th Assy., 2d sit. [19]-134 p.
1794 June 11-20 18th Assy., 3d sit. 17 p.
1794 Oct. 28-Dec. 3 19th Assy., 1st sit. 104 p.
1795 Feb. 11-Mar. 19 19th Assy., 2d sit. 75 p.
1795 Oct. 27-Nov. 25 20th Assy., 1st sit. 86 p.
1796 Feb. 3-Mar. 18 20th Assy., 2d sit. 66 p.

Nj

NEW JERSEY-Continued

Unit 4

1796 Oct. 25-Nov. 17 21st Assy., 1st sit. 95 p.
1797 Jan. 25-Mar. 10 21st Assy., 2d sit. 72 p.
1797 Oct. 24-Nov. 10 22d Assy., 1st sit. 72 p.
1798 Jan. 17-Mar. 16 22d Assy., 2d sit. 76 p.
1798 Oct. 23-Nov. 8 23d Assy., 1st sit. 64 p.
1799 Jan. 16-Feb. 21 23d Assy., 2d sit. 63 p.

Nj

Unit 5

1799 May 21-June 13 23d Assy., 3d sit. 44 p.
1799 Oct. 22-Nov. 21 24th Assy., 1st sit. 100 p.

Nj

A.1b Reel 5

Unit 1

1800 Oct. 28-Nov. 20 25th Assy., 1st sit. 88 p.
1801 Feb. 4-Mar. 9 25th Assy., 2d sit. 76 p.
1801 Oct. 27-Dec. 3 26th Assy., 1st sit. 148 p.
1802 Oct. 26-Dec. 2 27th Assy., 1st sit. 128 p.
1803 Oct. 25-Nov. 11 28th Assy., 1st sit. 84 p.
1804 Feb. 1-Mar. 2 28th Assy., 2d sit. [85]-200 p.
1804 Oct. 23-Dec. 4 29th Assy., 1st sit. [201]-363 p.

Nj

Unit 2

1805 Oct. 22-Nov. 15 30th Assy., 1st sit. [365]-472 p.
1806 Feb. 5-Mar. 14 30th Assy., 2d sit. 1 p.l., [473]-607 (sic 608) p.
1806 Oct. 28-Nov. 28 31st Assy., 1st sit. 144 p.

Nj

Unit 3

1807 Oct. 27-Dec. 5 32d Assy., 1st sit. 182 p.
1808 Oct. 25-Nov. 26 33d Assy., 1st sit. 158 p.
1809 Oct. 24-Nov. 29 34th Assy., 1st sit. [159]-310 p.

Nj

A.1b Reel 6

Unit 1

1810 Oct. 23-Nov. 3 35th Assy., 1st sit. [311]-393 p.
1811 Jan. 15-Feb. 23 35th Assy., 2d sit. [395]-557 p.
1811 Oct. 22-Nov. 4 36th Assy., 1st sit. 79 p.
1812 Jan. 8-Feb. 5 36th Assy., 2d sit. [81]-216 p.
1812* Aug. 4-7 36th Assy., 3d sit. [217]-232 p.

Nj *NN - 1

Unit 2

1812 Oct. 27-Nov. 11 37th Assy., 1st sit. 91 p.
1813 Jan. 20-Feb. 20 37th Assy., 2d sit. 160 p.
1813 Oct. 26-Nov. 4 38th Assy., 1st sit. 78 p.
1814 Jan. 12-Feb. 14 38th Assy., 2d sit. [81]-232 p.

Nj

Unit 3

1814 Oct. 25-Nov. 4 38th Assy., 1st sit. 100 p.
1815 Jan. 11-Feb. 18 38th Assy., 2d sit. [101]-270 p.

Nj

NEW JERSEY-Continued

Unit 4

1815 Oct. 24-Nov. 1 40th Assy., lst sit. 73 p.
1816 Jan. 10-Feb. 16 40th Assy., 2d sit. 1 p.l., [75]-270 p.

Nj

Unit 5

1816 Oct. 22-30 41st Assy., lst sit. 76 p.
1817 Jan. 8-Feb. 14 41st Assy., 2d sit. [77]-264 p.

Nj

Unit 6

1817 Oct. 28-Nov. 7 42d Assy., lst sit. 111 p.
1818 Jan. 7-Feb. 16 42d Assy., 2d sit. 220 p.

Nj

A. lb Reel 7

Unit 1

1818 Oct. 27-Nov. 6 43d Assy., lst sit. 49 p.
1819 Jan. 6-Feb. 19 43d Assy., 2d sit. [51]-156 p.
1819 Oct. 26-Nov. 5 44th Assy., lst sit. 51 p.
1820 Jan. 12-Mar. 3 44th Assy., 2d sit. [53]-168 p.
1820 May 17-June 13 44th Assy., 3d sit. 1 p.l., [170]-239 p.

Nj

Unit 2

1820 Oct. 24-Nov. 21 45th Assy., lst sit. 104 p.
1821 Oct. 23-Nov. 27 46th Assy., lst sit. 120 p.
1822 Oct. 22-Nov. 29 47th Assy., lst sit. 142 p. table.
1823 Oct. 28-Dec. 12 48th Assy., lst sit. 161 p.

DLC

Unit 3

1824 Oct. 26-Dec. 31 49th Assy., lst sit. 223 p.
1825 Oct. 25-Dec. 12 50th Assy., lst sit. 186 p.

DLC

Unit 4

1826 Oct. 24-Dec. 28 51st Assy., lst sit. 246 p.

DLC

Unit 5

1827 Oct. 23-Nov. 7 52d Assy., lst sit.
1828 Jan. 16-Mar. 7 52d Assy., 2d sit.
In 1 vol. 320 p.

DLC

A. lb Reel 8

Unit 1

1828 Oct. 28-Nov. 2 53d Assy., lst sit.
1829 Jan. 6-Feb. 24 53d Assy., 2d sit.
In 1 vol. 320 p.
1829 Oct. 27-Nov. 10 54th Assy., lst sit.
1830 Jan. 5-Mar. 2 54th Assy., 2d sit.
In 1 vol. 303 p.

DLC

NEW JERSEY-Continued

Unit 2

1830 Oct. 26-Nov. 9 55th Assy., 1st sit.
1831 Jan. 5-Feb. 17 55th Assy., 2d sit.
In 1 vol. 235 p.
1831 Oct. 25-Dec. 2 56th Assy., 1st sit.
1832 Feb. 7-Mar. 16 56th Assy., 2d sit.
In 1 vol. 325 p.

DLC

Unit 3

1832 Oct. 23-Nov. 2 57th Assy., 1st sit.
1833 Jan. 9-Feb. 28 57th Assy., 2d sit.
In 1 vol. 471 p.

DLC

Unit 4

1833 Oct. 22-Nov. 1 58th Assy., 1st sit.
1834 Jan. 8-Feb. 28 58th Assy., 2d sit.
In 1 vol. 558 p.

DLC

A.1b Reel 9

Unit 1

1834 Oct. 28-Nov. 12 59th Assy., 1st sit.
1835 Jan. 7-Mar. 5 59th Assy., 2d sit.
In 1 vol. 487 p.

DLC

Unit 2

1835 Oct. 27-Nov. 11 60th Assy., 1st sit.
1836 Jan. 5-Mar. 11 60th Assy., 2d sit.
In 1 vol. 663 p.

DLC

Unit 3

1836 Oct. 25-Nov. 10 61st Assy., 1st sit.
1837 Jan. 3-Mar. 16 61st Assy., 2d sit.
1837 May 22-June 2 61st Assy., 3d sit.
In 1 vol. 967 p.

DLC

A.1b Reel 10

Unit 1

1837 Oct. 24-Nov. 15 62d Assy., 1st sit.
1838 Jan. 9-Mar. 2 62d Assy., 2d sit.
In 1 vol. 640 p.

DLC

Unit 2

1838 Oct. 23-Nov. 17 63d Assy., 1st sit.
1839 Jan. 15-Mar. 13 63d Assy., 2d sit.
In 1 vol. 668 p.

DLC

A.1b Reel 11

Unit 1

1839 Oct. 22-Nov. 8 64th Assy., 1st sit.

NEW JERSEY-Continued

1840 Jan. 14-Feb. 29 64th Assy., 2d sit.
In 1 vol. 538 p.

DLC

Unit 2

1840 Oct. 27-Nov. 14 65th Assy., 1st sit.
1841 Jan. 12-Mar. 12 65th Assy., 2d sit.
In 1 vol. 684 p.

DLC

NEW MEXICO

A.la

Reel 1

Unit 1

A.lc

Journal of Provincial Deputation

1822 Apr. 22-1824 Mar. 12 90 fol. MS. (Sp.) (w. p. 1)
1824 Mar. 31-1828 Jan. 29 189 fol. MS. (Sp.)
1828 Feb. 1-1837 Feb. 15 96 fol. MS. (Sp.)

NmSf-U.S. Eng.

Unit 2

A.lc

Journal of Departmental Assembly

1845 Jan. 1-1845 Dec. 31 41 fol. MS. (Sp.)
1846 Jan. 1-Aug. 10 56 fol. MS. (Sp.)

NmSf-U.S. Eng.

Unit 3

A.la:b N

Journals of the Senate and House of Representatives

1847 Dec. 6-Dec. ? Provisional sess. *Santa Fe republican*, vol. 1, nos. 1-43, Sept. 10, 1847-Sept. 25, 1848. (Nos. 9 (Sp.), 27, 31, 32, 41 (Eng.), and 42 (Sp.) are missing.)

Message. No. 13, Dec. 11, 1847, p. 1, col. 2 and 3; p. 2, col. 1. (Eng.)

Proceedings. No. 13, Dec. 11, 1847, p. 2, col. 3 and 4. (Sp.)

---- No. 13, Dec. 11, 1847, p. 3, col. 1 and 2. (Eng.)

Message. No. 13, Dec. 11, 1847, p. 4, col. 1-4. (Sp.)

Proceedings. No. 14, Dec. 18, 1847, p. 2, col. 2 and 3. (Eng.)

---- No. 14, Dec. 18, 1847, p. 3, col. 3 and 4. (Sp.)

NmStM

NEW MEXICO-Continued

Legislative Assembly

Journal of the Council

Unit 4

1851 June 3-July 12 1st Assy., 1st sess. 120 p. (Eng.)
1851 June 3-July 12 1st Assy., 1st sess. 120 p. (Sp.)

DLC

Unit 5

1851 Dec. 1-Jan. 9 1st Assy., 2d sess. 135 p. (Eng.)
1851 Dec. 1-Jan. 9 1st Assy., 2d sess. 133 p. (Sp.)

DLC

Unit 6

1852 Dec. 6-Jan. 14 2d Assy. 117 p. (Eng.)
1852 Dec. 6-Jan. 14 2d Assy. 117 p. (Sp.)

DLC

A.la Reel 2

Unit 1

1853 Dec. 5-Feb. 2 3d Assy. 296 p. (Eng.)
1853 Dec. 5-Feb. 2 3d Assy. 323 p. (Sp.)

DLC

Unit 2

1854 Dec. 4-Feb. 1 4th Assy. 234 p. (Eng.)
1854 Dec. 4-Feb. 1 4th Assy. 230 p. (Sp.)

DLC

Unit 3

1855 Dec. 3-Jan. 31 5th Assy. 56 p. (Eng.)
1855 Dec. 3-Jan. 31 5th Assy. 69 p. (Sp.)

DLC

Unit 4

1856 Dec. 1-Jan. 29 6th Assy. 91 p. (Eng.)
1856 Dec. 1-Jan. 29 6th Assy. 93 p. (Sp.)

DLC

Unit 5

1857 Dec. 7-Feb. 4 7th Assy. 93 p. (Eng.)
1857 Dec. 7-Feb. 4 7th Assy. 94 p. (Sp.)

DLC

A.la Reel 3

Unit 1

1858 Dec. 6-Feb. 3 8th Assy. 93 p. (Eng.)
1858* Dec. 6-Feb. 3 8th Assy. 88 p. (Sp.)

M *DLC

Unit 2

1859 Dec. 5-Feb. 2 9th Assy. 163 p. (Eng.)
1859 Dec. 5-Feb. 2 9th Assy. 176 p. (Sp.)

DLC

NEW MEXICO-Continued

Unit 3

1860 Dec. 3-Jan. 31 10th Assy. 158 p. (Eng.)
1860 Dec. 3-Jan. 31 10th Assy. 157 p. (Sp.)
DLC

Unit 4

1861 Dec. 2-Jan. 29 11th Assy. 106 p. (Eng.)
1861 Dec. 2-Jan. 29 11th Assy. 118 p. (Sp.)
DLC

Unit 5

1862 Dec. 1-Jan. 29 12th Assy. (Not found) (Eng.)
1862 Dec. 1-Jan. 29 12th Assy. 107 p. (Sp.)
DLC

Unit 6

1863 Dec. 7-Feb. 4 13th Assy. (Not found) (Eng.)
1863 Dec. 7-Feb. 4 13th Assy. 82 p. (Sp.)
1864* Dec. 5-Feb. 2 14th Assy. 220 p. (Eng.)
1864** Dec. 5-Feb. 2 14th Assy. 188 p. (Sp.)
NmStM *DLC **Nm

A.1a Reel 4

Unit 1

1865 Dec. 4-Feb. 1 15th Assy. 256 p. (Eng.)
1865 Dec. 4-Feb. 1 15th Assy. 255 p. (Sp.)
DLC

Unit 2

1866 Dec. 3-Jan. 31 16th Assy. 208, 40 p. (Eng.)
DLC
1866 Dec. 3-Jan. 31 16th Assy. 216, 40 p. (Sp.)
Nm

Unit 3

1867 Dec. 2-Jan. 30 17th Assy. 255, 28 p. (Eng.)
1867* Dec. 2-Jan. 30 17th Assy. 304 p. (Sp.)
DLC *Nm

Unit 4

1868 Dec. 7-Feb. 4 18th Assy. 270 p. (Eng.)
Nm
1868 Dec. 7-Feb. 4 18th Assy. (Not found) (Sp.)

A.1a Reel 5

Unit 1

1869 Dec. 6-Feb. 3 19th Assy. 256 p. (Eng.)
1869* Dec. 6-Feb. 3 19th Assy. 272 p. (Sp.)
DLC *NmStM

Unit 2

1871 Dec. 4-Feb. 1 20th Assy. 172, 24 p. (Eng.)
1871 Dec. 4-Feb. 1 20th Assy. (Not found) (Sp.)
DLC

NEW MEXICO-Continued

Unit 3

1873 Dec. 1-Jan. 9 21st Assy. 240, 46 p. (Eng.)
1873* Dec. 1-Jan. 9 21st Assy. 240, 48 p. (Sp.)
DLC *NmStM - DLC

Unit 4

1875 Dec. 6-Jan. 14 22d Assy. 175 p. MS. (Eng.)
1875* Dec. 6-Jan. 14 22d Assy. 240 p. (Sp.)
Nm-Secy. *NmStM

Unit 5

1878 Jan. 7-Feb. 15 23d Assy. 176 p. (Eng.)
1878* Jan. 7-Feb. 15 23d Assy. 175 p. (Eng.)
DLC *NmStM

A.la Reel 6

Unit 1

1880 Jan. 5-Feb. 13 24th Assy. 145 p. (Eng.)
1880* Jan. 5-Feb. 13 24th Assy. 163 p. (Sp.)
Nm *NmStM

Journals of the Council and House of Representatives

Unit 2

A.la:b

1882 Jan. 2-Mar. 2 25th Assy. 153, 123, 20 p. (Eng.)
1882* Jan. 2-Mar. 2 25th Assy. 186, 147 p. (Sp.)
M *NmStM

Unit 3

A.la:b

1884 Feb. 18-Apr. 5 26th Assy. 160, 199, 16 p. (Eng.)
1884* Feb. 18-Apr. 5 26th Assy. 164, 196, 17 p. (Sp.)
DLC *NmStM

Journal of the Council

Unit 4

1886 Dec. 27-Feb. 24 27th Assy. 357, 26 p. (Eng.)
DLC

Legislative Assembly

Journal of the House of Representatives

A.lb Reel 1

Unit 1

1847 Dec. 6-Dec. ? See New Mexico, A.la, Reel 1, Unit 3.
1851 June 3-July 12 1st Assy., 1st sess. 146 p. (Eng.)
1851 June 3-July 12 1st Assy., 1st sess. 162 p. (Sp.)
DLC

NEW MEXICO-Continued

Unit 2

1851 Dec. 1-Jan. 9 1st Assy., 2d sess. 235, xxix p. (Eng.)

1851* Dec. 1-Jan. 9 1st Assy., 2d sess. 265 p. (Sp.)

DLC *NmStM

Unit 3

1852 Dec. 6-Jan. 14 2d Assy. 193 (sic 293) p. (Eng.)

1852 Dec. 6-Jan. 14 2d Assy. 290 p. (Sp.)

DLC

Unit 4

1853 Dec. 5-Feb. 2 3d Assy. 443 p. (Eng.)

1853* Dec. 5-Feb. 2 3d Assy. 441 p. (Sp.)

Nm *DLC

A.1b Reel 2

Unit 1

1854 Dec. 4-Feb. 1 4th Assy. 285 p. (Eng.)

1854 Dec. 4-Feb. 1 4th Assy. 277 p. (Sp.)

DLC

Unit 2

1855 Dec. 3-Jan. 31 5th Assy. 78 p. (Eng.)

1855 Dec. 3-Jan. 31 5th Assy. 88 p. (Sp.)

DLC

Unit 3

1856 Dec. 1-Jan. 29 6th Assy. 88 p. (Eng.)

1856 Dec. 1-Jan. 29 6th Assy. 89 p. (Sp.)

DLC

Unit 4

1857 Dec. 7-Feb. 4 7th Assy. 127 p. (Eng.)

1857* Dec. 7-Feb. 4 7th Assy. 135 p. (Sp.)

DLC *NmStM

Unit 5

1858 Dec. 6-Feb. 3 8th Assy. 108 p. (Eng.)

1858* Dec. 6-Feb. 3 8th Assy. 112 p. (Sp.)

Az *DLC

Unit 6

1859 Dec. 5-Feb. 2 9th Assy. 171 p. (Eng.)

1859* Dec. 5-Feb. 2 9th Assy. 171 p. (Sp.)

DLC *NmStM

A.1b Reel 3

Unit 1

1860 Dec. 3-Jan. 31 10th Assy. 128 p. (Eng.)

1860* Dec. 3-Jan. 31 10th Assy. 139 p. (Sp.)

DLC *NmStM

Unit 2

1861 Dec. 2-Jan. 29 11th Assy. 130 p. (Eng.)

1861* Dec. 2-Jan. 29 11th Assy. 156 p. (Sp.)

CU-B *NmStM

NEW MEXICO-Continued

Unit 3

1862 Dec. 1-Jan. 29 12th Assy. 191 p. (Eng.)
1862* Dec. 1-Jan. 29 12th Assy. 191 p. (Sp.)
DLC *NmStM

Unit 4

1863 Dec. 7-Feb. 4 13th Assy. 206 p. (Eng.)
1863* Dec. 7-Feb. 4 13th Assy. 256 p. (Sp.)
Nm *NmStM

Unit 5

1864 Dec. 5-Feb. 2 14th Assy. 256 p. (Eng.)
1864* Dec. 5-Feb. 2 14th Assy. 252 p. (Sp.)
DLC *Nm

A.1b Reel 4

Unit 1

1865 Dec. 4-Feb. 1 15th Assy. 365 p. (Eng.)
DLC

Unit 2

1865 Dec. 4-Feb. 1 15th Assy. 349 p. (Sp.)
NmStM

Unit 3

1866 Dec. 3-Jan. 31 16th Assy. 288 p. (Eng.)
DLC

Unit 4

1866 Dec. 3-Jan. 31 16th Assy. 287, 40 p.
(Sp.) DLC - NmStM

Unit 5

1867 Dec. 2-Jan. 30 17th Assy. 320 p. (Eng.)
DLC

Unit 6

1867 Dec. 2-Jan. 30 17th Assy. 304, 29 p.
(Sp.) DLC - NmStM

A.1b Reel 5

Unit 1

1868 Dec. 7-Feb. 4 18th Assy. 416 p. (Eng.)
DLC

Unit 2

1868 Dec. 7-Feb. 4 18th Assy. 448 p. (Sp.)
NmStM

Unit 3

1869 Dec. 6-Feb. 3 19th Assy. 302 p. (Eng.)
DLC

Unit 4

1869 Dec. 6-Feb. 3 19th Assy. 318 p. (Sp.)
NmStM

Unit 5

1871 Dec. 4-Feb. 1 20th Assy. 132, 38 p.
(Eng.)
1871* Dec. 4-Feb. 1 20th Assy. 80, 97-198 p.
(Sp.) (Substituted for p. 81-96 are p. 49-63 of Laws.)
DLC *NmStM - 1

NEW MEXICO-Continued

A.1b Reel 6

Unit 1

1873 Dec. 1-Jan. 9 21st Assy. 256 p. (Eng.)
1873* Dec. 1-Jan. 9 21st Assy. 256, 48 p. (Sp.)
DLC *NmStM

Unit 2

1875 Dec. 6-Jan. 14 22d Assy. (Not found) (Eng.)
1875 Dec. 6-Jan. 14 22d Assy. 221 p. (Sp.)
NmStM

Unit 3

1878 Jan. 7-Feb. 15 23d Assy. 192, 4 p. (Eng.)
1878* Jan. 7-Feb. 15 23d Assy. 192, 4 p. (Sp.)
DLC *NmStM

Unit 4

1880 Jan. 5-Feb. 13 24th Assy. 149, 8 p. (Eng.)
1880* Jan. 5-Feb. 13 24th Assy. 174, 8 p. (Sp.)
Nm *NmStM

1882 Jan. 2-Mar. 2 25th Assy. (Eng. & Sp.) See New Mexico, A.1a, Reel 6.

1884 Feb. 18-Apr. 5 26th Assy. (Eng. & Sp.) See New Mexico, A.1a, Reel 6.

Unit 5

1886 Dec. 27-Feb. 24 27th Assy. 213, 26 p. (Eng.)
DLC

NEW YORK

General Assembly

Journal of the Legislative Council[1]

A.1a Reel 1

Unit 1

1691 Apr. 9-1743 Sept. 27 xxx p., 1 l., 814 p. (Compilation, 1861) DLC

Unit 2

1743 Dec. 8-1775 Apr. 3 1 p.l., [819]-2078, [1] p. (Compilation, 1861) N

A.1a Reel 2

Legislature

Journal of the Senate

Unit 1

1777 Sept. 1-Oct. 7 1st Assy., 1st meet. 25 p.
1778 Jan. 5-Apr. 4 1st Assy., 2d meet 26-110 p.
1778 June 9-June 30 1st Assy., 3d meet. 111-123 p.
1778 Oct. 1-Nov. 6 2d Assy., 1st meet 123-157 p.
1779 Jan. 12-Mar. 17 2d Assy., 2d meet. 157-216 p.
In 1 vol. (Fish-Kill)

1. The legislative and executive functions during the colonial period were intermixed. See also N. Y., E.1 series.

NEW YORK-Continued

1777* Sept. 1-Oct. 7 1st Assy., 1st meet. 25 p.
1778* Jan. 5-Apr. 4 1st Assy., 2d meet. 26-110 p.
1778* June 9-30 1st Assy., 3d meet. 111-123 p.
1778* Oct. 1-Nov. 6 2d Assy., 1st meet. 123-157 p.
1779* Jan. 12-Mar. 17 2d Assy., 2d meet. 157-216 p.
In 1 vol. (Kingston)

N *PHi

Unit 2

1779 Aug. 9-Oct. 25 3d Assy., 1st meet. 56 p.
1780 Jan. 4-Mar. 14 3d Assy., 2d meet. [57]-107 p.
1780 May 9-July 2 3d Assy., 3d meet. [109]-134 p.
1780 Sept. 4-Oct. 10 4th Assy., 1st meet. [3]-34 p.
1781 Jan. 2-Mar. 31 4th Assy., 2d meet. [35]-95 p.
1781 June 6-July 1 4th Assy., 3d meet. [96]-114 p.

N

Unit 3

1781 Oct. 1-Nov. 23 5th Assy., adj. meet. 35 p.
1782 Feb. 11-Apr. 14 5th Assy., 2d meet. [37]-77 p.
1782 July 3-25 6th Assy., 1st meet. [79]-96 p.
1783 Jan. 7-Mar. 28 6th Assy., 2d meet. [97]-165 p.

N

Unit 4

1784 Jan. 6-May 12 7th Assy., 1st meet. 147 p.
1784 Oct. 4-Nov. 29 8th Assy., 1st meet. [3]-42 p.
1785 Jan. 18-Apr. 27 8th Assy., 2d meet. 109 p.
1786 Jan. 6-May 5 9th Assy. 104 p.
1787 Jan. 2-Apr. 21 10th Assy. 103 p.
1788 Jan. 1-Mar. 22 11th Assy. 78 p.
1788 Dec. 8-Mar. 3 12th Assy. 88 p.

N

Unit 5

1789* July 6-16 13th Assy., 1st meet. 18 p.
1790 Jan. 11-Apr. 6 13th Assy., 2d meet. 56 p.
1791 Jan. 4-Mar. 24 14th Assy. 68 p.
1792 Jan. 3-Apr. 12 15th Assy. 89 p.
1792 Nov. 6-Mar. 12 16th Assy. 117 p.
1794 Jan. 7-Mar. 27 17th Assy. 84 p.
1795 Jan. 6-Apr. 9 18th Assy. 90 p.

N *NN

A.1a Reel 3

Unit 1

1796 Jan. 6-Apr. 11 19th Assy. 110 p.
1796 Nov. 1-11 20th Assy., 1st meet. 23 p.
1797 Jan. 3-Apr. 3 20th Assy., 2d meet. 24-138 p.
1798 Jan. 2-Apr. 6 21st Assy. 144 p.

N

Unit 2

1798 Aug. 9-27 22d Assy., 1st meet. 26 p.
1799 Jan. 2-Apr. 3 22d Assy., 2d meet. 129 p.
1800 Jan. 28-Apr. 8 23d Assy. 131 p.

N

NEW YORK-Continued

Unit 3

1800 Nov. 4-8 24th Assy., 1st meet. [2], 13 p.
1801 Jan. 27-Apr. 8 24th Assy., 2d meet. 15-157 p.
1802 Jan. 26-Apr. 5 25th Assy. 130, [2] p.

N

Unit 4

1803 Jan. 25-Apr. 6 26th Assy. 146, [2] p.
1804 Jan. 31-Apr. 11 27th Assy. 117, [2] p.

N

Unit 5

1804 Nov. 6-12 28th Assy., 1st meet. 17 p.
1805 Jan. 23-Apr. 10 28th Assy., 2d meet. [19]-168, [2] p.
1806 Jan. 28-Apr. 7 29th Assy. 179, [3] p.

N

A.1a Reel 4

Unit 1

1807 Jan. 27-Apr. 7 30th Assy. 171, [3] p.
1808 Jan. 26-Apr. 11 31st Assy. 274, [2] p.

DLC

Unit 2

1808 Nov. 1-8 32d Assy., 1st meet. 28 p.
1809 Jan. 18-Mar. 30 32d Assy., 2d meet. [29]-223, [3] p.
1810 Jan. 30-Apr. 6 33d Assy. 190, v p.

DLC

Unit 3

1811 Jan. 29-Apr. 9 34th Assy. 220, [5] p. DLC

Unit 4

1812 Jan. 28-June 19 35th Assy. 313, [3] p. DLC

A.1a Reel 5

Unit 1

1812 Nov. 3-11 36th Assy., 1st meet. 30 p.
1813 Jan. 12-Apr. 13 36th Assy., 2d meet. [31]-383, v p.

DLC

Unit 2

1814 Jan. 25-Apr. 15 37th Assy. 270, viii p. DLC

Unit 3

1814 Sept. 26-Oct. 24 38th Assy., 1st meet. 80 p.
1815 Jan. 31-Apr. 18 38th Assy., 2d meet. [81]-418, xi p.

DLC

Unit 4

1816 Jan. 30-Apr. 17 39th Assy. 321, x p. DLC

A.1a Reel 6

Unit 1

1816 Nov. 5-12 40th Assy., 1st meet. 35 p.
1817 Jan. 14-Apr. 15 40th Assy., 2d meet. [37]-375, x p.

DLC

Unit 2

1818 Jan. 27-Apr. 21 41st Assy. 373, x p. N

NEW YORK-Continued

Unit 3

1819 Jan. 5-Apr. 13 42d Assy. 331, xii p. N

Unit 4

1820 Jan. 4-Apr. 14 43d Assy. 364, xi p. N

A.1a Reel 7

Unit 1

1820 Nov. 7-21 44th Assy., 1st meet. 55 p.
1821 Jan. 3-Apr. 3 44th Assy., 2d meet. [57]-371, xvii p. DLC

Unit 2

1822 Jan. 1-Apr. 17 45th Assy. 360, xv p. N

General Assembly

Journal of Votes and Proceedings

A.1b Reel 1a

Unit 1

1691 Apr. 9-1743 Sept. 27 v. 1: iv, 840, [2] p. (Compilation, 1764) NcU

Unit 2

1743 Nov. 8-1765 Dec. 23 v. 2: 1 p.l., 811, viii p. (Compilation, 1766) NcU

Journal of the House of Representatives

A.1b Reel 1b

Unit 1

1692*** Apr. 19-May 1 3d Assy. [16] p. MS.
1695 June 20-July 4 5th Assy. [2], 20 p.
1695 Oct. 1-26 5th Assy., 2d sess. (Not found)
1696 Mar. 25-Apr. 24 5th Assy., 3d sess. (Not found)
1696 Oct. 15-Nov. 3 5th Assy., 4th sess. (Not found)
1697* Mar. 25-31 5th Assy., 5th sess. 70-73 p.
1698** Mar. 21-28 6th Assy. 6 p. (Incomplete)

MHi Photo. of original in PRO *MHi Photo of original at N which was probably burned in the fire of 1911. **MHi -1 ***NHi - Photo. of original of Johnston L. Redmond.

Unit 2

1698 June 2-1705 Jan. 19 11-111, [112-248] p. MS. NHi

Unit 3

1695* June 20-July 4 5th Assy. [2], 20 p.
1698* May 19-June 14 6th Assy., 1st sess. 12, [1], 10, 4 p.
1699 Mar. 21-May 16 7th Assy., 1st sess. (Not found)
1700 July 29-Aug. 9 7th Assy., 2d sess. (Not found)
1700 Oct. 1-Nov. 2 7th Assy., 3d sess. (Not found)
1701 Apr. 2-19 7th Assy., 4th sess. (Not found)
[W] 1701* Aug. 19-Oct. 18 8th Assy., 1st sess. 38 p.
1702 Apr. 21-May 2 8th Assy., 2d sess. (Not found)

General Assembly

Journal

[W] 1702* Oct. 20-Nov. 27 9th Assy., 1st sess. 20 p.

NEW YORK-Continued

1702** Oct. 20-Nov. 27 9th Assy., 1st sess. 16 p.
1703** Apr. 14-June 19 9th Assy., 2d sess. 17-33 p.
1703** Oct. 14-22 9th Assy., 3d sess. 33-36 p.
1704** Apr. 11-June 27 9th Assy., 4th sess. 36-49 p.
1704** Oct. 12-Nov. 4 9th Assy., 5th sess. 49-52 p.
1705** June 14-Aug. 4 10th Assy., 1st sess. 52-59 p.
[W] 1705 Sept. 19-Oct. 13 10th Assy., 2d sess. 13 p. MS.
[W] 1706 May 24-June 27 10th Assy., 3d sess. 20 p. MS.
1706** Sept. 27-Oct. 21 10th Assy., 4th sess. 59-61 p.
1708** Aug. 18-Nov. 27 11th Assy., 1st sess. 62-78 p.
1709* Apr. 7-July 5 12th Assy., 1st sess. 24 p.
1709* Aug. 16-Nov. 12 12th Assy., 2d sess. 25-40 p.
1710*** Sept. 1-Nov. 25 13th Assy., 1st sess. 3-29 (sic 31) p.
1710**** Sept. 1-Nov. 25 13th Assy., 1st sess. 26 p. (Incomplete)
1711 Apr. 3-20 13th Assy., 2d sess. (Not found)
[W] 1711* July 2-Aug. 4 14th Assy., 1st sess. 12 p.
1711*** Oct. 2-Nov. 24 14th Assy., 2d sess. 22 p.
1712 Apr. 30-June 26 14th Assy., 3d sess. 18 p.

PRO-C.O.5/1184-1185 *1 **DLC ***CSmH ****PHi

Unit 4

1712* Aug. 25-Dec. 10 14th Assy., 4th sess. 17 p.
1713 May 12-July 7 15th Assy., 1st sess. 26 p. MS.
1713 Oct. 1-Nov. 14 15th Assy., 2d sess. (Not found)
1714 Mar. 22-Sept. 4 15th Assy., 3d sess. (Not found)
1715* May 3-July 21 16th Assy., 1st sess. 20 p.
1716 June 5-Sept. 1 17th Assy., 1st sess. [38] p. MS.
1717* Apr. 9-May 28 17th Assy., 3d sess. 17 p.
[W] 1717 Aug. 20-Dec. 23 17th Assy., 4th sess. 37 p. MS.
1718 May 27-July 3 17th Assy., 5th sess. 15 p. MS. (p. 1-8 printed)
1718 Sept. 24-Oct. 16 17th Assy., 6th sess. [12] p. MS.
1719 Apr. 28-June 25 17th Assy., 7th sess. 30 p. MS.
1720* Oct. 13-Nov. 19 17th Assy., 8th sess. 34 p.
1721* May 16-July 27 17th Assy., 9th sess. 37 p.
1722 May 29-July 7 17th Assy., 10th sess. See Unit 5.
1722 Oct. 2-Nov. 1 17th Assy., 11th sess. See Unit 5.
1723* May 8-July 6 17th Assy., 12th sess. 26 p.
1724* May 12-July 24 17th Assy., 13th sess. 28 p.
1725 Aug. 31-Nov. 10 17th Assy., 14th sess. 38 p.
1726 Apr. 5-June 17 17th Assy., 15th sess. 37 p.
1726 Sept. 27-Nov. 11 18th Assy., 1st sess. 26 p.
1727 Sept. 30-Nov. 25 19th Assy., 1st sess. 28 p.
1728 July 23-Sept. 21 20th Assy., 1st sess. 37 p.
1729 May 13-July 12 20th Assy., 2d sess. 36 p.
1730 Aug. 25-Oct. 29 20th Assy., 3d sess. 34 p.
1731* Aug. 25-Sept. 30 20th Assy., 4th sess. 21 p.
1732 Aug. 9-Oct. 14 20th Assy., 5th sess. See Unit 5.
1733 Oct. 15-Nov. 1 20th Assy., 6th sess. 12 p.
1734 Apr. 25-June 22 20th Assy., 7th sess. See Unit 5.

NEW YORK-Continued

1734 Oct. 2-Nov. 28 20th Assy., 8th sess. See Unit 5.
1735 Oct. 16-Nov. 8 20th Assy., 9th sess. See Unit 5.
1736 Oct. 13-Nov. 10 20th Assy., 10th sess. 16 p.
1737 Apr. 5-May 3 20th Assy., 11th sess. See Unit 5.
1737 June 15-Dec. 16 21st Assy., 1st sess. See Unit 5.
1738 Apr. 4-Oct. 20 21st Assy., 2d sess. 35 p.

PRO-C.O.5/1185-1186, 1188-1190, 1212-*1

Unit 5

1722* May 29-July 7 17th Assy., 10th sess. 29 p.
(w: p. 1-2, 5-6, 9-10)
1722 May 31 Governor's message. 2 p.
1722* Oct. 2-Nov. 1 17th Assy., 11th sess. 12 p.
(w: p. 1-8)
1724 May 15 Governor's message. 2 p.
1724 May 12-July 24 17th Assy., 13th sess. 28 p.
(w: p. 1-5, 13-28)
1725 Aug. 31-Nov. 10 17th Assy., 14th sess. 38 p.
(w: p. 15-18, 29-32, 37-38) Inserted after p. 6 is Message of the Governor, Sept. 15. 2 p.
1726 Apr. 5-June 17 17th Assy., 15th sess. 37 p. Inserted after p. 15 is Message of the Chief Justice, May 3. 2 p.
1726 Sept. 27-Nov. 11 18th Assy., 1st sess. 26 p.
(w: p. 7-8, 19-26) Inserted after p. 18 is Message of the Governor, Sept. 30, 1727. 2 p.
1727 Sept. 30-Nov. 25 19th Assy., 1st sess. 28 p.
(w: p. 11-16, 19-28)
1734 Apr. 25 Message of the Governor. 3 p.
1728 July 23 Message of the Governor. 2 p.
1728 July 23-Sept. 21 20th Assy., 1st sess. 37 p.
(w: p. 1-6, 26-27)
1729 May 13-July 12 20th Assy., 2d sess. 36 p.
(w: p. 5-36)
1730 Aug. 25-Oct. 29 20th Assy., 3d sess. 34 p.
(w: p. 1-14, 19-34)
1732* Aug. 9-Oct. 14 20th Assy., 5th sess. 44 p.
(w: p. 7-10, 15-18)
1733 Oct. 15-Nov. 1 20th Assy., 6th sess. 12 p.
(w: p. 5-12)
1734 Apr. 25-June 22 20th Assy., 7th sess. 36 p.
1734** Oct. 2-Nov. 28 20th Assy., 8th sess. 30 p.
1735 Oct. 16-Nov. 8 20th Assy., 9th sess. 22 p.
1736 Apr. 26 A copy of a letter from Rip Van Dam to several members of the General Assembly. [2] p.
1736 Apr. 29 At a meeting of that Assembly...that stood adjourned, by their own adjournment, to the last Tuesday of March last. [2-4] p.
1736 Sept. 13 The New York weekly journal. [4] p.
1736 A letter of one of the members of the late General Assembly. [2] p.
1736 Oct. 13-Nov. 10 20th Assy., 10th sess. 16 p.

NEW YORK-Continued

1737 Apr. 5 Message of the Lieutenant Governor. 3 p.
1737 June 15, 16 Message of the Lieutenant Governor. [2] p.
1737** June 15-Dec. 16 21st Assy., 1st sess. 108 p.
Inserted after p. 5 is The New York weekly journal, June 27, 1737. 4 p.
Inserted after p. 8 is Message of the Governor, Sept. 2, 1737. 2 p.
Inserted after p. 25 are Message of the Lieutenant Governor, June 15, 1737, and The humble address of the General Assembly... [2], 6 p.

N-*1 **NN - NHi

A.1b Reel 2

Unit 1

1739 Mar. 27-Apr. 14 22d Assy., 1st sess. 16 p.
1739 Aug. 28-Oct. 3 22d Assy., 2d sess. 22 p.
1739 Oct. 9-Nov. 17 22d Assy., 3d sess. 23-51 p.
1740 Apr. 8-July 12 22d Assy., 4th sess. 71-85 p. MS.
1740 Sept. 9-Nov. 3 22d Assy., 5th sess. 34 p.
1741 Apr. 14-June 13 22d Assy., 6th sess. 29 p.
1741 Sept. 15-Nov. 27 22d Assy., 7th sess. 47 p.
1741/42* Mar. 16-Sept. 29 22d Assy., 8th sess. 9, 1 p.
1742* Oct. 12-29 22d Assy., 9th sess. 1-14 p.

PRO-C.O.5/1213-*1

Unit 2

1743* Apr. 19-30 22d Assy., 10th sess. 7 p.
1743 Aug. 2-Sept. 27 22d Assy., 11th sess. [2] p.
1743 Nov. 8-Dec. 17 23d Assy., 1st sess. 45 p.
1744* Apr. 17-May 19 23d Assy., 2d sess. 26 p.
1744 July 17-Sept. 21 23d Assy., 3d sess. 59 p.
1744* Nov. 6-May 14 23d Assy., 4th sess. 38, 2, 2 p.
1745 June 25-July 6 24th Assy., 1st sess. 20 p.
1745 Aug. 6-May 3 24th Assy., 2d sess. 101 p.
(w: p. 53-101. See Unit 3.)
1746 June 3-July 15 24th Assy., 3d sess. 28 p.

PRO-C.O.5/1214-*1

Unit 3

1741 Sept. 15-Nov. 27 22d Assy., 7th sess. 47 p.
1743 Aug. 2-Sept. 27 22d Assy., 11th sess. [2] p.
1743 Nov. 8-Dec. 17 23d Assy., 1st sess. 45 p.
1744 July 17-Sept. 21 23d Assy., 3d sess. 59 p.
1744 Nov. 6-May 14 23d Assy., 4th sess. 38, 2, 2 p.
1745 June 25-July 6 24th Assy., 1st sess. 20, 2, [1] p.
1745 Aug. 6-May 3 24th Assy., 2d sess. 101, [2] p.
(w: p. 83-90, 99-101. These pages were in the N copy which was probably burned in 1911 Capitol fire.)
1746 June 3-July 15 24th Assy., 3d sess. 28 p.
1746** July 29-Dec. 6 24th Assy., 4th sess. 41 p.
[W] 1747* Mar. 24-Sept. 22 24th Assy., 5th sess. 58 p.
[W] 1747* Sept. 29-Nov. 25 24th Assy., 6th sess. 64 p.

PHi *N-1 - Probably lost in the fire of 1911. **PHi - PRO

NEW YORK-Continued

Unit 4

1747/8* Feb. 12-Aug. 30 25th Assy., 1st sess. 59 p.
1748* Sept. 20-Nov. 12 25th Assy., 2d sess. 59-96 p.
1749* June 27-Aug. 4 25th Assy., 3d sess. 28 p.
1750* Sept. 4-Nov. 24 26th Assy., 1st sess. 82 p.
1751 May 30-June 6 26th Assy., 2d sess. (Not found)
1751 Oct. 1-Nov. 25 26th Assy., 3d sess. 47 p.
1752* Oct. 24-Nov. 11 27th Assy., 1st sess. 21 p.
1753* May 30-July 4 27th Assy., 2d sess. 42 p.
1753* Oct. 30-Dec. 12 27th Assy., 3d sess. 39 p.
1754* Apr. 9-May 1 27th Assy., 4th sess. 18 p.
1754* May 2-4 27th Assy., 5th sess. [19]-26 p.
PRO-C.O.5/1215-*1

Unit 5

1754 Aug. 20-29 27th Assy., 6th sess. 10 p.
1754 Oct. 15-Dec. 7 27th Assy., 7th sess. 11-74 p.
1755 Feb. 4-19 27th Assy., 8th sess. 75-84 p.
1755 Dec. 2-23 27th Assy., 9th sess. 23 p.
1755 Mar. 25-Sept. 11 27th Assy., 10th sess. 85-142 p.
1756 Jan. 6-Apr. 1 27th Assy., 11th sess. 25-66 p.
1756 Apr. 27-July 9 27th Assy., 12th sess. 67-88 p.
1756 Sept. 21-Dec. 1 27th Assy., 13th sess. 53 p.
1757 Aug. 31-Sept. 3 27th Assy., 14th sess. 4 p.
1757 Dec. 6-24 27th Assy., 15th sess. 20 p.
1758* Jan. 24-Mar. 24 27th Assy., 16th sess. 20 p.
1758* Jan. 24-Mar. 24 Duplicate of the foregoing.
1758 May 2-June 3 27th Assy., 17th sess. 28 p.
1758 Nov. 14-Dec. 16 27th Assy., 18th sess. 35 p.
1759 Jan. 31-Mar. 7 28th Assy., 1st sess. 38 p.
1759 June 26-July 3 28th Assy., 2d sess. 39-44 p.
1759 Oct. 17-18 28th Assy., 3d sess. [45]-48 p.
1759 Dec. 4-24 28th Assy., 4th sess. [43]-80 p.
1760 Mar. 11-22 28th Assy., 5th sess. [81]-94 p.
1760 May 13-June 10 28th Assy., 6th sess. [95]-131 p.
1760 Oct. 21-31 28th Assy., 7th sess. 16 p.
PRO C.O. 5/1216-1, -*2

A.1b Reel 3

Unit 1

1760* Oct. 21-Nov. 8 28th Assy., 8th sess. 31 p.
1761* Mar. 10-14 29th Assy., 1st sess. 9 p.
1761* Mar. 10-14 29th Assy., 1st sess. 9 p.
1761* Mar. 24-Apr. 4 29th Assy., 2d sess. 24 p.
1761* May 5-19 29th Assy., 3d sess. 25-35 p.
1761* Sept. 1-11 29th Assy., 4th sess. 14 p.
1761 Nov. 24-Jan. 8 29th Assy., 5th sess. 42 p.
1762* Mar. 2-20 29th Assy., 6th sess. 22 p.
1762* May 4-22 29th Assy., 7th sess. 23-31 p.
1762* Nov. 16-Dec. 11 29th Assy., 8th sess. 40 p.
1763* Nov. 8-Dec. 20 29th Assy., 9th sess. 47 p.
[W] 1764** Apr. 17-21 29th Assy., 10th sess. 9 p.

NEW YORK-Continued

1764 Sept. 4-Oct. 20 29th Assy., 11th sess. 65 p.
1765 Nov. 12-Dec. 23 29th Assy., 12th sess. 54 p.
1766 June 11-July 3 29th Assy., 13th sess. 24 p.
1766 Nov. 10-Dec. 19 29th Assy., 14th sess. 46 p.

PRO-C.O.5/1217-*1 **PRO

Unit 2

1759 Jan. 31-Mar. 7 28th Assy., 1st sess. 38 p.
(w: p. 31-38)
1761 Nov. 24-Jan. 8 29th Assy., 3d sess. 42 p.
(w: p. 21-42)
1764 Sept. 4-Oct. 20 29th Assy., 11th sess. 65 p.
(w: t.p.-2, p. 57-65)
1765 Nov. 12-Dec. 23 29th Assy., 12th sess. 54 p.
(w: p. 1-14, 42-54)
[W] 1766** June 11-July 3 29th Assy., 13th sess. 4 p.
(Incomplete)
1766* June 11-July 3 29th Assy., 13th sess. [60] p.
MS.
1766* Nov. 10-Dec. 19 29th Assy., 14th sess. [114] p.
MS.
1767* May 27-June 6 29th Assy., 15th sess. [31] p.
MS.
1767* Nov. 17-Feb. 6 29th Assy., 16th sess. [11] p.
MS. (Incomplete)

NN *PHi **N-Probably burned in the fire of 1911.

Unit 3

1768 Oct. 27-Jan. 2 30th Assy., 1st sess. 80 p.
1769* Apr. 4-May 20 31st Assy., 1st sess. 88 p.
(w: p. 31-32)
1769* Nov. 21-Jan. 27 31st Assy., 2d sess. 120 p.
1770 Dec. 11-Mar. 4 31st Assy., 3d sess. 89 p.
1772* Jan. 7-Mar. 24 31st Assy., 4th sess. 118 p.
1773* Jan. 5-Mar. 8 31st Assy., 5th sess. 120 p.
1774* Jan. 6-Mar. 19 31st Assy., 6th sess. 105 p.
1775* Jan. 10-Apr. 3 31st Assy., 7th sess. 2 p.l.,
131 p.

NN *DLC

Legislature

Journal of the Assembly

A.1b Reel 4

Unit 1

1777 Sept. 1-Oct. 7 1st Assy., 1st meet. 27 p.
1778 Jan. 5-Apr. 4 1st Assy., 2d meet. 28-109 p.
1778 June 9-30 1st Assy., 3d meet. 111-125 p.
1778 Oct. 1-Nov. 6 2d Assy., 1st meet. 45 p.
1779 Jan. 12-Mar. 16 2d Assy., 2d meet. 46-107 p.
1779 Aug. 9-Oct. 25 3d Assy., 1st meet. 86 p.
1780 Jan. 4-Mar. 14 3d Assy., 2d meet. [87]-156 p.
1780* May 9-July 2 3d Assy., 3d meet. [157]-192 p.

N *NHi

NEW YORK-Continued

Unit 2

1780 Sept. 4-Oct. 10 4th Assy., 1st meet. 59 p.
1781 Jan. 2-Mar. 31 4th Assy., 2d meet. 94, v p.
1781 June 6-July 1 4th Assy., 3d meet. 23 p.
1781 Oct. 1-Nov. 23 5th Assy., adj. meet. 4, 47 p.
1782 Feb. 11-Apr. 14 5th Assy., 2d meet. [48]-104 p.
1782 July 3-25 6th Assy., 1st meet. [105]-128 p.
1783 Jan. 7-Mar. 28 6th Assy., 2d meet. [97]-179 p.

N

Unit 3

1784 Jan. 6-May 12 7th Assy. 168 p.
1784 Oct. 4-Nov. 29 8th Assy., 1st meet. 79 p.
1785 Jan. 18-Apr. 27 8th Assy., 2d meet. 183 p.

N

Unit 4

1786 Jan. 6-May 5 9th Assy. 176 p.
1787 Jan. 2-Apr. 21 10th Assy. 179 p.
1788 Jan. 1-Mar. 22 11th Assy. 144 p.
1788 Dec. 8-Mar. 3 12th Assy. 163, [1] p.

N

A.1b Reel 5

Unit 1

1789 July 6-16 13th Assy., 1st meet. 27 p.
1790 Jan. 11-Apr. 6 13th Assy., 2d meet. 118 p.
1791 Jan. 4-Mar. 24 14th Assy. 128 p.
1792 Jan. 3-Apr. 12 15th Assy. 207 p.

N

Unit 2

1792 Nov. 6-Mar. 17 16th Assy. 247 p.
1794 Jan. 7-Mar. 27 17th Assy. 180 p.

N

Unit 3

1795 Jan. 6-Apr. 9 18th Assy. 182, [3] p.
1796 Jan. 6-Apr. 11 19th Assy. 193, [12] p.

N

Unit 4

1796 Nov. 1-11 20th Assy., 1st meet. 30 p.
1797 Jan. 3-Apr. 3 20th Assy., 2d meet. [31]-218 p.

N

Unit 5

1798 Jan. 2-Apr. 6 21st Assy. 339 p. N

A.1b Reel 6

Unit 1

1798 Aug. 9-27 22d Assy., 1st meet. 39 p.
1799 Jan. 2-Apr. 3 22d Assy., 2d meet. 293 p.

N

Unit 2

1800 Jan. 28-Apr. 8 23d Assy. 299, [4] p. N

Unit 3

1800 Nov. 4-8 24th Assy., 1st meet. 18 p.

NEW YORK-Continued

1801 Jan. 27-Apr. 8 24th Assy., 2d meet. 19-322, [3] p. N

Unit 4

1802 Jan. 26-Apr. 5 25th Assy. 298, [3] p. N

Unit 5

1803 Jan. 25-Apr. 6 26th Assy. 290, vii, 4 p. N

A.1b Reel 7

Unit 1

1804 Jan. 31-Apr. 11 27th Assy. 331, [3] p. N

Unit 2

1804 Nov. 6-12 28th Assy., 1st meet. 31 p.

1805 Jan. 22-Apr. 10 28th Assy., 2d meet. [32]-371, [3] p. N

Unit 3

1806 Jan. 28-Apr. 7 29th Assy. 372, [4] p. N

Unit 4

1807 Jan. 27-Apr. 7 30th Assy. 381, [4] p. DLC

A.1b Reel 8

Unit 1

1808 Jan. 26-Apr. 11 31st Assy. 437, [10] p. DLC

Unit 2

1808 Nov. 1-8 32d Assy., 1st meet. 38 p.

1809 Jan. 18-Mar. 30 32d Assy., 2d meet. [39]-432, xix p. DLC

Unit 3

1810 Jan. 30-Apr. 6 33d Assy. 405, xiii p. DLC

A.1b Reel 9

Unit 1

1811 Jan. 29-Apr. 9 34th Assy. 415, [6] p. DLC

Unit 2

1812 Jan. 28-June 19 35th Assy. 527, [8] p. DLC

Unit 3

1812 Nov. 3-11 36th Assy., 1st meet. 66 p.

1813 Jan. 12-Apr. 13 36th Assy., 2d meet. [67]-610, xii p. DLC

A.1b Reel 10

Unit 1

1814 Jan. 25-Apr. 15 37th Assy. 560, xii p. DLC

Unit 2

1814 Sept. 26-Oct. 24 38th Assy., 1st meet. 124 p.

NEW YORK-Continued

1815 Jan. 31-Apr. 18 38th Assy., 2d meet. [125]-651, xv p.
DLC

A.1b Reel 11

Unit 1

1816 Jan. 30-Apr. 17 39th Assy. 707, xx p. DLC

Unit 2

1816 Nov. 5-12 40th Assy., 1st meet. 52 p.
1817 Jan. 14-Apr. 15 40th Assy., 2d meet. [53]-869, xxiii p.
DLC

A.1b Reel 12

Unit 1

1818 Jan. 27-Apr. 21 41st Assy. 812, xxi, [1] p. DLC

A.1b Reel 13

Unit 1

1819 Jan. 5-Apr. 13 42d Assy. 1091, [1], 106, xxvi p. DLC

A.1b Reel 14

Unit 1

1820 Jan. 4-Apr. 14 43d Assy. 1024, 121, xx p. N

A.1b Reel 15

Unit 1

1820 Nov. 7-21 44th Assy., 1st meet. 71 p.
1821 Jan. 3-Apr. 3 44th Assy., 2d meet. [73]-1141, 34, xxxi p.
DLC

NORTH CAROLINA

General Assembly

Journal of the Upper House of Assembly

A.1a Reel 1

Unit 1

1765 May 3-18
1766 Nov. 3-Dec. 2
1767 Dec. 5-Jan. 15
1768 Nov. 7-Dec. 5
1769 Oct. 23-Nov. 6
In 1 vol. 168 p. MS.
Nc-Secy.

Unit 2

1769 Oct. 23-Nov. 6
1770 Dec. 5-Jan. 26
1771 Nov. 19-Dec. 23
1773 Jan. 13-Mar. 6
1773 Dec. 10 (sic 4)-21
1774 Mar. 2-25
In 1 vol. 2 p.l., [304] p. MS.
Nc-Secy.

Unit 3

1775 Apr. 4-8 11 p. MS. PRO-C.O.5/356

NORTH CAROLINA-Continued

Journal of the Senate

Unit 4

1777 Apr. 7-May 9 Reg. sess. 251 p. MS. Nc-Ar

Unit 5

1777 Nov. 15-Dec. 24 Reg. sess. v.1: [4-86] p.; v.2: [106] p.; v.3: [100] p. MS. (Vol. 1 incomplete)

Nc-Ar

Unit 6

1778 Apr. 14-May 2 Reg. sess. [162] p. MS. (Incomplete)

1778 Aug. 8-19 Reg. sess. [94] p. MS.

Nc-Ar

A.1a Reel 2

Unit 1

1779 Jan. 19-Feb. 13 Reg. sess. 1 p.l., [211] p. MS.

1779 May 3-15 Reg. sess. [110] p. MS.

Nc-Secy.

Unit 2

1779 Oct. 18-Nov. 10 Reg. sess. [286, 9] p. MS.

Nc-Secy.

Unit 3

1780 Apr. 17-May 10? Reg. sess. (Not found)

1780 Sept. 5-13 Reg. sess. (Not found)

1781 Jan. 27-Feb. 14 Reg. sess. 164 p. MS.

1781 June 23-July 14 Reg. sess. 181 300 p. MS. (Inserted: Unidentified MS., 166-180 p.)

Nc-Ar

Unit 4

1782 Apr. 15-May 18 Reg. sess. [220] p. MS. Nc-Secy.

Unit 5

1783 Apr. 18-May 17 Reg. sess. 78 p.

1784* Apr. 19-June 3 Reg. sess. 52 p.

1784** Oct. 25-Nov. 26 Reg. sess. [232] p. MS.

N - 1 *DLC - 1 **Nc-Secy.

General Assembly

Journal of the Assembly

A.1b Reel 1

Unit 1

1743 July 20-27 4, [1] p. MS.

1743/4 Feb. 23-Mar. 8 12, [1] p. MS.

1744 Nov. 15-Dec. 4 17, [1] p. MS.

1745 Apr. 8-20 21, [1] p. MS.

[W] 1746 June 12-28 26, [1] p. MS.

1746/7 Feb. 25-Mar. 7 8, [1] p. MS.

[W] 1747 Oct. 2-10 5, [1] p. MS.

Journal of the House of Burgesses

1749 Sept. 26-Oct. 18 14 p.

1750 July 5-10 4 p.

1751 Sept. 26-Oct. 12 3-20 p.

1752 Mar. 31-Apr. 15 16 p.

NORTH CAROLINA-Continued

1753 Mar. 28-Apr. 12 3-18 p.
1754 Feb. 19-Mar. 9 15 p. (Incomplete)

Minutes of the Assembly

[W] 1754 Dec. 12-Jan. 15 60 p. MS. See Unit 3.
1755 Sept. 25-Oct. 15 41, [1] p. MS.
PRO-C.O.5/347

Journal of the Assembly
Unit 2

1747 Mar. 28-Apr. 14 [22] p. MS.
1748 ? sess. (Not found)
1750 Mar. 28-Apr. 9 (Not found)
1751 Sept. 26-Oct. 12 [35] p. MS.
1753* Mar. 28-Apr. 12 [56] p. MS.
1753* Mar. 28-Apr. 12 [32, 2] p. MS.
1754* Feb. 19-Mar. 9 1 p.l., 46, [2] p. MS.
NcU-SHi *Nc-Ar

Unit 3

1754 Dec. 12-Jan. 15 1 p.l., 61 p. MS.
1755 Mar. ?-? (Not found)
1755 Sept. 25-Oct. 15 47 p. MS.
[W] 1755* Dec. 13-Jan. 15 17 p. (Incomplete)
1756 Sept. 30-Oct. 26 1 p.l., 58 p. MS.
1757 May 16-28 38, [2] p. MS.
1757 Nov. 21-Dec. 14 37 p. MS.
1758 Apr. 28-May 4 15 p. MS.
1758 Nov. 23-Dec. 23 65 p. MS.
1759 May 8-18 20 p. MS.
1759 Nov. 23-Jan. 9 56 p. MS.
1760 Apr. 24-May 23 64 p. MS.
1760 May ? sess. (Not found)
1760 June ? sess. (Not found)
1760 Nov. 7-Dec. 3 35 p. MS.
1760 Dec. 5-6 6 p. MS.
1761 Mar. 31-Apr. 23 32 p. MS.
Nc-Ar *PRO

Unit 4

1761 Mar. 31-Apr. 22 1 p.l., 46, [1] p. MS.
1761 Nov. 19-? 2 p. MS. (Incomplete)
1762 Apr. 13-19 [9] p. MS.
1762 Apr. 20-29 24 p. MS.
NcU-SHi

Unit 5

[W] 1762* Apr. 13-29 28 p.
1762 Apr. 13-29 11 p. MS.
1762 Apr. 20-29 13-35 p. MS.
1762 Nov. 3-Dec. 11 37-96 p. MS.
1764 Feb. 3-Mar. 10 97-154 p. MS.
1764 Oct. 25-Nov. 27 157-209 p. MS.
Nc-Secy. *PRO-C.O.5/310

NORTH CAROLINA-Continued

A.1b Reel 2

Unit 1

1765 May ?-? (Not found)
1766 Nov. 3-Dec. 2 211-279 p. MS.
1767* Dec. 5-Jan. 16 88 p. MS.
1768 Nov. 7-Dec. 5 281-335 p. MS.
Nc-Secy. *Nc-Ar

Journal of the House of Assembly

Unit 2

1769 Oct. 23-Nov. 6 20 p.
1770 Dec. 5-Jan. 26 74 p.
1771 Nov. 19-Dec. 23 46 p.
(Pages 1-24 are missing and [84] p. of MS. are supplied.)
1773 Jan. 25-Mar. 6 67 p.
1773 Dec. 4-21 8 p. (Incomplete. See MS., Unit 3.)
NcWsM - 1

Unit 3

1773 Dec. 4-21 [54] p. MS.
1773 Jan. 25-Mar. 6 [135] p. MS.
1774 Mar. 2-25 [72] p. MS.
1775 Apr. 4-8 [17] p. MS.
Nc-Secy.

Unit 4

1774 Mar. 2-25 49 p.
(Pages 1-21 are missing. See MS. under Unit 3.)
1775 May 31 Proceedings for town of New Bern. 4 p.
Inserted: To the committees...appointed for the purpose of carrying into execution the resolves of the Continental Congress. 2 p.
1775* Apr. 4-8 29 p. MS.
NcWsM - 1 *MB

Journal of the Assembly

A.1b Reel 3

Unit 1

1758 Nov. 23-Dec. 23 [58, 2] p. MS.
Appended: Reports of Commissioner of Public Accounts.
1758 Nov. 25 [19] p. MS.
1759 Dec. 5 [14] p. MS.
1760 May 8 [8] p. MS.
1760 Nov. 19 [14] p. MS.
1761 Apr. 3 [14] p. MS.
Nc-Ar

Unit 2

1759 Nov. 23-Jan. 9 54 p. MS.

NORTH CAROLINA-Continued

1760 Apr. 24-May 23 79 p. MS.
1760 Nov. 7-Dec. 3 [44] p. MS.
1760 Dec. 5-6 7 p. MS.

NcU-SHi

Unit 3

1762 Apr. 20-24 [13] p. MS.
1762 Nov. 3-Dec. 11 2 p.l., [73] p. MS.
1764* Feb. 3-Mar. 10 [68] p. MS.

Nc-Ar *NcU-SHi

Unit 4

1764 Oct. 25-Nov. 27 42, [2], 43-72 p. MS.
1766 Nov. 3-29 1 p.l., 10, [4], 11-64, [1], 65-90 p. MS. (Inserted at p. 64 is Speech of Governor William Tryan. [1] p.)
1766* Nov. 3-Dec. 2 37-44 p. (Fragment. Contains portion of Journal for Nov. 20, complete Journal for Nov. 21, 22, 24 and portion of Journal of Stamp Act Assembly for Nov. 25.)

Nc-Ar *DLC - 1

Unit 5

1769 Oct. 23-Nov. 6 53 p. MS.
1770 Dec. 5-Jan. 26 55-240 p. MS.
1771 Nov. 19-Dec. 23 243-353, [1] p. MS. In 1 vol.

Nc-Secy.

Unit 6

1771 Jan. 1-25 1 p.l., [27], 55 p., 1 l., [68] p. MS.
1771 Nov. 19-Dec. 23 [4, 70, 12] p. MS. (Incomplete)
1773 Dec. 4-20 [85] p. MS.
1774 Mar. 2-15 [88] p. MS.

Nc-Ar

General Assembly
Journal of the House of Commons

A.1b Reel 4

Unit 1

1777 Apr. 7-May 9 (Not found)
1777 Nov. 15-Dec. 24 425 p. MS.

Nc-Ar

Unit 2

1778 Apr. 14-May 2 Reg. sess. 36, [1] p. (w: [1] p.)
1778* Apr. 14-May 2 Reg. sess. [222] p. MS.

DLC - 1 *Nc-Ar

Unit 3

1778* Aug. 8-19 Reg. sess. 24, [1] p. (Imperfect)

NORTH CAROLINA-Continued

1778 Aug. 8-13 Reg. sess. v.1: [68] p. MS.
1778 Aug. 14-19 Reg. sess. v.2: [82] p. MS.
Nc-Ar *NcU - 1

Unit 4

1779 Jan. 19-Feb. 13 Reg. sess. 47 p.
1779* May 3-15 Reg. sess. 33 p.
N - 1 *DLC - 1

Unit 5

1779 Oct. 18-Nov. 10 Reg. sess. [175] p. MS.
1780 Apr. 17-May 10? Reg. sess. (Not found)
1780 Sept. 5-13 Reg. sess. (Not found)
1781 Jan. 27-Feb. 14 Reg. sess. 169 p. MS.
Nc-Ar

Unit 6

1781 June 23-July 14 Reg. sess. 214 p. MS.
(Pages 205-214 are mutilated.)
Nc-Ar

A.1b Reel 5

Unit 1

1782 Apr. 15-May 18 Reg. sess. 110, [2], 111-113, [114-352] p. MS.
(w: p. 1-2)
Nc-Ar

Unit 2

1783 Apr. 18-May 17 Reg. sess. 292, [40] p. MS.
1783* Apr. 18-May 17 Reg. sess. 67 p.
Nc-Ar *N

Unit 3

1784 Apr. 19-June 3 Reg. sess. 71 p.
1784* Oct. 22-Nov. 26 Reg. sess. 338 p. MS.
N *Nc-Secy.

General Assembly

Journals of the Senate and House of Commons

A.1a;b Reel 6

Unit 1

1785 Nov. 19-Dec. 29 Reg. sess. 44 p. (S)
1785 Nov. 19-Dec. 29 Reg. sess. 52, 20 p. (H)
1786* Nov. 20-Jan. 6 Reg. sess. 76 p. (S)
1786** Nov. 18-Jan. 6 Reg. sess. 80, 8, 16 p. (H)
Inserted: Address to the people, by Archibald Maclaine. 16 p.
DLC *N **N - DLC

Unit 2

1787* Nov. 19-Dec. 21 Reg. sess. 51 p. (S)
1787* Nov. 19-Dec. 21 Reg. sess. 56, 8 p. (H)
1788 Nov. 3-Dec. 6 Reg. sess. 41 p. (S)

NORTH CAROLINA-Continued

1788 Nov. 3-Dec. 6 Reg. sess. 56, 12 p. (H)
1789 Nov. 2-Dec. 22 Reg. sess. 52 p. (S)
1789 Nov. 2-Dec. 22 Reg. sess. 71, 9 p. (H)
1790* Nov. 1-Dec. 15 Reg. sess. 60 p. (S)
1790 Nov. 1-Dec. 15 Reg. sess. 91 p. (H)
DLC *N

Unit 3

1791 Dec. 5-Jan. 19 Reg. sess. 48 p. (S)
1791 Dec. 5-Jan. 20 Reg. sess. 64, [2] p. (H)
1792 Nov. 15-Jan. 1 Reg. sess. 52 p. (S)
1792 Nov. 15-Jan. 1 Reg. sess. 63 p. (H)
1793* Dec. 2-Jan. 11 Reg. sess. 66, [1] p. (H)
1793* Dec. 2-Jan. 11 Reg. sess. 49 p. (S)
DLC *Nc-SC

Unit 4

1794* July 7-19 Ext. sess. 10 p. (S)
1794* July 7-19 Ext. sess. 11, [1] p. (H)
1794 Dec. 30-Jan. 7 Reg. sess. 48 p. (S)
1794 Dec. 30-Jan. 7 Reg. sess. 60 p. (H)
1795* Nov. 2-Dec. 9 Reg. sess. 46 p. (S)
1795* Nov. 2-Dec. 9 Reg. sess. 57 p. (H)
1796 Nov. 21-Dec. 25 Reg. sess. 47 p. (S)
1796 Nov. 21-Dec. 24 Reg. sess. 54 p. (H)
DLC *Nc-SC

Unit 5

1797 Nov. 20-Dec. 23 Reg. sess. 44 p. (S)
1797 Nov. 20-Dec. 23 Reg. sess. 56 p. (H)
1798 Nov. 19-Dec. 24 Reg. sess. 79 p. (S)
1798 Nov. 19-Dec. 24 Reg. sess. 80 p. (H)
1799 Nov. 18-Dec. 23 Reg. sess. 60 p. (S)
(Incomplete. Supplied: 1799 Dec. 20-23. 27-43, 33 fol. MS.)
1799 Nov. 18-Dec. 23 Reg. sess. 68 p. (H)
DLC

A.la:b Reel 7

Unit 1

1800 Nov. 17-Dec. 20 Reg. sess. 58, [1] p. (S)
1800 Nov. 17-Dec. 20 Reg. sess. 63, [1] p. (H)
1801 Nov. 16-Dec. 19 Reg. sess. 63 p. (S)
1801 Nov. 16-Dec. 19 Reg. sess. 64 p. (H)
1802 Nov. 15-Dec. 18 Reg. sess. 56 p. (S)
1802 Nov. 15-Dec. 18 Reg. sess. 62 p. (H)
NcU

Unit 2

1803 Nov. 21-Dec. 22 Reg. sess. 56 p. (S)
1803 Nov. 21-Dec. 22 Reg. sess. 60 p. (H)
1804 Nov. 19-Dec. 19 Reg. sess. 52 p. (S)
1804 Nov. 19-Dec. 19 Reg. sess. 56 p. (H)
1805 Nov. 18-Dec. 21 Reg. sess. 53, [1] p. (S)
1805 Nov. 18-Dec. 21 Reg. sess. 56 p. (H)
NcU

NORTH CAROLINA-Continued

Unit 3

1806* Nov. 17-Dec. 21 Reg. sess. 51 p. (S)
1806* Nov. 17-Dec. 21 Reg. sess. 59 p. (H)
1807 Nov. 16-Dec. 18 Reg. sess. 56 p. (S)
1807 Nov. 16-Dec. 18 Reg. sess. 55 (sic 56) p. (H)
1808 Nov. 21-Dec. 23 Reg. sess. 58 (sic 56) p. (S)
1808 Nov. 21-Dec. 23 Reg. sess. 57 p. (H)

NcU *DLC

Unit 4

1809 Nov. 20-Dec. 23 Reg. sess. 52 p. (S)
1809 Nov. 20-Dec. 23 Reg. sess. 55 p. (H)
1810 Nov. 19-Dec. 22 Reg. sess. 51 p. (S)
1810 Nov. 19-Dec. 22 Reg. sess. 54 p. (H)
1811 Nov. 18-Dec. 23 Reg. sess. 1 p.l., 55 p. (S)
1811 Nov. 18-Dec. 23 Reg. sess. 65 p. (H)

NcU

A.la:b Reel 8

Unit 1

1812 Nov. 16-Dec. 25 Reg. sess. 51 p. (S)
1812 Nov. 16-Dec. 25 Reg. sess. 65 p. (H)
1813 Nov. 15-Dec. 25 Reg. sess. 46 p. (S)
1813 Nov. 15-Dec. 25 Reg. sess. 52 p. (H)
1814 Nov. 21-Dec. 27 Reg. sess. 45 p. (S)
1814 Nov. 21-Dec. 27 Reg. sess. 41 p. (H)

NcU

Unit 2

1815 Nov. 20-Dec. 21 Reg. sess. 8, 18 (sic 13)-48 p. (S)
1815 Nov. 20-Dec. 21 Reg. sess. 12, 21-59 p. (H)
1816* Nov. 18-Dec. 28 Reg. sess. 58 p. (S)
1816* Nov. 18-Dec. 28 Reg. sess. 56 p. (H)
1817** Nov. 17-Dec. 24 Reg. sess. 1 p.l., 125 p. (S)
1817** Nov. 17-Dec. 24 Reg. sess. 96 p. (H) (Incomplete)

NcU *N **DLC

Unit 3

1818 Nov. 16-Dec. 26 Reg. sess. 130 p. (S)
1818 Nov. 16-Dec. 26 Reg. sess. 109 p. (H)
1819* Nov. 15-Dec. 25 Reg. sess. 125 p. (S)
1819* Nov. 15-Dec. 25 Reg. sess. 103 p. (H)

NcU *DLC

Unit 4

1820 Nov. 20-Dec. 25 Reg. sess. 93 p. (S) (t.-p.w.)

NORTH CAROLINA-Continued

1820 Nov. 20-Dec. 25 Reg. sess. 105 p. (H)
(w: p. 73-80, 105)
1821* Nov. 19-Jan. 1 Reg. sess. 107 p. (S)
1821* Nov. 19-Jan. 1 Reg. sess. 111 p. (H)
DLC - 1 *NcWsM

A.1a:b Reel 9

Unit 1

1822 Nov. 18-Dec. 31 Reg. sess. 98 p. (S)
1822 Nov. 18-Dec. 31 Reg. sess. [99]-216 p. (H)
1823* Nov. 17-Jan. 1 Reg. sess. 110 p. (S)
1823* Nov. 17-Jan. 1 Reg. sess. [111]-234 p. (H)
NN - 1 *DLC

Unit 2

1824* Nov. 15-Jan. 5 Reg. sess. 124 p. (S)
(w: p. 88-97)
1824* Nov. 15-Jan. 5 Reg. sess. 142 p. (H)
(w: t.-p.-p. 40, 81-88)
1824 Nov. 15-Jan. 5 Reg. sess. v.1: 1 p.l., 97 p.; v.2: 1 p.l., 25 fol., 26-73 p.; v.3: 1 p.l., XXXX 51 p. MS. (S)
1824 Nov. 15-Jan. 5 Reg. sess. [416] p. MS. (H)
Nc-Secy. *Nc-SC - 1

A.1a:b Reel 10

Unit 1

1825 Nov. 21-Jan. 4 Reg. sess. 208 p.
1826 Dec. 25-Feb. 12 Reg. sess. 235 p.
DLC

Unit 2

1827 Nov. 19-Jan. 7 Reg. sess. 246 p.
1828 Nov. 17-Jan. 10 Reg. sess. 276 p.
DLC

Unit 3

1829 Nov. 16-Jan. 8 Reg. sess. 283 p.
1830 Nov. 15-Jan. 8 Reg. sess. 284 p.
DLC

Unit 4

1831 Nov. 21-Jan. 14 Reg. sess. 255 p. NcU

A.1a:b Reel 11

Unit 1

1832 Nov. 19-Jan. 11 Reg. sess. 253 p.
1833 Nov. 18-Jan. 13 Reg. sess. 256 p.
DLC

Unit 2

1834 Nov. 17-Jan. 10 Reg. sess. 264 p.
1835 Nov. 16-Dec. 22 Reg. sess. 199 p.
DLC

Unit 3

1836 Nov. 21-Jan. 23 Reg. sess. 513, [1] p.
DLC

NORTH CAROLINA-Continued

Unit 4

1838 Nov. 19-Jan. 8 Reg. sess. 551 p.

DLC

A. la:b Reel 12

Unit 1

1840 Nov. 16-Jan. 12 Reg. sess. 720 p.

DLC

Unit 2

1842 Nov. 21-Jan. 28 Reg. sess. 1024 p.

NcU

A. la:b Reel 13

Unit 1

1844 Nov. 18-Jan. 10 Reg. sess. 778 p.

NcU

Unit 2

1846 Nov. 16-Jan. 18 Reg. sess. 615 p.

DLC

A. la:b Reel 14

Unit 1

1848 Nov. 20-Jan. 29 Reg. sess. 856 p.

DLC

Unit 2

1850 Nov. 18-Jan. 29 Reg. sess. 1152 p.

DLC

OHIO

General Assembly

Journals of the Council and House of Representatives

A. la:b Reel 1

See Addenda.

General Assembly

Journal of the Senate

A. la Reel 2

Unit 1

1803 Mar. 1-Apr. 16 1st Assy. 121 p.

1803 Dec. 5-Feb. 18 2d Assy. 184 p.

1804 Dec. 3-Feb. 22 3d Assy. 184 p.

O-LR

Unit 2

1805 Dec. 2-Jan. 27 4th Assy. 119, 112-120, 31 p.

Journal of impeachment of William Irwin. 31 p.

1806 Dec. 1-Feb. 4 5th Assy. 191 p.

1807 Dec. 7-Feb. 22 6th Assy. 189 p.

O-LR

OHIO-Continued

Unit 3

1808 Dec. 7 (sic 5)-Feb. 21 6th (sic 7th) Assy. 271, 100 p.
Impeachment journal. 100 p.
1809 Dec. 4-Feb. 20 8th Assy. 340 p.
O-LR

Unit 4

1810 Dec. 3-Jan. 30 9th Assy. 208 p.
1811 Dec. 2-Feb. 21 10th Assy. 332 p.
O-LR

Unit 5

1812 Dec. 7-Feb. 9 11th Assy. 300 p.
O-LR

Unit 6

1813 Dec. 6-Feb. 11 12th Assy. 393 p.
O-LR

A.1a Reel 3

Unit 1

1814 Dec. 5-Feb. 16 13th Assy. 467 p.
Secret journal. p. 457-467. O-LR

Unit 2

1815 Dec. 4-Feb. 27 14th Assy. 389 p.
O-LR

Unit 3

1816 Dec. 2-Jan. 28 15th Assy. 339 p.
O-LR

Unit 4

1817 Dec. 1-Jan. 30 16th Assy. 311 p.
O-LR

Unit 5

1818 Dec. 7-Feb. 9 17th Assy. 467 p.
OU

Unit 6

1819 Dec. 6-Feb. 26 18th Assy. 369, 28 p.
Impeachment journal. 28 p.
O-LR

Unit 7

1820 Dec. 4-Feb. 3 19th Assy. 346 p.
O-LR

A.1a Reel 4

Unit 1

1821 Dec. 3-Feb. 4 20th Assy., 1st sess. 326 p.
O-LR

Unit 2

1822 May 20-23 20th Assy., 2d sess. 14 p.
1822 Dec. 2-Jan. 28 21st Assy. 238 p.
O-LR

Unit 3

1823 Dec. 1-Feb. 26 22d Assy. 349 p.
O-LR

OHIO-Continued

Unit 4

1824 Dec. 6-Feb. 8 23d Assy. 340 p.
O-LR

Unit 5

1825 Dec. 5-Feb. 9 24th Assy. 359 p.
OU

Unit 6

1826 Dec. 4-Jan. 31 25th Assy. 322, 42 p.
Journal of the Convention of the Northwest Territory, Nov. 1, 1802. 42 p.
OU

Unit 7

1827 Dec. 3-Feb. 12 26th Assy. 418 p.
OU

A.1a Reel 5

Unit 1

1828 Dec. 1-Feb. 12 27th Assy. 401 p.
OU

Unit 2

1829 Dec. 7-Feb. 23 28th Assy. 460 p.
OU

Unit 3

1830 Dec. 6-Mar. 14 29th Assy. 599 p.
OU

Unit 4

1831 Dec. 5-Feb. 13 30th Assy., 1st sess. 460 p.
OU

Unit 5

1832 June 4-14 30th Assy., 2d sess. 40 p.
O-LR

Unit 6

1832 Dec. 3-Feb. 25 31st Assy. 656 p.
OU

A.1a Reel 6

Unit 1

1833 Dec. 2-Mar. 3 32d Assy. 806 p.
OU

Unit 2

1834 Dec. 1-Mar. 9 33d Assy., 1st sess. 902 p.
1835 June 8-20 33d Assy., 2d sess. 179 p.
OU

A.1a Reel 7

Unit 1

1835 Dec. 7-Mar. 14 34th Assy. 1048 p.
DLC

OHIO-Continued

Unit 2

1836 Dec. 5-Apr. 3 35th Assy. 856 (sic 836) p. DLC

A.la Reel 8

Unit 1

1837 Dec. 4-Mar. 19 36th Assy. 832 p. DLC

Unit 2

1838 Dec. 3-Mar. 18 37th Assy. 664, 93, 55 p. DLC

A.la Reel 9

Unit 1

1839 Dec. 2-Mar. 23 38th Assy. 794 p., App., v.p. DLC

Unit 2

1840 Dec. 7-Mar. 29 39th Assy. 613 p., App., v.p., 35 p. DLC

A.la Reel 10

Unit 1

1841 Dec. 6-Mar. 7 40th Assy. 686 p. DLC

Unit 2

1842 July 25-Aug. 12 Adj. sess. 432, 28, [1] p. DLC

Unit 3

1842 Dec. 5-Mar. 13 41st Assy. 985 p. DLC

A.la Reel 11

Unit 1

1843 Dec. 4-Mar. 13 42d Assy. 864, 100 p. DLC

Unit 2

1844 Dec. 2-Mar. 13 43d Assy. 939, 215 p. DLC

A.la Reel 12

Unit 1

1845 Dec. 1-Mar. 2 44th Assy. 760, 175 p. DLC

Unit 2

1846 Dec. 7-Feb. 8 45th Assy. 645, 418 p. DLC

A.la Reel 13

Unit 1

1847 Dec. 6-Feb. 25 46th Assy. 678, 319 p. DLC

Unit 2

1848 Dec. 4-Mar. 26 47th Assy. 784 p. DLC

Unit 3

1848 Dec. 4-Mar. 26 Appendix. 480 p. O-LR

A.la Reel 14

Unit 1

1849 Dec. 3-Mar. 25 48th Assy. 1064, 32, [17]-114 p. DLC

A.la Reel 15

Unit 1

1850 Dec. 2-Mar. 25 49th Assy. 1084, 170 p. DLC

OHIO-Continued

General Assembly

Journal of the House of Representatives

A.1b Reel 2

Unit 1

1803 Mar. 1-Apr. 16 1st Assy. 126 p.
1803 Dec. 5-Feb. 18 2d Assy. 246 p.
O-LR

Unit 2

1804 Dec. 3-Feb. 22 3d Assy. 175 p.
1805 Dec. 2-Jan. 27 4th Assy. 150 p.
O-LR

Unit 3

1806 Dec. 1-Feb. 4 5th Assy. 173, 3 p.
Confidential journal. 3 p. O-LR

Unit 4

1807 Dec. 7-Feb. 22 6th Assy. 200 p.
1808 Dec. 5-Feb. 21 7th Assy. 308 p.
O-LR

Unit 5

1809 Dec. 4-Feb. 20 8th Assy. 435 p.
O-LR

Unit 6

1810 Dec. 3-Jan. 30 9th Assy. 251 p.
O-LR

Unit 7

1811 Dec. 2-Feb. 21 10th Assy. 359 p.
O-LR

Unit 8

1812 Dec. 7-Feb. 9 11th Assy. 265 p.
OU

Unit 9

1813 Dec. 6-Feb. 11 12th Assy. 324 p.
O-LR

A.1b Reel 3

Unit 1

1814 Dec. 5-Feb. 16 13th Assy. 415 p.
Secret journal. p. 403-415.
O-LR

Unit 2

1815 Dec. 4-Feb. 27 14th Assy. 446 p.
O-LR

Unit 3

1816 Dec. 2-Jan. 28 15th Assy. 334 p.
O-LR

Unit 4

1817 Dec. 1-Jan. 30 16th Assy. 414
(sic 411) p. OU

Unit 5

1818 Dec. 7-Feb. 9 17th Assy. 599 p.
O-LR

OHIO-Continued

Unit 6

1819 Dec. 6-Feb. 26 18th Assy. 432 p.
OU

A.1b Reel 4

Unit 1

1820 Dec. 4-Feb. 3 19th Assy. 398 p.
OU

Unit 2

1821 Dec. 3-Feb. 4 20th Assy., 1st sess. 224, 217-330 p.
1822 May 20-23 20th Assy., 2d sess. 15 p.
1822 Dec. 2-Jan. 28 21st Assy. 271 p.
OU

Unit 3

1823 Dec. 1-Feb. 26 22d Assy. 424 p.
OU

Unit 4

1824 Dec. 6-Feb. 8 23d Assy. 434 p.
OU

Unit 5

1825 Dec. 5-Feb. 9 24th Assy. 358 p.
OU

Unit 6

1826 Dec. 4-Jan. 31 25th Assy. 254 (sic 341), 2, 42 p.
Canal report, 1825. 2 p.
Journal of the Convention, Nov. 1, 1802. 42 p.
OU

A.1b Reel 5

Unit 1

1827 Dec. 3-Feb. 12 26th Assy. 403 p.
OU

Unit 2

1828 Dec. 1-Feb. 12 27th Assy. 296, 307-440 p.
OU

Unit 3

1829 Dec. 7-Feb. 23 28th Assy. 40, 33-603 p. (Signatures complete. Pagination irregular.)
OU

Unit 4

1830 Dec. 6-Mar. 14 29th Assy. 690 p.
OU

A.1b Reel 6

Unit 1

1831 Dec. 5-Feb. 13 30th Assy., 1st sess. 456 p.
OU

OHIO-Continued

Unit 2

1832 June 4-14 30th Assy., 2d sess. 36 p.
OU

Unit 3

1832 Dec. 3-Feb. 25 31st Assy. 531 p.
OU

Unit 4

1833 Dec. 2-Mar. 3 32d Assy. 703 p. OU

Unit 5

1834 Dec. 1-Mar. 9 33d Assy., 1st sess.
1028, 36, 55 p.

1835 June 8-30 33d Assy., 2d sess. 177 p.
OU

A.1b Reel 7

Unit 1

1835 Dec. 7-Mar. 14 34th Assy. 973 p.
DLC

Unit 2

1836 Dec. 5-Apr. 3 35th Assy. 915, 71 p.
DLC

A.1b Reel 8

Unit 1

1837 Dec. 4-Mar. 19 36th Assy. 921 p.,
App., v.p. DLC

Unit 2

1838 Dec. 3-Mar. 18 37th Assy. 809, 1,
224, 87 p. DLC

A.1b Reel 9

Unit 1

1839 Dec. 2-Mar. 23 38th Assy. 851, 1 p.,
App., v.p. DLC

Unit 2

1840 Dec. 7-Mar. 29 39th Assy. 791 p.,
App., v.p. DLC

A.1b Reel 10

Unit 1

1841 Dec. 6-Mar. 7 40th Assy. 816 p.,
App., v.p., 45 p. DLC

Unit 2

1842 July 25-Aug. 12 Adj. sess. 159, 28,
[1] p. DLC

A.1b Reel 11

Unit 1

1842 Dec. 5-Mar. 13 41st Assy. 1008 p.,
App., v.p. 51 p. DLC

Unit 2

1843 Dec. 4-Mar. 13 42d Assy. 917 p.
DLC

OHIO-Continued

A.1b Reel 12

Unit 1

1844 Dec. 2-Mar. 13 43d Assy. 933, 134 p.
DLC

Unit 2

1845 Dec. 1-Mar. 2 44th Assy. 804, 130 p.
DLC

A.1b Reel 13

Unit 1

1846 Dec. 7-Feb. 8 45th Assy. 663 p. DLC

Unit 2

1847 Dec. 6-Feb. 25 46th Assy. 688, 125 p.
DLC

Unit 3

1848 Dec. 4-Mar. 26 47th Assy. 799, 77 p.
DLC

A.1b Reel 14

Unit 1

1849 Dec. 3-Mar. 25 48th Assy. 960, 78 p.
DLC

Unit 2

1850 Dec. 2-Mar. 25 49th Assy. 1072, 153 p.
DLC

OKLAHOMA

Legislative Assembly
Journals of the Council and House of Representatives

A.1a Reel 1

Unit 1

A.1a:b

1890 Aug. 27-Dec. 24 1st sess. 1125, xviii p.
DLC

Journal of the Council

Unit 2

1893 Jan. 10-Mar. 10 2d sess. 379 p. Ok

A.1a Reel 2

Unit 1

1895 Jan. 8-Mar. 8 3d sess. [6], xxvii, [5]-1058 p.
DLC

Unit 2

1897 Jan. 12-Mar. 12 4th sess. viii, 1421 p.
DLC

A.1a Reel 3

Unit 1

1899 Jan. 10-Mar. 10 5th sess. 1305 p.
DLC

OKLAHOMA-Continued

Unit 2

1901 Jan. 8-Mar. 8 6th sess. iv, [5]-426 p.
DLC

Unit 3

1903 Jan. 13-Mar. 13 7th sess. iv, [5]-384 p.
DLC

Unit 4

1905 Jan. 10-Mar. 10 8th sess. 274 p. DLC

Legislative Assembly
Journal of the House of Representatives

A.1b Reel 1

Unit 1

1893 Jan. 10-Mar. 10 2d sess. 471 p. Ok

Unit 2

1895 Jan. 8-Mar. 8 3d sess. xxxvi, [9]-984, [1] p.
DLC

A.1b Reel 2

Unit 1

1897 Jan. 12-Mar. 12 4th sess. vi, [2], 1232 p.
DLC

Unit 2

1899 Jan. 10-Mar. 10 5th sess. iv, [5]-467 p.
DLC

A.1b Reel 3

Unit 1

1901 Jan. 8-Mar. 8 6th sess. iv, [5]-483 p.
DLC

Unit 2

1903 Jan. 13-Mar. 13 7th sess. iv, [5]-469 p.
DLC

Unit 3

1905 Jan. 10-Mar. 10 8th sess. 489 p. DLC

OREGON

A.1a Reel 1

Unit 1

A.1c

1841 Feb.-1849 Feb. The Oregon archives: Including the journals, Governor's messages and public papers of Oregon... 333, [1] p.
- 1841 Feb. 17 Public meeting. p. 5-7.
- 1843 Feb. 2 Proceedings of a meeting held at Oregon Institute. p. [8].
- 1843 Mar. Journal of a meeting held at the house of J. Gervais. p. [9]-11.
- 1843 Mar. 4 Address of the Canadian citizens of Oregon. p. [12]-13.

OREGON-Continued

1843 May 2 Public meeting at Champooick. p. [14]-15.
1843 May 16-June 28 Journal of Legislative Committee. p. [16]-22.
1843 July 5 Public meeting. p. [23]-25.
1843 July Reports of Legislative Committee. p. [26]-32.
1843 July Laws. p. [33-35].
1844 Mar. 9 Meeting at Larshappells. p. [36]-37.
1844 June 18-Dec. 24 Journal of the Legislative Committee. p. [38]-70.
1845 June 24-July 5 Journal of the Legislative Committee. p. [71]-89.
1845 Aug. 5-20 Journal of the House. p. [90]-122.
1845 Dec. 2-19 Journal of the House of Representatives. p. [123]-153.
1846 Dec. 1-19 Journal of the House of Representatives. p. [154]-219.
1847 Dec. 7-28 Journal of the House of Representatives. p. [220]-254.
1848 Dec. 5-13 Journal of the House of Representatives. p. [255]-266.
1849 Feb. 5-16 Journal of the House of Representatives. p. [267]-333.

Or-SC

Unit 2
A.1c

1843 Feb. 2 Proceedings of a meeting held at the Oregon Institute. [1] p. MS.
1843 Mar. Journal of the meeting at the house of Joseph Gervais. [5] p. MS.
1843 Mar. 4 Address of the Canadian citizens of Oregon. [4] p. MS.
1843 May 2 Public meeting at Champooick. [3] p. MS.
1843 May 16-June 28 Journal of the Legislative Committee. [9] p. MS.
1843 July 5 Public meeting. [3] p. MS.
1843 July Reports of Legislative Committee. [13] p. MS.
1843 July Militia law and Law of land claims. [4] p. MS.
1844 Mar. 9 Meeting at Larshappells. [3] p. MS.
1844 June 18-27 Journal of the Legislative Committee. [23] p. MS.
1847 Dec. 7 Message of Governor. 9 p. MS.
1847 Dec. 7 Auditor's report. 5 p. MS.
1844 Jan.-Dec. Laws and Journals. [3], 102 p. MS.
Index. [2] p.
1844 June 18-27 Journal of the House. 21 p.
1844 June Laws. p. 22-74.
1844 Dec. 16-24 Journal of the Legislative Committee. p. 76-102.

OrHi

Unit 3

1849 July 16-Sept. 29 1st sess. 119, 2 p.
1850 May 6-18 Spec. sess.

OREGON-Continued

*Oregon spectator**

May 10, 1850. Extra. Synopsis of Council and House proceedings for May 6, 7 and 8, p. 2, col. 1-4. Message, May 8, col. 1.

May 16, 1850, No. 17. Synopsis of Council and House proceedings for May 10-13, p. 2, col. 1.

May 30, 1850, No. 18. Synopsis of Council and House proceedings for May 18, p. 2, col. 1.

1850 Dec. 2-Feb. 8 2d sess. 121, [61]-69 p.
1851 Dec. 1-Jan. 21 3d sess. 90, 33 p.
1852 July 26-29 Spec. sess. 10 p.

Or-SC *OrHi

Unit 4

1852 Dec. 6-Feb. 3 4th sess. 187, 18, 5 p.
1853 Dec. 5-Feb. 2 5th sess. 166 p.

Or-SC

Unit 5

1854 Dec. 4-Feb. 1 6th sess. 128, 1, 4, 110, 54, 43 p.
1855 Dec. 3-Jan. 31 7th sess. 188, 7, 39, 72 p.

Or-SC

Unit 6

1856 Dec. 1-Jan. 29 8th sess. 116 (sic 126), 6, 41 p.
1857 Dec. 7-Feb. 4 9th sess. 252, 7, 65 p.

Or-SC

Unit 7

1858 Dec. 6-Jan. 22 10th sess. 162, 5, 27 p. Or-SC

Legislative Assembly

Journal of the Senate

A.1a Reel 2

Unit 1

1858 July 5-9 Spec. sess. 14 p.
1858 Sept. 13-14 ? sess. 1 p.
1859 May 16-June 4 Ext. sess. 65, [1], 4 p.
1860 Sept. 10-Oct. 19 1st sess. 131, 4, 72 p.

Or-SC

Unit 2

1862 Sept. 8-Oct. 17 2d sess. 180, vii p.
1864 Sept. 12-Oct. 22 3d sess. 261, iv p.

Or-SC

Unit 3

1865 Dec. 5-19 Spec. sess. 117, iv p. Or-SC

Legislative Assembly

Journal of the House of Representatives

A.1b Reel 1

Unit 1

1849 July 16-Sept. 29[1] 1st sess. 82, 2 p.

1. See Oregon, A.1a, Reel 1, Units 1 and 2 for Journals of the House prior to this session.

OREGON-Continued

1850 May 6-18* Spec. sess. 59 p. MS. (Rough draft)
1850 Dec. 2-Feb. 8 2d sess. 106, [70]-77 p.
Or-SC *OrHi

Unit 2

1851 Dec. 1-Jan. 21 3d sess. 103, 10, 7 p.
1852 July 26-29 Spec. sess. 19 p.
Or-SC

Unit 3

1852 Dec. 6-Feb. 3 4th sess. 209, 36, 6 p.
1853 Dec. 5-Feb. 2 5th sess. 189, 48, 5 p.
Or-SC

Unit 4

1854 Dec. 4-Feb. 1 6th sess. 171, 5, 131, [3] p.
1855 Dec. 3-Jan. 31 7th sess. 212, 7, 179 p.
Or-SC

Unit 5

1856 Dec. 1-Jan. 29 8th sess. 152, 7, 169 p. Or-SC

Unit 6

1857 Dec. 7-Feb. 4 9th sess. 298, [1], 8, 51 p.
Or-SC

Unit 7

1858 Dec. 6-Jan. 22 10th sess. 314, 7, 120 p. Or-SC

A.1b Reel 2

Unit 1

1858 July 5-9 Spec. sess. 33 p.
1858 Sept. 13-14 ? sess. 2 p.
1859 May 16-June 4 Ext. sess. 1 p.l., 90, [1], 2, 2 p.
1860 Sept. 10-Oct. 19 1st sess. 204, [1], 18, 6, [1] p.
Or-SC

Unit 2

1862 Sept. 8-Oct. 17 2d sess. 283, viii, 94 p. Or-SC

Unit 3

1864 Sept. 12-Oct. 22 3d sess. 328, 198, [1], v p.
Or-SC

Unit 4

1865 Dec. 5-19 Spec. sess. 152, vi p., App., v.p.
Or-SC

General Assembly

Journal of the Senate

A.1a Reel 1

Unit 1

1790 Dec. 7-Apr. 13 15th Assy., reg. sess. 268 p.
1791 Aug. 23-Sept. 30 15th Assy., ext. sess. 269-355 p.
DLC

PENNSYLVANIA-Continued

Unit 2

1791 Dec. 6-Apr. 10 16th Assy. 266 p. PPL

Unit 3

1792 Dec. 4-Apr. 11 17th Assy., reg. sess. 280 p.
1793 Aug. 27-Sept. 5 17th Assy., ext. sess. 281-308 p.
DLC

Unit 4

1793 Dec. 3-Apr. 22 18th Assy., reg. sess. 252, 18 p.
Journal of the Court of Impeachment, Jan. 8-Apr. 11
18 p.
1794 Sept. 1-23 18th Assy., ext. sess. 253-304 p.
PPL

Unit 5

1794 Dec. 2-Apr. 20 19th Assy. 289, 19 p. DLC

Unit 6

1795 Dec. 1-Apr. 4 20th Assy. 249, 19, 12 p. DLC

A.1a Reel 2

Unit 1

1796 Dec. 6-Apr. 5 21st Assy., reg. sess. 300 p.
1797 Aug. 28-29 21st Assy., ext. sess. 301-319, 12, 19 p.
DLC

Unit 2

1797 Dec. 5-Apr. 5 22d Assy. 278, 19, 62 p.
1798 Dec. 4-Apr. 11 23d Assy. 371, 8, 61, 17 p.
DLC

Unit 3

1799 Dec. 3-Mar. 17 24th Assy. 201, 19, 59 p. DLC

General Assembly

Votes and Proceedings of the House of Representatives

A.1b Reel 1a

Unit 1

1682 Dec. 4-1707 June v.1: xxxviii, 164, xxix p., 1 l., viii, 187 p. (Franklin Reprint, 1752) DLC

Unit 2

1707 Oct. 14-1726 June 6 v.2: 1 p.l., 494 p. (Franklin Reprint, 1753) DLC

A.1b Reel 1b

Unit 1

1682 Dec. 4-1701 Sept. 15 51-259 p. MS. (Incomplete)
Prefixed: A collection of charters and other publick acts... Philadelphia, 1740. 46 p. PHi

Unit 2

1724 Oct. 14-16 3 p.
1724/25 Jan. 4-16 3-12 p.
1724/25* Feb. 1-13 31 p.
1724/25* Mar. 1-6 31-34 p.
1724/25* Mar. 15-20 35-42 p.
1724 Oct. 14-16 i-ii p.
1724/25 Jan. 4-16 ii-vi p.

PENNSYLVANIA-Continued

1724-25 Feb. 1-13 p. vi, 31 p.
1724/25 Mar. 1-6 31-34 p.
1724/25 Mar. 15-20 35-42 p.
1725 Aug. 9-14 (Not found)
1725* Oct. 14-Nov. 27 9 p.
1725* Dec. 6-10 9-11 p.
1725/26* Jan. 10-22 13-20 p.
1725/26* Feb. 14-Mar. 5 21-34 p.
1725* May 30-June 4 35-42 p.
1725* Aug. 1-6 43-50 p.

PHi *PPAmP

Unit 3

1726 Oct. 14-15 2 p.
1726 Nov. 21-26 2-9 p.
1726 Dec. 6-10 9-12 p.
1727 Mar. 27-Apr. 1 12-26 p.
1727 Apr. 24-May 6 17-30 p.
1727 Aug. 7-26 31-38 p.
1727 Oct. 14-17 3 p.
1727/28 Jan. 22-27 3-8 p.
1728 Apr. 15-20 9-15 p.
1728 May 14-18 15-22 p.
1728 Aug. 5-17 (Not found)
1728 Oct. 14-17 3 p.
1728 Dec. 16-21 3-10 p.
1728 Dec. 30-Jan. 4 10-13 p.
1728/29 Feb. 3-22 13-24 p.
1728/29 Mar. 24-Apr. 5 25-38 p.
1729 Apr. 28-May 10 39-52 p.
1729 Aug. 7-12 53-54 p.
1729 Aug. 20-23 54-60 p.
1729 Oct. 14-17 5 p.
1729/30 Jan. 12-Feb. 14 5-38 p.
1730 Aug. 20-23 (Not found)
1730 Oct. 14-17 (Not found)
1730/31 Jan. 4-20 (Not found)
1730/31 Jan. 20-Feb. 6 27-60 p.
1731 Aug. 2-13 61-80 p.
1731 Oct. 14-15 [3]-5 p.
1731 Nov. 22-27 7-14 p.
1731/32 Jan. 10-20 15-22 p.
1732 July 31-Aug. 15 23-34 p.

PHi

Unit 4

1732 Oct. 14-17 6 p.
1732-33 Mar. 19-24 7-14 p.
1733 Aug. 6-11 (Not found)
1733 Oct. 14-17 (Not found)
1733 Dec. 17-22 7-16 p.
1733 Dec. 26-Jan. 19 17-50 p.
1734 Aug. 12-17 51-61 p.

PENNSYLVANIA-Continued

1734 Oct. 14-18 10 p.
1734/35 Jan. 13-25 11-21 p.
1734/35 Mar. 17-29 23-30 p. (Incomplete)
1735 June 16-24 (Not found)
1735 Sept. 15-20 (Not found)
1735 Oct. 14-15 (Not found)
1735/36 Jan. 12-Feb. 20 (Not found)
1736 Aug. 9-14 (Not found)
1736 Oct. 14-16 (Not found)
1736 Dec. 6-11 (Not found)
1737 May 2-4 (Not found)
1737 Aug. 8-13 (Not found)
1737 Oct. 14-15 4 p.
1738 Aug. 7-Sept. 2 5-36 p.
1738 Oct. 14-20 10 p.
1738/39 Jan. 1-24 11-34 p.
1739 May 1-19 35-49 p.
1739 Aug. 6-11 51-60, [2] p.
1739 Oct. 15-18 8 p.
1739 Nov. 19-28 9-19 p.
1739 Dec. 31-Jan. 26 21-46 p.
1739/40 Mar. 27-28 47-48 p.
1740 May 5-15 48-71 p.
1740 July 2-11 73-81 p.
1740 July 28-Aug. 9 83-110 p.
1740 Aug. 25-Sept. 3 112-131, [1] p.

PHi

Unit 5

1740 Oct. 14-16 5 p.
1740/41 Jan. 5-8 6-10 p.
1741 Apr. 20-21 p. 11.
1741 May 25-June 6 12-23 p.
1741 Aug. 10-22 25-33 p.
1741 Sept. 22 p. 33, [1].
1741 Oct. 14-22 11 p.
1741/42 Jan. 4-16 13-34 p.
1742 May 17-29 35-58 p.
1742 Aug. 16-28 59-92 p.
1742* Oct. 14-Nov. 6 19 p.
1742/43* Jan. 3-Feb. 3 21-50 p.
1743* May 2-4 51-52 p.
1743* Aug. 1-13 53-73 p.
Appendix: Examinations and dispositions on the riot. 75-114 p.
1743*** Oct. 14-15 6 p.
1743*** Nov. 14-Dec. 8 7-22 p.
1744*** May 7-26 23-29 p.
1744*** July 30-Aug. 11 41-54 p.
1744** Oct. 15-19 1-9 p.

PENNSYLVANIA-Continued

1744** Aug. 21-24 Council journal. 11-16 p.
1744/45** Jan. 7-10 17-19 p.
1744/45** Feb. 25-28 21-24 p.
1745** Apr. 22-26 25-30 p.
1745** June 3-6 31-34 p.
1745** July 22-24 35-39 p.
1745** Aug. 19-23 41-47 p.
1745** Sept. 4-7 49-54 p.
1745 Oct. 14-15 5 p.
1745/46 Jan. 6-Feb. 5 7-25 p.
1745/46 Feb. 24-Mar. 7 27-34 p.
1746 May 19-21 35-38 p.
1746 June 9-24 39-50 p.
1746 Aug. 18-23 51-59 p.
1746 Oct. 14-17 7 p.
1746-47 Jan. 5-14 9-14 p.
1747 Mar. 4-9 15-22 p.
1747 Aug. 17-26 23-36, [1] p.
1747**** Oct. 14-17 8 p.
1747**** Nov. 23-28 9-15 p.
1747/48**** Jan. 4-9 17-21 p.
1748**** May 16-21 23-30 p.
1748**** June 8-11 31-36 p.
1748**** Aug. 22-Sept. 3 37-55, [1] p.
1748**** Oct. 14-15 6 p.
1748**** Nov. 7-12 7-11 p.
1748/49**** Jan. 2-Feb. 4 13-35 p.
1749**** Aug. 7-19 37-57, [1] p.
1749**** Oct. 14-18 20 p.
1749**** Nov. 20-25 21-30 p.
1749/50**** Jan. 1-27 31-51 p.
1750**** Aug. 6-18 53-77, [1] p.
1750**** Oct. 14-20 13 p.
1750/51**** Jan. 7-Feb. 9 15-62 p.
1751**** May 6-11 63-71 p.
1751**** Aug. 6-24 73-94, [2] p.
1751**** Oct. 14-16 7 p.
1752**** Feb. 3-11 9-41 p.
1752**** Aug. 10-22 43-62 p.

PHi *PU-Curtis-**1 ***NN ****P

A.1b Reel 2

Unit 1

1752 Oct. 14-17 7 p.
1753 Jan. 15-27 9-16 p.
1753 May 21-June 1 17-26 p.
1753 Aug. 27-Sept. 11 27-52 p.
1753 Oct. 15-17 6 p.
1754 Feb. 4-Mar. 9 7-42 p.
1754 Apr. 2-13 43-51 p.

PENNSYLVANIA-Continued

1754 May 6-18 53-66 p.
1754 Aug. 6-17 67-78, [1] p.
1754 Oct. 14-19 12 p.
1754 Dec. 2-Jan. 9 13-68 p.
1755 Mar. 17-Apr. 9 69-88 p.
1755 May 12-17 89-97 p.
1755 June 13-28 99-112 p.
1755 July 23-Aug. 22 113-157 p.
1755 Sept. 15-30 159-187, [1] p.
1755 Oct. 14-18 7 p.
1755 Nov. 3-Dec. 3 9-54 p.
1756 Feb. 3-Mar. 17 55-75 p.
1756 Apr. 5-16 77-87 p.
1756 May 10-14 89-93 p.
1756 May 24-June 4 95-101 p.
1756 June 28-July 5 103-116 p.
1756 July 19-22 117-126 p.
1756 Aug. 16-Sept. 24 127-174, iii, 4, 4 p.

PPL

Unit 2

1756 Oct. 14-Nov. 4 27 p.
1756 Nov. 22-Dec. 24 29-59 p.
1757 Jan. 3-Apr. 9 61-110 p.
1757 May 30-June 25 111-135 p.
1757 Aug. 8-Sept. 3 137-149 p.
1757 Sept. 12-30 149-168, [1], 12 p.
1757 Oct. 14-21 8 p.
1758 Jan. 2-Apr. 8 9-76 p.
1758 Apr. 18-May 3 76-94 p.
1758 Sept. 4-30 95-122 p.
1758 Oct. 14-16 4 p.
1758 Nov. 15-Dec. 6 5-16 p.
1758 Dec. 20-23 17-22 p.
1759 Feb. 5-7 23-25 p.
1759 Feb. 26-Apr. 21 25-67 p.
1759 May 21-June 20 69-87 p.
1759 July 2-7 89-92 p.
1759 Aug. 29-Sept. 1 93-96 p.
1759 Sept. 10-30 96-111, [1] p.

PPL

Unit 3

1759 Oct. 15-20 8 p.
1759 Nov. 19-Dec. 8 9-18 p.
1760 Feb. 11-Apr. 12 19-46 p.
1760 Sept. 8-27 47-58, [1] p.
1760 Oct. 14-18 9 p.
1761 Jan. 5-9 11-15 p.
1761 Jan. 26-Mar. 14 15-45 p.
1761 Apr. 2-23 47-64 p.
1761 Sept. 7-26 65-80 p.

PENNSYLVANIA-Continued

1761 Oct. 14-17 6 p.
1762 Jan. 4-Feb. 17 7-26 p.
1762 Mar. 8-25 26-40 p.
1762 May 3-14 41-52 p.
1762 Sept. 6-7 p. 53.
1762 Sept. 20-25 53-58, [1] p.
PPL

Unit 4

1762 Oct. 14-16 6 p.
1763 Jan. 10-Mar. 4 7-36 p.
1763 Mar. 28-Apr. 2 37-42 p.
1763 July 4-8 43-48 p.
1763 Sept. 12-30 49-67, [1] p.
1763 Oct. 14-22 10 p.
1763 Dec. 19-24 11-18 p.
1764 Jan. 2-Mar. 24 18-74 p.
1764 May 14-30 75-91 p.
1764 Sept. 10-22 93-113 p.
1764 Oct. 15-26 16 p.
1765 Jan. 7-Feb. 15 17-47 p.
1765 May 13-18 49-58 p.
1765 Sept. 9-21 59-72, [1] p.
PPL

A.1b Reel 3

Unit 1

1765 Oct. 14-17 8 p.
1766 Jan. 6-Feb. 8 9-41 p.
1766 May 5-9 43-52 p.
1766 June 2-6 52-58 p.
1766 Sept. 8-20 59-79, [1] p.
1766 Oct. 14-18 10 p.
1767 Jan. 5-Feb. 21 11-49 p.
1767 May 4-20 50-62 p.
1767 Sept. 14-26 63-86 p.
1767 Oct. 14-17 10 p.
1768 Jan. 4-Feb. 20 11-78 p.
1768 May 10-11 79-83 p.
1768 Sept. 12-24 85-137 p.
PPL

Unit 2

1768* Oct. 14-15 6 p.
1769* Jan. 2-Feb. 18 7-57 p.
1769* May 8-27 59-75 p.
1769* Sept. 18-30 77-109 p.
1769* Oct. 14-17 [111]-116 p.
1770 Jan. 1-Feb. 24 117-163 p.
1770 May 14-16 165-169 p.
1770 Sept. 17-29 171-201 p.
1770 Oct. 15-19 [203]-211 p.
1771 Jan. 7-Mar. 9 213-263 p.

PENNSYLVANIA-Continued

1771 Sept. 16-25 265-300 p.

PPL *P

Unit 3

1771 Oct. 14-19 [301]-310 p.
1772 Jan. 6-Mar. 21 311-383 p.
1772 May 18-19 385-387 p.
1772 Sept. 14-19 389-412 p.
1772 Oct. 14-16 [413]-420 p.
1773 Jan. 4-Feb. 26 421-463 p.
1773 Sept. 20-28 465-498 p.
1773 Oct. 14-16 499-509 p.
1773 Nov. 29-Jan. 22 511-542 p.
1774 July 18-23 543-554 p.
1774 Sept. 19-29 555-578 p.

PPL

Unit 4

1774 Oct. 14-21 [579]-588 p.
1774 Dec. 5-24 589-606 p.
1775 Feb. 20-Mar. 18 607-632 p.
1775 May 1-13 633-642 p.
1775 June 19-30 643-652 p.
1775 Sept. 18-30 653-682 p.
1775* Feb. 20-Mar. 18 75-97 p.
1775* May 1-13 99-106 p.
1775* June 19-30 107-114 p.
1775* Sept. 18-30 115-123 p.
1775* Oct. 14-Nov. 25 125-172 p.
1776* Feb. 12-Apr. 6 173-244 p.
1776* May 20-June 15 245-265 p.
1776** Aug. 26-28 p. 743. (Franklin Reprint)
1776** Sept. 23-26 744-766, [1] p. (Franklin Reprint)

PPL *PHi **DLC

A.1b Reel 4

Unit 1

1790 Dec. 7-Apr. 13 15th Assy., reg. sess. xii, 433 p.
1791 Aug. 23-Sept. 30 15th Assy., ext. sess. [435]-573, 20, 5 p.

DLC

Unit 2

1791 Dec. 6-Apr. 10 16th Assy. 327, [37] p. DLC

Unit 3

1792 Dec. 4-Apr. 11 17th Assy., reg. sess. 386, [36] p.
1793 Aug. 27-Sept. 5 17th Assy., ext. sess. 35, [187] p.

DLC

PENNSYLVANIA-Continued

Unit 4

1793 Dec. 8-Apr. 22 18th Assy., reg. sess. 417, [37] p.
1794* Sept. 1-23 18th Assy., ext. sess. 65 p.
DLC *P

A.1b Reel 5

Unit 1

1794 Dec. 2-Apr. 20 19th Assy. 433, 8, 18 p.
DLC

Unit 2

1795 Dec. 1-Apr. 4 20th Assy. 487, 19, 11 p.
DLC

Unit 3

1796 Dec. 6-Apr. 5 21st Assy., reg. sess. 1 p.l., 440, 10, 16 p. DLC

A.1b Reel 6

Unit 1

1798 Dec. 4-Apr. 11 23d Assy. 1 p.l., 488, 61, 17, 8, [18] p. P

Unit 2

1799 Dec. 3-Mar. 17 24th Assy. 439, 59, 18 p. P

Unit 3

1800 Nov. 5-Feb. 27 25th Assy. 1 p.l., 474, 67, 21, 6 p. P

General Assembly

Minutes

A.1c Reel 1

Unit 1

1776 Nov. 28-Mar. 21 1st Assy., 1st sit. 56 p.
1777 May 12-June 19 1st Assy., 2d sit. [57]-83 p.
1777 Sept. 3-Oct. 13 1st Assy., 3d sit. [85]-100 p.
1777 Oct. 27-Jan. 2 2d Assy., 1st sit. 41 p.
1778 Feb. 18-Apr. 21 2d Assy., 2d sit. [43]-76 p.
1778 May 13-25 2d Assy., 3d sit. [77]-86 p.
1778 Aug. 4-Sept. 11 2d Assy., 4th sit. [87]-116 p.
1778 Oct. 26-Dec. 5 3d Assy., 1st sit. 34 p.
1779 Feb. 1-Apr. 5 3d Assy., 2d sit. 35-118 p.
1779 Aug. 30-Oct. 10 3d Assy., 3d sit. 118-154 p.
PPL

Unit 2

1779 Oct. 25-Nov. 27 4th Assy., 1st sit. [154]-179 p.
1780 Jan. 19-Mar. 25 4th Assy., 2d sit. [180]-235 p.
1780 May 10-June 1 4th Assy., 3d sit. [236]-251 p.
1780 Sept. 1-23 4th Assy., 4th sit. [266]-298 p.
1780 Oct. 23-Dec. 23 5th Assy., 1st sit. [301]-357, 41 p.
1781 Feb. 6-Apr. 10 5th Assy., 2d sit. [359]-434 p.
1781 May 24-June 26 5th Assy., 3d sit. [435]-473 p.

PENNSYLVANIA-Continued

1781 Sept. 4-Oct. 2 5th Assy., 4th sit. [475]-496 p.
1781 Oct. 22-Dec. 28 6th Assy., 1st sit. [497]-562 p.
1782 Feb. 11-Apr. 16 6th Assy., 2d sit. [563]-650 p.
1782 Aug. 1-Sept. 20 6th Assy., 3d sit. [651]-712 p.

PPL

Unit 3

1782 Oct. 28-Dec. 4 7th Assy., 1st sit. [713]-780 p.
1783 Jan. 15-Mar. 22 7th Assy., 2d sit. [781]-883 p.
1783 Aug. 14-Sept. 26 7th Assy., 3d sit. [1], 884-968 p.
1783 Oct. 27-Dec. 9 8th Assy., 1st sit. 82 p.
1784 Jan. 13-Apr. 1 8th Assy., 2d sit. [83]-252 p.
1784 July 20-Sept. 29 8th Assy., 3d sit. [253]-361, 3 p.

P

A.1a Reel 2

Unit 1

1784 Oct. 25-Dec. 24 9th Assy., 1st sit. 103 p.
1785 Feb. 1-Apr. 8 9th Assy., 2d sit. [105]-328 p.
1785 Aug. 23-Sept. 23 9th Assy., 3d sit. 329-402 p.
1785 Oct. 24-Dec. 22 10th Assy., 1st sit. 159 p.

P

Unit 2

1786 Feb. 25-Apr. 8 10th Assy., 2d sit. [161]-272 p.
1786 Aug. 22-Sept. 27 10th Assy., 3d sit. [273]-336, 2 p.

P

Unit 3

1786 Oct. 23-Dec. 30 11th Assy., 1st sit. 114 p.
1787 Feb. 20-Mar. 29 11th Assy., 2d sit. [115]-198 p.
1787 Sept. 4-29 11th Assy., 3d sit. [199]-250 p.
1787 Oct. 22-Nov. 29 12th Assy., 1st sit. 97 p.
1788 Feb. 19-Mar. 29 12th Assy., 2d sit. [99]-199 p.
1788 Sept. 2-Oct. 4 12th Assy., 3d sit. [201]-280 p.

P

Unit 4

1788 Oct. 27-Nov. 22 13th Assy., 1st sit. 49 p.
1789 Feb. 3-Mar. 28 13th Assy., 2d sit. [51]-205 p.
1789 Aug. 18-Sept. 30 13th Assy., 3d sit. [207]-306 p.
1789 Oct. 26-Dec. 9 14th Assy., 1st sit. 113, 1 p.
1790 Feb. 2-Apr. 6 14th Assy., 2d sit. [115]-281 p.
1790 Aug. 24-Sept. 3 14th Assy., 3d sit. [283]-302 p.

P

RHODE ISLAND

General Assembly

Journal of the House of Magistrates

A.1a Reel 1

Unit 1

1733 May 1-4 Reg. sess. [9] p.
1733 June 11-16 Adj. sess. [4] p.
1733 July 2-10 Adj. sess. [6] p.
1733 Oct. 31-Nov. 3 Reg. sess. [5] p.
1733 Dec. 3-8 Adj. sess. [4] p.
1733/4 Feb. 4-8 Adj. sess. [4] p.
1734 Apr. 30-May 4 Reg. sess. [8] p.
1734 June 17-22 Adj. sess. [9] p.
1734 Aug. 21 No quorum. [2] p.
1734 Oct. 30-Nov. 7 Reg. sess. [7] p.
1734/5 Feb. 18-21 Adj. sess. [3] p.
1735 May 6-9 Reg. sess. [8] p.
1735 June 16-20 Adj. sess. [5] p.
1735 Aug. 18-21 Adj. sess. [4] p.
1735 Oct. 29-Nov. 1 Reg. sess. [5] p.
1735/6 Feb. 17-21 Adj. sess. [5] p.
1736 May 4-7 Reg. sess. [8] p.
1736 June 14-17 Adj. sess. [6] p.
1736 Aug. 23-24 No quorum. [1] p.
1736 Oct. 27-Nov. 3 Reg. sess. [7] p.
1736/7 Feb. 15-23 Adj. sess. [8] p.
1737 May 3-7 Reg. sess. [7] p.
1737 June 13-23 Adj. sess. [8] p.
1737 Aug. 23-24 No quorum. [1] p.
1737 Oct. 26-29 Reg. sess. [4] p.
1737 Nov. 22-Dec. 1 Adj. sess. [8] p.
1737/8 Feb. 14 Adj. sess. [3] p.
1738 May 2-5 Reg. sess. [5] p.
1738 June 13-17 Adj. sess. [8] p.
1738 July 5-6 Call. sess. [2] p.
1738 Aug. 22-26 Adj. sess. [4] p.
In 1 vol. MS.

R-Ar

Unit 2

1738 Oct. 25-28 Reg. sess. [3] p.
1738 Dec. 19-22 Adj. sess. [4] p.
1738/9 Feb. 20-23 Adj. sess. [4] p.
1739 May 1-5 Reg. sess. [7] p.
1739 June 12-26 Adj. sess. [1] p.
1739 July 10-13 Call. sess. [4] p.
1739 Aug. 21-25 Adj. sess. [5] p.
1739 Oct. 31-Nov. 3 Reg. sess. [4] p.
1739/40 Jan. 8-12 Adj. sess. [5] p.
1739/40 Feb. 26-Mar. 1 Adj. sess.
(Not found)
In 1 vol. MS.

R-Ar

RHODE ISLAND-Continued

Unit 3

1740 May 6-9 Reg. sess. [5] p.
1740 June 17-20 Adj. sess. [5] p.
1740 July 15-16 Call. sess. [3] p.
1740 Aug. 18-20 Adj. sess. [6] p.
1740 Sept. 16-20 Adj. sess. [4] p.
1740 Oct. 29-31 Reg. sess. [3] p.
1740 Dec. 2-5 Call. sess. [3] p.
1740/1 Jan. 27-30 Adj. sess. [5] p.
1741 Apr. 1-7 Adj. sess. [4] p.
1741 May 5-9 Reg. sess. [6] p.
1741 June 22-25 Adj. sess. [4] p.
1741 Aug. 18-21 Adj. sess. [4] p.
1741 Oct. 6-8 Adj. sess. [2] p.
1741 Oct. 28-31 Reg. sess. [3] p.
1741/2 Feb. 1-6 Adj. sess. [5] p.
1742 May 4-8 Reg. sess. [8] p.
1742 June 21-25 Adj. sess. [6] p.
1742 Sept. 14-18 Adj. sess. [5] p.
1742 Oct. 27-30 Reg. sess. [4] p.
1742 Nov. 23-26 Adj. sess. [3] p.
1742/3 Mar. 7-8 Adj. sess. [4] p.
1743 May 3-7 Reg. sess. [7] p.
1743 June 13-18 Adj. sess. [5] p.
1743 Aug. 23-26 Adj. sess. [4] p.
1743 Sept. 27-Oct. 1 Adj. sess. [4] p.
1743 Oct. 26-29 Reg. sess. [4] p.
1743/4 Feb. 14-18 Adj. sess. [7] p.
1744 May 1-5 Reg. sess. [8] p.
1744 May 21-26 Adj. sess. [3] p.
1744 June 19-22 Call. sess. [3] p.
1744 Aug. 21-25 Adj. sess. [5] p.
1744 Sept. 18-22 Adj. sess. [3] p.
1744 Oct. 31-Nov. 3 Reg. sess. [4] p.
1744 Nov. 28-29 Call. sess. [4] p.
1744/5 Feb. 5-8 Call. sess. (Not found)
1744/5 Mar. 4-9 Adj. sess. (Not found)
1745 Apr. 30-May 2 Reg. sess. [9] p.
1745 May 28-June 1 Adj. sess. [6] p.
1745 June 18-29 Adj. sess. [8] p.
1745 Aug. 20-24 Adj. sess. [5] p.
1745 Sept. 24-28 Adj. sess. [4] p.
1745 Oct. 30-Nov. 2 Reg. sess. [4] p.
1745/6 Feb. 10-15 Adj. sess. (Not found)
1746 May 6-8, 14-17 Reg. sess. [14] p.
In 1 vol. MS.

R-Ar

Unit 4

1746 June 2-6 Call. sess. [3] p.
1746 June 12-14 Call. sess. [3] p.

RHODE ISLAND-Continued

1746 June 24-27 Adj. sess. [5] p.
1746 July 8-12 Adj. sess. [5] p.
1746 Aug. 19-23 Adj. sess. [4] p.
1746 Sept. 29-Oct. 3 Call. sess. [2] p.
1746 Oct. 21-23 Call. sess. [3] p.
1746 Oct. 29-31 Reg. sess. [3] p.
1746 Nov. 11-14 Call. sess. (Not found)
1746/7 Jan. 6-12 Adj. sess. (Not found)
1746/7 Jan. 27-30 Call. sess. (Not found)
1746/7 Feb. 17-20 Call. sess. (Not found)
In 1 vol. MS.

R-Ar

Unit 5

1747 May 5-8 Reg. sess. [12] p.
1747 June 9-13 Adj. sess. [4] p.
1747 Aug. 18-22 Adj. sess. [6] p.
1747 Aug. 31-Sept. 5 Adj. sess. [5] p.
1748 May 3-7 Reg. sess. [8] p.
1748 June 13-18 Adj. sess. [10] p.
1748 Aug. 22-27 Adj. sess. [7] p.
1749 May 2-5 Reg. sess. [12] p.
1749 June 12-16 Adj. sess. [7] p.
1749 Aug. 21-25 Adj. sess. [6] p.
1750 May 1-5 Reg. sess. [10] p.
1750 June 11-15 Adj. sess. [7] p.
1750 Aug. 20-25 Adj. sess. [7] p.
1751 Apr. 30-May 3 Reg. sess. [10] p.
1751 June 10-20 Adj. sess. [10] p.
1751 Aug. 19-23 Adj. sess. [4] p.
1752 May 5-8 Reg. sess. [11] p.
1752 June 1-5 Call. sess. [7] p.
1752 Aug. 17-21 Adj. sess. [7] p.
1753 May 1-4 Reg. sess. [11] p.
1753 June 11-15 Adj. sess. [7] p.
1753 Aug. 20-24 Adj. sess. [9] p.
1754 Apr. 30-May 4 Reg. sess. [18] p.
1754 June 10-15 Adj. sess. [16] p.
1754 Aug. 19-23 Adj. sess. [11] p.
1755 May 6-10 Reg. sess. [15] p.
1755 June 9-14 Adj. sess. [7] p.
1755 Aug. 11-16 Call. sess. [8] p.
1755 Sept. 8-11 Call. sess. [4] p.
In 1 vol. MS.

R-Ar

Unit 6

1747 Oct. 28-31 Reg. sess. [4] p.
1747/8 Feb. 28-Mar. 3 Adj. sess. [10] p.
1748 Oct. 26-Nov. 2 Reg. sess. [9] p.
1748/9 Jan. 3-5 Call. sess. [4] p.
1748/9 Feb. 27-Mar. 3 Adj. sess. [11] p.
1749 Oct. 25-28 Reg. sess. [5] p.

RHODE ISLAND-Continued

1749/50 Feb. 27-Mar. 3 Adj. sess. [11] p.
1750 Oct. 31-Nov. 3 Reg. sess. [8] p.
1750 Dec. 3-8 Adj. sess. [10] p.
1750/1 Mar. 18-23 Adj. sess. [14] p.
1751 Oct. 30-Nov. 2 Reg. sess. [7] p.
1752 Feb. 25-29 Adj. sess. [12] p.
1752 Oct. 25-27 Reg. sess. [9] p.
1753 Feb. 28-Mar. 3 Adj. sess. [11] p.
1753 Oct. 31-Nov. 3 Reg. sess. [7] p.
1754 Feb. 25-Mar. 1 Adj. sess. [11] p.
In 1 vol. MS.

R-Ar

Unit 7

1754 Oct. 30-Nov. 2 Reg. sess. (Not found)
1755 Jan. 1-4 Call. sess. [5] p.
1755 Feb. 2-8 Adj. sess. [13] p.
1755 Mar. 6-8 Call. sess. [6] p.
1755 Oct. 29-Nov. 1 Reg. sess. [11] p.
1755 Dec. 22-24 Call. sess. [6] p.
1756 Feb. 23-28 Adj. sess. [22] p.
1756 Oct. 27-30 Reg. sess. [10] p.
1756 Nov. 15-20 Adj. sess. [14] p.
1757 Jan. 10-15 Call. sess. [19] p.
1757 Jan. 26-27 Call. sess. [3] p.
1757 Feb. 1-11 Call. sess. [20] p.
1757 Mar. 14-19 Adj. sess. [6] p.
In 1 vol. MS.

R-Ar

Unit 8

1757 Oct. 26-29 Reg. sess. [17] p.
1758 Feb. 14-16 Call. sess. [10] p.
1758 Mar. 13-18 Adj. sess. [20] p.
1758 Oct. 25-28 Reg. sess. [9] p.
1758 Dec. 18-23 Call. sess. [23] p.
1759 Feb. 26-Mar. 6 Adj. sess. [28] p.
1759 Aug. 20-25 Adj. sess. [32] p.
In 1 vol. MS.

R-Ar

Unit 9

1759 Oct. 31-Nov. 3 Reg. sess. [21] p.
1760 Feb. 25-Mar. 1 Adj. sess. [24] p.
1760 Oct. 29-Nov. 1 Reg. sess. [15] p.
1760 Dec. 31-Jan. 2 Call. sess. (Not found)
1761 Feb. 23-28 Adj. sess. [17] p.
1761 Mar. 30-Apr. 3 Call. sess. [8] p.
In 1 vol. MS.

R-Ar

RHODE ISLAND-Continued

A.1a Reel 2

Unit 1

1756 May 4-8 Reg. sess. [13] p.
1756 June 8-11 Adj. sess. [8] p.
1756 June 22-26 Call. sess. [6] p.
1756 Aug. 23-28 Adj. sess. [9] p.
1756 Sept. 6-10 Adj. sess. [10] p.
1756 Oct. 14-17 Call. sess. [5] p.
1757 May 3-8 Reg. sess. [12] p.
1757 June 13-18 Adj. sess. [10] p.
1757 Aug. 10-13 Call. sess. [4] p.
1757 Sept. 19-24 Adj. sess. [10] p.
1758 May 2-8 Reg. sess. [16] p.
1758 June 12-17 Adj. sess. [20] p.
1758 Aug. 21-26 Adj. sess. [13] p.
1759 May 1-5 Reg. sess. [13] p.
1759 June 11-16 Adj. sess. [13] p.
1760 May 6-10 Reg. sess. [14] p.
1760 June 9-14 Adj. sess. [10] p.
1760 Aug. 18-23 Adj. sess. [9] p.
1761 May 6-16 Reg. sess. [19] p.
1761 June 8-12 Adj. sess. [12] p.
1761 June 22-26 Adj. sess. [8] p.
1761 Sept. 7-12 Adj. sess. [4] p.
1761 Oct. 12-17 Adj. sess. [5] p.
1761 Oct. 28-31 Reg. sess. [6] p.
1762 Feb. 22-27 Adj. sess. [9] p.
1762 Mar. 23-25 Call. sess. [7] p.
1762 May 4-5 Reg. sess. [7] p.
In 1 vol. MS.

R-Ar

Unit 2

1762 May 4-7 Reg. sess. [6] p.
1762 June 14-19 Adj. sess. [13] p.
1762 Aug. 23-28 Adj. sess. [9] p.
1762 Sept. 21-25 Adj. sess. [8] p.
1762 Oct. 27-30 Reg. sess. [7] p.
1763 Feb. 28-Mar. 5 Adj. sess. [9] p.
1763 May 3-7 Reg. sess. [10] p.
1763 June 13-18 Adj. sess. [10] p.
1763 Aug. 1-6 Adj. sess. [13] p.
1763 Oct. 26-29 Reg. sess. [7] p.
1764 Jan. 24-27 Call. sess. [2] p.
1764 Feb. 27-Mar. 3 Adj. sess. [9] p.
1764 May 2-5 Reg. sess. [7] p.
1764 June 11-16 Adj. sess. [8] p.
1764 July 30-Aug. 1 Call. sess. [4] p.
1764 Sept. 10-15 Adj. sess. [6] p.
1764 Oct. 31-Nov. 3 Reg. sess. [8] p.

RHODE ISLAND-Continued

1764 Nov. 27-30 Adj. sess. [7] p.
1765 Feb. 25-Mar. 2 Adj. sess. [11] p.
1765 May 1-4 Reg. sess. [9] p.
1765 June 10-15 Adj. sess. [12] p.
1765 Sept. 9-14 Adj. sess. [9] p.
1765 Oct. 30-Nov. 2 Reg. sess. [4] p.
1766 Feb. 24-Mar. 1 Adj. sess. [8] p.
1766 May 7-9 Reg. sess. [13] p.
1766 June 6-10 Adj. sess. [10] p.
1766 Sept. 8-13 Adj. sess. [6] p.
1766 Oct. 29-Nov. 1 Reg. sess. [6] p.
1766 Dec. 1-5 Adj. sess. [3] p.
1767 Feb. 23-28 Adj. sess. [6] p.
1767 May 6-9 Reg. sess. [8] p.
1767 June 8-13 Adj. sess. [9] p.
1767 June 29-July 3 Adj. sess. [14] p.
1767 Aug. 31-Sept. 5 Adj. sess. [4] p.
In 1 vol. MS.

R-Ar

Unit 3

1767 Oct. 28-31 Reg. sess. [11] p.
1768 Feb. 29-Mar. 5 Adj. sess. [14] p.
1768 May 4-7 Reg. sess. [15] p.
1768 June 13-18 Adj. sess. [19] p.
1768 Sept. 12-17 Adj. sess. [19] p.
1768 Oct. 26-29 Reg. sess. [9] p.
1769 Feb. 27-Mar. 4 Adj. sess. [14] p.
1769 May 3-6 Reg. sess. [18] p.
1769 June 12-17 Adj. sess. [20] p.
1769 Sept. 11-16 Adj. sess. [10] p.
1769 Oct. 25-28 Reg. sess. [12] p.
1770 Feb. 26-Mar. 3 Adj. sess. [12] p.
1770 May 2-5 Reg. sess. [17] p.
1770 June 11-16 Adj. sess. [14] p.
1770 Sept. 10-15 Adj. sess. [12] p.
1770 Oct. 31-Nov. 10 Reg. sess. [12] p.
1771 May 1-4 Reg. sess. [17] p.
In 1 vol. MS.

R-Ar

Unit 4

1771 June 10-15 Adj. sess. [9] p.
1771 Aug. 19-23 Adj. sess. [5] p.
1771 Oct. 30-Nov. 2 Reg. sess. [5] p.
1772 May 6-9 Reg. sess. [11] p.
1772 Aug. 17-21 Adj. sess. [6] p.
1772 Oct. 28-31 Reg. sess. [4] p.
1772 Dec. 14-19 Adj. sess. [3] p.
1773 Jan. 11-13 Adj. sess. [2] p.
1773 May 5-8 Reg. sess. [9] p.
1773 Aug. 16-21 Adj. sess. [7] p.

RHODE ISLAND-Continued

1773 Oct. 27-30 Reg. sess. [4] p.
1774 May 4-6 Reg. sess. [10] p.
1774 June 13-18 Adj. sess. [6] p.
1774 Aug. 22-27 Adj. sess. [10] p.
1774 Oct. 26-29 Reg. sess. [4] p.
1774 Dec. 5-10 Call. sess. [4] p.
1775 Apr. 22-25 Call. sess. [3] p.
1775 May 3-7 Reg. sess. [9] p.
1775 June 12-17 Adj. sess. [15] p.
1775 June 28-30 Call. sess. [4] p.
1775 Aug. 21-26 Adj. sess. [6] p.
1775 Oct. 25- No quorum.
1775 Oct. 31-Nov. 10 Call. sess. [14] p.
1776 Jan. 8-16 Adj. sess. [14] p.
1776 Feb. 26-Mar. 2 Adj. sess. [8] p.
1776 Mar. 18-24 Call. sess. [9] p.
1776 May 1-5 Reg. sess. [17] p.
1776 June 10-17 Adj. sess. [11] p.
1776 July 18-22 Call. sess. [5] p.
In 1 vol. MS.
1776 Aug. 19-24 Adj. sess. [9] p.
1776 Sept. 2-7 Adj. sess. [7] p.
1776 Oct. 28-Nov. 2 Reg. sess. [12] p.
1776 Nov. 21-24 Call. sess. [6] p.
1776 Dec. 10-15 Call. sess. [6] p.
1776 Dec. 23-Jan. 2 Adj. sess. [16] p.
1777 Feb. 3-10 Adj. sess. [15] p.
1777 Mar. 3-9 Adj. sess. [9] p.
1777 Mar. 24-30 Adj. sess. [10] p.
1777 Apr. 17-21 Adj. sess. [8] p.
1777 May 7-10 Reg. sess. [12] p.
1777 May 19-28 Adj. sess. [15] p.
1777 June 16-22 Adj. sess. [13] p.
1777 July 7-9 Call. sess. [5] p.
1777 Aug. 18-23 Adj. sess. [10] p.
In 1 vol. MS.

R-Ar

Unit 5

1777 Sept. 22-24 Adj. sess. [3] p.
1777 Oct. 27-Nov. 2 Reg. sess. [6] p.
1777 Dec. 1-6 Adj. sess. [10] p.
1777 Dec. 19-22 Call. sess. [8] p.
1778 Feb. 9-16 Adj. sess. [11] p.
1778 Mar. 9-13 Adj. sess. [6] p.
1778 May 6-10 Reg. sess. [14] p.
1778 May 28-31 Call. sess. [6] p.
1778 June 29-July 4 Adj. sess. [6] p.
1778 Sept. 2-5 Call. sess. [5] p.
1778 Oct. 26-Nov. 3 Reg. sess. [9] p.
1778 Dec. 28-Jan. 3 Adj. sess. [7] p.
1779 Jan. 19-21 Call. sess. [4] p.

RHODE ISLAND-Continued

1779 Feb. 22-28 Adj. sess. [12] p.
1779 May 5-9 Reg. sess. [12] p.
1779 June 14-19 Adj. sess. [9] p.
1779 Aug. 23-28 Adj. sess. [9] p.
1779 Sept. 13-18 Adj. sess. [7] p.
1779 Oct. 25-30 Reg. sess. [7] p.
1779 Dec. 13-19 Adj. sess. [9] p.
1780 Feb. 28-Mar. 6 Adj. sess. [11] p.
1780 Mar. 23-25 Call. sess. [3] p.
1780 May 3-7 Reg. sess. [16] p.
1780 June 12-18 Adj. sess. [14] p.
1780 July 3-8 Adj. sess. [8] p.
1780 July 17-24 Adj. sess. [12] p.
1780 Sept. 11-18 Adj. sess. [10] p.
1780 Oct. 23-29 Reg. sess. [7] p.
1780 Nov. 27-Dec. 6 Adj. sess. [14] p.
1781 Jan. 17-21 Call. sess. [8] p.
1781 Feb. 26-Mar. 1 Adj. sess. [5] p.
1781 Mar. 19-28 Adj. sess. [18] p.
1781 May 2-5 Reg. sess. [12] p.
1781 May 28-June 3 Adj. sess. [20] p.
1781 July 3-7 Call. sess. [10] p.
1781 Aug. 20-26 Adj. sess. [13] p.
1781 Oct. 29-Nov. 3 Reg. sess. [12] p.
1781 Dec. 10-17 Adj. sess. [13] p.
1782 Jan. 28-Feb. 9 Adj. sess. [21] p.
1782 Feb. 25-Mar. 2 Call. sess. [4] p.
In 1 vol. MS.

R-Ar

A.1a Reel 3

Unit 1

1782 May 1-4 Reg. sess. [10] p.
1782 June 10-15 Adj. sess. [14] p.
1782 Aug. 19-24 Adj. sess. [11] p.
1782 Oct. 28-Nov. 2 Reg. sess. [11] p.
1782 Nov. 25-Dec. 4 Adj. sess. [10] p.
1783 Feb. 24-Mar. 6 Adj. sess. [20] p.
1783 May 7-10 Reg. sess. [16] p.
1783 June 23-28 Adj. sess. [9] p.
1783 Oct. 27-Nov. 1 Reg. sess. [8] p.
1783 Dec. 22-27 Prorog. [7] p.
1784 Feb. 23-28 Adj. sess. [9] p.
1784 May 5-8 Reg. sess. [15] p.
1784 June 28-July 3 Adj. sess. [11] p.
1784 Aug. 23-28 Adj. sess. [7] p.
1784 Oct. 25-30 Reg. sess. [10] p.
1785 Feb. 28-Mar. 5 Adj. sess. [10] p.
1785 May 4-7 Reg. sess. [16] p.
1785 June 27-July 2 Adj. sess. [13] p.
1785 Aug. 22-27 Adj. sess. [8] p.
1785 Oct. 31-Nov. 5 Reg. sess. [11] p.

RHODE ISLAND-Continued

1786 Feb. 27-Mar. 4 Reg. sess. [9] p.
1786 Mar. 13-18 Adj. sess. [10] p.
1786 May 3-6 Reg. sess. [12] p.
1786 June 26-July 1 Adj. sess. [8] p.
1786 Aug. 22-26 Call. sess. [3] p.
1786 Oct. 2-7 Call. sess. [4] p.
1786 Oct. 30-Nov. 4 Reg. sess. [4] p.
1786 Dec. 25-Jan. 6 Adj. sess. [7] p.
1787 Mar. 12-17 Adj. sess. [5] p.
1787 May 2-5 Reg. sess. [8] p.
1787 June 11-16 Adj. sess. [5] p.
1787 Aug. 20 No quorum.
1787 Sept. 10-15 Call. sess. [5] p.
1787 Oct. 29-Nov. 3 Reg. sess. [4] p.
1788 Feb. 25-Mar. 1 Adj. sess. [9] p.
1788 Mar. 31-Apr. 5 Adj. sess. [6] p.
1788 May 7-10 Reg. sess. [11] p.
1788 June 9-14 Adj. sess. [8] p.
1788 Oct. 27-Nov. 1 Reg. sess. [7] p.
1788 Dec. 29-Jan. 3 Adj. sess. [4] p.
1789 Mar. 9-14 Adj. sess. [6] p.
1789 May 6-9 Reg. sess. [10] p.
1789 June 8-13 Adj. sess. [4] p.
1789 Sept. 15-19 Call. sess. [3] p.
1789 Oct. 12-17 Adj. sess. [5] p.
1789 Oct. 26-31 Reg. sess. [4] p.
1790 Jan. 11-17 Adj. sess. [7] p.
1790 May 5-8 Reg. sess. [12] p.
1790 June 7-12 Call. sess. [3] p.
1790 Sept. 6-11 Call. sess. [8] p.
1790 Oct. 25-30 Reg. sess. [8] p.
1791 Feb. 28-Mar. 5 Adj. sess. [8] p.
1791 May 4-7 Reg. sess. [15] p.
1791 June 27-July 2 Adj. sess. [10] p.
1791 Oct. 31-Nov. 5 Reg. sess. [11] p.
1792 Feb. 27-Mar. 3 Adj. sess. [14] p.
In 1 vol. MS.

R-Ar

Unit 2

1792 May 2-5 Reg. sess. [19] p.
1792 June 18-23 Adj. sess. [14] p.
1792 Aug. 8-10 Call. sess. [6] p.
1792 Oct. 29-Nov. 3 Reg. sess. [11] p.
1793 Feb. 25-Mar. 2 Adj. sess. [11] p.
1793 May 1-4 Reg. sess. [16] p.
1793 June 10-15 Adj. sess. [8] p.
1793 Oct. 28-Nov. 2 Reg. sess. [8] p.
1794 Feb. 24-Mar. 1 Adj. sess. [9] p.
1794 Mar. 31-Apr. 5 Adj. sess. [8] p.
1794 May 7-10 Reg. sess. [18] p.

RHODE ISLAND-Continued

1794 June 9-14 Adj. sess. [9] p.
1794 Oct. 27-Nov. 1 Reg. sess. [10] p.
1795 Jan. 26-Feb. 5 Adj. sess. [12] p.
1795 May 6-7 Reg. sess. [15] p.
1795 June 8-13 Adj. sess. [8] p.
1795 Oct. 26-31 Reg. sess. [10] p.
1796 Feb. 1-10 Adj. sess. [10] p.
1796 May 4-5 Reg. sess. [14] p.
1796 June 13-18 Adj. sess. [6] p.
1796 Oct. 31-Nov. 5 Reg. sess. [6] p.
1797 Feb. 27-Mar. 8 Adj. sess. [10] p.
1797 May 3-4 Reg. sess. [12] p.
1797 June 26-July 1 Adj. sess. [9] p.
1797 Oct. 25-28 Reg. sess. [9] p.
1797 Dec. 11-16 Adj. sess. [9] p.
1798 Jan. 29-Feb. 10 Adj. sess. [24] p.
1798 May 2-4 Reg. sess. [25] p.
1798 June 11-16 Adj. sess. [15] p.
1798 Oct. 29-Nov. 3 Reg. sess. [9] p.
1799 Feb. 25-Mar. 2 Adj. sess. [7] p.
1799 May 1-3 Reg. sess. [19] p.
In 1 vol. MS.

R-Ar

Journal of the Senate

A.1a Reel 4

Unit 1

1799 June 10-15 Adj. sess. [10] p.
1799 Oct. 28-Nov. 2 Reg. sess. [9] p.
1800 Feb. 24-Mar. 1 Adj. sess. [9] p.
1800 May 7-9 Reg. sess. [19] p.
1800 June 9-14 Adj. sess. [13] p.
1800 Oct. 27-Nov. 1 Reg. sess. [8] p.
1801 Feb. 16-21 Adj. sess. [8] p.
1801 May 6-9 Reg. sess. [22] p.
1801 June 15-20 Adj. sess. [13] p.
1801 Oct. 26-31 Reg. sess. [9] p.
1802 Feb. 22-Mar. 5 Adj. sess. [10] p.
1802 May 5-7 Reg. sess. [17] p.
1802 June 21-26 Adj. sess. [15] p.
1802 Oct. 25-30 Reg. sess. [7] p.
1803 Feb. 28-Mar. 5 Adj. sess. [6] p.
1803 May 4-6 Reg. sess. [22] p.
1803 May 30-June 4 Adj. sess. [10] p.
1803 Oct. 31-Nov. 5 Reg. sess. [8] p.
1804 Feb. 27-Mar. 8 Adj. sess. [8] p.
1804 May 2-4 Reg. sess. [18] p.
1804 June 11-16 Adj. sess. [11] p.
1804 Oct. 29-Nov. 3 Reg. sess. [8] p.
1805 Feb. 25-Mar. 2 Adj. sess. [7] p.
1805 May 1-3 Reg. sess. [7] p.
In 1 vol. MS.

R-Ar

RHODE ISLAND-Continued

Unit 2

1805 June 10-15 Adj. sess. [12] p.
1805 Oct. 28-Nov. 2 Reg. sess. [7] p.
1806 Feb. 24-Mar. 1 Adj. sess. [6] p.
1806 May 7-9 Reg. sess. [15] p.
1806 June 9-14 Adj. sess. [9] p.
1806 Oct. 27-Nov. 1 Reg. sess. [9] p.
1807 Feb. 23-27 Adj. sess. [6] p.
1807 May 6-8 Reg. sess. [15] p.
1807 June 22-27 Adj. sess. [11] p.
1807 Oct. 26-30 Reg. sess. [7] p.
1808 Feb. 22-27 Adj. sess. [6] p.
1808 May 4-7 Reg. sess. [15] p.
1808 June 20-24 Adj. sess. [7] p.
1808 Oct. 31-Nov. 5 Reg. sess. [8] p.
1809 Feb. 27-Mar. 4 Adj. sess. [7] p.
1809 Mar. 20-25 Adj. sess. [6] p.
1809 May 3-5 Reg. sess. [12] p.
1809 June 26-July 1 Adj. sess. [15] p.
1809 Oct. 30-Nov. 4 Reg. sess. [8] p.
1810 Feb. 26-Mar. 3 Adj. sess. [6] p.
1810 May 2-5 Reg. sess. [6] p.
1810 June 18-23 Adj. sess. [19] p.
1810 Oct. 29-Nov. 3 Reg. sess. [8] p.
1811 Feb. 25-Mar. 2 Adj. sess. [6] p.
1811 May 1-4 Reg. sess. [12] p.
1811 June 10-15 Adj. sess. [14] p.
1811 Oct. 28-Nov. 2 Reg. sess. [6] p.
1812 Feb. 24-29 Adj. sess. [6] p.
1812 May 6-9 Reg. sess. [13] p.
1812 June 8-13 Adj. sess. [8] p.
1812 July 7-9 Call. sess. [3] p.
1812 Oct. 28-31 Reg. sess. [6] p.
1813 Feb. 15-27 Adj. sess. [6] p.
1813 May 5-8 Reg. sess. [14] p.
1813 June 28-July 3 Adj. sess. [10] p.
1813 Oct. 25-30 Reg. sess. [7] p.
1814 Feb. 21-Mar. 5 Adj. sess. [7] p.
1814 May 4-6 Reg. sess. [14] p.
1814 June 20-25 Adj. sess. [10] p.
In 1 vol. MS.

R-Ar

Unit 3

1814 Sept. 14-16 Call. sess. [4] p.
1814 Oct. 31-Nov. 4 Reg. sess. [6] p.
1815 Feb. 20-25 Adj. sess. [7] p.
1815 May 3-5 Reg. sess. [12] p.
1815 June 19-24 Adj. sess. [8] p.
1815 Oct. 30-Nov. 4 Reg. sess. [6] p.
1816 Feb. 19-Mar. 1 Adj. sess. [10] p.

RHODE ISLAND-Continued

1816 May 1-3 Reg. sess. [15] p.
1816 June 17-21 Adj. sess. [9] p.
1816 Oct. 28-Nov. 2 Reg. sess. [8] p.
1817 Feb. 17-22 Adj. sess. [7] p.
1817 May 7-10 Reg. sess. [15] p.
1817 June 9-14 Adj. sess. [9] p.
1817 Oct. 27-Nov. 1 Reg. sess. [8] p.
1818 Feb. 16-28 Adj. sess. [11] p.
1818 May 6-8 Reg. sess. [18] p.
1818 June 8-13 Adj. sess. [12] p.
1818 Oct. 26-Nov. 5 Reg. sess. [10] p.
1819 Feb. 15-20 Adj. sess. [9] p.
1819 May 5-7 Reg. sess. [19] p.
1819 June 21-26 Adj. sess. [14] p.
1819 Oct. 25-30 Reg. sess. [6] p.
1820 Feb. 21-26 Adj. sess. [7] p.
1820 May 3-5 Reg. sess. [29] p.
In 1 vol. MS.

R-Ar

Unit 4

1820 June 19-24 Adj. sess. [13] p.
1820 Oct. 30-Nov. 4 Reg. sess. [11] p.
1821 Jan. 9- Call. sess. [2] p.
1821 Feb. 19-24 Adj. sess. [7] p.
1821 May 2-5 Reg. sess. [28] p.
1821 June 18-23 Adj. sess. [15] p.
1821 Oct. 29-Nov. 3 Reg. sess. [8] p.
1822 Jan. 14-Feb. 1 Adj. sess. [27] p.
1822 May 1-3 Reg. sess. [25] p.
1822 June 10-15 Adj. sess. [17] p.
1822 Oct. 28-Nov. 2 Reg. sess. [9] p.
1823 Jan. 13-18 Adj. sess. [10] p.
1823 May 7-9 Reg. sess. [26] p.
1823 June 9-14 Adj. sess. [19] p.
1823 Oct. 27-Nov. 1 Reg. sess. [9] p.
1824 Jan. 12-21 Adj. sess. [12] p.
1824 May 5-8 Reg. sess. [26] p.
In 1 vol. MS.

R-Ar

Unit 5

1824 May 31-June 5 Adj. sess. [19] p.
1824 Oct. 25-30 Reg. sess. [11] p.
1825 Jan. 10-15 Adj. sess. [8] p.
1825 May 4-7 Reg. sess. [25] p.
1825 June 20-25 Adj. sess. [17] p.
1825 Oct. 31-Nov. 5 Reg. sess. [12] p.
1826 Jan. 9-14 Adj. sess. [7] p.
1826 May 3-6 Reg. sess. [27] p.
1826 June 19-24 Adj. sess. [18] p.
1826 Oct. 30-Nov. 3 Reg. sess. [9] p.

RHODE ISLAND-Continued

1827 Jan. 8-13 Adj. sess. [6] p.
1827 May 2-5 Reg. sess. [22] p.
1827 June 25-30 Adj. sess. [16] p.
1827 Oct. 29-Nov. 3 Reg. sess. [9] p.
1828 Jan. 14-19 Adj. sess. [7] p.
1828 May 7-10 Reg. sess. [25] p.
1828 June 23-28 Adj. sess. [12] p.
In 1 vol. MS.

R-Ar

Unit 6

1828 Oct. 27-Nov. 1 Reg. sess. [7] p.
1829 Jan. 12-17 Adj. sess. [7] p.
1829 May 6-9 Reg. sess. [15] p.
1829 June 22-27 Adj. sess. [23] p.
1829 Oct. 26-31 Reg. sess. [8] p.
1830 Jan. 11-21 Adj. sess. [9] p.
1830 May 5-8 Reg. sess. [18] p.
1830 June 21-26 Adj. sess. [24] p.
1830 Oct. 25-30 Reg. sess. [8] p.
1831 Jan. 10-18 Adj. sess. [7] p.
1831 May 4-7 Reg. sess. [15] p.
1831 June 20-25 Adj. sess. [26] p.
1831 Oct. 31-Nov. 5 Reg. sess. [8] p.
1832 Jan. 9-21 Adj. sess. [9] p.
1832 May 2-4 Reg. sess. [5] p.
1832 June 18-23 Adj. sess. [8] p.
1832 Aug. 6-9 Adj. sess. [21] p.
1832 Oct. 29-Nov. 3 Reg. sess. [7] p.
1833 Jan. 14-24 Adj. sess. [10] p.
In 1 vol. MS.

R-Ar

Unit 7

1833 May 1-4 Reg. sess. [19] p.
1833 June 24-29 Adj. sess. [26] p.
1833 Oct. 28-Nov. 2 Reg. sess. [8] p.
1834 Jan. 13-Feb. 1 Adj. sess. [14] p.
1834 May 6 Call. sess. [2] p.
1834 May 7-10 Reg. sess. [14] p.
1834 June 23-28 Adj. sess. [26] p.
1834 Oct. 27-31 Reg. sess. [8] p.
1835 Jan. 12-23 Adj. sess. [14] p.
1835 May 6-13 Reg. sess. [18] p.
1835 June 22-27 Adj. sess. [26] p.
1835 Oct. 26-31 Reg. sess. [11] p.
1836 Jan. 25-Feb. 13 Adj. sess. [14] p.
1836 May 4-7 Reg. sess. [19] p.
1836 June 20-25 Adj. sess. [27] p.
1836 Oct. 31-Nov. 5 Reg. sess. [10] p.
In 1 vol. MS.

R-Ar

RHODE ISLAND-Continued

A.la Reel 5

Unit 1

1837 Jan. 2-21 Adj. sess. [15] p.
1837 May 3-6 Reg. sess. [17] p.
1837 June 19-24 Adj. sess. [24] p.
1837 Oct. 30-Nov. 4 Reg. sess. [10] p.
1838 Jan. 8-Feb. 3 Adj. sess. [17] p.
1838 May 2-5 Reg. sess. [22] p.
1838 June 18-23 Adj. sess. [25] p.
1838 Oct. 29-Nov. 3 Reg. sess. [10] p.
1839 Jan. 7-Feb. 2 Adj. sess. [20] p.
1839 May 1-4 Reg. sess. [16] p.
1839 June 10-15 Adj. sess. [28] p.
1839 Oct. 28-Nov. 2 Reg. sess. [9] p.
1840 Jan. 6-Feb. 1 Adj. sess. [21] p.
1840 May 6-8 Reg. sess. [19] p.
1840 June 22-27 Adj. sess. [16] p.
1840 Oct. 26-29 Reg. sess. [9] p.
1841 Jan. 11-Feb. 6 Adj. sess. [22] p.
1841 May 5-7 Reg. sess. [16] p.
1841 June 21-26 Adj. sess. [15] p.
Vol. 17. [315] p. MS.

R-Ar

Unit 2

1841 Oct. 25-29 Reg. sess. [6] p.
1842 Jan. 10-Feb. 5 Adj. sess. [16] p.
1842 Mar. 28-Apr. 2 Adj. sess. [7] p.
1842 Apr. 25-27 Call. sess. [2] p.
1842 May 4-6 Reg. sess. [12] p.
1842 May 11-12 Adj. sess. [3] p.
1842 June 20-July 2 Adj. sess. [13] p.
1842 Oct. 31-Nov. 5 Reg. sess. [9] p.
1843 Jan. 9-Feb. 4 Adj. sess. [20] p.
1843 May 1-2 Adj. sess. [1] p.
1843 May 2-6 Reg. sess. [17] p.
1843 June 19-24 Adj. sess. [21] p.
1843 Oct. 30-Nov. 4 Reg. sess. [16] p.
1844 Jan. 1-Feb. 17 Adj. sess. [51] p.
1844 Mar. 29-30 Call. sess. [5] p.
1844 May 7-11 Reg. sess. [17] p.
1844 June 24-29 Adj. sess. [17] p.
1844 Oct. 28-31 Reg. sess. [11] p.
1845 Jan. 6-25 Adj. sess. [33] p.
1845 May 6-9 Reg. sess. [18] p.
1845 June 23-27 Adj. sess. [23] p.
1845 Oct. 27-31 Reg. sess. [12] p.
Vol. 18. [330] p. MS.

R-Ar

Unit 3

1846 Jan. 5-16 Adj. sess. [24] p.
1846 May 1-8 Adj. sess. [16] p.

RHODE ISLAND-Continued

1846 June 22-27 Adj. sess. [20] p.
1846 Oct. 26-30 Reg. sess. [17] p.
1847 Jan. 4-28 Adj. sess. [32] p.
1847 May 4-8 Reg. sess. [20] p.
1847 June 21-25 Adj. sess. [14] p.
1847 Oct. 25-29 Reg. sess. [15] p.
1848 Jan. 10-Feb. 5 Adj. sess. [34] p.
1848 May 2-5 Reg. sess. [21] p.
1848 June 26-July 1 Adj. sess. [15] p.
1848 Oct. 30-Nov. 3 Reg. sess. [13] p.
1849 Jan. 15-Feb. 17 Adj. sess. [41] p.
1849 May 1-4 Reg. sess. [25] p.
1849 June 25-30 Adj. sess. [25] p.
Vol. 19. [332] p. MS.

R-Ar

Unit 4

1849 Oct. 29-Nov. 2 Reg. sess. [20] p.
1850 Jan. 7-Feb. 16 Adj. sess. [71] p.
1850 May 7-May 10 Reg. sess. [25] p.
1850 Aug. 5-10 Adj. sess. [19] p.
1850 Oct. 28-Nov. 1 Reg. sess. [17] p.
1851 Jan. 20-Feb. 22 Adj. sess. [55] p.
1851 May 6-10 Reg. sess. [37] p.
1851 June 16-27 Adj. sess. [26] p.
1851 Oct. 27-31 Reg. sess. [27] p.
Vol. 20. [297] p. MS.

R-Ar

A.1a Reel 6

Unit 1

1852 Jan. 5-Feb. 20 Adj. sess. [73] p.
1852 May 4-7 Reg. sess. [27] p.
1852 June 21-26 Adj. sess. [29] p.
1852 Oct. 25-28 Reg. sess. [23] p.
1853 Jan. 10-Feb. 25 Adj. sess. [81] p.
1853 May 3-6 Reg. sess. [42] p.
1853 June 13-17 Adj. sess. [30] p.
1853 Sept. 19-24 Adj. sess. [22] p.
Vol. 21. [327] p. MS.

R-Ar

Unit 2

1853 Oct. 31-Nov. 3 Reg. sess. 18 p.
1854 Jan. 9-Mar. 2 Adj. sess. 21-112 p.
1854 May 2-5 Reg. sess. 114-162 p.
1854 June 12-17 Adj. sess. 164-212 p.
1854 Oct. 30-Nov. 3 Reg. sess. 214-245 p.
1855 Jan. 15-Mar. 3 Adj. sess. 247-347 p.
1855 May 29-June 15 Ann. sess. 350-419 p.
1856 Jan. 14-Mar. 8 Adj. sess. 422-532 p.
Vol. 22. 532 p. MS.

R-Ar

RHODE ISLAND-Continued

Unit 3

1856 May 27-June 28 Ann. sess. [82] p.
1857 Jan. 5-Mar. 21 Adj. sess. [111] p.
1857 May 26-29 Ann. sess. [58] p.
1858 Jan. 18-Mar. 8 Adj. sess. [98] p.
1858 May 25-28 Ann. sess. [50] p.
1859 Jan. 17-Mar. 12 Adj. sess. [95] p.
1859 May 31-June 3 Ann. sess. [61] p.
1860 Jan. 9-Mar. 9 Adj. sess. [100] p.
1860 May 29-June 1 Ann. sess. [55] p.
Vol. 23. [710] p. MS.

R-Ar

A.1a Reel 7

Unit 1

1861 Jan. 14-Mar. 15 Adj. sess. [70] p.
1861 Apr. 17-18 Call. sess. [9] p.
1861 May 28-31 Ann. sess. [47] p.
1861 Aug. 8-10 Call. sess. [13] p.
1862 Jan. 13-Mar. 7 Adj. sess. [73] p.
1862 May 27-30 Ann. sess. [48] p.
1862 Aug. 25-Sept. 6 Call. sess. [30] p.
1863 Jan. 12-Mar. 16 Adj. sess. [94] p.
1863 May 26-29 Ann. sess. [57] p.
1863 June 18-19 Call. sess. [12] p.
1864 Jan. 11-Mar. 26 Adj. sess. [135] p.
1864 May 13-June 3 Ann. sess. [65] p.
Vol. 24. [653] p. MS.

R-Ar

Unit 2

1865 Jan. 9-Mar. 17 Adj. sess. [117] p.
1865 May 30-31 Ann. sess. [31] p.
1865 June 7-15 Adj. sess. [50] p.
Vol. 25. [198] p. MS.

R-Ar

General Assembly

Journal of the House of Deputies

A.1b Reel 1

Unit 1

1728 Mar. 3-7 Reg. sess. [18] p.
1728 Apr. 30-May 1 Reg. sess.
1728 June 18-19 Adj. sess. [29] p.
1728 Oct. 30-Nov. 1 Reg. sess. [12] p.
1728/9 Feb. 18-24 Adj. sess. [18] p.
In 1 vol. MS.
1729 May 6-10 Reg. sess. [6] p.
1729 June 16-25 Adj. sess. [38] p.
1729 Oct. 29-Nov. 1 Reg. sess. [16] p.
1729/30 Feb. 24-28 Adj. sess. [24] p.
In 1 vol. MS.

R-Ar

RHODE ISLAND-Continued

Unit 2

1730 May 5-8 Reg. sess. [15] p.
1730 June 15-19 Adj. sess. [26] p.
1730 Oct. 28-31 Reg. sess. [9] p.
1730/31 Feb. 16-25 Adj. sess. [29] p.
In 1 vol. MS.
1731 May 4-7 Reg. sess. [5] p.
1731 June 14-24 Adj. sess. [29] p.
1731 Aug. 3-4 Call. sess. [3] p.
1731 Oct. 27-Nov. 3 Reg. sess. [17] p.
1732 May 2-6 Reg. sess. [11] p.
1732 June 12-17 Adj. sess. [20] p.
1732 Oct. 25-28 Reg. sess. [8] p.
1732/3 Jan. 23-27 Adj. sess. [12] p.
In 1 vol. MS.

R-Ar

Unit 3

1733 May 1-4 Reg. sess. [7] p.
1733 June 11-16 Adj. sess. [12] p.
1733 July 2-10 Adj. sess. [20] p.
1733 Oct. 31-Nov. 3 Reg. sess. [9] p.
1733 Dec. 3-8 Adj. sess. [15] p.
1733/4 Feb. 4-8 Adj. sess. [15] p.
In 1 vol. MS.
1734 Apr. 30-May 4 Reg. sess. [7] p.
1734 June 17-22 Adj. sess. [16] p.
1734 Aug. 19-21 No quorum. [2] p.
1734 Oct. 30-Nov. 7 Reg. sess. [22] p.
1734/5 Feb. 18-21 Adj. sess. [19] p.
1735 May 6-9 Reg. sess. [7] p.
1735 June 16-20 Adj. sess. [9] p.
1735 Aug. 18-21 Adj. sess. [20] p.
1735 Oct. 29-Nov. 1 Reg. sess. [6] p.
1735/6 Feb. 17-21 Adj. sess. [20] p.
In 1 vol. MS.

R-Ar

Unit 4

1736 May 4-7 Reg. sess. [8] p.
1736 June 14-17 Adj. sess. [20] p.
1736 Aug. 23-24 No quorum. [2] p.
1736 Oct. 27-29 Reg. sess. [22] p.
1736/7 Feb. 15-23 Adj. sess. [22] p.
1737 May 3-7 Reg. sess. [5] p.
1737 June 13-23 Adj. sess. [30] p.
1737 Aug. 23-24 No quorum. [2] p.
1737 Oct. 26-29 Reg. sess. [6] p.
1737 Nov. 22-Dec. 1 Adj. sess. [28] p.
1737/8 Feb. 14-16 Adj. sess. [8] p.
In 1 vol. MS.
1738 May 2-5 Reg. sess. [7] p.
1738 June 13-17 Adj. sess. [15] p.

RHODE ISLAND-Continued

1738 July 5-6 Call. sess. [2] p.
1738 Aug. 22-26 Adj. sess. [19] p.
1738 Oct. 25-28 Reg. sess. [6] p.
1738 Dec. 19-22 Adj. sess. [15] p.
1738/9 Feb. 20-23 Adj. sess. [14] p.
1739 May 1-5 Reg. sess. [17] p.
1739 June 12-26 Adj. sess. [2] p.
1739 July 10-13 Call. sess. [12] p.
1739 Aug. 21-25 Adj. sess. [22] p.
1739 Oct. 31-Nov. 3 Reg. sess. [12] p.
1739/40 Jan. 4-12 Adj. sess. [10] p.
1739/40 Feb. 26-Mar. 1 Adj. sess. [16] p.
In 1 vol. MS.

R-Ar

Unit 5

1740 May 6-9 Reg. sess. [12] p.
1740 June 17-20 Adj. sess. [13] p.
1740 July 15-16 Call. sess. [10] p.
1740 Aug. 18-20 Adj. sess. [9] p.
1740 Sept. 16-20 Adj. sess. [18] p.
1740 Oct. 29-31 Reg. sess. [8] p.
1740 Dec. 2-5 Call. sess. [10] p.
1740/1 Jan. 27-30 Adj. sess. [10] p.
1741 Apr. 1-7 Adj. sess. [15] p.
1741 May 5-9 Reg. sess. [20] p.
1741 June 22-25 Adj. sess. [19] p.
1741 Aug. 18-21 Adj. sess. [16] p.
1741 Oct. 6-8 Adj. sess. [11] p.
1741 Oct. 28-31 Reg. sess. [11] p.
1741/2 Feb. 1-6 Adj. sess. [18] p.
In 1 vol. MS.
1742 May 4-8 Reg. sess. [16] p.
1742 June 21-25 Adj. sess. [23] p.
1742 Sept. 14-18 Adj. sess. [18] p.
1742 Oct. 27-30 Reg. sess. [13] p.
1742 Nov. 22-26 Adj. sess. [19] p.
1742/3 May 7-8 Adj. sess. [26] p.
1743 May 3-7 Reg. sess. [15] p.
1743 June 13-18 Adj. sess. [21] p.
1743 Aug. 23-26 Adj. sess. [15] p.
1743 Sept. 27-Oct. 1 Adj. sess. [19] p.
1743 Oct. 26-29 Reg. sess. [13] p.
1743/4 Feb. 14-18 Adj. sess. [23] p.
In 1 vol. MS.

R-Ar

Unit 6

1744 May 1-5 Reg. sess. [12] p.
1744 May 21-26 Adj. sess. [13] p.
1744 June 19-22 Call. sess. [7] p.
1744 Aug. 21-25 Adj. sess. [19] p.
1744 Sept. 18-22 Adj. sess. [11] p.

RHODE ISLAND-Continued

1744 Oct. 31-Nov. 3 Reg. sess. [14] p.
1744 Nov. 28-29 Call. sess. [5] p.
1744/5 Feb. 5-8 Call. sess. [7] p.
1744/5 Mar. 4-9 Adj. sess. [23] p.
1745 Apr. 30-May 2 Reg. sess. [15] p.
1745 May 28-June 1 Adj. sess. [23] p.
1745 June 18-29 Adj. sess. [40] p.
1745 Aug. 20-24 Adj. sess. [12] p.
1745 Sept. 24-28 Adj. sess. [14] p.
1745 Oct. 30-Nov. 3 Reg. sess. [9] p.
1745/6 Feb. 10-15 Adj. sess. [20] p.
In 1 vol. MS.

R-Ar

A.1b Reel 2

Unit 1

1746 May 6-17 Reg. sess. [26] p.
1746 June 2-6 Call. sess. [7] p.
1746 June 12-14 Call. sess. [12] p.
1746 June 24-27 Adj. sess. [14] p.
1746 July 8-12 Adj. sess. [12] p.
1746 Aug. 19-23 Adj. sess. [16] p.
1746 Sept. 29-Oct. 3 Call. sess. [6] p.
1746 Oct. 21-23 Call. sess. [8] p.
1746 Oct. 29-31 Reg. sess. [9] p.
1746 Nov. 11-14 Call. sess. [6] p.
1746/7 Jan. 6-12 Adj. sess. [11] p.
1746/7 Jan. 27-30 Call. sess. [10] p.
1746/7 Feb. 17-20 Call. sess. [12] p.
In 1 vol. MS.
1747 May 5-8 Reg. sess. [17] p.
1747 June 9-13 Adj. sess. [16] p.
1747 Aug. 18-22 Adj. sess. [15] p.
1747 Aug. 31-Sept. 5 Adj. sess. [15] p.
1747 Oct. 28-31 Reg. sess. [12] p.
1747/8 Feb. 28-Mar. 3 Adj. sess. [24] p.
1748 May 3-7 Reg. sess. [15] p.
1748 June 13-18 Adj. sess. [25] p.
1748 Aug. 22-27 Adj. sess. [24] p.
1748 Oct. 26-Nov. 2 Reg. sess. [18] p.
1748/9 Jan. 3-5 Call. sess. [6] p.
1748/9 Feb. 27-Mar. 3 Adj. sess. [15] p.
In 1 vol. MS.

R-Ar

Unit 2

1749 May 2-5 Reg. sess. [20] p.
1749 June 12-16 Adj. sess. [20] p.
1749 Aug. 21-25 Adj. sess. [18] p.
1749 Oct. 25-28 Reg. sess. [12] p.
1749/50 Feb. 27-Mar. 3 Adj. sess. [20] p.
1750 May 1-5 Reg. sess. [18] p.

RHODE ISLAND-Continued

1750 June 11-15 Adj. sess. [18] p.
1750 Aug. 20-25 Adj. sess. [20] p.
1750 Oct. 31-Nov. 3 Reg. sess. [15] p.
1750 Dec. 3-8 Adj. sess. [19] p.
1750/1 Mar. 18-23 Adj. sess. [20] p.
In 1 vol. MS.
1751 Apr. 30-May 3 Reg. sess. [11] p.
1751 June 10-20 Adj. sess. [19] p.
1751 Aug. 19-23 Adj. sess. [14] p.
1751 Oct. 30-Nov. 2 Reg. sess. [10] p.
1752 Feb. 25-29 Adj. sess. [19] p.
In 1 vol. MS.

R-Ar

Unit 3

1752 May 5-8 Reg. sess. [13] p.
1752 June 1-5 Call. sess. [15] p.
1752 Aug. 17-21 Adj. sess. [19] p.
1752 Oct. 25-27 Reg. sess. [13] p.
1753 Feb. 28-Mar. 3 Adj. sess. [19] p.
In 1 vol. MS.
1753 May 1-4 Reg. sess. [15] p.
1753 June 11-15 Adj. sess. [17] p.
1753 Aug. 20-24 Adj. sess. [18] p.
1753 Oct. 31-Nov. 3 Reg. sess. [18] p.
1754 Feb. 25-Mar. 1 Adj. sess. [18] p.
In 1 vol. MS.

R-Ar

Unit 4

1754 Apr. 30-May 4 Reg. sess. [20] p.
1754 June 10-15 Adj. sess. [25] p.
1754 Aug. 19-23 Adj. sess. [24] p.
1754 Oct. 30-Nov. 2 Reg. sess. [16] p.
1755 Jan. 1-4 Call. sess. [6] p.
1755 Feb. 2-8 Adj. sess. [23] p.
1755 Mar. 6-8 Call. sess. [6] p.
In 1 vol. MS.
1755 May 6-10 Reg. sess. [18] p.
1755 June 9-14 Adj. sess. [23] p.
1755 Aug. 11-16 Call. sess. [19] p.
1755 Sept. 8-11 Call. sess. [10] p.
1755 Oct. 29-Nov. 1 Reg. sess. [18] p.
1755 Dec. 22-24 Call. sess. [7] p.
1756 Feb. 23-28 Adj. sess. [30] p.
In 1 vol. MS.

R-Ar

Unit 5

1756 May 4-8 Reg. sess. [18] p.
1756 June 8-11 Adj. sess. [19] p.
1756 June 22-26 Call. sess. [12] p.
1756 Aug. 23-28 Adj. sess. [18] p.

RHODE ISLAND-Continued

1756 Sept. 6-10 Adj. sess. [20] p.
1756 Oct. 14-17 Call. sess. [10] p.
1756 Oct. 27-29 Reg. sess. [14] p.
1756 Nov. 15-20 Adj. sess. [23] p.
1757 Jan. 10-15 Call. sess. [20] p.
1757 Jan. 26-27 Call. sess. [5] p.
1757 Feb. 1-11 Call. sess. [24] p.
1757 Mar. 14-19 Adj. sess. [24] p.
In 1 vol. MS.
1757 May 3-8 Reg. sess. [15] p.
1757 June 13-18 Adj. sess. [23] p.
1757 Aug. 10-13 Call. sess. [6] p.
1757 Sept. 19-24 Adj. sess. [22] p.
1757 Oct. 26-29 Reg. sess. [23] p.
1758 Feb. 14-16 Call. sess. [10] p.
1758 Mar. 13-18 Adj. sess. [23] p.
In 1 vol. MS.

R-Ar

Unit 6

1758 May 2-8 Reg. sess. [23] p.
1758 June 12-17 Adj. sess. [36] p.
1758 Aug. 21-26 Adj. sess. [29] p.
1758 Oct. 25-28 Reg. sess. [8] p.
1758 Dec. 18-23 Call. sess. [19] p.
1759 Feb. 26-Mar. 6 Adj. sess. [34] p.
In 1 vol. MS.

R-Ar

A.1b Reel 3

Unit 1

1759 May 1-5 Reg. sess. [18] p.
1759 June 11-16 Adj. sess. [28] p.
1759 Aug. 20-25 Adj. sess. [29] p.
1759 Oct. 31-Nov. 3 Reg. sess. [19] p.
1760 Feb. 25-Mar. 1 Adj. sess. [21] p.
In 1 vol. MS.
1760 May 6-10 Reg. sess. [21] p.
1760 June 9-14 Adj. sess. [17] p.
1760 Aug. 18-23 Adj. sess. [21] p.
1760 Oct. 29-Nov. 1 Reg. sess. [13] p.
1760 Dec. 31-June 2 Call. sess. [10] p.
1761 Feb. 23-28 Adj. sess. [26] p.
1761 Mar. 30-Apr. 3 Call. sess. [8] p.
In 1 vol. MS.

R-Ar

Unit 2

1761 May 6-16 Reg. sess. [33] p.
1761 June 8-12 Adj. sess. [14] p.
1761 June 22-26 Adj. sess. [23] p.
1761 Sept. 7-12 Adj. sess. [17] p.
1761 Oct. 12-17 Adj. sess. [12] p.

RHODE ISLAND-Continued

1761 Oct. 28-31 Reg. sess. [14] p.
1762 Feb. 21-27 Adj. sess. [23] p.
1762 Mar. 23-25 Call. sess. [20] p.
In 1 vol. MS.
1762 May 4-7 Reg. sess. [20] p.
1762 June 14-19 Adj. sess. [28] p.
1762 Aug. 23-28 Adj. sess. [25] p.
1762 Sept. 21-25 Adj. sess. [23] p.
1762 Oct. 27-30 Reg. sess. [20] p.
1763 Feb. 28-Mar. 5 Adj. sess. [25] p.
In 1 vol. MS.

R-Ar

Unit 3

1763 May 3-7 Reg. sess. [19] p.
1763 June 13-18 Adj. sess. [29] p.
1763 Aug. 1-6 Adj. sess. [32] p.
1763 Oct. 26-29 Reg. sess. [23] p.
1764 Jan. 24-27 Call. sess. [5] p.
1764 Feb. 27-Mar. 3 Adj. sess. [29] p.
In 1 vol. MS.
1764 May 2-5 Reg. sess. [14] p.
1764 June 11-16 Adj. sess. [28] p.
1764 July 30-Aug. 1 Call. sess. [9] p.
1764 Sept. 10-15 Adj. sess. [24] p.
1764 Oct. 31-Nov. 3 Reg. sess. [25] p.
1764 Nov. 27-30 Adj. sess. [20] p.
1765 Feb. 25-Mar. 2 Adj. sess. [34] p.
In 1 vol. MS.

R-Ar

Unit 4

1765 May 1-4 Reg. sess. [19] p.
1765 June 10-15 Adj. sess. [35] p.
1765 Sept. 9-14 Adj. sess. [34] p.
1765 Oct. 30-Nov. 2 Reg. sess. [21] p.
1766 Feb. 24-Mar. 1 Adj. sess. [30] p.
In 1 vol. MS.
1766 May 7-9 Reg. sess. [22] p.
1766 June 6-10 Adj. sess. [29] p.
1766 Sept. 8-13 Adj. sess. [22] p.
1766 Oct. 29-Nov. 1 Reg. sess. [23] p.
1766 Dec. 1-5 Adj. sess. [15] p.
1767 Feb. 23-28 Adj. sess. [24] p.
In 1 vol. MS.

R-Ar

Unit 5

1767 May 6-9 Reg. sess. [20] p.
1767 June 8-13 Adj. sess. [17] p.
1767 June 29-July 3 Adj. sess. [28] p.
1767 Aug. 31-Sept. 5 Adj. sess. [21] p.
1767 Oct. 28-31 Reg. sess. [18] p.

RHODE ISLAND-Continued

1768 Feb. 29-Mar. 5 Adj. sess. [28] p.
1768 May 4-7 Reg. sess. [15] p.
1768 June 13-18 Adj. sess. [23] p.
In 1 vol. MS.
1768 Sept. 12-17 Adj. sess. [32] p.
1768 Oct. 26-29 Reg. sess. [18] p.
1769 Feb. 27-Mar. 4 Adj. sess. [20] p.
1769 May 3-6 Reg. sess. [21] p.
1769 June 12-17 Adj. sess. [34] p.
1769 Sept. 11-16 Adj. sess. [16] p.
In 1 vol. MS.

R-Ar

Unit 6

1769 Oct. 25-28 Reg. sess. [16] p.
1770 Feb. 26-Mar. 3 Adj. sess. [21] p.
1770 May 2-5 Reg. sess. [19] p.
1770 June 11-16 Adj. sess. [27] p.
1770 Sept. 10-15 Adj. sess. [25] p.
1770 Oct. 31-Nov. 10 Reg. sess. [34] p.
In 1 vol. MS.
1771 May 1-4 Reg. sess. [23] p.
1771 June 10-15 Adj. sess. [26] p.
1771 Aug. 19-23 Adj. sess. [14] p.
1771 Oct. 30-Nov. 2 Reg. sess. [25] p.
In 1 vol. MS.

R-Ar

Unit 7

1772 May 6-9 Reg. sess. [27] p.
1772 Aug. 17-21 Adj. sess. [19] p.
1772 Oct. 28-31 Reg. sess. [14] p.
1772 Dec. 14-19 Adj. sess. [14] p.
1773 Jan. 11-13 Adj. sess. [6] p.
In 1 vol. MS.
1773 May 5-8 Reg. sess. [20] p.
1773 Aug. 16-21 Adj. sess. [32] p.
1773 Oct. 27-30 Reg. sess. [18] p.
In 1 vol. MS.

R-Ar

Unit 8

1774 May 4-6 Reg. sess. [22] p.
1774 June 13-18 Adj. sess. [23] p.
1774 Aug. 22-27 Adj. sess. [22] p.
1774 Oct. 26-29 Reg. sess. [14] p.
1774 Dec. 5-10 Call. sess. [16] p.
1775 Apr. 22-25 Call. sess. [6] p.
In 1 vol. MS.
1775 May-1775 Aug. (Not found)
1775 Oct. 25 No quorum.
1775 Oct. 31-1776 Oct. (Not found)

R-Ar

RHODE ISLAND-Continued

A.1b Reel 4

Journal of the House of Delegates

Unit 1

1776 Nov. 21-24 Call. sess. [20] p.
1776 Dec. 10-15 Call. sess. [15] p.
1776 Dec. 23-Jan. 2 Adj. sess. [46] p.
1777 Feb. 3-10 Adj. sess. [43] p.
1777 Mar. 3-9 Adj. sess. [25] p.
1777 Mar. 24-30 Adj. sess. [33] p.
1777 Apr. 17-21 Adj. sess. [23] p.
In 1 vol. MS.
1777 May 7-10 Reg. sess. [18] p.
1777 May 19-28 Adj. sess. [46] p.
1777 June 16-22 Adj. sess. [29] p.
1777 July 7-9 Call. sess. [11] p.
1777 Aug. 18-23 Adj. sess. [25] p.
1777 Sept. 22-24 Adj. sess. [7] p.
1777 Oct. 27-Nov. 2 Reg. sess. [18] p.
1777 Dec. 1-6 Adj. sess. [23] p.
1777 Dec. 19-22 Call. sess. [16] p.
1778 Feb. 9-16 Adj. sess. [29] p.
1778 Mar. 9-13 Adj. sess. [22] p.
In 1 vol. MS.

R-Ar

Unit 2

1778 May 6-10 Reg. sess. [32] p.
1778 May 20-31 Call. sess. [12] p.
1778 June 29-July 4 Adj. sess. [19] p.
1778 Sept. 2-5 Call. sess. [12] p.
1778 Oct. 26-Nov. 3 Reg. sess. [22] p.
1778 Dec. 28-Jan. 3 Adj. sess. [14] p.
1779 Jan. 19-21 Call. sess. [10] p.
1779 Feb. 22-28 Adj. sess. [24] p.
1779 May 5-9 Reg. sess. [24] p.
1779 June 14-19 Adj. sess. [20] p.
1779 Aug. 23-28 Adj. sess. [15] p.
1779 Sept. 13-18 Adj. sess. [16] p.
In 1 vol. MS.
1779 Oct. 25-30 Reg. sess. [13] p.
1779 Dec. 13-19 Adj. sess. [16] p.
1780 Feb. 28-Mar. 6 Adj. sess. [19] p.
1780 Mar. 23-25 Call. sess. [4] p.
1780 May 3-7 Reg. sess. [24] p.
1780 June 12-18 Adj. sess. [19] p.
1780 July 3-8 Adj. sess. [9] p.
1780 July 17-24 Adj. sess. [17] p.
1780 Sept. 11-18 Adj. sess. [20] p.
In 1 vol. MS.

R-Ar

RHODE ISLAND-Continued

Unit 3

1780 Oct. 23-29 Reg. sess. [11] p.
1780 Nov. 27-Dec. 6 Adj. sess. [12] p.
1781 Jan. 17-21 Call. sess. [8] p.
1781 Feb. 26-Mar. 1 Adj. sess. [5] p.
1781 Mar. 19-28 Adj. sess. [16] p.
1781 May 2-5 Reg. sess. [11] p.
1781 May 28-June 3 Adj. sess. [16] p.
1781 July 3-7 Call. sess. [7] p.
1781 Aug. 20-26 Adj. sess. [10] p.
1781 Oct. 29-Nov. 3 Reg. sess. [9] p.
1781 Dec. 10-17 Adj. sess. [10] p.
1782 Jan. 28-Feb. 9 Adj. sess. [13] p.
1782 Feb. 25-Mar. 2 Call. sess. (Not found)
In 1 vol. MS.
1782 May 1-1786 Oct. 2 (Not found)
1786 Oct. 30-Nov. 4 Reg. sess. [5] p.
1786 Dec. 25-Jan. 6 Adj. sess. [8] p.
1787 Mar. 12-17 Adj. sess. [6] p.
1787 May 2-5 Reg. sess. [9] p.
1787 June 11-16 Adj. sess. [6] p.
1787 Aug. 20 No quorum.
1787 Sept. 10-15 Call. sess. [4] p.
1787 Oct. 29-Nov. 3 Reg. sess. [4] p.
1788 Feb. 25-Mar. 1 Adj. sess. [6] p.
1788 Mar. 31-Apr. 5 Adj. sess. [4] p.
In 1 vol. MS.

R-Ar

Unit 4

1788 May 7-10 Reg. sess. [16] p.
1788 June 9-14 Adj. sess. [13] p.
1788 Oct. 27-Nov. 1 Reg. sess. [8] p.
In 1 vol. MS.
1788 Dec. 29-Jan. 3 Adj. sess. [8] p.
1789 Mar. 9-14 Adj. sess. [7] p.
1789 May 6-9 Reg. sess. [24] p.
1789 June 8-13 Adj. sess. [11] p.
1789 Sept. 15-19 Call. sess. [8] p.
In 1 vol. MS.
1789 Oct. 12-17 Adj. sess. [9] p.
1789 Oct. 26-31 Reg. sess. [12] p.
1790 Jan. 11-17 Adj. sess. [14] p.
In 1 vol. MS.
1790 May 5-1794 May 7 (Not found)
1794 June 9-14 Adj. sess. [15] p.
1794 Oct. 27-Nov. 1 Reg. sess. [18] p.
1795 Jan. 26-Feb. 5 Adj. sess. [21] p.
1795 May 6-7 Reg. sess. [21] p.
1795 June 8-13 Adj. sess. [16] p.

RHODE ISLAND-Continued

1795 Oct. 26-31 Reg. sess. [5] p.
In 1 vol. MS.
1796 Feb. 1-1799 May 1 (Not found)

R-Ar

General Assembly

Journal of the House of Representatives

A.1b Reel 5

Unit 1

1799 June 10-1802 June 21 (Not found)
1802 Oct. 25-30 Reg. sess. [20] p.
1803 Feb. 28-Mar. 5 Adj. sess. [16] p.
1803 May 4-6 Reg. sess. [21] p.
1803 May 30-June 4 Adj. sess. [13] p.
1803 Oct. 31-Nov. 5 Reg. sess. [17] p.
In 1 vol. MS.
1804 Feb. 27-Mar. 8 Adj. sess. [25] p.
1804 May 2-4 Reg. sess. [23] p.
1804 June 11-16 Adj. sess. [21] p.
In 1 vol. MS.
1804 Oct. 29-Nov. 3 Reg. sess. [16] p.
1805 Feb. 25-Mar. 8 Adj. sess. [10] p.
1805. May 1-3 Reg. sess. [13] p.
1805 June 10-15 Adj. sess. [14] p.
In 1 vol. MS.

R-Ar

Unit 2

1805 Oct. 28-Nov. 2 Reg. sess. [19] p.
1806 Feb. 24-Mar. 1 Adj. sess. [12] p.
1806 May 7-9 Reg. sess. [20] p.
1806 June 9-14 Adj. sess. [18] p.
1806 Oct. 27-Nov. 1 Reg. sess. [13] p.
1807 Feb. 23-27 Adj. sess. [10] p.
1807 May 6-8 Reg. sess. [15] p.
1807 June 22-27 Adj. sess. [12] p.
1807 Oct. 26-30 Reg. sess. [15] p.
In 1 vol. MS.
1808 Feb. 22-27 Adj. sess. [11] p.
1808 May 4-7 Reg. sess. [15] p.
1808 June 20-24 Adj. sess. [12] p.
1808 Oct. 31-Nov. 5 Reg. sess. [16] p.
1809 Feb. 27-Mar. 4 Adj. sess. [15] p.
1809 Mar. 20-25 Adj. sess. [10] p.
In 1 vol. MS.

R-Ar

Unit 3

1809 May 3-5 Reg. sess. [17] p.
1809 June 26-July 1 Adj. sess. [21] p.
1809 Oct. 30-Nov. 4 Reg. sess. [19] p.
1810 Feb. 26-Mar. 3 Adj. sess. [14] p.
1810 May 2-5 Reg. and Elec. sess. [10] p.

RHODE ISLAND-Continued

1810 June 18-23 Adj. sess. [14] p.
1810 Oct. 29-Nov. 3 Reg. sess. [15] p.
In 1 vol. MS.
1811 Feb. 25-Mar. 2 Adj. sess. [12] p.
1811 May 1-4 Reg. sess. [16] p.
1811 June 10-15 Adj. sess. [21] p.
1811 Oct. 28-Nov. 2 Reg. sess. [16] p.
1812 Feb. 24-29 Adj. sess. [14] p.
1812 May 6-9 Reg. and Elec. sess. [23] p.
In 1 vol. MS.

R-Ar

Unit 4

1812 June 8-13 Adj. sess. [13] p.
1812 July 7-9 Call. sess. [5] p.
1812 Oct. 26-31 Reg. sess. [14] p.
1813 Feb. 15-27 Adj. sess. [13] p.
1813 May 5-8 Reg. sess. [21] p.
1813 June 28-July 3 Adj. sess. [16] p.
1813 Oct. 25-30 Reg. sess. [13] p.
1814 Feb. 21-Mar. 5 Adj. sess. [16] p.
In 1 vol. MS.
1814 May 4-6 Reg. sess. [14] p.
1814 June 20-25 Adj. sess. [14] p.
1814 Sept. 14-16 Call. sess. [5] p.
1814 Oct. 31-Nov. 4 Reg. sess. [14] p.
1815 Feb. 20-25 Adj. sess. [19] p.
1815 May 3-5 Reg. sess. [14] p.
1815 June 19-24 Adj. sess. [13] p.
1815 Oct. 30-Nov. 4 Reg. sess. [12] p.
1816 Feb. 19-Mar. 1 Adj. sess. [20] p.
1816 May 1-3 Reg. sess. [15] p.
1816 June 17-21 Adj. sess. [15] p.
1816 Oct. 28-Nov. 2 Reg. sess. [14] p.
In 1 vol. MS.

R-Ar

Unit 5

1817 Feb. 17-22 Adj. sess. [13] p.
1817 May 7-10 Reg. sess. [17] p.
1817 June 9-14 Adj. sess. [12] p.
1817 Oct. 27-Nov. 1 Reg. sess. [14] p.
1818 Feb. 16-28 Adj. sess. [19] p.
1818 May 6-8 Reg. sess. [18] p.
1818 June 8-13 Adj. sess. [16] p.
1818 Oct. 26-Nov. 5 Reg. sess. [25] p.
1819 Feb. 15-20 Adj. sess. [21] p.
In 1 vol. MS.
1819 May 5-7 Reg. sess. [20] p.
1819 June 21-26 Adj. sess. [20] p.
1819 Oct. 25-30 Reg. sess. [12] p.
1820 Feb. 21-26 Adj. sess. [9] p.

RHODE ISLAND-Continued

1820 May 3-5 Reg. sess. [23] p.
1820 June 19-24 Adj. sess. [12] p.
1820 Oct. 30-Nov. 4 Reg. sess. [14] p.
1821 Jan. 9 Call. sess. [1] p.
1821 Feb. 19-24 Adj. sess. [11] p.
1821 May 2-5 Reg. sess. [25] p.
1821 June 18-23 Adj. sess. [17] p.
1821 Oct. 29-Nov. 3 Reg. sess. [12] p.
1822 Jan. 14-Feb. 1 Adj. sess. [32] p.
1822 May 1-3 Reg. sess. [24] p.
In 1 vol. MS.

R-Ar

Unit 6

1822 June 10-15 Adj. sess. [16] p.
1822 Oct. 28-Nov. 2 Reg. sess. [13] p.
1823 Jan. 13-18 Adj. sess. [12] p.
1823 May 7-9 Reg. sess. [22] p.
1823 June 9-14 Adj. sess. [18] p.
1823 Oct. 27-Nov. 1 Reg. sess. [15] p.
1824 Jan. 12-21 Adj. sess. [12] p.
1824 May 5-8 Reg. sess. [26] p.
1824 May 31-June 5 Adj. sess. [21] p.
1824 Oct. 25-30 Reg. sess. [17] p.
1825 Jan. 10-15 Adj. sess. [12] p.
1825 May 4-7 Reg. sess. [28] p.
1825 June 20-25 Adj. sess. [17] p.
1825 Oct. 31-Nov. 5 Reg. sess. [10] p.
1826 Jan. 9-14 Adj. sess. [15] p.
In 1 vol. MS.
1826 May 3-6 Reg. sess. [27] p.
1826 June 19-24 Adj. sess. [29] p.
1826 Oct. 30-Nov. 3 Reg. sess. [23] p.
1827 Jan. 8-13 Adj. sess. [28] p.
1827 May 2-5 Reg. sess. [37] p.
1827 June 25-30 Adj. sess. [39] p.
1827 Oct. 29-Nov. 3 Reg. sess. [33] p.
1828 Jan. 14-19 Adj. sess. [31] p.
1828 May 7-10 Reg. sess. [34] p.
1828 June 23-28 Adj. sess. [30] p.
1828 Oct. 27-Nov. 1 Reg. sess. [23] p.
In 1 vol. MS.

R-Ar

A.1b

Reel 6

Unit 1

1829 Jan. 12-17 Adj. sess. 31 p.
1829 May 6-9 Reg. sess. 32-59 p.
1829 June 22-27 Adj. sess. 60-103 p.
1829 Oct. 26-31 Reg. sess. 104-138 p.
1830 Jan. 11-21 Adj. sess. 139-180 p.
1830 May 5-8 Reg. sess. 181-201 p.
1830 June 21-26 Adj. sess. 202-239 p.

RHODE ISLAND-Continued

1830 Oct. 25-30 Reg. sess. 241-275 p.
1831 Jan. 10-18 Adj. sess. 276-307 p.
1831 May 4-7 Reg. sess. 307-326 p.
Vol. 24. 326 p. MS.

R-Ar

Unit 2

1831 June 20-25 Adj. sess. 327-373 p.
1831 Oct. 31-Nov. 5 Reg. sess. 374-401 p.
1832 Jan. 9-21 Adj. sess. 402-439 p.
1832 May 2-4 Reg. sess. 439-465 p.
1832 June 18-23 Adj. sess. 467-501 p.
1832 Aug. 6-9 Adj. sess. 503-545 p.
1832 Oct. 29-Nov. 3 Reg. sess. 547-582 p.
1833 Jan. 14-24 Adj. sess. 584-625 p.
1833 May 1-4 Reg. sess. 626-659 p.
1833 June 24-29 Adj. sess. 660-681 p.
Vol. 25. 327-681 p. MS.

R-Ar

Unit 3

1833 June 24-29 (cont.) Adj. sess. [1], 682-699 p.
1833 Oct. 28-Nov. 2 Reg. sess. 700-736 p.
1834 Jan. 13-Feb. 1 Adj. sess. 737-802 p.
1834 May 6 Call. sess. 803-804 p.
1834 May 7-10 Reg. sess. 804-833 p.
1834 June 23-28 Adj. sess. 851-911 p.
1834 Oct. 27-Oct. 31 Reg. sess. 913-943 p.
1835 Jan. 12-23 Adj. sess. [35] p.
1835 May 6-13 Reg. sess. [32] p.
1835 June 22-27 Adj. sess. [44] p.
1835 Oct. 26-31 Reg. sess. [36] p.
1836 Jan. 25-Feb. 13 Adj. sess. [56] p.
Vol. 26. 682-943, [193] p. MS.

R-Ar

Unit 4

1836 Jan. 25-Feb. 13 (cont.) Adj. sess. [31] p.
1836 May 4-7 Reg. sess. [38] p.
1836 June 20-25 Adj. sess. [38] p.
1836 Oct. 31-Nov. 5 Reg. sess. [29] p.
1837 Jan. 2-21 Adj. sess. [50] p.
1837 May 3-6 Reg. sess. [26] p.
1837 June 19-24 Adj. sess. [40] p.
1837 Oct. 30-Nov. 4 Reg. sess. [40] p.
1838 Jan. 8-Feb. 3 Adj. sess. [19] p.
Vol. 27. [281] p. MS.

R-Ar

A.1b Reel 7

Unit 1

1838 Jan. 8-Feb. 3 (cont.) Adj. sess. [77] p.

RHODE ISLAND-Continued

1838 May 2-5 Reg. sess. [46] p.
1838 June 18-23 Adj. sess. [37] p.
1838 Oct. 29-Nov. 3 Reg. sess. [36] p.
1839 Jan. 7-Feb. 2 Adj. sess. [93] p.
1839 May 1-4 Reg. sess. [18] p.
1839 June 10-15 Adj. sess. [38] p.
Vol. 28. [345] p. MS.

R-Ar

Unit 2

1839 Oct. 28-Nov. 2 Reg. sess. [20] p.
1840 Jan. 6-Feb. 1 Adj. sess. [46] p.
1840 May 6-8 Reg. sess. [12] p.
1840 June 22-27 Adj. sess. (Not found)
1840 Oct. 26-29 Reg. sess. [18] p.
1841 Jan. 11-Feb. 6 Adj. sess. [63] p.
1841 May 5-7 Reg. sess. [34] p.
1841 June 21-26 Adj. sess. [65] p.
Vol. 29. [258] p. MS.

R-Ar

Unit 3

1841 Oct. 25-29 Reg. sess. 29 p.
1842 Jan. 10-Feb. 5 Adj. sess. 31-93 p.
1842 Mar. 28-Apr. 2 Adj. sess. 95-123 p.
1842 Apr. 25-27 Call. sess. 125-131 p.
1842 May 4-6 Reg. sess. 133-157 p.
1842 May 11-12 Adj. sess. 158-163 p.
1842 June 20-July 2 Adj. sess. [30] p.
1842 Oct. 31-Nov. 5 Reg. sess. [24] p.
1843 Jan. 9-Feb. 4 Adj. sess. [53] p.
1843 May 1-2 Adj. sess. [2] p.
1843 May 2-6 Reg. sess. [39] p.
1843 June 19-24 Adj. sess. [43] p.
1843 Oct. 30-Nov. 4 Reg. sess. [38] p.
1844 Jan. 1-Feb. 17 Adj. sess. [29] p.
Vol. 30. 163, [258] p. MS.

R-Ar

A.1b Reel 8

Unit 1

1844 Jan. 1-Feb. 17 (cont.) Adj. sess.
1 p.l., 29 p.
1844 Mar. 29-30 Call. sess. 30-37 p.
1844 May 7-11 Reg. sess. 41-79 p.
1844 June 24-29 Adj. sess. 83-120 p.
1844 Oct. 28-31 Reg. sess. 121-146 p.
1845 Jan. 6-25 Adj. sess. 147-209 p.
1845 May 6-9 Reg. sess. 215-253 p.
1845 June 23-27 Adj. sess. 257-285 p.
1845 Oct. 27-31 Reg. sess. 286-308 p.
1846 Jan. 5-16 Adj. sess. 309-363 p.
1846 May 5-8 Reg. sess. 364-399 p.
1846 June 22-27 Adj. sess. 400-439 p.

RHODE ISLAND-Continued

1846 Oct. 26-30 Reg. sess. 440-474 p.
1847 Jan. 4-28 Adj. sess. 477-542 p.
Vol. 31. 542 p. MS.

R-Ar

Unit 2

1847 Jan. 4-28 (cont.) Adj. sess. 13 p.
1847 May 4-8 Reg. sess. 15-57 p.
1847 June 21-25 Adj. sess. 59-97 p.
1847 Oct. 25-29 Reg. sess. [41] p.
1848 Jan. 10-Feb. 5 Adj. sess. [100] p.
1848 May 2-5 Reg. sess. [46] p.
1848 June 26-July 1 Adj. sess. [42] p.
1848 Oct. 30-Nov. 3 Reg. sess. [36] p.
1849 Jan. 15-Feb. 17 Adj. sess. [113] p.
1849 May 1-May 4 Reg. sess. [45] p.
Vol. 32. 97, [423] p. MS.

R-Ar

Unit 3

1849 June 25-30 Adj. sess. [38] p.
1849 Oct. 29-Nov. 2 Reg. sess. [40] p.
1850 Jan. 7-Feb. 16 Adj. sess. [122] p.
1850 May 7-10 Reg. sess. [37] p.
1850 Aug. 5-10 Adj. sess. [34] p.
1850 Oct. 28-Nov. 1 Reg. sess. [34] p.
1851 Jan. 20-Feb. 22 Adj. sess. [114] p.
1851 May 6-10 Reg. sess. [47] p.
1851 June 16-21 Adj. sess. [41] p.
1851 Oct. 27-31 Reg. sess. [35] p.
Vol. 33. [544] p. MS.

R-Ar

A.1b Reel 9

Unit 1

1852 Jan. 5-Feb. 20 Adj. sess. [142] p.
1852 May 4-7 Reg. sess. [54] p.
1852 June 21-26 Adj. sess. [50] p.
1852 Oct. 25-28 Reg. sess. [43] p.
1853 Jan. 10-Feb. 25 Adj. sess. [206] p.
1853 May 3-6 Reg. sess. [53] p.
Vol. 34. [528] p. MS.

R-Ar

Unit 2

1853 June 13-17 Adj. sess. [56] p.
1853 Sept. 19-24 Adj. sess. [34] p.
1853 Oct. 31-Nov. 3 Reg. sess. [28] p.
1854 Jan. 9-Mar. 2 Adj. sess. [153] p.
1854 May 2-5 Reg. sess. [70] p.
1854 June 12-17 Adj. sess. [86] p.
1854 Oct. 30-Nov. 3 Reg. sess. [54] p.
Vol. 35. [461] p. MS.

R-Ar

RHODE ISLAND-Continued

Unit 3

1855 Jan. 15-Mar. 3 Adj. sess. [204] p.
1855 May 29-June 15 Ann. sess. [132] p.
1856 Jan. 14-Mar. 8 Adj. sess. [172] p.
Vol. 36. [508] p. MS.

R-Ar

A.1b Reel 10

Unit 1

1856 May 27-June 28 Ann. sess. [111] p.
1857 Jan. 5-Mar. 21 Adj. sess. [259] p.
1857 May 26-29 Ann. sess. [76] p.
1858 Jan. 18-Mar. 8 Adj. sess. [91] p.
Vol. 37. [525] p. MS.

R-Ar

Unit 2

1858 Jan. 18-Mar. 8 (cont.) Adj. sess. [101] p.
1858 May 25-29 Ann. sess. [9], 69 p.
1859 Jan. 17-Mar. 12 Adj. sess. 71-263 p.
1859 May 31-June 3 Ann. sess. 265-346 p.
1860 Jan. 9-Mar. 9 Adj. sess. 348-566 p.
1860 May 29-June 1 Ann. sess. 569-614 p.
Vol. 38. [110], 614 p. MS.

R-Ar

A.1b Reel 11

Unit 1

1860 May 29-June 1 (cont.) Ann. sess. 21 p.
1861 Jan. 14-Mar. 15 Adj. sess. 23-156 p.
1861 Apr. 17-19 Call. sess. 158-170 p.
1861 May 28-31 Ann. sess. 176-245 p.
1861 Aug. 8-10 Call. sess. 248-264 p.
1862 Jan. 13-Mar. 7 Adj. sess. 269-434 p.
1862 May 27-30 Ann. sess. 444-503 p.
1862 Aug. 25-Sept. 6 Call. sess. 506-570 p.
1863 Jan. 12-Mar. 14 Adj. sess. 576-744 p.
Vol. 39. 744 p. MS.

R-Ar

Unit 2

1863 Jan. 12-Mar. 14 (cont.) Adj. sess. 22 p.
1863 May 26-29 Ann. sess. 26-113 p.
1863 June 18-19 Call. sess. 114-127 p.
1864 Jan. 11-Mar. 26 Adj. sess. 128-394 p.
1864 May 31-June 3 Ann. sess. 397-470 p.
1865 Jan. 9-Mar. 17 Adj. sess. 473-653 p.
1865 May 30-31 Ann. sess. 655-695 p.
1865 June 7-15 Adj. sess. 695-741 p.
(Film is defective from p. 486 to 513.)
Vol. 40. 741 p. MS.

R-Ar

SOUTH CAROLINA

General Assembly

Journal of the Upper House of Assembly

A.1a Reel 1

Unit 1

1721 July 27-Sept. 21 Adj. sess. 25-137 p. MS.
1721/22 Jan. 4-5 Prorog. sess. 139-151 p. MS.
1721/22 Jan. 25-Feb. 17 Adj. sess. 152-197 p. MS.
1721/22 Feb. 27-Mar. 10 Prorog. sess. 197-222 p. MS.
In 1 vol. Transcript made about 1890 from a copy in PRO.

Sc-Ar

Unit 2

1722 May 23-26 Adj. sess. 12 p. MS.
1722 June 12-23 Prorog. sess. 12-62 p. MS.
1722 Aug. 1-4 Prorog. sess. 63-83 p. MS.
1722 Nov. 6-Dec. 15 Adj. sess. 87-141 p. MS.
1722/23 Jan. 15-Feb. 23 Adj. sess. 143-246 p. MS.
1723 May-1723/24 Mar. (Not found)
1724 June 2-17 Adj. sess. 249-322, 17 p. MS.
In 1 vol. Transcript made about 1850 from copy in PRO.

Sc-Ar

Unit 3

1724/25 Feb. 23-Mar. 24 Adj. sess. 225-285 p. MS.
1725 Apr. 6-June 1 Prorog. sess. 286-340 p. MS.
In 1 vol. Transcript made about 1850 from copy in PRO.

Sc-Ar

Unit 4

1725 May 17-June 1 Prorog. sess. 40 p. MS.
1725 July 2-Sept. 10 Prorog. sess. 41-111 p. MS.
1725 Nov. 1-Dec. 18 Prorog. sess. 113-253 p. MS.
1725/26 Feb. 1-4 Prorog. sess. 256-268 p. MS.
1726 Apr. 25-30 Prorog. sess. 269-313 p. MS.
1726 May 10-21 Prorog. sess. 314-327, [21] p. MS.
In 1 vol.[1]

Sc-Ar

A.1a Reel 2

Unit 1

1726 May-1730 Dec. (Not found)
1730 Dec. 16-Jan. 23 Prorog. sess. 33 p. MS.
1730/31 Feb. 12-Apr. 10 Adj. sess. 34-71 p. MS.
1731 May 5-June 3 Adj. sess. 71-95 p. MS.
1731 June 21-Aug. 20 Adj. sess. 95-149 p. MS.

1. The proceedings of the Upper House of Assembly sitting as a legislative body and His Majesty's Honorable Council acting in an executive capacity are interspersed throughout the volume.

SOUTH CAROLINA-Continued

1731 Nov. 16-20 Adj. sess. 150-159 p. MS.
1731/32 Jan. 27-Mar. 3 Adj. sess. 160-182 p. MS.
1731/32 Jan. 28-1733 July 11[1] 183-330 p. MS.
1732 Dec. 7-16 Adj. sess. 331-345 p. MS.
1732/33 Jan. 17-Mar. 17 Adj. sess. 346-406 p. MS.
1733 Apr. 4-June 9 Adj. sess. 407-469 p. MS.
1733 Aug. 24-Sept. 22 Adj. sess. 470-510 p. MS.
1733 Aug. 24-Sept. 22[1] 511-519 p. MS.
1733 Nov. 15-17 Adj. sess. 521-525 p. MS.
1733 Dec. 4-15 Adj. sess. 525-538 p. MS.
1733/34 Jan. 11-Feb. 9 Adj. sess. 539-567 p. MS.
1733/34 Feb. 21-28 Adj. sess. 567-576 p. MS.
1733/34 Mar. 5-May 31 Adj. sess. 577-652 p. MS.
1733 Nov. 13-1734 May 24[1] 652-718, [37] p. MS.

Sc-Ar

Unit 2

1734 Nov. 7-23 Adj. sess. 18 p. MS.
1734/35 Jan. 17-Feb. 15 Adj. sess. 18-45 p. MS.
1734/35 Feb. 27-Mar. 29 Prorog. sess. 45-89 p. MS.
1735 Apr. 10-May 6 Prorog. sess. 90-124 p. MS.
1735 May 28-June 7 Adj. sess. 125-146 p. MS.
1735 Sept. 3-6 Adj. sess. 147-153 p. MS.
1735 Nov. 27-Dec. 5 Adj. sess. 154-169 p. MS.
1735/36 Jan. 16-17 Adj. sess. 170-172 p. MS.
1735/36 Jan. 20-Feb. 14 Adj. sess. 172-191 p. MS.
1735/36 Feb. 25-Mar. 4 Adj. sess. 192-199 p. MS.
1735/36 Mar. 17-27 Adj. sess. 199-221 p. MS.
1736 Apr. 8-16 Adj. sess. 221-234 p. MS.
1736 May 5-29 Adj. sess. 234-275 p. MS.
1736 June 24-26 Adj. sess. 276-292 p. MS.
1736 July 15-17 Adj. sess. 293-303 p. MS.
1736 Nov. 10-13 Adj. sess. 305-320 p. MS.
1736 Dec. 1-17 Adj. sess. 320-359 p. MS.
1736/37 Jan. 11-Feb. 16 Adj. sess. 360-423 p. MS.
1736/37 Feb. 22-Mar. 5 Adj. sess. 424-487 p. MS.
1736/37 Mar. 7-Apr. 2 Committee of both houses. 487-494 p. MS.
1737 Oct. 5-8 Adj. sess. 495-511, [41] p. MS.

Sc-Ar

A.1a Reel 3

Unit 1

1737 Dec. 7-17 Adj. sess. 23 p. MS.
1737/38 Jan. 18-Feb. 4 Adj. sess. 24-66 p. MS.
1737/38 Feb. 23-Mar. 11 Adj. sess. 67-105 p. MS.
1737/38 Mar. 20-25 Adj. sess. 105-118 p. MS.
1738 June 1 Adj. sess. 119-122 p. MS.
1738 Sept. 12-18 Adj. sess. 122-134 p. MS.
1738/39 Jan. 17-27 Adj. sess. 135-157 p. MS.

1. Minutes of the Council sitting as an executive body.

SOUTH CAROLINA-Continued

1738/39 Feb. 6-Mar. 3 Adj. sess. 157-185 p. MS.
1738/39 Mar. 14-20 Adj. sess. 185-197 p. MS.
1739 Apr. 3-13 Adj. sess. 197-223 p. MS.
1739 May 30-June 7 Adj. sess. 223-248 p. MS.
1739 Nov. 6-10 Adj. sess. 249-255 p. MS.
1739 Nov. 10-Dec. 18 Adj. sess. 256-285 p. MS.
1739/40 Jan. 29-Feb. 10 Adj. sess. 285-297 p. MS.
1739/40 Feb. 26-Mar. 8 Adj. sess. 297-307 p. MS.
1740 Mar. 26-Apr. 5 Adj. sess. 307-319 p. MS.
1740 Apr. 29-May 10 Adj. sess. 319-334 p. MS.
1740 July 15-26 Adj. sess. 335-343 p. MS.
1740 Aug. 13-18 Adj. sess. 343-345 p. MS.
1740 Sept. 11-19 Adj. sess. 345-361 p. MS.
1740 Nov. 19-21 Adj. sess. 362-366 p. MS.
1740 Dec. 10-20 Adj. sess. 366- p. MS.
1740/41 Jan. 22-28 Adj. sess. 376-388 p. MS.
1740/41 Mar. 17-26 Adj. sess. 389-402 p. MS.
1741 May 19-28 Adj. sess. 403-411 p. MS.
1741 June 23-July 3 412-518 p. MS.
1741 Oct. 28-Nov. 1 519-526 p. MS.
1741 Dec. 2-11 527-533, [38] p. MS.

Sc-Ar

Unit 2

1741/42 Jan. 18-28 Adj. sess. (Not found)
1741/42 Feb. 15-Mar. 8 Adj. sess. (Not found)
1742 May 15-June 4 Adj. sess. 50 p. MS.
1742 July 6-10 Dissolved sess. 51-68 p. MS.
1742 Sept. 15-16 Adj. sess. 69-78 p. MS.
1742 Nov. 17-Dec. 4 Adj. sess. 79-118 p. MS.
1742/43 Jan. 12-29 Adj. sess. 121-144 p. MS.
1742/43 Feb. 16-18 144-152, [29] p. MS.

Sc-Ar

Unit 3

1742/43 Feb. 18-Apr. 9 Adj. sess. 83 p. MS.
1743 Apr. 26-May 7 Adj. sess. 84-115 p. MS.
1743 Oct. 5-14 115-144 p. MS.
1743 Dec. 9-17 144-154, [1] p. MS.

Sc-Ar

A.1a Reel 4

Unit 1

1743/44 Jan. 11-25 Adj. sess. 9 p. MS.
1743/44 Feb. 21-Mar. 9 Adj. sess. 10-33 p. MS.
1744 Apr. 5-20 Adj. sess. 34-55 p. MS.
1744 May 16-30 Adj. sess. 55-92 p. MS.
1744 June 26-July 6 Adj. sess. 92-114 p. MS.
1744 Oct. 5 Adj. sess. p. 114. MS.
1744 Nov. 29-Dec. 8 114-130, [17] p. MS.

Sc-Ar

Unit 2

1744/45 Jan. 16-26 Adj. sess. 35 p. MS.
1744/45 Feb. 12-23 Adj. sess. 36-55 p. MS.

SOUTH CAROLINA-Continued

1744/45 Mar. 12-22 Adj. sess. 55-91 p. MS.
1745 Apr. 23-25 91-252 p. MS.
1745 Dec. 5-7 252-257, [15] p. MS.

Sc-Ar

Unit 3

1745/46 Jan. 8-28 Adj. sess. 17 p. MS.
1745/46 Feb. 13-22 Adj. sess. 18-29 p. MS.
1745/46 Mar. 12-22 Adj. sess. 29-52 p. MS.
1746 Apr. 14-17 Adj. sess. 53-60 p. MS.
1746 June 4-17 Adj. sess. 61-80 p. MS.
1746 Sept. 16-18 81-88, [10] p. MS.

Sc-Ar

Unit 4

1746 Nov. 17-Dec. 12 Adj. sess. (Not found)
1746/47 Jan. 17-Dec. 12 (Not found)
1747 Apr. 6-16 (Not found)
1747 May 12-June 3 (Not found)
1747 June 4-13 Adj. sess. 51 p.
1747/48 Jan. 22-30 Adj. sess. 53-62 p. MS.
1747/48 Mar. 1-12 Adj. sess. 63-89 p. MS.
1748 Apr. 8-May 20 Adj. sess. 90-131 p. MS.
1748 June 8-29 Prorog. sess. 131-186 p. MS.
1748/49 Jan. 10 Adj. sess. 1 p. MS.
1749 Mar. 30-Apr. 4 3-8 p. MS.
1749 May 3-June 2 8-113 p. MS.
1749 Nov. 21-Dec. 15 113-146, [41] p. MS.

Sc-Ar

Unit 5

1749/50 Jan. 27-June 6 175 p. MS.
1750 June 6-Nov. 28 177-188 p. MS.

PRO-C.O. 5/461

A.1a

Reel 5

Unit 1

1751 Jan. 31-Mar. 16 33 p. MS.
1751 Apr. 16-May 17 33-95 p. MS.
1751 June 7-15 95-123 p. MS.
1751 Aug. 29-31 123-131 p. MS.
1751 Nov. 21-23 131-136 p. MS.
1752 Jan. 15-27 136-156, [13] p. MS.

Sc-Ar

Unit 2

1752 Mar. 7-20 18 p. MS.
1752 Apr. 18-May 16 18-87 p. MS.
1752 Sept. 27-Oct. 7 87-107 p. MS.
1752 Nov. 24-Dec. 16 107-127, [10] p. MS.

Sc-Ar

Unit 3

1753 Feb. 21-Apr. 21 63 p. MS.
1753 Aug. 21-25 64-74 p. MS.
1754 Jan. 15-Feb. 9 75-101, [9] p. MS.

SOUTH CAROLINA-Continued

1754 Feb. 28-Mar. 14 11 p. MS.
1754 Apr. 23-May 14 11-75, [10] p. MS.
Sc-Ar

Unit 4

1754* Sept. 3-Nov. 14 22 p. MS.
1755 Jan. 9-Feb. 4 34 p. MS.
1755 Feb. 26-Mar. 22 35-46 p. MS.
1755 Apr. 7-May 19 47-96 p. MS.
1755 Sept. 16-23 96-104 p. MS.
1755 Nov. 24-Dec. 5 105-113, [12] p. MS.
Sc-Ar *PRO-C.O.5/470

Unit 5

1756 Jan. 20-Feb. 21 30 p. MS.
1756 Mar. 9-May 17 30-99 p. MS.
1756 June 17-July 8 99-112 p. MS.
1756 Nov. 3-20 112-124, [9] p. MS.
1757 Jan. 19-Feb. 12 7 p. MS.
1757 Mar. 1-May 21 7-50 p. MS.
1757 June 20-July 6 51-59 p. MS.
1757 Oct. 6-24 60-66 p. MS.
1757 Nov. 15-Dec. 9 67-73 p. MS.
1758 Jan. 16-Feb. 15 73-80 p. MS.
1758 Mar. 9-15 80-82 p. MS.
1758 Apr. 19-May 19 82-99, [10] p. MS.
1758* Nov. 23-Mar. 11 60, [8] p. MS.
Sc-Ar *PRO-C.O.5/474

Unit 6

1759 Mar.-1764 Jan. (Not found)
1764 Jan. 4-Feb. 2 11 p. MS.
1764 Apr. 19-23 12-13 p. MS.
1764 May 23-June 7 13-22 p. MS.
1764 July 3-Aug. 25 22-66 p. MS.
1764 Sept. 18-Oct. 6 66-82 p. MS.
1765 Jan. 8-Feb. 12 82-100 p. MS.
1765 Mar. 5-Apr. 6 100-116 p. MS.
1765 July 18-Aug. 9 116-132 p. MS.
1765 Oct. 28-Nov. 1 132-140 p. MS.
1765 Nov. 26 140-141 p. MS.
1766 Feb. 26-Mar. 15 141-148 p. MS.
1766 June 1-July 3 148-174 p. MS.
1766 Nov. 11-Dec. 19 174-186 p. MS.
1767 Jan. 21-May 25 187-218 p. MS.
1767 Nov. 5-7 218-221 p. MS.
1767 Nov. 20 221-222 p. MS.
1768 Jan. 16-Apr. 9 222-256, [24] p. MS.
1768 Apr.-1773 Mar. (Not found)
Sc-Ar

SOUTH CAROLINA-Continued

A.1a Reel 6

Unit 1

1773 Mar. 12-Sept. 14 [60] p. MS.
1774 Jan.-1775 Aug. (Not found)

PRO

Journal of the Senate

Unit 2

1776 Feb.-1782 Jan. (Not found)
1783 Jan. 6-Mar. 17 39, 372 p. MS.

Sc-Ar

Unit 3

1783 July 7-Aug. 13 (Not found)
1784 Jan. 6-Mar. 26 39, 476 p. MS.

Sc-Ar

Unit 4

1785 Jan. 3-Mar. 25 39, [53], 417 p. MS.

Sc-Ar

A.1a Reel 7

Unit 1

1785 Sept. 20-Oct. 12 [19], 74 p. MS.

Sc-Ar

Unit 2

1786 Jan. 10-Mar. 22 [53], 329 p. MS.

Sc-Ar

Unit 3

1787 Jan. 1-Mar. 28 [53], 327 p. MS.

Sc-Ar

Unit 4

1788 Jan. 8-Feb. 29 [53], 267 p. MS.

Sc-Ar

Unit 5

1788 Oct. 7-Nov. 4 [20], 86 p. MS.

Sc-Ar

A.1a Reel 8

Unit 1

1789 Jan. 5-Mar. 13 300 p. MS.

Sc-Ar

Unit 2

1790 Jan. 4-20 [26], 82 p. MS.

Sc-Ar

Unit 3

1791 Jan. 3-Feb. 19 [51], 250 p. MS.

Sc-Ar

Unit 4

1791 Nov. 23-Dec. 20 [40], 150 p. MS.

Sc-Ar

Unit 5

1792 Nov. 26-Dec. 25 [51], 207 p. MS.

Sc-Ar

SOUTH CAROLINA-Continued

Unit 6

1793 Nov. 25-Dec. 21 [51], 176 p. MS.
1794 Apr. 28-Mar. 12 177-251 p. MS.
Sc-Ar

A.la Reel 9

Unit 1

1794 Nov. 24-Dec. 20 [51], 221 p. MS.
Sc-Ar

Unit 2

1795 Nov. 9-Dec. 19 [51], 253 p. MS.
Sc-Ar

Unit 3

1796 Nov. 28-Dec. 20 [51], 211 p. MS.
Sc-Ar

Unit 4

1797 Nov. 20-Dec. 16 [51], 168 p. MS.
Sc-Ar

Unit 5

1798 Nov. 26-Dec. 21 [51], 193 p. MS.
Sc-Ar

Unit 6

1799 Nov. 18-Dec. 21 [51], 198 p. MS.
Sc-Ar

There are no reels bearing numbers 10-20.

A.la Reel 21

Unit 1

1800 Nov. 24-Dec. 20 Reg. sess. [61], 285 p. MS.
Sc-Ar

Unit 2

1801 Nov. 23-Dec. 19 Reg. sess. [53], 303 p. MS.
Sc-Ar

Unit 3

1802 Nov. 22-Dec. 18 Reg. sess. [59], 232 p. MS.
Sc-Ar

Unit 4

1803 Nov. 21-Dec. 17 Reg. sess. [39], 177 p. MS.
1804 May 10-May 16 Ext. sess. 178-206 p. MS.
Sc-Ar

A.la Reel 22

Unit 1

1804 Nov. 26-Dec. 21 Reg. sess. [57], 201 p. MS.
Sc-Ar

Unit 2

1805 Nov. 18-Dec. 19 Reg. sess. [61], 270 p. MS.
Sc-Ar

SOUTH CAROLINA-Continued

Unit 3

1806 Nov. 24-Dec. 20 Reg. sess. [59], 258 p. MS.
Sc-Ar

Unit 4

1807 Nov. 23-Dec. 19 Reg. sess. [63], 153 p. MS.
1808 June 20-29 Ext. sess. 156-196 p. MS.
Sc-Ar

A.1a Reel 23

Unit 1

1808 Nov. 28-Dec. 17 Reg. sess. [69], 165 p. MS.
Sc-Ar

Unit 2

1809 Nov. 27-Dec. 19 Reg. sess. [69], 214 p. MS.
Sc-Ar

Unit 3

1810 Nov. 26-Dec. 20 Reg. sess. [65], 228 p. MS.
Sc-Ar

Unit 4

1811 Nov. 25-Dec. 21 Reg. sess. [62], 213 p. MS.
1812 Aug. 24-29 Ext. sess. 215-254 p. MS.
Sc-Ar

A.1a Reel 24

Unit 1

1812 Nov. 24-Dec. 19 Reg. sess. [16], 285 p. MS.
Sc-Ar

Unit 2

1813 Sept. 15-24 Ext. sess. [61], 51 p. MS.
1813 Nov. 22-Dec. 18 Reg. sess. [4], 284 p. MS.
Sc-Ar

Unit 3

1814 Nov.-Dec. 21 Reg. sess. [71], 273 p. MS.
Sc-Ar

Unit 4

1815 Nov. 27-Dec. 16 Reg. sess. 211, [35] p. MS.
Sc-Ar

Unit 5

1816 Nov. 25-Dec. 19 Reg. sess. 275, [2] p. MS.
1817 Mar. 24-28 Ext. sess. 35, [37] p. MS.
Sc-Ar

A.1a Reel 25

Unit 1

1817 Nov. 24-Dec. 18 Reg. sess. 207, [49] p. MS.
Sc-Ar

Unit 2

1818 Nov. 23-Dec. 18 Reg. sess. 262, [45] p. MS.
Sc-Ar

Unit 3

1819 Nov. 22-Dec. 18 Reg. sess. 1 p.l., 208, [62] p. MS.
Sc-Ar

SOUTH CAROLINA-Continued

Unit 4

1820 Nov. 27-Dec. 20 Reg. sess. 1 p.l., 243, [60] p. MS.
Sc-Ar

Unit 5

1821 Nov. 26-Dec. 20 Reg. sess. 1 p.l., 249, [74] p. MS.
Sc-Ar

A.1a Reel 26

Unit 1

1822 Nov. 25-Dec. 21 Reg. sess. 264, [64] p. MS.
Sc-Ar

Unit 2

1823 Nov. 24-Dec. 20 Reg. sess. 222, [48] p. MS.
Sc-Ar

Unit 3

1824 Nov. 22-Dec. 18 Reg. sess. 1 p.l., 245 p. MS.
Sc-Ar

Unit 4

1825 Nov. 28-Dec. 20 Reg. sess. 283 p. MS. Sc-Ar

Unit 5

1826 Nov. 27-Dec. 20 Reg. sess. 1 p.l., 235, [37] p. MS.
Sc-Ar

A.1a Reel 27

Unit 1

1827 Nov. 19-Dec. 19 Reg. sess. 1 p.l., 270, [71] p. MS.
Sc-Ar

Unit 2

1828 Jan. 21-30 Ext. sess. 1 p.l., 53 p. MS.
1828 Nov. 24-Dec. 20 Reg. sess. 55-243, [52] p. MS.
Sc-Ar

Unit 3

1829 Nov. 23-Dec. 18 Reg. sess. 156, [29] p. MS.
Sc-Ar

Unit 4

1830 Nov. 22-Dec. 18 Reg. sess. 153, [39] p. MS.
Sc-Ar

Unit 5

1831 Nov. 28-Dec. 17 Reg. sess. 164, [37] p. MS.
Sc-Ar

Unit 6

1832 Oct. 22-26 Ext. sess. 19, [10] p. MS.
1832 Nov. 26-Dec. 20 Reg. sess. 208 p. MS.
Sc-Ar

A.1a Reel 28

Unit 1

A.1a:b

Journals of the Senate and House of Representatives

1831 Nov. 28-Dec. 17 Reg. sess. 79 p.
1832 Oct. 22-26 Ext. sess. (Not found)
1832 Nov. 27-Dec. 20 Reg. sess. 60 p.
1833 Nov. 26-Dec. 19 Reg. sess. 55 p.

SOUTH CAROLINA-Continued

1834 Nov. 24-Dec. 17 Reg. sess. 86 p.
1835 Nov. 23-Dec. 19 Reg. sess. 87 p.
1836 Nov. 29-Dec. 21 Reg. sess. 80 p.
1837 Nov. 27-Dec. 20 Reg. sess. 98 p.
1838 May 28-June 1 Ext. sess. 21, [1] p.
1838 Nov. 26-Dec. 19 Reg. sess. 164 p.
1839 Nov. 25-Dec. 21 Reg. sess. 171, [1] p.
1840 Nov. 23-Dec. 18 Reg. sess. 171 p.
1841 Nov. 22-Dec. 17 Reg. sess. 167, [1] p.
DLC

Journal of the Senate

Unit 2

1842 Nov. 28-Dec. 20 Reg. sess. 157 p.
1843 Nov. 27-Dec. 19 Reg. sess. 151 p.
1844 Nov. 25-Dec. 18 Reg. sess. 178 p.
DLC

Unit 3

1845 Nov. 24-Dec. 15 Reg. sess. 160 p.
1846 Nov. 23-Dec. 18 Reg. sess. 239 p.
1847 Nov. 22-Dec. 17 Reg. sess. 240 p.
DLC

A.la Reel 29

Unit 1

1848 Nov. 6-7 Call. sess. 1 p.l., 8 p.
1848 Nov. 27-Dec. 20 Reg. sess. 9-245 p.
1849 Nov. 26-Dec. 19 Reg. sess. 224 p.
DLC

Unit 2

1850 Nov. 25-Dec. 20 Reg. sess. 239 p.
1851 Nov. 24-Dec. 16 Reg. sess. 224 p.
DLC

Unit 3

1852 Nov. 1-2 Call. sess. 11 p.
1852 Nov. 22-Dec. 16 Reg. sess. [13]-259, [1] p.
1853 Nov. 28-Dec. 20 Reg. sess. 202 p.
DLC

Unit 4

1854 Nov. 27-Dec. 21 Reg. sess. 218 p.
1855 Nov. 26-Dec. 19 Reg. sess. 205 p.
DLC

Unit 5

1856 Nov. 3-4 Call. sess. 11 p.
1856 Nov. 24-Dec. 20 Reg. sess. 221 p.
1857 Nov. 23-Dec. 21 Reg. sess. 240 p.
DLC

A.la Reel 30

Unit 1

1858 Nov. 22-Dec. 21 Reg. sess. 233 p.
1859 Nov. 28-Dec. 22 Reg. sess. 208 p.
DLC

SOUTH CAROLINA-Continued

Unit 2

1860 Nov. 5-13 Call. sess. 31 p.
1860 Nov. 26-Dec. 22 Reg. sess. 144 p.
1861 Jan. 3-28 Adj. sess. 144-295, [1] p.
1861 Nov. 4-6 Call. sess. 35 p.
1861 Nov. 24-Dec. 21 Reg. sess. [37]-252 p.
DLC

Unit 3

1862 Nov. 24-Dec. 18 Reg. sess. 144 p.
1863 Jan. 20-Feb. 6 Adj. sess. 145-264 p.
1863 Apr. 3-10 Call. sess. [265]-335 p.
1863 Sept. 21-30 Call. sess. 34 p.
1863 Nov. 23-Dec. 17 Reg. sess. [35]-190 p.
DLC

Unit 4

1864 Nov. 28-Dec. 23 Reg. sess. (Burned)
1865 Oct. 25-Nov. 25 Call. sess. 78, iv, [1] p.
1865 Nov. 27-Dec. 21 Reg. sess. 142, x p.
1866 Sept. 4-21 Ext. sess. 65 p.
1866 Nov. 26-Dec. 21 Reg. sess. [67]-275 p.
DLC

General Assembly

Journal of the Commons House of Assembly

A.1b Reel 1

Unit 1[1]

1692 Sept. 20-Oct. 15 31 p. (1907)
1693 Jan. 9-Sept. 20 41 p. (1907)
1696 Jan. 30-Mar. 17 49, 53 p. (1908)
1696 Nov. 24-Dec. 5 20 p. (1912)
1697 Feb. 23-Nov. 12 24 p. (1913)
1698 Sept. 13-Nov. 19 ? p. (1914)
1700 Oct. 30-Nov. 16 30 p. (1924)
1701 Feb. 4-Mar. 1 25 p. (1925)
1701 Aug. 13-28 35 p. (1926)
1704/5 Jan. 31-Feb. 16 53 p. MS. (Incomplete)
1707 Oct. 23?-Nov. 11? [64] p. MS. (The pages of this volume are out of order.)
1708 Nov. 24-Dec. 18 83-124 p. MS.
1708/9 Feb. 1-19 125-141 p. MS.
1709 Apr. 20-May 6 142-174 p. MS.
1709 Oct. 19-Nov. 5 34 p. MS.
1709 Oct. 19-Nov. 5 175-218 p. MS.

1. No journals were contemporaneously printed prior to those of the Nov. 1831 session. The first nine journals listed under Unit 1 have been published from time to time by the South Carolina Historical Commission and do not appear on the film in the manuscript.

SOUTH CAROLINA-Continued

1710 Oct. 10-Dec. 5 219-242 p. MS.
1710/11 Jan. 10-Feb. 24 243-297 p. MS.
1711 May 15-16 297-304 p. MS.
1711 June 12-22 304-324 p. MS.
1711 Oct. 9-Nov. 10 325-359 p. MS.
1712 Apr. 2-8 360-390 p. MS.

Sc-Ar

Unit 2

1708 Nov. 24-Dec. 16 373-402 p. MS.
1708/9 Feb. 1-17 Prorog. sess. 404-416 p. MS.
1709 Apr. 22-May 6 416-437 p. MS.
1709 Oct. 19-Nov. 5 440-469 p. MS.
1710 Oct. 10-27 Adj. sess. 471-489 p. MS.
1710 Dec. 5-7 Adj. sess. 492-497 p. MS.
1710/11 Jan. 11-Mar. 1 Prorog. sess. 498-546 p. MS.
1711 May 15-16 Adj. sess. 548-553 p. MS.
1711 June 12-22 558-571 p. MS.
1711 Oct. 9-11 Adj. sess. 574-583 p. MS.
1711 Oct. 26-Nov. 10 Prorog. sess. 584-599 p. MS.
Index. 600-624 p. MS.
In 1 vol. Transcript made about 1850 from a copy in PRO.

Sc-Ar

Unit 3

1712 May 13-June 6 [100] p. MS.
1716 Apr. 25-June 30 [33] p. MS.
1716 July 31-Aug. 4 [10] p. MS.
1716 Nov. 13-Dec. 30 [11-38] p. MS.
1716/17 Jan. 16-Feb. 20 [39-56] p. MS.
1717 Apr. 9-June 1 [57-90] p. MS.
1716 Dec. 7-1717 June 1 [57] p. MS.
1717 June 4-29 [57-73] p. MS.
1717 Oct. 29-Nov. 15 [74-87] p. MS.
1717 June 5-Dec. 10 [56] p. MS.
1717 June 15 [2] p. MS. (Fragment)
1717 Dec. 10-15 [10] p. MS. (Fragment)

Sc-Ar

Unit 4

1712 Apr. 2-9 Adj. sess. 24 p. MS.
1712 May 13-June 7 Prorog. sess. 25-87 p. MS.
1712 Aug. 5-8 Adj. sess. 90-104 p. MS.
1712 Nov. 11-Dec. 11 Adj. sess. 108-167 p. MS.
1713 Mar. (Not found)
1713 Sept. 22-23 Prorog. sess. 170-178 p. MS.
1713 Nov. 17-Dec. 18 Prorog. sess. 179-240 p. MS.
1714 May 4-13 Adj. sess. 244-263 p. MS.
1714 June 1-12 266-290 p. MS.
1714 Nov. 9-Dec. 18 Prorog. sess. 294-341 p. MS.
1714/15 Feb. 8-25 Prorog. sess. 344-385 p. MS.
1715 May 6-13 Prorog. sess. 388-415 p. MS.
1715 Aug. 2-27 Prorog. sess. 418-456 p. MS.

SOUTH CAROLINA-Continued

1715 Oct. 11-13 Prorog. sess. p. 460 MS.
1715 Nov. (Not found)
Index. [36] p. MS.
In 1 vol. Transcript made about 1850 from a copy in PRO.

Sc-Ar

A.1b Reel 2

Unit 1

1715/16 Feb. 28-Mar. 23 Adj. sess. 62 p. MS.
1716 Apr. 17-May 18 Adj. sess. 62-111 p. MS.
1716 June 5-30 Adj. sess. 111-151 p. MS.
1716 July 31-Aug. 4 Prorog. sess. 152-163 p. MS.
1716 Nov. 13-Dec. 15 Prorog. sess. 164-212 p. MS.
1716 Dec. 27-30 Prorog. sess. 214-220 p. MS.
1716/17 Jan. 16-26 Adj. sess. 221-235 p MS.
1716/17 Feb. 12-16 Prorog. sess. 236-241 p. MS.
1717 Apr. 10-19 Adj. sess. 243-264 p. MS.
1717 May 21-June 21 Adj. sess. 266-325 p. MS.
1717 June 26-29 Prorog. sess. 326-337 p. MS.
1717 Oct. 29-Dec. 11 Prorog. sess. 338-422 p. MS.
1717 Dec. 12-1719/20 Feb. 2 (Not found)
1719/20 Feb. 3-13 Adj. sess. 426-437 p. MS.
1719/20 Mar. 8-9 439-440 p. MS.
1720 June 7-17 Prorog. sess. 442-450 p. MS.
1720 July 12-16 Adj. sess. 452-457 p. MS.
1720 Aug. 30-Sept. 3 Adj. sess. 458-463 p. MS.
1720 Nov. 22-Dec. 17 Adj. sess. 465-483 p. MS.
1720/21 Feb. 7-17 Adj. sess. 485-490 p. MS.
1720/21 Mar. 7-9 Prorog. sess. 491-492 p. MS.
1721 Apr. 25-28 Adj. sess. 492-495 p. MS.
1721 July 27-Aug. 15 497-536 p. MS.
Index. [55] p. MS.
In 1 vol. Transcript made about 1850 from a copy in PRO.

Sc-Ar

Unit 2

1720 June 7-16 [18] p. MS.
1720 Nov. 25-Dec. 16 [12] p. MS.
1720/21 Feb. 7-Mar. 8 [8] p. MS.
1721 July 27-Aug. 15 72 p. MS.
1721 July 18-Sept. 21 42, [94] p. MS.
1721/22 Jan. 25-Mar. 10 72, [20] p. MS.
In 1 vol.

Sc-Ar

Unit 3

1722 May 25?-26 Adj. sess. 4 p. MS.
1722 June 12-23 Prorog. sess. 5-59 p. MS.
1722 Nov. 6-Dec. 15 Adj. sess. 60-131 p. MS.
1722/23 Jan. 15-Feb. 23 Adj. sess. 133-226 p. MS.
1723 May 8-18 227-270 p. MS.

SOUTH CAROLINA-Continued

1723 Oct. 1-Dec. 21 270-360 p. MS.
1723/24 Jan. 13-Feb. 15 362-469 p. MS.
Index. 470-510 p. MS.
In 1 vol. Transcript made in about 1850 from a copy in PRO.

Sc-Ar

A.1b Reel 3

Unit 1

[W] 1722* July 31-Aug. 4 12 p. MS.
[W] 1722* Nov. 6-10 12 p. MS.
[W] 1722* Nov. 6-Dec. 15 95 p. MS.
[W] 1722/23* Jan. 15-Feb. 23 107 p. MS.
1723/24 Mar. 23-28 Prorog. sess. 19 p. MS.
1724 June 2-17 Adj. sess. 21-70 p. MS.
1724/25 Feb. 23-Mar. 24 Adj. sess. 71-148 p. MS.
1725 Apr. 6-June 1 Prorog. sess. 149-240 p. MS.
1725 Nov. 1-Dec. 18 Prorog. sess. 240-321 p. MS.
1725/26 Feb. 1-4 Prorog. sess. 322-335 p. MS.
1726 Apr. 25-30 Prorog. sess. 336-359 p. MS.
1726 Nov. 15-Mar. 11 Prorog. sess. 360-547 p. MS.
1727 Aug. 1-4 Prorog. sess. 552-565 p. MS.
1727 Aug. 23-Sept. 30 Prorog. sess. 566-631 p. MS.
Index. [37] p. MS.

Sc-Ar *PRO-C.O.5/426

Unit 2

[W] 1726 May 17-21 Prorog. sess. 15 p. MS.
[W] 1727 Aug. 1-4 Prorog. sess. 12 p. MS.
[W] 1727 Aug. 23-Sept. 30 Prorog. sess. 65 p. MS.
1727/28* Jan. 31-May 11 103 p. MS.
1728* July 9-24 25 p. MS.
1729/30* Feb. 15-21 25 p. MS.

PRO-C.O.5/429-*430

A.1b Reel 4

Unit 1

1727/28 Jan. 31-May 11 341-523 p. MS.
1728 July 9-24 524-556 p. MS.
1728/29 Jan. 15-Feb. 21 558-602 p. MS.
1729/30 Feb. 21-1730/31 Jan. 21 (Not found)
1730/31 Jan. 21-23 Prorog. sess. 604-613 p. MS.
1730/31 Feb. 12-Apr. 10 Adj. sess. 613-667 p. MS.
1731 May 3-June 3 Adj. sess. 667-716 p. MS.
1731 June 21-Aug. 20 Adj. sess. 717-802 p. MS.
1731 Nov. 16-20 Adj. sess. 804-819 p. MS.
1731/32 Jan. 18-Mar. 3 Adj. sess. 819-874 p. MS.
1732 Nov. 7-Dec. 16 Adj. sess. 875-891 p. MS.
1732/33 Jan. 9-Mar. 17 Adj. sess. 891-989 p. MS.
1733 Apr. 3-June 9 Adj. sess. 989-1101 p. MS.

SOUTH CAROLINA-Continued

1733 Aug. 13-Sept. 22 Adj. sess. 1101-1160 p. MS.
In 1 vol. Transcript made about 1890 from a copy in PRO.

Sc-Ar

Unit 2

1733 Nov. 15-17 Adj. sess. 14 p. MS.
1733 Dec. 4-15 Adj. sess. 14-56 p. MS.
1733/34 Jan. 8-Feb. 9 Adj. sess. 56-113 p. MS.
1733/34 Feb. 19-28 Adj. sess. 113-132 p. MS.
In 1 vol. Transcript made about 1890 from copy in PRO.

Sc-Ar

Unit 3

1733/34 Feb. 7-9 Adj. sess. 14 p. MS.
1733/34 Feb. 19-May 31 14-210, [49] p. MS.
In 1 vol.
1735 Sept. 2-6 20, [5] p. MS.
In 1 vol.

Sc-Ar

A.1b Reel 5

Unit 1

1734 Nov. 6-22 Adj. sess. 32 p. MS.
1734/35 Jan. 14-Feb. 15 Adj. sess. 32-79 p. MS.
1734/35 Feb. 25-Mar. 29 Prorog. sess. 79-199 p. MS.
1735 Apr. 15-May 6 Prorog. sess. 200-269 p. MS.
1735 May 27-June 7 Adj. sess. 269-301 p. MS.
1735 Nov. 25-Dec. 5 Adj. sess. 302-342 p. MS.
1735/36 Jan. 13-17 Adj. sess. 343-362 p. MS.
1735/36 Jan. 27-Feb. 14 Adj. sess. 363-462 p. MS.
1735/36 Feb. 24-Mar. 4 Adj. sess. 462-495 p. MS.
1735/36 Mar. 15-27 Adj. sess. 495-602 p. MS.
1736 Apr. 6-16 Adj. sess. 602-635 p. MS.
1736 May 4-25 Adj. sess. 635-721, [54] p. MS.

Sc-Ar

A.1b Reel 6

Unit 1

1736 May 25-29 Adj. sess. 33 p. MS.
1736 June 23-26 Call. sess. 34-60 p. MS.
1736 July 13-17 Call. sess. 60-94 p. MS.
1736 Nov. 10-13 Adj. sess. 95-131 p. MS.
1736 Nov. 30-Dec. 17 Adj. sess. 131-323 p. MS.
1736/37 Jan. 10-Feb. 12 Adj. sess. 324-422 p. MS.
1736/37 Feb. 21-Mar. 1 422-456, [45] p. MS.
Only part of the 1736/37 Feb. 21st sess. is reported in this volume. The session continued until Mar. 5th. See Unit 3.

Sc-Ar

Unit 2

1737 Oct. 4-8 Adj. sess. 251-261 p. MS.
1737 Dec. 6-17 Adj. sess. 261-278 p. MS.

SOUTH CAROLINA-Continued

1737/38 Jan. 17-Feb. 4 Adj. sess. 279-308 p. MS.
1737/38 Feb. 21-Mar. 11 Adj. sess. 308-336 p. MS.
1737/38 Mar. 20-25 Adj. sess. 336-345 p. MS.
In 1 vol. Transcript made about 1890 from copy in PRO.

Sc-Ar

Unit 3

1736/37 Mar. 1-5 Adj. sess. 83 p. MS.
1737 Oct. 4-8 Adj. sess. 84-107 p. MS.
1737 Dec. 6-17 Adj. sess. 107-153 p. MS.
1737/38 Jan. 17-Feb. 4 Adj. sess. 153-249 p. MS.
1737/38 Feb. 21-Mar. 11 Adj. sess. 249-328 p. MS.
1737/38 Mar. 20-25 Adj. sess. 328-355 p. MS.
1738 May 30-June 1 Adj. sess. 356-360 p. MS.
1738 Sept. 11-18 Adj. sess. 361-372 p. MS.
1738/39 Jan. 16-26 Adj. sess. 373-399 p. MS.
1738/39 Feb. 5-Mar. 3 Adj. sess. 400-456 p. MS.
1739 Mar. 12-15 Adj. sess. 456-458, [44] p. MS.

Sc-Ar

A.1b Reel 7

Unit 1

1738/39 Mar. 15-20 Adj. sess. 16 p. MS.
1739 Apr. 2-13 Adj. sess. 17-51 p. MS.
1739 May 29-June 7 Adj. sess. 51-92 p. MS.
1739 Sept. 12-14 Prorog. sess. 93-99 p. MS.
1739 Oct. 15-18 Prorog. sess. 99-100 p. MS.
1739 Oct. 30-Nov. 10 Adj. sess. 100-130 p. MS.
1739 Nov. 19-Dec. 17 Adj. sess. 130-227 p. MS.
1739/40 Jan. 21-Feb. 10 Adj. sess. 228-323 p. MS.
1739/40 Feb. 25-27 Adj. sess. 324-335, [35] p. MS.

Sc-Ar

Unit 2

Index. [12] p. MS.
1739/40 Feb. 27-Mar. 8 265-356 p. MS.
1739/40 Mar. 24-Apr. 5 356-445 p. MS.
1740 Apr. 29-May 10 445-492, [19] p. MS.
1740 July 15-26 53 p. MS.
1740 Aug. 12-18 53-66 p. MS.
1740 Sept. 9-19 66-94, [9] p. MS.

Sc-Ar

Unit 3

1740 Nov. 18-21 Adj. sess. 22 p. MS.
1740 Dec. 8-20 Adj. sess. 22-91 p. MS.
1740/41 Jan. 19-30 Adj. sess. 91-146 p. MS.
1740/41 Feb. 16-28 Adj. sess. 146-212 p. MS.
1740/41 Mar. 16-26 Adj. sess. 212-288 p. MS.
1741 May 18-22 290-358, [32] p. MS.

Sc-Ar

SOUTH CAROLINA-Continued

A.1b Reel 8

Unit 1

1741 May 23-28 Adj. sess. 52 p. MS.
1741. June 22-July 1 52-341, [18] p. MS.

Sc-Ar

Unit 2

1741 July 3 Adj. sess. 34 p. MS.
1741 Oct. 20-Nov. 1 Adj. sess. 35-67 p. MS.
1741 Dec. 1-11 Adj. sess. 69-172 p. MS.
1741/42 Jan. 18-28 Adj. sess. 172-365, [30] p. MS.

Sc-Ar

Unit 3

1741/42 Jan. 28-29 Adj. sess. 48 p. MS.
1741/42 Feb. 15-Mar. 8 Adj. sess. 49-351 p. MS.
1742 May 17-June 3 Adj. sess. 351-473 p. MS.
1742 July 6-10 Dissolved sess. 474-497, [31] p. MS.

Sc-Ar

A.1b Reel 9

Unit 1

1742 Sept. 14-17 Elected sess. 72 p. MS.
1742 Nov. 16-30 Adj. sess. 72-187 p. MS.
1742 Dec. 1-4 Adj. sess. 187-252 p. MS.
1742/43 Jan. 11-29 Adj. sess. 252-359 p. MS.
1742/43 Feb. 15-Apr. 9 Adj. sess. 360-741 p. MS.
1743 Apr. 26-May 7 Adj. sess. 742-823, [56] p. MS.

Sc-Ar

A.1b Reel 10

Unit 1

1743 Oct. 4-14 Adj. sess. 56 p. MS.
1743 Dec. 6-17 Adj. sess. 56-97 p. MS.
1743/44 Jan. 10-27 Adj. sess. 97-171 p. MS.
1743/44 Feb. 20-Mar. 10 Adj. sess. 171-274 p. MS.
1744 Apr. 2-21 Adj. sess. 274-412 p. MS.
1744 May 15-29 Adj. sess. 413-568 p. MS.
1744 June 26-July 7 Call. sess. 570-662, [41] p. MS.

Sc-Ar

Unit 2

1744 Oct. 2-5 Adj. sess. 5-15 p. MS.
1744 Nov. 29-Dec. 8 Adj. sess. 16-68 p. MS.
1744/45 Jan. 15-26 Adj. sess. 69-158 p. MS.
1744/45 Feb. 11-23 Adj. sess. 159-243 p. MS.
1744/45 Mar. 11-23 Adj. sess. 244-352 p. MS.
1745 Apr. 22-May 25 Adj. sess. 353-604, [40] p. MS.

Sc-Ar

SOUTH CAROLINA-Continued

A.1b Reel 11

Unit 1

1745 Nov. 6-7 Elected sess. 11 p. MS.
1745 Dec. 3-7 Adj. sess. 12-70 p. MS.
1745/46 Jan. 7-28 Adj. sess. 71-217 p. MS.
1745/46 Feb. 11-22 Adj. sess. 218-319 p. MS.
1745/46 Mar. 10-22 Adj. sess. 320-469 p. MS.
1746 Apr. 14-16 Adj. sess. 470-500 p. MS.
1746 June 3-17 Adj. sess. 501-626, [42] p. MS.

Sc-Ar

Unit 2

1746 Sept. 11-18 Elected sess. 84 p. MS.
1746 Nov. 17-Dec. 12 Adj. sess. 85-264 p. MS.
1746/47 Jan. 19-Feb. 17 Adj. sess. 265-448 p. MS.
1747 Apr. 6-16 Adj. sess. 449-517 p. MS.
1747 May 12-June 13 Dissolved sess. 518-772, [58] p. MS.

Sc-Ar

A.1b Reel 12

Unit 1

1747/48 Jan. 19-30 101 p. MS.
1747/48 Feb. 22-Mar. 12 102-299 p. MS.
1748 Apr. 7-May 20 300-514 p. MS.
1748 June 6-28 515-711, [64] p. MS.

Sc-Ar

Unit 2

1748 June 28-1749 Mar. 28 (Not found)
1749 Mar. 28-Apr. 4 [46], 7-80 p. MS.
1749 May 2-June 1 81-630 p. MS.

Sc-Ar

A.1b Reel 13

Unit 1

1749 Nov. 21-Dec. 14 182 p. MS.
1749/50 Jan. 23-Mar. 19 183-491 p. MS.
1750 Apr. 24-May 31 492-733, [60] p. MS.

Sc-Ar

Unit 2

1750 Nov. 13-24 40 p. MS.
1751 Jan. 15-Mar. 16 41-261 p. MS.
1751 Apr. 15-May 18 261-523 p. MS.
1751 June 4-15 524-625 p. MS.
1751 Aug. 27-31 627-662, [60] p. MS.

Sc-Ar

A.1b Reel 14

Unit 1

1751 Nov. 14-23 56 p. MS.
1752 Jan. 7-25 57-189 p. MS.
1752 Mar. 4-20 190-298 p. MS.

SOUTH CAROLINA-Continued

1752 Apr. 15-May 16 299-576 p. MS.
1752 Sept. 26-Oct. 7 578-647, [60] p. MS.
Sc-Ar

Unit 2

1752 Nov. 21-Dec. 16 156 p. MS.
1753 Feb. 6-Apr. 21 157-569 p. MS.
1753 Aug. 20-25 570-611, [60] p.
Sc-Ar

A.1b Reel 15

Unit 1

1753 Aug. 25-1754 Jan. 4 (Not found)
1754 Jan. 8-Mar. 15 245 p. MS.
1754 Apr. 22-May 11 246-451 p. MS.
1754 Sept. 2-6 453-482, [60] p. MS.
Sc-Ar

Unit 2

1754 Nov. 12-16 53 p. MS.
1755 Jan. 6-Feb. 7 54-232 p. MS.
1755 Feb. 24-Mar. 23 233-415 p. MS.
1755 Apr. 7-May 20 416-595 p. MS.
1755 Sept. 15-23 596-642, [60] p. MS.
Sc-Ar

A.1b Reel 16

Unit 1

1755 Nov. 20-Dec. 3 27 p. MS.
1756 Jan. 12-Feb. 21 28-112 p. MS.
1756 Mar. 8-May 3 113-209 p. MS.
1756 June 17-July 6 210-234, [60] p. MS.
1756 Nov. 2-20 20 p. MS.
1757 Jan. 18-Feb. 12 20-47 p. MS.
1757 Mar. 1-May 21 47-134 p. MS.
1757 June 20-July 6 136-156, [60] p. MS.
Sc-Ar

Unit 2

1757 Oct. 6-22 26 p. MS.
1757 Nov. 15-Dec. 9 26-56 p. MS.
1758 Jan. 18-Feb. 10 56-106 p. MS.
1758 Feb. 27-Mar. 18 106-149 p. MS.
1758 Apr. 17-May 19 150-226, [60] p. MS.
1758 Oct. 23-26 3 p. MS.
1758 Nov. 20-Dec. 14 4-50 p. MS.
1759 Jan. 17-Feb. 16 51-140 p. MS.
1759 Mar. 5-Apr. 7 141-230, [60] p. MS.
Sc-Ar

Unit 3

1759 July 2-14 29 p. MS.
1759 Oct. 4-13 31-53 p. MS.
1760 Feb. 4-Aug. 20 Dissolved sess. 54-380, [60] p. MS.
1760 Oct. 6-18 20 p. MS.

SOUTH CAROLINA-Continued

1761 Jan. 5-14 21-36, [11] p. MS.

Sc-Ar

A.1b Reel 17

Unit 1

1761 Mar. 26-Aug. 6 235 p. MS.
1761 Sept. 15-19 236-257 p. MS.
1761 Dec. 1-26 258-275, [60] p. MS.

Sc-Ar

Unit 2

1762 Feb. 5-22 25 p. MS.
1762 Mar. 15-Apr. 2 25-71 p. MS.
1762 Apr. 19-May 29 71-143 p. MS.
1762 June 29-July 9 Prorog. sess. 144-152 p. MS.
1762 Sept. 9-13 153-172, [50] p. MS.
1762 Oct. 25-26 Prorog. sess. 3 p. MS.
1762 Nov. 22-Dec. 28 Adj. sess. 4-50, [5] p. MS.
1763 Jan. 24-Mar. 28 9 p. MS.
1763 Apr. 6-19 9-11 p. MS.
1763 Sept. 1-17 12-32 p. MS.
1764 Jan. 4-25 9 p. MS.
1764 Apr. 19-24 10-14 p. MS.
1764 May 22-25 15-32, [4] p. MS.
1764 May 25-Aug. 25 33-254 p. MS.
1764 Sept. 18-Oct. 6 255-276, [46] p. MS.

Sc-Ar

A.1b Reel 18

Unit 1

1765 Jan. 8-Feb. 14 39 p. MS.
1765 Mar. 5-Apr. 6 39-86 p. MS.
1765 July 16-Aug. 8 87-111, [46] p. MS.
1765 Oct. 28-31 14 p. MS.
1765 Nov. 25-29 14-32 p. MS.
1766 Jan. 7-May 9 33-127 p. MS.
1766 June 3-July 2 127-205 p. MS.
1766 Nov. 11-Dec. 19 206-255 p. MS.
1767 Jan. 19-May 28 255-455 p. MS.
1767 Nov. 3-20 456-486 p. MS.
1768 Jan. 5-Apr. 12 486-700, [60] p. MS.
1768 Nov. 15-19 22, [5] p. MS.

Sc-Ar

A.1b Reel 19

Unit 1

1769 June 15-Aug. 23 Prorog. sess. 188, [12] p. MS.
1769 Nov. 28-Dec. 8 Adj. sess. 189-215 p. MS.
1770 Jan. 9-Apr. 11 Prorog. sess. 216-393 p. MS.
1770 June 5 Prorog. sess. 393-395 p. MS.
1770 July 23 Prorog. sess. 395-396 p. MS.
1770 Aug. 14-Sept. 8 Prorog. sess. 397-456, [10] p. MS.

SOUTH CAROLINA-Continued

1771 Jan. 15-Mar. 20 457-517 p. MS.
1771 May 7 Prorog. sess. p. 517. MS.
1771 June 3-5 Prorog. sess. 517-518 p. MS.
1771 July 30 Prorog. sess. 518-519 p. MS.
1771 Sept. 17-Nov. 5 Dissolved sess. 519-584, [46] p. MS.

Sc-Ar

Unit 2

1771?-Apr. 10 (Not found)
1772 Oct. 8-10 Prorog. sess. 6 p. MS.
1772 Oct. 22-30 Prorog. sess. 6-26 p. MS.
1772 Nov. 9-10 Prorog. sess. 26-29, [8] p. MS.
1773?-Jan. 12 Dissolved sess. (Not found)

Sc-Ar

Unit 3

1773 Mar. 8-27 Adj. sess. 24 p. MS.
1773 July 6-8 Prorog. sess. 24-30 p. MS.
1773 Aug. 9-Sept. 13 Adj. sess. 30-98 p. MS.
1774 Jan. 11 Prorog. sess. p. 98 MS.
1774 Mar. 1-26 Adj. sess. 99-170 p. MS.
1774 May 3-6 Prorog. sess. 170-171 p. MS.
1774 June 7 Prorog. sess. p. 171. MS.
1774 Aug. 2 Prorog. sess. 172-174 p. MS.
1774 Sept. 6 Prorog. sess. p. 174. MS.
1774 Oct. 18-22 Prorog. sess. 175-176 p. MS.
1775 Jan. 24-Mar. 4 Adj. sess. 177-272 p. MS.
1775 Apr. 20-May 1 Adj. sess. 272-286 p. MS.
1775 June 1 Adj. sess. 286-288 p. MS.
1775 June 19 Prorog. sess. p. 288. MS.
1775 July 10-Aug. 30 Dissolved sess. 288-314, [51] p. MS.

Sc-Ar

A.1b Reel 20

Journal

Unit 1

1776 Mar. 26-Apr. 11 135, 368-389 p. MS.

DLC-Force Transcript

Journal of the House of Representatives

Unit 2

1779 Aug. 31-Sept. 11 3-83 p. MS. (Incomplete)
1779 Nov. 22-Feb. 11 84-220 p. MS.
1782 Jan. (Not found)

Sc-Ar

Unit 3

1783 Jan. 6-Mar. 17 371, [38] p. MS. Sc-Ar

Unit 4

1783 July 7-Aug. 13 100, [14] p. MS. Sc-Ar

A.1b Reel 21

Unit 1

1785 Jan. 3-Mar. 25 452, [42] p. MS.

SOUTH CAROLINA-Continued

1785 Sept. 20-Oct. 12 70, [11] p. MS.
Sc-Ar

Unit 2

1786 Jan. 10-Mar. 22 276, [20], 277-323, [39] p. MS. (Adjourned to meet Sept. 19th, but no record was found of the sess.)
Sc-Ar

Unit 3

1787 Jan. 1-Mar. 25 408, [42] p. MS.
Sc-Ar

A.1b Reel 22

Unit 1

1788 Jan. 8-Feb. 29 306 p. MS.
1788 Oct. 7-Nov. 4 307-411, [51] p. MS.
Sc-Ar

Unit 2

1789 Jan. 5-Mar. 13 414 p. MS.
1790 Jan. 4-20 110, [37], [17] p. MS.
Sc-Ar

Unit 3

1791 Jan. 3-Feb. 19 315, [30] p. MS.
1791 Nov. 28-Dec. 20 190, [15] p. MS.
Sc-Ar

A.1b Reel 23

Unit 1

1792 Nov. 26-Dec. 21 [26], 329 p. MS.
1793 Nov. 25-Dec. 21 330-585 p. MS.
1794 Apr. 28-May 12 585-722 p. MS.
Sc-Ar

Unit 2

1794 Nov. 24-Dec. 20 292, [14] p. MS.
Sc-Ar

Unit 3

1795 Nov. 9-Dec. 19 348, [18] p. MS.
Sc-Ar

A.1b Reel 23a

Unit 1

1796 Nov. 28-Dec. 20 235, [30] p. MS.
Sc-Ar

Unit 2

1797 Nov. 20-Dec. 16 346, [18] p. MS.
Sc-Ar

A.1b Reel 24

Unit 1

1798 Nov. 26-Dec. 21 Reg. sess. [3], 244, 247-252 p. MS. (w: 253-266)
Sc-Ar

SOUTH CAROLINA-Continued

Unit 2

1799 Nov. 18-Dec. 21 Reg. sess. 216, [19] p. MS.
Sc-Ar

Unit 3

1800 Nov. 28-Dec. 20 Reg. sess. 192, [10] p. MS.
(w: p. 7-8) Sc-Ar

Unit 4

1801 Nov. 23-Dec. 19 Reg. sess. 131, [7] p. MS.
Sc-Ar

Unit 5

1802 Nov. 22-Dec. 18 Reg. sess. 165, [13] p. MS.
Sc-Ar

Unit 6

1803 Nov. 21-Dec. 17 Reg. sess. 229, [20] p. MS.
1804 May 10-16 Ext. sess. 31, [6] p. MS.
Sc-Ar

A.1b Reel 25

Unit 1

1804 Nov. 26-Dec. 21 Reg. sess. 265, [28] p. MS.
Sc-Ar

Unit 2

1805 Nov. 18-Dec. 19 Reg. sess. 260, [28] p. MS.
Sc-Ar

Unit 3

1806 Nov. 24-Dec. 20 Reg. sess. 143, [6] p. MS.
Sc-Ar

Unit 4

1807 Nov. 23-Dec. 19 Reg. sess. 151 p. MS.
1808 June 20-29 Ext. sess. 152-198, [17] p. MS.
Sc-Ar

Unit 5

1808 Nov. 28-Dec. 17 Reg. sess. 176, [22] p. MS.
Sc-Ar

A.1b Reel 26

Unit 1

1809 Nov. 27-Dec. 19 Reg. sess. 183, 5, [3] p.
MS. Sc-Ar

Unit 2

1810 Nov. 26-Dec. 20 Reg. sess. 226, 23 p. MS.
Sc-Ar

Unit 3

1811 Nov. 25-Dec. 20 Reg. sess. 211, [12] p. MS.
1812 Aug. 24-29 Ext. sess. 31, [5] p. MS.
Sc-Ar

Unit 4

1812 Nov. 23-Dec. 19 Reg. sess. 228 p. MS.
1813 Sept. 15-24 Ext. sess. 27, 21 p. MS.
Sc-Ar

Unit 5

1813 Nov. 22-Dec. 18 Reg. sess. 212, 19, [2] p.
MS. Sc-Ar

SOUTH CAROLINA-Continued

A.1b Reel 27

Unit 1

1814 Nov. 28-Dec. 21 Reg. sess. 196, [12] p. MS.
Sc-Ar

Unit 2

1815 Nov. 27-Dec. 16 Reg. sess. 221, [11] p. MS.
Sc-Ar

Unit 3

1816 Nov. 25-Dec. 19 Reg. sess. 269 p. MS.
Sc-Ar

Unit 4

1817 Mar. 24-28 Ext. sess. 33, [5] p. MS.
1817 Nov. 24-Dec. 18 Reg. sess. 207, [13] p. MS.
Sc-Ar

Unit 5

1818 Nov. 23-Dec. 18 Reg. sess. 251, [24] p. MS.
Sc-Ar

A.1b Reel 28

Unit 1

1819 Nov. 22-Dec. 18 Reg. sess. 257, [24] p. MS.
Sc-Ar

Unit 2

1820 Nov. 27-Dec. 20 Reg. sess. 214, [21] p. MS.
1820 Nov. 27-Dec. 20 Reg. sess. 224, [8] p. MS.
(Rough draft)
Sc-Ar

Unit 3

1821 Nov. 26-Dec. 20 Reg. sess. 254 p. MS.
1821 Nov. 26-Dec. 20 Reg. sess. 236 p. MS.
(Rough draft)
Sc-Ar

Unit 4

1822 Nov. 25-Dec. 21 Reg. sess. 280, [36] p. MS.
Sc-Ar

A.1b Reel 29

Unit 1

1823 Nov. 24-Dec. 20 Reg. sess. 1 p.l., 244,
[28] p. MS.
Sc-Ar

Unit 2

1824 Nov. 22-Dec. 18 Reg. sess. 309 p. MS.
Sc-Ar

Unit 3

1825 Nov. 28-Dec. 20 Reg. sess. 224, [24] p. MS.
Sc-Ar

Unit 4

1826 Nov. 27-Dec. 20 Reg. sess. 308 p. MS.
Sc-Ar

Unit 5

1827 Nov. 19-Dec. 19 Reg. sess. 363 p. MS.
1828 Jan. 21-30 Ext. sess. 366-407 p. MS.
Sc-Ar

SOUTH CAROLINA-Continued

A.1b Reel 30

Unit 1

1828 Nov. 24-Dec. 20 Reg. sess. 205, [25] p. MS.
Sc-Ar

Unit 2

1829 Nov. 23-Dec. 18 Reg. sess. 217, [27] p. MS.
Sc-Ar

Unit 3

1830 Nov. 22-Dec. 18 Reg. sess. 256 p. MS.
Sc-Ar

Unit 4

1831 Nov. 28-Dec. 17 Reg. sess. 205, [23] p. MS.
Sc-Ar

Unit 5

1832 Oct. 22-26 Ext. sess. 19 p. MS.
1832 Nov. 26-Dec. 20 Reg. sess. 21-191, [24] p. MS.
Sc-Ar

A.1b Reel 31

Unit 1

1842[1] Nov. 28-Dec. 20 Reg. sess. 184 p.
1843 Nov. 27-Dec. 19 Reg. sess. 171 p.
1844 Nov. 25-Dec. 18 Reg. sess. 192 p.
DLC

Unit 2

1845 Nov. 24-Dec. 15 Reg. sess. 174 p.
1846 Nov. 23-Dec. 18 Reg. sess. 239 p.
DLC

Unit 3

1847 Nov. 22-Dec. 17 Reg. sess. 245 p.
1848 Nov. 6-7 Call. sess. 14, 2 p.
1848 Nov. 27-Dec. 20 Reg. sess. 1 p.l., 261 p.
DLC

Unit 4

1849 Nov. 26-Dec. 19 Reg. sess. 286 p.
1850 Nov. 25-Dec. 20 Reg. sess. 280, [1], 37 p.
DLC

A.1b Reel 32

Unit 1

1851 Nov. 24-Dec. 16 Reg. sess. 246, 36 p.
1852 Nov. 1-2 Call. sess. 19, [1] p.
1852 Nov. 22-Dec. 16 Reg. sess. 331 p.
DLC

Unit 2

1853 Nov. 28-Dec. 20 Reg. sess. 209, 48, [1] p.
1854 Nov. 27-Dec. 21 Reg. sess. 270 p.
DLC

1. See South Carolina, A.1a, Reel 28, Unit 1 for Journals of the House of Representatives from 1831-1841.

SOUTH CAROLINA-Continued

Unit 3

1855 Nov. 26-Dec. 19 Reg. sess. 279, lii, [1] p.
1856 Nov. 3-4 Call. sess. 20 p.
1856 Nov. 24-Dec. 20 Reg. sess. [21]-371, [1] p.
DLC

Unit 4

A.2

1855 Nov. 26-Dec. 19 The South Carolina times being the debates and proceedings. 323, [1], vii p.
DLC

Unit 5

1857 Nov. 23-Dec. 21 Reg. sess. 337 p.
1858 Nov. 22-Dec. 21 Reg. sess. 349 p.
DLC

A.1b Reel 33

Unit 1

1859 Nov. 28-Dec. 22 Reg. sess. 325, [1] p.
DLC

Unit 2

1860 Nov. 5-13 Call. sess. 55 p.
1860 Nov. 26-Dec. 22 268 p.
1861 Jan. 3-28 268-493, [1] p.
DLC

Unit 3

1861 Nov. 4-6 Call. sess. 51 p.
1861 Nov. 24-Dec. 21 Reg. sess. [52]-340, [1] p.
DLC

Unit 4

1862 Nov. 24-Dec. 18 Reg. sess. 209 p.
1863 Jan. 20-Feb. 6 Adj. sess. 210-377 p.
1863 Apr. 3-10 Call. sess. [279]-464, vi p.
DLC

A.1b Reel 34

Unit 1

1863 Sept. 21-30 Call. sess. 64 p.
1863 Nov. 23-Dec. 17 Reg. sess. [65]-300, [1] p.
DLC

Unit 2

1864 Nov. 28-Dec. 23 Reg. sess. (Burned)
1865 Oct. 25-Nov. 25 Call. sess. 97, xvi, [1] p.
1865 Nov. 27-Dec. 21 Reg. sess. 186, xiv, ix-xxvi p.
DLC

Unit 3

1866 Sept. 4-21 Ext. sess. 117, xxiii p.
1866 Nov. 26-Dec. 21 Reg. sess. 380 p.
DLC

TENNESSEE

General Assembly

Journal of the Legislative Council

A.la　　　　Reel 1

Unit 1

1794 Feb. 24-Mar. 1 (Not found)
1794* Aug. 25-Sept. 30 39 p.
1794 Aug. 25-Sept. 30 ? p. (Printed 1852)
1795 June 29-July 11 ? p. (Printed 1852)

RPJCB *MWA-1

Journal of the Senate

Unit 2

1796 Mar. 28-Apr. 23 1st Assy., 1st sess. 72 p.
(Pages 1-8 are missing; typescript and manuscript are supplied.)
1796* July 30-Aug. 9 1st Assy., 2d sess. 68 p. MS.
1796** July 30-Aug. 9 1st Assy., 2d sess. ? p. (Printed 1852)

T-1 *T-Secy. **RPJCB

Unit 3

A.la:b

Journals of the Senate and House of Representatives

1797 Sept. 18-Oct. 28 2d Assy., 1st sess. 121, iii p. (S)
1797 Sept. 18-Oct. 28 2d Assy., 1st sess. [2], [125]-258, v p. (H)
1797 Oct. Supplemental journal. [2], [261]-266, [1] p. (S & H)
1798 Dec. 3-Jan. 5 2d Assy., 2d sess. [2], [269]-369, iii p. (S)
1798 Dec. 3-Jan. 5 2d Assy., 2d sess. [2], [373]-481, iv p. (H)
In 1 vol. Printed 1933.
[W] 1797* Oct. Supplemental journal. ? p.
[W] 1798* Dec. 3-Jan. 5 2d Assy., 2d sess. ? p.

DLC *T-Ar

Journal of the Senate

Unit 4

1799 Sept. 16-Oct. 26 3d Assy., 1st sess. (Not found)
1801 Sept. 21-Nov. 14 4th Assy., 1st sess. 184 p.
1803 Sept. 19-Nov. 8 5th Assy., 1st sess. 172 p.

NN

Unit 5

1804 July 23-Aug. 4 5th Assy., 2d sess. 98 p.
1805* Sept. 16-Nov. 4 6th Assy., 1st sess. 152 p.
1806* July 28-Sept. 13 6th Assy., 2d sess. 110 p.

NN *T

Unit 6

1807 Sept. 21-Dec. 4 7th Assy., 1st sess. 197 p.
1809 Apr. 3-22 7th Assy., 2d sess. 82 p.
1809 Sept. 18-Nov. 23 8th Assy., 1st sess. 200 p.

T

Unit 7

1811* Sept. 16-Nov. 21 9th Assy., 1st sess. 224 p.
1812 Sept. 7-Oct. 21 9th Assy., 2d sess. 133, [2] p.

T *TxU - T

TENNESSEE-Continued

A.1a Reel 2

Unit 1

1813 Sept. 21-Nov. 20 10th Assy., 1st sess.
(Manuscript burned before printing.)
1815 Sept. 18-Nov. 17 11th Assy., 1st sess. 236 p.
1817* Sept. 15-Nov. 25 12th Assy., 1st sess. 220 p.
NN *T

Unit 2

1819 Sept. 20-Nov. 30 13th Assy., 1st sess. 333 p.
T

Unit 3

1820 June 26-July 31 13th Assy., 2d sess. 175 p.
1821* Sept. 17-Nov. 17 14th Assy., 1st sess. 345 p.
DLC *N

Unit 4

1822 July 22-Aug. 24 14th Assy., 2d sess. 218 p.
M

Unit 5

1823 Sept. 15-Nov. 29 15th Assy., 1st sess. 309 p.
M

Unit 6

1824 Sept. 20-Oct. 22 15th Assy., 2d sess. 200, iv p.
M

A.1a Reel 3

Unit 1

1825 Sept. 19-Dec. 7 16th Assy., 1st sess. 228, 225-456 p.
M

Unit 2

1826 Oct. 16-Dec. 11 16th Assy., ext. sess. 307 p.
T

Unit 3

1827 Sept. 17-Dec. 15 17th Assy., stated sess. 520 p.
T

Unit 4

1829 Sept. 21-Jan. 14 18th Assy., stated sess. 144, 142-692 p., 1 l., 152 p.
Journal of Court of Impeachment. 152 p.
T

Unit 5

1831 Sept. 19-Dec. 21 19th Assy., stated sess. 442 p.
DLC

A.1a Reel 4

Unit 1

1832 Sept. 3-Oct. 22 19th Assy., call. sess. 150 p.
1833* Sept. 16-Dec. 2 20th Assy., 1st sess. 315 p.
N *DLC

Unit 2

1835 Oct. 5-Feb. 22 21st Assy., 1st sess. 534 p.
DLC

TENNESSEE-Continued

Unit 3

1836 Oct. 3-26 21st Assy., call. sess. 64, [2] p.
N

Unit 4

1837 Oct. 2-Jan. 27 22d Assy., 1st sess. 628 p.
DLC - M

A.1a Reel 5

Unit 1

1839 Oct. 7-Feb. 1 23d Assy., 1st sess. 567 p.
N

Unit 2

1841 Oct. 4-Feb. 7 24th Assy., 1st sess. 712, 198 p.
DLC

Unit 3

1842 Oct. 3-Nov. 16 24th Assy., call. sess. 184 (sic 204), 28 p.
DLC

A.1a Reel 6

Unit 1

1843 Oct. 2-Jan. 31 25th Assy., 1st sess. 739, 264 p.
DLC

Unit 2

1845 Oct. 6-Feb. 2 26th Assy., 1st sess. 566, 350 p.
DLC - NcD

A.1a Reel 7

Unit 1

1847 Oct. 4-Feb. 7 27th Assy., 1st sess. 732, 464 p.
N

Unit 2

1849 Oct. 1-Feb. 11 28th Assy., 1st sess. 848, 381, [1] p.
DLC

A.1a Reel 8

Unit 1

1851 Oct. 6-Mar. 1 29th Assy., 1st sess. 882, 338 p.
DLC

Unit 2

1853 Oct. 3-Mar. 6 30th Assy., 1st sess. 792, 296, [1] p.
DLC

A.1a Reel 9

Unit 1

1855 Oct. 1-Mar. 3 31st Assy., 1st sess. 773 p.
DLC

General Assembly

Journal of the House of Representatives

A.1b Reel 1

Unit 1

1794 Feb. 24-Mar. 1 (Not found)
1794 Aug. 25-Sept. 30 ? p. (Printed 1852)
1795 June 29-July 11 ? p. (Printed 1852)
RPJCB

TENNESSEE-Continued

Unit 2

1796 Mar. 28-Apr. 23 1st Assy., 1st sess. 80 p.
1796* July 30-Aug. 9 1st Assy., 2d sess. 48 p. MS.
1797 Sept. 18-Oct. 28 2d Assy., 1st sess.
1797 Oct. Supplemental journal.
1798 Dec. 3-Jan. 5 2d Assy., 2d sess.
In 1 vol. Printed 1933. See A.1a, Reel 1, Unit 3.
[W] 1797** Oct. Supplemental journal. ? p.
1798** Dec. 3-Jan. 5 2d Assy., 2d sess. ? p.
RPJCB-1 *T-Secy. **T-Ar

Unit 3

1799 Sept. 16-Oct. 26 3d Assy., 1st sess. (Not found)
1801 Sept. 21-Nov. 14 4th Assy., 1st sess. 141 p.
1803 Sept. 19-Nov. 8 5th Assy., 1st sess. 166 p.
1804 July 23-Aug. 4 5th Assy., 2d sess. 82 p.
NN

Unit 4

1805 Sept. 16-Nov. 4 6th Assy., 1st sess. 116 p.
1806* July 28-Sept. 13 6th Assy., 2d sess. 103, [1] p.
1807** Sept. 21-Dec. 4 7th Assy., 1st sess. 166 p.
T *TxU - T **DLC

Unit 5

1809 Apr. 3-22 7th Assy., 2d sess. 98 p.
1809 Sept. 18-Nov. 23 8th Assy., 1st sess. 196 p.
T

Unit 6

1811 Sept. 16-Nov. 21 9th Assy., 1st sess. 292 p.
1812* Sept. 7-Oct. 21 9th Assy., 2d sess. 152 p.
T *DLC

Unit 7

1813 Sept. 21-Nov. 20 10th Assy., 1st sess.
(Manuscript burned before printing.)
1815 Sept. 18-Nov. 17 11th Assy., 1st sess. 304 p.
T

A.1b Reel 2

Unit 1

1817 Sept. 15-Nov. 25 12th Assy., 1st sess. 229 (sic 329) p.
NN

Unit 2

1819 Sept. 20-Nov. 30 13th Assy., 1st sess. 301 p.
DLC

Unit 3

1820 June 26-July 31 13th Assy., 2d sess. 204 p. M

Unit 4

1821 Sept. 17-Nov. 17 14th Assy., 1st sess. 400 p.
T

Unit 5

1822 July 22-Aug. 24 14th Assy., 2d sess. 166, [2] p.
T

TENNESSEE-Continued

Unit 6

1823 Sept. 15-Nov. 29 15th Assy., 1st sess. 352 p.
T

Unit 7

1824 Sept. 20-Oct. 22 15th Assy., 2d sess. 201 p.
DLC

A.1b Reel 3

Unit 1

1825 Sept. 19-Dec. 7 16th Assy., 1st sess. 492 p.
DLC

Unit 2

1826 Oct. 16-Dec. 11 16th Assy., ext. sess. 359 p.
T

Unit 3

1827 Sept. 17-Dec. 15 17th Assy., stated sess. 676 p.
T

Unit 4

1829 Sept. 21-Jan. 14 18th Assy., stated sess. 836 p.
DLC

A.1b Reel 4

Unit 1

1831 Sept. 19-Dec. 21 19th Assy., stated sess. 414 p.
DLC

Unit 2

1832 Sept. 3-Oct. 22 19th Assy., call. sess. 153 p.
DLC

Unit 3

1833 Sept. 16-Dec. 2 20th Assy., 1st sess. 422 p.
DLC

Unit 4

1835 Oct. 5-Feb. 22 21st Assy., 1st sess. 707 p.
N

Unit 5

1836 Oct. 3-26 21st Assy., call. sess. 88 p. DLC

A.1b Reel 5

Unit 1

1837 Oct. 2-Jan. 27 22d Assy., 1st sess. 893 p. DLC

Unit 2

1839 Oct. 7-Feb. 1 23d Assy., 1st sess. 958 p. N

A.1b Reel 6

Unit 1

1841 Oct. 4-Feb. 7 24th Assy., 1st sess. 958, 214 p.
N

Unit 2

1842 Oct. 3-Nov. 16 24th Assy., call. sess. 221, 28 p.
N

Unit 3

1843 Oct. 2-Jan. 31 25th Assy., 1st sess. 812, 264 p.
DLC

TENNESSEE-Continued

A.1b Reel 7

Unit 1

1845 Oct. 6-Feb. 2 26th Assy., 1st sess. 629, 350 p. DLC

Unit 2

1847 Oct. 4-Feb. 7 27th Assy., 1st sess. 1048, 333 p. DLC

A.1b Reel 8

Unit 1

1849 Oct. 1-Feb. 11 28th Assy., 1st sess. 918 p., 2 l., 443 p. N

Unit 2

1851 Oct. 6-Mar. 1 29th Assy., 1st sess. 1008, 326 p. N

A.1b Reel 9

Unit 1

1853 Oct. 3-Mar. 6 30th Assy., 1st sess. 1192, 296, [1] p. DLC

Unit 2

1855 Oct. 1-Mar. 3 31st Assy., 1st sess. 965, [1] p. DLC

TEXAS

A.1c Reel 1

Unit 1

1824 Aug. 15-1825 Sept. 9 Actas del Congreso Constituyente... v.1: 1 p.l., 208 fol. Typescript. (Sp.) TxU

Unit 2

1825 Sept. 10-1826 Oct. 20 ---- v.2: 1 p.l., 209-418 fol. Typescript. (Sp.) TxU

Unit 3

1826 Oct. 21-1827 June 24 ---- v.3: 1 p.l., 418-629 fol. Typescript. (Sp.) TxU

Unit 4

1827 June 28-1829 Sept. 30 Actas del primer Congreso Constitucional... v.4: 1 p.l., 630-930 fol. Typescript. (Sp.) TxU

Unit 5

1828 Dec. 28-1830 Jan. 21 Actas del segundo Congreso Constitucional... v.5: 930-1134 fol. Typescript. (Sp.) TxU

A.1c Reel 2

Unit 1

1830 Jan. 22-Sept. 30 Actas del segundo Congreso Constitucional... v.6: 1 p.l., 1135-1367 fol. Typescript. (Sp.) TxU

TEXAS-Continued

Unit 2

1830 Dec. 28-1832 Sept. 30 Actas del tercero Congreso Constitucional... v.7: 1 p.l., 1367-1636 fol. Typescript. (Sp.)

TxU

Unit 3

1832 Dec. 28-1834 Apr. 30 Actas del quarto Congreso Constitucional... v.8: 1 p.l., 1636-1842 fol. Typescript. (Sp.)

TxU

Unit 4

1835 Feb. 25-May 20 Actas del quinto Congreso Constitucional... v.9: 1 p.l., 1842-1947 fol. Typescript. (Sp.)

TxU

Congress

Journal of the Consultation

Unit 5

1835 Oct. 16-Nov. 14 54 p.

Journal of the General Council

Unit 6

1835 Nov. 14-Mar. 11 363 p.

Congress

Journal of the Senate

A.1a — Reel 1

Unit 1

1836 Oct. 3-Dec. 22 1st Cong., 1st sess. 103 p.
1837 May 1-June 10 1st Cong., 2d sess. 50 p.
1837 Sept. 25-Nov. 4 2d Cong., call. sess. 50 p.
1837 Nov. 6-Dec. 19 2d Cong., reg. sess. 51-144 p.
1838* Apr. 9-May 24 2d Cong., adj. sess. 105 p.

TxU *Tx

Unit 2

1838 Nov. 5-Jan. 24 3d Cong., reg. sess. 132 p.
1839* Nov. 11-Feb. 5 4th Cong., reg. sess. 1 p.l., iii, [1], 378 p. (Printed 1931?)

TxU *DLC

Unit 3

1840 Nov. 2-Feb. 5 5th Cong., reg. sess. 198, [1] p.
1841 Nov. 1-Feb. 5 6th Cong., reg. sess. 220 p.

TxU

Unit 4

[W] 1842 June 27-July 23 6th Cong., spec. sess. ? p. (Printed 1940)
1842* Nov. 14-Jan. 16 7th Cong., reg. sess. 136 p.
1843** Dec. 4-Feb. 5 8th Cong., reg. sess. 245 p.

Tx *TxU **DLC

Unit 5

1844 Dec. 2-Feb. 3 9th Cong., reg. sess. 296 p.
1845 June 16-28 9th Cong., ext. sess. 94 p.

DLC

TEXAS-Continued

Legislature

Journal of the Senate

A.1a Reel 2

Unit 1

1846 Feb. 16-Mar. 13 1st Legis., reg. sess. 374, 115, 15 p.
TxU

Unit 2

1847 Dec. 13-Mar. 20 2d Legis., reg. sess. 683 p. TxU

Unit 3

1849 Nov. 5-Feb. 11 3d Legis., reg. sess. 722, [1], 304 p.
TxU - DLC

A.1a Reel 3

Unit 1

1850 Aug. 12-Sept. 6 3d Legis., 2d sess. 119, 108 p.
1850 Nov. 18-Dec. 3 3d Legis., 3d sess. 88 p.
TxU

Unit 2

1851 Nov. 3-Feb. 16 4th Legis., reg. sess. 557 p. TxU

Unit 3

1853 Jan. 10-Feb. 7 4th Legis., ext. sess. 223 p. Tx

Unit 4

1853 Nov. 7-Feb. 13 5th Legis., reg. sess. 205, 334 p.
DLC

A.1a Reel 4

Unit 1

1855 Nov. 5-Feb. 4 6th Legis., reg. sess. 545 p. DLC

Unit 2

1856 July 7-Sept. 1 6th Legis., adj. sess. 420, xxviii p.
NcD

Unit 3

1857 Nov. 2-Feb. 16 7th Legis., reg. sess. 685, L p. DLC

A.1a Reel 5

Unit 1

1859 Nov. 7-Feb. 13 8th Legis., reg. sess. 638 p. DLC

Unit 2

1861 Jan. 21-Feb. 9 8th Legis., ext. sess.
1861 Mar. 18-Apr. 9 8th Legis., adj. sess.
In 1 vol. 227 p.
NcD

Unit 3

1861 Nov. 4-Jan. 14 9th Legis., reg. sess. 176 p. MS.
1863 Feb. 2-Mar. 7 9th Legis., ext. sess. 251-343 p. MS.
1863 Nov. 2-Dec. 16 10th Legis., reg. sess. 351-395 p. MS.
Tx-Ar

Journals of the Senate and House of Representatives

Unit 4

A.1a:b

1863 Nov. 2-Dec. 16 10th Legis., reg. sess.
Reported in the *Tri-weekly state gazette*. Vol. 1, 1863,

TEXAS-Continued

nos. 104-106, June 9-13; nos. 108-112, June 18-27; nos. 114-128, July 2-Aug. 4; no. 130, Aug. 8; nos. 132-133, Aug. 13-15; nos. 135-136, Aug. 20-22; no. 141, Sept. 4; nos. 145-147, Sept. 14-18; nos. 149-156, Sept. 23-Oct. 12. Vol. 2, 1863, nos. 2-4, Oct. 16-21; nos. 6-14, Oct. 26-Nov. 13; no. 16, Nov. 18; nos. 18-19, Nov. 23-25; nos. 21-25, Nov. 30-Dec. 9; nos. 27-34, Dec. 16-Jan. 6, 1864; no. 37, Jan. 13; nos. 39-41, Jan. 18-22; nos. 43-56, Jan. 27-Feb. 26. Vol. 2, 1863, no. 9, Nov. 2-no. 28, Dec. 18 gives the Journals of Senate and House of Representatives.

Tx

Journal of the Senate

Unit 5

1864 May 9-28 10th Legis., call. sess. v.p. MS. (Original rough draft, File no. 91, nos. 1-17. Pages 11-13 of no. 17 are missing.)

Tx-Ar

A.1a Reel 6

Unit 1

1864 Oct. 17-Nov. 15 10th Legis., ext. sess. v.p. MS. (Original rough draft of session days Oct. 29-Nov. 15, nos. 1-14. No. 14 is incomplete. No record of session days Oct. 17-28.)

Tx-Ar

Unit 2

1866 Aug. 6-Nov. 13 11th Legis., reg. sess. 645, 11, xxix, 2, 54 p.

DLC

Unit 3

1870 Feb. 8-24 12th Legis., prov. sess. 53 p. TxU-1

A.1a Reel 7

Unit 1

1870 Apr. 26-Aug. 15 12th Legis., call. sess. 778 p. DLC

Unit 2

1871 Jan. 10-May 31 12th Legis., reg. sess. 1375 p. DLC

A.1a Reel 8

Unit 1

1871 Sept. 12-Dec. 2 12th Legis., adj. sess. 602 p. DLC

Unit 2

1873 Jan. 14-June 4 13th Legis., reg. sess. 1228 p. DLC

Unit 3

1874 Jan. 13-May 4 14th Legis., reg. sess. 588, [553]-613 p.

DLC-1

Congress

Proceedings of the House of Representatives

A.1b Reel 1

Unit 1

1836 Oct. 3-Dec. 22 1st Cong., 1st sess. vi p., 1 l., 226 p.

TxU

TEXAS-Continued

Journal of the House of Representatives

Unit 2

1837* May 1-June 13 1st Cong., 2d sess. 148 p.
1837 Sept. 25-Nov. 4 2d Cong., call. sess. [1] 91 p.
1837 Nov. 6-Dec. 19 2d Cong., reg. sess. [93]-293 p.
TxU *DLC

Unit 3

1838 Apr. 9-May 24 2d Cong., adj. sess. 179 p.
DLC

Unit 4

1838 Nov. 5-Jan. 24 3d Cong., reg. sess. 410 p.
DLC

Unit 5

1839 Nov. 11-Feb. 5 4th Cong., reg. sess. 1 p.l., 355 p. (Printed 1931?)
1839 Nov. 11-Feb. 5 Reports 282 p.
DLC

A.1b Reel 2

Unit 1

1840 Nov. 2-Feb. 5 5th Cong., reg. sess. 723, [1], 448 p.
TxU

Unit 2

[W] 1841 Nov. 1-Feb. 5 6th Cong., reg. sess. ? p. (Printed 1940)
Tx

Unit 3

[W] 1842 June 27-July 23 6th Cong., spec. sess. ? p. (Printed 1940)
Tx

A.1b Reel 3

Unit 1

1842 Nov. 11-Jan. 16 7th Cong., reg. sess. 285, 77 p.
TxU

Unit 2

1843 Dec. 4-Feb. 5 8th Cong., reg. sess. 472 p. DLC

Unit 3

1844 Dec. 2-Feb. 3 9th Cong., reg. sess. 395, 94 p.
DLC

Unit 4

1845 June 16-28 9th Cong., ext. sess. 94 p. DLC

Legislature

Journal of the House of Representatives

A.1b Reel 4

Unit 1

1846 Feb. 16-May 13 1st Legis., reg. sess. 733 p.
TxU

Unit 2

1847 Dec. 13-Mar. 20 2d Legis., reg. sess. 1138, 30 p.
TxU

TEXAS-Continued

A.1b Reel 5

Unit 1

1849 Nov. 5-Feb. 11 3d Legis., reg. sess. 816, [1], 306 p. DLC

Unit 2

1850 Aug. 12-Sept. 6 3d Legis., 2d sess. 133, 109 p.

1850 Nov. 18-Dec. 3 3d Legis., 3d sess. 138 p. TxU

Unit 3

1851 Nov. 3-Feb. 16 4th Legis., reg. sess. 881 p. TxU

A.1b Reel 6

Unit 1

1853 Jan. 10-Feb. 7 4th Legis., ext. sess. 285 p. TxU

Unit 2

1853 Nov. 7-Feb. 13 5th Legis., reg. sess. 270, 461 p. DLC

Unit 3

1855 Nov. 5-Feb. 4 6th Legis., reg. sess. 568 p. DLC

Unit 4

1856 July 7-Sept. 1 6th Legis., adj. sess. 590 p. DLC

A.1b Reel 7

Unit 1

1857 Nov. 2-Feb. 16 7th Legis., reg. sess. 903 p. DLC

Unit 2

1859 Nov. 7-Feb. 13 8th Legis., reg. sess. 775 p. DLC

Unit 3

1861 Jan. 21-Feb. 9 8th Legis., ext. sess.

1861 Mar. 18-Apr. 9 8th Legis., adj. sess. In 1 vol. 265 p.

TxU

A.1b Reel 8

Unit 1

1861 Nov. 4-Jan. 14 9th Legis., reg. sess. (Not found)

1863 Feb. 2-Mar. 6 9th Legis., ext. sess. [207] p. Typescript. Tx-Ar

Unit 2

1863 Nov. 2-Dec. 16 10th Legis., reg. sess. v.p. MS.

(Original rough draft, File no. 90, nos. 1-13, 1-6, 1-7. Incomplete-ends with session day Dec. 2. No record of session day, Nov. 21. Record of session day Nov. 24 incomplete?) Tx-Ar

TEXAS-Continued

Unit 3

1864 May 9-28 10th Legis., call. sess. v.p. MS. (Original draft, File no. 91, nos. 1-17.)
Tx-Ar

A.1b Reel 9

Unit 1

1864 Oct. 17-Nov. 15 10th Legis., ext. sess. (Not found)

1866 Aug. 6-Nov. 13 11th Legis., reg. sess. 938, xxxii, 3, [1] p., App., v.p.
DLC

Unit 2

1870 Feb. 8-24 12th Legis., prov. sess. 77 p. TxU

Unit 3

1870 Apr. 26-Aug. 15 12th Legis., call sess. 1099 p.
DLC

A.1b Reel 10

Unit 1

1871 Jan. 10-May 31 12th Legis., reg. sess. In 2 vols. 1850 p.
DLC

A.1b Reel 11

Unit 1

1871 Sept. 12-Dec. 2 12th Legis., adj. sess. 893 p.
DLC

Unit 2

1873 Jan. 14-June 4 13th Legis., reg. sess. 1447 p.
DLC

A.1b Reel 12

Unit 1

1874 Jan. 13-May 4 14th Legis., reg. sess. 740 p.
DLC

UTAH

Legislative Assembly

Journals of the Legislative Council and House of Representatives

A.1a:b Reel 1

Unit 1

1851 Sept. 22-Feb. 18 1st ann. sess. 133 p. House journal, 43 p. Council journal, p. [45]-97. Joint sess., p. [99]-133.

1852 Feb. 19-Mar. 6 Spec. sess. 133-173, [2] p. Joint sess., p. 133-158.

1852 Dec. 13-Jan. 21 2d ann. sess. 142 p. House journal, 72 p. Council journal, p. 73-121. Joint sess., p. 123-142.

UTAH-Continued

1853 June 1-3 Adj. sess. 142-147 p.

ICU

Unit 2

1853 Dec. 12-Jan. 20 3d ann. sess. 143 p.
House journal, 71 p. Council journal,
p. [73]-110. Joint sess., p. [111]-143.

1854 Dec. 11-Jan. 19 4th ann. sess. 143 p.
Council journal, 31 p. House journal, p.
[33]-91. Joint sess., p. [93]-143.

1855 Dec. 11-Jan. 19 5th ann. sess. (Not found)

USlC

Unit 3

1856 Dec. 8-Jan. 16 6th ann. sess. 54 p.

USlC

1857 Dec. 14-Jan. 22 7th ann. sess. (Not found)

1858 Dec. 13-Jan. 21 8th ann. sess. 48 p. MS.

U-Secy.

Unit 4

1859 Dec. 12-Jan. 20 9th ann. sess. iv, 167 p.

1860 Nov. 12-13 Spec. sess. [4], xiv p.

1860 Dec. 10-Jan. 18 10th ann. sess. 174 p.

USlC

Unit 5

1861 Dec. 9-Jan. 17 11th ann. sess. 2, 152 p.

1862 Dec. 8-Jan. 16 12th ann. sess. 92, xviii p.

1863 Dec. 14-Jan. 22 13th ann. sess. 154 p.

USlC

Unit 6

1864 Dec. 12-Dec. 20 14th ann. sess. 143 p.

1865 Dec. 11-Jan. 19 15th ann. sess. 182 p.

USlC

Unit 7

1866 Dec. 10-Jan. 18 16th ann. sess. 169 p.

1868 Jan. 13-Feb. 21 17th ann. sess. 184 p.

1869 Jan. 11-Feb. 19 18th ann. sess. 188 p.

USlC

A.la:b Reel 2

Unit 1

1870 Jan. 10-Feb. 18 19th ann. sess. [2], 201 p.

1872 Jan. 8-Feb. 16 20th ann. sess. 215 p.

USlC

Unit 2

1874 Jan. 12-Feb. 20 21st sess. 294 p. P

1876 Jan. 10-Feb. 18 22d sess. 324 p. USlC

Unit 3

1878 Jan. 14-Feb. 22 23d sess. 464 p. NcU

Unit 4

1880 Jan. 12-Feb. 20 24th sess. 493 p. NcU

UTAH-Continued

Legislative Assembly

Journal of the Council

A.la Reel 3

Unit 1

1882 Jan. 9-Mar. 9 25th sess. 276 p. NcU

Unit 2

1884 Jan. 14-Mar. 13 26th sess. 323 p. NcU

Unit 3

1886 Jan. 11-Mar. 11 27th sess. 365, [1] p. U-SC

Unit 4

1888 Jan. 9-Mar. 8 28th sess. 319, [1] p. U-SC

Unit 5

1890 Jan. 13-Mar. 13 29th sess. 449, [1], 98 p. DLC

Legislative Assembly

Journal of the House of Representatives

A.lb Reel 3

Unit 1

1882 Jan. 9-Mar. 9 25th sess. 440 p. U-SC

Unit 2

1884 Jan. 14-Mar. 13 26th sess. 323, [1], 62 p. NcU

Unit 3

1886 Jan. 11-Mar. 11 27th sess. 423, 72 p. NcU

Unit 4

1888 Jan. 9-Mar. 8 28th sess. 364, [1], 64 p. NcU

Unit 5

1890 Jan. 13-Mar. 13 29th sess. 448, [1] p. DLC

A.la:b Reel 4

Journal of the Council and House of Representatives

Unit 1

1892 Jan. 11-Mar. 10 30th sess. 848, 2 l., 159 p. DLC

Journal of the Council

Unit 2

1894 Jan. 8-Mar. 8 31st sess. 491, [1], 51 p. DLC

Journal of the House of Representatives

Unit 3

1894 Jan. 8-Mar. 8 31st sess. 528, [1] p. DLC

VERMONT

Journal of the General Assembly

A.1c Reel 1

Unit 1

1784 Feb. 19-Mar. 9 64 p.
1784 Oct. 14-29 57 p.
1785 June 2-18 52 p.

Vt

Unit 2

1785 Oct. 13-27 80 p.
1786* Oct. 12-31 128 p.

DLC *DLC - VtU-W

Unit 3

1787 Feb. 15-Mar. 10 63 p.
1787 Oct. 11-27? 61 p.? (Not found)
[W] 1787* Oct. 11-27? ? p. MS.?

Vt *Vt-Secy.

Unit 4

1788 Oct. 9-25 50 p.
1789 Oct. 8-29 67 p.
1790 Oct. 14-28 54 p.
1791 Jan. 10-27 85 p.
1791 Oct. 13-Nov. 3 49 p.
1792 Oct. 11-Nov. 8 114 (sic 118) p.
1793 Oct. 10-Nov. 4 205 p.
1794 Oct. 9-30 229 p.
1795 Oct. 8-27 170 p.
1796 Oct. 13-Nov. 8 184 p.

Vt

Unit 5

1797 Feb. 4-Mar. 10 (Not found)
1797 Oct. 12-Nov. 10 287 p.

Vt

A.1c Reel 2

Unit 1

1798 Oct. 11-Nov. 8 300 p.

Vt

Unit 2

1799 Oct. 10-Nov. 5 157 (sic 158) p.
1800 Oct. 9-Nov. 7 275 p.

Vt

Unit 3

1801 Oct. 8-Nov. 6 272 p. Vt

Unit 4

1802 Oct. 14-Nov. 12 292, viii p. Vt

Unit 5

1803 Oct. 13-Nov. 14 285, ix p.

DLC

VERMONT-Continued

A.1c Reel 3

Unit 1

1804 Jan. 26-Feb. 6 103, vii p.
DLC

Unit 2

1804 Oct. 11-Nov. 9 376, viii p.
Vt

Unit 3

1805 Oct. 10-Nov. 8 184 p.
1806 Oct. 9-Nov. 11 255 p.
DLC

Unit 4

1807 Oct. 8-Nov. 11 312 p. DLC

Unit 5

1808 Oct. 13-Nov. 11 167, 8 p.
1809 Oct. 12-Nov. 8 136 p.
DLC

Unit 6

1810 Oct. 11-Nov. 5 214 p.
1811 Oct. 10-31 176 p.
DLC

A.1c Reel 4

Unit 1

1812 Oct. 8-Nov. 9 322 p. DLC

Unit 2

1813 Oct. 14-Nov. 17 219 p.
1814 Oct. 13-Nov. 11 196 p.
DLC

Unit 3

1815 Oct. 12-Nov. 13 200, [29] p. tables.
1816 Oct. 10-Nov. 6 256 p.
DLC

Unit 4

1817 Oct. 9-Nov. 7 250 p. DLC

Unit 5

1818 Oct. 8-Nov. 12 216 p. tables. DLC

Unit 6

1819 Oct. 14-Nov. 17 270 p. tables. DLC

A.1c Reel 5

Unit 1

1820 Oct. 12-Nov. 16 295 p. tables. DLC

Unit 2

1821 Oct. 11-Nov. 16 248 p. tables. DLC

Unit 3

1822 Oct. 10-Nov. 13 317, [1] p. tables. DLC

VERMONT-Continued

Unit 4

1823 Oct. 9-Nov. 7 229 p.
DLC

Unit 5

1824 Oct. 14-Nov. 19 269 p.
DLC

Unit 6

1825 Oct. 13-Nov. 18 252 p.
DLC

Unit 7

1826 Oct. 12-Nov. 16 209 p.
DLC

Unit 8

1827 Oct. 11-Nov. 15 259 p.
DLC

A.1c Reel 6

Unit 1

1828 Oct. 9-31 203 p.
1829 Oct. 8-30 224 p.
DLC

Unit 2

1830 Oct. 14-Nov. 11 231 p.
1831 Oct. 13-Nov. 10 215 p.
DLC

Unit 3

1832 Oct. 11-Nov. 9 203 p.
tables.
1833 Oct. 10-Nov. 8 235 p.
DLC

Unit 4

1834 Oct. 9-Nov. 7 272 p.
1835 Oct. 8-Nov. 11 272 p.
DLC

VIRGINIA

General Assembly

Journal of the Senate

A.1a Reel 1

Unit 1

1776 Oct. 7-Dec. 21 65 p.
1777** May 5-June 28 3-50 p.
1777* Oct. 20-Jan. 24 58 p.
1778*** May 4-June 1 20 p.
NN *DLC **NN-1 ***DLC-1

Unit 2

1778* Oct. 5-Dec. 19 60 p.
[W] 1779 May 3-June 26 59 p.
[W] 1779** Oct. 4-Dec. 24 76 p.
1780 May 1-July 14 (Not found)

VIRGINIA-Continued

1780 Oct. 16-Jan. 2 (Not found)
1781 Mar. 1-22 (Not found)
1781 May 7-June 23 (Not found)
1781 Oct. 1-Jan. 5 (Not found)
1782 May 6-June 14 (Not found)
1782 Oct. 21-Dec. 28 (Not found)
1783 May 5-June 28 (Not found)
1783* Oct. 20-Dec. 22 55 p.
1784 May 3-June 30 (Not found)
1784 Oct. 18-Jan. 7 (Not found)
1785 Oct. 17-Jan. 21 (Not found)
1786 Oct. 16-Jan. 11 (Not found)
1787 .Oct. 15-Jan. 8 (Not found)
1788 June 23-30 (Not found)
1788 Oct. 20-Dec. 30 (Not found)
1789 Oct. 19-Dec. 19 (Not found)
1790 Oct. 18-Dec. 28 (Not found)
1791**** Oct. 17-Dec. 20 72 p.
1792*** Oct. 1-Dec. 28 [195] p. MS.
1793* Oct. 21-Dec. 12 50 p. (Incomplete. Ends with Dec. 9.)
1793*** Oct. 21-Dec. 13 [120] p. MS.

MBAt *DLC-1 **CSmH-Brock-1 ***Vi-Ar ****DLC

Unit 3

1794 Nov. 11-Dec. 27 [147] p. MS.
1795 Nov. 10-Dec. 29 [136] p. MS.
1796 Nov. 8-Dec. 27 1 p.l., 153 p. MS.

Vi-Ar

Unit 4

1797 Dec. 4-Jan. 25 [122] p. MS.
1798 Dec. 3-Jan. 26 1 p.l., 141 p. MS.
1799 Dec. 2-Jan. 28 (Not found)
1800* Dec. 1-Jan. 23 76 p.
1801** Dec. 7-Feb. 2 80 p.

Vi-Ar *DLC **Vi-1

A.1a Reel 2

Unit 1

1802 Dec. 6-Jan. 29 [160] p. MS.
1803 Dec. 5-Feb. 3 (Not found)
1804* Dec. 3-Feb. 1 85 p.
1805** Dec. 2-Feb. 6 91 p.
1806*** Dec. 1-Jan. 22 64, xx p.

Vi *DLC-1 **DLC ***Vi-1

Unit 2

1807 Dec. 7-Feb. 10 (Not found)

VIRGINIA-Continued

1808 Dec. 5-Feb. 18 77 p.
1809** Dec. 4-Feb. 9 56 p. (Incomplete)
1810* Dec. 3-Feb. 14 84 p.
1811** Dec. 2-Feb. 21 92 p.
1812* Nov. 30-Feb. 23 99 p.
1813** May 17-26 12 p.
NN *DLC **NN-1

Unit 3

1813*** Dec. 6-Feb. 16 64 p.
1814* Oct. 10-Jan. 19 69 p.
1815* Dec. 4-Feb. 28 81 p.
1816** Nov. 11-Feb. 22 76 p.
1817 Dec. 1-Feb. 26 182 p.
1818 Dec. 7-Mar. 13 208 p.
1819 Dec. 6-Feb. 25 195 p.
NN *DLC **N ***NN-1

Unit 4

1820 Dec. 4-Mar. 6 163 p.
1821 Dec. 3-Mar. 4 142 p.
NN

A.1a Reel 3

Unit 1

1822 Dec. 2-Feb. 25 139, [1] p.
1823 Dec. 1-Mar. 10 136 p.
1824* Nov. 29-Feb. 18 120 p.
1825 Dec. 5-Mar. 9 144 p.
NN *Vi

Unit 2

1826 Dec. 4-Mar. 9 155, [1] p.
1827 Dec. 3-Mar. 1 154, [1] p.
1828 Dec. 1-Feb. 28 156 p.
1829 Dec. 7-Feb. 23 120 p.
DLC

Unit 3

1830 Dec. 6-Apr. 19 294, [1] p.
DLC

Unit 4

1831 Dec. 5-Mar. 31 231, [1] p., Bills & Docs., v.p.
1832 Dec. 3-Mar. 9 208 p., Bills & Docs., v.p.
DLC

A.1a Reel 4

Unit 1

1833 Dec. 2-Mar. 14 230, [1] p., Bills, v.p.
1834 Dec. 1-Mar. 12 176, [1] p., Bills & Docs., v.p.
DLC

VIRGINIA-Continued

Unit 2

1835 Dec. 7-Mar. 24 214, [1], 2, 2 p.
1836 Dec. 5-Mar. 31 264 p., Bills & Docs., v.p.
1837 June 12-24 24, 2, 3, 2 p.
DLC

Unit 3

1838 Jan. 1-Apr. 9 232 p., Bills, v.p.
1839 Jan. 7-Apr. 10 241 p., Bills & Docs., v.p.
DLC

Unit 4

1839 Dec. 2-Mar. 19 210, [1] p., Bills & Docs., v.p.
1840 Dec. 1-Mar. 22 211, [1] p., Bills, v.p. 22 p.
DLC

A.1a Reel 5

Unit 1

1841 Dec. 6-Mar. 26 294, [1] p., Bills & Docs., v.p., 30 p.
DLC

Unit 2

1842* Dec. 5-Mar. 28 103 (sic 203), [1] p., Docs. & Bills, v.p., 27 p.
1843 Dec. 4-Feb. 15 162, [1] p., Bills & Docs., v.p., 25 p.
DLC *N

Unit 3

1844 Dec. 2-Feb. 22 162, [1] p., Docs. & Bills, v.p., 29, [1] p.
1845 Dec. 1-Mar. 6 223, 30 p., Docs. & Bills, v.p.
DLC

Unit 4

1846 Dec. 7-Mar. 23 252, 38 p. DLC

Unit 5

1847 Dec. 6-Apr. 4 276 p., Docs. & Bills, v.p., 38 p.
DLC

A.1a Reel 6

Unit 1

1848 Dec. 4-Mar. 19 Reg. sess.
1849 May 28-Aug. 17 Adj. sess.
In 1 vol. 362 p., Docs. & Bills, v.p., 44 p.
DLC

Unit 2

1849 Dec. 3-Mar. 22 Reg. sess. 235 p., Bills & Docs., v.p., 36 p.
DLC

Unit 3

1861 Jan. 7-Apr. 4 Ext. (sic reg.) sess. 324, [1] p., Docs., v.p., 33 p.
DLC

VIRGINIA-Continued

Unit 4

1861 Dec. 2-Mar. 31 Reg. sess. 334, [1] p., Docs., v.p., 34 p.
DLC

A.1a
Reel 7

Unit 1

1862 Apr. 1-May 19 Ext. sess.
1862 Sept. 15-Oct. 6
1863 Jan. 7-Mar. 31 Adj. sess.
In 1 vol. 452, [1] p., Docs., v.p., 44 p.
DLC

Unit 2

1863 Sept. 7-Nov. 2 Ext. sess. 174, [1] p., Docs., v.p., 20 p.
DLC

Unit 3

1863 Dec. 7-Mar. 9 Reg. sess. 232, [1] p., Docs., v.p., 25 p.
DLC

A.1a
Reel 8

Unit 1

1864 Dec. 7-Apr. 1 Call. sess. 248 p., Docs. & Bills, v.p.
CSmH-1

Unit 2

1865 June 19-23 Ext. sess. 5, 2, 4, 4 p.
M

Unit 3

1865 Dec. 4-Mar. 3 Reg. sess. 342, [1] p., Docs., v.p., 43 p.
NcD

Unit 4

1866 Dec. 3-Mar. 2 Reg. sess.
1867 Mar. 4-Apr. 29 Ext. sess.
In 1 vol. 459, [1] p., Docs., v.p., 55 p.
DLC

Unit 5

1869 Oct. 5-20 Reg. sess. 45 p.
DLC

General Assembly

Journal of the House of Burgesses

A.1b
Reel 1

Unit 1

1727/8 Feb. 1-Mar. 30 1st sess. (Not found)
1730 May 21-July 9 2d sess. (Not found)
1732* May 18-July 1 3d sess. 1 p.l., 60 p.
[W] 1734 Aug. 22-Oct. 4 4th sess. 73 p.
[W] 1736 Aug. 5-Sept. 23 1st sess. 86 p.
[W] 1736 Nov. 1-Dec. 21 2d sess. 1 p.l., 78 p.
1740** May 22-June 17 3d sess. 1 p.l., 4, [2], 5-51 p.
[W] 1740 Aug. 21-28 4th sess. 7 p.
1742** May 6-June 19 1st sess. 3 p.l., 78 p.
1744*** Sept. 4-Oct. 25 2d sess. 1 p.l., 86 p.
1745/6*** Feb. 20-Apr. 12 3d sess. 2 p.l., 82 p.
[W] 1746 July 11-16 4th sess. 1 p.l., 8 p.
[W] 1747 Mar. 30-Apr. 18 5th sess. 19 p.

VIRGINIA-Continued

1748** Oct. 27-Dec. 17 1st sess. 3, 88 p.
(t.-p.w.)
[W] 1748/9 Mar. 2-May 11 Adj. sess. 89-181 p.
ViW-Coleman-1 *PRO-C.O.5/1421
**DLC ***Vi

Unit 2

1752 Feb. 27-Apr. 20 1st sess. 1 p.l., 124 p.
1753 Nov. 1-Dec. 19 2d sess. 4, 88 p.
1754* Feb. 14-23 3d sess. 2 p.l., 14 p.
DLC *Vi

Unit 3

1754 Aug. 22-Sept. 5 4th sess. 1 p.l., 22 p.
1754 Oct. 17-Nov. 2 5th sess. 1 p.l., 24 p.
1755 May 1-July 9 6th sess. 1 p.l., 83 p.
1755 Aug. 5-23 7th sess. 1 p.l., 24 p.
1755 Oct. 27-Nov. 8 8th sess. 1 p.l., 16 p.
1756 Mar. 25-May 5 1st sess. 1 p.l., 78 p.
1756 Sept. 20-28 2d sess. 1 p.l., 12 p. (t.-p.w.)
1757 Apr. 14-June 8 3d sess. 1 p.l., 101 p.
DLC

A.1b Reel 2

Unit 1

1758 Mar. 30-Apr. 12 4th sess. 1 p.l., 15 p.
1758* Sept. 14-Oct. 12 1st sess. 1 p.l., 57 p.
1758* Nov. 9-11 2d sess. 1 p.l., 4 p.
1759 Feb. 22-Apr. 14 3d sess. 1 p.l., 94 p.
1759 Nov. 1-21 4th sess. 1 p.l., 26 p.
1760* Mar. 4-11 5th sess. 1 p.l., 14 p.
1760* May 19-22 6th sess. 13 p.
1760 Oct. 6-20 7th sess., 1st meet.
1760 Dec. 11 7th sess., 2d meet.
1761 Mar. 5-Apr. 10 7th sess., 3d meet.
In 1 vol. 99 p.
1761** Nov. 3-14 1st sess. 28 p.
1762 Jan. 14-21 2d sess. 3-14 p.
1762** Mar. 30-Apr. 7 3d sess. 3-16 p.
1762** Nov. 2-Dec. 23 4th sess. 34, 33-116 p.
(t.-p.w.)
DLC *N **Vi

Unit 2

1763 May 19-31 5th sess. 31 p.
1764* Jan. 12-21 6th sess. 3-25 p.
1764 Oct. 30-Dec. 21 7th sess., 1st meet.
1765 May 1-June 1 7th sess., 2d meet.
In 1 vol. 3-154 p.
Vi *Vi-1

Unit 3

[W] 1766 Nov. 6-Dec. 16 1st sess., 1st meet.
1767 Mar. 12-Apr. 11 1st sess., 2d meet.
In 1 vol., 1 p.l., 136 p.

VIRGINIA-Continued

[W] 1768* Mar. 31-Apr. 16 2d sess. 62 p. MS.
1769** May 8-17 1st sess. 42 p.
1769* Nov. 7-Dec. 21 1st sess., 1st meet.
1770** May 21-June 28 1st sess., 2d meet.
In 1 vol. 271 p.
Appended: 1771-1772 Proclamations. [2] p.
Vi *PRO-C.O.5/1438 **DLC

Unit 4
1771* July 11-20 2d sess. 24 p.
1772 Feb. 10-Apr. 11 1st sess. [3]-164 p.
DLC *Vi

A.1b Reel 3

Unit 1
1773 Mar. 4-15 2d sess. 31 p.
Appended: 1773 Proclamation. [1] p.
1774* May 5-26 3d sess. [2]-75 p.
1775* June 1-24 ? sess. 48 p.
DLC *DLC-1

Journal of the House of Delegates

Unit 2
1776 Oct. 7-Dec. 21 145 p.
1777 May 5-June 28 150 p.
1777 Oct. 20-Jan. 24 1 p.l., 143 p.
DLC

Unit 3
1778 May 4-June 1 50 p.
1778 Oct. 5-Dec. 19 (Not found)
[W] 1779* May 3-June 26 78 p.
[W] 1779* Oct. 4-Dec. 24 132 p.
1780 May 1-July 14 56 p.
DLC *CSmH-Brock-1

Unit 4
1780** Oct. 16-Jan. 2 3-120 p.
[W] 1781* Mar. 1-22 61 p.[1]
1781 May 7-June 23 52 p.
1781 Oct. 1-Jan. 5 (Not found)
1782 May 6-June 14 (Not found)
1782 Oct. 21-Dec. 28 (Not found)
DLC *Vi **DLC-1

A.1b Reel 3a

Unit 1
1776 Oct. 7-Dec. 21 108 p. (Reprint, Samuel Shepard & Co., 1828.)
1777 May 5-June 28 112 p. (Reprint, Thomas W. White, 1827.)
1777 Oct. 20-Jan. 4 137 p. (Reprint, Thomas W. White, 1827.)
DLC

1. Printed in *The Bulletin of the Virginia State Library*, vol. 17, no. 1, Jan. 1928.

VIRGINIA-Continued

Unit 2

1778 May 4-June 1 1, 4, 3-35 p. (Reprint, Thomas W. White, 1827.)
1778 Oct. 5-Dec. 19 129 p. (Reprint, Thomas W. White, 1827.)
1779 May 3-June 26 70 p. (Reprint, Thomas W. White, 1827.)
1779 Oct. 4-Dec. 24 108 p. (Reprint, Thomas W. White, 1827.)
1780 May 1-July 14 89 p. (Reprint, Thomas W. White, 1827.)
1780 Oct. 16-Jan. 2 81 p. (Reprint, Thomas W. White, 1827.)
DLC

Unit 3

1781 May 7-June 23 32 p. (Reprint, Thomas W. White, 1828.)
1781 Oct. 1-Jan. 5 74 p. (Reprint, Thomas W. White, 1828.)
DLC

Unit 4

1782 Oct. 21-Dec. 28 91 p. (Reprint, Thomas W. White, 1828.)
1783 May 5-June 28 99 p. (Reprint, Thomas W. White, 1828.)
1783 Oct. 20-Dec. 22 83 p. (Reprint, Thomas W. White, 1828.)
DLC

Unit 5

1784 May 3-June 30 89 p. (Reprint, Thomas W. White, 1828.)
1784 Oct. 18-Jan. 7 110 p. (Reprint, Thomas W. White, 1828.)
1785 Oct. 17-Jan. 21 154 p. (Reprint, Thomas W. White, 1828.)
DLC

A.1b Reel 4

Unit 1

1783 May 5-June 28 190 p.
1783 Oct. 20-Dec. 22 156 p.
DLC

Unit 2

[W] 1784* May 3-June 30 123 p.
1784 Oct. 18-Jan. 7 104 p.
1785 Oct. 17-Jan. 21 153 p.
DLC *Vi

Unit 3

[W] 1786 Oct. 16-Jan. 11 157 p.
[W] 1787 Oct. 15-Jan. 8 111 p.
Vi

Unit 4

1788 June 23-30 (Not found)
1788 Oct. 20-Dec. 30 92 p.
1789 Oct. 19-Dec. 19 120 p.
DLC

A.1b Reel 4a

Unit 1

1786 Oct. 16-Jan. 11 157 p. (Reprint, Thomas W. White, 1828.)
NcU

Unit 2

1787 Oct. 15-Jan. 8 144 p.
1788 June 23-30 1 p.l., [145]-152 p.
In 1 vol. (Reprint, Thomas W. White, 1828.)
1788 Oct. 20-Dec. 30 131 p. (Reprint, Thomas W. White, 1828.)
NcU

VIRGINIA-Continued

Unit 3

1789 Oct. 19-Dec. 19 141 p.
(Reprint, Thomas W. White, 1828.)
1790 Oct. 18-Dec. 28 (Reprint, Thomas W. White, 1828.)

NcU

A.1b Reel 5

Unit 1

[W] 1790* Oct. 18-Dec. 28 169 p.
[W] 1791 Oct. 17-Dec. 20 147 p.

DLC *Vi

Unit 2

1792 Oct. 1-Dec. 28 226 p.
1793 Oct. 21-Dec. 12 132 p.

NN

Unit 3

1794 Nov. 11-Dec. 27 127 p.
1795 Nov. 10-Dec. 29 138 p.
1796* Nov. 8-Dec. 27 102 p.

Vi *DLC

Unit 4

1797 Dec. 4-Jan. 25 115 p.
1798* Dec. 3-Jan. 26 104 p.
1799* Dec. 2-Jan. 28 100 p.
(Incomplete)
Jan. 24-28 supplied in MS. 15 p.

Vi-L *Vi

Unit 5

1800 Dec. 1-Jan. 23 80 p.
1801* Dec. 7-Feb. 2 92 p.
1802 Dec. 6-Jan. 29 71 p.
1803 Dec. 5-Feb. 3 109 p.
(Pages 97-100 are missing, and p. 318-369, MS. are supplied.)

Vi *DLC

Unit 6

1804 Dec. 3-Feb. 1 115 p.
1805 Dec. 2-Feb. 6 108 p.
1806 Dec. 1-Jan. 22 109 p.

NN

A.1b Reel 6

Unit 1

1807 Dec. 7-Feb. 10 115 p.
1808 Dec. 5-Feb. 18 129 p.
1809 Dec. 4-Feb. 9 110 p.

NN

VIRGINIA-Continued

Unit 2

1810 Dec. 3-Feb. 14 106 p.
1811* Dec. 2-Feb. 21 163 p.
1812 Nov. 30-Feb. 23 176 p.
1813 May 17-26 40 p.

NN *Vi

Unit 3

1813 Dec. 6-Feb. 16 192 p.
1814 Oct. 10-Jan. 19 162 p.

NN

Unit 4

1815 Dec. 4-Feb. 28 211 p., Docs., v.p.

NN

A.1b Reel 7

Unit 1

1816 Nov. 11-Feb. 22 228, xxii p.

NN

Unit 2

1817 Dec. 1-Feb. 26 229 p. NN

Unit 3

1818 Dec. 7-Mar. 13 228, vii p. DLC

Unit 4

1819 Dec. 6-Feb. 25 213, x p. DLC

Unit 5

1820 Dec. 4-Mar. 6 234, xxvii p. DLC

Unit 6

1821 Dec. 3-Mar. 4 237 p., Docs., v.p.

DLC

A.1b Reel 8

Unit 1

1822 Dec. 2-Feb. 25 216 p., Docs. & Bills, v.p. DLC

Unit 2

1823 Dec. 1-Mar. 10 218 p., Docs. & Bills, v.p. DLC

A.1b Reel 9

Unit 1

1824 Nov. 29-Feb. 18 187 p., Docs. & Bills, v.p. DLC

Unit 2

1825 Dec. 5-Mar. 9 208 p., Docs. & Bills, v.p. DLC

A.1b Reel 10

Unit 1

1826 Dec. 4-Mar. 9 211 p., Docs. & Bills, v.p. DLC

Unit 2

1827 Dec. 3-Mar. 1 210 p., Docs. & Bills, v.p. DLC

VIRGINIA-Continued

A.1b Reel 11

Unit 1

1828 Dec. 1-Feb. 28 250 p., Docs. & Bills, v.p. DLC

Unit 2

1829 Dec. 7-Feb. 23 195 p., Docs. & Bills, v.p. DLC

A.1b Reel 12

Unit 1

1830 Dec. 6-Apr. 19 300 p., Docs. & Bills, v.p., 301-335 p. DLC

Unit 2

1831 Dec. 5-Mar. 31 257 p., Docs. & Bills, v.p. DLC

A.1b Reel 13

Unit 1

1832 Dec. 3-Mar. 9 267 p., Docs. & Bills, v.p. DLC

Unit 2

1833 Dec. 2-Mar. 14 275 p., Docs. & Bills, v.p. NcD

A.1b Reel 14

Unit 1

1834 Dec. 1-Mar. 12 251 p., Docs. & Bills, v.p. DLC

A.1b Reel 15

Unit 1

1835 Dec. 7-Mar. 24 304 p., Docs. & Bills, v.p. NcD

A.1b Reel 16

Unit 1

1836 Dec. 5-Mar. 31 355 p., Docs. & Bills, v.p., 50 p. DLC

A.1b Reel 17

Unit 1

1837 June 12-24 27 p., Docs. & Bills, v.p., 5 p. DLC

Unit 2

1838 Jan. 1-Apr. 9 300, 53 p., Docs. & Bills, v.p. DLC

A.1b Reel 18

Unit 1

1839 Jan. 7-Apr. 10 293 p., Docs. & Bills, v.p., 44 p. DLC

A.1b Reel 19

Unit 1

1839 Dec. 2-Mar. 19 247 p., Docs. & Bills, v.p., 40 p. DLC

VIRGINIA-Continued

A.1b Reel 20

Unit 1

1840 Dec. 1-Mar. 22 239 p., Docs. & Bills, v.p., 31 p.
DLC

A.1b Reel 21

Unit 1

1841 Dec. 6-Mar. 26 287 p., Docs. & Bills, v.p., 35 p.
DLC

A.1b Reel 22

Unit 1

1842 Dec. 5-Mar. 28 271 p., Docs. & Bills, v.p., 37 p.
DLC

A.1b Reel 23

Unit 1

1843 Dec. 4-Feb. 15 202 p., Docs. & Bills, v.p., 31 p.
DLC

A.1b Reel 24

Unit 1

1844 Dec. 2-Feb. 22 196 p., Docs. & Bills, v.p., 34 p.
DLC

A.1b Reel 25

Unit 1

1845 Dec. 1-Mar. 6 218 p., Docs. & Bills, v.p., 41 p.
DLC

A.1b Reel 26

Unit 1

1846 Dec. 7-Mar. 23 255 p., Docs. & Bills, v.p., 46 p.
DLC

A.1b Reel 27

Unit 1

1847 Dec. 6-Apr. 5 564 p. DLC

Unit 2

1848 Dec. 4-Mar. 19 Reg. sess.
1849 May 28-Aug. 17 Adj. sess.
In 1 vol. 771 p.
DLC

A.1b Reel 28

Unit 1

1849 Dec. 3-Mar. 22 Reg. sess. 551 p. DLC

Unit 2

1861 Jan. 7-Apr. 4 Ext. (sic reg.) sess. 321, lv p.
DLC

Unit 3

1861 Dec. 2-Mar. 31 Reg. sess. 382, xxiv p. DLC

Unit 4

1862 Apr. 1-May 19 Ext. sess. 73, xiii p.
1862 Sept. 15-Oct. 6 Call. sess. 87, xiv p.
NcU

VIRGINIA-Continued

A.1b Reel 29

Unit 1

1863 Jan. 7-Mar. 31 Adj. sess. 321, xxxii p. NcU

Unit 2

1863 Sept. 7-Nov. 2 Call. sess. 222, xvii p. NcU

Unit 3

1863 Dec. 7-Mar. 10 Reg. sess. 278, xxiv p. NcU

Unit 4

1864 Dec. 7-Apr. 1 Call. sess. 96 p., Docs., v.p. (Incomplete) MBAt-1

Unit 5

1865 June 19-23 Ext. sess. 17, [1] p. DLC

A.1b Reel 30

Unit 1

1865 Dec. 4-Mar. 3 Reg. sess. 550 p. DLC

Unit 2

1866 Dec. 3-Mar. 2 Reg. sess.
1867 Mar. 4-Apr. 29 Ext. sess.
In 1 vol. 468, 180 p., Docs., 41 p. DLC

Unit 3

1869 Oct. 5-20 Reg. sess. 56 p. DLC

Wheeling and Alexandria Governments

A.1a:bs Reel 1

Unit 1

1861 July 1-26 Ext. sess. at Wheeling. (Not found) (S)
1861 July 1-26 Ext. sess. at Wheeling. 104 p. (H)
1861 Dec. 2-Feb. 13 Reg. sess. at Wheeling. 236 p. (S) DLC

Unit 2

1861 Dec. 2-Feb. 13 Reg. sess. at Wheeling. 292 p. (H) DLC

Unit 3

1862* May 6-15 Ext. sess. at Wheeling. 54 p. (S)
1862 May 6-15 Ext. sess. at Wheeling. (Not found) (H)
1862 Dec. 4-Feb. 5 Ext. sess. at Wheeling. 140, iv p. (S)
1862 Dec. 4-Feb. 5 Ext. sess. at Wheeling. 225 p. (H) DLC *NcD

Unit 4

1863 Dec. 7-Feb. 8 Reg. sess. at Alexandria.

VIRGINIA-Continued

1864 Dec. 5-Mar. 7 Reg. sess. at Alexandria. In 1 vol. 155 p. (S)
1863 Dec. 7-Feb. 8 Reg. sess. at Alexandria. 80 p. (H)
1864 Dec. 5-Mar. 7 Reg. sess. at Alexandria. 83 p. (H)

DLC

WASHINGTON

Legislative Assembly

Journal of the Council

A.1a Reel 1

Unit 1

1854 Feb. 27-May 1 1st ann. sess. 1 p.l., [7]-220 p.
1854 Dec. 4-Feb. 1 2d ann. sess. 1 p.l., [7]-157 p.

Wa-L

Unit 2

1855 Dec. 3-Jan. 31 3d ann. sess. 1 p.l., [7]-213 p.
1856 Dec. 1-Jan. 29 4th ann. sess. 1 p.l., [7]-258 p 1 l., xli p.

Wa-L

Unit 3

1857 Dec. 7-Feb. 4 5th ann. sess. 215 p.
1858 Dec. 6-Feb. 3 6th ann. sess. 232 p.

Wa-L

Unit 4

1859 Dec. 5-Feb. 2 7th ann. sess. 295 p. Wa-L

Unit 5

1860 Dec. 3-Jan. 31 8th ann. sess. 326 p. Wa-L

Unit 6

1861 Dec. 2-Jan. 30 9th ann. sess. 323 p.
1862 Dec. 1-Jan. 29 10th ann. sess. 164, lxii p.

Wa-L

A.1a Reel 2

Unit 1

1863 Dec. 7-Feb. 4 11th ann. sess. 200 p.
1864 Dec. 8-Jan. 23 12th ann. sess. 246 p.

Wa-L

Unit 2

1865 Dec. 4-Jan. 29 13th ann. sess. 264 p.
1866 Dec. 3-Jan. 31 14th ann. sess. 272 p.

Wa-L

Unit 3

1867 Dec. 2-Jan. 30 1st bien. sess. 279, xci p.

Wa-L

Unit 4

1869 Oct. 4-Dec. 2 2d bien. sess. 315, 74 p. Wa-L

WASHINGTON-Continued

Unit 5

1871 Oct. 2-Nov. 30 3d bien. sess. 237, 480 (sic 240) p. Wa-L

Unit 6

1873 Oct. 6-Nov. 14 4th bien. sess. 185, 14 p. Wa-L

A.1a Reel 3

Unit 1

1875* Oct. 4-Nov. 12 5th bien. sess. 116-314 p. MS.

1877 Oct. 1-Nov. 9 6th bien. sess. 247 p. NcU *Wa-Secy.

Unit 2

1879 Oct. 6-Nov. 14 7th bien. sess. 216 p.

1881* Oct. 3-Dec. 1 8th bien. sess. 45 p. MS.

1881* Dec. 2-7 Spec. sess. 47-106 p. MS.

In 1 vol. NcU *Wa-Secy.

Unit 3

1883 Oct. 1-Nov. 29 9th bien. sess. 258 p. NcU

Unit 4

1885 Dec. 7-Feb. 4 10th bien. sess. 342 p. MS. Wa-Secy.

Unit 5

1887 Dec. 5-Feb. 2 11th bien. sess. 312 p. NcU

Legislative Assembly

Journal of the House of Representatives

A.1b Reel 1

Unit 1

1854 Feb. 27-May 1 1st ann. sess. 2 p.l., 6-189 p.

1854 Dec. 4-Feb. 1 2d ann. sess. 1 p.l., [7]-177 p. Wa-L

Unit 2

1855 Dec. 3-Jan. 31 3d ann. sess. 2 p.l., [7]-255 p.

1856 Dec. 1-Jan. 29 4th ann. sess. 163, cxxxiii p. Wa-L

Unit 3

1857 Dec. 7-Feb. 4 5th ann. sess. 302 p. Wa-L

Unit 4

1858 Dec. 6-Feb. 3 6th ann. sess. 240 p.

1859 Dec. 5-Feb. 2 7th ann. sess. 293 p. Wa-L

WASHINGTON-Continued

Unit 5

1860 Dec. 3-Jan. 31 8th ann. sess. 454 p.
Wa-L

Unit 6

1861 Dec. 2-Jan. 30 9th ann. sess. 215, 96 p.
Wa-L

A.1b Reel 2

Unit 1

1862 Dec. 1-Jan. 29 10th ann. sess. 223, L p.
1863 Dec. 7-Feb. 4 11th ann. sess. 304 p.
Wa-L

Unit 2

1864 Dec. 5-Jan. 23 12th ann. sess. 341 p.
Wa-L

Unit 3

1865 Dec. 4-Jan. 29 13th ann. sess. 335 p.
Wa-L

Unit 4

1866 Dec. 3-Jan. 31 14th ann. sess. 309 p.
Wa-L

Unit 5

1867 Dec. 2-Jan. 30 1st bien. sess. 426 p.
Wa-L

Unit 6

1869 Oct. 4-Dec. 2 2d bien. sess. 532 p.
Wa-L

A.1b Reel 3

Unit 1

1871 Oct. 2-Nov. 30 3d bien. sess. 359, 600
(sic 240) p. Wa-L

Unit 2

1873 Oct. 6-Nov. 14 4th bien. sess. 254 p.
MS. Wa-Secy.

Unit 3

1875 Oct. 4-Nov. 12 5th bien. sess. 339 p.
NcU

Unit 4

1877 Oct. 1-Nov. 9 6th bien. sess. 334 p.
NcU

Unit 5

1879 Oct. 6-Nov. 14 7th bien. sess. 2-375 p.
MS. Wa-Secy.

A.1b Reel 4

Unit 1

1881 Oct. 3-Dec. 1 8th bien. sess. 301 p.
1881 Dec. 2-7 Spec. sess. [303]-359 p.
In 1 vol.
NcU

Unit 2

1883 Oct. 1-Nov. 29 9th bien. sess. 309 p.
DLC

WASHINGTON-Continued

Unit 3

1885 Dec. 7-Feb. 4 10th bien. sess. 416 p. MS.
Wa-Secy.

Unit 4

1887 Dec. 5-Feb. 2 11th bien. sess. 443 p.
NcU - DLC

WEST VIRGINIA

Legislature

Journal of the Senate

A.1a Reel 1

Unit 1

1863 June 20-Dec. 11 1st sess. 306, 8, [2], 8, [2] p., Repts. and Bills, v.p.
DLC

Unit 2

1864 Jan. 19-Mar. 3 2d sess. 102, 8, [2] p., Bills, v.p.
DLC

Unit 3

1865 Jan. 17-Mar. 3 3d sess. 131, [2] p., Bills, v.p.
DLC

Unit 4

1866 Jan. 16-Mar. 1 4th sess. 179, [4] p., Bills, v.p.
DLC

Unit 5

1867 Jan. 15-Feb. 28 5th sess. 234, 28, [4] p., Bills, v.p.
DLC

Unit 6

1868 Jan. 21-Mar. 5 6th sess. 255, 11, 4 p., Bills, v.p.
DLC

Unit 7

1868 June 2-July 28 Ext. sess.
1868 Nov. 10-Dec. 30 Adj. sess.
In 1 vol. 314, [1] p.
DLC

Legislature

Journal of the House of Delegates

A.1b Reel 1

Unit 1

1863 June 20-Dec. 11 1st sess. 324, 16, [2], 8, 4, 7, 6, [1], 2, 3 p., Repts. & Bills, v.p.
DLC

Unit 2

1864 Jan. 19-Mar. 3 2d sess. 123, [2] p., Bills, v.p.
DLC

Unit 3

1865 Jan. 17-Mar. 3 3d sess. 174, 16, [2] p. Repts. & Bills, v.p.
DLC

WEST VIRGINIA-Continued

A.1b Reel 2

Unit 1

1866 Jan. 16-Mar. 1 4th sess. 265, [4] p., Repts. & Bills, v.p. DLC

Unit 2

1867 Jan. 15-Feb. 28 5th sess. 315, 28, [4], 23 p., Repts. & Bills, v.p. DLC

A.1b Reel 3

Unit 1

1868 Jan. 21-Mar. 5 6th sess. 355, 11, [4] p., Repts. & Bills, v.p. DLC

Unit 2

1868 June 2-July 28 Ext. sess.
1868 Nov. 10-Dec. 30 Adj. sess.
In 1 vol. 410 p.

DLC

WISCONSIN

Legislative Assembly

Journal of the Council

A.1a Reel 1

Unit 1

1836 Oct. 25-Dec. 9 1st Assy., 1st sess. 104 p.
1837 Nov. 6-Jan. 20 1st Assy., 2d sess. 179 p.
1838 June 11-25 1st Assy., spec. sess. 181-256 p.
WHi

Unit 2

1838 Nov. 26-Dec. 22 2d Assy., 1st sess. 148 p.
1839 Jan. 21-Mar. 11 2d Assy., 2d sess. 281 p.
WHi

Unit 3

1839 Dec. 2-Jan. 13 2d Assy., 3d sess. 288 p.
1840 Aug. 3-14 2d Assy., spec. sess. 80 p.
WHi

Unit 4

1840 Dec. 7-Feb. 19 3d Assy., 1st sess. 404 p.
WHi

Unit 5

1841 Dec. 6-Feb. 19 3d Assy., 2d sess. 751 p.
WHi

A.1a Reel 2

Unit 1

1842 Dec. 5-Apr. 17 4th Assy., 1st & 2d sess. 371, 95, 20 p. WHi

Unit 2

1843 Dec. 4-Jan. 31 4th Assy., 2d ann. sess. 316, 54, 13 p. WHi

WISCONSIN-Continued

Unit 3

1845 Jan. 6-Feb. 24 4th Assy., 3d ann. sess. 438, [1] p.
Executive journal. p. 395-417. WHi

Unit 4

1846 Jan. 5-Feb. 3 4th Assy., 4th ann. sess. 382 p.
Executive journal. p. 293-307. WHi

Unit 5

1847 Jan. 4-Feb. 11 5th Assy., 1st ann. sess. 390 p.
Executive journal. p. 247-266.

1847 Oct. 18-27 5th Assy., spec. sess. 71 p.
Executive journal. p. 40-50.
WHi

Unit 6

1848 Feb. 7-Mar. 13 5th Assy., 2d ann. sess. 422 (sic 432), [1] p. WHi

Legislature

Journal of the Senate

A.1a Reel 3

Unit 1

1848 June 5-Aug. 21 1st sess. 502, 108 p. WHi

Unit 2

1849 Jan. 10-Apr. 2 2d sess. 928 p. DLC

A.1a Reel 4

Unit 1

1850 Jan. 9-Feb. 11 3d sess. 525 p. DLC

Unit 2

1851 Jan. 8-Mar. 17 4th sess. 765, 146, xciii p. DLC

Unit 3

1852 Jan. 14-Apr. 19 5th sess. 806 p. DLC

A.1a Reel 5

Unit 1

1853 Jan. 12-July 13 6th sess. 1020 p. DLC

Legislative Assembly

Journal of the House of Representatives

A.1b Reel 1

Unit 1

1836 Oct. 25-Dec. 9 1st Assy., 1st sess. 172 p. WHi

Unit 2

1837 Nov. 6-Jan. 20 1st Assy., 2d sess. 450 p. NcU

Unit 3

1838 June 11-25 1st Assy., spec. sess. 104 p.

1838 Nov. 26-Dec. 22 2d Assy., 1st sess. 134 p.
NcU

Unit 4

1839 Jan. 21-Mar. 11 2d Assy., 2d sess. 376 p. NcU

Unit 5

1839 Dec. 2-Jan. 13 2d Assy., 3d sess. 375, [337]-360 p.

1840 Aug. 3-14 2d Assy., spec. sess. 91, 6 p.
NcU

WISCONSIN-Continued

A.1b Reel 2

Unit 1

1840 Dec. 7-Feb. 19 3d Assy., 1st sess. 336, 149, 26 p. NcU

Unit 2

1841 Dec. 6-Feb. 19 3d Assy., 2d sess. 638, [1] p. NcU

Unit 3

1842 Dec. 5-Apr. 17 4th Assy., 1st & 2d sess. 520 p. NcU

Unit 4

1843 Dec. 4-Jan. 31 4th Assy., 2d ann. sess. 346, 165, 16 p. NcU

A.1b Reel 3

Unit 1

1845 Jan. 6-Feb. 24 4th Assy., 3d ann. sess. 480 p. NcU

Unit 2

1846 Jan. 5-Feb. 3 4th Assy., 4th ann. sess. 412 p. NcU

Unit 3

1847 Jan. 4-Feb. 11 5th Assy., 1st ann. sess. 431 p.
1847 Oct. 18-27 5th Assy., spec. sess. 88 p. NcU

Unit 4

1848 Feb. 7-Mar. 13 5th Assy., 2d sess. 486 p. NcU

Legislature

Journal of the Assembly

A.1b Reel 4

Unit 1

1848 Jan. 5-Aug. 21 1st sess. 708, 134 p. WHi

Unit 2

1849 Jan. 10-Apr. 2 2d sess. 841, 2 p. DLC

Unit 3

1850 Jan. 9-Feb. 11 3d sess. 752 p. DLC

A.1b Reel 5

Unit 1

1851 Jan. 8-Mar. 17 4th sess. 1194 p. DLC

Unit 2

1852 Jan. 14-Apr. 19 5th sess. 999 p. DLC

A.1b Reel 6

Unit 1

1853 Jan. 12-July 13 6th sess. 1044 p. DLC

WYOMING

Legislative Assembly

Journal of the Council

A.1a Reel 1

Unit 1

1869 Oct. 12-Dec. 10 1st sess. 194 p.
1871* Nov. 7-Dec. 16 2d sess. 122 p.
Wy *DLC

Unit 2

1873 Nov. 4-Dec. 14 3d sess. 202 p.
DLC

Unit 3

1875 Nov. 2-Dec. 12 4th sess. 235 p.
DLC

Unit 4

1877 Nov. 7 (sic 6)-Dec. 15 5th sess.
182 p. DLC

Unit 5

1879 Nov. 4-Dec. 13 6th sess. 289,
[14] p. MS. Wy-Secy.

Unit 6

1882 Jan. 10-Mar. 10 7th sess. 252 p.
DLC

Unit 7

1884 Jan. 8-Mar. 7 8th sess. 238 p.
DLC

Unit 8

1886 Jan. 12-Mar. 12 9th sess. 305,
14 p. Wy

A.1a Reel 2

Unit 1

1888 Jan. 10-Mar. 9 10th sess. 292 p.
DLC

Unit 2

1890 Jan. 14-Mar. 14 11th sess. 370,
[1] p.

Legislature

Journal of the Senate

Unit 3

1890 Nov. 12-Jan. 10 1st sess. 579 p.
MS. Wy-Secy.

Unit 4

1893 Jan. 10-Feb. 18 2d sess. 446 p.
MS. Wy-Secy.

A.1a Reel 3

Unit 1

1903 Jan. 13-Feb. 21 7th sess. [1],
462 p. Wy

Unit 2

1909 Jan. 12-Feb. 20 10th sess. 527 p.
Wy

WYOMING-Continued

Unit 3

1920 Jan. 26-28 Spec. sess. 36 p. Typescript.
1923 July 16-18 Spec. sess. 23 p. Typescript.
1929 Dec. 12-17 Spec. sess. 102 p. Typescript.
Wy-Secy.

Unit 4

A.1b

Journal of the House of Representatives

1920 Jan. 26-28 Spec. sess. 29 p. Typescript.
1923 July 16-18 Spec. sess. 31, [1] p. Typescript.
1929 Dec. 12-17 Spec. sess. 86, [1] p. Typescript.
Wy-Secy.

Legislative Assembly

Journal of the House of Representatives

A.1b Reel 1

Unit 1

1869 Oct. 12-Dec. 10 1st sess. 265 p.
1871* Nov. 7-Dec. 16 2d sess. 181 p.
Wy *DLC

Unit 2

1873 Nov. 4-Dec. 14 3d sess. 231 p. DLC

Unit 3

1875 Nov. 2-Dec. 12 4th sess. 213 p. DLC

Unit 4

1877 Nov. 7 (sic 6)-Dec. 15 5th sess. 174 p. DLC

Unit 5

1879 Nov. 4-Dec. 13 6th sess. 300 p. MS.
Wy-Secy.

Unit 6

1882 Jan. 10-Mar. 10 7th sess. 168 p.
1884 Jan. 8-Mar. 7 8th sess. 221 p.
DLC

Unit 7

1886 Jan. 12-Mar. 12 9th sess. 315 p. Wy

A.1b Reel 2

Unit 1

1888 Jan. 10-Mar. 9 10th sess. 327 p. DLC

Unit 2

1890 Jan. 14-Mar. 14 11th sess. 455 p. DLC

Legislature

Journal of the House of Representatives

Unit 3

1890 Nov. 12-Jan. 10 1st sess. 543 p. MS.
Wy-Secy.

Unit 4

1893 Jan. 10-Feb. 18 2d sess. 381 p. MS. Wy-Secy.
1920 Jan. 26-28 Spec. sess.
1923 July 16-18 Spec. sess.
1929 Dec. 12-17 Spec. sess.
See Wyo., A.1a, Reel 3, Unit 4.

LEGISLATIVE DEBATES

INDIANA

General Assembly

Brevier Legislative Reports

A.2 Reel 1

Unit 1

1858 Nov. 20-Dec. 25 Vol. I: viii, 204 p.
1859 Jan. 6-Mar. 7 Vol. II: 303 p.
InI

Unit 2

1861 Jan. 10-Mar. 11 Vol. IV: 378 p. DLC

Unit 3

1861 Apr. 24-June 4 Vol. V: 281 p.
1863 Jan. 8-Mar. 9 Vol. VI: 240 p.
DLC

Unit 4

1865 Jan. 5-Mar. 6 Vol. VII: 428 p. DLC

Unit 5

1865 Nov. 13-Dec. 14 Vol. VIII: 291, [1] p.
DLC

Unit 6

1867 Jan. 10-Mar. 11 Vol. IX: 476 p. DLC

A.2 Reel 2

Unit 1

1869 Jan. 7-Mar. 8 Vol. X: 597, [3], 20, 5-36, 44, viii p. DLC

Unit 2

1869 Apr. 8-May 17 Vol. XI: 428 p. DLC

Unit 3

1871 Jan. 5-Feb. 28 Vol. XII: 535, 1 p.
DLC

A.2 Reel 3

Unit 1

1872 Nov. 13-Dec. 22 Vol. XIII: 383, [1] p.
1873 Jan. 9-Mar. 10 Vol. XIV: 588 p., 2 l., 16 p.
In 1 vol.
DLC

Unit 2

1875 Jan. 7-Mar. 15 Vol. XV: [8], 83, [1] p.
(Incomplete) DLC

Unit 3

1877 Jan. 4-Mar. 15 Vol. XVI. (Not found)
1879 Jan. 9-Mar. 10 Vol. XVII: 1 p.l., 249 p.

INDIANA-Continued

1879 Mar. 11-31 Vol. XVIII: [5]-107, [3] p.
In 1 vol.
DLC

Unit 4

1881 Jan. 6-Mar. Vol. XIX: 12, 278 p.
1881 Mar. 8-Apr. 16 Vol. XX: [9]-190 p.
DLC

A.2 Reel 4

Unit 1

1883 Jan. 4-Mar. 5 Vol. XXI: 312 p. DLC

Unit 2

1885 Jan. 8-Mar. 9 Vol. XXII: 345 p.
1885 Mar. 10-Apr. 10 Vol. XXIII: 199, [1], 108, [1] p.
In 1 vol.
DLC

Unit 3

1887 Jan. 6-Mar. 2 Vol. XXIV: 656 p. DLC

LOUISIANA

Legislature

A.2 Reel 1

Debates in the Senate

Unit 1

1864 Oct. 3-1865 Apr. 4 208, 220 p. DLC

Debates in the House of Representatives

Unit 2

1864 Oct. 3-1865 Apr. 4 444 p. LNT

Unit 3

1869 Jan. 20-Mar. 4 524 p. DLC

A.2 Reel 2

Debates in the Senate

Unit 1

1870 Jan. 3-Mar. 3 768 p.
1870 Mar. 7-Mar. 17 [769]-851 p.
LNT - DLC

Debates in the House of Representatives

Unit 2

1870 Jan. 3-Mar. 3 308 p.
1870 Mar. 7-Mar. 16 [309]-347 p.
LNT

Unit 3

1872 Jan. 3-Feb. 26 166 p. LNT

MAINE

Legislature

A.2 Reel 1

Legislative Record

Unit 1

1897 Jan. 4-Mar. 17 69th Legis. 455 p.
(w: p. 1-14, 48-52, 233-234, 416-430)
Me-1

Unit 2

1899 Jan. 4-Mar. 17 69th Legis. 477 p.
(w: p. 17-22) Me-1

Unit 3

1901 Jan. 2-Mar. 22 70th Legis. 687 p.
(w: p. 540-580) Me-1

Unit 4

1920 Aug. 31 79th Legis., 2d sess. 22 p.
Me

PENNSYLVANIA

General Assembly

A.2 Reel 1

Proceedings and Debates

Unit 1

1787 Sept. 4-29 v.1: 143 p.
1787 Oct. 22-Nov. 29 v.2: [2], 189, [1] p.
1788 Feb. 21-Mar. 29 v.3: 1 p.l., 234 p.
1788* Sept. 2-Oct. 4 v.4: 348 p.
P *PPL

Unit 2

1809-10 Debates of the Legislature. 1 p.l.,
8, 3-278 p. P

Legislative Record

A.2 Reel 2

Unit 1

1853 Jan. 24-Apr. 18 v.p. P

Unit 2

1854 Jan. 4-May 8 (Not found)
1855 Jan. 3-May 8 v.p. DLC

A.2 Reel 3

Unit 1

1856 Jan. 10-Apr. 19 524 p. P

Unit 2

1857 Jan. 6-May 22 Nos. 1-106. v.p. DLC
1857 Oct. 6-13 (Not found)

A.2 Reel 4

Unit 1

1858 Jan. 5-Apr. 22 Nos. 1-81. 552 p.
DLC

PENNSYLVANIA-Continued

Unit 2

1859 Jan. 4-Apr. 14 Nos. 1-82. 644 p.
DLC

A.2 Reel 5

Unit 1

1860 Jan. 3-Apr. 3 Nos. 1-95. 760 p. n.t.-p.
DLC

A.2 Reel 6

Unit 1

1861 Jan. 1-Apr. 18
1861 Apr. 30-May 16
In 1 vol. Nos. 1-145. xlv, 1160 p.
DLC

A.2 Reel 7

Unit 1

1862 Jan. 7-Apr. 11 Nos. 1-130. xxxix, 1040 p.
DLC

A.2 Reel 8

Unit 1

1863 Jan. 6-Apr. 15 liv, 928 p. DLC

A.2 Reel 9

Unit 1

1864 Jan. 5-Apr. 25
1864 Aug. 9-25
In 1 vol. Nos. 1-169. lxxii, 1352 p.
DLC

A.2 Reel 10

Unit 1

1865 Jan. 9-Mar. 24 ix, 744, cxx p. DLC

A.2 Reel 11

Unit 1

1866 Jan. 2-Apr. 12 cxxxvii, 968, cxx p. DLC

A.2 Reel 12

Unit 1

1867 Jan. 1-Apr. 11 Nos. 1-142. v.1: 89,
1136 p. DLC

Unit 2

1866 (sic 1877) Jan. 1-Apr. 11 App. Nos. 1-49.
9; cccxcii p. (w: p. lx-lxi) DLC

A.2 Reel 13

Unit 1

1868 Jan. 7-Apr. 14 Nos. 1-195. 87, 1560 p.
DLC

A.2 Reel 14

Unit 1

1869 Jan. 5-Apr. 16 Nos. 1-193. 96, 1544 p.
DLC

PROCEEDINGS OF EXTRAORDINARY BODIES

MASSACHUSETTS

A.3 — Reel 1

Unit 1

1774 Oct.-Dec., 1775 Feb. Extracts from the records of the Provincial Congress. 14 p. — DLC

Unit 2

1774-1775 The journals of the Provincial Congress and the Committee of Safety... Boston, 1838. 2 p.l., lix p. — DLC

NEW YORK

A.3 — Reel 1

Unit 1

E.4

1774 May 16-Nov. 15 Records of the New York Revolutionary Committee of Correspondence. 55 p. MS. — NHi

Unit 2

1775-1776-1777 Journals of the Provincial Congress, Provincial Convention, Committee of Safety and Council of Safety. Albany, 1842. v.1: 3 p.l., 1190 p. — DLC

A.3 — Reel 2

Unit 1

1775-1776-1777 Journals of the Provincial Congress, Provincial Convention, Committee of Safety and Council of Safety. Albany, 1842. v.2: 2 p.l., 543 p. — DLC

Unit 2

D.24

1775 May 11-1778 Mar. 31 Convention and state receipts and expenditures. 3 p.l., 80 p. MS. — NHi

Unit 3

E.4

1814-1815 Proceedings of the Committee of Defense. 2 p.l., 191, 242-295 p. — NHi

NORTH CAROLINA

A.3 — Reel 1

Unit 1

Journal of the Proceedings of the Provincial Congress.

1774 Aug. 25 At a general meeting of deputies of the inhabitants of this province, at Newbern. [4] p. — Nc-Ar-1

1775 Aug. 20-Sept. 10 40 p. — RPJCB

1775 Aug. 20-Sept. 10 40 p. (w: p. 30-40; p. 37-38 mutilated) — NcU

1775 Aug. 20-Sept. 10 40, [6] p. — Nc-Ar

[W] 1776 Apr. 4-May 14 45 p. — NcWsM

NORTH CAROLINA-Continued

1776 Nov. 12-Dec. 23 84 p.
Ordinances, p. 71-84. DLC

1776 Nov. 12-Dec. 23 84 p. NcU

Unit 2

1776 Apr. Provincial Congress papers. [20] p. MS.

1776 May Provincial Congress papers. [16] p. MS.

1776 May Treasurer's account. [9] p. MS.

1776 May Report of Committee on Conduct of Insurgents and Suspects. [27] p. MS.

1776 May Estimate of allowances. [4], [5] p. MS.

Nc-Ar

Unit 3

E.4

1775 Oct. 18-22 Journal of the Provincial Council. 26 p. MS.

1776 Feb. 27-Mar. 5 Journal of the Provincial Council. 20 p. MS.

Nc-Ar

Unit 4

A.3

1776 Nov. Provincial Congress papers. [76] p. MS.

1776 Dec. Provincial Congress papers. [90] p. MS.

Nc-Ar

Unit 5

E.1b

1775 Mar. 1 Governor Josiah Martin. Proclamation. 1 l. MS.

Nc-Ar

Unit 6

A.3

1774 Aug. 25 Resolves of the first Provincial Convention. [16] p.

1774 Aug. 24-25 Journal of proceedings of the first Provincial Convention. [7] p. MS.

1775 Apr. 3-7 Journal of proceedings of the Provincial Convention. [15] p.

1775 Aug. 20-Sept. 10 Journal of proceedings of the Provincial Congress. [84] p.

Nc-Ar

E.4

1775 Oct. 18-22 Journal of the proceedings of the Provincial Council. [21] p. MS.

1775 Dec. 18-24 Journal of the proceedings of the Provincial Council. [24] p.

1776 Feb. 28-Mar. 5 Journal of the proceedings of the Provincial Council. [15] p. MS.

Nc-Ar

A.3

1776 Apr. 4-May 14 Journal of the proceedings of the Provincial Congress. [148] p. MS.

E.4

1776 June-Oct. 22 Journal of the proceedings of the Council of Safety. [76] p.

NORTH CAROLINA-Continued

1776 June 5-Aug. 2 Journal of the proceedings of the Council of Safety. 3-82 p.
1776 Aug. 3-Oct. 25 Journal of the proceedings of the Council of Safety. 47 p.

Nc-Ar

A.3 Reel 2

Unit 1

1776 Apr. 27-May 14 Journal of the Provincial Congress. [98] p. MS.

Nc-Ar

Unit 2

1776 Nov. 12-Dec. 4 Journal of the Provincial Congress. [92] p. MS.
1776 Dec. 5-23 Journal of the Provincial Congress. [90] p. MS.
1776 Dec. 23 Journal of the Provincial Congress. [18] p. MS.

Nc-Ar

Unit 3

E.4

1780 Sept. 4-Jan. 29 Journal of the Board of War. 218 p. MS. Nc-Ar

Unit 4

E.4 L

1774 Aug. 8-1776 June 15 Journal of Committee of Safety, Edenton, Chowan County. [76] p. MS.
1776 Feb. 28 Journal of Committee of Safety, Edenton District. [4] p. MS.

Nc-Ar

Unit 5

E.4 L

1776 Jan. 16-Feb. 24 Journal of Committee of Safety, District of New-bern. 22 p. MS.
1775 Resolves of Committee, Surry County. [14] p. MS.
1775 Papers of Wilmington Committee of Safety. [20] p. MS.
1774 Aug. 15-1776 Aug. 16 Minutes of Committee of Safety, Pitt County. [48] p. MS.
1774 Nov. 23-1776 Nov. 22 Proceedings of Wilmington, New Hanover County Committee of Safety. [110] p. MS.
1775 July 6-1776 Feb. 6 Minutes of proceedings of Committee of Safety, Tryon County. [24] p. MS.

Nc-Ar

SOUTH CAROLINA

A.3 Reel 1

Unit 1

1775 Jan. 11-17 Extracts from the journals of the Provincial Council. 1 p.l., [5]-45 p. DLC

Unit 2

1775 Nov. 1-29 Extracts from the journals of the Provincial Council. 6 p.l., 165 p.
1776 Feb. 1-Apr. 11 Extracts from the journals of the Provincial Council. 167 p.

DLC

LEGISLATIVE PAPERS

CONNECTICUT

General Assembly

Records

A.6 Reel 1

Unit 1

1636-1649 v.1: 460 p. Ct

Unit 2

1649-1669 v.2: 2-108, 281 p. Ct

Unit 3

1670-1706 v.3: [23], 508 p. Ct

A.6 Reel 2

Unit

1706 Oct.-1715 v.4: 354 p. Ct

Unit 2

1715 Oct.-1730 v.5: 735 p. Ct

A.6 Reel 3

Unit 1

1730-1739 Oct. v.6: 455 p. Ct

Unit 2

1740 May-1749 Oct. v.7: 532 p. Ct

A.6 Reel 4

Unit 1

1750 May 1757 Feb. v.8: 455 p. Ct

Unit 2

1757 May-1762 Oct. v.9: 537 p. Ct

A.6 Reel 5

Unit 1

1763 May-1770 Oct. v.10: 558 p. Ct

Unit 2

1771 May-1776 June v.11: 622 p. Ct

A.6 Reel 6

Unit 1

1776-1780 v.12: v.p. MS. Ct

[W] 1781 Vol. ?

CONNECTICUT-Continued

Public Records

A.6 Reel 7

Unit 1

1782 Jan.-1783 Jan. v.2: 279-534 p. Ct

Unit 2

1783 May-1787 May v.3: 527 p. Ct

A.6 Reel 8

Unit 1

1787-1792 v.4: 525 p. MS. Ct

A.6 Reel 9

Unit 1

1792 Oct.-1797 May v.5: 527 p. Ct

A.6 Reel 10

Unit 1

1797 Oct.-1799 Oct. v.6: 259 p. MS. Ct

Unit 2

1800 May-1801 Oct. v.6: 262-540 p. MS. Ct

A.6 Reel 11

Unit 1

1802 May-1805 May v.7: 538 p. Ct

A.6 Reel 12

Unit 1

1805 Oct.-1808 May v.8: 505 p. Ct

A.6 Reel 13

Unit 1

1808 Oct.-1811 Oct. v.9: 699 p. Ct

A.6 Reel 14

Unit 1

1812 May-1814 May v.10: 566 p. Ct

A.6 Reel 15

Unit 1

1814 Oct.-1816 May v.11: 513 p. Ct

A.6 Reel 16

Unit 1

1816 Oct.-1818 Oct. v.12: 507 p. Ct

A.6 Reel 17

Unit 1

1819 May-1821 May v.13: 561 p. Ct

Unit 2

1822 May-1823 May v.14: 440 p. Ct

CONNECTICUT-Continued

A.6 Reel 18

Unit 1

1824 May-1825 May v.15: 516 p. Ct

Unit 2

1826 May-1827 May v.16: 578 p. Ct

A.6 Reel 19

Unit 1

1828 May-1829 May v.17: 522 p. Ct

Unit 2

1830 May-1831 May v.18: 640 p. Ct

A.6 Reel 20

Unit 1

1832 May-1833 May v.19: 750 p. Ct

Unit 2

1834 May-1835 May v.20: 684 p. Ct

A.6 Reel 21

Unit 1

1836 May-Dec. v.21: 305 p. Ct

Unit 2

1837 May v.22: 357 p. Ct

A.6 Reel 22

Unit 1

1838 May-1839 May v.23: 657 p. Ct

NORTH CAROLINA

General Assembly

A.6 Reel 1

Unit 1

1689-1759 Box 1

1689 Act of Assembly against probious language.

1729 9 items. v.p. MS.

1733 12 items. v.p. MS.

1734 3 items. v.p. MS.

1741 3 items. v.p. MS.

1743 2 items. v.p. MS.

1748 5 items. v.p. MS.

1749 3 items. v.p. MS.

1750 2 items. v.p. MS.

1753 6 items. v.p. MS.

NORTH CAROLINA-Continued

1754 10 items. v.p. MS.
1755 15 items. v.p. MS.
1756 13 items. v.p. MS.
1757 28 items. v.p. MS.
1758 12 items. v.p. MS.
1759 18 items. v.p. MS.

Nc-Ar

Unit 2

1760-1763 Box 2

1760 14 items. v.p. MS.
1761 8 items. v.p. MS.
1762 30 items. v.p. MS.
1763 5 items. v.p. MS.

Nc-Ar

Unit 3

1764 Box 3 115 items. v.p. MS.

Nc-Ar

A.6 Reel 2

Unit 1

1765-1767 Box 4

1765 15 items. v.p. MS.
1766 110 items. v.p. MS.
1767 28 items. v.p. MS.

Nc-Ar

Unit 2

1770-1775 Box 7 7 items. v.p. MS.
1778-1779 Box 18 2 items. v.p. MS.
1780 Box 31 v.p. MS.
1784 Box 53 Rules of Committee on Propositions and Grievances. [12] p. MS.
1784 Box 57 In Congress assembled April 27, 1784. Broadside.
1785 Nov. 21 Box 58 84 items. v.p. MS.
1786 Box 65 4 items. v.p. MS.

Nc-Ar

Unit 3

1786 Box 68 4 items. v.p. MS.
1786-1787 Box 73 Report of Committee on Claims. v.p. MS.
1787 Box 76 3 items. v.p. MS.
1788 Box 82 3 items. v.p. MS.
1789 Box 85 3 items. v.p. MS.
1789 Box 89 Letter transmitting the Bill of Rights. 1 p.
1790 Box 98 3 items. v.p. MS.
1790 Box 101 Report of Committee on Claims. [20] p. MS.

NORTH CAROLINA-Continued

1792 Box 104 Report of agent of state for settling accounts with U. S. [14] p. MS.
1792 Box 106 Return of militia of state. [2] p. MS.
1793 Box 122 Committee on Claims. [24] p. MS.
1794 Box 134 Committee on Claims. [5] p. MS.
1795 Box 139 Committee on Claims. [27] p. MS.
1796 Box 142 Committee on Claims. [20] p. MS.
1796 Box 143 Petition of bar and river pilots. [3] p. MS.
1796 Box 144 An act for a Circuit Court. Broadsheet.
1797 Box 151 Committee on Claims. [19] p.
1798 Box 151 Committee on Claims. 7 items. v.p. MS.
1801 Box 183 Committee on Claims. [25] p. MS.
1802 Box 191 Committee on Claims. [14] p. MS.

Nc-Ar

A.6 Reel 3

Unit 1

1803 Box 201 Report of Committee on Claims. [10] p. MS.
1804 Box 202 Report of Committee on Claims. [18] p. MS.
1805 Box 206 Report of Committee on Claims. [23] p. MS.
1806 Box 217 Bill to revise militia laws. 4 items. v.p. MS.
1806 Box 219 [28] p. MS.
1807 Box 221 Committee on Claims. [21] p. MS.
1807 Box 223 8 items. v.p. MS.
1807 Box 225 Bill to amend militia laws. 4 p. MS.

Unit 2

1808 Box 244 Committee on Claims. [10] p. MS.
1809 Box 244 Committee on Claims. [11]-[28] p. MS.
1810 Box 245 Resolutions of Louisiana. 3 items. MS.
1810 Box 248 Resolutions of Virginia. 2 items. MS.
1810 Box 249 4 items. v.p. MS.
1811 Box 254 5 items. v.p. MS.
1810 Box 255 Committee on Claims. [8] p. MS.
1811 Box 255 Committee on Claims. [11]-[25] p. MS.
1812 Box 255 Committee on Claims. [27]-[32] p. MS.
1813 Box 271 Committee on Claims. [5] p. MS.
1814 Box 282 Committee on Claims. [8] p. MS.
1815 Box 290 3 items. MS.
1816 Box 292 7 items. v.p. MS.
1816 Box 295 Circular on penitentiary. Broadside.
1817 Box 301 Constitutional amendment resolution. Broadside.
1816 Box 296 Canal Commissioners. Broadside.
1817 Box 307 N. J. resolution. Broadside.

Unit 3

1820 Box 327 7 items. v.p. MS.
1821-22 Box 331 2 items. 4, 18 p. MS.
1821-22 Box 340 Governor's message, Nov. 1822. [25] p. MS.
1823-24 Box 355 3 items. v.p. MS.
1825-26 Box 383 Abstract of militia returns. 8 p. MS.

NORTH CAROLINA-Continued

1825-26 Box 385 11 items. v.p.
1826-27 Box 389 Memorial of Jonathan Elliott. [3] p. MS.
1826-27 Box 398 2 items. MS.
1826-27 Box 399 Register of militia officers. Broadside.
1826-27 Box 400 Memorial of Archibald D. Murphy. 3 p.
1827-28 Box 402 2 items. MS.
1827-28 Box 407 Abstract of annual return of militia. Broadside.

PENNSYLVANIA

General Assembly

A.6 Reel 1

Unit 1

1681-1774 Pennsylvania manuscripts. Assembly and Provincial Council. Nos. 42, 60-63, 67-74, 79-81. v.p. MSS.

PHi

Unit 2

Extracts from the votes of the House of Assembly...containing the rules and regulations for the better government of the Military Association in Pennsylvania. n.d. 20 p.

P

CODES AND COMPILATIONS

ALABAMA

B.1 Reel 1

Unit 1

Digest of the laws... (Toulmin). Cahawba, 1823. xxxiv, [2], [9]-1066 p. DLC

Unit 2

Digest of the laws... (Aikin). Philadelphia, 1833. xlvii, [1], 574 p. DLC

B.1 Reel 2

Unit 1

Digest of the laws...and Supp. 1833-35. (Aikin). 2d ed. Tuscaloosa, 1836. xlvii, [1], 664 p.

General index of statutes...since 1833. (Bird) Cahawba, 1838. 136 p. (Not found)

DLC

Unit 2

Supp. to Aikin's digest... (Meek). Tuscaloosa, 1841. iv, 409 p. DLC

Unit 3

Special acts... Eutaw: W. H. Fowler, 1853. 16 p. DLC

ARIZONA

B.1 Reel 1

Unit 1

Mining law... Prescott, 1864. 1 p.l., 21, [1] p. CU-B

Unit 2

Howell code... Prescott, 1865. xvi p., 1 l., [19]-491 p. Az

Unit 3

Compendio de las leyes... (Jones). Tucson, 1865. 61 p. AzPrHi

Unit 4

Compiled laws... (Bashford). Albany, N. Y., 1871. vi, 627 p. DLC

Unit 5

Compiled laws... (Hoyt). Detroit, Mich., 1877. vi p., 1 l., 692 p. DLC

Unit 6

Leyes relativas a los jueces de paz y jueces de pruebas... (Tully). Tucson, 1881. 1 p.l., [5]-214, iv p. Az

ARKANSAS

B.1 Reel 1

Unit 1

Laws... (Steele & M'Campbell). Little Rock, 1835. 2 p.l., 562, [14] p. DLC

ARKANSAS-Continued

Unit 2

Revised statutes... (Ball, Roane, Pike). Boston, 1838. xv, 956 p. DLC

Unit 3

Acts...on the subject of swamp and overflowed lands. Little Rock, Johnson & Yerkes, 1857. 84 p. DLC

CALIFORNIA

B.1 Reel 1

Unit 1

Laws for better government... (Mason Code). San Francisco, 1848. 67, [1] p. CSmH

Unit 2

Translation and digest of Mexican laws...1837. (Halleck and Hartnell). San Francisco: 1849. 26 p. CU-B

Unit 3

Act to regulate proceedings in civil cases... Benicia, St. Clair, Pinkham & Co., 1851. 1 p.l., iii, 133 p. C

Unit 4

Estatutos... San Francisco: C. K. Fitch & Co.; Y.V.E. Geiger & Co., 1852. 131, [iii]-viii p. C

Unit 5

Compiled laws... (Garfielde and Snyder). Benicia: S. Garfielde. Boston, Franklin Printing House, 1853. xix, 1071 p. C

B.1 Reel 2

Unit 1

Leyes... San Francisco: J. Kerr, 1853. xviii, [17]-265 p. C

Unit 2

Treatise on the practice of the courts...adapted to the existing law... (Hart). New York, 1853. lxviii, 252, 44 p. C

Unit 3

Leyes... (H. Gomez Mauriz). Sacramento: B. Redding, 1854. vii, 223 p. C

Unit 4

Practice act... Sacramento: State Journal Office Print., 1854. [100], 16, xii p. DLC

Unit 5

Leyes... (Agustin Ainsa). Sacramento: B. Redding, 1855. x, 354 p. C

Unit 6

Practice act... (Labatt). San Francisco: Whitton, Towne & Co., 1856. 167, vi, [3], [vii]-xxxvii p. DLC

Unit 7

Leyes... (Eldredge). Sacramento: J. Allen, 1856. 158 p. C

B.1 Reel 3

Unit 1

Leyes... (Eldredge). Sacramento: J. Allen, 1857. 156 p. tables. C

CALIFORNIA-Continued

Unit 2

Digest of laws... (Wood). San Francisco: S. D. Valentine & Son, 1857. iv, [2], 819 p. DLC

Unit 3

Leyes... (Smith). Sacramento: J. O'Meara, 1859. vii, [1], 616 p. C

Unit 4

*[Codified laws: Report of Commission on Revision of Laws, 1869-1870] v.p. (n.t.-p.)

Proceedings of Revision Commission. Political code. [1870]. xii, 49-112 p. (Incomplete)

CU-Law-1 *CSt

B.1 Reel 4

Unit 1

Revised laws... Penal code. [1870] 1 p.l., 336 p., 1 l. C

Unit 2

Revised laws...in four codes [1872] xlviii p., 1 l., 374 p.

Political code. p. 1-297.
Civil code. p. [299]-300.
Code of civil procedure. p. [305]-333.
Penal code. p. [335]-357.

C

Unit 3

Leyes enmendatorias á los códigos...1875-76. (Godoy). Sacramento: 1877. ix p., 1 l., 138 p., 1 l. C

Unit 4

Leyes enmendatorias á los códigos...1877-78. (Godoy). Sacramento: 1878. ix p., 1 l., 151 p. C

COLORADO

B.1 Reel 1

Unit 1

Mining laws. Central City, 1867. 50, [2] p. CtY-Coe

Unit 2

Revised statutes. (Wells). Central City, 1868. viii, [9]-742, [1] p. DLC

Unit 3

Estatutos revisados... (Stanton). Denver: 1872. xv, [17]-862, [1] p. DLC

B.1 Reel 2

Unit 1

General laws... (Clark). Denver: 1877. xvi p., 1 l., 1154 p. DLC

Unit 2

Leyes generales... (Dyer, Chacon, Wilkins). Denver: 1877. xvi, 1224, [1] p. On film: p. [i-iii], 1224, 1 l. CoD

Unit 3

Allgemeinen gesetze... (Clark). Denver, 1877. 1 p.l., [vii]-xv, [1]., 1307 p. DLC

B.1 Reel 3

Unit 1

Code of civil procedure... (Clark). Denver, 1877. 1 p.l., 163, cxiv p. DLC

COLORADO-Continued

Unit 2

Código de proceder civil... (Chacon, Wilkins, and Dyer). Denver: 1877. 164, xxiv p. CoD

Unit 3

Kodex uber die prozedur in civilklagen... (Clark). Denver: 1877. 199, xvii p. CoD

Unit 4

Estatutos generales... (Edwards). Denver: 1887. 1344 p. On film: p. [1-3], 1344. CoD

CONNECTICUT

B.1 Reel 1

Unit 1

Code of 1650. 2-108 p. MS. Ct

Unit 2

"The town's law book of Windsor," 1650-1708. [232], [9] p. MS.
  Code of 1650. [59] p.
  Session laws, 1650-1708. p. [59-232].
CtHi

Unit 3

"The Guilford law book," 1665-1708. [200] p. MS.
  Code of 1650. [23] p.
  Session laws, 1665-1708. p. [24-200].
Ct

Unit 4

New-Haven's settling in New-England. (Ludlow). London, 1656. 1 p.l., 46, 49-80 p. MWA

Unit 5

Book of the general laws. (Winthrop, Leete, et al.) Cambridge, 1673. [3], 71, [4] p. w.: [3] p. PHi

Book of the general laws. (Winthrop, Leete, et al.) Cambridge, 1673. 2 p.l., 71, 4 p. (2 p.l. defective, p. 41-42 mutilated) Appended: Session laws, 1673-1701. 68, 4, 6, 3, 24 p. MS.
Ct

---- 1 p.l., 71, 4, 5 p. (5 p. MS.) Appended: Session laws. 33 p. MS.
CtY

---- Appended:
  Session laws. 43, [2] p. MS.
  Laws of the Dominion of New England, 1687. 38, [5] p. MS.
CtY

An act for declaring the several laws made by the Governor and Council to be in force within the late Colony of Connecticut now [annexed] to this government and for settling the times and places for holding courts... [1687] p. 31 a, b. MS.
  Conn. Ar. Misc. 1662-1789, Ser. 1, Vol. 1, Doc. 31 a, b. Ct

Laws of the Massachusetts Territory and Dominion of New England. 1687.[1] 28 p. MS. Ct

1. Photostat of a copy made by Major John Talcott of Hartford after he had assumed authority of the Colony of Connecticut under Sir Edmund Andros.

CONNECTICUT-Continued

Unit 6

Acts and laws. (Allen, Fitch, Kimberly). Boston, 1702. 1 p.l., 118, [9] p. ([9] p. MS) (w.: p. 76-77) Table of contents of acts, 1691-1701. [4] p. MS. Ct

---- 1 p.l., 118, 43 p. (43 p. MS.) CtY

Unit 7

Acts and laws. New London: T. Short. 1709. 119(?)-142 p. (w.: p. 119-124. p. 125-126 misnumbered 124-125) CtY

Unit 8

Acts and laws. New London. Reprinted by T. Green, 1715. 1 p.l., 210, vii, [1] p. (p. 56, iii-iv mutilated) Appended: Session laws, 1716 May. 211-212 p. CtY

B.1 Reel 2

Unit 1

Acts and laws... New-London: T. Green, 1715.
Acts and laws...May 1716-Oct. 1729.
In 1 vol. 1 p.l., 6, [12] p., 1 l., 372 p. DLC

Unit 2

Acts and laws... New-London, T. Green, 1750. 2 p.l., 6, [2], 256 p. DLC

Unit 3

Acts and laws... New-London, T. Green, 1754. 1 p.l., [4], 6, 279 p. DLC

Unit 4

Acts and laws. May 1752-May 1768. New-London: T. Green, 1768. 263-336 p.
Prefixed: Session laws, May 1750-Oct. 1751. 257-262 p.
Appended: Session laws, Oct. 1768-Oct. 1769. 337-348 p. DLC

Unit 5

Acts and laws... New-London, T. & S. Green, 1769. 8, 10, 342 p.
Appended: Session laws, May 1769-Oct. 1774. 343-406 p. DLC

B.1 Reel 3

Unit 1

Acts and Laws... New-London: T. Green, 1784. 8, 6, [2], 265 p. DLC

Unit 2

Acts and laws... Hartford: E. Babcock, 1786. 1 p.l., 8, 3-8, 2, 5, 3, 346 p. DLC

Unit 3

Acts and laws... Hartford: Hudson & Goodwin, 1796. 1 p.l., 14, 438 p. DLC

Unit 4

Public statute laws... (Swift, Whitman, Day). Hartford. Goodrich, Huntington, Hopkins, 1821. xv, [1], 512 p. DLC

DAKOTA

B.1 Reel 1

Unit 1

Revised codes... (Hand). Yankton: 1877. xxvi p., 2 l., 976 p. DLC

DAKOTA-Continued

B.1 Reel 2

Unit 1

Annotated revised codes... (Levisee and Levisee). St. Paul: 1883-4. 2 v. v. 1: vi p., 1 l., 315, 68 p.; v. 2: ix, [1], [317]-1654 p. DLC

Unit 2

Changes in Levisee's Dakota codes...by acts of...1885... (Desty). St. Paul: 1885. xxxvi, 225 p. DLC

DELAWARE

B.1 Reel 1

Unit 1

Laws...New-Castle, Kent and Sussex, upon Delaware. Philadelphia: B. Franklin, 1741. 1 p.l., 3, 3-282 p. DLC

Unit 2

Laws...New-Castle, Kent and Sussex, upon Delaware. Philadelphia: Franklin & Hall, 1752. 363, xvii p. DLC

Unit 3

Laws...New Castle, Kent and Sussex, upon Delaware. "Vol. II". Wilmington, J. Adams, 1763. 2 p.l., iv, 81 p. DLC

Unit 4

Laws...1700-1797. New-Castle: S. & J. Adams, 1797. 2 v. v. 1: L, [51]-590, 101, 3 p.; v.2: 2 p.l., [595]-1376, 2, 128 p. DLC

FLORIDA

B.1 Reel 1

Unit 1

Ordinances by Major-General Andrew Jackson... St. Augustine, R. W. Edes, 1821. [30] p. DLC

Unit 2

Laws of United States relative to...Florida. Tallahassee, S. S. Sibley, 1837. 80 p. DLC

Unit 3

Compilation of public acts... (Duval). Tallahassee: 1839. 1 p.l., 476, xvi p. DLC

Unit 4

Laws of United States relative to...Florida. [n.p., 1843?] 72 p. DLC

Unit 5

Manual or digest of statute law... (Thompson). Boston: 1847. xxxiv p., 1 l., 686 p. DLC

GEORGIA

B.1 Reel 1

Unit 1

[Collection of acts, 1783-1789] 9-30 p. DLC

GEORGIA-Continued

Unit 2

Digest of the laws of pilotage... [n.p.] Seymour & Woolhopter, 1797. 36 p. GHi

Unit 3

Digest of laws... (Watkins). Philadelphia: 1800. vi p., 1 l., 837, 25, 2 p. DLC

Unit 4

Digest of laws... (Marbury & Crawford). Savannah: 1802. 715, [3] p. DLC

Unit 5

Acts...1863. (Waters). Milledgeville, 1862. 1 p.l., 47, [1] p.
Public laws...1863. (Waters). Milledgeville, 1863. 30 p. GEU

Unit 6

Report of the Commissioners appointed to prepare a system of laws... Boughton, Nisbet, Barnes & Moore, Milledgeville, 1866. 39 p. GU-De

IDAHO

B.1 Reel 1

Unit 1

Compiled and revised laws... [n.p.] M. Kelly, 1875. 2 p.l., 868, [869-871], 870-877, [1], 22 p. DLC

Unit 2

Code of civil procedure... Boise City, J. A. Pinney, 1881. [4], 226, [2], 449-545 p. MHL

Unit 3

Local and special laws...in force June 1, 1887. Boise City: 1887. 2 p.l., [3]-228 p. Id-L

B.1 Reel 2

Unit 1

Revised statutes... (Johnson, Beatty, Gray). Boise City: 1887. iv, 1056, 1041-1080 p. DLC

ILLINOIS

B.1 Reel 1

Unit 1

Laws of the territory... (Pope). Kaskaskia: 1815. 2 v. v. 1: 2 p.l., [vii]-xvi, 304, xl p.; v. 2: 2 p.l., [vii]-xxii, 305-710, xxv-lxxi p. DLC - MHL

Unit 2

Revised code of laws... Vandalia: Robert Blackwell, 1827. iv, 406 p. I

Unit 3

Revised code of laws... Shawneetown, A. P. Grant, 1829. 278 p. DLC

Unit 4

Revised laws... Vandalia: Greiner & Sherman, 1833. v, [7]-677, [40] p. DLC

CODES AND COMPILATIONS

INDIANA

B.1 Reel 1

Unit 1

Laws and parts of laws in force...1805. 25 p. MS. In-Ar

Unit 2

Laws. (Jones and Johnson). Vincennes, 1807. 540 p., 1 l., xxviii p. MHL - DLC

Unit 3

Compend of acts...1807-1814. (Johnston). Vincennes, 1817. vi, 7-195, iii p. In

Unit 4

Revised laws. Corydon, 1824. 438 p. DLC

Unit 5

Revised laws. Indianapolis, 1831. 596 p. DLC

IOWA

B.1 Reel 1

Unit 1

Revised statutes... Iowa City: Hughes & Williams, 1843. viii, 904 p. DLC

Unit 2

Code... Iowa City: Palmer & Paul, 1851. xv, 685, [1] p. DLC

Unit 3

Revision of 1860... (Darwin et al.). Des Moines, 1860. xx, 1160 p. DLC

KANSAS

B.1 Reel 1

Unit 1

Statutes... Shawnee M. L. School: John T. Brady. 1855. vii, 1058, [1] p. DLC

KENTUCKY

B.1 Reel 1

Unit 1

Index to the laws... Lexington: J. H. Stewart, 1795. viii p. KyLoF

Unit 2

Laws... Lexington: J. Bradford, 1799. 1 p.l., [v]-lxxvii (sic lxxxvii), [3]-514 p. KyLoF

Unit 3

Collection of...acts... (Toulmin). Frankfort: 1802. lxvi, 93, 86-190, 189-507, [2] p. DLC

Unit 4

Laws... "Vol. II". Lexington: J. Bradford, 1807. 1 p.l., 506 p. DLC

CODES AND COMPILATIONS

LOUISIANA

B.1 Reel 1

Unit 1

[Collection of original manuscript ordinances signed by the King of France, most of which relate to Louisiana and the colonies in America, 1678-1776] v.p. MS. (Fr.) LN-BP

Unit 2

Code noir ou edit du roy... Paris, C. Girard, 1735. 14 p. LN-BP

Unit 3

Code noir ou loi municipale... [New Orleans, A. Boudousquie, 1778] 15, [1] p. DLC

Unit 4

Code noir ou edit du roi. [New Orleans, L. S. Fontaine, 1803] [7] p. LNT-Favrot

Unit 5

Exposition of the criminal laws of the Territory of Orleans...with practice of courts... (Kerr). New Orleans: Bradford & Anderson, 1806. [2], [iv]-xxi, [2]-241, lviii p. (Eng. & Fr.) DLC

Unit 6

Compilation...constitution of U. S. ...laws and ordinances. New Orleans: Bradford & Anderson, 1806. vi, 159 p. (Eng. & Fr.) DLC

Unit 7

Digest of the civil laws now in force... New Orleans: Bradford & Anderson, 1808. v, [ii]-xxi, 491 p. (Eng. & Fr.) DLC

Unit 8

Collection...laws and ordinances... New Orleans, Thierry & Dacqueny, 1810. 1 p.l., ii, 7 p., 1 l., [9]-72, 75-122 p., 1 l., ii, 7, 118 p. (Eng. & Fr.) MHL

B.1 Reel 2

Unit 1

General digest... (Martin). New Orleans, P. K. Wagner, 1816. 3 v. v. 1: [2], [5]-742 p. (Eng. & Fr.) DLC

Unit 2

---- v. 2: [2], [5]-696 p. DLC

Unit 3

---- v. 3: [2], [5]-513, [2], 107 p. DLC

B.1 Reel 3

Unit 1

Laws of las Siete Partidas... (Lislet and Carleton). New Orleans: J. M'Karaher, 1820. 2 v. v. 1: xxv, 605 p. DLC

Unit 2

---- v. 2: 1 p.l., [611]-1248, [3], 73, [1] p. DLC

Unit 3

Digest of the laws and ordinances... Baton Rouge: T. Devalcourt, 1821. 61, [2] p. LNT-Favrot

Unit 4

Report...on the plan of a penal code... (Livingston). New Orleans: B. Levy, 1822. 159 p. DLC

Unit 5

Report...sur le projet d'un code penal... (Livingston). New Orleans: B. Levy, 1822. 170 p., 1 l. DLC

LOUISIANA-Continued

Unit 6

[Report on revision of civil code. (Livingston). New Orleans, 1823] 13 p. (t.-p.w.) DLC

B.1 Reel 4

Unit 1

Code of practice, in civil cases... [New Orleans, 1824] 410 p. (Eng. & Fr.) DLC

Unit 2

System of penal law... (Livingston). New Orleans: B. Levy, 1824. 164 p. DLC

Unit 3

Rapport sur le projet d'un code penal... (Livingston, Mill, Taillander). Paris, Antoine-Augustin Renouard, 1825. xxxii, 223, [1] p. DLC

Unit 4

Commercial code... New Orleans: B. Levy, 1825. 1 p.l., 260 p. DLC

Unit 5

Introductory report to the code of prison discipline... (Livingston). Philadelphia: Carey, Lea & Carey, 1827. [2], 78 p. DLC

MAINE

B.1 Reel 1

Unit 1

Laws... Brunswick, J. Griffin, 1821. 2 v. v. 1: 1 p.l., lxx, 456, xciii, [3] p.; v. 2: 1 p.l., xlii, [457]-872, xciii, [3] p. DLC

MARYLAND

B.1 Reel 1

Unit 1

Laws...1640-1692. 182 p. MS.
Appended: Session laws, 1692 May. 146, [9] p. MS.
Md-Ar-Liber W. H. and L.

Unit 2

Laws...1692.[1] 250, [5] p. MS. Md-Ar-Liber L. L. no. 1

Unit 3

[A complete body of the laws of Maryland. Annapolis: T. Reading. 1700] [vi], 120 p. (w: t.-p., 117-120; p. 101-120 are fragments) DLC-1

Abridgment of laws in force in Her Majesty's plantations...and Maryland. London, 1704. (See Va., B.1, Reel 1, Unit 4, p. 1-80, 65-71.)

Unit 4

[All the laws...now in force. Annapolis: T. Reading, 1707] 77, [78], 10, 95-114 p. (t.-p. supplied) MdHi-1

Unit 5

Body of laws...1715. 268 p. MS. MdHi-Calvert Papers no. 823.

1. Transcribed from Liber W. H. and L.

MARYLAND-Continued

B.1 Reel 2

Unit 1

Laws...1692-1718. (Jones). Philadelphia, Bradford, 1718. 2 p.l., [7], 220 p. Appended: His Excellency's speech and addresses of the Upper and Lower Houses of Assembly. May 1719. 10 p. DLC

Unit 2

Acts...1692-1715. London, J. Baskett, 1723. xi, [7], 183 p. DLC

Unit 3

Laws...relating to church and clergy, religion and learning. (Trott). [London, 1725] 1 p.l., [5], 171-221 p. NN

Unit 4

Complete collection of laws...1692-1727. Annapolis: W. Parks, 1727. 2 p.l., 300, 6 p.

*---- Variant t.-p. bound in additional copy. 2 p.l., 5 p. NNB *RPJCB

Unit 5

Tobacco acts relating to the support of government, 1638-1739/40. 1 p.l., 21 p. MS. MdHi-Calvert Papers no. 812

Unit 6

Abridgment and collection of the acts...at present in force. (Bisset). Philadelphia: 1759. 2 p.l., [4], 360, 561-566 p. DLC

B.1 Reel 3

Unit 1

Laws...at large... (Bacon). Annapolis: 1765. Sig. a-g, A-Iiii, A-Y, [1] p. DLC

Unit 2

Laws...made since 1763... (Hanson). Annapolis: 1787. Sig. A-Ttttt, A-C, [1] p. DLC

B.1 Reel 4

Unit 1

Digest of laws to 1797 and appendix 1798. (Herty). Baltimore: 1799. 2 p.l., xii, [13]-522, [2], 55 p. DLC

Unit 2

Laws...1692-1799. (Kilty). Annapolis: 1799-1800. 2 v. v. 1: Sig. a-f, A-Xxxx; v. 2: Sig. A-Dddddd, A-Ccc. DLC

MASSACHUSETTS

B.1 Reel 1

Unit 1

Laws...1636-1671. [100] p. v.p. MB

Unit 2

Book of the general laws... Cambridge: S. Green, 1672. 2 p.l., 47, [8] p. MHL

Unit 3

*Book of the general laws... Boston in New England: S. Green, 1685. 3 p.l., 75, [9] p.

---- Appended: Session laws, Mar. 1686, Aug. 1687. 12, [1] p. MS. DLC *MHL

MASSACHUSETTS-Continued

Unit 4

Declaration of the warrantable grounds and proceedings... Boston: Greenleaf, 1773. 24 p.

*---- M *RPJCB

Unit 5

*An abstract of the laws of New England... London, F. Coules and W. Ley, 1641. 1 p.l., 15, [2] p.

---- MB *PHi

Unit 6[1]

Book of the general laws and libertyes... Cambridge. 1648. [3], 59 p. CSmH-1

Unit 7

*An abstract of laws and government... (J. Cotton)... now published by W. Aspinwall. London, Printed by M. S. for L. Chapman, 1655. 4 p.l., 35, [2] p.

---- MB *PHi

Unit 8

Book of the general lawes and libertyes... (Rawson). Cambridge. 1660. 2 p.l., 88, [8] p. PHi

---- Appended:

Several laws and orders...1661, 1662, 1663. 7 p.

---- 1661, 1662, 1664. 4 p. MHi

Unit 9

General laws and liberties... Revised and reprinted. (Rawson). Cambridge, S. Green, for J. Usher. 1672. 1 p.l., 170, [27] p. (p. 6-7 of table are missing on film)

Prefixed by MS. pages:

1. Charles II, King of Gt. Brit. Letter from Hampton Court June 28, 1662. p. [1]
2. A declaration of the General Court, May 23, 1665. p. [2]
3. The Commissioner's reply, May 24, 1665. p. [3]
4. Charles II, King of Gt. Brit. Letter, Whitehall, April 23, 1664. p. [3-6]
5. Colony of Massachusetts Bay colonial charter, March 4, 1629. [26] (sic 16) p.
6. Body of liberties adopted in 1641. p. 27-41.
7. A parallel between the fundamental laws of England and of Massachusetts, Nov. 4, 1646. p. 42-47.
8. Answer of the Committee of the General Court to matters proposed touching their liberties, June 26, 1661. p. [48]
9. Charles II, King of Gt. Brit. Commission to Col. Nichols and others. p. [49-50]
10. Order in Council, Whitehall, July 20, 1677 regulating the boundaries of Massachusetts and Maine. p. [51-53]
11. Charles II, King of Gt. Brit. Letter, New Market, Sept. 30, 1680. p. [55-56]

Appended:

Several laws and orders. May 1672. p. 1-6.

1. The code was enacted in 1641.

MASSACHUSETTS-Continued

Several laws and orders. Oct. 1672. p. 7-12.
Orders, Jan. 1673-4. p. 13.
Several laws and orders. May, 1674. p. 11 (sic 13)-15.
Several laws and orders. Oct. 1674. p. 17-18.
Several laws and orders. May, 1675. p. 17 (sic 19)-21.
At a Council, Boston. Aug. 13, 1675. Broadside.
Several laws and orders. Oct. and Nov., 1675. p. 25-40.
Several laws and orders. Feb. 1675-6. p. 41-43.
At a Council, Boston. Apr. 4, 1676. Broadside.
Sunday laws made by the General Court wherein the duty of tything men is expressed. 3 p.
Laws and orders. May 1676. p. 45-48.
At a General Court, Boston. May 3, 1676. Broadside.
At a General Court, Boston. May 3, 1672. Broadside.
At a Court, Boston. Mar. 29 [1677] Broadside.
At a Council, Boston. Apr. 9, 1677. Broadside.
Several lavvs and orders. May 1677. p. 49-55.
Several laws and orders. Oct. 1677. p. 57-59.
At a Council. Mar. 28, 1678. Broadside.
Laws and orders. Oct. 1678. p. 61-64.
Laws and orders. May 1679. p. 65-68.
Laws and orders. Oct. 1679. p. 69-72.
Laws and orders. Feb. 1679-80. p. 74-75.
Laws and orders. May 1680. [2] p.
Lavvs and orders. Oct. 1680. p. 77-79.
At a session of the General Court. Mar. 4, 1680. Broadside.
At a General Court. Mar. 1, 1680. 2 p. MS.
Several lavvs and orders. Mar. 1680-81, May 1681. p. 87-92.
Several laws and orders. Oct. 1682. p. 93-96.
An order for regulating Constables' payments. [2] p.
Several laws. Mar. 1683. p. 97-99.
At a General Court. May 1683. Broadside.
Several laws. Oct. 1683. p. 98-99.
At a special General Court. Nov. 7, 1683. Broadside.
At a General Court. Feb. 13, 1683-4. Broadside.
Several laws and orders. May 1684. p. 100-101.
At a General Court. July 1684. p. 103-105.
Several lavvs. Sept. 1684. p. 107-109.
Several orders and laws. Oct. 1684. p. 110-111.
At a General Court. Jan. 1684-5. Broadside.
At a General Court. Mar. 1689. [1] p. MS.
By the Governor and Council. Apr. 2, 1685. Broadside.
Several laws and orders. May, Oct. 1685. p. 121-123.
By the Governor and Company. Feb. 1685-6. p. 125-126.

MBAt

Unit 10

General laws and liberties... Revised and reprinted. (Rawson). Cambridge, S. Green, for J. Usher. 1672. 1 p.l., 170, [27] p.
Appended:
Several laws and orders...May 1672. 6 p.
---- Oct. 1672, May-Oct. 1673. 7-12 p.

MHL

MASSACHUSETTS-Continued

---- May 1674. 11 (sic 13)-15 p.
MHL

General laws and liberties... Revised and reprinted. (Rawson). Cambridge in New-England, S. Green, for J. Usher...to be sold by R. Chiswel... London, 1675. 1 p.l., 170, [27] p. Appended: Several laws and orders. May 1672. 6 p. DLC

B.1 Reel 2

Unit 1

Acts and laws... Boston. B. Green & J. Allen, 1699. [8], 158, 4 p. Prefixed: Charter. 15 p. MHL

Abridgement of laws in force and use in Her Majesty's plantations. London, 1704. See Va., B.1, Reel 1, Unit 4, p. 295-297.

Unit 2

Acts and laws... Boston: B. Green, 1714. 16, [2], vi, 239 p. Prefixed: Charter. 1 p.l., 13 p.

Acts and laws... Boston: 1714.

Acts and laws... 1714-1721.
In 1 vol. vi, [2], 16, 360 p. Prefixed: Charter. 1 p.l., 13 p. DLC

Laws of the...plantations...relating to the church and clergy, religion and learning... (Trott). London: 1721. See S. C., B.1, Reel 1, Unit 3, p. 311-337.

Unit 3

Acts and laws...1692 to 1719. London, J. Baskett, 1724. xvi, 359 p. Prefixed: Charter. xvi p. DLC

Unit 4

Acts and laws... Boston: B. Green, 1726. 17, [2], 347 p. Prefixed: Charter. 1 p.l., 14 p. DLC

B.1 Reel 3

Unit 1

Acts and laws... Boston: S. Kneeland & T. Green, 1742. 28, [2], 337 p. Prefixed: Charter. 1 p.l., 14 p. DLC

Unit 2

Temporary acts and laws... Boston, S. Kneeland and T. Green, 1742. [2], 4, 74 p.

Temporary acts and laws... Boston, S. Kneeland, 1755. [2], 8, 166 p. DLC

Unit 3

Acts and laws... Boston: S. Kneeland, 1759. 24, [2], 396 p. Prefixed: Charter. 1 p.l., 14 p. DLC

Unit 4

Temporary acts and laws... Boston: 1763. [2], x p., 1 l., viii, 179 p.

*Acts...ordered to be left out of the last impression of Temporary laws and printed by themselves... Boston, Green & Russell, 1763. 1 p.l., 52 p. DLC *RPJCB

Unit 5

Collection of acts and laws relative to Loyalists. London, J. Stockdale, 1785. 35 p. RPJCB

CODES AND COMPILATIONS

MICHIGAN

B.1 Reel 1

Unit 1

Laws... "Vol. I". (Woodward Code). Washington: 1806. 179 p. MiD-B

Unit 2

Some of the acts...with titles and a digest of all the acts... (Cass Code). Detroit. 1816. 138, [5] p. DLC

Unit 3

Laws... Detroit: Sheldon & Reed. 1820. 517 p. MiD-B

Unit 4

Laws... Detroit: Sheldon & Wells. 1827. 709 p. DLC

Unit 5

Laws... Detroit. Sheldon M'Knight. 1833. 623 p. DLC

MINNESOTA

B.1 Reel 1

Unit 1

Revised statutes... (Wilkinson). St. Paul: 1851. 1 p.l., [vii]-xvi, 734 p.

Amendments to the revised statutes... St. Paul: 1852. 1 p.l., [5]-45 p. DLC

Unit 2

Collated statutes... St. Paul: J. R. Brown, 1853. 198, 96 p. DLC

Unit 3

Code of pleadings and practice in civil actions... (Goodrich). St. Paul: 1858. 280 p. DLC

Unit 4

Public statutes... (Sherburne and Hollinshead). St. Paul: 1859. 14, ix-lxxi, [73]-1071 p. DLC

MISSISSIPPI

B.1 Reel 1

Unit 1

Statutes... (Toulmin). Natchez: 1807. 2 p.l., xiii, 616 p. DLC

Unit 2

Statutes... (Turner). Natchez: 1816. 495, [27] p. DLC

Unit 3

Revised code... (Poindexter). Natchez: 1824. iv, 743 p. DLC

MISSOURI

B.1 Reel 1

Unit 1

Laws for the government of the District of Louisiana... Vincennes, E. Stout. 1804. 136, [1] p. See also Louisiana, B.2, Reel 1. DLC

Unit 2

Laws...actually in force... St. Louis. J. Charles, 1808. 376, [58] p. DLC

MISSOURI-Continued

Unit 3

Digest of the laws... (Geyer). St. Louis: 1818. xii, 486, xxvi, [30] p. DLC

Unit 4

Laws...revised and digested... St. Louis: E. Charles, 1825. 2 v. v. 1: viii, 486 p.; v. 2: viii, [487]-974 p. DLC

MONTANA

B.1 Reel 1

Unit 1

Laws, memorials and resolutions. (Codified statutes). Deer Lodge, "New North West", 1872. See Session laws.

Revised statutes... Helena, G. E. Boos, 1881. 1 p.l., 2 p., 1 l., [v]-xii, 795 p., 5 l., 29 p., 2 l., [iii]-viii, 159 p. (Incl. laws of 1879-81) Prefixed: Session laws, 1879 Jan., 11th sess. viii, 149 p. DLC

Unit 2

Report of the Commissioner on the Revision of Laws, 1881. 3 p. CSt

Unit 3

Compiled statutes... Helena, Journal Printing Co., 1888. [2], x, 1377 p. DLC

B.1 Reel 2

Unit 1

Final report of the Code Commission... Helena, Journal Pub. Co., [1892] 14 p. MtHi

Unit 2

Political code... [n.p., n.d.] 489, 49 p. CSt

Unit 3

Civil code... [n.p., n.d.] 354, 39 p. CSt

Unit 4

Code of civil procedure... [n.p., n.d.] 389, 38 p. CSt

Unit 5

Penal code. [n.p., n.d.] 256, 26 p. CSt

NEBRASKA

B.1 Reel 1

Unit 1

Revised statutes... (Estabrook). Omaha: 1866. 814 p. DLC

NEVADA

B.1 Reel 1

Unit 1

Compiled laws... (Bonnifield and Healy). Carson City: C. A. V. Putnam, 1873. 2 v. v. 1: cxli p., 1 l., 591 p. DLC

Unit 2

---- v. 2: lxi, 683 p. DLC

CODES AND COMPILATIONS

NEW HAMPSHIRE

B.1 Reel 1

Unit 1

[W] Generall lawes and liberties...1679-80.
Cappitall and criminal laws. p. 15-26. MS.[1]
General laws. p. 26-39. MS.[1]
NhHi

Unit 2

[W] Laws...(passed under Cranfield). 1682. p. 58-67. MS.[1] NhHi

Unit 3

Order for holding courts, 1686. (By President and Council of His Majesties Territory and Dominion of New England in America). 3-10 p.
Nh

Unit 4

Collection of laws in force... 1702. PRO-CO. 5/950. (See Class B.2, Reel 1s)

Unit 5

Acts and laws... Boston: B. Green 1716. 1 p.l., iv, 60 p. MHL
---- 1 p.l., 7, 60 p. NhHi

Unit 6

Acts and laws... Portsmouth, D. Fowle, 1761. 1 p.l., xii, 240 p. DLC

Unit 7

Temporary acts and laws... Portsmouth, D. Fowle, 1761. 1 p.l., 20 p.
Appended: An act. 21-24 p.
*Temporary acts and laws... Portsmouth, D. Fowle, 1761. 1 p.l., 20 p.
Appended:
Temporary acts and laws, 1759-1765. 21-28 p.
---- 1766-1768. 29-49 p.
MWA *NhHi

Unit 8

Acts and laws... Portsmouth, D. & R. Fowle, 1771. 1 p.l., 6, 8, 5, iv, 272, 51, xiii p.
---- 1 p.l., 6, 8, 5, iv, 286, 72, xiii p. Temporary laws, 1771-74. p. 53-72 of 72 p. DLC

Unit 9

Acts and laws...1776-78. Portsmouth & Exeter, D. & R. Fowle, 1776-77. 106 p. MHL

B.1 Reel 2

Unit 1

Acts and laws... Exeter, 1780. vi, 4, 182 p.

Unit 2

Perpetual laws...1776-1789. Portsmouth: J. Melcher, 1789. 3 p.l., [9]-256 p.
DLC

Unit 3

Laws... Portsmouth: J. Melcher, 1792. 2 p.l., [9]-396 p. DLC

Unit 4

Laws...1785-1796. Portsmouth: J. Melcher, 1797. 492 p. DLC

1. Contained in Council Book, v. 4, 1680-1740. MS.

CODES AND COMPILATIONS

NEW JERSEY

B.1 | Reel 1

Unit 1

Concessions and agreements of the proprietors, freeholders and inhabitants of the Province of West New Jersey in America, 1676. 1 p.l., 30 p. MS.

Appended:

[Executive record, May 1681-July 1686] 31-39 p. MS.

Session laws, Nov. 1681-Sept. 1698? 41-172 p. MS. (Incomplete)

Nj

Unit 2

Laws and acts...1703-1709. [n.p.] W. Bradford, 1709. 1 p.l., 20 p. (w: p. 9-16) See Session laws. Nj

Unit 3

[W] Laws and acts...1703-1717. [n.p.] W. Bradford, 1717. 3, 60, [58], 4, 102-136 p. MH

Unit 4

Laws and acts...1703-1719. [n.p.] W. Bradford, 1717 [1719?] 2 p.l., 78, [13], 95-123 p. DLC

Unit 5

Laws and acts...1703-1722. [n.p.] W. Bradford, 1717 [1722?] 2 p.l., 115 p. DLC

Unit 6

Acts...1703-1731. Philadelphia: W. & A. Bradford, 1732. 1 p.l., [12], 281 p. Nj

Unit 7

Acts and laws...1743-1748. Philadelphia: W. Bradford, 1749. 56, [1] p. DLC

Unit 8

Acts...1703-1752. (Nevill). [n.p.] 1752. [3], 507 p. DLC

B.1 | Reel 2

Unit 1

Grants, concessions and original constitutions of the Province of New Jersey. Acts passed during the proprietary government... (Leaming and Spicer). Philadelphia: W. Bradford [1758?] 2 p.l., 763 p. DLC

Unit 2

Acts...1753-1761. (Nevill). "Vol. II". Woodbridge; J. Parker, 1761. 2 p.l., x, [2], 401, 56, 64 p. DLC

B.1 | Reel 3

Unit 1

Acts...1702-1776. (Allinson). Burlington: I. Collins, 1776. viii, 493, 6, 6, 4, 4, 3, 15 p. DLC

Unit 2

Acts...1776-1783. (Wilson). Trenton: I. Collins, 1784. x, 389, 28, 4, 4, 30 p. DLC

Unit 3

Laws...revised... (Paterson). New Brunswick: A. Blauvelt, 1800. 1 p.l., xxi, [1], 455 p., 1 l., [30] p. DLC

CODES AND COMPILATIONS

NEW MEXICO

B.1

Reel 1

Unit 1

[Collection of orders and decrees of New Spain relating to New Mexico, 1715-1816] 2 v. v.1: 1715-1797. 110 docs. v.p. NmHi

Unit 2

---- v. 2: 1798-1816. Docs. 111-219. v.p. NmHi

B.1

Reel 2

Unit 1

Leyes... (Kearny Code). Santa Fe, 1846. 115 p. (Eng. & Sp.) NmStM

Unit 2

Laws... Santa Fe: J. L. Collins, 1852. 442, [1] p. (Eng. & Sp.) DLC

Unit 3

Revised statutes... (Deavenport). Santa Fe: 1856. xv, 16-563 p. (Eng. & Sp.) DLC

B.1

Reel 3

Unit 1

Revised statutes and laws... St. Louis: R. P. Studley, 1865. 856 p. (Eng. & Sp.) DLC

Unit 2

Colección de leyes... (Ronquillo). Las Vegas, 1881. xv, 292 p., 2 l. NmU

NEW YORK

B.1

Reel 1

Unit 1

Duke's laws, 1665. [2], 26, [27-74] p. MS.
*---- 158 p. (Photostat of Hempstead copy) NHi *N

Unit 2

Duke's laws, 1684. 1 p.l., [37], [44] p. (Transcript) MS. N

Unit 3

Dungan's laws, 1683-1684. 7-75, [2] p. MS. Prefixed: Duke of York's charter of liberties and priviledges...1683. 1 p.l., 7 p. N

Unit 4

Laws & acts...1691-1694. New York, W. Bradford, 1694. 2 p.l., 84 p.
Appended:
Tax act, Mar. 1693/4. 85-92 p.
---- Nov. 1692. 4 p.
Act for punishing privateers and pyrates, Sept. 1692. 3 p.
Tax act, Apr. 1693. [6] p.
Catalog of fees... 11 p.
NN

Unit 5

Laws...1691-1709. New York, W. Bradford, 1710. 2 p.l., 72, [12], 73-76, 89-96, 4, 101-113 p.
*---- (With variations)
Appended:
On film: 1 p.l., p. 114, 13, 78, 40.
DLC *NN

NEW YORK-Continued

Unit 6

Laws...1691-1712. New York, W. Bradford, 1713. 2 p.l., 88, 155-162, 159-163, 168-173, 175-238 p. NN

B.1 Reel 2

Unit 1

Laws...1691-1719. New York, W. Bradford, 1719. [12], 88, 155-162, 159-163, 151-154, 171-196, 239-286, 285-287 p., p. 280, 207-245 (sic 253), 246-324, 78 p. (p. 38-39 are missing from Journal of Assembly, 78 p.) NN

Unit 2

Acts of Assembly...1691-1718. London, J. Baskett, 1719. xv, 292 p. DLC

Unit 3

Acts of Assembly...1691-1725. New York, W. Bradford, 1726. 1 p.l., [8], 319 p.

Appended:

Ordinance, 1710. [12] p.

Ordinances, 1723. [4], [2] p.

Ordinance, 1722. 4 p.

*Laws or acts passed...1726-1730. 320-348 p. (n.t.-p.) NN *DLC

Unit 4

Laws...1691-1751... (Livingston & Smith). New York: J. Parker, 1752. 4 p.l., iii, 488 p. DLC

B.1 Reel 3

Unit 1

Laws...1752-1762. (Livingston and Smith). "Vol. II". New York: W. Weyman, 1762. 4 p.l., 268 p. DLC

Unit 2

Laws...1691-1773. (Van Schaak). New York: H. Gaine, 1774. 2 v. v. 1: iv, 420 p.; v. 2: 1 l., 421-835, [1] p. DLC

B.1 Reel 4

Unit 1

Laws...1777-1782. Poughkeepsie, J. Holt, 1782. 1 p.l., vi, 3-255 p.

Appended: Session laws.

1782 July-1783 Mar., 6th sess. 257-300 p.

1784 Feb.-1784 May, 7th sess. [1], iii, [3]-127 p. DLC

Unit 2

Mercantile laws... New York: F. Childs, 1788. 2 p.l., 59 p. RPJCB

Unit 3

Laws...1777-1789. (Jones and Varick). New York: H. Gaine, 1789. 2 v. v. 1: 2 p.l., 336, [11], xii, [1] p.; v. 2: 1 p.l., 471, [17] p. DLC

NORTH CAROLINA

B.1 Reel 1

Unit 1

An abridgment of the laws in force and use in Her Majesty's plantations... London, 1704.[1]

1. See S. C., B.1, Reel 1, Unit 2, p. 258-301.

[Collection of fifty-seven laws, 1715] 25-202 p. MS.
Prefixed:
Second charter, 1665. 1 p.l., 5, [2], 12-19 p. MS.
Six confirmed laws. 20-23 p. MS.
Appended:
Laws, 1720 Aug. sess. 203-221 p. MS.
Laws, 1722 Oct. sess. 222-257 p. MS.
Laws, 1723 Nov. sess. 258-319 p. MS.
Nc-Ar

Unit 2

Laws of the province...relating to church and clergy, religion and learning. [Trott, 1721] 2 p.l., 83-104 p. NcU

Unit 3

Collection of all the public acts...now in force and use. (Swann). Newbern, J. Davis, 1751. 2 p.l., xii p., 1 l., 330, 8 p. NcU

Unit 4

Collection of all the public acts...now in force and use. (Swann). Newbern: J. Davis, 1752. 2 p.l., xii p., 1 l., 371, [2] p. NcU

Unit 5

Collection of all the acts...in force and use... Newbern: J. Davis, 1764. 2 p.l., 307, [8] p. Appended: Session laws, 1764 Jan. 309-386 p. NcU

B.1 Reel 2

Unit 1

Collection of all the acts...now in force and use. (Davis). Newbern: J. Davis, 1765. 2 v. in 1. xvi, 176 p., 1 l., 393, [21] p. NcU

Unit 2

Complete revisal of all acts...now in force and use. (Davis). Newbern: J. Davis, 1773. 2 p.l., x, 566, [9] p. NcU

B.1 Reel 3

Unit 1

Office and authority of a justice of peace... (Davis). Newbern: J. Davis, 1774. 2 p.l., 404, [3] p. NcU

Unit 2

Laws... (Iredell). Edenton: Hodge & Wills, 1791. 1 p.l., iv, 712, xxi, [3] p. DLC

B.1 Reel 4

Unit 1

Collection of statutes of the Parliament of England in force in North Carolina. (Martin). Newbern: 1792. xxvi, 424, 3 p. DLC

Unit 2

Collection of the private acts...now in force and use. (Martin). Newbern: F. X. Martin, 1794. 2 p.l., 249, [3] p. DLC

Unit 3

Acts of Assembly...1791-1794. (Martin). Newbern: F. X. Martin, 1795. 2 p.l., 181, [6] p. DLC

Unit 4

Acts...for the government of the city of Raleigh. Raleigh: Gales & Seaton, 1812. 14 p. NcU

NORTH CAROLINA-Continued

Unit 5

Charge delivered to the grand jury of Edgecombe Superior Court...exhibiting a view of the criminal law of North Carolina. (John Louis Taylor, Chief Justice). Raleigh: J. Gales, 1817. 46 p. Nc-SC-1

OHIO

B.1 Reel 1

Unit 1

Laws of the territory northwest of the River Ohio...to 31st of December, 1791. Philadelphia, F. Childs & J. Swaine, 1792. See Session laws.

Laws of the territory northwest of the Ohio...adopted May 29, 1795. "Maxwell's Code". Cincinnati, W. Maxwell, 1796. xiii, [15]-225 p. OCoSc

Unit 2

Laws...passed at the 1st session of the General Assembly...Sept. 16, 1799... Also certain laws...from the commencement of the government to Dec. 1792. "Vol. I". Cincinnati, Carpenter & Findlay, 1800. 280 p. DLC

Unit 3

Acts...passed and revised... "Vol. I". Chillicothe: N. Willis, 1805. lxxvi, 491 p. DLC

Unit 4

Laws...ordered reprinted. [Chillicothe, 1810] [385]-626 p. (n.t.-p.) DLC

Unit 5

Laws...ordered reprinted. [St. Clairsville] 1816. 412 p. (n.t.-p.) DLC

Index and epitome of general laws... (Nagle). 38 p. (n.t.-p.) MHL

B.1 Reel 2

Unit 1

Acts of a general nature ordered...reprinted. "Vol. XVIII". Columbus: P. H. Olmsted, 1820. 319 p. DLC

Unit 2

---- 488 p. DLC

Unit 3

Acts of a general nature...revised and ordered...reprinted... "Vol. XXII". Columbus: P. H. Olmsted, 1824. 500 p. DLC

Unit 4

Acts of a general nature...revised and ordered...reprinted... "Vol. XXIX". Columbus: Olmsted & Bailhache, 1831. 618 p. DLC

OKLAHOMA

B.1 Reel 1

Unit 1

Adopted code... (Brown). Topeka, Kansas, 1890. iii, [1], 91, [746]-1021, [8] p. DLC

Unit 2

Statutes... (Little, Pitman and Barker). Guthrie, 1891. xvi, 1318 p. DLC

CODES AND COMPILATIONS

OREGON

B.1 Reel 1

Unit 1

[Thirty-seven acts adopted July 5, 1843: Little blue book] Statutes of Iowa, 1st sess., Legis. Assy., 1838-39. DuBuque, Russell & Reeves, 1839. 1 p.l., 597, [1] p. On film: 1 p.l., [2] p. (See Ia. Session laws)

[Titles of thirty-seven acts adopted by Oregon July 5, 1843] Oregon archives... (Grover). Salem: A. Bush, 1853. 333, [1] p. On film: 7, 32-[35] p.

[Big blue book] Revised statutes... Iowa City: Hughes & Williams, 1843. viii, 904 p. On film: viii p. (See Ia. Stat.) Or-SC

Unit 2

Report of the Commissioners elected to prepare a code of laws... Salem: A. Bush, 1853. 1 p.l., 396, [1] p. Or-SC

Laws of a general and local nature, 1843-1849. Salem, 1853. (See Sess. laws)

Unit 3

Statutes... Oregon: A. Bush, 1854. 2 p.l., 592 p. DLC

Unit 4

Statutes... Oregon: A. Bush, 1855. 653 p. Or-SC

Unit 5

Code of civil procedure... (Deady, Gibbs, Kelly). Oregon: A. Bush, 1863. 286, [3]-127, xx, iv p. DLC

PENNSYLVANIA

B 1 Reel 1

Unit 1

Great law of 1682. 7 sheets parchment. "The green book". [14], 98 p. MS.

- Charter of King Charles 2nd to William Penn, 1681. [14] p.
- Laws...1682 Dec. sess. 4 p.
- Great law or body of laws...1682. p. 5-22.
- Frame of government, 1683. [9] p.
- Act of settlement. p. 23-28.
- Laws...1683 Mar. sess. p. 28-62.
- Laws...1683 Oct. sess. p. 63-68.
- Laws...1684 May sess. p. 69-81.
- Laws...1685 May sess. p. 82-86.
- Laws...1688 May sess. p. 87-90.
- Laws...1690 May sess. p. 91-[98]

P-Ar

Unit 2

Abstract of the laws...1682. 72 p. MS. PHi

Unit 3

Laws made and passed by William Penn...1700. 3 p.l., [1], 147 p. MS. MHL

Unit 4

Abstract or abridgment of the laws made and passed by William Penn... Philadelphia, R. Jansen, 1701. 2 p.l., 43 p. Appended: Abstract of the 14 laws passed in...1693. [5] p. MS. PHi-1

PENNSYLVANIA-Continued

Unit 5

Laws...collected into one volume... Philadelphia, A. Bradford, 1714. 2 p.l., 184 p. PHi

Unit 6

Laws...now in force... (Lloyd). Philadelphia: A. Bradford, 1726. 1 p.l., [4], 352, 280-281 p. DLC

Unit 7

Laws...now in force... (Lloyd). Philadelphia: A. Bradford, 1728. 1 p.l., [4], 352 p. PHi

B.1 Reel 2

Unit 1

Collection of all the laws...now in force. Philadelphia: B. Franklin. 1742. 562, iv, 24, xi p. Prefixed: Charters. 30 p. NNB

Unit 2

Appendix containing a summary of such acts...for regulating of descents... Philadelphia: B. Franklin, 1742. iv, 24 p. DLC

Unit 3

An examination of the laws of this kingdom, relative to the government, to the trade, to the customs, also other branches of business arising to the Crown from the American colonies; also the several constitutions of government in the colonies considered and compared with the laws of this kingdom in relation thereto, by Ja[mes] Abercrombie.[1] 2 p.l., 8, 2-83 p.

An examination of the acts of parliament relative to the trade, and the government, of the American colonies; also the different constitutions of government in these colonies, considered, with remarks, by way of a bill, for amendment of the laws of this kingdom in relation to the government and trade of these colonies...by Ja[mes] Abercrombie.[2] 1 p.l., 52, 167, [2] p. (p. 25-28 are missing from original.) P-Ar

Unit 4

Charters and acts of Assembly... Philadelphia, P. Miller, 1762. 1 p.l., 21, 4, 164 p., 1 l., iii, 116 p., 1 l., 18, 32 p. DLC

Unit 5

Abridgment of the laws...in manner of an index. Philadelphia, P. Miller, 1762. 127 p. RPJCB

B.1 Reel 3

Unit 1

Acts of Assembly... Philadelphia: Hall & Sellers, 1775. xxi, 536, 22, [13], 3 p. DLC

Unit 2

Acts...since Declaration of Independence... Philadelphia: J. Dunlap. 1779. 1 p.l., [50], [18], [1] p. DLC

Unit 3

Acts of General Assembly... (McKean). Philadelphia: F. Bailey, 1782. 2 p.l., xxxi, [1], 527, viii p. DLC

1. Draft in Abercrombie's handwriting, prepared for submission to Lord Granville, 1751.

2. Prepared by Abercrombie for submission to the Earl of Halifax, May 1752.

PENNSYLVANIA-Continued

Unit 4

Compilation of the poor laws... Philadelphia: Z. Poulson, Jr., 1788. 95 p. DLC

RHODE ISLAND

B.1 Reel 1

Unit 1

[Body of laws...1663-1705] 120 p. MS. R-Ar

Unit 2

Acts and laws... Boston: J. Allen for N. Boone, 1179 (sic 1719). 1 p.l., 102 p. Prefixed: Charter. 1 p.l., 8 p. R-Ar-1

Unit 3

Acts and laws... Newport: J. Franklin, 1730. 1 p.l., 210 p.
Prefixed: Charter and table. 1 p.l., 12, [12] p.
Appended: Laws...1730-1736. 211-283 p.

*Acts and laws...1730-1736. [n.p., n.d.] 211-283 p. (n.t.-p.) DLC *NHi

Unit 4

Acts and laws... Newport: Widow Franklin, 1745. 1 p.l., 308 p. Prefixed: Charter and table. 15, [15] p. DLC

Unit 5

Acts and laws...1745-1752. Newport: J. Franklin, 1752. 1 p.l., [6], 110 p. DLC

Unit 6

Acts and laws... Newport: S. Hall, 1767. 272, [1] p.
Prefixed: Charter and table. 15, 46 p.
Appended.
63 p. MS.
True copy of original deed of purchase of Rhode Island. 64-65 p. MS.

*---- On film: Charter. 15 p., 3 l., 272 p. DLC *R-Ar

Unit 7

Acts and laws...since the Revision in June 1767. Newport: S. Southwick, 1772. 41 p. DLC

Unit 8

[Orders of the King and Council, 1710-1774] 33 items. MSS. R-Ar

B.1 Reel 2

Unit 1

Resolves of the General Committee acting in recess of the General Assembly, Dec., 1776. 20 p. RHi

Unit 2

Orders of the Council of War...Oct. and Dec., 1778. 22 p. RPJCB

Unit 3

Public laws... Providence, Carter & Wilkinson, 1798. 652 p. DLC

Unit 4

Supp. to digest... Public laws, 1798-1810. Providence: Jones & Wheeler, 1810. 144 p. DLC

CODES AND COMPILATIONS

SOUTH CAROLINA

B.1 Reel 1

Unit 1

Governor Archdale's laws. [1696] 2 p.l., 87 p. MS. Sc-Ar

Unit 2

Abridgement of the laws in force and use in Her Majesty's plantations... London, 1704. 2 p.l., 284, 80, 65-71, 104, 285-304 p. MHL

Unit 3

Laws of the British plantations...relating to the church and the clergy, religion and learning... (Trott). London: 1721. 2 p.l., ix, [2] p., 3 l., [4], 276 (sic 280) p., 1 l., [2], 283-435 p. MdBD

Unit 4

Laws of the province... (Trott). Charles-Town, 1736. 2 v. in 1. 3 p.l., xliv p., 1 l., [15] p., 1 l., 619, [4] p., 1 l., [2], 59 p., 3 l., [9], [7], 17, [3] p. MHL

B.1 Reel 2

Unit 1

Public laws... (Grimke). Philadelphia: Aitken & Son. 1790. lxxvii, 504, 43, [58] p. DLC

TENNESSEE

B.1 Reel 1

Unit 1

Laws...[1794-1801] (Roulstone). Knoxville [1803] viii, [3]-320, [16] p. DLC

Unit 2

Revisal of all the public acts of North Carolina and Tennessee now in force... (Haywood). Nashville, 1809. [8], 474, [10] p. DLC

Unit 3

Public acts of... North Carolina and Tennessee...1715-1813...revised. Nashville, T. G. Bradford, 1815. xvi, [17]-644, 54 p. DLC

TEXAS

B.1 Reel 1

Unit 1

Colección formada con algunos decretos del congreso del estado de Coahuila y Texas...1824-1829. v. XLVIII: 154 p. MS., 155-172 p.

---- v. XLVIII: 95 p. MS., 96-115 p.

(Photo. Original at Archivo de la Secretaria de Gobierno, Saltillo, Coahuila.) TxU

Unit 2

Laws, passed by the Legislature of...Coahuila and Texas. [Austin, C. B. Cotten, 1828?] 12 p. (Neg. photo.) TxSjMu

Unit 3

Translation of the laws, orders and contracts, on colonization... (Austin). Columbia: Barden & Moore, 1837. 81 p. DLC

Unit 4

Ordinances and decrees of the consultation... Houston, 1838. 156, iii p. DLC

TEXAS-Continued

Unit 5

Laws and decrees...of Coahuila and Texas... (Kimball). Houston, 1839. 353, 6, [1], 4, [3] p. (Eng. and Sp. on opposite pages, numb. in dup. to p. 353) MHL

B.1 Reel 2

Unit 1

[W] Constitución, leyes jenerales... (Castellani). Houston: 1841. 330 p. TxU

Unit 2

Digest of the laws... (Dallam). Baltimore: J. D. Toy, 1845. ix, [1], [9]-632 p. DLC

UTAH

B.1 Reel 1

Unit 1

[Constitution and laws, 1848-50, of the State of Deseret. (Brigham Young). Great Salt Lake City, 1850] 34 p. (n.t.-p.) USIC

Unit 2

[Ordinances of General Assembly of State of Deseret. (Richards). Great Salt Lake City, 1851] 80 p. (n.t.-p.) USIC

Unit 3

Acts, resolutions and memorials... Great Salt Lake City: J. Caine, 1855. 460 p. U

Unit 4

Acts, resolutions and memorials... Great Salt Lake City: H. McEwan, 1866. viii, 247 p. U

Unit 5

Acts, resolutions and memorials...1851-1870. Great Salt Lake City: J. Bull, 1870. 1 p.l., xvi p., 1 l., 247, [2], 40, 8, [2], 36, [2], 24, [2], 148 p. DLC

Unit 6

Compiled laws... (Smoot, Smith, Burton). Salt Lake City, 1876. xii, 900 p. DLC

VERMONT

B.1 Reel 1

Unit 1

Acts and laws... [Dresden] J. Padock & A. Spooner, 1779. 1 p.l., 12, [2], 110, [1] p. DLC

Unit 2

Revised laws... [Bennington, Haswell & Russell, 1783] 38 p. (Incomplete)

Appended:

Tax act, Feb. 1782. 2 p.

---- Oct. 1781. 1 p.

MWA

Unit 3

Statutes... Windsor: G. Hough & A. Spooner, 1787. 171 p. DLC

VERMONT-Continued

Unit 4

Statutes...revised... Bennington, A. Haswell, 1791. 315, [5] p. DLC

Unit 5

Laws...revised... Rutland, J. Fay, 1798. 621, [1], 205, [2] p.

Acts and laws...1798-1800. Windsor, A. Spooner, 1801. 158, 122, 12, 7 p. DLC

VIRGINIA

B.1 Reel 1

Unit 1

Laws divine, morall, and martiall... (Strachey). London, 1612. 2 p.l., [6] 41 (sic 89), [7] p. RPJCB

Unit 2

Laws...now in force...collected...revised... (Moryson). London: J. Berkenhead. 1662. 2 p.l., 82, [4] p. DLC

---- 2 p.l., [2], 82, [4] p. MdB-Garrett

Unit 3

Complete collection of all laws...now in force... (Purvis). London [1684]. 1 p.l., [4], 300, [22] p.

Appended:

Alphabet to laws. [44] p. MS.

Legal forms. 17 l. MS.

---- Appended: Session laws, Apr. 1684-Apr. 1691. 301-373 p. MS. (w: 1 p.l., [4] p.)

PHi

Unit 4

Laws...now in force or which may be made so, by taking off the suspension ...1697. 1 p.l., [15] p., 1 l., 297 p. MS.

[W] *Journal of Committee...to revise laws, Apr. 3-May 8, 1700. 4 p. MS.

*Continuance of abridgement of old laws, and resolves of the Committee for Revisall...1696-1699. 6 p. MS.

PRO-C.O.5/1378 *PRO-C.O.5/1339

Unit 5

Abridgement of the laws in force and use in Her Majesty's plantations... London, 1704. 2 p.l., 284, 80, 65-71, 104, 285-304 p. DLC

B.1 Reel 2

Unit 1

Laws of the...plantations...relating to church and clergy, religion and learning... (Trott). London: 1721. See S. C., B.1, Reel 1, Unit 3, p. 113-161.

Abridgement of the public laws...in force and use... London: 1722. 1 p.l., [6], 184, [16] p. CSmH-1

Unit 2

Acts of Assembly...1662-1715. "Vol. I". London, J. Baskett, 1727. xxiv, 391 p. DLC

Unit 3

Abridgement of the public laws...in force and use... London: 1728. 1 p.l., [6], 184, [15] p. DLC

VIRGINIA-Continued

Unit 4

Collection of all the acts... Williamsburg: W. Parks, 1733. 1 p.l., [4], 622 p. DLC

B.1 Reel 3

Unit 1

Exact abridgment of all public acts...in force and use... (Mercer). Williamsburg: W. Parks, 1737. xlvii, 345, [82] p. DLC

Unit 2

Continuation of abridgment... (Mercer). Williamsburg: W. Parks, 1739. vi, [2], 347-376, [28] p. NN-1

Unit 3

Acts of Assembly now in force... Williamsburg: W. Hunter, 1752. 1 p.l., [4], vi, 455, [1] p. DLC

Unit 4

Acts of Assembly now in force...occasioned by the repeal of sundry acts made in...1748. [Williamsburg: W. Hunter, 1752] 58 p. Vi-1

Unit 5

Exact abridgement of all the public acts... (Mercer). Glasgow: J. Bryce and D. Paterson, 1759. 1 p.l., xxii, 482 p. DLC

B.1 Reel 4

Unit 1

Acts of Assembly now in force... Williamsburg, W. Rind, A. Purdie, & J. Dixon, 1769. 1 p.l., 577 p. DLC

Unit 2

Collection of all public acts...since 1768... Richmond: T. Nicolson and W. Prentis, 1785. 235 p. DLC

Unit 3

Collection of acts...now in force... Richmond: A. Davis, 1794. 380 p. DLC

Unit 4

Akten welche in der General Assembly der Republik Virginien passirt warden sind. (Goetz). Philadelphia: 1795. 152 p. Vi

B.1 Reel 5

Unit 1

Abridgment of the public permanent laws... Richmond: A. Davis, 1796. 1 p.l., ii, [3]-381, [381]-385 p. DLC

Unit 2

Collection of acts...now in force... Richmond, S. Pleasants, Jr. & H. Pace, 1803. 2 p.l., v, 454, 72 p. DLC

Unit 3

Draughts of such bills... Richmond: A. Davis, 1792. 2 v. v. 1: 1 p.l., 194 p.; v. 2: 90 p. DLC

Unit 4

Report of the Committee of Revisors...1776. Richmond, Dixon & Holt, 1784. 6, 90 p. DLC

WASHINGTON

B.1 Reel 1

Unit 1

Statutes... Olympia: G. B. Goudy, 1855. 488, viii, lxviii p. DLC

Unit 2

Code... Olympia: C. B. Bagley, 1881. 580, xlviii p. DLC

Unit 3

Laws... (Judson & Evans). Olympia: C. B. Bagley, 1881. 50 p. DLC

WEST VIRGINIA

B.1 Reel 1

Unit 1

Ordinances and acts of the restored government of Virginia... Wheeling: J. Frew, 1866. 22, 29, 75, 23, 84, 32, 296, 52, 104, 139, xv p. DLC

Unit 2

Code... [Lamb, Berkshire and Melvin] Wheeling: J. Frew, 1868. vii, 986 p., 1 l. DLC

WISCONSIN

B.1 Reel 1

Unit 1

Statutes... Albany, N. Y., Packard, Van Benthuysen & Co., 1839. iv p., 1 l., 457 p. DLC

Unit 2

Revised statutes... Southport: C. Latham Sholes, 1849. xii, 899 p. DLC

Unit 3

[W] Supp. to revised statutes...1850-52. Kenosha, 1852. 160, 2, 161-164 p. DLC

Unit 4

Code of procedure... (Hopkins). Madison, Calkins & Proudfit, 1856. 124 p. DLC

WYOMING

B.1 Reel 1

Unit 1

Compiled laws... (Whitehead). Cheyenne, H. Glafcke, 1876. cl p., 1 l, 702 p. DLC

Unit 2

Revised statutes... (Blake, Van Devanter, Caldwell). Cheyenne: 1887. 995 p. DLC

SESSION LAWS

ALABAMA

B.2 Reel 1

Unit 1

1818 Jan. 1st sess. 116, iv p.
1818 Nov. 2d sess. 79, 3 p.

DLC - MHL

Unit 2

1819 Oct. 1st sess. 152 p.
1820 Nov. 2d sess. 116 p.
1821 June Call. sess. 43, [1] p.

DLC - MHL

Unit 3

1821 Nov. 3d sess. 120 p.
1822 Nov. 4th sess. 148 p.
1823 Nov. 5th sess. 126 p.

DLC - MHL

Unit 4

1824 Nov. 6th sess. 140 p.
1825 Nov. 7th sess. 114 p.
1826 Nov. 8th sess. 124 p.
1827 Nov. 9th sess. 176, [6] p.
1828 Nov. 10th sess. 108 p.
1829 Nov. 11th sess. 95 p.

DLC - MHL

Unit 5

1830 Nov. 12th sess. 80 p.
1831 Nov. 13th sess. 120 p.
1832 Nov. Ext. sess.
1832 Nov. Ann. sess.
In 1 vol. 146 p.

DLC - MHL

B.2 Reel 2

Unit 1

1833 Nov. Ann. sess. 205 p.
1834 Nov. Ann. sess. 160 p.
1835 Nov. Ann. sess. 184 p.

Unit 2

1836 Nov. Ann. sess. 152 p.
1837 June Call. sess. 42, [1] p.
1837 Nov. Ann. sess. 136 p.

Unit 3

1838 Dec. Ann. sess. 216 p.
1839 Dec. Ann. sess. 192 p.
1840 Nov. Ann. sess. 215 p.

Unit 4

1841 Apr. Call. sess. 24 p.

ALABAMA-Continued

1841 Nov. Ann. sess. 182, x p.
1842 Dec. Ann. sess. 256 p.

Unit 5

1843 Dec. Ann. sess. 224 p.
1844 Dec. Ann. sess. 247 p.

B.2 Reel 3

Unit 1

1845 Dec. Ann. sess. 280 p.

Unit 2

1847 Dec. 1st bien. sess. 493 p.

Unit 3

1849 Nov. 2d bien. sess. 544 p.

Unit 4

1851 Nov. 3d bien. sess. 575 p.

ARIZONA

B.2 Reel 1

Unit 1

1864 Sept. 1st Assy. xv, 17-79 p.
1865 Dec. 2d Assy. 5 p.l., [xiii]-xiv p., 1 l., [17]-98 p.
1866 Oct. 3d Assy. 5 p.l., [xiii]-xiv p., 1 l., [17]-72 p.
1867 Sept. 4th Assy. 4 p.l., [xi]-xii, [13]-74 p.

Az

Unit 2

1868 Nov. 5th Assy. 4 p.l., [xi]-xii, [13]-71 p.
1871 Jan. 6th Assy. xii, [13]-144 p.
1873 Jan. 7th Assy. 177 p.
1875 Jan. 8th Assy. 238 p.

Az

Unit 3

1877 Jan. 9th Assy. xiii, [2], 132 p.
1879 Jan. 10th Assy. 4 p.l., [xi]-xiv p., 1 l., 170 p.
1881 Jan. 11th Assy. xv, [2], 219 p.
1883 Jan. 12th Assy. 5 p.l., 311 p.

Az

Unit 4

1885 Jan. 13th Assy. xvii, [1], 414 p.
1887 Jan. 14th Assy. (In Rev. Stat., 1887.)
1889 Jan. 15th Assy. 5 p.l., [13]-119 p.
1889 Apr. 15th Assy. 2 p.l., [7]-25, [1] p.

Az

B.2 Reel 2

Unit 1

1891* Jan. 16th Assy. 5 p.l., [19]-213 p.
1893 Feb. 17th Assy. 176 p.

DLC *Az

Unit 2

1895 Jan. 18th Assy. 4 p.l., 153 p.
1897 Jan. 19th Assy. 140, [17]-19 p.

ARIZONA-Continued

1897 Jan. 19th Assy. 4 p.l., 155 p. DLC

Unit 3

1899 Jan. 20th Assy. 100 p. Az

ARKANSAS

B.2 Reel 1

Unit 1

1818 Dec. Missouri Territory.
1819 Aug. Gov. & Judges.
1820 Apr. 1st sess.
In 1 vol. 149, [3] p.
1821 Oct. 2d sess. 14 (sic 26), [1] p.
1823 Oct. 3d sess. 58, [2] p.

DLC MHL

Unit 2

1825 Nov. 4th sess. 82, [2] p.
1827 Oct. 5th sess. 80, [2] p.
1828 Oct. Spec. sess. 48, [3] p.

Unit 3

1829 Nov. 6th sess. 137, [4] p.
1831 Oct. 7th sess. 102, [3] p.
1833 Oct. 8th sess. 119, iii p.
1835 Oct. 9th sess. 103, [4] p.

B.2 Reel 2

Unit 1

1836 Sept. 1st sess. 213, [1], iv p.
1837 Nov. Spec. sess. 2 p.l., iii, [3]-149 p.
1838 Nov. 2d sess. iv, 144, [1], xii p.

DLC

Unit 2

1840 Nov. 3d sess. v, 118, ix p.
1842 Nov. 4th sess. vii, [9]-243 p.
1844 Nov. 5th sess. vi, [9]-176 p.

Unit 3

1846 Nov. 6th sess. viii, [9]-215 p.
1848 Nov. 7th sess. viii, [9]-232 p.
1850 Nov. 8th reg. sess. xiv p., 1 l., [17]-366 p.

Unit 4

1852 Nov. 9th reg. sess. viii, 333 p.
1854 Nov. 10th reg. sess. viii, 288 p.

B.2 Reel 3

Unit 1

1856 Nov. 11th reg. sess. viii, 197 p.
1858 Nov. 12th reg. sess. 1 p.l., vii, [1], 327 p.

Unit 2

1860 Nov. 13th reg. sess. xiv, [1], 472 p.
1861 Nov. Spec. sess. viii, 92 p.
1862 Mar. Spec. sess. 16 p.

SESSION LAWS

ARKANSAS-Continued

Unit 3

1862 Nov. 14th reg. sess. iii, 98 p.
(First pub. Wash., D. C., Statute Law Book Co., 1896.)

1864 Sept. Call. sess. iv, 27 p.
(First print. Washington Telegraph (Ark.). First pub. Wash., D. C., Statute Law Book Co., 1896.)

1864 Apr. 15th reg. sess.
1864 Nov. Adj. sess.
1865 Apr. Call. sess.
In 1 vol. 95 p.

Unit 4

1866 Nov. 16th reg. sess. xiv, [2], [17]-595 p.

Unit 5

1868 Apr. 17th reg. sess. 379 p.

B.2 Reel 4

Unit 1

1868 Nov. Adj. sess. x, 236 p.

Unit 2

1871 Jan. 18th reg. sess. vii, 353, [2] liv p.

CALIFORNIA

B.2 Reel 1

Unit 1

1849 Dec. 1st sess. v. p. CLU

Unit 2

1849 Dec. 1st sess. 1 p.l., [v]-ix, 482 p. DLC

Unit 3

1851 Jan. 2d sess. 1 p.l., 3, [iii]-viii, [9]-558 p. DLC

Unit 4

1852 Jan. 3d sess. xii, [13]-314 p. DLC

Unit 5

1853 Jan. 4th sess. xv, [17]-346, 6 p. DLC

B.2 Reel 2

Unit 1

1854 Jan. 5th sess. xiv, [17]-230, xvii, 6 p. (Redding)

Unit 2

1855 Jan. 6th sess. xv, 326 p. table.

Unit 3

1856 Jan. 7th sess. xi, [17]-258 p.
1857 Jan. 8th sess. xv, 412, [1] p. tables

Unit 4

1858 Jan. 9th sess. xx, 404, 47 p. tables.

Unit 5

1859 Jan. 10th sess. xxx, 435, 29 p. tables.

B.2 Reel 3

Unit 1

1860 Jan. 11th sess. xxx, 447, 35 p. tables.

CALIFORNIA-Continued

Unit 2

1861 Jan. 12th sess. xliv, 739, 33 p. tables.

Unit 3

1862 Jan. 13th sess. xlv p., 1 l., 643, 40 p. tables

B.2 Reel 4

Unit 1

1863 Jan. 14th sess. lxi p., 1 l., 831, 40 p.

Unit 2

1863 Dec. 15th sess. lxxxi, [2], 607, 16 p.

B.2 Reel 5

Unit 1

1865 Dec. 16th sess. lxxxvi p., 1 l., 1113 (sic 1013), 35 p.

Unit 2

1867 Dec. 17th sess. lxix p., 1 l., 909, 40 p.

B.2 Reel 6

Unit 1

1869 Dec. 18th sess. lxi p., 1 l., 1029, 45 p.

Unit 2

1869-70 Dec. 18th sess. Supp. 21 p.

COLORADO

B.2 Reel 1a

Unit 1

1859-60 Nov.-Jan. 1st & call. sess. 303 p.

CoD

Unit 2

1861 Sept. 1st sess. 7, 578, [2] p.
1862 July 2d sess. 3 p.l., [41]-166, [2] p.
1864 Feb. 3d sess. 3 p.l., [43]-278, [1] p.

CoHi

Unit 3

1865 Jan. 4th sess. 161, [2] p.
1866 Jan. 5th sess. 3 p.l., [43]-190 p., 1 l.
1866 Dec. 6th sess. 4 p.l., [47]-159 p., 1 l.

CoHi

Unit 4

1867 Dec. 7th sess. Priv. 31 p.
1867 Dec. 7th sess. Pub. (In Rev. Stat., 1868)
1870 Jan. 8th sess. 143 p.
1870 Jan. 8th sess. 180, [2] p.
1872 Jan. 9th sess. 247, [1] p.

CoHi

Unit 5

1874 Jan. 10th sess. 1 p.l., 347, [1] p.
1876 Jan. 11th sess. 223, [1] p.

CoHi

B.2 Reel 1b

Unit 1

1861 Sept. 1st sess.

COLORADO-Continued

1862 July 2d sess.
1864 Feb. 3d sess.
In 1 vol. 612, 107, 8, 20 p. (Sp.)
CoSC

Unit 2

1865 Jan. 4th sess.
1866 Jan. 5th sess.
1866 Dec. 6th sess.
In 1 vol. 207 p. (Sp.)
CoSC

Unit 3

1879 Jan. 2d sess. 286 p. (Ger.) DLC

Unit 4

1879 Jan. 2d sess. 248, lxxxvi p. (Sp.) DLC

Unit 5

1881 Jan. 3d sess. 2 p.l., [7]-277, xxx p. (Ger.)
DLC

Unit 6

1881 Jan. 3d sess. 265, 68, [1] p. (Sp.) DLC

B.2 Reel 2

Unit 1

1877 Jan. 1st sess. (In Gen. Laws, 1877)
1879 Jan. 2d sess. 2 p.l., 242, lxxxvi p.

Unit 2

1881 Jan. 3d sess. 2 p.l., [7]-256, lxiii p.

Unit 3

1881 Jan. 3d sess. 2 p.l., [7]-277, xxx p. (T.-p. of German ed.)
1883 Jan. 4th sess. 358, [1] p.

CONNECTICUT

B.2 Reel 1

Unit 1[1]

Code of 1650. 49 p. MS.
1650 Feb. sess. [49-50] p. MS.
1654 Apr. sess. [50-51] p. MS.
1654 Feb. sess. p. [51] MS.
1653 Sept. sess. p. [52] MS.
1656 Oct. sess. [52-54] p. MS.
1656 Feb. sess. [54-56] p. MS.
1658 Oct. sess. [56-57] p. MS.
1658/9 Mar. sess. [57-58] p. MS.
1659 May sess. [58-59] p. MS.
1660 May sess. [59-60] p. MS.
1660 Oct. sess. [60-61] p. MS.
1659 Feb. sess. p. [61] MS.
1661 May sess. [61-62] p. MS.
1661 Oct. sess. [62-65] p. MS.
1661/2 Mar. sess. [65-66] p. MS.

1. "The town's law book of Windsor".

CONNECTICUT-Continued

1662 May sess. p. [66] MS.
1662 Oct. sess. [67-68] p. MS.
1662/3 Mar. sess. [68-70] p. MS.
1663 May sess. p. [70] MS.
1663 Aug. sess. p. [71] MS.
1663/4 Mar. sess. [71-72] p. MS.
1664 Oct. sess. p. [72] MS.
1665 May sess. [72-73] p. MS.
1665 July sess. p. [73] MS.
1665 Oct. sess. [74-75] p. MS.
1666 May sess. [75-77] p. MS.
1666 July sess. [77-78] p. MS.
1666 Oct. sess. [78-80] p. MS.
1667 May sess. [80-83] p. MS.
1667 Oct. sess. [83-84] p. MS.
1668 May sess. [84-85] p. MS.
1668 Oct. sess. [85-86] p. MS.
1669 May sess. [86-90] p. MS.
1669 Oct. sess. [90-92] p. MS.
1670 May sess. [92-93] p. MS.
1670 Oct. sess. [94-95] p. MS.
1671 May sess. p. [95] MS.
1671 Oct. sess. p. [96] MS.
1672 June sess. p. [96] MS.
1680 May sess. p. [97] MS.
1680 Oct. sess. p. [97] MS.
1681 May sess. [97-99] p. MS.
1681 Oct. sess. [99-101] p. MS.
1682 May sess. p. [101] MS.
1682 Oct. sess. [101-103] p. MS.
1683 May sess. p. [103] MS.
1683 Oct. sess. p. [104] MS.
1684 May sess. [104-105] p. MS.
1684 July sess. [106-108] p. MS.
1684 Oct. sess. [108-110] p. MS.
1685 May sess. p. [110] MS.
1685 Oct. sess. p. [111] MS.
1686 May sess. [112-114] p. MS.
1675 May sess. p. [114] MS.
1686 Oct. sess. p. [114] MS.
1686 Jan. sess. p. [115] MS.
1687 Mar. sess. p. [115] MS.
1687[1] May sess. p. [115] MS.
1689 May sess. p. [116] MS.
1689 June sess. p. [116] MS.
1689 Sept. sess. p. [117] MS.
1689 Oct. sess. [117-118] p. MS.
1690 Apr. sess. [119-120] p. MS.
1690 May sess. [121-123] p. MS.
1690 Oct. sess. [123-124] p. MS.

1. 1688 Dom. of N. Eng., B.1, Reel 1, Unit 5.

CONNECTICUT-Continued

1691 May sess. p. [125] MS.
1691 Oct. sess. [125-126] p. MS.
1692 May sess. [126-127] p. MS.
1692 Oct. sess. [127-128] p. MS.
1692/3 Feb. sess. p. [129] MS.
1693 May sess. [129-132] p. MS.
1693 Oct. sess. p. [132] MS.
1693/4 Feb. sess. [132-134] p. MS.
1694 May sess. [134-135] p. MS.
1694 Oct. sess. [135-136] p. MS.
1693 Sept. sess. p. [136] MS.
1695 May sess. [137-138] p. MS.
1695 Oct. sess. [139-140] p. MS.
1695/6 Feb. sess. p. [140] MS.
1696 May sess. [141-142] p. MS.
1696 Oct. sess. [142-144] p. MS.
1697 May sess. [144-146] p. MS.
1697 Oct. sess. [146-148] p. MS.
1697 Jan. sess. [148-150] p. MS.
1698 May sess. [150-155] p. MS.
1698 Oct. sess. p. [156] MS.
1699 May sess. [157-158] p. MS.
1699 Oct. sess. [159-167] p. MS.
1700 May sess. [167-168] p. MS.
1700 Oct. sess. [168-169] p. MS.
1701 May sess. [170-171] p. MS.
1701 Oct. sess. [171-172] p. MS.
1702 May sess. [173-179] p. MS.
1702 Oct. sess. [179-183] p. MS.
1703 May sess. [185-190] p. MS.
1703 Oct. sess. [191-195] p. MS.
1703/4 Mar. sess. [196-197] p. MS.
1704 May sess. [197-199] p. MS.
1704 Oct. sess. [200-204] p. MS.
1705 May sess. [205-209] p. MS.
1705 Oct. sess. [210-211] p. MS.
1706 May sess. [211-213] p. MS.
1706 Oct. sess. [213-217] p. MS.
1707 May sess. [217-218] p. MS.
1707 Oct. sess. [218-220] p. MS.
1708 May sess. [220-226] p. MS.
1708 Oct. sess. [227-232] p. MS.
Index. [5] p. MS.

CtHi

Unit 2

1709 June 8 sess. [3] p.
1709 May sess. [4] p.
1709 June 11 sess. [4] p.
1709 Oct. sess. [11] p.
1710 May sess. [3] p.

CONNECTICUT-Continued

1710 Aug. sess. [2] p.
1710 Oct. sess. [3] p.
1711 May sess. [16] p.
1711 June sess. [4] p.
1711 Oct. sess. [3] p.
1712 May sess. [8] p.
1712 Oct. sess. 59-61 p.
1713 May sess. 63-68 p.
1713 Oct. sess. 69-72 p.
1714 May sess. 73-76 p.
1714 Oct. sess. 77-82 p.
1715 May sess. 83-87 p.
1715 Oct. sess. (Not found)

CtY

Unit 3

1716 May sess. 211-214 p.
1716 Oct. sess. 215-218 p.
1717 May sess. 219-221 p.
1717 Oct. sess. 223-232 p.
1718 May sess. 233-236 p.
1718 Oct. sess. 237-240 p.
1719 May sess. 241-244 p.
1719 Oct. sess. 245-252 p.
1720 May sess. 253-256 p.
1720 Oct. sess. 257-260 p.
1721 May sess. 261-266 p.
1721 Oct. sess. 267-272 p.
1722 May sess. 273-274 p.
1722 Oct. sess. 275-286 p.
1723 May sess. 287-294 p.
1723 Oct. sess. 295-298 p.
1724 May sess. 299-303 p.
1724 Oct. sess. 305-310 p.
1725 May sess. 311-312 p.
1725 Oct. sess. 313-315 p.
1726 May sess. 317-328 p.
1726 Oct. sess. 329-326 (sic 336) p.
1727 May sess. 337-342 p.
1727 Oct. sess. 343-350 p.
1728 May sess. 351-356 p.
1728 Oct. sess. 357-364 p.
1729 May sess. 365-368 p.
1729 Oct. sess. 369-372 p.
1730 May sess. 373-376 p.
1730 Oct. sess. 377-379 p.
1731 May sess. 381-386 p.
1731 Oct. sess. 387-389 p.
1732 May sess. 391-398 p.
1732 Oct. sess. 399-402 p.
1732/3 Feb. sess. 403-404 p.

CONNECTICUT-Continued

1733 May sess. 405-416 p.
1733 Oct. sess. 417-420 p.
1734 May sess. 421-426 p.
1734 Oct. sess. 427-429 p.
1735 May sess. 431-436 p.
1735 Oct. sess. 437-439 p.
1736 May sess. 441-443 p.
1736* Oct. sess. 445-447 p.

NNB *CtY

Unit 4

1737 May sess. 449-451 p.
1737 Oct. sess. 453-459 p.
w: p. 456-457. See Unit 5.
1738 May sess. 451-454 (sic 461-464) p.
1738 Oct. sess. 465-466 p.
1739 May sess. 467-468 p.
1739 Oct. sess. 469-472 p.
Film is defective on p. 470-472. See Unit 6.
1740 May sess. p. 473.
1740 May sess. 475-477 p.
1740 July sess. p. 478.
1740 Oct. sess. 479-484 p.
w: p. 484. See Unit 5.
1740 Nov. sess. 485-486 p.
w: p. 485-486. See Unit 5.
1741 May sess. 487-505 p.
1741 Oct. sess. 507-508 p.
1742 May sess. 509-514 p.
1742 Oct. sess. 515-517 p.
1743 May sess. 519-522 p.
p. 521-522 mutilated. See Unit 5.
1743 Oct. sess. 523-526 p.
1744 May sess. 527-530 p.
1744 Oct. sess. 531-539 p.

CtY

Unit 5

1736 Oct. sess. 445-447 p.
1737 May sess. 449-451 p.
1737 Oct. sess. 453-459 p.
1738 May sess. 451-454 (sic 461-464) p.
1738 Oct. sess. 465-466 p.
1739 May sess. 467-468 p.
1739 Oct. sess. 469-472 p.
p. 472 mutilated. See Unit 6
1740 May sess. p. 473.
1740 May sess. 475-477 p.
1740 July sess. p. 478.
1740 Oct. sess. 479-484 p.
1740 Nov. sess. 485-486 p.
1741 May sess. 487-505 p.
p. 488-505 defective. See Unit 4.

CONNECTICUT-Continued

1741 Oct. sess. 507-508 p.
w: p. 507-508. See Unit 4.
1742 May sess. 509-514 p.
p. 511-514 defective. See Unit 4.
1742 Oct. sess. 515-517 p.
1743 May sess. 519-522 p.
1743 Oct. sess. 523-526 p.
1744 May sess. 527-530 p.
1744 Oct. sess. 531-539 p.
p. 531-532 defective. See Unit 4.

NNB

Unit 6

1736 Oct.-1744 Oct. sess. 445-539 p. (Bates' Reprint)

Unit 7

1745* May sess. 541-542 p.
1745* Oct. sess. 543-544 p.
1746* May sess. 555-557 (sic 545-547) p.
1746* Oct. sess. 549-551 p.
1747* May sess. 553-561 p.
1747* Oct. sess. 563-564 p.
1748* May sess. 565-566 p.
1748* Oct. sess. 567-570 p.
1749* May sess. 571-574 p.
1750 Oct. sess. 257-258 p.
1751 Oct. sess. 259-262 p.
1752 May sess. 263-266 p.
1752 Oct. sess. 267-268 p.
1753 May sess. 269-271 p.
1753 Oct. sess. 273-279 p.
1754 May sess. p. 281.
1754 Oct. sess. 283-284 p.
1755 Jan. sess. 2 p. (Not found)
1755** Mar. sess. 3-6 p.
1755 May sess. p. 285.
1755 Oct. sess. 287-293 p.
1755** Oct. sess. 7-8 p.
1756 Jan. sess. 295-297 p.
1756 May sess. 299-302 p.
1756 Sept. sess. 303-305 p.
1756 Oct. sess. 307-312 p.
1757 May sess. 313-317 p.
1758*** Oct. sess. 319-322 p.
1759** Feb. sess.
1759** Mar. sess.
Together. 2 p. (T. Green)
1759*** May sess. 323-324 p.
1759*** Oct. sess. 325-330 p.
1760*** Mar. sess. 2 p.
1760 May sess. 325-326 p.
1760 Oct. sess. 327-328 p.

CONNECTICUT-Continued

1761 Mar. sess. 2 p.
1761 May sess. 335-338 p.
1761 Oct. sess. 339-340 p.
1762 Mar. sess. 341-342 p.
1762 May sess. 343-344 p.
1762**** Oct. sess. 345-346 p.
1763 May sess. 347-352 p.
1763 Oct. sess. 353-355 p.
1764 Jan. sess. p. 357.
1764 May sess. 359-360 p.
1764 Oct. sess. 361-365 p.
1765 May sess. 367-380 p.
1765 Oct. sess. 381-382 p.
1766 May sess. 383-387 p.
1766 Oct. sess. 389-397 p.
1767 Jan. sess. 2 p. (Not found)
1767 May sess. 399-403 p.
1767 Oct. sess. 405-408 p.
1768 May sess. 409-413 p. (Bates Reprint)
1768 Oct. sess. 337-338 p.
1769 Jan. sess. 339-342 p.
1769 May sess. 343-345 p.
1769 Oct. sess. 347-348 p.
1770 May sess. 349-350 p.
1770 Oct. sess. 351-358 p.
1771 May sess. 359-361 p.
1771 Oct. sess. 363-367 p.
1772 May sess. 369-371 p.
1772 Oct. sess. 373-375 p.
1773 May sess. 377-383 p.
1773 Oct. sess. 385-391 p.
1774 Jan. sess. 393-396 p.
1774 May sess. 397-400 p.
1774**** Oct. sess. 401-406 p.
1775**** Mar. sess. p. 407.

PHi *Ct **CtHi ***CtSoP ****CtY

Unit 8

1775 Apr. sess. 409-410 p.
1775* May sess. 19 p.
1775 May sess. 411-412 p.
1775** July sess. 2 p.
1775 Oct. sess. 413-415 p.
1775 Dec. sess. 417-418 p.
1775* Dec. sess. 2 p.
1776 May sess. 419-425 p.
1776 June sess. 427-429 p.
1776 Oct. sess. 431-436 p.
1776 Nov. sess. 437-440 p.
1776 Dec. sess. 441-456 p.

Last paragraph contains 10 lines.

CONNECTICUT-Continued

1776* Dec. sess. 441-456 p.
Last paragraph contains 11 lines.
1777 May sess. 457-471 p.
1777 Aug. sess. 473-474 p.
1777 Oct. sess. 475-480 p.
1778 Jan. sess. 481-483 p.
1778 Feb. sess. 485-494 p.
1778 May sess. 495-501 p.
1778 Oct. sess. 503-506 p.
1779 Jan. sess. 507-512 p.
1779 Apr. sess. 513-516 p.
1779 May sess. 517-536 p.
1779 Oct. sess. 537-538 p.
1780 Jan. sess. 539-546 p.
1780 May sess. 547-557 p.
1780 Oct. sess. 559-562 p.
1780 Nov. sess. 563-567 p.
1781 Feb. sess. 569-572 p.
1781 May sess. 573-575 p.
1781 Oct. sess. 577-580 p.
1782 Jan. sess. 581-583 p.
1782 May sess. 585-611 p.
1782*** Oct. sess. 613-615 p.
1783*** Jan. sess. 617-627 p.
1783 May sess. 629-632 p.
1783* Oct. sess. 633-634 p.
1783 Oct. sess. 633-634 p. (Bates Reprint)
CtY *CtHi **NNB ***MHL

B.2 Reel 2

Unit 1

1784* May sess. 267-307 p. (T. Green)
1784* May sess. 267-307 p. (T. & S. Green)
1784 Oct. sess. 309-315 p. (T. Green)
1784* Oct. sess. 309-315 p. (T. & S. Green)
1785 May sess. 317-328 p.
1785 Oct. sess. 329-336 p. (T. & S. Green)
1786 May sess. 337-346 p.
1786 Oct. sess. 347-350 p. (T. Green)
1787 May sess. 351-354 p.
1787 Oct. sess. 355-358 p. (T. Green)
1788 May sess. 359-365 p. (T. Green)
1788 Oct. sess. 367-370 p. (T. Green & Son)
1789 Jan. sess. 371-378 p. (T. Green & Son)
1789 May sess. 379-382 p.
1789 Oct. sess. 383-388 p.
1790 May sess. 389-394 p.
1790 Oct. sess. 399-400 p.
1790 Dec. sess. 401-407 p. (T. Green & Son)
1791 May sess. 409-414 p. (E. Babcock)
1791 Oct. sess. 415-419 p. (E. Babcock)

CONNECTICUT-Continued

1792 May sess. 421-436 p. (E. Babcock)
1792* Oct. sess. 437-460 p. (E. Babcock)
1793 May sess. 461-465 p. (E. Babcock)
1793 Oct. sess. 467-475 p. (E. Babcock)
1794 May sess. 477-481 p. (E. Babcock)
1794 Oct. sess. 483-445 (sic 485) p. (E. Babcock)
1795** May sess. 487-499 p. (E. Babcock)
1795** Oct. sess. 501-512 p. (E. Babcock)
1796*** May sess. 439-446 p. (E. Babcock)
1796**** Oct. sess. 447-454 p. (E. Babcock)
1797*** May sess. 455-468 p. (E. Babcock)
1797*** Oct. sess. 469-480 p. (E. Babcock)

NNB *DLC **CtY ***CtHi ****MHL

Unit 2

1785 May sess. 317-328 p. (T. Green)
1785 Oct. sess. 329-336 p. (T. & S. Green)
1786 May sess. 337-346 p.
1786 Oct. sess. 347-350 p. (T. Green)
1787 May sess. 351-354 p.
1787 Oct. sess. 355-358 p. (T. Green)
1788 May sess. 359-366 p. (E. Babcock)
1788 Oct. sess. 367-370 p. (T. Green & Son)
1789 Jan. sess. 371-378 p. (T. Green & Son)
1789 May sess. 379-382 p. (E. Babcock)
1789 Oct. sess. 383-388 p.
1790 May sess. 389-394 p.
1790 Oct. sess. 399-400 p.
1790 Dec. sess. 401-407 p. (T. Green & Son)
1791 May sess. 409-413 p.
1791 Oct. sess. 415-418 p.
1792 May sess. 419-430 p.
1792 Oct. sess. 423-434 p.
1796 May sess. 439-446 p. (Hudson & Goodwin)
1796 Oct. sess. 447-454 p. (Hudson & Goodwin)
1797 May sess. 455-468 p. (Hudson & Goodwin)
1797 Oct. sess. 469-480 p. (Hudson & Goodwin)
1798 May sess. 481-491 p. (Hudson & Goodwin)
1798 Oct. sess. 493-498 p. (Hudson & Goodwin)

DLC

Unit 3

1799 May sess. 499-510 p.
1799 Oct. sess. 511-520 p.
1800 May sess. 521-528 p.
1800 Oct. sess. 529-546 p.
1801 May sess. 547-564 p.
1801 Oct. sess. 565-586 p.
1802 May sess. 587-594 p.
1802 Oct. sess. 595-624 p.
1803 May sess. 625-638 p.
1803 Oct. sess. 639-657, [1] p.
1804 May sess. 659-672 p.

CONNECTICUT-Continued

1804 Oct. sess. 673-683 p.
1805 May sess. 685-696 p.
1805 Oct. sess. 697-712 p.
1806 May sess. 713-726 p.
1806 Oct. sess. 727-745 p.
1807 May sess. 747-785 p.
1807* Oct. sess. 787-801 p.
1808* May sess. 803-818 p.

DLC *CtY

Unit 4

1808 Oct. sess. 8 p.
1809 Feb. Spec. sess. 16 p.
1809 May sess. [9]-16 p.
1809 Oct. sess. [17]-23 p.
1810 May sess. [25]-40 p.
1810 Oct. sess. [41]-50 p.
1811 May sess. [53]-64 p.
1811 Oct. sess. [65]-76 p.
1812 May sess. [77]-91 p.
1812 Aug. sess.
1812 Oct. sess.
In 1 vol. [93]-112 p.
1813 May sess. [113]-136 p.
1813 Oct. sess. [137]-144 p.
1814 May sess. [145]-168 p.
1814 Oct. sess. [169]-184 p.
1815 Jan. sess. [185]-192 p.
1815 May sess. [193]-202 p.
1815 Oct. sess. [203-254] p.
1816 May sess. [255]-265 p.
1816 Oct. sess. [267]-280 p.
1817 May sess. [281]-288 p.
1817 Oct. sess. [289]-298 p.
1818 May sess. [299]-309 p.
1818 Oct. sess. [311]-336 p.
1819 May Ann. sess. [337]-379 p.
1820 May Ann. sess. [381]-456 p.
1821 May Ann. sess. (In Pub. Stat., 1821)

DLC

Unit 5

1822 May Ann. sess. 37 p.
1823 May Ann. sess. [39]-55 p.
1822 May Ann. sess.
1823 May Ann. sess.
1824 May Ann. sess.
In 1 vol. 63, [5] p.
1825 May Ann. sess. [65]-90, [2] p.
1826 May Ann. sess. [91]-139 p.
1827 May Ann. sess. [141]-171 p.
1828 May Ann. sess. [173]-211 p.

CONNECTICUT-Continued

1829 May Ann. sess. [213]-250 p.
1830 May Ann. sess. [251]-317 p.
1831 May Ann. sess. [309]-366, [1] p.
1832 May Ann. sess. [367]-412 p.
1833 May Ann. sess. [415]-498 p.
1834 May Ann. sess. [491]-552 p.
1835 May Ann. sess. [553]-591 p.

DLC

DAKOTA

B.2 Reel 1

Unit 1

1862 Mar. 1st sess. xvi p., 2 l., 561, iv p., 2 l., 38 p.

DLC

Unit 2

1862 Dec. 2d sess. ix p., 2 l., 331, [1] p.
1863 Dec. 3d sess. xi p., 2 l., 178 p.

DLC

Unit 3

1864 Dec. 4th sess. x p., 3 l., 344 p. DLC

Unit 4

1865 Dec. 5th sess. x p., 1 l., [2], 605 p. DLC

B.2 Reel 2

Unit 1

1866 Dec. 6th sess. xliii, [3], 154 p.
1867 Dec. 7th sess. xii, [2], 327 p.

DLC

Unit 2

1868 Dec. 8th sess. xii, [2], 408 p. DLC

Unit 3

1870 Dec. 9th sess. [2], [v]-xix, [1], 671 p. DLC

Unit 4

1872 Dec. 10th sess. xix, [1], 271 p.
1874 Dec. 11th sess. xviii, [2], 415, [1] p.

DLC

B.2 Reel 3

Unit 1

1879 Jan. 13th sess. vii, [1], 166 p.
1879* Jan. 13th sess. vii, [1], 207 p.
1881 Jan. 14th sess. xvi, 452 p.

DLC *M

Unit 2

1881 Jan. 14th sess. xvi, 388 p. DLC

Unit 3

1883 Jan. 15th sess. xii, [1], 411 p.
1885 Jan. 16th sess. xxxv, [1], 220, [2], 221-321 p.

Unit 4

1887 Jan. 17th sess. xlviii, [1], 423 p.

DAKOTA-Continued

B.2 Reel 4

Unit 1

1889 Jan. 18th sess. xiii, 198 p.
1889 Jan. 18th sess. lvi, 194 p.

DLC

DELAWARE

B.2 Reel 1

Unit 1

1733 Oct. Reg. sess.
1733/4 Mar. Adj. sess.
Together 24 p.
1734 Oct. Reg. sess. 20 p. (Not found)

PHi

Unit 2

1753* Oct. Reg. sess. 9 p.
1763 Oct. Reg. sess.
1763/4 Mar. Adj. sess.
Together 83-97 p.
1764 Oct. Reg. sess. 99-106 p.
1765 Oct. Reg. sess. (Not found)
1766 May Adj. sess. (Not found)
1766 Oct. Reg. sess. 107-123 p.
1767 Oct. Reg. sess. 125-131 p.
1768 Oct. Reg. sess.
1769 June Adj. sess.
Together 133-153 p.
1769 Oct. Reg. sess.
1770 Mar. Adj. sess.
Together 155-222 p.
1770 Oct. Reg. sess. 223-227 p.
1771 June Adj. sess. (Not found)
1771 Oct. Reg. sess.
1772 June Adj. sess.
Together 229-278 p.
1772 Oct. Reg. sess.
1773 Apr. Adj. sess.
Together 279-286 p.
1773 Oct. Reg. sess. 287-299 p.
1774 Oct. Reg. sess.
1775 Mar. Adj. sess.
1775 June Adj. sess.
1775 Aug. Adj. sess.
Together 301-351 p.
1775 Oct. Reg. sess. 353-337 (sic 357) p.
1776 Oct. Reg. sess.
1777 Jan. Adj. sess.
Together 339-369 (sic 359-389) p.
Index. [7] p. MS.

DELAWARE-Continued

1777 May Call. sess. (Not printed?)
1777 June Adj. sess. (Not found)
1777 Oct. Reg. sess. (Not printed?)
1777 Dec. Adj. sess. (Not printed?)
1778 Feb. Call sess. (Not printed?)
1778 Mar. Adj. sess. 15, 4, 4, 4, 3 p.
1778 June Call. sess. 5, 8 p.
1778 Oct. Reg. sess.
1778 Nov. Call. sess.
1779 Jan. Adj. sess.
1779 May Adj. sess.
Together 53 p.
1779 Oct. Reg. sess.
1779 Nov. Adj. sess.
1780 Mar. Call. sess.
1780 June Call. sess.
Together 67 p.

DLC *MHL

Unit 3

1780 Oct. Reg. sess.
1781 Jan. Adj. sess.
1781 May Adj. sess.
Together 55 p.
1781 Oct. Reg. sess. 22 p.
1782 Jan. Adj. sess. 16, 4, 4, 4 p.
1782 May Adj. sess. 6 p.
1782 Oct. Reg. sess. (Not found)
1783 Jan. Adj. sess. 4 p.
1783 May Adj. sess. 29 p.
1783 Oct. Reg. sess.
1784 Jan. Adj. sess.
1784 Mar. Adj. sess.
1784 May Adj. sess.
Together 17 p.
1784 Oct. Reg. sess.
1785 Jan. Adj. sess.
Together 27 p.
1785 May Adj. sess. 20 p.
1785 Oct. Reg. sess.
1786 Jan. Adj. sess.
Together 19 p.
1786 May Adj. sess. 12 p.
1786 Oct. Reg. sess.
1787 Jan. Adj. sess.
Together 33 p.
1787 May Adj. sess. 7 p.
1787 Oct. Reg. sess. 9 p.
1788 Jan. Adj. sess. 7 p.
1788 May Adj. sess. 22 p.
1788 Oct. Reg. sess. 7 p.

DELAWARE-Continued

1789 Jan. Adj. sess. 32 p.
1789 May Call. sess. 14 p.
1789 Oct. Reg. sess. 5 p.
1790 Jan. Adj. sess. 19 p.
1790 Oct. Reg. sess. 13 p.
1791* Jan. Adj. sess. 37, [1] p.
1791 Sept. Call. sess. (Not found)
1791* Oct. Reg. sess. 5 p.

DLC *NNB

Unit 4

1792 Jan. Adj. sess. 28 p.
1792 Nov. Call. sess. (Not printed?)
1792 May Call. sess. 29-31 p.
1793 Jan. Reg. sess. 91 p.
1793 May Call. sess. 1 p.l., [93]-263, [1] p.
1794 Jan. Reg. sess. [265]-314, [1] p.
1795 Jan. Reg. sess. 1 p.l., 319-356, [1] p.
1796* Jan. Reg. sess. 1 p.l., 361-496, [1] p.

DLC *MHL

B.2 Reel 2

Unit 1

1796 Nov. Call. sess. (Not printed)
1797* Jan. Reg. sess. 57 p.
1797 May Call. sess. (Not found)
1798 Jan. Reg. sess. 43 p.
1799 Jan. Reg. sess. [45]-113 p.
1800 Jan. Reg. sess. [117]-139 p.
1800 Nov. Call. sess. [141]-146 p.
1801 Jan. Reg. sess. [149]-207 p.
1802 Jan. Reg. sess. [209]-257 p.
1803 Jan. Reg. sess. [259]-316 p.
1804 Jan. Reg. sess. [317]-364 p.
1805 Jan. Reg. sess. [365]-399 p.

DLC *MHL

Unit 2

1806 Jan. Reg. sess. 56 p.
1807 Jan. Reg. sess. [57]-120 p.
1807 Aug. Call. sess. [121]-161 p.
1808 Jan. Reg. sess. [163]-233 p.
1809 Jan. Reg. sess. [235]-290 p.
1810 Jan. Reg. sess. [291]-343, [1] p.
1811 Jan. Reg. sess. [345]-480 p.
1812 Jan. Reg. sess. [481]-569, [1] p.
1812 May Call. sess. [573]-586, [1] p.
1813 Jan. Reg. sess. [589]-671 p.
Table of private acts. 6 p.
Index to laws, 1806-1813. 83 p.

DLC

Unit 3

1813 Apr. Call. sess. 9, [1] p.

DELAWARE-Continued

1813 May Adj. sess. [11]-17, [1] p.
1814 Jan. Reg. sess. [19]-56, [1] p.
1815 Jan. Reg. sess. [59]-112, [1] p.
1816 Jan. Reg. sess. 1 p.l., [113]-199 p.
Index to laws, 1813-1816. 28 p.
1817* Jan. Reg. sess. [201]-273, [1], 17 p.
1818* Jan. Reg. sess. [275]-368, 1 l., 16 p.
1819* Jan. Reg. sess. [371]-437, [1], 6, 12 p.
Index to laws, 1813-1819. 84 p.

Nv *DLC

Unit 4

1820 Jan. Reg. sess. 27, [1], 12 p.
1821* Jan. Reg. sess. [29]-124, 12 p.
1822* Jan. Reg. sess. [125]-248, [1], 12 p.
1823 Jan. Reg. sess. [250]-330, 9 p.

DLC *M

B.2 Reel 3

Unit 1

1824 Jan. Reg. sess. [332]-382, [1], 14 p.
1825 Jan. Reg. sess. [384]-572, [1], 40 p.
1826 Jan. Reg. sess. [576]-763, 44 p.

Unit 2

1827 Jan. Reg. sess. 159, 56 p.
1828 Jan. Reg. sess. (Not found)
1829 Jan. Reg. sess. [161]-496, [2], 78 p.

Unit 3

1830 Jan. Reg. sess. 40, 8 p.
1831 Jan. Reg. sess. [41]-86, 1 l., 9 p.
1832 Jan. Reg. sess. [85]-199, [1], 22 p.
1833 Jan. Reg. sess. [201]-297, [1], 14 p.
1835 Jan. Bien. sess. [299]-373, [1], 11 p.

Unit 4

1835 July Spec. sess. 16 p.
1836 June Spec. sess. [15]-61 p.
1837 Jan. Bien. sess. [55]-222 p.
1839 Jan. Bien. sess. [199]-328 p.
1841 Jan. Bien. sess. [309]-466 p.
1843 Jan. Bien. sess. [451]-590 p.

B.2 Reel 4

Unit 1

1845 Jan. Bien. sess. 99, 26 p.
1847 Jan. Bien. sess. [101]-232, 1 l., 25 p.
1849 Jan. Bien. sess. [235]-437, [1], 21 (sic 25) p.
1851 Jan. Bien. sess. [437]-612, 1 l., [1], 32 p.
1852 Jan. Adj. sess. [615]-707, [1] p.
(In 1845-1852 as vol. 10; separate not found.)

SESSION LAWS

FLORIDA

B.2 Reel 1

Unit 1

1822 Aug. 1st sess. 2 p.l., lxxx, [3]-197 p.
1823 June 2d sess. 3 p.l., [3]-161 p.
1824 Dec. 3d sess. 3 p.l., xviii, [4]-321 p.
1825 Nov. 4th sess. 3 p.l., 88 p.

DLC

Unit 2

1826 Dec. 5th sess. 3 p.l., 171 p.
1827 Dec. 6th sess. 1 p.l., 175, [4] p.
1828 Nov. 7th sess. 1 p.l., 301, 70 p.

Unit 3

1829 Oct. 8th sess. 1 p.l., 181 p.
1831 Jan. 9th sess. 1 p.l., 123 p.
1832 Jan. 10th sess. 3 p.l., 162 p.
1833 Jan. 11th sess. 1 p.l., iv, [6]-144 p.

Unit 4

1834 Jan. 12th sess. 130 p.
Title-page erroneously dated 1833.
1835 Jan. 13th sess. iv, [251]-353 p.
1836 Jan. 14th sess. iv, 71 p.

Unit 5

1837 Jan. 15th sess. 70 p.
1838 Jan. 16th sess. iv, [5]-88, v p.
1839 Jan. 17th sess. 67, iv p.

B.2 Reel 2

Unit 1

1840 Jan. 18th sess. 76, 9 p.
1841 Jan. 19th sess. 85, 7 p.
1842 Jan. 20th sess. 1 p.l., 62, 7 p.
1843 Jan. 21st sess. 104 p.
1844 Jan. 22d sess. 9, 100, iv p.
1845 Jan. 23d sess. 107, iv p.

DLC

B.2 Reel 3

Unit 1

1845 June 1st sess. 29, ii, 3-57, x p.
1845 Nov. Adj. sess. 2 p.l., [63]-158, xvi, xxii p.
1846 Nov. 2d sess. 1 p.l., v, [7]-99, v p.
1847 Nov. 3d sess. vi, [7]-86, vi, 2, [1] p.
1848 Nov. 4th sess. 127, [1], cxxix-cxxxvi, 14, 20 p.

Unit 2

1850 Nov. 5th sess. 207, xl p.
1852 Nov. 6th sess. 193, x p.
1854 Nov. 7th sess. 101, x p.
1855 Nov. Adj. sess. 66, vi p.

Unit 3

1856 Nov. 8th sess. vii, [9]-85, v p.
1858 Nov. 9th sess. x, [11]-167, xiii p.
1859 Nov. Adj. sess. viii, [9]-103, viii p.

FLORIDA-Continued

Unit 4

1860 Nov. 10th sess. xiii, [15]-242, xiv p.
1861 Nov. 11th sess. vi, [8]-79, vi p.
1862 Nov. 12th Gen. Assy., 1st sess. vi, [8]-79, iv p.
1863 Nov. 12th Gen. Assy., 2d sess. v, [7]-60, iv p.
1864 Nov. 13th Gen. Assy. v, [7]-46, iv p.

B.2 Reel 4

Unit 1

1865 Dec. 14th Gen. Assy., 1st sess. vii, [9]-156, xxxii p.
1866 Nov. 14th Gen. Assy., 2d sess. viii, [9]-95, viii p.
1868 June 1st sess. x, 231, xx p.
1869 Jan. 2d sess. iv, [5]-49, li-lvi p.
1869 June Ext. sess. iv, [5]-52, lv-lxi p.

Unit 2

1870 Jan. 3d sess. vii, [9]-139, cxli-cxlx p.
1870 May Ext. sess. vi, [7]-29, xxxi-xxxii p.
1871 Jan. 4th sess. vii, [9]-54, lv-lx p.
1872 Jan. 5th sess.
1872 Apr. Ext. sess.
In 1 vol. viii, [9]-120 p.
1873 Jan. 6th sess.
1873 Feb. Ext. sess.
In 1 vol. vii, [9]-55, viii p.
1874 Jan. 7th sess. x, [1], [9]-139 p.
1875 Jan. 8th sess. vii, [9]-98 p.

Unit 3

1877 Jan. 9th sess. xv, [1], [17]-219 p.
1847-1877 Index. 163 p.

GEORGIA

B.2 Reel 1a

Unit 1

1735 Apr. An act to prevent the importation and use of rum and brandies... 7 p.
1735 Apr. An act for maintaining the peace with the Indians... 12 p.
1741 Mar. Resolutions of the trustees for establishing the Colony of Georgia... 4 p.

Unit 2

1755-61 33 separately printed acts. v. p.
1761 Nov. sess. 18, 3, 2 p.
1762 Oct. sess. 23, [1] p.
Appended: Tax act, 1763 Apr. 8 p.
1763 Nov. sess. 28 p.
Appended:
Tax act, 1764 Feb. 8 p. (w: p. 4-5)
2 acts, 1764 May. 3-5 p.
1764 Nov. sess. 1 p.l., 71, [1] p.
Appended: An act, 1765 Nov. 7 p.

GEORGIA-Continued

1765 Oct. sess. 1 p.l., 41, [1] p.
Appended: Tax act, 1766 Mar. 8 p.
1766 June sess.
1766 July sess.
1766 Nov. sess.
In 1 vol. 1 p.l., 39, [1] p.
1767 Oct. sess. 1 p.l., 34, [1] p.
1768 Nov. sess. 1 p.l., 12, [1] p.
Appended:
Tax act, 1767 Oct. 7 p.
Tax act, 1768 Dec. 8 p.
1769 Oct. sess. 1 p.l., [1], 52 p. (w: p. 1)
Appended: Tax act, 1770 May. 10 p.
GU-De

Unit 3

1755-61 34 separately printed acts. v.p.
Prefixed: Index. 7 p. MS.
1761 Nov. sess. 18 p.
Appended: An act, 1762 Mar. 2 p.
1762 Oct. sess. 1 p.l., 23, [1] p.
Appended:
An act, 1762 Oct. 3 p.
Tax act, 1763 Apr. 8 p.
1763 Nov. sess. 28 p.
Appended: Tax act, 1764 Feb. 8 p.
1764 May sess. 5 p.
1764 Nov. sess. 1 p.l., 71, [1] p.
Appended: Tax act, 1765 Mar. 8 p.
1765 Oct. sess. 1 p.l., 41, [1] p.
Appended: Tax act, 1766 Mar. 8 p.
1766 June sess.
1766 July sess.
1766 Nov. sess.
In 1 vol. 1 p.l., 39, [1] p.
Appended: Tax act, 1767 Mar. 8 p.
1767 Oct. sess. 1 p.l., 34, [1] p.
Appended: Tax act, 1768 Apr. 7 p.
1768 Nov. sess. 1 p.l., 12, [1] p.
(James Whitefield copy) GHi

Unit 4

1755-61 34 separately printed acts. v.p.
1761 Nov. sess. 18 p.
Appended: 2 acts, 1762 Mar. 2. 3 p.
1762 Oct. sess. 1 p.l., 23, [1] p.
Appended: Tax act, 1763 Apr. 8 p.
1763 Nov. sess. 28 p.
Appended: Tax act, 1764 Feb. 8 p.
1764 May sess. 5 p.
1764 Nov. sess. 1 p.l., 71, [1] p.
Appended: Tax act, 1765 Mar. 8 p.

GEORGIA-Continued

1765 Oct. sess. 1 p.l., 41, [1] p.
1766 June sess.
1766 July sess.
1766 Nov. sess.
In 1 vol. 1 p.l., 39, [1] p.
Appended: Tax act, 1767 Mar. 8 p.
1767 Oct. sess. 1 p.l., 34, [1] p.
Appended: Tax act, 1767 Apr. 7 p.
1768 Nov. sess. 1 p.l., 12, [1] p.
1769 Oct. sess. 1 p.l., 52, [1] p.
Appended: Typescript note. [3] p.

DLC

Unit 5

1772 Dec. sess. 1 p.l., 91, [1] p. GU-De-1

B.2 Reel 1b

Unit 1

1755-60 73 acts passed at different dates.
306 fol. MS.

PRO-C.O.5/682

Unit 2

1768-70 Acts passed at different dates... Nos.
100-138. 159 fol. MS.

PRO-C.O.5/683

B.2 Reel 1c

Unit 1

1773-74 Acts passed at different dates... Nos.
139-160. 105 fol. MS.

PRO-C.O.5/684

Unit 2

1780-81 Acts passed at different dates... Nos.
162-194. 91 fol. MS.

PRO-C.O.5/685

B.2 Reel 2

Unit 1

1778 Mar. An act for opening...courts. 7 p.
1782 May An act for inflicting penalties...
8 p.
1782 Aug. An act for opening courts... 3 p.
1783 Feb. An act for opening the land office.
1 p.l., 6 p.
1783 July An act to continue laws... 4 p.
---- An act to empower certain commissioners... 3 p.
---- An act for laying out reserve land... 3 p.
1783 Feb. An act to ascertain various periods of depreciation. 13 p.
1783 July Bill of attainder. [1] p.
1783 Oct. Confiscation act. [1] p.
1784 Feb. 5 acts. 4, 2, 2, 11 p.

GEORGIA-Continued

1785 Feb. 14 acts and ordinances. 4, 6, 3, 8, 4, 2, 3 p.
1786 Jan. 7 acts and ordinances. 4, 4 p.
1786 Feb. 15 acts and ordinances. 4, 8, 4, 4, 4 p.
1786 Aug. 8 acts. 5-12, 4, 8 p.
1787 Jan. 24 acts and ordinances. 48 p.
1788 Jan. Acts. 18 p. (w: p. 1-8; p. 9 mutilated.)
1789 Jan. (Not found. See MS., Unit 5.)
1789 Nov. 16 acts. 49 p.

GU-De

Unit 2

1786-88 Enrolled session acts. (Not published in Georgia colonial records.) MS.
1786 Jan. An ordinance. [2] p.
1786 Feb. 8 acts and ordinances. [85] p.
1786 Aug. 7 acts. [36] p.
1787 Jan. An act to repeal an act... [1] p.
1787 Feb. 11 acts and ordinances. [46] p.
1787 Oct. 2 acts. [19] p.
1788 Feb. 9 acts. [34] p.

G-Ar

Unit 3

1780 Jan. An act for the more speedy and effectually settling...of this state... [5] p. MS.
1778 Mar. An act...[relating to] treason... 28 p. MS.
1782 May An act for inflicting penalties... 28-46 p. MS.
1782 Jan. An act for confiscating estates... 47-51 p. MS.
1782 Aug. 3 acts. 51-71 p. MS.
1783 Feb. 5 acts. 71-104 p. MS.
1783 July 7 acts. 105-157 p. MS.
1784 Jan. 8 acts. 158-214 p. MS.
1785 Feb. 20 acts and ordinances. 215-368 p. MS.
1786 Jan. 35 acts and ordinances. 368-553 p. MS.

G-Secy.

Unit 4

1786 Aug. 12 acts. 50 p. MS.
1787 Feb. 24 acts and ordinances. 51-151 p. MS.
1787 Oct. 3 acts. 151-195 p. MS.
1788 Feb. 21 acts. 195-253 p. MS.
1789 Feb. 8 acts and orders. 253-295 p. MS.

G-Secy.

B.2 Reel 3

Unit 1

1790* Dec. An act to amend the act for regulating the judiciary. 3 p.
1790 Nov. Ann. sess. 20 p.
1791 Nov. Ann. sess. 36 p.
1792 Nov. Ann. sess. 47 p.
1793 Nov. Ann. sess. 51 p.
1794 Nov. Ann. sess. 17, [3] p.

GEORGIA-Continued

1794** Nov. Ann. sess. 10, 6 p.
1796 Jan. Ann. sess. 26, 16, 16 p. (t.-p.w.)
1797 Jan. Ann. sess. 39 p. (t.-p.w.)
1798 Jan. Ann. sess. 28 p.
1799 Jan. Ann. sess. 150 p.
1799 Nov. Ann. sess. 81, [2] p.
1800 Nov. Ann. sess. 36, [3] p.
1801 Nov. Ann. sess. 116 p.

GU-De *GU-De-1 **CTY

Unit 2

1802* June Ext. sess.
1802* Nov. Ann. sess.
In 1 vol. 72 p.
1803** Apr. Ext. sess. 26, [1] p.
1803* Nov. Ann. sess. 76 p.
1804 May Ext. sess.
1804 Nov. Ann. sess.
In 1 vol. 92 p.
1805 Dec. Ann. sess. 64 p.
1806 Apr. Ext. sess. (No acts passed)
1806 June Ext. sess. 30 p.
1806 Nov. Ann. sess. 96 p.
1807 Nov. Ann. sess. 141 (sic 145), 6, [1] p.
(w: p. 107-108)
1807** Nov. Ann. sess. 141 (sic 145), 6, [1] p.
(w: p. 66-67)

DLC *GU-De **MHL

Unit 3

1808 May Ext. sess. 2 p.l., 17, [2]p.
1808 Nov. Ann. sess. 1 p.l., vi, [3]-121 p.
1809* Nov. Ann. sess. 152 p.
1810 Dec. Ann. sess. 152, 151-176, xv p.

DLC *MHL

Unit 4

1811 Nov. Ann. sess. 229, xxvii p.
1812 Nov. Ann. sess. 172, xii p.

DLC

B.2 Reel 4

Unit 1

1813 Dec. Ann. sess. 138 (sic 140), viii p.
1814* Oct. Ann. sess. 85, v p.
1815 Nov. Ann. sess. 135, vi p.
1816 Nov. Ann. sess. 222, viii p.

Unit 2

1817 Nov. Ann. sess. 143 (sic 145), [145]-164, v p.
1818 Nov. Ann. sess. 235, v p.
1819 Nov. Ann. sess. 170, vi p.

Unit 3

1820 Nov. Ann. sess. 125, vi p.
1821 Apr. Ext. sess. 40, ii p.
1821 Nov. Ann. sess. 163 p.

GEORGIA-Continued

1822 Nov. Ann. sess. 172 p.

Unit 4

1823 Nov. Ann. sess. 270 p.
1824 Nov. Ann. sess. 220 p.
1825 May Ext. sess. 26 (sic 56) p.
1825 Nov. Ann. sess. 238 p.

DLC *GU

B.2 Reel 5

Unit 1

1826 Nov. Ann. sess. 248 p.
1827 Nov. Ann. sess. 296 p.

Unit 2

1828 Nov. Ann. sess. 271 p.
1829 Nov. Ann. sess. 299 p.

Unit 3

1830 Oct. Ann. sess. 312, 16 p.
1831 Nov. Ann. sess. 344 p.

Unit 4

1832 Nov. Ann. sess. 358 p. DLC

B.2 Reel 6

Unit 1

1833 Nov. Ann. sess. 456, 43 p.

Unit 2

1834 Nov. Ann. sess. 342, 68 p.

Unit 3

1835 Nov. Ann. sess. 361, 60 p.

Unit 4

1836 Nov. Ann. sess. 279, 85 p.

IDAHO

B.2 Reel 1

Unit 1

1863 Dec. 1st sess. 686, xxxiii p.
Id-L

Unit 2

1864 Nov. 2d sess. 1 p.l., [v]-viii, [1], 516 p.
Id-L

Unit 3

1865 Dec. 3d sess. xiii, 329 p.
1866 Dec. 4th sess. xiii, 15-270 p.
Id-L

Unit 4

1868 Dec. 5th sess. 2 p.l., [17]-183 p.
1870 Dec. 6th sess. 1 p.l., [5]-106 p.
1872 Dec. 7th sess. 104 p.
1874 Dec. 8th sess. (In Rev. Stat., 1875)
1876 Dec. 9th sess. 2 p.l., 144 p.
Id-L

IDAHO-Continued

Unit 5

1879* Jan. 10th sess. 84 p.
1879* Jan. 10th sess. 92 p.
1880 Dec. 11th sess. 2 p.l., 564 p.

Id-L *DLC

B.2 Reel 2

Unit 1

1882 Dec. 12th sess. 200 p.
1884 Dec. 13th sess. 2 p.l., 241 p.
1886 Dec. 14th sess. (In Rev. Stat., 1887)
1888 Dec. 15th sess. 2 p.l., 87 p.

Id-L

ILLINOIS

B.2 Reel 1

Unit 1

1809-1811* Sessions. (Ill. Hist. Soc. Bull., Vol. 1, no. 2, 1906.) 15 p.
(For Executive register see E.1, Reel 1.)
1812 Nov. 1st sess. 59, [1] p.
1813 Nov. 2d sess. (In Pope's Digest, 1815)
1814 Nov. 3d sess. (In Pope's Digest, 1915)
1814 Nov. 3d sess. Supreme Court act. 45 p.
1815 Dec. 4th sess. 72, 71-84, iii p.
1816** Dec. 5th sess. 60 p.
1816 Dec. 5th sess. 1 p.l., 51, ii p.
1817 Dec. 6th sess. 104 p.

I *DLC **ICHi

Unit 2

1818 Oct. 1st Assy., 1st sess. (No laws passed)
1819** Jan. 1st Assy., 2d sess. Pub. and priv. 387, [1], 58, 2, 22 p.
1820 Dec. 2d Assy., 1st sess. Pub. and priv. 188, 19, [1] p.

I **DLC

Unit 3

1822 Dec. 3d Assy., 1st sess. Pub. and priv. 232, 17, 3 p.
Aud. and Treas. Reports. p. [222]-232.
1824 Nov. 4th Assy., 1st sess. Pub. and priv. 189 (sic 199) p.

I

Unit 4

1826 Jan. 4th Assy., 2d sess. Pub. and priv. 109 p. tables.
Aud. and Treas. Reports. p. 99-102.
1826 Dec. 5th Assy., 1st sess. Priv. 43, [1] p.
Aud. and Treas. Reports. p. [36]-43.
1826 Dec. 5th Assy., 1st sess. Pub. (In Rev. Code, 1827)
1828 Dec. 6th Assy. Pub. (In Rev. Code, 1829)
1830 Dec. 7th Assy., 1st sess. Pub. and priv. 217 p.
Aud. and Treas. Reports. p. [195]-204.
1832 Dec. 8th Assy., 1st sess. Pub. (In Rev. Laws, 1833)

I

ILLINOIS-Continued

B.2 Reel 2

Unit 1

1832 Dec. 8th Assy., 1st sess. Priv. 212, 6, [1] p.
1834 Dec. 9th Assy., 1st sess. Pub. and priv. 259, [1] p.
Aud. and Treas. Reports. p. [237]-246.

Unit 2

1835 Dec. 9th Assy., 2d sess. Pub. and priv. 296 p.
Aud. and Treas. Reports. p. [279]-288.
1836 Dec. 10th Assy., 1st sess. Pub. and priv. 350, xvi, [1] p.
Aud. and Treas. Reports. p. [341]-350.

Unit 3

1836 Dec. 10th Assy., 1st sess. Incorp. laws. 344, xxi p.
1837 July 10th Assy., spec. sess. Pub. and priv. 125, vi, [1] p.
Aud. and Treas. Reports. p. [13]-125.

Unit 4

1838 Dec. 11th Assy., 1st sess. Pub. and priv. 317, xv p.
Aud. and Treas. Reports. p. [301]-317.
1838 Dec. 11th Assy., 1st sess. Incorp. laws. 249, viii, [1] p.

B.2 Reel 3

Unit 1

1839 Dec. 11th Assy., spec. sess. Pub. and priv. 156 p., 2 l., xxxii p.
Aud. Report. xvi p. Treas. Report. p. [xvii]-xix.
1840 Dec. 12th Assy., 1st sess. Pub. and priv. 359, xxxiv p.
Aud. Report. xii p. Treas. Report. p. xiii-xv.

Unit 2

1842 Dec. 13th Assy., 1st sess. Pub. and priv. 340 p., 2 l., lxv p.
Aud. Report. xxiii p. Treas. rept. p. [xxv]-xxix.

Unit 3

1844 Dec. 14th Assy., 1st sess. Pub. and priv. 384, lx p.
Aud. Report. xxv p. Treas. Report. p. [xxvii]-xxxii.

Unit 4

1846 Dec. 15th Assy., 1st sess. Pub. 235, xvii p.
Aud. Report. p. [185]-225. Treas. Report. p. [227]-235.
1846 Dec. 15th Assy., 1st sess. Priv. 220, ix p.

B.2 Reel 4

Unit 1

1849 Jan. 16th Assy., 1st sess. Pub. 240, xlvi p.
Aud. and Treas. Reports. xxiv p.
1849 Jan. 16th Assy., 1st sess. Priv. 142 p., 1 l., v p.

Unit 2

1849 Oct. 16th Assy., 2d sess. Pub. and priv. 57, v p.
1851 Jan. 17th Assy., 1st sess. Gen. 208, xix p.
In 1 vol.
1851 Jan. 17th Assy., 1st sess. Priv. 326, xviii, lxiv p.
Treas. Report. viii p. Aud. Report. p. [ix]-lxiv.

ILLINOIS-Continued

Unit 3

1852 June 17th Assy., 2d sess. Pub. and priv. 268 p., 1 l., xvi p.

INDIANA

B.2 Reel 1

Unit 1

1800* June An ordinance by W. H. Harrison, Governor of the Territory of Indiana. [1] p. MS.
1801 Jan. 1st sess. 31, [1] p.
1801 Jan. 1st sess.
1802* Jan. 2d sess.
In 1 vol. 32 p. (Incl. Pres. message)
1802 Jan. 2d sess.
1803 Jan. 3d sess.
1803** Sept. 4th sess.
In 1 vol. 89 p.
1803* Jan. 3d sess. 7 p. (Incl. Pres. message)
1804*** Oct. 1st sess. Dist. of La. 136, [1] p.
See also Session laws of Louisiana and Missouri.

ICHi *IN **MHL ***DLC

Unit 2

1805 July 1st Assy., 1st sess. 38, [1] p.
1806 Nov. 1st Assy., 2d sess. 30, [1] p.
1807 Aug. 2d Assy., 1st sess. (In Revision, 1807)

ICHi

1808* Sept. 2d Assy., 2d sess. 45 p., 1 l., v p.
1810* Nov. 3d Assy., 1st sess. 118 p., 1 l., [11] p.
1811 Nov. 3d Assy., 2d sess. 96, iii p.
1813 Feb. 4th Assy., 1st sess. 22, [23-25], 26-90, [2] p. table.

In-SC *In

Unit 3

1813* Dec. 4th Assy., 2d sess. 168 p.
1814** Aug. 5th Assy., 1st sess. 104 p.
1815 Dec. 5th Assy., 2d sess. 128 p.

In-SC *In **DLC

Unit 4

1816 Nov. 1st sess. Gen. and spec. 273, [1] p.
1817 Dec. 2d sess. Gen. 381, xxviii p.

In

Unit 5

1818 (sic 1817)* Dec. 2d sess. Spec. 122, [1], iii p.
Treas. Report. [1] p.
1818 Dec. 3d sess. Gen. and spec. 151, [1], x p.
Treas. Report. p. [147]-148.
1819 Dec. 4th sess. Gen. and spec. 180 p.
1820 Nov. 5th sess. Gen. and spec. 151, xvi p.
Treas. Report. p. [145]-151.
1821 Nov. 6th sess. Gen. and spec. 177, xiii p.

In *DLC

INDIANA-Continued

B.2 Reel 2

Unit 1

1822 Dec. 7th sess. Gen. and spec. 165, vi, viii p.
Aud. and Treas. Reports. p. 155-165.
1823 Dec. 8th sess. Gen. (In Rev. Laws, 1824)
1823 Dec. 8th sess. Spec. 128 p.
Aud. and Treas. Reports. p. 117-123.
1825 Jan. 9th sess. Gen. and spec. 118 p.
Aud. and Treas. Reports. p. [111]-114.
1825 Dec. 10th sess. Gen. and spec. 106 p.
Aud. and Treas. Reports. p. [100]-103.

In

Unit 2

1826 Dec. 11th sess. Gen. and spec. 119 p.
Aud. and Treas. Reports. p. [106]-109.
1827 Dec. 12th sess. Gen. and spec. 165 p.
Aud. and Treas. Reports. p. 149-152.
1828 Dec. 13th sess. Gen. and spec. 179 p.
Aud. and Treas. Reports. p. 158-161.

In

Unit 3

1829 Dec. 14th sess. Gen. and spec. 205 p.
Aud. and Treas. Reports. p. 183-187.
1830 Dec. 15th sess. Gen. (In Rev. Laws, 1831)
1830 Dec. 15th sess. Spec. 206 p.
Aud. and Treas. Reports. p. 197-200.

DLC

Unit 4

1831 Dec. 16th sess. Gen. and spec. 302 p.
Aud. and Treas. Reports. p. 289-292.
1832 Dec. 17th sess. Gen. and spec. 264 p.
Aud. and Treas. Reports. p. 249-252.

DLC

B.2 Reel 3

Unit 1

1833 Dec. 18th sess. Gen. and spec. 393 p.
Aud. and Treas. Reports. p. 379-382.
1834 Dec. 19th sess. Gen. 96 p. tables.
1834 Dec. 19th sess. Loc. 299 p.
Aud. and Treas. Reports. p. [283]-287.

Unit 2

1835 Dec. 20th sess. Gen. 99 p.
1835 Dec. 20th sess. Loc. 414 p.
Aud. and Treas. Reports. p. 401-406.

Unit 3

1836 Dec. 21st sess. Gen. 118 p.
1836 Dec. 21st sess. Loc. 460 p.
Aud. and Treas. Reports. p. [449]-434 (sic 454)

INDIANA-Continued

Unit 4

1837 Dec. 22d sess. Gen. (In Rev. Stat., 1838)
1837 Dec. 22d sess. Loc. 476 p.
Aud. and Treas. Reports. p. 455-462.

B.2 Reel 4

Unit 1

1838 Dec. 23d sess. Gen. 103 p.
1838 Dec. 23d sess. Loc. 379 p.
Aud. and Treas. Reports. p. 360-367.

Unit 2

1839 Dec. 24th sess. Gen. 80 p., 1 l., 81-141 p. table.
Aud. and Treas. Reports. p. [93]-132.
1839 Dec. 24th sess. Loc. 267 p.

B.2 Reel 5

Unit 1

1840 Dec. 25th sess. Gen. 245 p.
1840 Dec. 25th sess. Loc. 232 p.

Unit 2

1841 Dec. 26th sess. Gen. 189 p.
1841 Dec. 26th sess. Loc. 203 p.

Unit 3

1842 Dec. 27th sess. Gen. 128 p.
1842 Dec. 27th sess. Loc. 1 p.l., 224 p.

Unit 4

1843 Dec. 28th sess. Gen. 135 p.
1843 Dec. 28th sess. Loc. 196 p.

B.2 Reel 6

Unit 1

1844 Dec. 29th sess. Gen. 112 p.
1844 Dec. 29th sess. Loc. 314 p.

Unit 2

1845 Dec. 30th sess. Gen. 176 p.
1845 Dec. 30th sess. Loc. 1 p.l., 383 p.

Unit 3

1846 Dec. 31st sess. Gen. 187 p.
1846 Dec. 31st sess. Loc. 446 p.

Unit 4

1847 Dec. 32d sess. Gen. 156 p.
1847 Dec. 32d sess. Loc. 664, [1] p.

B.2 Reel 7

Unit 1

1848 Dec. 33d sess. Gen. 220 p.
1848 Dec. 33d sess. Loc. 487 p.

Unit 2

1849 Dec. 34th sess. Gen. 338 p.
1849 Dec. 34th sess. Loc. 574 p.

B.2 Reel 8

Unit 1

1850 Dec. 35th sess. Gen. 257 p.

INDIANA-Continued

1850 Dec. 35th sess. Loc. 592 p.

Unit 2

1851 Dec. 36th sess. Gen. (In Rev. Stat., 1852)
1851 Dec. 36th sess. Spec. & loc. 229 p.

IOWA

B.2 Reel 1

Unit 1

1838 Nov. 1st sess. 1 p.l., 597, [1] p. IaHi

Unit 2

1839 Nov. 2d sess. 187 p.
1840 July Ext. sess. 63 p.
1840 Nov. 3d sess. 135 p.
1841 Dec. 4th sess. 150 p.
1842 Dec. 5th sess. (In Rev. Stat., 1843)
1842 Dec. 5th sess. Loc. 128 p.

Unit 3

1843 Dec. 6th sess. xi, 227 p.
1844 June Ext. sess.
1845 May 7th sess.
In 1 vol. viii, 159 p.
1845 Dec. 8th sess. x, 148 p.

B.2 Reel 2

Unit 1

1846 Nov. 1st sess. 2 p.l., [vii]-xiv, 260 p.
1848 Jan. Ext. sess. vii, [9]-117, [1] p.
1848 Dec. 2d reg. sess. 1 p.l., [v]-xvi, [17]-235, [1] p.
IaHi

Unit 2

1850 Dec. 3d reg. sess. 1 p.l., [5]-294, [1] p.
1852* Dec. 4th reg. sess. 1 p.l., [7]-238 p.
IaHi *DLC

B.2 Reel 3

Unit 1

1854 Dec. 5th reg. sess. xv, 326 p.

Unit 2

1856 July Ext. sess. x p., 1 l., 116 p.
1856 Dec. 6th reg. sess. xxi p., 1 l., 493 p.

Unit 3

1858 Jan. 7th reg. sess. xiv, 573 p.

B.2 Reel 4

Unit 1

1860 Jan. 8th reg. sess. (In Rev. Stat., 1860)
1860 Jan. 8th reg. sess. Spec. xii, 176 p.
1861 May Ext. sess. iv, 47 p.

Unit 2

1862 Jan. 9th reg. sess. xii p., 1 l., 288 p.
1862 Sept. Ext. sess. v, [1], 59 p.

IOWA-Continued

Unit 3

1864 Jan. 10th reg. sess. x, 227, [1] p.
1866 Jan. 11th reg. sess. 1 p.l., viii, 232 p.

KANSAS

B.2 Reel 1

Unit 1

1855 July 1st sess. (In Stat., 1855)
1857 Jan. 2d sess. [3], 378 p.

DLC

Unit 2

1857 Dec. 3d sess. Ext.
1858 Jan. 4th sess. Gen.
In 1 vol. 469, [2] p.

Unit 3

1858 Jan. 4th sess. Priv. 398, [1] p.

Unit 4

1859 Jan. 5th sess. Gen. 720 p.

Unit 5

1859 Jan. 5th sess. Priv. 233 p.
1860 Jan. 2 Reg. sess. Gen.
1860 Jan. 19 Spec. sess. Gen.
In 1 vol. 264 p.

B.2 Reel 2

Unit 1

1860 Jan. Spec. sess. Priv. xii, 455 p.
1861 Jan. Reg. sess. Gen. iv, [5]-35, [1] p.
1861 Jan. Reg. sess. Priv. iv, [5]-68, [1] p.

DLC

KENTUCKY

B.2 Reel 1

Unit 1

1792* June 1st Assy., 1st sess. 52 p.
1792 ---- (t.-p.w.)
1792 Nov. 1st Assy., 2d sess. 58 p.
1793 Nov. 2d Assy., 1st sess. 56 p.
1794 Nov. 3d Assy., 1st sess. 51, [1] p.
1795* Nov. 4th Assy., 1st sess. 96 p.
1796 Nov. 5th Assy., 1st sess. 141 p.

DLC *ICU

Unit 2

1797* Feb. 5th Assy., 2d sess. 1 p.l., 143-221, ii p.
1797 Nov. 6th Assy., 1st sess. (Not printed? No MS. found.)
1798 Jan. 6th Assy., 2d sess. Pub. 170 p.

KENTUCKY-Continued

1798 Jan. 6th Assy., 2d sess. Loc. or Priv. 87 p.
An act to amend penal laws. 16 p.

NNB *DLC

Unit 3

1798 Nov. 7th Assy., 1st sess. 1 p.l., [4], [3]-182 p.
1799 Nov. 8th Assy., 1st sess. 226 p.
1800 Nov. 9th Assy., 1st sess. vi, [7]-142 p.

DLC

Unit 4

1801 Nov. 10th Assy., 1st sess. vi, [7]-184, [1] p. table.
1802 Nov. 11th Assy., 1st sess. iv, [7]-202 p.
1803 Nov. 12th Assy., 1st sess. 132 p.

Unit 5

1804 Nov. 13th Assy., 1st sess. 154 p.
1805 Nov. 14th Assy., 1st sess. iv, 126 p.

DLC

B.2 Reel 2

Unit 1

1806* Nov. 15th Assy., 1st sess. 2 p.l., 172 p.
1807* Dec. 16th Assy., 1st sess. v, [5]-198 p.
1808 Dec. 17th Assy., 1st sess. iv, [5]-140 p.
1809 Dec. 18th Assy., 1st sess. v, [5]-174 p.

ICU *MHL

Unit 2

1810 Dec. 19th Assy., 1st sess. vi, [7]-168 p.
1811 Dec. 20th Assy., 1st sess. vi, [7]-270 p.
1812 Dec. 21st Assy., 1st sess. 78, 89-115 p.

DLC

Unit 3

1813 Dec. 22d Assy., 1st sess. iv, [116]-232 p.
(Incl. 2 acts of 1798)
1814 Dec. 23d Assy., 1st sess. [233]-456 p.
1815 Dec. 24th Assy., 1st sess. [457]-688 p.

DLC

Unit 4

1816 Dec. 25th Assy., 1st sess. iv, [5]-296 p.
1817 Dec. 26th Assy., 1st sess. [297]-590 p.

DLC

B.2 Reel 3

Unit 1

1818 Dec. 27th Assy., 1st sess. [591]-802 p.
1819 Dec. 28th Assy., 1st sess. [803]-1000 p.

Unit 2

1820 Oct. 29th Assy., 1st sess. 7, [7]-233 p.
1821 Oct. 30th Assy., 1st sess. [235]-503 p.
1822 May 30th Assy., 2d sess.
1822 Oct. 31st Assy., 1st sess.
In 1 vol. 255, [254]-260 p.

Unit 3

1823 Nov. 32d Assy., 1st sess. [248]-534 p.

KENTUCKY-Continued

1824 Nov. 33d Assy., 1st sess. 288 p.
1825 Nov. 34th Assy., 1st sess. 160 p.

Unit 4

1826 Dec. 35th Assy., 1st sess. 205 p.
1827 Dec. 36th Assy., 1st sess. 247 p.
1828 Dec. 37th Assy., 1st sess. 200 p.

DLC

B.2 Reel 4

Unit 1

1829 Dec. 38th Assy., 1st sess. vii, [1], [9]-312 p.
1830 Dec. 39th Assy., 1st sess. vii, [9]-231 p.

DLC

LOUISIANA

B.2 Reel 1

Unit 1

1804 Oct. sess. 136, [1] p. I

Unit 2

1804 Dec. Legis. Council, 1st sess. xxxiv, 461 p. (Eng. & Fr.)

DLC

Unit 3

1804 Dec. Legis. Council, 1st sess. 1 p.l., 361 p. (Fr.) (p. 270-307 missing from original)
1805* June Legis. Council, 2d sess. xii, 95 p.

NN *DLC

Unit 4

1806 Jan. 1st Legis., 1st sess. Printed 1806. ix, 221 p. (Eng. & Fr.)
1806 Jan. 1st. Legis., 1st sess. Printed 1807. x, 221 p. (Eng. & Fr.)

MHL

Unit 5

1807 Jan. 1st Legis., 2d sess. ix, 207, 63, 47 p. (Eng. & Fr.)

MHL LU

1808 Jan. 2d Legis., 1st sess. [1], viii, 145 p. (Eng. & Fr.)

DLC

Unit 6

1809 Jan. 2d Legis., 2d sess. xi, 85 p. (Eng. & Fr.)
1810 Jan. 3d Legis., 1st sess. ix, 77 p. (Eng. & Fr.)
1811 Jan. 3d Legis., 2d sess. 1 p.l., 237 p. (Eng. & Fr.)
1806-11* Index to acts. 46 p.

MHL *DLC

B.2 Reel 2

Unit 1

1812* July 1st Legis., 1st sess. 1 p.l., [4]-91 p. (Eng. & Fr.)
1812 Nov. 1st Legis., 2d sess. vii, 265 p. (Eng. & Fr.)

LOUISIANA-Continued

1814 Jan. 1st Legis., 3d sess. 8, 119 p. table. (Eng. & Fr.)

DLC *MHL

Unit 2

1814 Nov. 2d Legis., 1st sess. vi, 111 p. (Eng. & Fr.)
1816 Jan. 2d Legis., 2d sess. [1], iii, 172 p. (Eng. & Fr.)
1816 Nov. 3d Legis., 1st sess. [1], [4]-213, [216]-223 p. (Eng. & Fr.)
1818 Jan. 3d Legis., 2d sess. xii, 209 p. (Eng. & Fr.)

DLC

Unit 3

1819* Jan. 4th Legis., 1st sess. [1], [4]-143 p. (Eng. & Fr.)
1820* Jan. 4th Legis., 2d sess. [1], [4]-155 p. (Eng. & Fr.)
1821 (sic 1820) Nov. 5th Legis., 1st sess. [1], [4]-159 p. (Eng. & Fr.)
1822 Jan. 5th Legis., 2d sess. [1], [4]-130 p. (Eng. & Fr.)

DLC *MHL

Unit 4

1823 Jan. 6th Legis., 1st sess. [1], [4]-103, [105]-110, xxxi p. (Eng. & Fr.)
1824 Jan. 6th Legis., 2d sess. [1], [4]-187, [8] p. (Eng. & Fr.)
1824 Nov. 7th Legis., 1st sess. 241 p. (Eng. & Fr.)
1825 (sic 1826) Jan. 7th Legis., 2d sess. [1], [4]-264 p. (Eng. & Fr.)

DLC

B.2 Reel 3

Unit 1

1827 Jan. 8th Legis., 1st sess. [1], [4]-211 p. (Eng. & Fr.)
1828 Jan. 8th Legis., 2d sess. [1], [6]-199 p. (Eng. & Fr.)

Unit 2

1828 Dec. 9th Legis., 1st sess. [1], [4]-200, 21 p. (Eng. & Fr.)
1830 Jan. 9th Legis., 2d sess. 156 p. (Eng. & Fr.)

Unit 3

1831 Jan. 10th Legis., 1st sess. [1], [4]-143 p. (Eng. & Fr.)
1831 Nov. 10th Legis., ext. sess. [1], [4]-15 p. (Eng. & Fr.)
1832 Jan. 10th Legis., 3d sess. [1], 4-204, [6] p. (Eng. & Fr.)

Unit 4

1833 Jan. 11th Legis., 1st sess. 1 p.l., 202 p.
Eng. and Fr. on opposite pages, numb. in dup. to p. 194.
1833 Dec. 11th Legis., 2d sess. 1 p.l., 167, xiii, [xiii]-xviii p.
Eng. and Fr. on opposite pages, numb. in dup. to p. 193, iv.

Unit 5

1835 Jan. 12th Legis., 1st sess. 1 p.l., [3]-250, xviii p.
Eng. and Fr. on opposite pages, numb. in dup. to p. 250, vii.
1836 Jan. 12th Legis., 2d sess. 193, xii p.
Eng. and Fr. on opposite pages, numb. in dup. to p. 193, iv.

DLC

B.2 Reel 4

Unit 1

1837 Jan. 13th Legis., 1st sess. 151, xii p.
Eng. and Fr. on opposite pages, numb. in dup. to p. 151, iv.

LOUISIANA-Continued

1837 Dec. 13th Legis., 2d sess. 120, xvi p.
Eng. and Fr. on opposite pages, numb. in dup. to p. 120, vi.
1839 Jan. 14th Legis., 1st sess. [2], [4]-241, xii p. (Eng. & Fr.)
1840 Jan. 14th Legis., 2d sess. [1], [3]-142, xiii p.
Eng. and Fr. on opposite pages, numb. in dup. to p. 142, iv.
DLC

Unit 2

1841 Jan. 15th Legis., 1st sess. [1], [3]-111, iii, iii, ii p.
Eng. and Fr. on opposite pages, numb. in dup. to p. 111, iii.
1841 Dec. 15th Legis., 2d sess. [2], [4]-574 p. (Eng. & Fr.)
DLC

Unit 3

1843 Jan. 16th Legis., 1st sess. [1], [3]-108, xiv p.
Eng. and Fr. on opposite pages, numb. in dup. to p. 108.
1844 Jan. 16th Legis., 2d sess. [1], [3]-109 p.
Eng. and Fr. on opposite pages, numb. in dup.

B.2 Reel 5a

Unit 1

1845 Jan. 17th Legis., 1st sess. 101 p.
Eng. and Fr. on opposite pages, numb. in dup. to p. 91. Title-page in Eng. and Fr.
1846 Feb. 1st Legis., 1st sess. [1], [3]-187, v, v, v, v p.
Eng. and Fr. on opposite pages, numb. in dup. to p. 187.
1847 Jan. 1st Legis., 2d sess. [1], [3]-241 p. table.
Eng. and Fr. on opposite pages, numb. in dup.

Unit 2

1848 Jan. 2d Legis., 1st sess. 186 p.
1848 Dec. 2d Legis., ext. sess. 75 p.
Eng. and Fr. on opposite pages, numb. in dup.

Unit 3

1850 Jan. 3d Legis., reg. sess. [1], [3]-262, viii, viii, vii, vii p.
Eng. and Fr. on opposite pages, numb. in dup. to p. 262.

Unit 4

1852 Jan. 4th Legis., reg. sess. [1], [3]-238, xvi, vi, vi p.
Eng. and Fr. on opposite pages, numb. in dup. to p. 238.

B.2 Reel 6

Unit 1

1858 Jan. 4th Legis., 1st sess. [1], [3]-224, 16, 12, 11 p.
Eng. and Fr. on opposite pages, numb. in dup. to p. 224.
1859 Jan. 4th Legis., 2d sess. [1], [3]-240, 17, 18, 13, 9 p.
Eng. and Fr. on opposite pages, numb. in dup. to p. 240.

Unit 2

1860 Jan. 5th Legis., 1st sess. [1], [3]-191, 13, 13, 8, 8 p.
Eng. and Fr. on opposite pages, numb. in dup. to p. 191.
1860 Dec. 5th Legis., ext. sess.
1861 Jan. 5th Legis., 2d sess.
In 1 vol. [1], [3]-219, 13, 15, 10, 10 p.
Eng. and Fr. on opposite pages, numb. in dup. to p. 219.

LOUISIANA-Continued

Unit 3

1861 Nov. 6th Legis., 1st sess. [1], [3]-105, 7, 7, 6, 6 p.
Eng. and Fr. on opposite pages, numb. in dup. to p. 105.
1862 Dec. 27th Legis., ext. sess. [1], [3]-40, 3, 3, 4, 4 p.
Eng. and Fr. on opposite pages, numb. in dup. to p. 40.
1863 May 6th Legis., ext. sess. 41, 3, 3, 3, 4 p.
Eng. and Fr. on opposite pages, numb. in dup. to p. 41.

Unit 4

1864 Jan. 7th Legis., 1st sess. 75, 4, 4, 5, 4 p.
Eng. and Fr. on opposite pages, numb. in dup. to p. 75.
1864/5 Oct.-Apr. 1st Gen. Assy., 1st & 2d sess. [2], [4]-189 p.
(Eng. & Fr.)

B.2 Reel 7

Unit 1

1865 Nov. 1st Gen. Assy., ext. sess. [2], [4]-69 p.
1865 Jan. 7th Legis., 2d sess. 2 p.l., [3]-65, 6, 6, 6, 8 p.
Eng. and Fr. on opposite pages, numb. in dup. to p. 65.

Unit 2

1866 Jan. 2d Assy., 1st sess. [2], [4]-331 p.
1867 Jan. 2d Assy., 2d sess. [2], [4]-393 p.
1867 June 2d Assy., ext. sess. [2]-9 p. (n.t.-p.) (Eng. & Fr.)

MAINE

B.2a Reel 1[1]

Unit 1

1820 May sess. xxxvi, 48, [7] p. (Incl. special laws)
1821 Jan. sess. (In Revision, 1821)
1822 Jan. sess. 2 p.l., [873]-913, [6] p.
1823 Jan. 3d Legis. 2 p.l., [919]-953, [4] p.
1824 Jan. 4th Legis. 2 p.l., [959] 1015, [3] p.
1825 Jan. 5th Legis. 2 p.l., [1021]-1064, [14] p.
1826 Jan. 6th Legis. 2 p.l., [1069]-1100, [4] p.
1827 Jan. 7th Legis. 2 p.l., [1105]-1136, [4] p.

DLC

Unit 2

1828 Jan. 8th Legis. 2 p.l., [1141]-1182, 1 l., [4] p.
1829 Jan. 9th Legis. 2 p.l., [1183]-1223, [6] p.
1830 Jan. 10th Legis. 2 p.l., [1225]-1267, [8] p.
1831 Jan. 11th Legis. 2 p.l., [1269]-1355, [10] p.

DLC

Unit 3

1832 Jan. 12th Legis. 2 p.l., 49, [7] p.
1833 Jan. 13th Legis. 2 p.l., [51]-100, [9] p.
1834 Jan. 14th Legis. 2 p.l., [101]-137 (sic 237), [15] p.
1835 Jan. 15th Legis. 2 p.l., [239]-315, [15] p.

DLC

Unit 4

1836 Jan. 16th Legis. 2 p.l., [317]-387, [12] p.

1. Unofficial editions called Public Laws, printed by Hallowell, 1822-1852.

MAINE-Continued

1837 Jan. 17th Legis. 2 p.l., [389]-455, [8] p.
1838 Jan. 18th Legis. 2 p.l., [457]-517, [1], vii p.
1839 Jan. 19th Legis. 2 p.l., [519]-588, [9] p.

DLC

B.2b Reel 1

Unit 1

1820 May sess.
1821 Jan. sess.
In 1 vol. 118, [14] p.
1822 Jan. sess. 2 p.l., [119]-220, [6] p.
1823 Jan. 3d Legis. 2 p.l., [225]-327, [5] p.
1824 Jan. 4th Legis. 2 p.l., [343]-422, [4] p.
1825 Jan. 5th Legis. 2 p.l., [427]-607, [10] p.

DLC

Unit 2

1826 Jan. 6th Legis. 2 p.l., [613]-721, [6] p.
1827 Jan. 7th Legis. 2 p.l., [727]-809, [4] p.
1828 Jan. 8th Legis. 2 p.l., [815]-926, [56] p.
1829 Jan. 9th Legis. 112, [7] p.

DLC

Unit 3

1830 Jan. 10th Legis. 2 p.l., [113]-120, 123-207, [6] p.
1831 Jan. 11th Legis. 3 p.l., [209]-337, [10] p.
1832 Jan. 12th Legis. 2 p.l., [339]-451, 12 p.
1833 Jan. 13th Legis. 2 p.l., [453]-587, [13] p.
1834 Jan. 14th Legis. 3 p.l., [589]-780, [12] p.

DLC

Unit 4

1835 Jan. 15th Legis. 3 p.l., [781]-934, [8] p.
1836 Jan. 16th Legis. 4 p.l., 329, [13] p.

B.2b Reel 2

Unit 1

1837 Jan. 17th Legis. [8], [331]-509, [13] p.
1838 Jan. 18th Legis. vii, [511]-604 p., 1 l., [7] p.
1839 Jan. 19th Legis. [5], [607]-685, [7] p.

B.2c Reel 1

Unit 1

1820 May sess. 43, [3] p.
1821 Jan. sess. 1 p.l., [45]-102, [7] p.
1822 Jan. sess. [103]-186, [7] p.
1823 Jan. 3d Legis. [187]-289, [7] p.
1824 Jan. 4th Legis. [291]-299, [299]-367 (sic 369), [6] p.
1825 Jan. 5th Legis. [371]-460, [14] p.

DLC

Unit 2

1826 Jan. 6th Legis. [461]-528, [4] p.
1827 Jan. 7th Legis. [529]-607, [6] p.
1828 Jan. 8th Legis. 1 p.l., [609]-826, [60] p.

DLC

MAINE-Continued

Unit 3

1829 Jan. 9th Legis. 88, [8] p.
1830 Jan. 10th Legis. [8], [89]-149 p., 1 l., [6] p.
1831 Jan. 11th Legis. [8], [147]-325, [15] p.
1832 Jan. 12th Legis. [10], [327]-372, [383]-500, [10] p.

DLC

Unit 4

1833 Jan. 13th Legis. [10], [491]-600, [13] p.
1834 Jan. 14th Legis. [10], [601]-688, [10] p. (n.t.-p.)
1835 Jan. 15th Legis. [10], [689]-788, [8] p.

DLC

B.2c Reel 2

Unit 1

1836 Jan. 16th Legis. 124, [12] p.
1837 Jan. 17th Legis. [10], [135]-231, [11] p.
1838 Jan. 18th Legis. [10], [243]-439, [1], xiii p.
1839 Jan. 19th Legis. 171, [9] p.

B.2 Reel 3

Unit 1

1840 Jan. 20th Legis. [9], 254, [12] p.
1840 Sept. 20th Legis., adj. sess. [4], [257]-287, [3] p.
1841 Jan. 21st Legis. [11], [289]-697, [16] p.

Unit 2

1842 Jan. 22d Legis.
1842 May 22d Legis., ext. sess.
In 1 vol. viii, [1], 41, 69, 156, [2], xi p.
1843 Jan. 23d Legis. viii, [41]-77, [71]-163, [157]-273, [1], xii p.
1844 Jan. 24th Legis. viii, [79]-132, [165]-240, [275]-382, [1], x p.

Unit 3

1845 Jan. 25th Legis. [8], [133]-165, [241]-380, [385]-497, [14] p.

Unit 4

1846 May 26th Legis. [11], [165]-208, [379]-520, [499]-583, [14] p.

B.2 Reel 4

Unit 1

1847 May 27th Legis. ix, 35, 135, 71, [1], x p.
1848 May 28th Legis. ix, [37]-83, [137]-285, [73]-133, [1], xi p.

Unit 2

1849 May 29th Legis. xi, [85]-131, [287]-431, [135]-210, xiii p.
1850 May 30th Legis. xii, [133]-205, [433]-616 (sic 614), [211]-325, xv p.

Unit 3

1851 May 31st Legis. [6], [207]-222, [617]-640, 441-454 (sic 641-654), [327]-375, vi p.

SESSION LAWS

MARYLAND

B.2 Reel 1.1

Unit 1

1638 Feb. sess. 61 p. MS.
(These bills were engrossed to be read the third time. They were not read, and did not pass the House.)

1638 Feb. sess. 61-63 p. MS.
(One bill was "enacted and ordained" at the first meeting of the Assembly on Feb. 25, 1638.)

1638 Mar. 19 sess. 63-66 p. MS.
1640 Oct. 23 sess. 67-71 p. MS.
1641 Aug. 12 sess. 72-75 p. MS.
1641 Mar. 23 sess. 75-105 p. MS.
1640 Oct. 23 sess. 106-128 p. MS.
1650 Apr. 29 sess. 128-134 p. MS.
1658 Apr. 27 sess. 134-139 p. MS.
1661 Apr. 17 sess. 139-147 p. MS.
1662 Apr. 1 sess. 147-149 p. MS.
1663 Sept. 15 sess. 149-152 p. MS.
1664 Sept. 6 sess. 152-154 p. MS.
1666 Apr. 10 sess. 154-162 p. MS.
1669 Apr. 13 sess. 162-183 p. MS.
1671 Mar. 27 sess. 183-205 p. MS.
1671 Oct. 10 sess. 206-222 p. MS.
1674 Apr. 13 sess. 222-249 p. MS.
1674 Feb. 12 sess. 250-254 p. MS.
1676 May 15 sess. 254-301 p. MS.
1678 Oct. 20 sess. 301-365, [1] p. MS. Md-Ar-4535

Unit 2

1676-1688 Index. 1 p.l., [4], [2] p. MS.
1676 May 15 sess. 158 p. MS.
1678 Oct. sess. 159-238 p. MS.
1682 Apr. sess. 239-247 p. MS.
1683 Oct. sess. 247-275 p. MS.
1686 Oct. 26 sess. 275-294 p. MS.
1688 ? sess. 295-310, [3] p. MS. Md-Ar-4536

Unit 3

1692 May sess. 1 p.l., 51 p. MS.
1694 Sept. sess. 52-80 p. MS.
1694 Feb. sess. 81-84 p. MS.
1695 May sess. 84-111 p. MS.
1696 July sess. 111-157 p. MS.
1698 Apr. sess. 157-166 p. MS.
1698 Oct. sess. 166-174 p. MS.
1699 July sess. 175-371 p. MS.
1700 Apr. sess. 372-399 p. MS.
1701/2 Mar. sess. 401-423 p. MS.
1703 Oct. sess. 425-443 p. MS.
1704 Sept. sess. 177 p. MS.

MARYLAND-Continued

1704 Dec. sess. 181-229 p. MS.
1706 Apr. 2 sess. 231-272 p. MS.
1707 Mar. 26 sess. 273-335 p. MS.
1708 Nov. 29 sess. 337-382 p. MS.
1709 Oct. 26 sess. 383-396 p. MS.
1710 Oct. 24 sess. 397-411 p. MS.
Index. [37] p. MS.

Md-Ar-4538

B.2 Reel 1.2

Unit 1

1711 Oct. 23 sess. 27 p. MS.
1712 Oct. 28 sess. 29-62 p. MS.
1713 Oct. 27 sess. 65-102 p. MS.
1714 June 22 sess. 103-112 p. MS.
1714 Oct. 5 sess. 114-115 p. MS.
1715 Apr. 26 sess. 117-282 p. MS.
1716 July 17 sess. 284-347 p. MS.
1717 May 28 sess. 348-382 p. MS.
1718 Apr. 22 sess. 383-420 p. MS.
1719 May 14 sess. 422-472 p. MS.
1720 Apr. 5 sess. 474-489 p. MS.
1720 Oct. 11 sess. 492-514 p. MS.
1721 July 18 sess. 516-535 p. MS.
1721/2 Feb. 20 sess. 536-548 p. MS.
1722 Oct. 9 sess. 549-583 p. MS.
1723 Sept. 23 sess. 584-618 p. MS.
Index. [27] p. MS.

Md-Ar-4539

Unit 2

1724 Oct. 6 sess. 40 p. MS.
1725 Oct. 5 sess. 41-85, [1] p. MS.
1725/6 Mar. 15 sess. 86-116 p. MS.
1726 July 12 sess. 117-142 p. MS.

Md-Ar-5

B.2 Reel 1.1:2

Unit 1

1650 Aug. 6 Toleration act. [14] divisions of a parchment MS.

MdHi-Calvert Papers 122

Unit 2

1649 Apr. sess. [2] l. MS.
1661 Apr. sess. [3] p. MS.
1692 May sess. [1] p. MS.
1704 Sept. sess. [1] p. MS.
(Officially transcribed 1759.)

MdHi-Calvert Papers 813-814

Unit 3

1671 Mar. sess. [3] p. MS.
1674 May sess. [3-6] p. MS.
1676 May sess. [6-7] p. MS.
1650 May sess. [8-9] p. MS.

MARYLAND-Continued

1671 Mar. sess. p. [10] MS.

MdHi-Calvert Papers 815

Unit 4

1661 Apr. sess. [3] l. MS.
1664 Sept. sess. [33] p. MS.
1666 Apr. sess. [40] p. MS.
1676 May sess. [46] l. MS.
1686 Nov. sess. [17] p. MS.
1688 Nov. sess. [21] p. MS.
1706 Apr. sess. 14 p. MS.
1706 July sess. p. 14, 1-12. MS.
1718 May sess. [8] p. MS.

MdHi-Calvert Papers 816-824

B.2 Reel 2

Unit 1

1719 May sess. 1 p.l., 221-248 p.
1720 Apr.-1725 Oct. sess. (No printed copy found. See MS.)
1725/6** Mar. sess. 20 p. (n.t.-p.?)
1726** July sess. 8 p.
1727* Oct. sess. 1 p.l., 16, 21-32 (sic 28) p. (1st issue)
1727 Oct. sess. 1 p.l., 26 p. (Corrected issue)
1728 Oct. sess. 1 p.l., 28 (sic 30) p.
1729 July sess. 1 p.l., 37, [1] p.
1730 May sess. 1 p.l., 45, [1] p.
1731 July sess. 1 p.l., 6 p.
1731 Aug. sess. 27 p.
1732*** July sess. 1 p.l., 44 p.
1732/3 Mar. sess. 44 p.
1733/4 Mar. sess. (No acts passed)
1734/5 Mar. sess. 27, [1] p.

MHL *DLC **MdBD ***Md

Unit 2

1735/6* Mar. sess.
1736* Apr. sess.
In 1 vol. 1 p.l., 26 p.
1737 Apr. sess. 1 p.l., 15, [1] p.
1737 Aug. sess. 1 p.l., 8 p.
1738 May sess. (No acts passed)
1739 May sess. (No acts passed)
1740* Apr. sess. 4 p.
1740** July sess. 1 p.l., 24 p.

MHL *MdHi **DLC

Unit 3

1741*** May sess. 1, 15 p.
1742 Sept. sess. 1 p.l., 56 p.
1744* May sess. 43 p.
1745 Aug. sess. 1 p.l., 18 p.
1745/6 Mar. sess. (No acts passed)
1746 June sess. 22 p.
1746*** Nov. sess. 4 p.

MARYLAND-Continued

1747 May sess. 57 p.
1747 Dec. sess. (No acts passed)
1748 May sess. 32 p.
1749 May 9 sess. (No acts passed)
1749* May 24 sess. 20 p.
1750* May sess. 29, 28-34 p.
1751** May 14 sess. 28, [1] p. (1st ed.)
1751 May 15 sess. 28, [1] p. (2d ed.)
1751 Dec. sess. 6 p.

MHL *MdHi **DLC ***Md

Unit 4

1752 June sess. 19, [1] p.
1753 Oct. sess. 1 p.l., 84 p.
1754 Feb. sess.
1754 May sess.
Together 11 p.
1754 July sess. 13, [1] p.
1754 Dec. sess. 2 p.
1755 Feb. sess. 8 p.
1755 June sess. 12 p.
1756 Feb. sess. 33, [1] p.
1756 Sept. sess. 1 p.l., 7 p.
1757 Apr. sess. 1 p.l., 13 p.
1757 Sept. sess. 1 p.l., 10 p.
1757 Feb. sess. (No acts passed)

MHL

Unit 5

1758 Mar. sess. 1 p.l., 8 p.
1758 Oct. sess. (No acts passed)
1758 Nov. sess. 8 p.
1759 Apr. sess. (No acts passed)
1760 Mar. sess. 6 p.
1760 Sept. sess. 8 p.
1761 Apr. sess. (No acts passed)
1762 Mar. sess. 1 p.l., 16 p.
1763* Oct. sess. [74] p.
1765** Sept. sess.
1765** Nov. sess.
In 1 vol. [44] p.
1766 May sess. [16] p.
1766* Nov. sess. [43] p.
1768* May sess. 52 p.

MHL *MdHi **Md-Ar

B.2 Reel 3

Unit 1

1769 Nov. sess. [37] p.
1770 Sept. sess.
1770 Nov. sess.
In 1 vol. [32] p.
1771* Oct. sess. [46] p.

MARYLAND-Continued

1773 June sess. [23] p.
1773 Oct. sess. (No acts passed)
1773** Nov. sess. [95] p.
1774* Mar. sess. [44] p.

MHL *Md-Ar **MdHi

Unit 2

1777 Feb. sess. [57] p.
1777 June sess. [28] p.
1777 Oct. sess. [50] p.
1778 Mar. sess. [50] p.
1778 June sess. [11] p.
1778 Oct. sess. [77] p.
1779 Mar. sess. [21] p.
1779 July sess. [32] p.
1779 Nov. sess. [82] p.

DLC

Unit 3

1780 Mar. sess. [31] p.
1780 June sess. [74] p.
1780 Oct. sess. [105] p.
1781* May sess. [59] p.
1781* Nov. sess. [71] p.
1782** Apr. sess. [80] p.
1782* Nov. sess. [68] p.

DLC *MHL **NNB

Unit 4

1783* Apr. sess. [47] p.
1783** Nov. sess. [56] p.
1784 Nov. sess. [144] p.

DLC *NNB **MdBD

B.2 Reel 4

Unit 1

1785 Nov. sess. [151] p.
1786 Nov. sess. [50] p.
1787 Apr. sess. [51] p.
1787 Nov. sess. [47] p.
1788 May sess. [18] p.
1788 Nov. sess. [53] p.
1789 Nov. sess. [86] p.
1790 Nov. sess. [95] p.
1791 Nov. sess. [94] p.

DLC

Unit 2

1792* Apr. sess. [7] p.
1792 Nov. sess. [76] p.
1793 Nov. sess. [99] p.
1794 Nov. sess. [80] p.
1795 Nov. sess. [91] p.

DLC *MdHi

MARYLAND-Continued

Unit 3

1796 Nov. sess. [152] p.
1797* Nov. sess. [135] p.
1798* Nov. sess. [97] p.

DLC *MdHi

Unit 4

1799* Nov. sess. [81] p.
1800 Nov. sess. [78] p.
1801 Nov. sess. [108] p.

DLC *NNB

B.2 Reel 5

Unit 1

1802 Nov. sess. [78] p.
1803 Nov. sess. 1 p.l., [90] p.
1804 Nov. sess. 1 p.l., [107] p.
1805 Nov. sess. 1 p.l., [104] p.

DLC

Unit 2

1806 Nov. sess. 1 p.l., [63] p.
1807 Nov. sess. [114] p.
1808 Nov. sess. 1 p.l., [64] p.
1809 June sess. [12] p.
1809 Nov. sess. 1 p.l., [140] p.

DLC

Unit 3

1810 Nov. sess. 1 p.l., [106] p.
1811 Nov. sess. 286 p.
1812 June Ext. sess. 11, [1] p.

DLC

Unit 4

1812 Nov. sess. 254, [1] p.
1813 May Ext. sess. 1 p.l., 31, [1] p.
In 1 vol.
1813 Dec. sess. 1 p.l., 197 p.

DLC

Unit 5

1814 Dec. sess. 1 p.l., 146 p.
1815 Dec. sess. 1 p.l., 229 p.

DLC

B.2 Reel 6

Unit 1

1816 Dec. sess. 238, [8] p.
1817 Dec. sess. 259, [4] p.

DLC

Unit 2

1818 Dec. sess. [159] p.
1819 Dec. sess. [130] p.
1820 Dec. sess. [192] p.

DLC

MARYLAND-Continued

Unit 3

1821 Dec. sess. 184 p.
1822 Dec. sess. 148, [4] p.

DLC

Unit 4

1823 Dec. sess. 176 p.
1824 Dec. sess. 167, [1] p.

DLC

MASSACHUSETTS

B.2 Reel 1

Unit 1

1661 May sess.
1661 Aug. sess.
1662 May sess.
1662 Oct. sess.
1663 Oct. sess.
Together 7 p.
1654 Oct. sess.
1661 May sess.
1661 Dec. sess.
1662 May sess.
1662 Oct. sess.
1664 May sess.
1664 Aug. sess.
1664 Oct. sess.
Together 4 p.
1665 May sess.
1665 Aug. sess.
1665 Oct. sess.
Together 3 p.
1666 May sess.
1666 Oct. sess.
Together 3 p.
1668 Apr. sess. 9 p.
1668 Oct. sess. 1 p.l., 9-20 p.
(p. 17-18 mutilated. w: p. 19-20.)
1661* May-1663 Oct. 7 p.
1665* May-Oct. 3 p.
1666* May-Oct. 3 p.
1668* Oct. sess. 1 p.l., 9-20 p.
1669* May sess. 21-27 p.

MWA *MHL

Unit 2

1672* May sess. 6 p.
1672* Oct. sess.
1673* May sess.
1673* Oct. sess.
Together 7-12 p.

MASSACHUSETTS-Continued

1673/4* Jan. sess. p. 13
1674* May sess. 11 (sic 13)-15 p.
1674 Oct. sess. 17-18 p.
1675 May sess. 17 (sic 19)-21 p.
1675 Oct. sess.
1675 Nov. sess.
Together 1 p.l., 25-40 p.
1675/6 Feb. sess. 41-43 p.
1676 May sess. 45-48 p.
1677 May sess. 49-55 p.
1677 Oct. sess. 57-59 p.
1677 Sundry laws...wherein the duty of tything men is expressed... 3 p.
1678 Oct. sess. 61-64 p.
1679 May sess. 65-68 p.
1679 Oct. sess. 69-72 p.
1679/80 Feb. sess. 74-75 p.
1680 May sess. [2] p.
1680 Oct. sess. 77-79 p.
1680/81 Mar. sess. 82-83 p.

MHL *MB

Unit 3

1679 May-1680/81 Mar. sess. 65-83 p.
1680/81 Mar. sess.
1681 May sess.
1681 Oct. sess.
1681/2 Feb. sess.
Together 87-92 p.
1682 May sess. 1 p.
1682 Oct. sess. 93-96 p.
1683 Mar. sess. 97-99 p.
1683* May sess. 1 p.
1683 Oct. sess. 98-99 p.
1683* Nov. sess. 1 p.
1683/4 Jan. sess. [1] p.
1683/4* Feb. sess. 1 p.
1684* May sess. 100-101 p.
1684 July sess. 103-105 p.
1684* Sept. sess. 107-109 p.
1684 Oct. sess. 110-111 p.
1684/5* Jan. sess. 1 p.
1685* May sess.
1685* Oct. sess.
Together 121-123 p.
1685/6* Feb. sess. 125-126 p.
1690/91 Feb. sess. (Not found)

MB *MBAt

Unit 4

1692 June sess. 1 p.l., 16 p.
1692 Oct. sess. 3 p.l., 90 p.

MASSACHUSETTS-Continued

1692/3 Feb. sess. 1 p.l., 6 p.
1692/3 Mar. sess. 1 p.l., 2 p.

MWA

Unit 5

1692* June sess. 16 p. (w: 1 p.l.)
1692* Oct. sess. 2 p.l., 90 p.
1692/3* Feb. sess. 1 p.l., 6 p.
1692/3* Mar. sess. 1 p.l., 2 p.
1693 May sess. 15 p.
1693 July sess. 4 p.
1693 Nov. sess. 1 p.l., 18-48 p.
1693/4 Feb. sess. 1 p.l., 49-60 p.
1694 May sess. 1 p.l., 61-76 p.
1694 Sept. sess. 1 p.l., 77-85 p.
1694 Oct. sess. 1 p.l., 87-95 p.
1694/5 Feb. sess. 1 p.l., 97-114 p.
1695 May sess. 1 p.l., 117-134 p.
1695 Aug. sess. 1 p.l., 137-138 p.
1695 Nov. sess. 1 p.l., 141-150 p.
1695/6 Feb. sess. 1 p.l., 153-157 p.

M *MHL

Unit 6

1696 May sess. 1 p.l., 159-175 p.
1696 Sept. sess. [177]-180 p.
1696 Nov. sess. 1 p.l., 181-197 p.
1696/7 Mar. sess. (No laws passed)
1697 May sess. 1 p.l., 199-228 p.
1697 Sept. sess. (No laws passed)
1697 Oct. sess. 1 p.l., 229-247 p.
1697 Dec. sess. (No laws passed)
1698 May sess. 1 p.l., 251-300 p.
1698 Nov. sess. 1 p.l., 301-321 p.

MHL

Unit 7

1699 May sess. (In 1699 Revision)
1699/1700 Mar. sess. 159-176 p.
1700 May sess. 177-192 p.
1700/1701 Feb. sess.
1701 Apr. sess.
Together 193-204 p.
1701 May sess. 205-223 p.
1701 July sess. (No laws passed)
1701 Sept. sess. (No laws passed)
1701 Oct. sess. (No laws passed)
1701/2 Feb. sess. (No laws passed)
1702 May sess. 225-228 p.
1702 Oct. sess. 229-239 p.
1702/3 Mar. sess. 241-244 p.
1703 May sess. 245-246 p.
1703 Sept. sess. 247-253 p.

MASSACHUSETTS-Continued

1703 Oct. sess. 255-260 p.
1703/4 Mar. sess. 261-262 p.
1704 Apr. sess. (No laws passed)
1704 May sess. 263-266 p.
1704 May 2 acts. 2, 4 p.
1704 Aug. sess. 267-269 p.
1704 Oct. sess. 271-272 p.
1704 Dec. sess. 273-274 p.
1704/5 Feb. sess. (No laws passed)
1705 May sess. 275-277 p.
1705 Sept. sess. (No laws passed)
1705 Oct. sess. 279-289 p.
1706 Apr. sess. (No laws passed)
1706 May sess. 291-296 p.
1706 Aug. sess. 297-300 p.
1706 Oct. sess. 301-304 p.
1706/7 Mar. sess. p. 305
1707 Apr. sess. (No laws passed)
1707 May sess. 307-310 p.
1707 Aug. sess. 311-313 p.
1707 Oct. sess. 315-319 p.
1708 May sess. 321-324 p.
1708 Oct. sess. 325-331 p.
(Incl. Act of Parliament)
1708/9 Feb. sess. 333-335 p.
1709 May sess. 337-340 p.
1709 July sess. (No laws passed)
1709 Aug. sess. (No laws passed)
1709 Sept. sess. (No laws passed)
1709 Oct. sess. 341-342 p.
1709/10 Feb. sess. 343-344 p.
1710 May sess. 345-354 p.
1710 July sess. (No laws passed)
1710 Aug. sess. (No laws passed)
1710 Oct. sess. 355-357 p.
1710/11 Mar. sess. (No laws passed)
1711 Apr. sess. (No laws passed)
1711 May sess. 359-362 p.
1711 July 5 sess. (No laws passed)
1711 July 18 sess. (No laws passed)
1711 Aug. sess. (No laws passed)
1711 Oct. sess. 363-366 p.
1711/12 Mar. sess. 367-376 p.
1712 May sess. 377-379 p.
1712 Aug. sess. 381-383 p.
1712 Oct. sess. 385-387 p.
1712 Dec. sess. (No laws passed)
1712/13 Mar. sess. 389-391 p.
1713 May sess. 393-396 p.

MHL

MASSACHUSETTS-Continued

Unit 8

1713* May sess. 393-396 p.
1713* Aug. sess. 397-398 p.
1713* Oct. sess. 399-406 p.
1713/14 Feb. sess. (In 1714 Revision)
1714 May sess. 241-247 p.
1714 Sept. sess. (No laws passed)
1714 Oct. sess. 249-252 p.
1715 May sess. 253-254 p.
1715 July sess. 255-258 p.
1715 Aug. sess. (No laws passed)
1715 Nov. sess. 259-268 p.
1716 May sess. 269-278 p.
1716 Aug. sess. (No laws passed)
1716 Nov. sess. 279-286 p.
1717 Apr. One act passed. (Not printed)
1717 May sess. 287-289 p.
1717 Oct. sess. 291-294 p.
1717/18 Feb. sess. 295-298 p.
1718 May sess. 299-309 p.
1718 Oct. sess. 311-314 p.
1718/19 Mar. sess. (No laws passed)
1719 May sess. 315-318 p.
1719 Nov. sess. 319-326 p.
1720 May sess. (No laws passed)
1720 July sess. 327-330 p.
1720 Nov. sess. 331-338 p.
1720/21 Mar. sess. 339-345 p.
1721 May sess.
1721 June sess.
Together 347-350 p.
1721 Aug. sess. 351-356 p., 1 l., 357-358 p.
1721 Nov. sess. 359-360 p.
1721/2 Mar. sess. (Not printed)
1722 May sess. 361-367 p.
1722 Aug. sess. 369-372 p.
1722 Nov. sess. 373-380 p.
1723 May sess. 381-386 p.
1723 Aug. sess. 387-392 p.
1723 Oct. sess. 393-395 p.
1724 Apr. sess. (No laws passed)

MHL *NN

Unit 9

1724* May sess. p. 397.
1724* Nov. sess. 399-411 p.
1725 May sess. Two acts passed. (Not printed?)
1725* Nov. sess. 413-422 p.
1726 Apr. sess. (No laws passed)

MASSACHUSETTS-Continued

1726* May sess. 423-430 p.
1726 Aug. sess. (No laws passed)
1726 Nov. sess. 349-354 p.
1727 May sess. 355-370 p.
1727 Aug. sess. 371-373 p.
1727 Oct. sess. 375-376 p.
1727 Nov. sess. 377-400 p.
1728 May sess. 401-412 p.
1728 July sess. 413-416 p.
(See also omitted act, p. 425.)
1729 Apr. sess. 417-418 p.
1729 Aug. sess. 418-419 p.
1729 Nov. sess. 421-425 p.
(Incl. omitted act of July 1728.
1730 May sess. (No laws passed)
1730 June sess. (No laws passed)
1730 Sept. sess. 426-436 p.
1730/31 Feb. sess. 437-456 p.
1731 May sess. 457-462 p.
1731 Sept. sess. (No laws passed)
1731 Nov. sess. 463-468 p.
1731 Dec. sess. 469-476 p.
1732 May sess. 477-483 p.
1732 Nov. sess. 485-490 p.
1733 Apr. sess. 491-498 p.
1733 May sess.
1733 Aug. sess.
Together 499-500 p.
1733 Oct. sess. 501-508 p.
1734 Jan. sess. 509-510 p.
1734 Apr. sess. 511-512 p.
1734 May sess. 513-525 p.
1734 Sept. sess. (No laws passed)
1734 Nov. sess. 527-530 p.
1735 Apr. sess. 531-534 p.
1735 May sess. 535-549 p.
1735 Sept. sess. (No laws passed)
1735 Nov. sess. 551-558 p.
1735/6 Mar. sess. 559-560 p.
1736 May sess 561-564 p.
1736 Nov. sess. 565-592 p.
1737 May sess. 593-626 p.
1737 Aug sess. (No laws passed)
1737 Oct. sess. (No laws passed)
1737 Nov. sess. 627-644 p.
1738 May sess. 645-665 p.
1738 Nov sess. 667-684 p.
1739 May sess. 685-691 p.
1739 Sept. sess. (No laws passed)
1739 Dec. sess. 693-698 p.

MASSACHUSETTS-Continued

1739/40 Mar. sess. 699-700 p.
1740 May sess. 701-714 p.
1740 Aug. sess. 715-716 p.
1740** Nov. sess. 715-720 (sic 717-722) p.
1741** Mar. sess. 721-728 (sic 723-730) p.
1741 May sess. (No laws passed)
1741** July sess. 729-735 (sic 731-737) p.
1741 Aug. sess. (No laws passed)
1741** Sept. sess. 737-742 (739-744) p.
1741** Nov. sess. 745-757 p.
1741/2 Mar. sess. 759-766 p.
1742 May sess. 767-789 p.

MHL *PHi **MWA

B.2a Reel 2

Unit 1

1742 Sept. sess. (No laws passed)
1743 Mar. sess. 335-337 p.
1743 May sess. 339-340 p.
1743 Sept. sess. 341-344 p.
1743 Oct. sess. 345-348 p.
1743/4 Feb. sess. 349-356 p.
1744 Aug. sess. 357-359 p.
1744 Oct. sess. 361-362 p.
1744 Nov. sess. 363-366 p.
1745 Sept. sess. (No laws passed)
1745 Dec. sess. 367-372 p.
1746 Sept. sess. (No laws passed)
1746 Nov. sess. 373-374 p.
1746/7 Mar. sess. (No laws passed)
1747 Aug. sess. 375-377 p.
1747 Nov. sess. (No laws passed)
1747/48 Feb. sess. 379-380 p.
1748 Apr. sess. (No laws passed)
1748 Dec. sess. 381-390 p.
1749 Nov. sess. 391-394 p.
1749/50 Mar. sess. 395-398 p.
1750 Sept. sess. 399 p.
1750/51 Jan. sess. 401-404 p.
1751 Mar. sess. 405-410 p.
1751 May sess. 411-420 p.
(Incl. Act of Parliament)
1751 Dec. sess. 421-424 p.
1752 Apr. sess. (No laws passed)
1752 May sess. 425-430 p.
(Incl. Act of Parliament)
1752 Nov. sess. 431-432 p.
1753 Mar. sess. 433-438 p.

MASSACHUSETTS-Continued

1753 May sess. 439-443 p.
1753 Sept. sess. 445-446 p.
1753 Dec. sess. 447-452 p.
1754 Mar. sess. 453-460 p.
1754 May sess. 461-462 p.
1754 Oct. sess. 463-467 p.
1755 Feb. sess. 469-470 p.
1755 Apr. sess. (No laws passed)
1755 May sess. p. 471.
1755 Sept. 24 sess. p. 473.
1756 July sess. (No laws passed)
1756 Oct. sess. 475-476 p.
1756 Nov. sess. (No laws passed)
1757 Jan. sess. 477-480 p.
1757 Mar. sess. 491-493 (sic 481-483) p.
1757 May sess. 495-496 (sic 485-486) p.
1757 Nov. sess. 487-489 p.
1758 Mar. sess. 491-492 p.
1758 Apr. sess. p. 493.

MHL

Unit 2

1758 Oct. sess. p. 495.
1758 Dec. sess. 497-503 p.
1759 Feb. sess. 505-508 p.
1759 May sess. 509-510 p.
1759 Oct. sess. 511-420 (sic 514) p.
1760 Jan. sess. 421-424 (sic 515-518) p.
1760 Mar. sess. p. 425 (sic 519)
1760 May sess. 427-432 (sic 521-526) p.
1760 Dec. sess. 433-436 (sic 527-530) p.

NNB

Unit 3

1761 Mar. sess. 397-403 p.
1761 May sess. 405-409 p.
1757 Jan. sess. 411-414 p. (Omitted laws)
1761 Nov. sess. 415-418 p.
1762 Jan. sess. 419-429 p.
1762 Apr. sess. 430-431 p.
1762 May sess. 433-436 p.
1762 Sept. sess. 437-439 p.
1763 Jan. sess. 441-444 p.
1763 May sess. 445-450 p.
1763 Dec. sess. 451-455 p.
1764 May sess. 457-479 p. (Incl. Acts of Parliament)
1764 Oct. sess. 479-480 p.
1765 Jan. sess. 481-489 p.
1765 May sess. 491-497 p.
1765 Sept. sess. 499-500 p.

MASSACHUSETTS-Continued

1766 Jan. sess. 501-503 p.
1766 May sess. 505-518 p.
(Incl. Act of Parliament)
1766 Oct. sess. 519-521 p.
1767 Jan. sess. 523-530 p.
1767 May sess. 531-542 p.
(Incl. Act of Parliament)
1767 Dec. sess. 543-548 p.
1768 May sess. 549-560 p.
(Incl. Act of Parliament)
1770 Mar. sess. 561-568 p.
1770 May sess. (No laws passed)
1770 July sess. (No laws passed)
1770 Sept. sess. 569-575 p.
1771 Apr. sess. 577-584, 558-562 (sic 585-589) p.
1771 May sess. 591-599 p.
1772 Apr. sess. 601-606 p.
1772 May sess.
1772 June sess.
Together 607-623 p.
1773 Jan. sess. 625-642 p.
1773 May sess. 643-650 p.
1774* Jan. sess. 651-666 p.
1774 May sess.
1774 June sess.
Together 667-679 p. (Incl. Acts of Parliament)
Index. 6 p. MS.

MHL *M

B.2b Reel 2

Unit 1

1742 Sept. sess. (No laws passed)
1742 Nov. sess. 57-74 p.
1743 Mar. sess. 75-76 p.
1743 May sess. 77-81 p.
1743 Sept. sess. 83-89 p.
1743 Oct. sess. 91-97 p.
1743/4 Feb. sess. 99-109 p.
1744 May sess. 111-124 p.
1744 Aug. sess. 125-127 p.
1744 Oct. sess. 229-232 (sic 129-132), 133-135 p.
1744 Nov. sess. 137-158 p.
1745 May sess. 159-171 p.
1745 July sess. 173-176 p.
1745 Sept. sess. (No laws passed)
1745 Oct. sess. p. 177.
1745 Dec. sess. 179-190 p.
1746 May sess. 191-201 p.

MASSACHUSETTS-Continued

1746 Aug. 4 sess. 203-205 p.
1746 Aug. 27 sess. 207-214 p.
1746 Sept. sess. (No laws passed)
1746 Nov. sess. 215-218 p.
1746 Dec. sess. [219]-228 p.
1746/7 Mar. sess. (No laws passed)
1747 Apr. sess. 229-241 p.
1747 May sess. 243-249 p.
1747 Aug. sess. 251-254 p.
1747 Oct. sess. 255-258 p.
1747 Nov. sess. (No laws passed)
1747/8 Feb. sess. 259-261 p.
1748 Apr. sess. (No laws passed)
1748 May sess. 263-274 p.
1748 Oct. sess. 275-277 p.
1748 Dec. sess. 279-283 p.
1749 Apr. sess. 285-286 p.
1749 May sess.
1749 Aug. sess.
Together 287-295 p.
1749 Nov. sess. 297-306 p.
1749/50 Feb. (sic Mar.) 307-315 p.
1750 May sess. 317-322 p.
1750 Sept. sess. 333-342 (sic 323-332) p.
1750/51* Jan. sess. 333-341 p.
1751** Mar. sess. 343-346 p.
1751** May sess. 347-354 p.
1751 Oct. sess. p. 355.
1751 Dec. sess. 357-362 p.
1752 Apr. sess. (No laws passed)
1752 May sess. 363-370 p.
1752 Nov. sess. 371-382 p.
1753 Mar. sess. 383-389 p.
1753 May sess. 391-400 p.
1753 Sept. sess. 401-403 p.
1753 Dec. sess. 405-414 p.

MHL *M **DLC

Unit 2

1753 Dec. sess. p. 415.
1754 Mar. sess. 417-424 p.
1754 May sess. 425-431 p.
1754 Oct. sess. 433-452 p.
1755 Feb. sess. 453-455 p.

NNB

Unit 3

1755 Mar. 3 sess. (In 1755 Revision)
1755 Apr. sess. (No laws passed)
1755 May sess. 167-174 p.
1755 Aug. sess. 175-176 p.
1755 Sept. 5 sess. 177-180 p.

MASSACHUSETTS-Continued

1755 Sept. 24 sess. 181-182 p.
1755 Oct. sess. 183-186 p.
1755 Dec. sess. 187-188 p.
1756 Jan. sess. 189-220 p.
1756 Mar. sess. 221-230 p.
1756 May sess. 231-237 p.
1756 July sess. (No laws passed)
1756 Aug. sess. 239-240 p.
1756 Oct. sess. 241-250 p.
1756 Nov. sess. (No laws passed)
1757 Jan. sess. 251-281 p.
1757 Mar. sess. 283-292 p.
1757 May sess. 293-300 p.
1757 Aug. sess. 301-318 p.
1757 Nov. sess. 319-339 p.
1758 Mar. sess. 341-348 p.
1758 Apr. sess. 349-454 (sic 354) p.
1758 May sess. 355-363 p.
1758 Oct. sess. 365-366 p.
1758 Dec. sess. 367-372 p.
1759 Feb. sess. 373-394 p.
1759 Apr. sess. 395-406 p.
1759 May sess. p. 407.
1759 Oct. sess. 409-420 p.
1760 Jan. sess. 421-448 p.
1760 Mar. sess. 449-455 p.
1760 Apr. sess. 457-466 p.
1760 May sess. 467-477 p.
1760 Aug. sess. 479-480 p.
1760 Dec. sess. 481-491 p.
1761 Mar. sess. 493-498 p.
1761 May sess. 499-509 p.
1762 Jan. sess. 511-536 p.
1762 Apr. sess. 537-540 p.
1762 May sess. 541-550 p.
1763 Jan. sess. 551-561 p.

MHL

Unit 4

1763 May sess. 181-190 p.
1763 Dec. sess. 191-202 p.
1764 May sess. 203-213 p.
1764 Oct. sess. p. 215.
1765 Jan. sess. 217-263 p.
1765 May sess. 265-293 p.
(Incl. Act of Parliament)
1765 Sept. sess. p. 295.
1766 Jan. sess. 297-316 p.
1766 May sess. 317-347 p.
(Incl. Acts of Parliament)
1767 Jan. sess. 349-364 p.

MASSACHUSETTS-Continued

1767 May sess. 365-371 p.
1767 Dec. sess. 373-388 p.
1768 May sess. 389-402 p.
(Incl. Act of Parliament)
1769 May sess. 403-415 p.
1770 Mar. sess. 417-428 p.
1770 May sess. (No laws passed)
1770 July sess. (No laws passed)
1770 Sept. sess. 429-450 p.
1771 Apr. sess. 451-454 p.
1771 May sess. 455-460 p.
1772 Apr. sess. 461-466 p.
1772 May sess.
1772 June sess.
Together 467-477 p.
1773 Jan. sess. 479-500 p.
1773 May sess. 501-507 p.
1774 Jan. sess. 509-516 p.
1774 May sess.
1774 June sess.
Together 517-528 p. (Incl. Acts of Parliament)

MHL

B.2a:b Reel 3

Unit 1

1775* July sess. 7 p.
1775* Sept. sess. 9-13 p.
1775* Nov. sess.
1776* Mar. sess.
Together 15-59 p.
1776* May sess. 61-59 (sic 69) p.
1776* Aug. sess.
1776* Oct. sess.
In 1 vol. 71-106 p.
1777 Mar. sess. 107-137 p.
1775 (sic 1777) May sess.
1777 Aug. sess.
1777 Sept. sess.
1777 Nov. sess.
1778 Jan. sess.
1778 Apr. sess.
In 1 vol. 139-178 p.
1775 (sic 1778) May sess. 179-189 p.
1778 Sept. sess. 191-207 p.
1779 Jan. sess. 209-222 p.
1779 Apr. sess. 223-237 p.
1779 May sess. 229 (sic 239)-251 p.
1779 Sept. sess. 253-258 p.
1779 Nov. sess. 259-277 p.
1780 Mar. sess. 279-297, 296-309 p.

MASSACHUSETTS-Continued

1780 May sess. 311-317 p.
1780 Sept. sess. 319-329 p.

DLC *MHL

Unit 2

1780 Oct. sess.
1781 Jan. sess.
In 1 vol. 49 p.
1781 Apr. sess. 51-74 p.
1781 May sess. 75-85 p.
1781 Sept. sess. 87-107 p.
1782 Jan. sess. 109-121 p.
1782 Apr. sess. 123-131 p.
1782 May sess. 133-163 p.
1782 Sept. sess. 165-205, 5 p.
1783 Jan. sess. 207-245 p.
1783 May sess.
1783 Sept. sess.
In 1 vol. 44, 41-44 p.
1784 Jan. sess. 49-129 p.
1784 May sess. 131-196 p.
1784 Oct. sess. 197-218 p.
1785 Jan. sess. 219-279 p.
1785 May sess. 281-308, 509-513 (sic 309-313) p.
1785 Oct. sess. 314-342 p.
1786 Feb. sess. 344-434 p.
1786 May sess. 435-485 p.
1786 Sept. sess. 487-526, 526-545 p.

DLC

Unit 3

1787 Jan. sess. 546-627 p.
1787 Apr. sess. 628-630 p.
1787 May sess. 632-644 p.
1787 Oct. sess. 646-665 p.
1788 Feb. sess. 662-693 p.
1788 May sess. 694-715 p.
1788 Oct. sess. 716-722 p.
1788 Dec. sess. 724-727, 727-746 p.
1789 May sess. 32 p.
1790 Jan. sess. 33-74 p.
1790 May sess. 75-87 p.
1791 Jan. sess. 75-105 p.
1791 May sess. 107-120 p.
1792 Jan. sess. 121-189 p.
1792 May sess. 191-222 p.
1792 Nov. sess. 223-230 p.

DLC

MASSACHUSETTS-Continued

B.2a:b Reel 4

Unit 1

1793 Jan. sess. 231-287 p.
1793 May sess. 289-328 p.
1793 Sept. sess. 329-336 p.
1794 Jan. sess. 337-403 p.
1794 May sess. 405-434 p.
1795* Jan. sess. 435-491 p.
1795 May sess. 493-521 p.
1796 Jan. sess. 523-582 p.
1796* May sess. 23 p.
1796* Nov. sess. 8, 33-40 p.
1797* Jan. sess. 41-120 p.
1797* May sess. 121-154 p.
1798* Jan. sess. 155-206 p.
1798 May sess. 207-136 (sic 236) p.

DLC *MHL

Unit 2

1799 Jan. sess. 237-294 p.
1799 May sess. 295-339 p.
1800 Jan. sess. 341-410 p.
1800* May sess. 411-438 p.
1800 Nov. sess.
1801 Jan. sess.
In 1 vol. 439-482 p.
1801 May sess. 483-518 p.
1802 Jan. sess. 519-584 p.
1802 May sess. 48 p.
1803 Jan. sess. 49-234 p.
1803 May sess. 235-324 p.

DLC *MHL

Unit 3

1804* Jan. sess. 325-496 p.
1804 May sess. 497-542 p.
1804 Nov. sess.
1805 Jan. sess.
In 1 vol. 543-697 p.
1805 May sess. 29 p.

DLC *MHL

B.2a:b Reel 5

Unit 1

1805 May sess. 34 p. (First octavo)
1806 Jan. sess. [35]-154, 4 p.
In 1 vol.
1806 May sess. 29, [1] p.
1807 Jan. sess. 130, [3] p.
1807 May sess. 72 p.

DLC

Unit 2

1808 Jan. sess. [237]-392, [7] p.

MASSACHUSETTS-Continued

1808 May sess. [393]-415, [1] p.
1808 Nov. sess. [417]-420 p.
1809 Jan. sess. [421]-509, [11] p.
1809 May sess. 47, [3] p.

DLC

Unit 3

1810 Jan. sess. [53]-226, [4] p.
1810 May sess. [227]-254, [2] p.
1811 Jan. sess. [255]-382, [4] p.
1811 May sess. 1 p.l., [383]-509, [8] p.

DLC

Unit 4

1812 Jan. sess. 3 p.l., [511]-618, [10] p.
1812 May sess. 131, [3] p.
1812 Oct. sess. 1 p.l., [133]-148 p.
1813 Jan. sess. [149]-222, [4] p.
1813 May sess. 1 p.l., [223]-307, [5] p.

DLC

B.2a:b Reel 6

Unit 1

1814 Jan. sess. 1 p.l., [309]-477, [4] p.
1814 May sess. 1 p.l., [479]-559, [4] p.
1814 Oct. sess. 1 p.l., [559]-584 p.
1815 Jan. sess. [585]-716 p.
1815 May sess. 37, [3] p.

Unit 2

1816 Jan. sess. 1 p.l., [41]-183, [5] p.
1816 May sess. 1 p.l., [185]-281, [5] p.
1816 Nov. sess. 1 p.l., [283]-386, [5] p.
1817 May sess. 1 p.l., [387]-456, [3] p.
1818 Jan. sess. 1 p.l., [457]-656, [22] p.
1818 May sess. 60, [3] p.

DLC

B.2c Reel 3

Unit 1

1776 May sess. 59 p.
1776 Aug. sess. 21 p.
1776 Oct. sess. 25 p.
1776 Nov. sess. 40 p.
1776 Dec. sess. 37 p.
1777* Mar. sess. 51, 15 p.
1777 May sess. 40, 4 p.
1777* Aug. sess. 14 p.
1777 Sept. sess. 40, 4 p.
1777 Nov. sess. 18 p.
1778 Jan. sess. 59 p.
1778* Apr. sess. 39, 15 p.
1778 May sess. 34 p.
1778 Sept. sess. 35-71 p.
1779 Jan. sess. 73-138 p.

MASSACHUSETTS-Continued

1779 Apr. sess. 139-177, xi p.

DLC *MHL

Unit 2

1779 May sess. 65 p.
1779 Sept. sess. 67-124 p.
1779 Nov. sess. 125-159 p.
1779 Dec. sess. 161-196 p.
1780* Mar. sess. 197-268 p.
1780 May sess. 60 p.
1780 Sept. sess. 61-111 p.

DLC *MHL

Unit 3

1780 Oct. sess. 53 p.
1781 Jan. sess. 55-154 p.
1781 Apr. sess. 155-208 (sic 216) p.
1781 May sess. 72 p.
1781* Sept. sess. 73-127 p.
1782 Jan. sess. 129-209 p.
1782* Apr. sess. 210-245 p.
1782 May sess. 52 p.
1782 Sept. sess. 53-114 p.

MHL *DLC

B.2c Reel 4

Unit 1

1783 Jan. sess. 145-221 p. (Error in pagination, p. 115-144 omitted.)
1783 May sess. 41 p.
1783 Sept. sess. 43-81 p.
1784* Jan. sess. 83-151 p.
1784 May sess. 51 p.
1784 Oct. sess. 53-91 p.
1785 Jan. sess. 93-162, 12 p.

DLC *MHL

Unit 2

1785 May sess. 63 p.
1785 May sess. Supp. 65-80 p.
1785 Oct. sess. 81-149 p.
1786 Feb. sess. 151-250, 18 p.
1786 May sess. 86 p.
1786 Sept. sess. 87-168 p.
1787 Jan. sess. 169-257 p.
1787* Apr. sess. 259-292, 22 p.

DLC *MHL

Unit 3

1787 May sess. 46 p.
1787 Oct. sess. 47-97 p.
1788 Feb. sess. 99-142, 10 (sic 14) p.

MASSACHUSETTS-Continued

1788 May sess. 38 p.
1788 Oct. sess. 39-70 p.
1788 Dec. sess. 71-125, 11 p.

DLC

Unit 4

1789 May sess. 42 p.
1790 Jan. sess. 43-93, 8 p.
1790 May sess. 30 p.
1790 Sept. sess. 31-35 p.
1791* Jan. sess. 36-81, 8 p.
1791 May sess. 32 p.

DLC *MHL

B.2c Reel 5

Unit 1

1792* Jan. sess. 33-78, 9 p.
1792 May sess. 28 p.
1792* Nov. sess. 79 (sic 29)-37 p
1793 Jan. sess. 39-81, 9 p.
1793 May sess. 21 p.
1793 Sept. sess. 21-32 p.
1794 Jan. sess. 33-61, 7 p.

DLC *MHL

Unit 2

1794 May sess. 35, 7 p.
1795* Jan. sess. 37-70, 8 p.
1795 May sess. 23 p.
1796 Jan. sess. 25-51 p.
1796 May sess. 24 p.
1796* Nov. sess. 25-44 p. (See Erratum p. 44)
1797 Jan. sess. [45]-88 p.
1797 May sess. 30 p.
1798 Jan. sess. 31-76, 6 p. (w: 6 p.)

DLC *MHL

Unit 3

1798 May sess. 36 p.
1799 Jan. sess. [37]-84 p.
1799 May sess. 34 p.
1800* Jan. sess. [35]-80, vi p.
1800 May sess. 28 p.
1800 Nov. sess. 29-36 p.
1801 Jan. sess. [37]-86, vi p.
1801 May sess. 32 p.
1802 Jan. sess. [33]-87, [5] p.

DLC *MHL

Unit 4

1802 May sess. 23 (sic 32) p.
1803 Jan. sess. [33]-78, v p.
1803 May sess. 35 p.

MASSACHUSETTS-Continued

1804 Jan. sess. [37]-98, [7] p.
1804* May sess. 40 p.
1804 Nov. sess. 7, [1] p.
1805 Jan. sess. [41]-96, [7] p.
1805 May sess. 39 p.
1806 Jan. sess. [41]-96, [4] p.

DLC *MHL

B.2c Reel 6

Unit 1

1806 May sess. 1 p.l., [8], 30, [2] p.[1]
1807 Jan. sess. 72, [2], [5] p.
1807 May sess. 57 p.
1808 Jan. sess. [59]-152, [6] p.
1808 May sess. [8], [152]-204, [2] p.

DLC

Unit 2

1808 Nov. sess. [7], [205]-220 p.
1809 Jan. sess. [221]-302, [5] p.
In 1 vol.
1809 May sess. [13], [303]-368, [4] p.
1810 Jan. sess. [373]-477, [5] p.
1810 May sess. 62, [2] p.

DLC

Unit 3

1811 Jan. sess. [63]-165, [4] p.
1811 May sess. 1 p.l., [167]-268, [4] p.
1812 Jan. sess. 1 p.l., [269]-409, [5] p.
1812 May sess. 71, [4] p.

DLC

Unit 4

1812 Oct. sess. 1 p.l., [73]-108 p.
1813 Jan. sess. [109]-209, [5] p.
In 1 vol.
1813 May sess. 1 p.l., [211]-343, [4] p.
1814 Jan. sess. 1 p.l., [345]-470, [4] p.
1814 May sess. 1 p.l., [471]-555, [4] p.

DLC

B.2c Reel 7

Unit 1

1814 Oct. sess. 1 p.l., [555]-579 p.
1815 Jan. sess. [580]-692 p., 2 l., 32 p.
In 1 vol.
1815 May sess. 80, [4] p.
1816 Jan. sess. [81]-195, [8] p.
1816 May sess. 1 p.l., [197]-279, [4] p.
1816 Nov. sess. 1 p.l., [281]-381, [6] p.

DLC

1. Index. [2] p. Bound with 1807 Jan. sess.

MASSACHUSETTS-Continued

Unit 2

1817 May sess. 1 p.l., [383]-466, [5] p.
1818 Jan. sess. 2 p.l., [467]-555, [7] p.
1818 May sess. 2 p.l., [557]-652, [4] p.
DLC

MICHIGAN

B.2 Reel 1

Unit 1

1805 July-Oct. sess. 1 p.l., 5-61 p. MS.
(Copy of a negative photo.)
MiD-B

Unit 2[1]

1806 Oct. sess. 7 p. MS.
1807 Jan. sess. 8-11 p. MS.
1808 Dec. sess. p. 12. MS.
1809 Jan. sess. 14-186 p. MS.
1810 Sept. sess. 188-210 p. MS.
1811 Dec. sess. 210-245 p. MS.
1812 Aug. sess. 246-255 p. MS.
1814 Oct. sess. 256-275 p. MS.
List of acts. [9] p. MS.
1815 Feb. sess. [100] p. MS.
1816 Dec. sess. [20] p. MS.
1817 Apr. sess. [192] p. MS.
1818 June sess. [172] p. MS.
1819 May sess. [210] p. MS.
Mi-Secy.

Unit 3

1806 Sept.-Jan. 1811 Legis. record of the laws of Mich. 84, 84-295 p. MS.
Mi-Secy.

Unit 4

1811 Jan.-Feb. 1815 Legis. record of the laws of Mich. 66 p. MS.
Mi-Secy.

B.2 Reel 2

Unit 1

1814-1820 Oct. 1814-Dec. 1820 Legis. records of the Territory of Mich. 302 p. MS.
1821-1823* Legis. Board. 40 p.
Mi-Secy. *DLC

Unit 2

1824 June 1st Legis. Council, 1st sess. 88 p.
1825 Jan. 1st Legis. Council, 2d sess. 145 p.
DLC

1. Original enrolled acts.

MICHIGAN-Continued

Unit 3

1826 Nov. 2d Legis. Council, 1st sess.
(In Revision, 1827)

1827 Jan. 2d Legis. Council, 2d sess.
(In Revision, 1827)

1828 May 3d Legis. Council, 1st sess.
102 p.

1829 Sept. 3d Legis. Council, 2d sess.
111 p.

1830* May 4th Legis. Council, 1st sess.
1 p.l., 64 p.

1831 Jan. 4th Legis. Council, 2d sess.
85, [1] p.

DLC *MiD-B

Unit 4

1832 May 5th Legis. Council, 1st sess.
96 p.

1833 Jan. 5th Legis. Council, 2d sess.
(In Revision, 1833)

1834 Jan. 6th Legis. Council, 1st sess.
263 p.

DLC

Unit 5

1834 Sept. 6th Legis. Council, ext. & 2d sess. 224 p.

1835 Aug. 6th Legis. Council, spec. sess.
117, [2] p.

DLC

B.2 Reel 3

Unit 1

1835 Nov. 1st sess.
1836 Feb. Ann. sess.
1836 July Ext. sess.
In 1 vol. 396 p.

Unit 2

1837 Jan. Ann. sess.
1837 June Spec. sess.
In 1 vol. 354 p.

Unit 3

1837 Nov. Adj. sess.
1838 Jan. Reg. sess.
In 1 vol. 300, 11 p.

Unit 4

1839 Jan. Ann. sess. viii, 382 p.
Treas. Report. p. [267]-357.

Unit 5

1840 Jan. Ann. sess. viii, 274 p.
Treas. Report. p. [257]-261.

1841 Jan. Ann. sess. vii, [9]-304.
Aud. Report. p. [239]-304.

MICHIGAN-Continued

B.2 Reel 4

Unit 1

1842 Jan. Ann. sess. vii, 213, [223]-239 p. table.
Treas. Report. p. [177]-185. Aud. Report. p. [187]-213.

1843 Jan. Ann. sess. vi p., 1 l., 270, [1] p.
Treas. Report. p. [237]-253.

Unit 2

1844 Jan. Ann. sess. viii, 213 p.
Treas. Report. p. [183]-195.

1845 Jan. Ann. sess. viii, [2], 190 p.
Treas. Report. p. [171]-180.

Unit 3

1846 Jan. Ann. sess. xiv p., 1 l., 347 p.
Treas. Report. p. [317]-320.

1847 Jan. Ann. sess. x p., 1 l., 234 p.
Treas. Report. p. 220-224.

Unit 4

1848 Jan. Ann. sess. xix, 495 p.
Treas. Report. p. [469]-473.

B.2 Reel 5

Unit 1

1849 Jan. Ann. sess. xx, 412 p.
Treas. Report. p. [391]-395.

Unit 2

1850 Jan. Ann. sess. xxvi p., 1 l., 499 p.
Treas. Report. p. [467]-471.

MINNESOTA

B.2 Reel 1

Unit 1

1849 Sept. 1st sess. xxxvii, 107, [2], [106]-213 p.

1851 Jan. 2d sess. 53 p.

1852 Jan. 3d sess. 78 p.

1853 Jan. 4th sess. 89 p.

DLC

Unit 2

1854 Jan. 5th sess. 184 p.

1855 Jan. 6th sess. 200 p.

1856 Jan. 7th sess. 379 p.

DLC

Unit 3

1857 Jan. 8th sess. 304 p. DLC

Unit 4

1857 Apr. Ext. sess. 361 p. DLC

MINNESOTA-Continued

B.2 Reel 2

Unit 1

1857 Dec. 1st sess. Gen. 468 p. DLC

Unit 2

1857 Dec. 1st sess. Spec. xii, [3], 563 p. DLC

Unit 3

1859 Dec. 2d sess. Gen. 347 p. DLC

Unit 4

1859 Dec. 2d sess. Spec. 1 p.l., [v]-viii, [3]-144 p. DLC

MISSISSIPPI

B.2 Reel 1

Unit 1

1799 Jan. sess.
1799 Sept. sess.
1800 May sess.
1800 Oct. sess.
In 1 vol. [197] p. MS.
1799* Jan. Errata to the laws of Mississippi Territory commencing Jan. 1800 (sic 1799). [4] p.

Ms-Ar *Ms-Ar-1

Unit 2

1799* Jan. sess. 1 p.l., ii, 209 p.
1799* Sept. sess. 16 p.
1800 May sess. [227]-243, [4] p.
1800 Oct. sess. 47 p.
1799* May-Sept. sess. 16 p.
(Message of the President transmitting copies of the laws to Congress.)

MHL *M

Unit 3

1801 July 1st Assy., 1st sess.
1801 Oct. 1st Assy., 2d sess.
In 1 vol. 267 p. (w: t.-p., p. 1-3, 108-109, 217-221)
1802* May 1st Assy., 3d sess. 1 p.l., 13 p. (p. 13 mutilated)

MHL-1 *MsWJ-1

Unit 4[1]

1801 Oct.-Mar. 1st Assy., 2d sess. 21 acts. MS.
(Acts 3-8, 11-12, 15-21 are missing.)
1802 May 1st Assy., 3d sess. Acts 22-36. MS.
(Act 23 is missing.)
1802* Dec. 2d Assy., 1st sess. p. 3-4, 11-12, 29-30 (Fragments)

1. Original enrolled acts.

MISSISSIPPI-Continued

1802 Dec. 2d Assy., 1st sess. 27 acts. MS. (Acts 4, 10, 21 are incomplete.)
Ms-Ar *Ms-Ar-1

Unit 5

1803* Oct. 2d Assy., 2d sess. 1 p.l., 28, [1] p.
1804 Dec. 3d Assy., 1st sess. 136 p.
1805 July 3d Assy., ext. sess. 38, [1] p.
NNB *DLC

B.2 Reel 2

Unit 1

1805* Dec. 3d Assy., 3d sess. 26 p.
1806 Dec. 4th Assy., 1st sess. (In 1807 Compilation)
1807 Dec. 4th Assy., 2d sess. 44 p.
1809 Feb. 5th Assy., 1st sess.
1809 Nov. 6th Assy., 1st sess.
In 1 vol. 156, [12] p.
1810 Nov. 6th Assy., 2d sess. 39, [10] p.
1811 Nov. 7th Assy., 1st sess. 1 p.l., 117, 3 p. Index. 6 p. MS.
1812** Nov. 7th Assy., 2d sess. 147, [2], iiii p.
NNB *MHL **NNB - Mi-Ar

Unit 2

1813 Dec. (sic Nov.) 8th Assy., 1st sess. 72, iv p.
1814 Nov. 8th Assy., 2d sess. 77, vii p.
1815 Nov. 9th Assy., 1st sess. 108, viii p.
1816 Nov. 9th Assy., 2d sess. 100, viii p.
MHL

Unit 3

1817 Oct. 1st Assy., 1st sess. 224, [24] p.
1819 Jan. 2d Assy., 1st sess. 138, [14] p.
1820 Jan. 3d sess. 118, [11] p.
1821* Jan. 4th sess. 120, [15] p.
1821 Nov. 5th sess. 158, xxii, [20] p.
1822 June 5th sess. Adj. 408 p.
DLC *MHL

B.2 Reel 3

Unit 1

1822 June 5th sess. Adj. Priv.
1822 Dec. 6th sess.
In 1 vol. 129, [18] p.
1823* Dec. 7th sess. 110, [14] p.
1825 Jan. 8th sess. 148, [16] p.
1826 Jan. 9th sess. 135, vii, [10] p.
1827 Jan. 10th sess. 155, viii, [11] p.
DLC *M

Unit 2

1828 Jan. 11th sess. 147, viii, [10] p.

MISSISSIPPI-Continued

1829 Jan. 12th sess. 123, vi, [10] p.
1830 Jan. 13th sess. 206, viii, [14] p.
1830 Nov. 14th sess. 146, xviii p.
DLC

Unit 3

1831 Nov. 15th sess. 172, xviii p.
1833 Jan. 16th sess. 252, xxv p.
1833 Nov. 17th sess. 1 p.l., 200 p.
DLC

Unit 4

1835 Jan. Call. sess. (No acts passed)
1836 Jan. Reg. sess. viii, [9]-440 p.
DLC

B.2 Reel 4

Unit 1

1837 Jan. Adj. sess. 67 p.
1837 Apr. Call. sess. viii, [9]-392 p.

MISSOURI

B.2 Reel 1

Unit 1

1804 Oct. sess. 159 p. MS.
(p. 11, 110, 120, 136-138 missing from text)
1804* Oct. sess. 136, [1] p.
Mo *DLC

Unit 2

1810 Oct. sess. 39, [1] p MHL

Unit 3

1813* July sess. 95, [1] p.
1813 Dec. sess. 108, [1] p.
1814 Dec. sess. 164, ii p.
1815 Dec. sess. 143, [2] p.
MHL *DLC

Unit 4

1816 Dec. sess. 140, [3] p.
1818 Oct. sess. 160, iii p.
DLC

Unit 5

1820 Sept. 1st Assy., 1st sess. 112 p.
1821 June 1st Assy., spec. sess. 40, iii p.
1821 Nov. 1st Assy., 2d sess. 195, [1], iii p.
1822 Nov. 2d Assy., 1st sess. 148, iv p.
DLC

Unit 6

1824 Nov. 3d Assy., 1st sess. Pub. (In 1825 Revision)

MISSOURI-Continued

1824 Nov. 3d Assy., 1st sess. Priv. 52 p.
1826 Jan. 3d Assy., 2d sess.
1826 Nov. 4th Assy., 1st sess.
In 1 vol. 83, [4] p.
1828 Nov. 5th Assy., 1st sess. 91, [5] p.
1830 Nov. 6th Assy., 1st sess. 136 p.
1832 Nov. 7th Assy., 1st sess. 167 p.
DLC

B.2 Reel 2

Unit 1

1834 Nov. 8th Assy., 1st sess. Pub. (In 1835 Revision)
1834 Nov. 8th Assy., 1st sess. Priv. & loc. [2], [5]-113, [2] p.
1834 Nov. 8th Assy., 1st sess. Priv. & loc. [2], [5]-113, [2] p. (facsim.)
1836 Nov. 9th Assy., 1st sess. 334, [1] p.

Unit 2

1838 Nov. 10th Assy., 1st sess. 352 p.
1840 Nov. 11th Assy., 1st sess. 373 p.

Unit 3

1842 Nov. 12th Assy., 1st sess. 494 p.

Unit 4

1844 Nov. 13th Assy., 1st sess. Pub. (In 1845 Revision)
1844 Nov. 13th Assy., 1st sess. Loc. & priv. 460 p.

MONTANA

B.2 Reel 1

Unit 1

1864 Dec. 1st sess. viii, 721, xli p. Mt

Unit 2

1866 Mar. 2d sess. 54 p.
1866* Nov. 3d sess. 100 p.
1867** Nov. 4th sess.
1867 Dec. Ext. sess.
In 1 vol. 2 p.l., 278, 44, 2 p.
MHL *Mt **DLC

Unit 3

1868 Dec. 5th sess. vii, [9]-156 p.
1869 Dec. 6th sess. 2 p.l., vi, [9]-163 p.
Mt

Unit 4

1871 Dec. 7th sess. xviii, 770 p. Mt

B.2 Reel 2

Unit 1

1873 Apr. Ext. sess. ix, 169 p.
1874 Jan. 8th sess. xii, 214 p.

MONTANA-Continued

1876 Jan. 9th sess. x, 228 p.

Mt

Unit 2

1877 Jan. 10th sess. viii, 500 p. Mt

Unit 3

1879 Jan. 11th sess. viii, 149 p. (Prefixed to Rev. Stat., 1881)
1879 July Ext. sess. 5 p.l., 29 p.
1881 Jan. 12th sess. viii, 159 p.
1883 Jan. 13th sess. viii, [9]-221 p.

Mt

Unit 4

1885 Jan. 14th sess. x, 251 p.
1887 Jan. 15th sess. (In Comp. Stat., 1887)
1887 Aug. Ext. sess. 3 p.l., [v]-vi, 122 p.
1889 Jan. 16th sess. xii, 260 p.

Mt

NEBRASKA

B.2 Reel 1

Unit 1

1855 Jan. 1st sess. 1 p.l., [7]-517, [1] p.

DLC

Unit 2

1855 Dec. 2d sess. 249 p.
1857 Jan. 3d sess. 1 p.l., [5]-312 p.

DLC

Unit 3

1857 Dec. 4th sess. 1 p.l., 74 p.
1858 Sept. 5th sess. 455 p.

DLC

Unit 4

1859 Dec. 6th sess. 233 p.
1860 Dec. 7th sess. 270 p.
1861 Dec. 8th sess. 200 p.

DLC

B.2 Reel 2

Unit 1

1864 Jan. 9th sess. 315 p.
1865 Jan. 10th sess. 178 p.

DLC

Unit 2

1866 Jan. 11th sess. (In Rev. Stat., 1866)
1867 Jan. 12th sess. 162 p.

DLC

B.2 Reel 3

Unit 1

1866 July 1st sess.
1867 Feb. 2d sess.

NEBRASKA-Continued

1867 May 3d sess.
In 1 vol. 167 p.
1868 Oct. 4th sess.
1869 Jan. 5th sess.
In 1 vol. 334 p.
Unit 2
1870 Feb. 6th sess.
1870 Mar. 7th sess.
1871 Jan. 8th sess.
In 1 vol. xxii p., 1 l., 63, xiv p., 1 l., 272 p.
1872 Jan. 8th adj. sess. vi, [7]-31 p.
1873 Jan. 9th sess. Gen. (In Gen. Stat., 1873)
Unit 3
1873 Jan. 9th sess. Priv., loc., & temp.
1873 Mar. 10th sess. Priv., loc., & temp.
In 1 vol. 1 p.l., [v]-viii, 128 p.

NEVADA

B.2 Reel 1
Unit 1
1861 Oct. 1st reg. sess. xviii p., 1 l., 608 p.
Unit 2
1862 Nov. 2d reg. sess. xiv p., 1 l., 215 p.
1864 Jan. 3d reg. sess. xiv p., 1 l., 180 p.
NvHi
B.2 Reel 2
Unit 1
1864 Dec. 1st sess. xii, 528 p.
Unit 2
1866 Jan. 2d sess. ix p., 1 l., 315 p.
1867 Jan. 3d sess.
1867 Mar. Spec. sess.
In 1 vol. 1 p.l., [v]-xiii, 1 l., 216 p.
Unit 3
1869 Jan. 4th sess. 1 p.l., [v]-xiii, 1 l., 376 p.

NEW HAMPSHIRE

B.2 Reel 1a
Unit 1
[W] 1692-1702 Laws passed at various dates...
Nos. 1-55[1] v.p. MS. NhHi
Unit 2
1699* Aug. sess. 10 p.

1. For source see Addenda.

NEW HAMPSHIRE-Continued

1718 May sess. 61-131 p.
1719 May sess. 133-156 p.
1721 Apr. sess.
1721 Oct. sess.
In 1 vol. 157-163 p.
1722 Aug. sess.
1724 May sess.
1724 Nov. sess.
1725 Dec. sess.
In 1 vol. 157-163 p.
MHL *PHi

Unit 3

1732-1758 Acts passed at various dates... [5], 161 p. MS.
1765 May sess.
1765 Nov. sess.
In 1 vol. 241-252 p.
1771 Dec. sess.
1772 May sess.
1773 May sess.
In 1 vol. 273-286 p.
1776* Mar sess.
1776* June sess.
In 1 vol. 3-25 p. (n.t.-p.)
1776* Mar.-1778 Dec. Acts passed at various dates... 106 p.
Nhi *MHL

Unit 4

1780* Feb. sess.
1780* Apr. sess.
In 1 vol. 201-235 p.
1780 June sess. 169-182 p.
1780 Oct. sess. (Not printed?)
1780 Dec. sess. (Not printed?)
1781 Mar. sess. 237-252 p.
1781 June sess. 253-264 p.
1781 Aug. sess. 265-268 p.
1781 Nov. sess. 269-272 p.
1781 Dec. sess. 273-278 p.
1782 Mar. sess. 279-287 p.
1782 June sess. 289-295 p.
1782 Sept. sess. 297-298 p.
1782 Nov. sess. (No laws passed)
1782 Dec. sess. (Not printed?)
1783 Feb. sess. 299-304 p.
1783 June sess. (Not printed?)
1783 Oct. sess.
1783 Dec. sess.
In 1 vol. 305-311 p.
1784 Mar. sess. 313-322 p.

NEW HAMPSHIRE-Continued

1784 June sess. 323-330 p.
1784 Oct. sess. 331-336 p.
1785 Feb. sess. 337-344 p.
1785 June sess.
1785 Oct. sess.
In 1 vol. 345-371 p.
MHL *MWA

Unit 5

1786* Feb. sess. 373-391 p.
1786* June sess.
1786* Sept. sess.
1786* Dec. sess.
In 1 vol. 393-350 (sic 440) p.
1787* June sess. 351-362 (sic 441-452) p.
1787 Sept. sess. 453-460 p.
1787 Dec. sess. (Not printed?)
1788* Jan. sess. 461-464 p.
1788* June sess. 465-471 p.
1788* Nov. sess. 473-476 p.
1788* Dec. sess. 477-452 (sic 552) p.
1789** June sess. 1 p.l., 247-252 p.
1789* Dec. sess. 1 p.l., 255-263 p.
1790-91 List of acts passed... 6 p.
1790 June sess.
1791 Jan. sess.
1791 June sess.
1791 Nov. sess.
(In 1792 Revision)
1792 June sess. 1 p.l., 397-422 p.
1792 Nov. sess. 1 p.l., 423-451 p.
1793 June sess. 1 p.l., 453-456 p.
1793 Dec. sess. 1 p.l., 461-481 p.
1794 June sess. 1 p.l., 483-505 p.
1794 Dec. sess. 1 p.l., 508-521 p.
1795 June sess. 1 p.l., 524-527 p.
1795 Dec. sess. 1 p.l., 530-535 p.
1796 June sess. 1 p.l., 538-550 p.
1796 Dec. (sic Nov.) sess. 22 p.
1796* Nov. sess. 7 p.
1796* Dec. 10 Tax act. [2]-8 p.
DLC *MHL **Nh

Unit 6

1797 June sess. 1 p.l., 493-498 p.
1797* Nov. sess. 1 p.l., 499-512 p.
1798 June sess. 2 p.l., 515-516 p.
1798 Nov. sess. 2 p.l., 517-530 p.
1799** June sess. 2 p.l., 531-541 p.
1799 Dec. sess. 2 p.l., 542-561 p.
1800 June sess. 1 p.l., 562-565 p.
1800 Nov. sess. 2 p.l., 566-579 p.

NEW HAMPSHIRE-Continued

1801 June sess. 2 p.l., 580-586 p.
1802 June sess. 55 p.
1803 June sess. 13 p.
1803 Nov. sess. 56 p.
1803 Nov. 23-Dec. 25 sess. 1 p.l., [5]-16 p.
1804 June sess. 64 p.
1804 Nov. sess. 56 p.
1805 June sess. 32 p.
1805** Dec. sess. 64 p.
1806** June sess. 26 p.
1807** June sess. 52 p.
1808** June sess. 31, [1] p.
1808** Nov. sess. 77 p., 1 l., [2] p.
1809 June sess. 47 p.

DLC *MHL **M

D.2 Reel 1b

Unit 1

Collection of all laws in force...in 1702. 2 p.l., 145 p. MS.
1699 Aug. sess. 10 p.
1699 Nov. 21 Original tax act. 1 l. MS.
1702 July 17 Original tax act. 1 l. MS.
1702 July 17 Original import and tunnage act. 1 l. MS.
1702 July 17 Original tax act. 2 l. MS.
List of all laws now in force... [7] p. MS.

PRO-C.O.5/950

Unit 2

1703-1714 Acts passed at various dates... [5], 196 p. MS.

PRO-C.O.5/951

Unit 3

1715/16-1740/41 Acts passed at various dates... Nos. 1-120. v.p. MS.

PRO-C.O.5/952

Unit 4

Acts and laws... Boston: B. Green, 1716. 1 p.l., iii, 60 p.
1718 May (sic Apr.) sess. 61-131 p.
1730 Sept.-1740 Dec. 13 acts passed... 132-[159] p. MS.

PRO-C.O.5/948

Unit 5

1741/42-1757 Acts passed at various dates ... Nos. 1-129. v.p. MS.

PRO-C.O.5/954

NEW HAMPSHIRE-Continued

B.2 Reel 1c

Unit 1

1757-1762 Acts passed at various dates... Nos. 1-53. v.p. MS.
PRO-C.O.5/955

Unit 2

1762-1767 Acts passed at various dates... Nos. 54-133. v.p. MS. (Not in chronological order.)
PRO-C.O.5/956

Unit 3

1767-1770 Acts passed at various dates... Nos. 134-172. v.p. MS.
PRO-C.O.5/957

Unit 4

1771-1774 Acts passed at various dates... Nos. 173-246. v.p. MS.
PRO-C.O.5/958

B.2 Reel 2

Unit 1

1810 June sess. 31, [1] p.
1811 June sess. 39 p.
1812 June sess. 56 p.
1812 Nov. sess. 40 p.
1813 June sess. 44 p.
1813 Oct. sess. 13, [1] p.
1814 June sess. 40 p.
1815 June sess. 3 p.l., [5]-21 p.
1815 June sess. 21, 18 p. Vol. 2.
1816 June sess. 1 p.l., [23]-66 p.
1816 Nov. sess. 1 p.l., [67]-100 p.
1817 June sess. 1 p.l., [101]-128 p.
1818 June sess. 1 p.l., [129]-170 p.
1819 June sess. 1 p.l., [171]-254 p.
1820 June sess. 1 p.l., [255]-286 p.
1820 Nov. sess. 1 p.l., [287]-372 p.
1821 June sess. 2 p.l., [373]-403, 42 p.

Unit 2

1822 June sess. 62, 4, [2] p. Vol. 3.
1823 June sess. 1 p.l., [63]-93, [2] p.
1824 June sess. 1 p.l., [95]-110 p. (Exeter ed.)
1824 June sess.
1824 Nov. sess.
In 1 vol. 1 p.l., 48, [2] p. (Concord ed.)
1825 June sess. 1 p.l., [53]-87 p.
1826 June sess. 1 p.l., [85]-151, [2] p.
1827 June sess. 1 p.l., [155]-271 p.
1828 June sess. 1 p.l., [263]-290, [1] p.

NEW HAMPSHIRE-Continued

1828 Nov. sess. 1 p.l., [293]-480 p.
1829 June sess. 1 p.l., [485]-574 p.

Unit 3

1830 June sess. 1 p.l., 31, [1] p. (L. Roby)
1829 (sic 1830) June sess. 16 p. (H. Hill)
1831 June sess. 1 p.l., [17]-47, [1] p. (Hill & Barton)
1832 June sess. 1 p.l., [49]-66 p. (H. Hill)
1832 Nov. sess. 1 p.l., [69]-114 p. (H. Hill)
1833 June sess. 1 p.l., [117]-139 p. 1 l. (H. Hill)
1834 June sess. 1 p.l., [145]-178 p. (H. Hill)
1835 June sess. 2 p.l., [181]-296, [3] p.

Unit 4

1836 June sess. 1 p.l., [299]-370, [2] p. (C. Barton)
1836 Nov. sess. Pub. 1 p.l., [227]-290, [1] p.
1836 Nov. sess. Priv. [291]-366, [2] p.
1837 June sess. 1 p.l., [291]-386, [2] p. (C. Barton)
1837 June sess. [291]-333, [2] p. (Brown-Barton)
1838 June sess. 2 p.l., [337]-414, [2] p. (C. Barton)

B.2 Reel 3

Unit 1

1839 June sess. 1 p.l., [379]-505, [2] p. (C. Barton)
1840 June sess. 1 p.l., [425]-461, [1] p. (C. Barton)
1840 Nov. sess. 1 p.l., [455]-532 p. (C. Barton)
1841 June sess. [513]-607, [1] p. (Barton & Carroll)
1842 June sess. 1 p.l., [581]-616, [1] p. (Carroll & Baker)
1842 Nov. sess. 51, [1] p. (Carroll & Baker)

Unit 2

1843 June sess. 1 p.l., [53]-87 p. (Carroll & Baker)
1844 June sess. 1 p.l., [87]-121 p. (Carroll & Baker)
1844 Nov. sess. 1 p.l., [121]-220 p. (Carroll & Baker)
1845 June sess. 1 p.l., [223]-293 p. (Carroll & Baker)
1846 June sess. 1 p.l., [295]-460 p. (A. McFarland)

Unit 3

1847 June sess. 1 p.l., [459]-584 p. (Butterfield & Hill)

NEW HAMPSHIRE-Continued

1848 June sess. 1 p.l., [587]-672 p. (Butterfield & Hill)
1848 Nov. sess. 1 p.l., [675]-811 p. (Butterfield & Hill)
1849 June sess. 1 p.l., [811]-922 p. (Butterfield & Hill)
1850 June sess. 1 p.l., [925]-1050 p. (Butterfield & Hill)

NEW JERSEY

B.2 Reel 1

Unit 1

1681* July sess. 4 p. typescript, 2 p. MS.
1682 Mar. sess. 24-37 p. MS.
1683 May sess. 37-40 p. MS.
1683 Dec. sess. 40-55 p. MS.
1686 Apr. sess. 101-107 p. MS.
1686 Oct. sess. 126-130 p. MS.
1688 May sess. 130-138 p. MS.
1692 Sept.-Oct. sess. 155-162 p. MS.
1693 Oct.-Nov. sess. 194-202 p. MS.
1694 Oct. sess. 217-225 p. MS.
1695 July-Aug. sess. 240-243 p. MS.
1695 Feb.-Mar. sess. 252-255 p. MS.
1698 Feb.-Mar. sess. 298-308 p. MS.

Nj *Nj-Ar

Unit 2[1]

1681 Nov. sess. 41-48 p. MS.
1682 May sess. 49-53 p. MS.
1683 Oct.? sess. 53-83 p. MS.
1684 May sess. 83-90 p. MS.
1685 Nov. sess. 90-96 p. MS.
1686 May sess. 97-105 p. MS.
1692 Nov. sess. 106-111 p. MS.
1693 Oct. sess. 112-125 p. MS.
1694 May sess. 125-136 p. MS.
1695 May sess. 136-145 p. MS.
1696 May sess. 146-158 p. MS.
1697 Nov. sess. 159-171 p. MS.
1698? Sept. sess. 171-172 p. MS. (Incomplete)

Nj

Unit 3

1704-1714* 70 original acts passed at various dates. (On B.2s, Reel 1)

1. Taken from a volume marked *Concessions and agreements of the proprietors, freeholders, and inhabitants of the Province of West Jersey in America.*

NEW JERSEY-Continued

1716-1720** 31 acts passed at various dates.
(On B.2s, Reel 1)
Original enrolled acts
1677 Oct. sess. 1 p. MS.
1710 Feb. sess. 11 p. MS.
1713 Mar. sess. 21 p. MS.
1716 July sess. 3 p. MS.
1716 Jan. sess. 5, 13 p. MS.
1716 May sess. 1 p. MS.
1716 Dec. sess. 4 p. MS.
1716 Jan. sess. 9, 2 p. MS.
1716 May sess. 1 p. MS.
1716 Dec. sess. 1 p. MS.
1716 Jan. sess. 8 p. MS.
1719 Mar. sess. 12, 14-20 p. MS.
Nj-Secy. *PRO-C.O.5/1006 **PRO-C.O.5/1007

Unit 4

1703* Nov. 1st Assy., 1st sess. 4 p.
1704 Sept. 1st Assy., 2d sess. (Not found)
[W] 1704* A catalog of fees... 41 p.
1704** Nov. 2d Assy., 1st sess. 20 p.
[W] 1704* An ordinance for establishing courts of judicature. 4 p.
1705 Oct. 2d Assy., 2d sess. (Not found)
1706 Oct. 2d Assy., 3d sess. (Not found)
1707 Apr. 3d Assy., 1st sess. (Not found)
1707 Oct. 3d Assy., 2d sess. (Not found)
1708 May 3d Assy., 3d sess. (Not found)
1708/9***** Mar. 4th Assy., 1st sess., 1st sit. 9-20 p.
1709 May 4th Assy., 1st sess., 2d sit. 21-27 p.
1709*** Nov. 5th Assy., 1st sess. 28-38 p.
1710*** Dec. 6th Assy., 1st sess. 39-48 p.
1711*** July 6th Assy., 2d sess. 49-58 p.
1713 Dec. 6th Assy., 3d sess. 1 p.l., 29-101 p. (w: p. 89-92)
1716*** Nov. 7th Assy., 1st sess., 2d sit. 60-78 p.
1718*** Apr. 7th Assy., 2d sess., 1st sit. 79-112 p.
Appended: Act passed 1704. 113-115 p.
1718/19 Jan. 7th Assy., 2d sess., 2d sit. [13], 95-123 p.
1720/21 Feb. 7th Assy., 3d sess. (No laws passed)
1721/22 Mar. 8th Assy., 1st sess. 123-130, 133-142 p.
1721/22* Mar. 8th Assy., 1st sess. 123-145 p.

NEW JERSEY-Continued

1723**** Apr. An ordinance for regulating times of sitting of courts of judicature. 5 p.
1723 Sept. 8th Assy., 2d sess. 30 p. (New York)
1723 Sept. 8th Assy., 2d sess. 33 p. (Perth Amboy)
1723 Sept. 8th Assy., 2d sess. 33, [4] p. (Perth Amboy)
1723* Nov. An ordinance for regulating and establishing fees... 14 p.
1724**** Apr. An ordinance for regulating courts of judicature... 10 p.
1724**** May An ordinance for regulating and establishing fees... 7 p.
1725 May 8th Assy., 3d sess. 1 p.l., 117-138, [1] p.
1725 May 8th Assy., 3d sess. 1 p.l., 117-132, 19-24, 4 p.
1725**** Aug. An ordinance for regulating courts of judicature... 9 p.
1727/8**** Feb. An ordinance for regulating courts of judicature... 5 p.
1727 Dec. 9th Assy., 1st sess. 51, [1] p.
1728 Dec. 9th Assy., 2d sess. (No laws passed)
1730 May 10th Assy., 1st sess. 39, [1] p.

Nj *PHi **PHi - Nj ***NN ****NHi *****PRO

Unit 5

1732 May 10th Assy., 1st sess. 283-299, [4] p.
1733 Apr. 10th Assy., 2d sess. 1 p.l., 301-343, [1] p.
1735 Sept. 10th Assy., 3d sess. 347-366 p.
1738 Oct. 11th Assy., 1st sess. [367]-395, [1] p.
1740 Apr. 12th Assy., 1st sess. 1 p.l., 397-433, [1] p.
1741 Oct. 12th Assy., 2d sess. 1 p.l., 17 p.
1742 Oct. 12th Assy., 3d sess. (Not found)
1743 Oct. 13th Assy., 1st sess. 1 p.l., 21-61, [1] p.
1744 June 13th Assy., 2d sess. (No laws passed)
1744 Aug. 14th Assy., 1st sess. 2, 2, 2 p. MS.
[W] 1744* Aug. 14th Assy., 1st sess.
1745 Apr. 15th Assy., 1st sess. 9 p. MS.
[W] 1745* Apr. 15th Assy., 1st sess.
[W] 1745* Aug. 15th Assy., spec. sess.
[W] 1745* Sept. 15th Assy., 2d sess.

Nj *PRO

B.2 Reel 2

Unit 1

1745/6 Feb. 16th Assy., 1st sess. 14 p.
1746 Oct. 16th Assy., 2d sess., 2d sit. 4 p. MS.

NEW JERSEY-Continued

1746 May 16th Assy., 2d sess., 1st sit. 22 p.
1746 Oct. 16th Assy., 2d sess., 2d sit.
In Compilation of 1743-1748, p. 8-11.
1747 May 16th Assy., 2d sess., 3d sit.
In Compilation of 1743-1748, p. 12-15.
1747 Aug. 16th Assy., 2d sess., 4th sit. (No laws passed)
1747 Nov. 16th Assy., 2d sess., 5th sit. 53, [1] p.
1747 Nov. 16th Assy., 2d sess., 5th sit. 7, 13, 5 p. MS.
1747 May 16th Assy., 2d sess., 3d sit. 4 p. MS.
1747 Nov. 16th Assy., 2d sess., 5th sit. 18 p.
1748 July 16th Assy., 3d sess., 1st sit. (No laws passed)
1748 Oct. 16th Assy., 3d sess., 2d sit.
In Compilation of 1743-1748, p. 15-56, [1]-3. MS.
1748 Oct. 16th Assy., 3d sess., 2d sit. 3 p. MS.
1748/9 Feb. 17th Assy., 1st sess. 1 p. MS.
1748/9 Feb. 17th Assy., 1st sess. 11, [1] p.
1749 Sept. 17th Assy., 2d sess. (No laws passed)
1749/50 Feb. 17th Assy., 3d sess. (No laws passed)
1750 Sept. 17th Assy., 4th sess., 1st sit. 2 p. MS.
1750/51 Jan. 17th Assy., 4th sess., 2d sit. (Not found)
1751 May 18th Assy., 1st sess., 1st sit. 15 p.
1751 Sept. 18th Assy., 1st sess., 2d sit. 21 p.
1752 Jan. 18th Assy., 2d sess., 2d sit. 27 p.
1752 Dec. 18th Assy., 3d sess. (No laws passed)
1753 May 18th Assy., 4th sess. 59, [1] p. tables.
1754 Apr. 18th Assy., 5th sess., 1st sit.
1754 June 18th Assy., 5th sess., 2d sit.
In 1 vol. 36 p.

Nj

Unit 2

1754 Oct. 19th Assy., 1st sess. (No acts passed)
1755 Feb. 19th Assy., 2d sess. 8 p.
1755 Apr. 7 19th Assy., 3d sess.
1755 Apr. 24 19th Assy., 4th sess.
In 1 vol. 24 p.
1755 July 19th Assy., 5th sess., 1st sit. 64 p.
1755 Nov. 19th Assy., 5th sess., 2d sit. (No laws passed)
1755 Dec. 19th Assy., 6th sess., 1st sit. 17 p.
1756 Mar. 19th Assy., 6th sess., 2d sit. 12 p.
1756 May 19th Assy., 6th sess., 3d sit. 78 p.
1756 July 19th Assy., 6th sess., 4th sit. (No laws passed)

NEW JERSEY-Continued

1756 Oct. 19th Assy., 7th sess., 1st sit. (No laws passed)
1756 Dec. 19th Assy., 7th sess., 2d sit. 5 p.
1757 Mar. 19th Assy., 7th sess., 3d sit. 56 p.
1757 May 19th Assy., 8th sess., 1st sit. 27 p.
1757 Aug. 19th Assy., 8th sess., 2d sit. (No laws passed)
1757 Oct. 19th Assy., 8th sess., 3d sit. 30 p.
1758 Mar. 19th Assy., 9th sess., 1st sit. 28, 8 p.
1758 July 19th Assy., 9th sess., 2d sit. 60 p.
1759 Mar. 19th Assy., 10th sess. 41 p.
1760 Mar. 19th Assy., 11th sess. 24 p.
1760 Oct. 19th Assy., 12th sess. 80 p.
(Part of Chapter XX and all of XXI and XXII wanting.)

Nj

Unit 3

1761 Mar. 20th Assy., 1st sess. 28 p.
1761 July 20th Assy., 2d sess. 11 p.
1761 Nov. 20th Assy., 3d sess. 20 p.
1762 Mar. 20th Assy., 4th sess. 33, [1] p.
1762 Apr. 20th Assy., 5th sess. 4 p.
1762 Sept. 20th Assy., 6th sess. 36 p.

Nj

B.2 Reel 3

Unit 1

1763 May 20th Assy., 7th sess. 19, [1] p.
1763 Nov. 20th Assy., 8th sess. 74, [1] p.
1764 Feb. 14 20th Assy., 9th sess.
1764 Feb. 23 20th Assy., 10th sess.
In 1 vol. 40 p.
1765 May 20th Assy., 11th sess. 87, [1] p.
1765 Nov. 20th Assy., 12th sess. (No laws passed)
1766 June 20th Assy., 12th (sic 13th) sess. 50, [1] p.
1767 June 20th Assy., 14th sess. 30 p.
1768 Apr. 20th Assy., 15th sess. 60 p.

Nj

Unit 2

1769 Oct. 21st Assy., 1st sess. 123, [1] p.
1770 Mar. 21st Assy., 2d sess. 23, [1] p.
1770 Sept. 21st Assy., 3d sess. 28, [1] p.
1771 Apr. 21st Assy., 4th sess., 1st sit.
1771 May 21st Assy., 4th sess., 2d sit.
1771 Nov. 21st Assy., 4th sess., 3d sit.
In 1 vol. 74, [1] p.
1772 Aug. 22d Assy., 1st sess. 67, [1] p.
1773 Nov. 22d Assy., 2d sess. 160, [2] p.
1775 Jan. 22d Assy., 3d sess. 28 p.

NEW JERSEY-Continued

1775 May 22d Assy., 4th sess., 1st sit. (No laws passed)
1775 Nov. 22d Assy., 4th sess., 2d sit. 20, [1] p.

Nj

B.2 Reel 4

Unit 1

1776 Aug. 1st Assy., 1st sit.
1776 Nov. 1st Assy., 2d sit.
1777 Jan. 1st Assy., 3d sit.
1777 Jan. 1st Assy., 4th sit.
In 1 vol. x, 48 p.
1777 May 1st Assy., 5th sit. [49]-80 p.
1777 Sept. 3 1st Assy., 6th sit.
1777 Sept. 29 1st Assy., 7th sit.
In 1 vol. [01]-120 p.
1777 Oct. 2d Assy., 1st sit. 24, [1] p.
1778 Feb. 2d Assy., 2d sit. [27]-84 p.
1778 May 2d Assy., 3d sit. [85]-91 p.
1778 Sept. 2d Assy., 3d (sic 4th) sit. [93]-109 p.
1778 Oct. 3d Assy., 1st sit. 45, [1] p.
1779 Apr. 3d Assy., 2d sit. [47]-116 (sic 124) p.
1779 Sept. 3d Assy., 3d sit. [125]-139, [1] p.

Nj

Unit 2

1779 Oct. 4th Assy., 1st sit. 54 p.
1780 Feb. 4th Assy., 2d sit. [55]-76, [1] p.
1780 May 4th Assy., 3d sit. [79]-126 p.
1780 Sept. 4th Assy., 4th sit. [127]-139, [1] p.
1780 Oct. 5th Assy., 1st sit. 67 p.
1781 May 5th Assy., 2d sit. [69]-118, [1] p.
1781 Sept. 5th Assy., 3d sit. [119]-136 p.
1781 Oct. 6th Assy., 1st sit. 61 p.
1782 May 6th Assy., 2d sit. [63]-114 p.
1782 Sept. 6th Assy., 3d sit. [115]-126 p.

Nj

Unit 3

1782 Oct. 7th Assy., 1st sit. 28 p.
Index. [18] p. MS.
1783 May 7th Assy., 2d sit. [29]-76, [1] p.
1783 Oct. 8th Assy., 1st sit. 72, [1] p.
1784 Aug. 8th Assy., 2d sit. [73]-121, [1] p.
1784 Oct. 9th Assy., 1st sit. [123]-186, [1] p.
1785 Oct. 10th Assy., 1st sit. [189]-230, [1] p.
1786 Feb. 10th Assy., 2d sit. [233]-288 p.
1786 May 10th Assy., 3d sit. [291]-334 p.
1786 Oct. 11th Assy., 1st sit. [335]-383, [1] p.
1787 May 11th Assy., 2d sit. [385]-435, [1] p.

Nj

NEW JERSEY-Continued

Unit 4

1787 Oct. 12th Assy., 1st sit. [437]-452 p.
1788 Aug. 12th Assy., 2d sit. [453]-470 p.
1788 Oct. 13th Assy., 1st sit. [471]-514,
[1] p.
Index. [30] p. MS.

Nj

B.2 Reel 5a

Unit 1

1789 Oct. 14th Assy., 1st sit. [513]-579 p.
1790 May 14th Assy., 2d sit. [581]-604, 607-
657 p.
1790 Oct. 15th Assy., 1st sit. [659]-716 p.
1791 Oct. 16th Assy., 1st sit. [718]-763,
[1] p.
1792 May 16th Assy., 2d sit. [764]-814,
[1] p.
1792 Oct. 17th Assy., 1st sit. [781]-829,
[1] p.
1793 May 17th Assy., 2d sit. [831]-870,
[1] p. DLC

Unit 2

1793 Oct. 18th Assy., 1st sit.
1794 Jan. 18th Assy., 2d sit.
In 1 vol. [873]-914, [4] p.
1794 June 18th Assy., 3d sit. [915]-922 p.
1794 Oct. 19th Assy., 1st sit. [923]-978 p.
1795 Feb. 19th Assy., 2d sit. [979]-1081 p.
1795* Oct. 20th Assy., 1st sit. 21 p.
1796* Feb. 20th Assy., 2d sit. [23]-114 p.
1796* Oct. 21st Assy., 1st sit. [115]-125,
[1] p.
1797* Jan. 21st Assy., 2d sit. [127]-238 p.

Nj *DLC

Unit 3

1797 Oct. 22d Assy., 1st sit. [239]-256, ix,
[1] p.
1798 Jan. 22d Assy., 2d sit. [257]-412 p.
1798 Oct. 23d Assy., 1st sit. [413]-421 p.
1799 Jan. 23d Assy., 2d sit. [423]-510 p.
1799* May 23d Assy., 3d sit. [511]-637 p.
1799 Oct. 24th Assy., 1st sit. [639]-663 p.

DLC *Nj

Unit 4

1800 Oct. 25th Assy., 1st sit. 29, [1] p.
(First octavo)
1801* Feb. 25th Assy., 2d sit. [33]-99 p.
1801 Oct. 26th Assy., 1st sit. [101]-138,
[2] p.
1802 Oct. 27th Assy., 1st sit. [139]-210 p.

NEW JERSEY-Continued

1803 Oct. 28th Assy., 1st sit. 1 p.l., [211]-239, [2] p.
1804 Feb. 28th Assy., 2d sit. [241]-357, [3] p.
1804 Oct. 29th Assy., 1st sit. [361]-485, [3] p.
1805* Oct. 30th Assy., 1st sit. [486]-519, [2] p.
1806 Feb. 39th Assy., 2d sit. [521]-708, [3] p.
DLC *Nj

B.2 Reel 5b

Unit 1

1806 Oct. 31st Assy., 1st sit. [709]-783, [3] p.
1807 Oct. 32d Assy., 1st sit. 91, [3] p.
1808 Oct. 33d Assy., 1st sit. 125, [3] p.
1809 Oct. 34th Assy., 1st sit. [129]-233, [3] p.
1810 Oct. 35th Assy., 1st sit. [237]-254, [1] p.
1811 Feb. 35th Assy., 2d sit. xiii, 261-486, [4] p.
DLC

Unit 2

1811 Oct. 36th Assy., 1st sit. Pub. (In 1811 Rev. Stat.)
1811 Oct. 36th Assy., 1st sit. Priv. and temp. 31 p.
1812 Jan. 36th Assy., 2d sit. Pub. 35, [1] p.
1812 Aug. 36th Assy., 3d sit. Priv. and temp. [33]-122, [4] p.
1812* Aug. 36th Assy., 3d sit. Pub. 33-36 p.
1812* Aug. 36th Assy., 3d sit. Priv. and temp. 123-128 p.
1812 Oct. 37th Assy., 1st sit. Pub. 11 p.
1812 Oct. 37th Assy., 1st sit. Priv. and temp. 24 p.
1813 Jan. 37th Assy., 2d sit. Pub. 56 p.
1813 Jan. 37th Assy., 2d sit. Priv. and temp. 127, [1] p.
DLC *Nj

Unit 3

1813 Oct. 38th Assy., 1st sit. Pub. [57]-67, [1] p.
1813 Oct. 38th Assy., 1st sit. Priv. and temp. [129]-138, [1] p.
1814 Jan. 38th Assy., 2d sit. Pub. [69]-86, [1] p.
1814 Jan. 38th Assy., 2d sit. Priv. and temp. [141]-258 p.
DLC

Unit 4

1814 Oct. 39th Assy., 1st sit. Pub.
1815 Jan. 39th Assy., 2d sit. Pub.
In 1 vol. 71 p.
1814 Oct. 39th Assy., 1st sit. Priv. and temp.
1815 Jan. 39th Assy., 2d sit. Priv. and temp.
In 1 vol. 188 p.
1815 Oct. 40th Assy., 1st sit. Pub., priv. and temp.
1816 Jan. 40th Assy., 2d sit. Priv. and temp.
In 1 vol. 195 p.

NEW JERSEY-Continued

1816 Jan. 40th Assy., 2d sit. Pub. 34 p.
1816 Oct. 41st Assy., 1st sit. Pub.
1817 Jan. 41st Assy., 2d sit. Pub.
In 1 vol. 39 p.
1816 Oct. 41st Assy., 1st sit. Priv. and temp.
1817 Jan. 41st Assy., 2d sit. Priv. and temp.
In 1 vol. 86 p.

DLC

Unit 5

1817 Oct. 42d Assy., 1st sit. Pub.
1818 Jan. 42d Assy., 2d sit. Pub.
In 1 vol. 120 p.
1817 Oct. 42d Assy., 1st sit. Priv. and temp.
1818 Jan. 42d Assy., 2d sit. Priv. and temp.
In 1 vol. 128 p.
1818 Oct. 43d Assy., 1st sit. Pub.
1819 Jan. 43d Assy., 2d sit. Pub.
In 1 vol. 36 p.
1818 Oct. 43d Assy., 1st sit. Priv. and temp.
1819 Jan. 43d Assy., 2d sit. Priv. and temp.
In 1 vol. 81 p.

DLC

B.2 Reel 5c

Unit 1

1819 Oct. 44th Assy., 1st sit. Pub.
1820 Jan. 44th Assy., 2d sit. Pub.
In 1 vol. [37]-122 p.
1820 May 44th Assy., 3d sit. Pub. 1 p.l., [123]-200 p.
1819 Oct. 44th Assy., 1st sit. Priv. and temp.
1820 Jan. 44th Assy., 2d sit. Priv. and temp.
In 1 vol. [83]-134 p.
1820* May 44th Assy., 3d sit. Priv. and temp. [135]-142, [1] p.
1820 Oct. 45th Assy., 1st sit. Pub. [201]-214, [1] p.
1820 Oct. 45th Assy., 1st sit. Priv. and temp. [135]-155, [1] p.

DLC *Nj

Unit 2

1821 Oct. 46th Assy., 1st sit. Pub. 21, [1] p.
1821 Oct. 46th Assy., 1st sit. Priv. and temp. 44 p.
1822 Oct. 47th Assy., 1st sit. Pub. [23]-42, [2] p.
1822 Oct. 47th Assy., 1st sit. Priv. and temp. 1 p.l., [45]-110, [3] p.
1823 Oct. 48th Assy., 1st sit. Pub. [45]-65, [2] p.
1823 Oct. 48th Assy., 1st sit. Priv. and temp. [115]-186, [3] p.

DLC

Unit 3

1824 Oct. 49th Assy., 1st sit. 204 p.

NEW JERSEY-Continued

1825 Oct. 50th Assy., 1st sit.
129 p.

DLC

B.2 Reel 6

Unit 1

1826 Oct. 51st Assy., 1st sit.
109 p.
1827 Oct. 52d Assy., 1st sit.
1828 Jan. 52d Assy., 2d sit.
In 1 vol. 233 p.
1828 Oct. 53d Assy., 1st sit.
1829 Jan. 53d Assy., 2d sit.
In 1 vol. 153 p.
1829 Oct. 54th Assy., 1st sit.
1830 Jan. 54th Assy., 2d sit.
In 1 vol. 142 p.

Unit 2

1830 Oct. 55th Assy., 1st sit.
1831 Jan. 55th Assy., 2d sit.
In 1 vol. 192 p.
1831 Oct. 56th Assy., 1st sit.
1832 Feb. 56th Assy., 2d sit.
In 1 vol. 224 p.
1832 Oct. 57th Assy., 1st sit.
1833 Jan 57th Assy., 2d sit.
In 1 vol. 193 p.

Unit 3

1833 Oct. 57th (sic 58th) Assy., 1st sit.
1834 Jan. 57th (sic 58th) Assy., 2d sit.
In 1 vol. 201 p.
1834 Oct. 59th Assy., 1st sit.
1835 Jan. 59th Assy., 2d sit.
In 1 vol. 209 p.
1835 Oct. 60th Assy., 1st sit.
1836 Jan. 60th Assy., 2d sit.
In 1 vol. 447 p.

B.2 Reel 7

Unit 1

1836 Oct. 61st Assy., 1st sit.
1837 Jan. 61st Assy., 2d sit.
1837 May 61st Assy., 3d sit.
In 1 vol. 539 p.

Unit 2

1837 Oct. 62d Assy., 1st sit.
1838 Jan. 62d Assy., 2d sit.
In 1 vol. 292 p.
1838 Oct. 63d Assy., 1st sit.

NEW JERSEY-Continued

1839 Jan. 63d Assy., 2d sit.
In 1 vol. 272 p.

Unit 3

1839 Oct. 64th Assy., 1st sit.
1840 Jan. 64th Assy., 2d sit.
In 1 vol. 164 p.
1840 Oct. 65th Assy., 1st sit.
1841 Jan. 65th Assy., 2d sit.
In 1 vol. 157, 24 p.
1841 Oct. 66th Assy., 1st sit.
1842 Jan. 66th Assy., 2d sit.
In 1 vol. 200 p.

Unit 4

1842 Oct. 67th Assy., 1st sit.
1843 Jan. 67th Assy., 2d sit.
In 1 vol. 138 p.
1843 Oct. 68th Assy., 1st sit.
1844 Jan. 68th Assy., 2d sit.
In 1 vol. 300 p.

B.2s Reel 1

Unit 1

1704-1714 70 original acts passed at various dates. v.p. (On parchment)
PRO-C.O.5/1006

Unit 2

[W] 1716-1720 31 acts passed at various dates.
PRO-C.O.5/1007

NEW MEXICO

B.2 Reel 1

Unit 1

1846 Kearny's Code. 115 p.
1847 Dec. 1st Terr. Assy. 4 p.l., 43 p. (Eng. & Sp.)
NmStM

Unit 2

1851 June 1st Assy., 1st sess.
1851 Dec. 1st Assy., 2d sess.
In 1 vol. 442, [1] p. (Eng. & Sp.)
Kearny's Code. p. [35]-105.
NmStM

Unit 3

1852 Dec. 2d Assy. 2 p.l., [7]-160 p. (Eng. & Sp.)
1853 Dec. 3d Assy. 2 p.l., [7]-219 p. (Eng. & Sp.)
NmStM

NEW MEXICO-Continued

Unit 4

1854 Dec. 5th (sic 4th) Assy. 3 p.l., [10]-147 p. (Eng. & Sp.)
1855 Dec. 5th Assy. 3 p.l., [10]-176 p. (Eng. & Sp.)

NmStM

Unit 5

1856 Dec. 6th Assy. 3 p.l., [10]-112 p. (Eng. & Sp.)
1857* Dec. 7th Assy. 32, 41-96 p. (Eng. & Sp.)
1858* Dec. 8th Assy. 95 p. (Eng. & Sp.)

NmStM *Nm

Unit 6

1859* Dec. 9th Assy. 141 p. (Eng. & Sp.)
1860 Dec. 10th Assy. 130 p. (Eng. & Sp.)
1861 Dec. 11th Assy. 71 p. (Eng. & Sp.)

NmSt *Nm

B.2 Reel 2

Unit 1

1862 Dec. 12th Assy. 119 p. (Eng. & Sp.)
1863 Dec. 13th Assy. 139 p. (Eng. & Sp.)
1864 Dec. 14th Assy. 2 p.l., [714]-779, 814-818, 852-856 p. (Eng. & Sp.)

NmStM

Unit 2

1865 Dec. 15th Assy. 239 p. (Eng. & Sp.)
1866 Dec. 16th Assy. 1 p.l., 183 p. (Eng. & Sp.)

NmStM

Unit 3

1867 Dec. 17th Assy. 1 p.l., 203 p. (Eng. & Sp.)
1868 Dec. 18th Assy. 2 p.l., [7]-112, 29 p. (Eng. & Sp.)
1868 Dec. 18th Assy. 98, 22 p. (Sp.)

NmStM

Unit 4

1869 Dec. 19th Assy. 207, 16 p. (Eng. & Sp.)
1871 Dec. 20th Assy. 77 p. (Eng.)[1]
1871 Dec. 20th Assy. 79 p. (Sp.)[1]

NmStM

Unit 5

1873 Dec. 21st Assy. 1 p.l., [5]-127, [1], 31 p. (Eng.)
1873 Dec. 21st Assy. 1 p.l., [5]-144 p. (Sp.)
In 1 vol.

NmStM

1. In 1 vol.

NEW MEXICO-Continued

Unit 6
1875 Dec. 22d Assy. 1 p.l., [5]-250 p. (Eng.)
1875 Dec. 22d Assy. 1 p.l., [5]-250 p. (Sp.)
In 1 vol.

NmStM

B.2 Reel 3

Unit 1
1878 Dec. 23d Assy. 1 p.l., [5]-128 p. (Eng.)
1878 Dec. 23d Assy. 1 p.l., [5]-126 p. (Sp.)
In 1 vol.

DLC

Unit 2
1880 Jan. 24th Assy. 132 p. (Eng.)
1880 Jan. 24th Assy. 1 p.l., 136 p. (Sp.)
In 1 vol.

NmStM

Unit 3
1882 Jan. 25th Assy. 220 p. (Eng.)
1882 Jan. 25th Assy. 232 p. (Sp.)
In 1 vol.

DLC

Unit 4
1884 Feb. 26th Assy. 2 p.l., [7]-283 p. (Eng.)
[W] 1884* Feb. 26th Assy. 336 p. (Sp.)
In 1 vol.

DLC *CSmH

Unit 5
1886 Dec. 27th Assy. viii, 261 p. (Eng.)
[W] 1886 Dec. 27th Assy. 152 p. (Sp.)

DLC

B.2 Reel 4

Unit 1
1888 Dec. 28th Assy. 2 p.l., xxv, 408 p. (Eng.)
DLC

Unit 2
1888 Dec. 28th Assy. 439, xxv p. (Sp.) DLC

Unit 3
1890 Dec. 29th Assy. 2 p.l., [7]-317 p. (Eng.)
DLC

Unit 4
1890 Dec. 29th Assy. 375 p. (Sp.) DLC

NEW YORK

B.2 Reel 1

Unit 1
1647 May-1658 Mar. Ordinances. 138 p. MS. N-Ar

NEW YORK-Continued

Unit 2

1683-1702 Original laws passed at various sessions in 1683, 1684, 1685, 1690, 1699, 1700, 1701, 1702. v.p. MS.

N-Ar

B.2 Reel 2

Unit 1

1692 Sept. 10 Act for restraining and punishing privateers... 3 p. (1st issue)
---- ---- 3 p. (2d issue)
1692 Nov. 12 Tax act. 4 p.
1693 Apr. 10 Tax act. [6] p.
1693 Sept. 12 An act for settling a ministry and raising a maintenance... 4 p.

DLC

Unit 2

1693/4* Mar. 4th Assy., 1st sess. 85-92 p.
1694* Oct. 4th Assy., 2d sess. [4] p.
1695 Mar. 4th Assy., 3d sess. (No acts passed)
1695* June 5th Assy., 1st sess. 101-106 p.
1695* Oct. 6th (sic 5th) Assy., 1st (sic 2d) sess. 107-113 p.
1694** Oct. 4th Assy., 2d sess. [4] p.
1695** June 5th Assy., 1st sess. 101-106 p.
1695** Oct. 6th (sic 5th) Assy., 1st (sic 2d) sess. 107-113 p.
1696** Mar 5th Assy., 3d sess. [10] p.
1696** Oct. 5th Assy., 4th sess. [6] p.
1697 Mar. 5th Assy., 5th sess. [5] p.
1698 Mar. 6th Assy. (No acts passed)
1699 Mar. 7th Assy., 7th (sic 1st) sess. 119-150 p.
1700 July 7th Assy., 2d sess. 151-155 p.
1700 Oct. 7th Assy., 3d sess. [155]-157, 190-197 p.
1701 Apr. 7th Assy., 4th sess. (No acts passed)
1701 Aug. 7th (sic 8th) Assy., 3d (sic 1st) sess. 157-176 p.
1702 Apr. 8th Assy., 2d sess. (See Reel 1, MS.)
1702 Oct. 9th Assy., 1st sess. [177]-202 p.

PHi *DLC **NN

1703 Apr. 9th Assy., 2d sess. [203]-228 p.
1703 May An act declaring the illegality of the proceedings... Broadside.
1703 Oct. 9th Assy., 3d sess. 3 p.
1704 Apr. 9th Assy., 4th sess. [229]-238 p.
1704 Oct. 9th Assy., 5th sess. (No acts passed)
1704 Apr. 3 Ordinance...establishing Supream Court of Judicature... 1 p.l., 2 p.

NEW YORK-Continued

1705 June 10th Assy., 5th (sic 1st) sess. 233-239 p.
1705 [Aug. 4] An act for defraying the common and necessary charge of the manor of Ranslaerwick... Broadside.
1705 Apr. 14 An ordinance [relating to the Court of Admiralty] 4 p.
1705 Sept. 10th Assy., 2d sess. (No acts passed)
1706 June (sic May) 10th Assy., 6th (sic 3d) sess. 2 p.
1706 Sept. 10th Assy., 7th (sic 4th) sess. 6 p.
1708* Aug. 11th Assy. [12] p.
1709* Apr. 12th Assy., 1st sess.
1709* Sept. 12th Assy., 2d sess.
In 1 vol. 73-76 (sic 85-89), 89-96, 4, 101-113, 113-114 p.
1709 May An act for regulating and establishing fees. 13 p.
1709 June An act for laying an excise on all liquors .... [4] p.
1710** June An act for levying four thousand pounds... 4 p.
1710** Oct. 19 An ordinance for regulating and establishing fees. [8] p.
1710 Sept. 13th Assy., 1st sess. 115-122, 127-128 p.
1710*** Oct. 19 An ordinance for regulating and establishing fees... 20 p. (1st issue?)
----*** ---- 20 p. (2d issue)
----*** ---- 20 p. (3d issue)
----*** ---- 20 p. (4th issue)

PHi *MHL **NNB ***NHi

Unit 3

[W] 1711* July An act for raising forces to assist in the expedition to Canada. p. 129-131, 130.
1711 Apr. 13th Assy., 2d sess. (No acts passed)
1711** July 14th Assy., 1st sess. 133-144 p.
1711 Sept. 14th Assy., 2d sess. (Not found)
[W] 1712 Apr. 14th Assy., 3d sess. 151-154 p.
[W] 1712***** Aug. 14th Assy., 4th sess. 155-163 (sic 167) p.
[W] 1713*** May 15th Assy., 1st sess. 168-169 p.
1713** Oct. 15th Assy., 2d sess. 170-173, 175-182 p.
[W] 1714***** Mar. 15th Assy., 3d sess. 183-202 (sic 206) p.
[W] 1715***** May 16th Assy., 1st sess. 207-238 p.
1715** July An act [relating to naturalization] 6 p.
1715** Oct. 20 An ordinance for altering the times of sitting of the Supream Court of Judicature... [3] p.
1716**** June 17th Assy., 1st sess.
1716**** Aug. 17th Assy., 2d sess.
In 1 vol. 239-242, 245-245 (sic 253) p.

NEW YORK-Continued

1717**** Apr. 17th Assy., 3d sess.
1717**** Aug. 17th Assy., 4th sess.
In 1 vol. 246-302 p.
1718***** May 17th Assy., 5th sess. 303-306 p.
1718***** Sept. 17th Assy., 6th sess. 307-310 p.
[W] 1719 Apr. 17th Assy., 7th sess. 311-324 p.
1719 Apr. 17th Assy., 7th sess. 349-351 p.
1720 Oct. 17th Assy., 8th sess. 325-348 p.
1721 May 17th Assy., 9th sess. 353-390 p.
1722 May 17th Assy., 10th sess. 391-401 p.
1722** July 16 An ordinance for regulating and establishing a Court of Admiralty ... 4 p.
NNB *PRO **NHi ***NN ****MHL *****DLC

Unit 4

1721 May 17th Assy., 9th sess. 353-390 p.
1721 Aug. 26 Proclamation of the King. 4 p.
1722 May 17th Assy., 10th sess. 391-401 p.
1722 Oct. 17th Assy., 11th sess. 403-422 p.
1723 May 17th Assy., 12th sess. 1 p.l., 423-446 p.
1723* Aug. 22 An ordinance for regulating and establishing fees... 7 p.
1723* Aug. 22 An ordinance for regulating the recording of deeds... 2 p.
1723* Nov. 26 An ordinance for regulating and establishing fees... 14 p.
PRO *NHi

Unit 5

1723 May 17th Assy., 12th sess. 1 p.l., 423-446 p.
[W] 1724* May 17th Assy., 13th sess. 261-316 p.
1725 Aug. 17th Assy., 14th sess. 7 p.
1726 Apr. 17th Assy., 15th sess. 1 p.l., 46 p.
1726 Sept. 18th Assy., 1st sess. 1 p.l., [36] p.
1727 Sept. 19th Assy., 1st sess. 36 p.
1728 July 20th Assy., 1st sess. 55 p.
1729 May 20th Assy., 2d sess. 48 p.
1730 Aug. 20th Assy., 3d sess. 37, [1] p.
NNB *PRO

Unit 6

1727/8 Feb. 28 An ordinance for regulating and establishing fees... 4 p.
1727/8 Mar. 7 An ordinance for establishing remedies for abuses in the practice of law... 6 p.
1729 July 4 acts. 400-407 p.
1730 Aug. 20th Assy., 3d sess. 348-373 p.
1730 3 acts passed. 374-377 p.
1731 Aug. 20th Assy., 4th sess. 374-399 p.
1732 Aug. 20th Assy., 5th sess. [2], 344-403 p.

NEW YORK-Continued

1733* Oct. 20th Assy., 6th sess. 405-411 p.
1733 Oct. 20th Assy., 6th sess. 405-408 p.
1734 Apr. 20th Assy., 7th sess. 413-428 p.
1734 Oct. 20th Assy., 8th sess. 427-462 p.
1735 Oct. 20th Assy., 9th sess. 427-834 (sic 438) p.
1736 Oct. 20th Assy., 10th sess. 439-454 p.

DLC *NNB

Unit 7

1732 Aug. 20th Assy., 5th sess. [2], 344-403 p.
1735 Oct. 20th Assy., 9th sess. 427-834 (sic 438) p.

PRO

B.2 Reel 3

Unit 1

1737 Apr. 20th Assy., 11th sess. (No acts passed)
1737 June 21st Assy., 1st sess. 1 p.l., 100, [1] p.
1737 Jan. 18 An ordinance for appointing times and places for holding annual circuit courts... 2 p.
1737 Oct. 21st Assy., 2d sess. (?) 454-457 p.
Inserted: 1740 July 12, An act for transporting and victualing of volunteers... 4 p.
1738 Apr. 21st Assy., 2d sess. (No acts passed)
1739 Mar. 22d Assy., 1st sess. [3] p.
1739 Aug. 22d Assy., 2d sess. 10 p. (?) (Not found)
1739* Oct. 22d Assy., 3d sess. 10 p.
1739 Oct. 3 An act to regulate the militia... 10 p. (Prefixed)
1739 Oct. 22d Assy., 3d sess. 11-53 p.
1740 Apr. 22d Assy., 4th sess. 41 p. (Not found) See supra 1737 Oct.
1740 Sept. 22d Assy., 5th sess. 1 p.l., 60 p.
1741 Apr. 22d Assy., 6th sess. (Not found)
1741 June 13 An act for the more equal keeping military watches... [3] p.
1741 June 13 An act for the better fortifying... 11 p.
1741 Sept. 22d Assy., 7th sess. 44 p.
1742 May 22 An act for regulating payment of...quit rents... 9 p.
1742 May 22 An act for repairing Fort George... 8-11 p.
1742 Mar. 22d Assy., 8th sess.
1742 Oct. 22d Assy., 9th sess.
In 1 vol. 35 p.
1743 Apr. 22d Assy., 10th sess. 4 p.

N *NHi

Unit 2

1737 June 21st Assy., 1st sess. 1 p.l., 100, [1] p.
1737 Oct. 21st Assy., 2d sess. (?) 454-457 p.
1740 Sept. 22d Assy., 5th sess. 1 p.l., 60 p.
1741 Sept. 22d Assy., 7th sess. 44 p.

NEW YORK-Continued

1742 Oct. 22d Assy., 9th sess. 35 p.
1743* Nov. 23d Assy., 1st sess. 42 p.
1744** Apr. 23d Assy., 2d sess.
6 original acts.
[W] 1744*** Apr. 23d Assy., 2d sess. 8 p.
1744 July 23d Assy., 3d sess. 57, [1] p.
1744 Nov. 23d Assy., 4th sess. 4 p.
1745 June 24th Assy., 1st sess.
1745 Aug. 24th Assy., 2d sess.
In 1 vol. 61, [1] p.
1746 June 24th Assy., 3d sess. 47, [1] p.

NHi *NHi-1 **N-Ar ***PRO

Unit 3

1746** Oct. 24th Assy., 4th sess. 12 original acts.
v.p. MS.
1747 Mar. 24th Assy., 5th sess. 1 original act.
12 l. MS.
1747 Sept. 24th Assy., 6th sess. 7 original acts.
v.p. MS.
1747/8 Feb. 25th Assy., 1st sess. 11 original acts.
v.p. MS.

N-Ar

Unit 4

1746 June 24th Assy., 3d sess. 47, [1] p.
1747 Apr. 29 An act for purchasing a further supply of provisions... 49-52 p.
1746/7 Jan. 24th Assy., 5th sess.
1747 Sept. 24th Assy., 6th sess.
In 1 vol. 21, [1] p.
1747/8 Feb. 25th Assy., 1st sess. 39, [1] p.
[W] 1748 Sept. 25th Assy., 2d sess. 12 p.

PRO-1

B.2 Reel 4

Unit 1

1748 Sept. 25th Assy., 2d sess. 6 original acts.
v.p. MS.
1749 June 25th Assy., 3d sess. (No acts passed)
1750 Sept. 26th Assy., 1st sess. 34 original acts.
v.p. MS.

N-Ar

Unit 2

1750* Sept. 26th Assy., 1st sess. 3-59 p.
1751 May 26th Assy., 2d sess. (No acts passed)
1751*** Oct. 26th Assy., 3d sess. 30, [1] p.
1752 Oct. 27th Assy., 1st sess. 1 p.l., 13 p.
1753 May 27th Assy., 2d sess. 19 p.
1753 Sept. 27th Assy., 3d sess. 48 p.
1754*** Apr. 27th Assy., 4th sess.
1754*** May 27th Assy., 5th sess.
Together 4 p.

NEW YORK-Continued

1754** Aug. 29 An act...to dispossess the French and Indians. Broadside.
1754 Aug. 27th Assy., 6th sess. 100, [1] p.
1755 Dec. 27th Assy., 7th sess. 3-65. [1] p.
1756**** Sept. 27th Assy., 8th sess. 41, [1] p.
1757 Feb. 27th Assy., 9th sess. 3-15 p.
1757 Dec. 27th Assy., 10th sess. 3-22, [1] p.
1758 Mar. 27th Assy., 11th sess. 42 p.
1758 Nov. 27th Assy., 12th sess. 2 p.l., 43-66 p.

MHi *PRO-1 **N ***N-1 ****MHi-1

Unit 3

1757 Feb. 27th Assy., 9th sess.
1758 Mar. 27th Assy., 11th sess.
1758 Nov. 27th Assy., 12th sess.
In 1 vol. 1 p.l., 66, [1] p.

N

1758* Nov. 27th Assy., 12th sess. 43-66 p.
1759** Jan. 28th Assy., 1st sess. 28 p.
1759** Dec. 28th Assy., 2d sess. 29-53 p.
1759 Jan. 28th Assy., 1st sess. 8 original acts. v.p. MS.
1759 Dec. 28th Assy., 2d sess. 36 original acts. v.p. MS.

N-Ar *PRO **MHi-1

B.2 Reel 5

Unit 1

1760 Oct. 28th Assy., 3d sess. 19 original acts. v.p. MS.
1761 Mar. 29th Assy., 1st sess. 7 original acts. v.p. MS.
1761 Sept. 29th Assy., 2d sess. 6 original acts. v.p. MS.
1761 Nov. 29th Assy., 3d sess. 17 original acts. v.p. MS.
1762 Nov. 29th Assy., 5th sess. 26 original acts. v.p. MS.

N-Ar

Unit 2

1762 Mar. 29th Assy., 4th sess. 269-308 p.
1762 Nov. 29th Assy., 5th sess. (See Unit 1)
1763* Nov. 21st (sic 29th) Assy., 4th (sic 6th) sess. 309-353 (sic 357) p.
1764 Apr. 29th Assy., 7th sess.
1764 Sept. 29th Assy., 8th sess.
Together 353-407 p.
1765** Nov. 21st (sic 29th) Assy., 9th sess. 409-440 p.
1766 June 29th Assy., 10th sess. 441-444 p.
1766** Nov. 29th Assy., 11th sess. 445-469 p.

NEW YORK-Continued

1767*** May 29th Assy., 12th sess. 6 original acts. v.p. MS.

N *DLC **MHL ***N-Ar

Unit 3

1767* Nov. 29th Assy., 13th sess. 471-568 p.
1768* Oct. 30th Assy., 1st sess. 569-605, [1] p.
1769 Apr. 31st Assy., 1st sess. 607-637, [1] p.
1769 Nov. 31st Assy., 2d sess. 639-728, [2] p.
1770 Dec. 31st Assy., 3d sess. 731-822 p.
1772* Jan. 31st Assy., 4th sess. 823-949 (sic 947), [2] p.
1773** Jan. 31st Assy., 5th sess. 105, [2] p.

N *MHL **PRO

B.2 Reel 6

Unit 1

1774 Jan. 31st Assy., 6th sess. 79, [1] p.
1775 Jan. 31st Assy., 7th sess. 81-202, [2] p.

NHi

Unit 2

1777 Sept. 1st Assy.
1778 Oct. 2d Assy., 1st meet.
In 1 vol. 1 p.l., vi, 3-48 p.
1779 Jan. 2d Assy., 2d meet. 49-72 p.
1779 Aug. 3d Assy., 1st meet. 73-100 p.
1780 Jan. 3d Assy., 2d meet. 101-129 p.
1780 May 3d Assy., 3d meet. 131-148 p.
1780 Aug. 4th Assy., 1st meet.
1781 Jan. 4th Assy., 2d meet.
1781 June 4th Assy., 3d meet.
In 1 vol. 149-206 p.
1781 Aug. 5th Assy., 1st meet. 207-218 p.
1782 Feb. 5th Assy., 2d meet. 219-255 p.
1782 July 6th Assy., 1st meet. 257-268 p.
1783 Jan. 6th Assy., 2d meet. 269-300 p.
1784 Feb. 7th Assy., 1st meet. [1], iii, [3]-127 p.

NHi

Unit 3

1784 Oct. 8th Assy., 1st meet. 34 p.
1785 Jan. 8th Assy., 2d meet. 56, 53-104 p.
1786 Jan. 9th Assy. 137 p.
1787 Jan. 10th Assy. 212 p.

MHL

Unit 4

1788 Jan. 11th Assy., 1st meet. 222 p.
1788 Dec. 11th Assy., 2d meet. (No laws passed)

MHL

NEW YORK-Continued

B.2 Reel 7

Unit 1

1789 Jan. 12th Assy. 1 p.l., 81 p.
1789* July 13th Assy., 1st meet. 3 p.
1789 July 13th Assy., 1st meet.
1790 Jan. 13th Assy., 2d meet.
In 1 vol. 1 p.l., 48 p.
1791 Jan. 14th Assy. 38, [2] p.
1792 Jan. 15th Assy. 74, [2] p.
MHL *DLC

Unit 2

1792 Nov. 16th Assy. 63, [1] p.
1794 Jan. 17th Assy. 36, [2] p.
1795* Jan. 18th Assy. 55, [2] p.
1796 Jan. 19th Assy. 54, [2] p.
1797* Jan. 20th Assy. 340 (sic 240), [4] p.
NN *DLC

Unit 3

1798 Jan. 21st Assy. 1 p.l., [243]-535, [5], xii p.
1798 Aug. 22d Assy., 1st meet. 1 p.l., [539]-552 p.
1799 Jan. 22d Assy., 2d meet. 1 p.l., [555]-844, [4] p.
DLC

Unit 4

1800 Jan. 23d Assy. 294, [8] p. DLC

Unit 5

1801 Jan. 24th Assy. 226, [4] p. DLC

Unit 6

1802 Jan. 25th Assy. 297, vi p. DLC

B.2 Reel 8

Unit 1

1803 Jan. 26th Assy. 359, [1], viii p. DLC

Unit 2

1804 Jan. 27th Assy. 343, 348-478, [1], viii p.
DLC

Unit 3

1804 Nov. 28th Assy. 615, [1], vii p. DLC

Unit 4

1806 Jan. 29th Assy. 646, [1], xv p. DLC

B.2 Reel 9

Unit 1

1807 Jan. 30th Assy. 533, [1], xii p. DLC

Unit 2

1808 Jan. 31st Assy. Pub. 355, [1], xi p.
DLC

Unit 3

1808 Jan. 31st Assy. Priv. 266, iv p. DLC

NEW YORK-Continued

Unit 4

1808 Nov. 32d Assy. Pub. 268, [4] p.
[W] 1808 Nov. 32d Assy. Priv. 190, [2] p.
DLC

Unit 5

[W] 1810 Jan. 33d Assy. Pub. 108, vi p.
1810 Jan. 33d Assy. Pub. 91 p.
1810 Jan. 33d Assy. Priv. 205, iii p.
DLC

NORTH CAROLINA

B.2 Reel 1a

Unit 1

1715 Nov. sess. [10] p. MS. Nc-Ar

Unit 2

1715 Collection of laws. 202 p. MS.
Appended:
Laws, 1720 Aug. sess. 203-221 p. MS.
Laws, 1722 Oct. sess. 222-257 p. MS.
Laws, 1723 Nov. sess. 258-319 p. MS.
Nc-Ar

Unit 3

1734 Copy of 9 acts passed... 14 fol. MS.
1738 Copy of 11 acts passed... 15-33 fol. MS.
1739/40 Feb. Copy of 4 acts passed... 34-37 fol. MS.
1746 Nov.-1748 Oct. Copy of all acts passed... 38-94 fol. MS.
PRO-C.O.5/333

Unit 4

1746 Nov. sess. 45 p. MS. (w: p. 1-3)
Nc-Ar

Unit 5

1743-1773 Acts passed at different dates. [400] p. MS. v.p. Nc-Secy.

B.2 Reel 1b

Unit 1

1748 Apr.-Oct. sess. [69] p. MS.
1749 Apr.-Oct. sess. [42] p. MS.
1750 Apr. sess. [2] p. MS.
? ? sess. [13] p. MS.
1751 Oct. sess. [70] p. MS.
1760 May-Dec. sess. [133] p. MS.
1767 Dec. sess. [24] p. MS.

1768 Nov. sess. [4] p. MS.
1773 Dec. sess. [12] p. MS.
Nc-Secy.

Unit 2

1755 Acts passed at different dates... 108-167 fol. MS.
PRO-C.O.5/333

Unit 3

1755-1760 Acts passed at different dates... 251 fol. MS.
PRO-C.O.5/336

B.2 Reel 1c

Unit 1

1760 Dec. sess. 65 fol. MS.
1761 Apr. sess. 66-119 fol. MS.
1762 Dec. sess. 120-241 fol. MS.
1764 Mar. sess. 242-279 fol. MS.
PRO-C.O.5/337

Unit 2

1764-1766 Acts passed at different dates... Nos. 64-113. 225 fol. MS.
PRO-C.O.5/338

Unit 3

1767-1769 Acts passed at different dates... Nos. 114-165. 180 fol. MS.
PRO-C.O.5/339

Unit 4

[W] 1770 Dec. sess. 29-64 p. (Sig. H-Q) (Incomplete)
NN-Hargrett

B.2 Reel 2

Unit 1

1761 Apr. sess. 25, [5] p. fol. MS.
1767 Nov. sess. 98-133, [17] p. fol. MS.
1768 Nov. sess. 135-188, [20], [68] p. fol. MS.
Nc-Secy. Vol. 345

Unit 2

1771 Nov. sess. 37, [14] fol. MS.
1770 Dec. sess. 52 fol. MS.
1768 Jan. sess. 52-62 fol. MS.
1774 Mar. sess. 63-76 fol. MS.
1773 Jan. sess. 78-80 fol. MS.
1774 Mar. sess. 81-196, [18] fol. MS.
Nc-Secy. Vol. 344

NORTH CAROLINA-Continued

B.2 Reel 3

Unit 1

1752 Mar. sess. (See Statutes: Collection of all public acts, 1752, p. 355-371)
1753* Mar. sess. 373-384 p.
1754 Feb. sess. 385-410 p.
1754 Dec. sess. [3]-63, [1] p. (w: p. 42-43)
1755 Sept. sess. 30 p.
1756 Sept. sess. 38 p.
1757 May sess. 5 p.
1757 Nov. sess. 15 p.
1758 Apr. sess. 8 p.
1758 Nov. sess. 31 p.
1759 May sess. 3 p.
1759 Nov. sess. 19 p.
1760 Apr. sess. 32 p.
1760 May sess. 14 p.
1760 June sess. 7 p.
1760 Nov. sess. (See MS., B.2, Reel 1, Unit 3.)
1761 Mar. sess. (Not found)
1762 Apr. sess. (No laws passed)

MiL - Photo. from PRO-1 *DLC

Unit 2

1762 Nov. sess. 28 p. (Incomplete?)
1764 Feb. sess. 1 p.l., 22 p. (Incomplete)
1764 Feb. sess.
1764 Nov. sess.
Together 309-386 p. of 1764 Revision.
1765 May sess. 387-393 p.
1766 Nov. sess. 395-438 p.
1767 Dec. sess. (See MS., B.2, Reel 1, Unit 4.)
1768 Nov. sess. (See MS., B.2, Reel 1, Unit 4.)
1769 Oct. sess. (See MS., B.2, Reel 1, Unit 2.)
1770 Dec. sess. (See MS., B.2, Reel 2, Unit 2.)
1771 Nov. sess. (See MS., B.2, Reel 2, Unit 2.)
1773 Jan. sess. (See MS., B.2, Reel 2, Unit 2.)
1773 Dec. sess. (No laws passed)
1774* Mar. sess. 1 p.l., 567-612 p.
1775 Apr. sess. (No laws passed)

NcU-1 *NcU-2

Unit 3

1777 Apr. sess. 1 p.l., 4, 38 p. (1 p.l., 4 p. mutilated)
1777 Nov. sess. 84 p.
1778 Apr. sess. 3-20 p. (n.t.-p.)
1778 Aug. sess. 4 p.
1779 Jan. sess. 38 p.
1779 May sess. 4 p.
1779 Oct. sess. 34 p.
1780 Apr. sess. 16 p.

NORTH CAROLINA-Continued

1780 Sept. sess. 11 p.
1781 Jan. sess. 16, [4] p.
1781 June sess. 16, [4] p.
1782 Apr. sess. 56 p.
1783 Apr. sess. 50 p.
1784 Apr. sess. 92, [2] p.

NcU

Unit 4

1784 Oct. sess. 64, [1] p.
1785 Nov. Reg. sess. [2], 38 (sic 42) p.
1786 Nov. Reg. sess. 55, [1] p.
1787 Nov. Reg. sess. 30, [2] p.
1788 Nov. Reg. sess. 27, [1] p.
1789 Nov. Reg. sess. 57, [1] p.
1790 Nov. Reg. sess. 28 p.
1791* Dec. Reg. sess. 32, [2] p.
1792 Nov. Reg. sess. 42 p.
1793 Dec. Reg. sess. 34, [1] p.
1794 July Reg. sess. 9, [1] p.
1794 Nov. Reg. sess. 39, [1] p.

NcU *MHL

B.2 Reel 4

Unit 1

1795 Nov. Reg. sess. 31, [1] p.
1796* Nov. Reg. sess. 68 p.
1796** Nov. Reg. sess. 45 (sic 43) p.
1797** Nov. Reg. sess. 25, [1] p.
1798 Nov. Reg. sess. 58 p.
1799 Nov. Reg. sess. 41, [3] p.
1800 Nov. Reg. sess. 1 p.l., 50 p.
1801 Nov. Reg. sess. 56 p.
1802 Nov. Reg. sess. 46, [4] p.

NcU *M **DLC

Unit 2

1803 Nov. Reg. sess. 60, [4] p.
1804 Nov. Reg. sess. 55, [5] p.
1805 Nov. Reg. sess. 1 p.l., 35, 32-42, [6] p.
1806 Nov. Reg. sess. 1 p.l., 55, [1] p.
1807* Nov. Reg. sess. 1 p.l., 40, [1] p. ([1] p. MS.)
1808 Nov. Reg. sess. 8, 11-43, [1] p.
1809 Nov. Reg. sess. 1 p.l., 41, [1] p.
1810 Nov. Reg. sess. 1 p.l., 53 p.
1811 Nov. Reg. sess. 1 p.l., 45, [1] p.
1812 Nov. Reg. sess. 1 p.l., 46 p.
1812 Nov. Reg. sess. 1 p.l., 43, [1] p.

NcU *DLC

Unit 3

1813 Nov. Reg. sess. 40, [2] p.

NORTH CAROLINA-Continued

1814 Nov. Reg. sess. 30, [1] p.
1815 Nov. Reg. sess. 32 p.
1816 Nov. Reg. sess. 54, [1] p.
1817* Nov. Reg. sess. 76, [2] p. (First octavo)
1818 Nov. Reg. sess. 114 p.

NcU *DLC

Unit 4

1819 Nov. Reg. sess. 83, [2] p.
1820 Nov. Reg. sess. 76, [2] p.
1821 Nov. Reg. sess. 83 p.

NcU

B.2 Reel 5

Unit 1

1822 Nov. Reg. sess. 84 p.
1823 Nov. Reg. sess. 104 p. table.
1824 Nov. Reg. sess. 211 (sic 112) p. table.

NcU

Unit 2

1825 Nov. Reg. sess. 94 p. table.
1826 Dec. Reg. sess. 92 p. table.
1827 Nov. Reg. sess. 100 p. table.
1828 Nov. Reg. sess. 100, 24 p. table.

DLC

Unit 3

1829 Nov. Reg. sess. 90, 21 p. table.
1830 Nov. Reg. sess. 142, 18 p. table.
1831 Nov. Reg. sess. 148, 20, 4 p. table.
1832 Nov. Reg. sess. 111, 24 p. table.

DLC

Unit 4

1833 Nov. Reg. sess. 202, 22 p. table.
1834 Nov. Reg. sess. 120 p. tables.
1835 Nov. Reg. sess. 127, 8, [4] p. table.

DLC

Unit 5

1836 Nov. Reg. sess. 343, [1], 20 p. table.
1838 Nov. Reg. sess. 1 p.l., [5]-193, [6] p., 1 l., [199]-220, [8] p. tables.

DLC

B.2 Reel 6

Unit 1

1840 Nov. Reg. sess. 179, 190-230, 16 p. table.
1842 Nov. Reg. sess. 228, 28 p. table.

NORTH CAROLINA-Continued

Unit 2

1844 Nov. Reg. sess. 228, 64 p. table.
1846 Nov. Reg. sess. 408, 18, [30] p. tables.

Unit 3

1848 Nov. Reg. sess. 500, 24 p. table.

OHIO

B.2 Reel 1

Unit 1

1788 July sess.
1790 July sess.
1790 Nov. sess.
1791 June sess.
In 1 vol. 68, [2] p.
1792 July sess. 74 p., [2] l.
1795 May sess. (In Maxwell's Code)
1798 Apr. sess. 32 p.

OCoSc

Unit 2

1799 Sept. 1st Assy., 1st sess. (In Compilation of 1800)
1800 Nov. 1st Assy., 2d sess. v.2:112 p.
1801 Nov. 2d Assy., 1st sess. v.3:253 p.

DLC

Unit 3

1803 Mar. 1st Assy. 164, xvii p.
Aud. Report. xvii p.

DLC - O-LR

1803* Dec. 2d Assy. 316, xvii p.
Aud. Report. xvii p.
1804 Dec. 3d Assy. p. 1-300 of 1805 Revision.
1805 Dec. 4th Assy. 46, 57-88, xxxii p.
Aud. and Treas. Reports. p. xi-xxviii.

DLC *DLC - M

Unit 4

1806 Dec. 5th Assy. 162, 21 p.
1807 Dec. 6th Assy. 188 p.
Aud. Report. p. 181-182. Treas. Report. p. 183-185.
1808 Dec. 7th Assy. 232 p.

DLC

B.2 Reel 2

Unit 1

1809 Dec. 8th Assy. 626, xlv p. O-LR

OHIO-Continued

Unit 2

1810 Dec. 9th Assy. 120, [27] p.
Aud. Report. p. [113]-116. Treas. Report. p. 117.
1811 Dec. 10th Assy. 228 p.
Aud. Report. p. [217-223]. Treas. Report. p. [224].
1812 Dec. 11th Assy. 179 (sic 183), 8 p.
Aud. and Treas. Reports. 8 p.

DLC

Unit 3

1813 Dec. 12th Assy. 228, [8] p.
Aud. and Treas. Reports. [8] p.
1814 Dec. 13th Assy. 340, 19 p.
Aud. and Treas. Reports. 19 p.

DLC

Unit 4

1815 Dec. 14th Assy. 64, 69-404, 13, [2], 24 p.
Aud. and Treas. Reports. 13, [2] p.

DLC

R.2 Reel 3

Unit 1

1816 Dec. 15th Assy. 269 p.
Aud. and Treas. Reports. p. 257-269.
1817 Dec. 16th Assy. 214, 12 p.
Aud. and Treas. Reports. 12 p.

Unit 2

1818 Dec. 17th Assy. 224, 12 p.
Aud. and Treas. Reports. 12 p.
1819 Dec. 18th Assy. Gen. (In 1820 Revision)
1819 Dec. 18th Assy. Loc. 167, 16 p.
Aud. and Treas. Reports. 16 p.
1820 Dec. 19th Assy. 224, 12 p.
Aud. and Treas. Reports. 12 p.

Unit 3

1821 Dec. 20th Assy. Gen. 88, 16 p.
Aud. and Treas. Reports. 16 p.
1821 Dec. 20th Assy. Loc. 99 p.
1822 May 20th Assy. 8 p.
1822 Dec. 21st Assy. Gen. 47, [1], 15 p.
Aud. and Treas. Reports. 15 p.
1822 Dec. 21st Assy. Loc. 72 p.
1823 Dec. 22d Assy. Gen. (In 1824 Revision)
1823 Dec. 22d Assy. Loc. 200, 15 p.
Aud. and Treas. Reports. 15 p.

Unit 4

1824 Dec. 23d Assy. Gen. 104, 14 p.
Aud. and Treas. Reports. 14 p.
1824 Dec. 23d Assy. Loc. 125 p.

OHIO-Continued

1825 Dec. 24th Assy. Gen. 112 p.
Treas. Report. p. [107]-108.
1825 Dec. 24th Assy. Loc. 143 p.
Aud. and Treas. Reports. p. [133]-143.

B.2 Reel 4

Unit 1

1826 Dec. 25th Assy. Gen. 118, 12 p.
Aud. and Treas. Reports. 12 p.
1826 Dec. 25th Assy. Loc. 131 p.
1827* Dec. 26th Assy. Gen. 96, 14 p.
Committee on Finance. Report. 14 p.
1827 Dec. 26th Assy. Loc. 192, 10, 4 p. tables.
Aud. Report. 10 p. Treas. Report. 4 p.

DLC

Unit 2

1828 Dec. 27th Assy. Gen. 96 p.
1828 Dec. 27th Assy. Loc. 195, 12 p. tables.
Aud. Report. 8 p. Treas. Report. p. [9]-12.
1829 Dec. 28th Assy. Gen. 69 p.
1829 Dec. 28th Assy. Loc. 232 p. tables.
Aud. Report. p. [217]-228. Treas. Report. p. [229]-232.

DLC

Unit 3

1830 Dec. 29th Assy. Gen. (In 1830 Revision)
1830 Dec. 29th Assy. Loc. 276, 16 p. table.
Aud. and Treas. Reports. 16 p.
1831 Dec. 30th Assy. Gen. 28, [1] p.
1831 Dec. 30th Assy. Loc. 344, 8, 3 p.
Aud. Report. 8 p. Treas. Report. 3 p.

DLC

Unit 4

1832 June 30th Assy. Gen. 11 p.
1832 June 30th Assy. Loc. 16 p.
1832 Dec. 31st Assy. Gen. 30, [2] p.
1832 Dec. 31st Assy. Loc. 277, 9, 12, 4 p. tables.
Aud. Report. 12 p. Treas. Report. 4 p.

DLC

B.2 Reel 5

Unit 1

1833 Dec. 32d Assy. Gen. 49, ii p.

OHIO-Continued

1833 Dec. 32d Assy. Loc. 456, xi, 15, 4 p.
Aud. Report. 15 p. Treas. Report.
4 p.

Unit 2

1834 Dec. 33d Assy. Gen. 60 p.
1834 Dec. 33d Assy. Loc. 478, 19 p., tables.

Unit 3

1835 June 33d Assy. 14 p.
1835 Dec. 34th Assy. Gen. 56 p.
1835 Dec. 34th Assy. Loc. 675, 8, 21 p.
table.

Unit 4

1836 Dec. 35th Assy. Gen. 144 p.
1836 Dec. 35th Assy. Loc. 678 (sic 578), 12,
6 p. tables.

B.2 Reel 6

Unit 1

1837 Dec. 36th Assy. Gen. 161 p.
1837 Dec. 36th Assy. Loc. 434, 21, 9 p.
tables.

Unit 2

1838 Dec. 37th Assy. Gen. 108 p.
1838 Dec. 37th Assy. Loc. 431, 17, 8 p.
tables.

Unit 3

1839 Dec. 38th Assy. Gen. 210 p.
1839 Dec. 38th Assy. Loc. 260, 41, 9 p.
tables.

Unit 4

1840 Dec. 39th Assy. Gen. 69 p.
1840 Dec. 39th Assy. Loc. 214, 35, 12 p.
tables.

B.2 Reel 7

Unit 1

1841 Dec. 40th Assy. Gen. 93 p.
1841 Dec. 40th Assy. Loc. 243, 148, 14 p.
tables.
[W] 1842 July 40th Assy., adj. sess. 6, 2 p.

Unit 2

1842 Dec. 41st Assy. Gen. 126 p.
1842 Dec. 41st Assy. Loc. 277, 37, 14 p.
tables.

Unit 3

1843 Dec. 42d Assy. Gen. 103 p.
1843 Dec. 42d Assy. Loc. 293, 51, 14 p.
tables.

Unit 4

1844 Dec. 43d Assy. Gen. 163 p.
1844 Dec. 43d Assy. Loc. 487, 33, 12 p.
tables.

OHIO-Continued

B.2 Reel 8

Unit 1

1845 Dec. 44th Assy. Gen. 160 p.
1845 Dec. 44th Assy. Loc. 346, 57 p. tables.

Unit 2

1846 Dec. 45th Assy. Gen. 84 p.
1846 Dec. 45th Assy. Loc. 238, [5]-106 p.

Unit 3

1847 Dec. 46th Assy. Gen. 134 p.
1847 Dec. 46th Assy. Loc. 336, [5]-100 p.

Unit 4

1848 Dec. 47th Assy. Gen. 79 p.
1848 Dec. 47th Assy. Loc. 413, 85 p.

B.2 Reel 9

Unit 1

1849 Dec. 48th Assy. Gen. 98, 97-129 p.
1849 Dec. 48th Assy. Loc. 770, iv, [5]-61, 10 p.

Unit 2

1850 Dec. 49th Assy. Gen. 163 p.
1850 Dec. 49th Assy. Loc. 846, 61, 8 p.

B.2 Reel 10

Unit 1

1852 Jan. 50th Assy. Gen. 348 p.
1852 Jan. 50th Assy. Loc. 54 p.

Unit 2

1852 Nov. 50th Assy. 566 p.

OKLAHOMA

B.2 Reel 1

Unit 1

1890 Aug. 1st reg. sess. (In Comp. Stat., 1890)
1893 Jan. 2d reg. sess. (In Comp. Stat., 1893)
1895 Jan. 3d reg. sess. xi, 298 p.
1897 Jan. 4th reg. sess. xv, 314 p.

Unit 2

1899 Jan. 5th reg. sess. 1 p.l., v-xiii, 250 p.
1901 Jan. 6th reg. sess. viii, 247 p.

Unit 3

1903 Jan. 7th reg. sess. xi, 310 p.
1905 Jan. 8th reg. sess. xiii, 449 p.

OREGON

B.2 Reel 1

Unit 1

1844 June-Dec. Laws and journals. [3], 134 p. MS.
  1844 June Legislative journals. p. [3], 13, [3], 14-21.
  1844 June Laws. p. 22-74.
  1844 Dec. Legislative journals. p. 76-102.
  1844 Dec. Laws. p. 103-134.
1845 June sess. 1 p.l., [2], 60 p. MS.
  Forms of process. 61-64 p. MS.
1845* June sess. 60 p. (First print., New York, N. A. Phemister, 1921)
1844 June sess.
1844 Dec. sess.
1845 Dec. sess.
1846 Dec. sess.
1847 Dec. sess.
1848 Dec. sess. (No laws passed)
1849 Feb. sess.
1849 Aug. sess.
1849 Sept. sess.
  In 1 vol. 1 p.l., 3, [3]-218 p. (First print. Salem, 1853.)
1845** June sess. Original enrolled acts. [21] p. MS.
1845* June sess. [4] p. Typescript.

OrHi *Or-SC **OrHi-1154-1163

Unit 2

1849 July 1st sess.
1850 May Spec. sess. (Chapman Code, or 20 Acts.) 180 p.
1849 July 1st sess.
1850 May Spec. sess. (Unofficial reprint) 180 p.

Or-SC

Unit 3

1850 May Spec. sess.
1850 Dec. 2d sess. Gen.
  In 1 vol. [3], vi-viii, [9]-301 p.
1850 Dec. 2d sess. Loc. 82 p. (Bound with Council and House journals.)
1851 Dec. 3d sess. Gen. 71 p.
1851 Dec. 3d sess. Loc. 40 p.
  In 1 vol.

Or-SC

Unit 4

1852 Dec. 4th sess. Gen. 76 p.
1852 Dec. 4th sess. Spec. 66 p.
  In 1 vol.
1853 Dec. 5th sess. Gen. (In Stat., 1854 & 1855)
1853 Dec. 5th sess. Spec. 1 p.l., 5-94 p.

OREGON-Continued

1854 Dec. 6th sess. Gen. (In Stat., 1855)
1854 Dec. 6th sess. Spec. 65, 2 p.
1855 Dec. 7th sess. Gen. & spec. 84, 100 p., 1 l., 4, 3 p.
Or-SC

Unit 5

1856 Dec. 8th sess. Gen. & spec. 39, [1], 93, 6 p.
1857 Dec. 9th sess. Gen. & spec. 64, 112, 23, 8 p.
1858 Dec. 10th sess. Gen. & spec. 47, 118, 7 p. Or-SC

B.2 Reel 2

Unit 1

1859 May Ext. sess. Gen. & spec. 40, 5, 2, 6, [1] p.
1860 Sept. 1st sess. Gen. 111, 9, 5, 6, 1 p.
1862 Sept. 2d sess. Gen. (In Code of civil procedure, 1863)
1862 Sept. 2d sess. Spec. 1 p.l., ii, [3]-55 p.
1864 Sept. 3d sess. Gen. (In Gen. Laws, 1866)
1864 Sept. 3d sess. Spec. 1 p.l., 78, 15, viii p.
(Bound with Senate journal)
Or-SC

Unit 2

1865 Dec. Spec. sess. Gen. 60 p.
1865 Dec. Spec. sess. Spec. 1 p.l., [125]-155, [1] p.
typescript. (Bound with Senate journal)
1866 Sept. 4th sess. Gen. 110, 118 p.
(Incl. omitted laws 1864 & 1865)
1868 Sept. 5th sess. Gen. & spec. 253 p.
Or-SC

Unit 3

1870 Sept. 6th sess. Gen. & spec. 283, 35 p. Or-SC

Unit 4

1872 Sept. 7th sess. Gen. & spec. 567, 46 p. DLC

B.2 Reel 3

Unit 1

1874 Sept. 8th sess. Gen. & spec. 952, 46 p., 1 l., 91 p.
DLC

Unit 2

1876 Sept. 9th sess. Gen. & spec. 203, 28 p. Or-SC

PENNSYLVANIA

B.2 Reel 1

Unit 1

1682 Dec. sess. 22 p. MS.
1683 Mar. sess. 23-62 p. MS.
1683 Oct. sess. 63-68 p. MS.
1684 May sess. 69-81 p. MS.
1685 May sess. 82-86 p. MS.
1688 May sess. 87-90 p. MS.
1690 May sess. 91-97, [1] p. MS.
P-AR

1682 Dec. sess. 20 p. MS.

PENNSYLVANIA-Continued
1683 Mar. sess. 20-44 p. MS.
1683 Oct. sess. 45-49 p. MS.
1684 May sess. 49-57 p. MS.
1685 May sess. 57-61 p. MS.
1688 May sess. 61-70 p. MS.
PHi
Unit 2
1693 May sess. 45 p. MS.
1694 June sess. 46-62 p. MS.
1696 Nov. sess. 63-98 p. MS.
1697 May sess. 99-114 p. MS.
1698 May sess. 115-136 p. MS.
1699 May sess. 137-172 p. MS.
1699/1700 Feb. sess. 173-227 p. MS.
PPAmP
1693 May sess. 54 p. MS.
1694 June sess. 55-58 p. MS.
1696 Nov. sess. 58-74 p. MS.
1697 May sess. 75-81 p. MS.
1698 May sess. 82-93 p. MS.
1699 May sess. 94-111, [6] p. MS.
PHi
Unit 3
Original enrolled acts
1700 Nov. sess. [7] p. MS.
1701 ? sess. [2] p. MS.
1705/6 Jan. sess. [32] p. MS.
1710 Feb. sess. [2] p. MS.
1712 June sess. [2] p., 1 l. MS.
1714 ? sess. [44] p., 1 l. MS.
1715 May sess. [6] p. MS.
1717 May sess. [4] p. MS.
1717/18 ? sess. [14] p. MS.
PHi
Unit 4
MS. transcript of the laws
1710/11 Feb. sess. 29 p.
1711 Oct. sess. 30-54 p.
1712 Aug. sess. 55-64 p.
1712 Oct. sess. 64-88 p.
1714 Oct. sess. 89-145 p.
1715 Oct. sess. 146-149 p.
1717 Aug. sess. 150-157 p.
1717 Oct. sess. 158-186 p.
1717 Oct. sess. 186-210 p.
1720 Oct. sess. 211-228 p.

PENNSYLVANIA-Continued

1722 Oct. sess. 228-259 p.
1723 Oct. sess. 259-283 p.
1721 Oct. sess. 284-308 p.
1724 Oct. sess. 308-325 p.
1725 Oct. sess. 326-382 p.
1729/30 Feb. sess. 382-432 p.

P-Ar

B.2 Reel 2

Unit 1

1715* May 23 sess. 2 p.l., 101-152, 253-274 p.
1715 June sess.-Oct. 14 sess. (No printed copy found)
1716 May sess.-1717 May sess. (No acts passed)
1717 Oct. sess.-1717/18 Jan. sess. (No printed copy found)
1715 Oct. 24 sess.
1717 Aug. sess.
1717/18 Feb. sess.
1718 May sess.
In 1 vol. [2], 275-289, 290-294, [5] p.
1718 Sept. sess.-1718/19 Jan. sess. (No acts passed)
1719 Apr. sess. [10] p.
1719 May sess.-1719/20 Jan. sess. (No acts passed)
1719/20 Feb. sess. [10] p. (Not found)
1720 May sess.-1720/21 Jan. sess. (No acts passed)
1720/21 Feb. sess. 12 p.
1721 Aug. sess. 1 p.l., 13-30 p.

PPL *PHi

Unit 2

1715 Oct. 24 sess.
1717 Aug. sess.
1717/18 Feb. sess.
1718 May sess.
In 1 vol. [2], 275-289, [34], 325-253 (sic 352) p. (w: p. 290-293)
1717/18 An act passed Feb., 1717. 6 p.
1719* Apr. sess. 10 p.
1720/21 Feb. sess. 12 p.
1721 Aug. sess. 1 p.l., 13-18, 21-30 p.
1721 Oct. sess. 1721/22 Feb. sess. (No printed copy found)
1722 Apr. sess. [31]-90 p.
1722** July sess. 1722/3 Jan. sess. (No acts passed)
1722/3** Feb. sess.
1722/3** Mar. sess.

PENNSYLVANIA-Continued

1723** May sess.
In 1 vol. 47 p.
1723 Oct. sess.-Nov. 4 sess. (No printed copy found)
1723 Nov. 18 sess.
1724 Apr. sess.
In 1 vol. 28 p.
1724 Aug. sess.-1724/5 Mar. 1 sess. (No printed copy found)
1724/5 Mar. 15 sess.
1725 Aug. sess.
In 1 vol. 37 p.
1725 Oct. sess.-1725/6 Jan. sess. (No printed copy found)
1725/6 Feb. sess. 28 p.
1726 May sess.-1727 Mar. sess. (No acts passed)
1727 Apr. sess. (In 1728 Revision)
1727 Aug. 7 sess.-1728/9 Mar. sess. (No acts passed)
1729 Apr. sess. 351-387 p.
1729 Aug. 11 sess. 1729 Oct. sess. (No acts passed)

PHi *CSmH **MHL

Unit 3

1729/30 Jan. sess. 47 p.
1730 Aug. sess. 49-57 p.
1730 Oct. sess. (No printed copy found)
1730/31 Jan. sess. 59-89 p.
1731 Aug. sess. (No acts passed)
1731 Oct. sess.
1731/2 Jan. sess.
In 1 vol. 91-95 p.
1732 July sess. 97-102 p.
1732 Oct. sess.-1733 Oct. sess. (No acts passed)
1733 Dec. sess. 103-128 p.
1734 Aug. sess. 129-133 p.
1734 Oct. sess.-1734/5 Jan. sess. (No acts passed)
1734/5 Mar. sess. 135-154 p.
1735 June sess. 1 Private act (Not found)
1735 Sept. sess.-1735 Oct. sess. (No acts passed)
1735/6 Jan. sess. 155-169 p.
1736 Aug. sess.-1737 Oct. sess. (No acts passed)
1738 Aug. sess. 171-189 p.
1738 Oct. sess.-1738/9 Jan. sess. (No acts passed)

PENNSYLVANIA-Continued

1739 May sess. 191-228, [1] p.
Index. [5] p. MS.
1739 Aug. sess.-1742 Oct. sess. (No acts passed)
1742/3 Jan. sess. (In 1742 Revision)
PHi

Unit 4

1743 May sess.-1743 Nov. sess. (No acts passed)
1744 May sess. 22 p.
1744 July sess. (No acts passed)
1744 Oct. sess. 1 p.l., xxv-xxvi p.
1744/5 Jan. sess.-1745/6 Jan. sess. (No acts passed)
1745/6 Feb. sess. [23]-59 p.
1746 May sess. (No acts passed)
1746 June sess. 1 p.l., 61 (sic 63)-69 p.
1746 Aug. sess.-1746/7 Jan. sess. (No acts passed)
1747 May sess. iv p.
1747 Aug. sess.-1748 Nov. sess. (No acts passed)
1748/9 Jan. sess. [71]-88 p.
1749 Aug. sess. [89]-105 p.
1749 Oct. sess.-1749 Nov. sess. (No acts passed)
PHi

Unit 5

1749/50 Jan. sess. 1 p.l., [107]-119 p.
1750 Aug. sess. [121]-125 p.
1750 Oct. sess. (No acts passed)
1750/51 Jan. sess. [127]-151 p.
1751 May sess. 153-158 p.
1751 Aug. sess. 1 p.l., p. clxi.
1751 Oct. sess. (No acts passed)
1752 Feb. sess. [159]-184 p.
1752 Aug. sess. [185]-208 p.
1752 Oct. sess.-1754 Dec. sess. (No acts passed)
1755 Mar. sess. [209]-214 p.
1755 May sess. (No acts passed)
1755 June sess. [215]-222 p.
1755 July sess. [223]-235 p.
1755 Sept. sess. [237]-239 p.
1755 Oct. sess. (No acts passed)
1755 Nov. sess. [241]-260 p.
1756 Feb. sess. [261]-266 p.
1756 Apr. sess. [267]-270 p.
1756 May 10 sess. [271]-274 p.
1756 May 24 sess.-1756 July sess. (No acts passed)
1756 Aug. sess. [275]-316 p.
1756 Oct. sess. [317]-321 p.
1756 Nov. sess. [323]-334 p.
1757 Jan. sess. [335]-344 p.

PENNSYLVANIA-Continued

1757 May sess. [345]-361 p.
1757 Aug. sess. [363]-372 p.
1757 Sept. sess. (Not found)
1757 Oct. sess. [373]-390 p.
1758 Jan. sess. [391]-407 p.
1758* Apr. sess. 409-427 p.
1758* Sept. sess. [429]-436 p.
1758* Oct. sess.-1758 Dec. sess. (No acts passed)
1759* Feb. sess. [437]-483 p.
1759* May sess. [485]-513 p.
1759* July sess. (Not found)
1759* Aug. sess. (No acts passed)
1759* Sept. sess. [515]-526 p.
1759* Oct. sess. [527]-530 p.
1759* Nov. sess.-1759 Dec. sess. (No acts passed)

DLC *PHi

Unit 6

1760* Feb. sess. 45 p.
1760* Sept. sess.-1761 Jan. 5 sess. (No acts passed)
1761* Jan. 26 sess. [47]-98 p.
1761 Apr. sess. [99]-103 p.
1761 Sept. sess. [105]-125 p.
1761 Oct. sess. (No acts passed)
1762 Jan. sess. [127]-183 p.
1762 Mar. sess. [185]-211 p.
1762 May sess. [213]-220 p.
1762 Sept. 6 sess.-1762 Oct. sess. (No acts passed)
1763 Jan. sess.
1763 Mar. sess.
In 1 vol. 221-276 p.
1763 July sess. [277]-286 p.
1763 Sept. sess. [287]-296 p.
1763 Oct. sess. [297]-311 p.
1763 Dec. sess. (No acts passed)
1764 Jan. sess. 313-330 p.
1764 May sess. [331]-358 p.
1764 Sept. sess. [359]-369 p.
1764 Oct. sess. (No acts passed)
1765 Jan. sess. [371]-410 p.
1765 May sess. [411]-428 p.
1765 Sept. sess. [429]-448 p.
1765 Oct. sess. (No acts passed)
1766 Jan. sess. [449]-485 p.
1766 May sess.-1766 June sess. (No acts passed)
1766 Sept. sess. [487]-498 p.

PENNSYLVANIA-Continued

1766 Oct. sess. (No acts passed)
1767 Jan. sess. [499]-538 p.
1767 May sess. [539]-583, [1] p. (Goddard)
DLC *PHi

B.2 Reel 3

Unit 1

1767 Sept. sess. [585]-594 p. (Goddard)
1767 Sept. sess. [585]-593 p. (Hall & Sellers)
1767 Oct. sess. (No acts passed)
1768 Jan. sess. 44, [1] p. (Goddard)
1768 Feb. sess. [595]-636 p. (Hall & Sellers)
1768 May sess.-Oct. sess. (No acts passed)
1769 Jan. sess. [637]-737, [1] p. (Hall & Sellers)
1769 May sess. [739]-744 p. (Hall & Sellers)
1769 Sept. sess. 1 p.l., [747]-754 p. (Hall & Sellers)
1769* Jan. sess. 101 p. (Miller)
1769* May sess. 103-108, [1] p. (Miller)
1769 Sept. sess. [111]-120 p. (Goddard)
1769 Oct. sess. (No acts passed)
PHi *DLC

Unit 2

1770 Jan. sess. 34 p.
1770 May sess. [35]-38 p.
1770 Sept. sess. [39]-50 p.
1770 Oct. sess. (No acts passed)
1771* Jan. sess. [51]-153, [1] p.
1771 Sept. sess. [155]-166 p.
1771* Oct. sess.
1772* Jan. sess.
In 1 vol. [167]-286, 2 p.
1772 May sess. (No acts passed)
1772** Sept. sess. [287]-290 p.
1772 Oct. sess. (No acts passed)
1773 Jan. sess. [291]-355, [1] p.
1773** Sept. sess. [357]-365 p.
1773 Oct. sess. (No acts passed)
1773 Nov. sess. [365]-407, [1] p.
1774 July sess. 409-411 p.
[W] 1774 Sept. sess. 411-436 p.
1774 Oct. sess. (No acts passed)
1774 Dec. sess.
1775 Feb. sess.
In 1 vol. [437]-464 p.
1775 May sess. (No acts passed)
1775 June sess. (Not found)

PENNSYLVANIA-Continued

1775 Sept. sess. (Not found)
1775 Oct. sess. (Not found)
1776 Feb. sess. (Not found)
1776 May sess.-Sept. sess. (No acts passed)

PHi *DLC **MHL-1

Unit 3

1776 Nov. 1st Assy., 1st sit. 36 p.
1776* Nov. 1st Assy., 1st sit. [52] p.
1777* May 1st Assy., 2d sit. [19] p.
In 1 vol. (Reprint Dunlop, 1789)
1777 May 1st Assy., 2d sit.
1777 Sept. 1st Assy., 3d sit.
In 1 vol. [49]-65, [1] p.
1777 Oct. 2d Assy., 1st sit. [69]-100 p.
1778* Feb. 2d Assy., 2d sit. [101]-132 p.
1778 May 2d Assy., 3d sit. [133]-136 p.
1778 Aug. 2d Assy., 4th sit. [137]-164 p.
1778 Oct. 3d Assy., 1st sit. [165]-177, [1] p.
1779 Feb. 3d Assy., 2d sit. [177]-228 p.
1779 Aug. 3d Assy., 3d sit. [229]-260 p.
1779 Oct. 4th Assy., 1st sit. [261]-280, [1] p.
1780 Jan. 4th Assy., 2d sit. [283]-365, [1] p.
1780 May 4th Assy., 3d sit. [367]-384 p.
1780 Sept. 4th Assy., 4th sit. [385]-394, [1] p.
1780 Oct. 5th Assy., 1st sit. [397]-417, [1] p.
1781 Feb. 5th Assy., 2d sit. [395]-432, [2] p.
1781 May 5th Assy., 3d sit. [459]-476 p.
1781 Sept. 5th Assy., 4th sit. [477]-488 p.

DLC *PHi

Unit 4

1781 Oct. 6th Assy., 1st sit. 8 p.
1782 Feb. 6th Assy., 2d sit. [9]-81, [2] p.
1782 Aug. 6th Assy., 3d sit. [85]-110, [1] p.
1782 Oct. 7th Assy., 1st sit. [113]-126 p.
1783 Jan. 7th Assy., 2d sit. [127]-184 (sic 183) p.
1783 Aug. 7th Assy., 3d sit. [185]-254, [2] p.
1783 Oct. 8th Assy., 1st sit. [255]-270, [1] p.
1784 Jan. 8th Assy., 2d sit. [271]-368, iii p.
1784 July 8th Assy., 3d sit. [371]-399, ii p.
1784 Oct. 9th Assy., 1st sit. [401]-415, [1] p.
1785 Feb. 9th Assy., 2d sit. [417]-587, iv p.
1785 Aug. 9th Assy., 3d sit. [589]-704, iii p.

DLC

B.2 Reel 4

Unit 1

1785 Oct. 10th Assy., 1st sit. 8, [1] p.
1786 Feb. 10th Assy., 2d sit. [9]-87, 4 p.
1786 Aug. 10th Assy., 3d sit. [89]-179, 3 p.
1786 Oct. 11th Assy., 1st sit. [181]-194, [1] p.

PENNSYLVANIA-Continued

1787 Feb. 11th Assy., 2d sit. [195]-313, iv p.
1787 Sept. 11th Assy., 3d sit. [315]-400, ii p.
1787 Oct. 12th Assy., 1st sit. [401]-404, [1] p.
1788 Feb. 12th Assy., 2d sit. [404]-454, [2] p.
1788 Sept. 12th Assy., 3d sit. [455]-537, 2 p.
DLC

Unit 2

1788 Oct. 13th Assy., 1st sit. 7, [1] p.
1789 Feb. 13th Assy., 2d sit. [9]-104 (sic 108), 3 p.
1789 Aug. 13th Assy., 3d sit. [105]-203, 3 p.
1789 Oct. 14th Assy., 1st sit. [205]-232, 2 p.
1790 Feb. 14th Assy., 2d sit. [233]-317 p.
1790 Aug. 14th Assy., 3d sit. (No acts passed)
DLC

Unit 3

1790* Dec. 15th Assy., reg. sess. xxxix, 108 p.
1791** Aug. 15th Assy., ext. sess. [109]-174 p.
1791 Dec. 16th Assy., reg. sess. [175]-289 p.
1792 Dec. 17th Assy., reg. sess. [291]-442 p.
DLC *PHi **MHL

Unit 4

1793* Aug. 17th Assy., ext. sess. [443]-450, [1] p.
1793 Dec. 18th Assy., reg. sess. [453]-602, [605]-623 p.
1794 Sept. 18th Assy., ext. sess. [625]-644, [1] p.
1794 Dec. 19th Assy., reg. sess. [647]-793, v, [39] p.
DLC *PHi

B.2 Reel 5

Unit 1

1795 Dec. 20th Assy., reg. sess. [2], 89 p.
1796 Dec. 21st Assy., reg. sess. 91-182 p.
1797 Aug. 21st Assy., ext. sess. 183-186 p.
1797 Dec. 22d Assy., reg. sess. 187-316 p.
1798 Dec. 23d Assy., reg. sess. 317-527 p.
1799 Dec. 24th Assy., reg. sess. 529-621 p.
DLC

Unit 2

1800 Nov. 24th Assy., ext. sess.
1800 Dec. 25th Assy., reg. sess.
In 1 vol. [2], [623]-719, v, [23] p.
1801 Dec. 26th Assy. iv, 286, xii p.
1802 Dec. 27th Assy. 287-688, 30 p.
In 1 vol. Vol. 5. (First octavo)
DLC

Unit 3

1803 Dec. 28th Assy. Vol. 6. iv, 530, xiii, [13] p.
DLC

PENNSYLVANIA-Continued

Unit 4

1804 Dec. 29th Assy. 291, x p.
1805 Dec. 30th Assy. [2], [293]-684, xii, 18 p.
In 1 vol. Vol. 7.

DLC

B.2 Reel 6

Unit 1

1806 Dec. 31st Assy. 2 p.l., viii, [3]-306 p.
1807 Dec. 32d Assy. [8], 190, [17] p.
In 1 vol. Vol. 8.

Unit 2

1808* Dec. 33d Assy. vii, 210, [6] p.
(w: p. v-vi of contents and p. 5-6 of index)
1809 Dec. 34th Assy. vii, 237, [5] p.
1810 Dec. 35th Assy. viii, 272, [7] p.

Unit 3

1811 Dec. 36th Assy. viii, 266, [6] p.
1812 Dec. 37th Assy. x, 265, [5] p.

Unit 4

1812 (sic 1813) Dec. 38th Assy. viii, 387, [5] p.

DLC *MHL

B.2 Reel 7

Unit 1

1814 Dec. 39th Assy. vii, 194, [5] p.
1815 Dec. 40th Assy. viii, 255 p.

DLC

Unit 2

1816 Dec. 41st Assy. viii, 326 p. DLC

Unit 3

1817 Dec. 42d Assy. viii, 323 p. DLC

Unit 4

1818 Dec. 43d Assy. viii, 302 p. DLC

Unit 5

1819 Dec. 44th Assy. vii, 218 p. DLC

Unit 6

1820 Dec. 45th Assy. viii, 336 p. DLC

B.2 Reel 8

Unit 1

1821 Dec. 46th Assy. viii, 330 p. DLC

Unit 2

1822 Dec. 47th Assy. xi, 330 p. DLC

Unit 3

1823 Dec. 48th Assy. 1 p.l., x, 276 p. DLC

Unit 4

1824 Dec. 49th Assy. 10, 302 p. DLC

Unit 5

1825 Dec. 50th Assy. 11, 456 p. M

PENNSYLVANIA-Continued

B.2 Reel 9

Unit 1

1826 Dec. 51st Assy. 13, 512, 14 p., 1 l., 37 p. DLC

Unit 2

1827 Dec. 52d Assy. 15, 506, 39 p. DLC

Unit 3

1828 Dec. 53d Assy. 15, 380, 39 p. DLC

Unit 4

1829 Nov. 53d Assy.
1829 Dec. 54th Assy.
In 1 vol. 14, 412, 33 p. DLC

B.2 Reel 10

Unit 1

1830 Dec. 55th Assy. xvi, 512, 35 p. DLC

Unit 2

1831 Dec. 56th Assy. xviii, 649, 53 p. DLC

Unit 3

1832 Dec. 57th Assy. xiv, 503, 44 p. DLC

Unit 4

1833 Dec. 58th Assy. xvi, 580, 48 p. DLC

B.2 Reel 11

Unit 1

1834 Dec. 59th Assy. xv, 447, 44 p. DLC

Unit 2

1835 Dec. 60th Assy. xvi, 855, [1], 29 p. DLC

Unit 3

1836 Dec. 61st Assy. xi, 412, 36 p. DLC

B.2s Reel 1

Unit 1

1693 Tax act. 4 p.
1700-1701 List of 106 laws...passed in two General Assemblies... 11 p. MS.
1702 Laws. 2 p.l., 86 p., 1 l., 87-106 p. MS.
1705 (sic 1705/6?) Laws made and passed... 1 p.l., 63 p. MS.
Prefixed: Order in Council, Apr. 28, 1709. 1 l. MS.
Appended: List of acts passed, 1705(?). [4] p. MS.
1709 Sept. 29 An act for the better enabling of inhabitants...to hold and enjoy lands. Parchment. PRO-C.O.5/1237

Unit 2

1710 Oct.-1725/6 Mar. Acts passed at various Assemblies... The last act...is dated May 9, 1724. 1 p.l., 108 p., 109-172 fol. MS. PRO-C.O.5/1239

SESSION LAWS

RHODE ISLAND

B.2 Reel 1a[1]

Unit 1

1638 May 7-1670 Oct. 26 Ancient records of the Colony of Rhode Island and Providence Plantations... Copied from the original by Charles Gyles, 1825. 1 p.l., 384 p., 1 l., 27, [1], 35 p. MS. R-Ar

Unit 2

1671 May 2-1686 May 4 Records. 120 p. MS. (Original manuscript volume) R-Ar

Unit 3

1686 May-1715 Feb. Records... 3 p.l., 545 p. MS. (1687-88, the period of the Andros government is missing. 1693-94 is missing. The volume was collected from schedules deposited in town clerk's offices by Christopher F Robbins and Henry Bowen, 1827.) R-Ar

Unit 4

1707/8 Feb. 25 Records...omitted from Vol. 7, 1705-1711. p. 214, 231-235. MS. (See Unit 3, p. 322.) R-Ar

Unit 5

1707 Jan. Records. [230]-234 p. MS. R-Secy.

B.2 Reel 1b

Unit 1

1715 May 3-1729 June 16 Records. [5], 126-635 p. MS. R-Ar

Unit 2

1729 Oct. 29-1745 Feb. 10 Records. [2], 740 p. MS. R-Ar

Unit 3

1746 May 6, 7-1747 May 5, 6 Records. 73 p. MS. R-Ar

B.2 Reel 2

Unit 1

1746* Feb.-1747 Aug. sess. 58-96 p. MS.
1747 Oct. Reg. sess. 6 p.
1747/8 Feb. Adj. sess. 12 p.
1748 May Reg. sess.
1748 June Adj. sess.
Together 23 p.
1748 Aug. Adj. sess. 25-35 p.
1748 Oct. Reg. sess. 37-44 p.
1748/9 Jan. Call. sess.
1748/9 Feb. Adj. sess.
Together 45-61 p.

1. Although not strictly session laws, the proceedings on reels 1a and 1b are given that classification because they evolved into the later printed schedules.

RHODE ISLAND-Continued

1749 May Reg. sess. 16 p.
1749 June Adj. sess. 17-36 p.
1749 Aug. Adj. sess. 37-48 p.
1749 Oct. Reg. sess. 49-56 p.
1749/50 Feb. Adj. sess. 57-76 p.
1750 May Reg. sess. 18 p.
1750 June Adj. sess. 19-32 p.
1750 Aug. Adj. sess. 33-45 p.
1750 Oct. Reg. sess. 46-60 p.
1750 Dec. Adj. sess. 60 (sic 61)-70 p.
1750/51 Mar. Adj. sess. 71-97 p.
1751 Apr. Reg. sess. 16 p.
1751 June Adj. sess. 17-30 p.
1751 Aug. Adj. sess. 31-46 p.
1751 Oct. Reg. sess. 47-55 p.
1752 Feb. Adj. sess. 57-69 p.
1752 May Reg. sess. 20 p.
1752 June Call. sess. 21-38 p.
1752 Aug. Adj. sess. 39-55 p.
1752 Oct. Reg. sess. 57-67 p.
1753 Feb. Adj. sess. 69-84 p.
1753 May Reg. sess. 16 p.
1753 June Adj. sess. 17-25 p.
1753 Aug. Adj. sess. 26-35 p.
1753 Oct. Reg. sess. 36-47 p.
1754 Feb. Adj. sess. 48-55 p.
RPJCB *R-Ar

Unit 2

1754 Apr. Reg. sess. 20 p.
1754 June Adj. sess. 21-38 p.
1754 Aug. Adj. sess. 39-49 p.
1754 Oct. Reg. sess. 51-59 p.
1755 Jan. Call. sess.
1755 Feb. Adj. sess.
Together 61-82 p.
1755 Mar. Call. sess. 83-90 p.
1755 May Reg. sess. 21 p.
1755 June Adj. sess. 23-30 p.
1755 Aug. Call. sess. 31-44 p.
1755 Sept. Call. sess. 45-54 p.
1755 Oct. Reg. sess. 45-54 p.
1755 Dec. Call. sess. 55-60 p.
1756 Feb. Adj. sess. 61-79 p.
RPJCB

Unit 3

1756 May Reg. sess. 18 p.
1756 June 8 Adj. sess. 19-33 p.

RHODE ISLAND-Continued

1756 June 22 Call. sess. 35-42 p.
1756 Aug. Adj. sess. 43-56 p.
1756 Sept. Adj. sess. 57-70 p.
1756 Oct. 14 Call. sess. 71-78 p.
1756 Oct. 27 Reg. sess. 79-87 p.
1756 Nov. Adj. sess. 88-107 p.
1757 Jan. 10 Call. sess. 108-118 p.
1757 Jan. 26 Call. sess. 119-122 p.
1757 Feb. Call. sess. 123-140 p.
1757 Mar. Adj. sess. 141-163 p.
1757 May Reg. sess. 19 p.
1757 June Adj. sess. 20-37 p.
1757 Aug. Call. sess. 39-46 p.
1757 Sept. Adj. sess. 47-64 p.
1757 Oct. Reg. sess. 65 83 p.

RPJCD

Unit 4

1758 Feb. Call. sess.
1758 Mar. Adj. sess.
Together 85-114 p. (p. 111-114 are spliced out of order before p. 85.)
1758 May Reg. sess. 16 p.
1758 June Adj. sess. 17-36 p.
1758 Aug. Adj. sess. 35-49 p.
1758 Oct. Reg. sess. 50-55 p.
1758 Dec. Call. sess. 56-68 p.
1759 Feb. Adj. sess. 70-109 p.
1759 May Reg. sess. 13 p.
1759 June Adj. sess. 14-30 p.
1759 Aug. Adj. sess. [17] p.
1759 Oct. Reg. sess. [23] p.
1760 Feb. Adj. sess. [17] p.
1760 May Reg. sess. 17 p.
1760 June Adj. sess. 18-29 p.
1760 Aug. Adj. sess. 30-39 p.
1760 Oct. Reg. sess. 40-46 p.
1760 Dec. Call. sess. [5] p.
1761 Feb. Adj. sess. [19] p.
1761 Mar. Call. sess. [10] p.
1761 May Reg. sess.
1761 June 8 Adj. sess.
1761 June 22 Adj. sess.
Together 37 p.
1761 Sept. Adj. sess. 38-47 p.
1761 Oct. Adj. sess. 48-59 p.
1761 Oct. Reg. sess. 60-66 p.

RHODE ISLAND Continued

1762 Feb. Adj. sess. 67-84 p.
1762 Mar. Call. sess. 85-108 p.
1762 May Reg. sess. 109-118 (sic 119) p.
1762 June Adj. sess. 120-138 p.
1762 Aug. Adj. sess. 139-180 p.
1762 Sept. Adj. sess. 181-203 p.
1762 Oct. Reg. sess. 205-220 p.

RPJCB

B.2 Reel 3

Unit 1

1762 Oct. Reg. sess. 205-220 p.
1763 Feb. Adj. sess. 221-236 p.
1763 May Reg. sess. 10 p.
1763 June Adj. sess. 11-47 p.
1763 Aug. Adj. sess. 49-68 p.
1763 Oct. Reg. sess. 69-93 p.
1764 Jan. Call. sess. 95-97 p.
1764 Feb. Adj. sess. 99-130 p.
1764 May Reg. sess. 16 p.
1764 June Adj. sess. 17-29 p.
1764 July Call. sess. 31-36 p.
1764 Sept. Adj. sess. 37-48 p.
1764 Oct. Reg. sess. 49-66 p.
1764 Nov. Adj. sess. 67-83 p.
1765 Feb. Adj. sess. 85-107 p.

MWA

Unit 2

1765 May Reg. sess. 12 p.
1765 June Adj. sess. 13-41 p.
1765 Sept. Adj. sess. 43-60 p.
1765 Oct. Reg. sess. 61-69 p.
1766 Feb. Adj. sess. 71-84 p.
1766 May Reg. sess. 12 p.
1766 June Adj. sess. 13-23 p.
1766 Sept. Adj. sess. 25-33 p.
1766 Oct. Reg. sess. 35-47 p.
1766 Dec. Adj. sess. 49-61 p.
1767 Feb. Adj. sess. 63-78 p.
1767 May Reg. sess. 14 p.
1767 June 8 Adj. sess. 15-28 p.
1767 June 29 Adj. sess. 29-48 p.
1767 Aug. Adj. sess. 49-58 p.
1767 Oct. Reg. sess. 59-69 p.
1768 Feb. Adj. sess. 71-78, 78-81 p.
1768 May Reg. sess. 11 p.
1768 June Adj. sess. 13-31 p.

RHODE ISLAND-Continued

1768 Sept. Adj. sess. 33-49 p.
1768 Oct. Reg. sess. 51-63 p.
1769 Feb. Adj. sess. 64-94 p.
1769 May Reg. sess. 19 p.
1769 June Adj. sess. 21-42 p.
1769 Sept. Adj. sess. 45-58 p.
1769 Oct. Reg. sess. 61-79 p.
1770 Feb. Adj. sess. 81-101 p.
1770 May Reg. sess. 19 p.
1770 June Adj. sess. 21-37 p.
1770 Sept. Adj. sess. 39-66 p.
1770 Oct. Reg. sess. 61-84 p.
MWA

Unit 3

1771 May Reg. sess. 26 p.
1771 June Adj. sess. 27-46 p.
1771 Aug. Adj. sess. 47-69 p.
1771 Oct. Reg. sess. 71-86 p.
1772 May Reg. sess. 23 p.
1772 Aug. Adj. sess. 25-51 p.
1772 Oct. Reg. sess. 53-74 p.
1772 Dec. Adj. sess. 77-88 p.
1773 Jan. Adj. sess. 89-94 p.
1773 May Reg. sess. 27 p.
1773 Aug. Adj. sess. 29-71 p.
1773 Oct. Reg. sess. 73-91 p.
1774 May Reg. sess. 23 p.
1774 June Adj. sess. 25-55 p.
1774 Aug. Adj. sess. 57-85 p.
1774 Oct. Reg. sess. 87-124 p.
1774 Dec. Call. sess. 125-157 p.
1775 Apr. Call. sess. 159-169 p.
MWA

Unit 4

1775 May Reg. sess. 24 p.
1775 June Adj. sess. 25-69 p.
1775 June Call. sess. 71-84 p.
1775 Aug. Adj. sess. 85-112 p.
1775 Oct. 25 Reg. sess. (No laws passed)
1775 Oct. 31 Call. sess. 113-200 p.
1776* Jan. Adj. sess. 201-265 p.
1776 Feb. Adj. sess. 267-289 p.
1776 Mar. Call. sess. 291-347 p.
1776 May Reg. sess. 53 p.
1776 June Adj. sess. 55-123 p.
MWA *DLC

RHODE ISLAND-Continued

B.2 Reel 4

Unit 1

1776 July Call. sess. 125-146 p.
1776 Aug. Adj. sess. 147-164 p.
1776 Sept. Adj. sess. 165-185 p.
1776 Oct. Reg. sess. 37 p.
1776 Nov. Call. sess. 14 p.
1776 Dec. 10 Call. sess. 9 p.
1776 Dec. 23 Adj. sess. 44 p.

MWA

Unit 2

1777 Feb. Adj. sess. 30 p.
1777* Mar. 3 Adj. sess. 22 p.
1777 Mar. 24 Adj. sess. 31 p.
1777 Apr. Adj. sess. 19 p.
1777 May 7 Reg. sess. 14 p.
1777 May 9 Adj. sess. 47 p.
1777 June Adj. sess. 35 p.
1777 July Call. sess. 8 p.
1777 Aug. Adj. sess. 22 p.
1777 Sept. Adj. sess. 10 p.
1777 Oct. Reg. sess. 16 p.
1777 Dec. Adj. sess. 36 p.
1777 Dec. Call. sess. 11 p.

MWA *DLC

Unit 3

1778 Feb. Adj. sess. 37 p.
1778 Mar. Adj. sess. 19 p.
1778 May 6 Reg. sess. 23 p.
1778 May 28 Call. sess. 18 p.
1778 June Adj. sess. 25 p.
1778 Sept. Call. sess. 18 p.
1778* Oct. Reg. sess. 56, 22 p.
1778 Dec. Adj. sess. 18 p.
1779 Jan. Call. sess. 7, 12 p.
1779 Feb. Adj. sess. 36 p.
1779 May Reg. sess. 34 p.
1779 June Adj. sess. 27 p.
1779 Aug. Adj. sess. 17 p.
1779 Sept. Adj. sess. 27 p.
1779 Oct. Reg. sess. 42 p.
1779 Dec. Adj. sess. 31 p.

MWA *MWA-- DLC

Unit 4

1780 Feb. Adj. sess. 34 p.
1780 Mar. Call. sess. 7 p.
1780 May Reg. sess. 37 p.
1780 June Adj. sess. 28 p.
1780 July 3 Adj. sess. 26 p.
1780 July 17 Adj. sess. 58 p.

RHODE ISLAND-Continued

1780 Sept. Adj. sess. 28 p.
1780 Oct. Reg. sess. 15 p.
1780 Nov. Adj. sess. 49 p.

RPJCB

B.2 Reel 5

Unit 1

1781 Jan. Call. sess. 24 p.
1781 Feb. Adj. sess. 16 p.
1781* Mar. Adj. sess. 67 p.
1781 May 2 Reg. sess. 31 p.
1781 May 28 Adj. sess. 64 p.
1781 July Call. sess. 41 p.
1781 Aug. Adj. sess. 43 p.
1781 Oct. Reg. sess. 28 p.
1781 Dec. Adj. sess. 36 p.

RPJCB *DLC

Unit 2

1782 Jan. Adj. sess. 51 p.
1782 Feb. Call. sess. 33 p.
1782 May Reg. sess. 18 p.
1782* June Adj. sess. 28 p.
1782 Aug. Adj. sess. 27 p.
1782 Oct. Reg. sess. 27 p.
1782 Nov. Adj. sess. 34 p.
1783 Feb. Adj. sess. 81 p.
1783 May Reg. sess. 31 p.
1783 June Adj. sess. 35 p.
1783 Oct. Reg. sess. 35 p.
1783* Dec. Prorog. sess. 29 p.

RPJCB *DLC

Unit 3

1784 Feb. Adj. sess. 30 p.
1784 May Reg. sess. 38 p.
1784 June Adj. sess. 38 p.
1784 Aug. Adj. sess. 22 p.
1784 Oct. Reg. sess. 30 p.
1785 Feb. Adj. sess. 32 p.
1785 May Reg. sess. 37 p.
1785 June Adj. sess. 26 p.
1785 Aug. Adj. sess. 20 p.
1785 Oct. Reg. sess. 44 p.

RPJCB

Unit 4

1786 Feb. Adj. sess. 46 p.
1786 Mar. Adj. sess. 39 p.
1786 May Reg. sess. 22 p.
1786 June Adj. sess. 20 p.
1786 Aug. Call. sess. 9 p.
1786 Oct. 2 Call. sess. 8 p.

RHODE ISLAND-Continued

1786 Oct. 30 Reg. sess. 9 p.
1786 Dec. Adj. sess. 25 p.
1787 Mar. Adj. sess. 22 p.
1787 May Reg. sess. 12 p.
1787 June Adj. sess. 14 p.
1787 Aug. Adj. sess. (No laws passed?)
1787 Sept. Call. sess. 17 p.
1787 Oct. Reg. sess. 14 p.
RPJCB

B.2 Reel 6

Unit 1
1788 Feb. Adj. sess. 18 p.
1788 Mar. Adj. sess. 22 p.
1788 May Reg. sess. 20 p.
1788 June Adj. sess. 34 p.
1788 Oct. Reg. sess. 20 p.
1788 Dec. Adj. sess. 12 p.
1789 Mar. Adj. sess. 22 p.
1789 May Reg. sess. 18 p.
1789 June Adj. sess. 17 p.
1789 Sept. Call. sess. 28 p.
1789 Oct. 12 Adj. sess. 18 p.
1789 Oct. 26 Reg. sess. 18 p.
1790 Jan. Adj. sess. 16 p.
1790 May Reg. sess. 22 p.
1790 June Call. sess. 16 p.
1790 Sept. Call. sess. 20 p.
1790* Oct. Reg. sess. 20 p.
RPJCB *DLC

Unit 2
1791 Feb. Adj. sess. 28 p.
1791 May Reg. sess. 27 p.
1791 June Adj. sess. 33 p.
1791 Oct. Reg. sess. 41 p.
1792 Feb. Adj. sess. 40 p.
1792 May Reg. sess. 30 p.
1792 June Adj. sess. 30 p.
1792 Aug. Call. sess. 18 p.
1792 Oct. Reg. sess. 42 p.
DLC

Unit 3
1793 Feb. Adj. sess. 21 p.
1793 May Reg. sess. 28 p.
1793 June Adj. sess. 17 p.
1793 Oct. Reg. sess. 21 p.
1794 Feb. Adj. sess. 28 p.
1794 Mar. Adj. sess. 33 p.
1794 May Reg. sess. 33 p.
1794 June Adj. sess. 35 p.

RHODE ISLAND-Continued

1794 Oct. Reg. sess. 36 p.
1795 Jan. Adj. sess. 44 p.
1795 May Reg. sess. 26 p.
1795 June Adj. sess. 27 p.
1795 Oct. Reg. sess. 32 p.

DLC

Unit 4

1796 Feb. Adj. sess. 37 p.
1796 May Reg. sess. 24 p.
1796 June Adj. sess. 29 p.
1796 Oct. Reg. sess. 23 p.
1797 Feb. Adj. sess. 42 p.
1797 May Reg. sess. 27 p.
1797 June Adj. sess. 20 p.
1797 Oct. Reg. sess. 32 p.
1797 Dec. Adj. sess. 12 p.

DLC

B.2a Reel 7

Unit 1

1798 Jan.-Oct. sess. 16 p.
1799 Feb. sess. 17-18 p.
1799 May sess. 19-25 p.
1799 Oct. sess. 27-38 p.
1800 May sess. 39-46 p.
1800 Oct. sess. 47-49 p.
1801 May sess. 51-74 p.
1802 May sess. 75-86 p.
1802 Oct. sess. 87-94 p.
1803 May sess. 95-97 p.
1803 Oct. sess. 99-100 p.
1804 Feb. sess. 101-105 p.
1804 June sess. 107-111 p.
1804 Oct. sess. 115-116 p.
1805 Feb. sess. 117-120 p.
1805 June sess. 121-124 p.
1805 Oct. sess. 125-138 p.
1806 Oct. sess. 141-146 p.
1807 May sess. 149-170 p.
1808 Feb. sess. 173-178 p.
1808 June sess. 179-184 p.
1808 Oct. sess. 185-191 p.
1809 June sess. 193-196 p.
1811 June sess. 197-199 p.
1811 Oct. sess. 201-203 p.
1812 Feb. sess. 205-213 p.
1812 Oct. sess. 215-225 p.
1813 Feb. sess. p. 227
1813 May sess. 227-232 p.

MHL

RHODE ISLAND-Continued

Unit 2

1811 June sess. 141-143 p.
1811 Nov. sess. 143-146 p.
1812 Feb. sess. 146-147 p.
1812 May sess. 147-149 p.
1812 June sess. 149-154 p.
1812 July sess. 154-155 p.
1812 Oct. sess. 155-156, 159-161 p.
1813 Feb. sess. 161-168 p.
1813 May sess. 168-170 p.
1813 June sess. p. 170
1813 July sess. 171-172 p.
1813 Oct. sess. 172-175 p.
1814 Mar. sess. 175-177 p.
1814 May sess. 177-178 p.
1814 June sess. 178-180 p.
1814 Sept. sess. 180-185 p.

MHL

Unit 3

1814 Nov. sess. 187-189 p.
1815 Feb. sess. 189-191 p.
1815 May sess. 191-194 p.
1815 June sess. 194-212 p.
1815 Nov. sess. 212-216 p.
1816 Mar. sess. 216-223 p.
1816 June sess. 223-226 p.
1816 Oct. sess. 226-227 p.
1816 Nov. sess. 227-230 p.
1817 Feb. sess. 230-237 p.

MHL

Unit 4

1817 May sess. p. 239.
1817 June sess. 239-243 p.
1817 Oct. sess. 243-255 p.
1818 Feb. sess. 255-265 p.
1818 May sess. p. 265
1818 June sess. 265-268 p.
1818 Oct. sess. 268-269 p.
1818 Nov. sess. 269-271 p.
1819 Feb. sess. 271-276 p.
1819 May sess. p. 277
1819 June sess. 278-280 p.
1819 Oct. sess. 281-282 p.
1820 Feb. sess. 283-292 p.
1820 May sess. p. 293
1820 June sess. 293-309 p.
1820 Oct. sess. p. 309
1820 Nov. sess. 309-312 p.
1821 Feb. sess. 312-313 p.

RHODE ISLAND-Continued

1821 May-Oct. sess. (Printed only in Acts and resolves)
1822 Jan. sess. 525-530 p.
1822 Feb. sess. 530-535 p.
1822 May sess. 535-538 p.
1822 June sess. 538-544 p.
1822 Oct. sess. 544-545 p.
1822 Nov. sess. 545-550 p.
1823 Jan. sess. 550-554 p.
1823 May sess. 554-558 p.
1823 June sess. 558-569 p.
1823 Oct. sess. 569-571 p.
1823 Nov. sess. 571-573 p.
1824 Jan. sess. 573-585 p.
1824 May sess. 585-588 p.
1824 June sess. p. 588.
1824 Jan. sess. (sic June?) 589-590 p.
1824 June sess. 590-593 p.
1824 Oct. sess. 593-596 p.
1825 Jan. sess. 596-599 p.
DLC

Unit 5

1823 Nov. sess. 601-602 p.
1825 May sess. 602-604 p.
1825 June sess. 604-614 p.
1825 Nov. sess. 614-622 p.
1826 Jan. sess. 622-628 p.
1826 May sess. 628-630 p.
1826 June sess. 630-642 p.
1826 Oct. sess. 642-643 p.
1826 Nov. sess. 643-644 p.
1827 Jan. sess. 644-650 p.
1822 Jan.-1827 Jan. Index. v p.
1827 May sess. 651-655 p.
1827 June sess. 655-660 p.
1827 Oct. sess. p. 660.
1827 Nov. sess. 660-662 p.
1828 Jan. sess. 662-679 p.
1828 May sess. 679-680 p.
1828 June sess. 680-687 p.
1828 Oct. sess. 687-689 p.
1828 Nov. sess. 689-690 p.
1828 Oct. sess. p. 690.
1829 Jan. sess. 690-697, [2] p.
DLC

Unit 6

1829 May sess. 699-701 p.
1829 June sess. 701-707 p.

RHODE ISLAND-Continued

1829 Oct. sess. 707-714 p.
1830 Jan. sess. 714-727 p.
1830 May sess. 727-729 p.
1830 June sess. 729-735 p.
1830 Oct. sess. 736-738 p.
1831 Jan. sess. 738-748, [2] p.
1831 May sess. 749-750 p.
1831 June sess. 750-758 p.
1831 Nov. sess. 759-773 p.
1832 Jan. sess. 773-796 p.
1832 May sess. 796-799 p.
1832 June sess. 799-805 p.
1832 Aug. sess. 805-806 p.
1832 Nov. sess. p. 806.
1833 Jan. sess. 807-810, [2] p.
1833 May sess. 811-812 p.
1833 June sess. 812-815 p.
1833 Nov. sess. 815-825 p.
1834 Jan. sess. 825-828 p.
1834 Feb. sess. 828-833 p.
1834 Jan. sess. 833-835 p.
1834 Feb. sess. 835-838 p.
1834 May sess. 838-841 p.
1834 June sess. 841-851 p.
1834 Oct. sess. 851-852 p.
1834 Nov. sess. 852-853 p.
1835 Jan. sess. 853-861, [2] p.

DLC

Unit 7

1835 May sess. p. 862.
1835 June sess. 862-867 p.
1835 Oct. sess. 867-869 p.
1836 Feb. sess. 869-885 p.
1836 Jan. sess. 885-886 p.
1836 Feb. sess. 886-894 p.
1836 May sess. 894-896 p.
1836 June sess. 896-913 p.
1836 Nov. sess. 913-924 p.
1837 Jan. sess. 924-939, 5 p.
1837 May sess. 940-942 p.
1837 June sess. 943-950 p.
1837 Nov. sess. 950-961 p.
1838 Feb. sess. 961-1004 p.
1838 Jan. sess. 1004-1012 p.
1838 Feb. sess. 1012-1013 p.
1838 Jan. sess. p. 1013.

RHODE ISLAND-Continued

1838 Feb. sess. 1014-1018 p.
1838 Jan. sess. 1018-1020 p.
1838 Feb. sess. 1020-1026 p.
1838 May sess. 1026-1028 p.
1838 June sess. 1029-1040 p.
1838 Oct. sess. 1040-1041 p.
1838 Nov. sess. 1042-1050 p.
1839 Jan. sess. 1050-1055 p.
1839 Feb. sess. 1055-1057 p.
1839 Jan. sess. 1057-1070 p.
1839 Feb. sess. 1070-1079, [4] p.

DLC

Unit 8

1839 May sess. 1080-1081 p.
1839 June sess. 1081-1091 p.
1839 Nov. sess. 1091-1094 p.
1840 Jan. sess. 1094-2007 p.
1840 Feb. sess. 2007-2011 p.
1840 Jan. sess. 2012-2013, [4] p.
1840 Jan. Militia act. 32 p.
1840 May sess. 2014-2015 p.
1840 June sess. 2015-2022 p.
1840 Oct. sess. 2022-2023 p.
1841 Jan. sess. 2023-2031 p.
1841 Feb. sess. 2031-2032 p.
1841 Jan. sess. 2032-2033 p.
1841 Feb. sess. 2033-2046 p.
1841 May sess. 2047-2049 p.
1841 June sess. 2049-2058 p.
1841 Oct. sess. 2059-2062 p.
1842 Jan. sess. 2063-2068 p.
1842 Feb. sess. p. 2068.
1842 Jan. sess. 2068-2070 p.
1842 Feb. sess. 2071-2078 p.
1842 Apr. sess. 2078-2083 p.
1842 May sess. 2083-2085 p.
1842 June sess. 2085-2089 p.
1842 July sess. 2090-2097, [4] p.

DLC

Unit 9

1843 (Sess. printed only in Acts and resolves)
1844 Jan.-June sess. (No printed separates found)
1844 Oct. sess. 595-597 p.
1845 Jan. sess. 597-617 p.
1845 May sess. 617-620 p.

RHODE ISLAND-Continued

1845 June sess. 621-639 p.
1845 Oct. sess. 639-641 p.
1846 Jan. sess. 641-652, [4] p.
1846 May sess. 653-655 p.
1846 June sess. 655-660 p.
1846 Oct. sess. 660-666 p.
1847 Jan. sess. 667-688 p.
1847 May sess. 688-691 p.
1847 June sess. 691-705 p.
1847 Oct. sess. 706-710 p.
1848 Jan. sess. 710-724 p.
1848 May sess. 724-729 p.
1848 June sess. 729-734 p.
1848 July sess. 734-735 p.
1848 June sess. 735-736 p.
1848 Jan. sess. p. 736.
1848 May sess. p. 736, [4].
1848 Oct. sess. 1 l., 737-742 p.
1849 Jan. sess. 743-763 p.
1849 May sess. p. 763.
1849 June sess. 763-766 p.
1849 Oct. sess. 766-770 p.
1850 Jan. sess. 770-790 p.
1850 May sess. 791-793 p.
1850 Aug. sess. p. 794.
1850 Oct. sess. 794-796 p.
1851 Jan. sess. 796-817, [7] p.

DLC

B.2b:c Reel 7

Unit 1

1798 Jan. Adj. sess. 21 p.
1798 May Reg. sess. 31 p.
1798 June Adj. sess. 27 p.
1798 Oct. Reg. sess. 26 p.
1799 Feb. Adj. sess. 21 p.
1799 May Reg. sess. 22 p.
1799 June Adj. sess. 16 p.
1799 Oct. Reg. sess. 29 p.
1800 Feb. Adj. sess. 32 p.
1800 May Reg. sess. 23 p.
1800 June Adj. sess. 32, 3 p.
1800 Oct. Reg. sess. 38 p.

DLC

Unit 2

1801 Feb. Adj. sess. 24 p.
1801 May Reg. sess. 30 p.

RHODE ISLAND-Continued

1801 June Adj. sess. 20 p.
1801 Oct. Reg. sess. 15 p.
1802 Feb. Adj. sess. 22 p.
1802 May Reg. sess. 25 p.
1802 June Adj. sess. 19 p.
1802 Oct. Reg. sess. 25 p.
1803 Feb. Adj. sess. 28 p.
1803 May Reg. sess. 26 p.
1803 May 30 Adj. sess. 19 p.
1803 Oct. Reg. sess. 50 p.

DLC

Unit 3

1804 Feb. Adj. sess. 29 p.
1804 May Reg. sess. 23 p.
1804 June Adj. sess. 32 p.
1804 Oct. Reg. sess. 35 p.
1805 Feb. Adj. sess. 32 p.
1805 May Reg. sess. 16 p.
1805 June Adj. sess. 25 p.
1805 Oct. Reg. sess. 34 p.
1806 Feb. Adj. sess. 27 p.
1806 May Reg. sess. 17 p.
1806 June Adj. sess. 24 p.
1806 Oct. Reg. sess. 32 p.
1807 Feb. Adj. sess. 18 p.
1807 May Reg. sess. 19 p.
1807 June Adj. sess. 32 p.
1807 Oct. Reg. sess. 36 p.

DLC

Unit 4

1808 Feb. Adj. sess. 21 p.
1808 May Reg. sess. 29 p.
1808 June Adj. sess. 21 p.
1808 Oct. Reg. sess. 29 p.
1809 Feb. Adj. sess. 38 p.
1809 Mar. Adj. sess. 28 p.
1809 May Reg. sess. 35 p.
1809 June Adj. sess. 25 p.
1809 Oct. Reg. sess. 37 p.
1810 Feb. Adj. sess. 29 p.
1810 May Reg. sess. 17 p.
1810 June Adj. sess. 23 p.
1810 Oct. Reg. sess. 30 p.

DLC

Unit 5

1811 Feb. Adj. sess. 23 p.
1811 May Reg. sess. 16 p.
1811 June Adj. sess. 34 p.
1811 Oct. Reg. sess. 31 p.
1812 Feb. Adj. sess. 29 p.

RHODE ISLAND-Continued

1812 May Reg. sess. 39 p.
1812 June Adj. sess. 21 p.
1812 July Call. sess. 10 p.
1812 Oct. Reg. sess. 37 p.
1813 Feb. Adj. sess. 35 p.
1813 May Reg. sess. 47 p.
1813 June Adj. sess. 35 p.
1813 Oct. Reg. sess. 35 p.
DLC

B.2b:c Reel 8

Unit 1

1814 Feb. Adj. sess. 25 p.
1814 May Reg. sess. 49 p.
1814 June Adj. sess. 30 p.
1814 Sept. Call. sess. 18 p.
1814 Oct. Reg. sess. 60 p.
1815 Feb. Adj. sess. 30 p.
1815 May Reg. sess. 59 p.
1815 June Adj. sess. 37 p.
1815 Oct. Reg. sess. 44 p.
1816 Feb. Adj. sess. 47 p.
1816 May Reg. sess. 50 p.
1816 June Adj. sess. 31 p.
1816 Oct. Reg. sess. 41 p.
DLC

Unit 2

1817 Feb. Adj. sess. 40 p.
1817 May Reg. sess. 24 p.
(First octavo)
1817 June Adj. sess. 56 p.
1817 Oct. Reg. sess. 55 p.
1818 Feb. Adj. sess. 115 p.
1818 May Reg. sess. 46 p.
1818* June Adj. sess. 51 p.
1818 Oct. Reg. sess. 86 p.
1819 Feb. Adj. sess. 48 p.
1819 May Reg. sess. 50 p.
1819 June Adj. sess. 48 p.
1819 Oct. Reg. sess. 48 p.
DLC *NNB

Unit 3

1820 Feb. Adj. sess. 40 p.
1820 May Reg. sess. 56 p.
1820 June Adj. sess. 56 p.
1820 Oct. Reg. sess. 64 p.
1821 Jan. Call. sess. 6 p.
1821 Feb. Adj. sess. 44 p.
1821 May Reg. sess. 54 p.
1821 June Adj. sess. 43 p.
1821 Oct. Reg. sess. 51 p.

RHODE ISLAND-Continued

1822 Jan. Adj. sess. 46 p.
1822 May Reg. sess. 53 p.
1822 June Adj. sess. 57 p.
1822 Oct. Reg. sess. 57 p.

DLC

Unit 4

1823 Jan. Adj. sess. 59 p.
1823 May Reg. sess. 83 p.
1823 June Adj. sess. 68 p.
1823 Oct. Reg. sess. 80 p.
1824 Jan. Adj. sess. 58 p.
1824 May 5 Reg. sess. 84 p.
1824 May 31 Adj. sess. 48 p.
1824 Oct. Reg. sess. 71 p.

B.2b:c Reel 9

Unit 1

1825 Jan. Adj. sess. 36 p.
1825 May Reg. sess. 68 p.
1825 June Adj. sess. 62 p.
1825 Oct. Reg. sess. 89 p.
1826 Jan. Adj. sess. 41 p.
1826 May Reg. sess. 53, [2] p.
1826 June Adj. sess. 45, [2] p.
1826 Oct. Reg. sess. 73, [2] p.

Unit 2

1827 Jan. Adj. sess. 33, [2] p.
1827 May Reg. sess. 73, [2] p.
1827 June Adj. sess. 49, [2] p.
1827 Oct. Reg. sess. 74, [2] p.
1828 Jan. Adj. sess. 54, [2] p.
1828 May Reg. sess. 63, [1] p.
1828 June Adj. sess. 63, [2] p.
1828 Oct. Reg. sess. 72, [2] p.

Unit 3

1829 Jan. Adj. sess. 46, [2] p.
1829 May Reg. sess. 49, [2] p.
1829 June Adj. sess. 46, [2] p.
1829 Oct. Reg. sess. 65, [2] p.
1830 Jan. Adj. sess. 68, [3] p.
1830 May Reg. sess. 59, [2] p.
1830 June Adj. sess. 53, [2] p.
1830 Oct. Reg. sess. 74, [2] p.

Unit 4

1831 Jan. Adj. sess. 51, [2] p.
1831 May Reg. sess. 56, [2] p.
1831 June Adj. sess. 67, [3] p.
1831 Oct. Reg. sess. 90, [2] p.
1832 Jan. Adj. sess. 56, [2] p.
1832 May Reg. sess. 18, [2] p.
1832 June Adj. sess. 92, [3] p.

RHODE ISLAND-Continued

1832 Aug. Adj. sess. 18, [1] p.
1832 Oct. Reg. sess. 48, [2] p.

Unit 5

1833 Jan. Adj. sess. 55, [2] p.
1833 May Reg. sess. 47, [1] p.
1833 June Adj. sess. 68, [2] p.
1833 Oct. Reg. sess. 98, [2] p.

B.2b:c Reel 10

Unit 1

1834 Jan. Adj. sess. 87 (sic 78), [2] p.
1834 May 6 Adj. sess. 5 p.
1834 May 7 Reg. sess. 59, [1] p.
1834 June Adj. sess. 66, [2] p.
1834 Oct. Reg. sess. 68, [2] p.
1835 Jan. Adj. sess. 36, [2] p.
1835 May Reg. sess. 41, [2] p.
1835 June Adj. sess. 54 p.
1835 Oct. Reg. sess. 78 p.

Unit 2

1836 Jan. Adj. sess. 97, [3] p.
1836 May Reg. sess. 54, [1] p.
1836 June Adj. sess. 112, [2] p.
1836 Oct. Reg. sess. 100, [3] p.
1837 Jan. Adj. sess. 92, 4 p.
1837 May Reg. sess. 64, [2] p.
1837 June Adj. sess. 47, [3] p.
1837 Oct. Reg. sess. 78, [3] p.

Unit 3

1838 Jan. Adj. sess. 122, 4 p.
1838 May Reg. sess. 64 p.
1838 June Adj. sess. 55 p.
1838 Oct. Reg. sess. 73, [3] p.
1839 Jan. Adj. sess. 92, 4 p.
1839 May Reg. sess. 51, 2 p.
1839 June Adj. sess. 63 p.
1839 Oct. Reg. sess. 58, 2 p.
1840 Jan. Adj. sess. 115, [4] p.
1840 May Reg. sess. 58, [2] p.
1840 June Adj. sess. 43 p.
1840 Oct. Reg. sess. 69, 3 p.
1841 Jan. Adj. sess. 90, [5] p.
1841 May Reg. sess. 55, [2] p.
1841 June Adj. sess. 48, [3] p.
1841 Oct. Reg. sess. 59, 2 p.

B.2b:c Reel 11

Unit 1

1842 Jan. Adj. sess. 61, 3 p.
1842 Mar. Adj. sess. 25, [2], 15 p.

RHODE ISLAND-Continued

1842 Apr. Call. sess. 12 p.
1842 May Reg. sess. 65, 2 p.
1842 June Adj. sess. 50, [4] p.
1842 Oct. Reg. sess. 92, [3] p.
1843 Jan. Adj. sess. 68, [4], 16 p.
1843 May 1 Adj. sess. 4 p.
1843 May 2 Reg. sess. 33, [3] p.
1843 June Adj. sess. 99, [4], 26 p.
(Incl. Militia law)
1843 Oct. Reg. sess. 77, 3 p.

Unit 2

1844 Jan. Adj. sess. 112, 6, 8, 16, 32 p.
(Incl. Militia law)
1844 Mar. Call. sess. 14 p.
1844 May Reg. sess. 46, [2] p.
1844 June Adj. sess. 95, [4] p.
1844 Oct. Reg. sess. 70, [2], 38 p.

Unit 3

1845 Jan. Adj. sess. 95, [5] p.
1845 May Reg. sess. 75, [3] p.
1845 June Adj. sess. 56, 12, [4] p.
1845 Oct. Reg. sess. 83 p.

Unit 4

1846 Jan. Adj. sess. 70, [2] p.
1846 May Reg. sess. 95, [2] p.
1846 June Adj. sess. 66, [2] p.
1846 Oct. Reg. sess. 115, [4] p.
1847 Jan. Adj. sess. 73, [3] p.
1847 May Reg. sess. 96, [2] p.
1847 June Adj. sess. 72, [4] p.
1847 Oct. Reg. sess. 80, [3] p.

B.2b:c Reel 12

Unit 1

1848 Jan. Adj. sess. 78, [3] p.
1848 May Reg. sess. 111 p. table.
1848 June Adj. sess. 56, [3] p.
1848 Oct. Reg. sess. 111 p. tables.

Unit 2

1849 Jan. Adj. sess. 72, 58 p.
1849 May Reg. sess. 76 p. tables.
1849 June Adj. sess. 52 p. table.
1849 Oct. Reg. sess. 120, [2] p. table.

Unit 3

1850 Jan. Adj. sess. 96 p.
1850 May Reg. sess. 113 p. table.
1850 Aug. Adj. sess. 48 p.
1850 Oct. Reg. sess. 140 p. table.

RHODE ISLAND-Continued

Unit 4

1758-1850 Index to acts and resolves. xiii, 424 p.

Unit 5

1851 Jan. Adj. sess. 126 p.

SOUTH CAROLINA

B.2 Reel 1a

Unit 1

1690 Feb. 4 original proprietary acts... v.p. MS. Sc-Ar

Unit 2

1695/6 Mar. Governor Archdale's laws. 18 original acts. 2 p.l., 87 p. MS. Sc-Ar

Unit 3

1696 Dec. 2 original acts. v.p. MS.
1698 Oct. 1 original act. 21-28 fol., 1 l. MS.
1696 Dec. 6 original acts. v.p. MS.
1698 Nov. 1 original act. [2] p. MS.
1698 Oct. 6 original acts. v.p. MS.
1699 ? 1 original act. (Incomplete) MS.
1700/1 Mar. 2 original acts. v.p. MS.
1698 Oct. 1 original act. [6] p. MS.
1700/1 Mar. 3 original acts. v.p. MS.
1701 Aug. 1 original act. 123-133 p. MS.
1702 Feb. 1 original act. [3] p. MS.
1703 Sept. 4 original acts. [11] p. MS.
1703 Dec. 2 original acts. v.p. MS.
1703 May 1 original act. [8] p. MS.
1703 Dec. 1 original act. [11] p. MS.
1704/5 Feb. 1 original act. [4] p. MS. (w: p. 1)
1704 Nov. 1 original act. [5] p. MS.
1704 ? 1 original act. (Incomplete) MS.
1704 Nov. 3 original acts. [18] p. MS.
1704 May 1 original act. [6] p. MS.
1704 Nov. 4 original acts. [18] p. MS.
1704 May 1 original act. [3] p. MS.
1704/5 Feb. 3 original acts. [13] p. MS.
1706 ? 1 original act(?) (Incomplete) MS.
1705/6 Mar. 1 original act. [4] p. MS.
1706 Nov. 1 original act. 17 p. MS.
1706 Apr. 4 original acts. [27] p. MS.
1707 Feb. ? 1 original act. [8] p. MS.
1707 Nov. 1 original act. [4] p. MS.
1707 July 1 original act. [14] p. MS.
1707 Nov. 1 original act. [3] p. MS.

SOUTH CAROLINA-Continued

1707 July 2 original acts. [14] p. MS.
1708 Feb. 1 original act. [6] p. MS.
1708 Apr. 1 original act. [7] p. MS.
1708 Dec. 1 original act. [6] p. MS.
1708 Apr. 1 original act. [5] p. MS.
1709 Nov. 3 original acts. [13] p. MS.
1707 July 1 original act. [6] p. MS.
Sc-Ar

Unit 4

1709 Nov. 1 original act. [3] p. MS.
1709 May 1 original act. [3] p. MS.
1709 Jan. 1 original act. [6] p. MS.
1709 Nov. 1 original act. [5] p. MS.
1710 Apr. 1 original act. [6] p. MS.
1707 July 1 original act. [7] p. MS.
1710 Mar. 1 original act. [4] p. MS.
1710 July 1 original act. [6] p. MS.
1710 Mar. 1 original act. [3] p. MS.
1710 Apr. 3 original acts. [15] p. MS.
1710 ? 1 original act. [6] p. MS.
1711 Nov. 1 original act. 5, [1] p. MS.
1711 June 1 original act. [4] p. MS.
1707 Nov. 1 original act. [3] p. MS.
1711 June 3 original acts. [15] p. MS.
1712 Dec. 4 original acts. [33] p. MS.
1712 June 1 original act. [5] p. MS.
1712 Dec. 2 original acts. [21] p. MS.
1712 June 1 original act. [10] p. MS.
1712 Dec. 3 original acts. [10] p. MS.
1712 June 2 original acts. [10] p. MS.
1712 Dec. 1 original act. [2] p. MS.
1712 June 1 original act. [7] p. MS.
1712 Dec. 3 original acts. [22] p. MS.
1712 June 1 original act. 1 p.l., 37 p. MS.
1712 Dec. 1 original act. [4] p. MS.
1712 June 1 original act. [4] p. MS.
1712 Dec. 1 original act. [10] p. MS.
1712 June 1 original act. [24] p. MS.
1712 July 1 original act. [2] p. MS.
1712 Dec. 1 original act. [7] p. MS.
1713 Dec. 5 original acts. [34] p. MS.
1714 June 1 original act. [5] p. MS.
1716 June 1 original act. [3] p. MS.
1714/5 Feb. 2 original acts. [5] p. MS.
1712 June 1 original act. [5] p. MS.
1714 June 2 original acts. [9] p. MS.
1714 Dec. 1 original act. [3] p. MS.
1716/7 Feb. 1 original act. [3] p. MS.
1714 June 2 original acts. [11] p. MS.

SOUTH CAROLINA-Continued

1714 Dec. 1 original act. [2] p. MS.
1712 Dec. 1 original act. [12] p. MS.
1714 June 1 original act. [4] p. MS.
1714 Dec. 1 original act. 11 p. MS.
(w: p. 6-7)
1714/5 Feb. 1 original act. [5] p. MS.
1716 Dec. 1 original act. (Incomplete)
MS.
1716 June 1 original act. (Incomplete)
MS.
1716 Dec. 1 original act. [5] p. MS.
1716 June 1 original act. 9 p. MS.
(w: p. 1-2)
1716 Dec. 1 original act. 7 p. MS.
1716 June 3 original acts. v.p. MS.
1716 Dec. 1 original act. (Incomplete) MS.
1716 Dec. 2 original acts. [2], 7 p. MS.
1716 June 3 original acts. [10] p. MS.
Sc-Ar

B.2 Reel 1b

Unit 1

1718 Mar. 1 original act. [2] p. MS.
1717 June 1 original act. [3] p. MS.
1717 Dec. 2 original acts. 9, 13 p. MS.
1717 June 1 original act. 4 p. MS.
1707 July 1 original act. [4] p. MS.
1717 July 1 original act. [3] p. MS.
1717 June 1 original act. [4] p. MS.
1717 June 1 original act. (Incomplete) MS.
1717 Dec. 3 original acts. v.p. MS.
1717 June 2 original acts. [6] p. MS.
1717 Dec. 1 original act. 20 p. MS.
1717 June 1 original act. [3] p. MS.
1716/7 Feb. 1 original act. [3] p. MS.
Sc-Ar

Unit 2

1718 July 1 original act. [3] p. MS.
1718/9 Feb. 1 original act. 5 p. MS.
1718 July 1 original act. [5] p. MS.
1718/9 Mar. 1 original act. 15 p. MS.
1718 Oct. 1 original act. [9] p. MS.
1719 Feb. 1 original act. [3] p. MS.
1719 Dec. 1 original act. [1] p. MS.
1718/9 Feb. 3 original acts. v.p. MS.
1718/9 Mar. 1 original act. [10] p. MS.
1719 Feb. 2 original acts. [5] p. MS.
1719 Mar. 1 original act. [4] p. MS.
1711(?) Nov. 1 original act. [6] p. MS.
Unidentified acts. [22] p. MS.

SOUTH CAROLINA-Continued

1720-1726 List of acts. 8 p. MS.
1731-1735 List of acts. 9-14 p. MS.

Sc-Ar

B.2 Reel 2a

Unit 1

1721-1727 Acts passed at different dates...
Nos. 1-83. 281 fol. MS.

PRO-C.O.5/412

Unit 2

1731-1734 Acts passed at different dates...
Nos. 84-140. 184 fol. MS.

PRO-C.O.5/413

B.2 Reel 2b

Unit 1

1734-1737 Acts passed at different dates...
Nos. 1-39 and one unnumbered. 167 fol.
MS. PRO-C.O.5/414

Unit 2

1735-1743 Acts passed at different dates...
79 fol., 45-79 p., 83-103 fol.
1735 Mar.-June. fol. 1-6.
1739 Dec.-1741 July. fol. 7-43,
p. 45-79.
1742 July-1743 May. p. 80-82, fol.
83-103.
Separate acts passed.

PRO-C.O.5/415

Unit 3

1738-1741 Acts passed at different dates...
Nos. 1-23. 101 fol. MS.
1738 Mar. fol. 1-5.
1738 Sept. fol. 6-10.
1739 Apr. fol. 11-21.
1739 Dec. fol. 22-26.
1740 Apr.-1741 July. fol. 27-101.

PRO-C.O.5/417

B.2 Reel 3

Unit 1

1736* May-June sess. 60 p. (2 copies located)
1736* Nov.-Mar. 1736/7 sess. 61-107 p.
1736 May-June sess. 60 p. (2d of 2 copies located, not identical)
1737/8 Jan.-Mar. sess. 170-225 p. MS.
1738 Sept. sess. 226-251 p. MS.
1738/9 Jan.-June sess. 252-265, [5], [6] p.
MS.
1739 Sept. sess. (Not found)
1737/8 Jan.-Mar. sess. 144 p. (2 copies located)

DLC *PHi

SOUTH CAROLINA-Continued

Unit 2

1739 Nov.-Dec. sess.
1740 Jan.-May sess.
1740 July-Sept. sess.
1740 Nov.-Mar. 1740/41 sess.
1741 May-July sess.
1741 Oct.-Mar. sess.
1742 May-July sess.
In 1 vol. 139 p. (1 copy located, n.t.-p.)
1742 Sept.-May 1743 sess. 40 p.
1743 Oct.-May 1744 sess. 60 p.
1744/5 Jan.-May 1745 sess. 40 p.
1745/6 Jan.-June sess. 43 p.
1745 Sept.-Feb. 1745/6 sess. 7, 23 p.
1747 Sept.-June 1748 sess. 60, [1] p.
DLC

Unit 3

1747/8 Jan.-June sess. 1 p.l., 25 p.
1749 Mar.-June sess.
1749 Nov.-May 1750 sess.
In 1 vol. 1 p.l., 41, [1] p.
1749 Tax act. 25 p.
1750 Nov.-Apr. 1751 sess.
1751 May-Aug. sess.
In 1 vol. 71, [1] p.
1751 Nov.-May 1752 sess. 1 p.l., 36, [1] p.
1752 Sept.-Oct. sess. 7 p.
1752 Nov.-Apr. 1753 sess. 19, [1], 27, [3] p.
1753 Aug. sess. (Not found)
DLC

Unit 4

1754 Jan.-May sess. 41, [2] p.
1754 Tax act. 27 p.
1754/5 Nov.-Apr. sess. 7 p.
1755 May sess. (Not found)
1755 May Tax act. 31 p.
1755 Sept. sess. (Not found)
1756 July Tax act. 27 p.
1757 May Tax act. 27 p.
1755 Nov.-May 1756 sess.
1756 June-July sess.
1756 Nov.-May 1757 sess.
1757 ? -July sess.
1757 Oct.-May 1758 sess.
In 1 vol. 83, [1] p.
1758 May Tax act. 35 p.

SOUTH CAROLINA-Continued

1758 Oct.-Apr. 1759 sess. 56 (sic 58), [1] p.
(1 copy located)
1759 Apr. Tax act. 28 p.

DLC

B.2 Reel 4a

Unit 1

1760 Feb.-Aug. sess. 1 p.l., 56, [1] p.
1760 July Tax act and estimate. 1 p.l., 29 p.
1760 Oct.-Jan. 1761 sess.
1761 Mar.-Dec. sess.
In 1 vol. 25, [1] p.
1761 Tax act. (Not found)
1762 Feb.-Sept. sess. 1 p.l., 49, [1] p.
1762 May Tax act and estimate. 1 p.l., 30 p.
1762 Oct.-Dec. sess. (Not found)
1763 Jan.-Sept. sess. (No acts passed)
1764 Jan.-Oct. sess. 34, [1] p.
1764 Oct. Tax act. 36 p.
1765* Jan.-Aug. sess. 32 p.
Index. [12] p. MS.
1765 Feb. Supplemental tax act. 4 p.
1765 Oct.-? sess. (No laws passed)
1766 July Tax act and estimate. 1 p.l., 30 p.
1766 Jan.-July sess. (Not found)
1766 Nov.-May 1767 sess. (No acts passed)
1767 May Tax act and estimate. 31 p.
1767* Nov.-Apr. 1768 sess. 1 p.l., 84, [1] p.

DLC-1 *DLC-2

Unit 2

1768 Nov. sess. (No acts passed)
1769 June-Aug. sess. 1 p.l., 48, [1] p.
1769 Nov.-Apr. 1770 sess. 1 p.l., 48, [1] p.
1770 June-Sept. sess. (No acts passed)
1771 Jan.-Mar. sess. 1 p.l., 17, [1] p.
1771 Sept.-Dec. sess. (No acts passed)
1772 Apr. sess. (No acts passed?)
1772 Oct.-Nov. sess. (No acts passed?)
1773 Jan.-Sept. 1775 sess. (Not found)
1776 Feb.-Apr. sess. Acts separately printed.
Form of government. 8 p.
Ordinances. 4, 4, 4 p.
Acts. 4, 4, 5 p.
Ordinances. 5, 4 p.
Acts. 7, 9, 7, 7, 4 p.

DLC

Unit 3

1776 Sept.-Oct. sess. 1 p.l., 20, [1] p.
1776 Dec. sess. (Not found)
1777 Jan. Tax act. 1 p.l., 13 p.

SOUTH CAROLINA-Continued

1777 Jan.-Feb. sess. Acts separately printed. (Not found)
1777 Aug. sess. 11, 4 p.
1778* Mar. An act for establishing constitution of state of South Carolina. 15 p.
1778 Jan.-Mar. sess. 1 p.l., 4, 4, 12, 5 p.
1778 Sept.-Oct. sess. 3, 7, [1], 4, 4, 8, 2, 2, 7 p., 1 l., 4 p.
In 1 vol.
1779 Jan.-Feb. sess. Acts separately printed. [1], 4 p.
1779** Sept. Tax act. 1 p.l., 14 p.
1779 Aug.-Feb. 1780 sess. Acts separately printed.
1782 Jan.-Feb. sess. 1 p.l., 29 p.
1782* Jan.-Feb. sess. 46 p.
1783 Jan.-Mar. sess.
1783 July-Aug. sess.
In 1 vol. 1 p.l., 74, 2, 6, 2, 2, 2, 2, 6, 2 p.
1784 Jan.-Mar. sess. 102 (sic 106), 2 p.
1785 Jan.-Mar. sess. 2 p.l., 35, 58, 16, 12, 12, 7, [2] p.
1785 Sept.-Oct. sess. 14, [1] p.

DLC *RPJCB **PHi

Unit 4

1786 Jan.-Mar. sess. 1 p.l., 71, [3] p.
1787 Jan.-Mar. sess. 1 p.l., 77, [2] p.
1788 Jan.-Feb. sess. 1 p.l., 34 p.
1788 Oct.-Nov. sess. 1 p.l., 7 p.
1789* Jan.-Mar. sess. 1 p.l., 62 p.
1790 Jan.-Feb. sess. 1 p.l., 18 p.
1791 Jan.-Feb. sess. [3]-98, 4 p. (w:p. 3-4 of index)
1791** Jan.-Feb. sess. [3]-154, [1] p. (w: p. 16-17)

DLC *MHL **BrMus

B.2 Reel 4b

Unit 1

1761-1766 Acts passed at different dates... Nos 1-51. 139 fol. MS.
1761 Jan.-1765 Aug. fol. 1-122.
1766 Mar.-July. fol. 123-139.

PRO-C.O.5/422

Unit 2

1769-1775 Acts passed at different dates... Nos. 80-110. 125 fol. MS.
1769 Nov.-1770 Apr. fol. 1-104.
1771 Jan.-Mar. fol. 105-117.
1773 Jan.-1775 Sept. fol. 118-125.

PRO-C.O.5/424

SOUTH CAROLINA-Continued

B.2 Reel 5

Unit 1

1791 Nov. Reg. sess. 60, [3] p.
1792 Nov. Reg. sess. 86 p.
1793 Nov. Reg. sess. 1 p.l., 44 p.
1794 Apr. Ext. sess. 1 p.l., 31 p.
1794 Nov. Reg. sess. 80, [3] p. (Columbia)
1794* Nov. Reg. sess. 80, [3] p. (Charleston)

DLC *NNB

Unit 2

1795 Nov. Reg. sess. 59, [2], 88, [2] p.
1796 Nov. Reg. sess. 1 p.l., [61]-102, [2], [89]-132, [2] p.
1797 Nov. Reg. sess. 1 p.l., [103]-155, [2], [133]-172, [3] p.
1798 Nov. Reg. sess. 50, [52]-83, [1] p.
1798 Nov. Reg. sess. 44 p., 1 l., 46, [1] p.

DLC

Unit 3

1799 Nov. Reg. sess. 90 p.
1800 Nov. Reg. sess. 98, [1] p.
1801 Nov. Reg. sess. 172, 30, [3] p.
1802 Nov. Reg. sess. 118, [3] p.

DLC

Unit 4

1803 Nov. Reg. sess. 134, 3 p.
1804 May Ext. sess. 12 p.
1804 Nov. Reg. sess. 88, [2] p.
1805 Nov. Reg. sess. 144, 3 p.
1806 Nov. Reg. sess. 100, [2] p. tables.

DLC

B.2 Reel 6

Unit 1

1807 Nov. Reg. sess. 152, [3] p. tables.
1808 June Ext. sess. 12 p.
1808 Nov. Reg. sess. 124, [3] p. tables.
1809 Nov. Reg. sess. 134, [3] p. tables.

DLC

Unit 2

1810 Nov. Reg. sess. 118, [2] p. tables.
1811 Nov. Reg. sess. 125, [2] p. tables.
1812 Aug. Ext. sess. 24 p.
1812 Nov. Reg. sess. 116, [3] p. tables.
1813 Sept. Ext. sess. 16 p.
1813 Nov. Reg. sess. 136, [2] p. tables.

DLC

Unit 3

1814 Nov. Reg. sess. 122, [3] p. tables.
1815 Nov. Reg. sess. 144, [4] p. tables.

SOUTH CAROLINA-Continued

1816 Nov. Reg. sess. 141, [4] p. tables.
1817 Mar. Ext. sess. 16 p.
1817* Nov. Reg. sess. 132, [4] p. tables.
DLC *NNB

Unit 4

1818 Nov. Reg. sess. 111, [4] p. tables.
1819 Nov. Reg. sess. 104, [2] p. tables.
1820 Nov. Reg. sess. 125, [3] p.
1821 Nov. Reg. sess. 112, [3] p.
1822 Nov. Reg. sess. 140, [3] p. tables.
DLC

B.2 Reel 7

Unit 1

1823 Nov. Reg. sess. 162, [3] p. tables.
1824 Nov. Reg. sess. 141, [3] p. tables.
1825 Nov. Reg. sess. 134, [3] p. tables.
1826 Nov. Reg. sess. 46, 76, [4] p.
DLC

Unit 2

1827 Nov. Reg. sess.
1828 Jan. Ext. sess.
In 1 vol. 97, 96, [4] p.
1828 Nov. Reg. sess. 40, 62, [2] p.
1829 Nov. Reg. sess. 44, 90, [9] p. tables.
1830 Nov. Reg. sess. 37, 62, [3] p.
DLC

Unit 3

1831 Nov. Reg. sess. 54, 63, [2], 79 p.
1832 Oct. Ext. sess. (Bound with Acts of 1834)
1832 Nov. Reg. sess. 67, 39, [1], 60 p. tables.
1833 Nov. Reg. sess. 62 p., 1 l., 54, 55 p.
DLC

Unit 4

1834 Nov. Reg. sess. 63, 46, x, [2] p. (Incl. Oct. 1832 acts)
1835 Nov. Reg. sess. 90, 55, 2, 87 p.
1836 Nov. Reg. sess. 152, [2], 80 p.
DLC

Unit 5

1837 Nov. Reg. sess. 61 p., 1 l., 2, [5], 59, [1], 7, 98 p.
DLC

B.2 Reel 8

Unit 1

1838 May Ext. sess. 14 p., 1 l., 21, [1] p.
1838 Nov. Reg. sess. 168, xxi, 16 p.
1839 Nov. Reg. sess. 140, xxiv, 102, x p.

SOUTH CAROLINA-Continued

Unit 2

1840 Nov. Reg. sess. 2 p.l., 142, xliii, 120, xi p.
1841 Nov. Reg. sess. 1 p.l., 143-211, xii p.
1842 Nov. Reg. sess. 1 p.l., 211-244, 13 p.
1843 Nov. Reg. sess. 1 p.l., 245-283 (285), 19 p.
1844 Nov. Reg. sess. 1 p.l., 285-329 p.
1845 Nov. Reg. sess. 1 p.l., 311-360 p.
1846 Nov. Reg. sess. 1 p.l., 349-425, 2, xiii p.
1847 Nov. Reg. sess. 1 p.l., 425-498, 2, 10 p.
1848 Nov. Call. sess.
1848 Nov. Reg. sess.
In 1 vol. 1 p.l., 499-549, 2, 10 p.
1849 Nov. Reg. sess. 1 p.l., 547-624, 2, 16 p.

Unit 3

1850 Nov. Reg. sess. 1 p.l., 73, 19, 1 p.
1851 Nov. Reg. sess. 1 p.l., 73-138, 24, 3 p.
1852 Nov. Reg. sess. 1 p.l., 139-218, 4, 15 p.
1853 Nov. Reg. sess. 1 p.l., 219-308, 3, 22 p.
1854 Nov. Reg. sess. 1 p.l., 309-391, 2, 17 p.

Unit 4

1855 Nov. Reg. sess. 2 p.l., 20, xii, 393-480 p.
1856 Nov. 3 Call. sess. (No laws passed)
1856 Nov. 24 Reg. sess. 1 p.l., 479-594, [593]-596, viii p.
1857 Nov. Reg. sess. 5, 595-681, vii p.

B.2 Reel 9

Unit 1

1858 Nov. Reg. sess. 5, 683-770 p.
1859 Nov. Reg. sess. vi, 745-835, ix, xx p.
1860 Nov. 5 Call. sess.
1860 Nov. 26 Reg. sess.
1861 Jan. Adj. sess.
In 1 vol. vi, 837-958, ii, 1 l., [959]-982 p.

Unit 2

1861 Nov. 4 Call. sess. (No laws passed)
1861 Nov. 24 Reg. sess. v, 88 p., 1 l., xiv p.
1862 Nov. Reg. sess.
1863 Jan. Adj. sess.
1863 Apr. Call. sess.
In 1 vol. 1 p.l., vi, 89-171, xiii p.
1863 Sept. Call. sess.
1863 Nov. Reg. sess.
In 1 vol. v, 169-231, xi p.
1864 Nov. Reg. sess.

SOUTH CAROLINA-Continued

1865 Nov. Reg. sess.
In 1 vol. 1 p.l., ii, ii, 231-370, iv, xv p.

Unit 3

1865 Oct. Call. sess. (No laws passed)
1865 Nov. Reg. sess. 112, xvi p.
1866 Sept. Ext. sess. 2 p.l., 371-394, v p.
1866 Nov. Reg. sess. viii, 395-514, xiv p., 1 l., xii p.

Unit 4

1868 July Spec. sess. 1 p.l., 38, 2, 18 p., 1 l., 168, 4, 7 p.
1868 Nov. Reg. sess. viii, [169]-293, 6 p.
1869 Nov. Reg. sess. 1 p.l., vii, [295]-422, 8, [1] p., 2 l., [423]-528, 18 p.

TENNESSEE

B.2 Reel 1

Unit 1

1792 June sess.
1794 Aug. sess.
In 1 vol. 1 p.l., viii, [3]-101 p.[1] (w: 1 p. l. & p. ii-iii mutilated)
1792* June sess.
1794 Aug. sess.
In 1 vol. 1 p.l., viii, [3]-101 p.
1795* June 2d sess. 31 p.
1795 June 2d sess. 31 p. (p. 6 mutilated)

DLC *MHL

Unit 2

1796 Mar. 1st Assy., 1st sess. 78 p. (p. 73-74 mutilated)
1796* Mar. 1st Assy., 1st sess. 78 p.
1796 July 1st Assy., 2d sess. 13 p.
1797 Sept. 2d Assy., 1st sess. 120 p.

DLC *MHL

Unit 3

1798 Dec. 2d Assy., 2d sess. 70 p.
1799 Sept. 3d Assy., 1st sess. 136 p. (w: p. 135-136; p. 114 mutilated)
1799 Sept. 3d Assy., 1st sess. 136 p. (w: p. 21-24, 30-31)

DLC *MHL

Unit 4

1801* Sept. 4th Assy., 1st sess. 203, xxxvi p.
1803 Sept. 5th Assy., 1st sess. 143, xi p.
1804** July 5th Assy., 2d sess. 71 p.

DLC *MHL **T

1. viii p. are by the Governor and Judges; [3]-101 p. are by the General Assembly.

TENNESSEE-Continued

Unit 5

1805 Sept. 6th Assy., 1st sess. 91, [3] p.
1806 July 6th Assy., 2d sess. 113, iv p.
1807 Sept. 7th Assy., 1st sess. 180, ii p.
1809 Apr. 7th Assy., 2d sess. 63, vi p.

DLC

B.2 Reel 2

Unit 1

1809 Sept. 8th Assy., 1st sess. 155, v p.
1811 Sept. 9th Assy., 1st sess. 143, viii p.
1812* Sept. 9th Assy., 2d sess. 88, [8] p.
1813* Sept. 10th Assy., 1st sess. 190, [13] p.

MHL *DLC

Unit 2

1815 Sept. 11th Assy., 1st sess. 1 p.l., [5]-284, 22 p.
1817 Sept. 12th Assy., 1st sess. 230, xiii p.

DLC

Unit 3

1819 Sept. 13th Assy., 1st sess. Pub. 140, x p.
1819 Sept. 13th Assy., 1st sess. Loc.-Priv. 208, xii p.
1820 June 13th Assy., 2d sess. Pub. 46, v p. table.
1820 June 13th Assy., 2d sess. Loc.-Priv. 117, [1], viii p.

DLC

Unit 4

1821 Sept. 14th Assy., 1st sess. Pub.
1821 Sept. 14th Assy., 1st sess. Loc.-Priv. In 1 vol. 226, xxix, [1] p.
1822 July 14th Assy., 2d sess. Pub.
1822 July 14th Assy., 2d sess. Loc.-Priv. In 1 vol. 176, xxvi p.

DLC

B.2 Reel 3

Unit 1

1823 Sept. 15th Assy., 1st sess. Pub.
1823 Sept. 15th Assy., 1st sess. Loc.-Priv. In 1 vol. 286, xxvi p.
1824 Sept. 15th Assy., 2d sess. Pub.
1824 Sept. 15th Assy., 2d sess. Loc.-Priv. In 1 vol. 175, xxii p.

Unit 2

1825 Sept. 16th Assy., reg. sess. Pub.
1825 Sept. 16th Assy., reg. sess. Priv. In 1 vol. viii p., 1 l., 396, xlviii p.

TENNESSEE-Continued

1826 Oct. 16th Assy., ext. sess. Pub.
xiv, 59, xii p.

1826 Oct. 16th Assy., ext. sess. Priv.
216, xlviii p.
In 1 vol.

Unit 3

1827 Sept. 17th Assy., stated sess.
Pub. vii, xii, xxvi, 98 p. (p. v-vi are missing from xxvi p. in copies examined)

1827 Sept. 17th Assy., stated sess.
Priv. 245, xxx p.
In 1 vol.

Unit 4

1829 Sept. 18th Assy., stated sess.
Pub. viii, 147, xxxix p.

1829 Sept. 18th Assy., stated sess.
Priv. xv, 308, L, [1] p.
In 1 vol.

Unit 5

1831 Sept. 19th Assy., stated sess.
Pub. vi, 170 p.

1831 Sept. 19th Assy., stated sess.
Priv. ix, 268 p.

Unit 6

1832 Sept. 19th Assy., call. sess. Pub.
iv, 72 p.

1832 Sept. 19th Assy., call. sess. Priv.
vi, 138 p.

1833 Sept. 20th Assy., 1st sess. Priv.
ix, 206 p.

1833 Sept. 20th Assy., 1st sess. Pub.
vi, 147 p.

B.2 Reel 4

Unit 1

1835 Oct. 21st Assy., 1st sess. Pub.
viii, 246 p. tables.
State constitution. 17 p.

1835 Oct. 21st Assy., 1st sess. Loc.
ix, 295 p.

1836 Oct. 21st Assy., call. sess. Pub.
32 p.

TEXAS

B.2 Reel 1

Unit 1

1827-1835 Laws of Coahuila and Texas.
[223] p. (Sp.)
Prefixed: MS. table. [21] p.
(Eng.)

TEXAS-Continued

1835 Nov. Consultation.
1836 Mar. Convention.
In 1 vol. 120 p. MS.
Declaration of Independence. 8 p.
Ordinances and decrees. p. 9-120.
Tx-Ar

Unit 2

1835 Nov. Consultation.
1836 Mar. Convention.
In 1 vol. 156, iii p.
DLC

Unit 3

1836 Oct. 1st Cong., 1st sess. 276, v p.
1837 Sept. 2d Cong., 1st sess. 122, v p.
1838* Apr. 2d Cong., 2d sess. 54, iii p.
1838 Apr. 2d Cong., 2d sess. 48, [2] p. (n.t.-p.)
Tx-Ar *DLC

Unit 4

1838 Nov. 3d Cong., 1st sess. [2], 144, v, xii p.
1839* (sic 1838) Nov. 3d Cong., 1st sess. 167, v, xiv p.
1839 Nov. 4th Cong., 1st sess. 280, vii, [2] p.
1839 Nov. 4th Cong., 1st sess. (2d ed. not found)
DLC *Tx-Ar

Unit 5

1840 Nov. 5th Cong., 1st sess. 189, 8, [2], viii p.

B.2 Reel 2

Unit 1

1841 Nov. 6th Cong., 1st sess. 120, vii, viii p.
1842 June 6th Cong., spec. sess. 10, ii, ii p.
1842 June 6th Cong., spec. sess. 9, ii, [1] p.
1842 Nov. 7th Cong., 1st sess. 48 (sic 50), iv, iii, [2], xxxiii p.
1842 Nov. 7th Cong., 1st sess. 42, iv, ii, [2], xxvi (sic xxvii) p.
1843 Dec. 8th Cong., 1st sess. 120, viii, vii p.
1844 Dec. 9th Cong., 1st sess. 133, [1], ix, vi p.
1845 June 9th Cong., ext sess. 22 p., 1 l., iii, 41 p.

TEXAS-Continued

Unit 2

1846 Feb. 1st Legis., reg. sess. Gen. & Spec. 423 p.

1847 Dec. 2d Legis., reg. sess. Gen. 318, viii p., 1 l., xc, [18] p.

1847 Dec. 2d Legis., reg. sess. Spec. [321]-426, [6] p.

Unit 3

1849 Nov. 3d Legis., reg. sess. Gen. 224, viii p.

1849 Nov. 3d Legis., reg. sess. Spec. 106, v p.

1850 Aug. 3d Legis., 2d sess. Gen. & Spec. 43, iii p.

1850 Nov. 3d Legis., 3d sess. Gen. & Spec. 47, iii p.

Unit 4

1851 Nov. 4th Legis., reg. sess. Gen. 142 p., 1 l., ix p.

1851 Nov. 4th Legis., reg. sess. Spec. 226 p., 1 l., viii p.

1853 Jan. 4th Legis., ext. sess. Gen. 63 p., 1 l., v p.

1853 Jan. 4th Legis., ext. sess. Spec. 86, iii p.

B.2 Reel 3

Unit 1

1853 Nov. 5th Legis., reg. sess. Gen. 125, [1], xvi p.

1853 Nov. 5th Legis., reg. sess. Spec. 172 p., 1 l., v p.

DLC

Unit 2

1855 Nov. 6th Legis., reg. sess. Gen. 86, xxxi p.

1855 Nov. 6th Legis., reg. sess. Spec. 116, iv p.

1856 July 6th Legis., adj. sess. Gen. 119, [1], viii p.

1856 July 6th Legis., adj. sess. Spec. 307 p., 2 l., xiii p.

DLC

Unit 3

1857 Nov. 7th Legis., reg. sess. Gen. 284 p., 1 l., xix p.

1857 Nov. 7th Legis., reg. sess. Spec. 172 p., 1 l., ix p.

DLC

Unit 4

1859 Nov. 8th Legis., reg. sess. Gen. 151, [1] p.

1859 Nov. 8th Legis., reg. sess. Spec. 292, [2] p.

1861 Jan. 8th Legis., ext. sess. Gen. 69, [1] p.

1861 Jan. 8th Legis., ext. sess. Spec. 37, [1] p.

DLC

Unit 5

1861 Nov. 9th Legis., reg. sess. Gen. 64, xii, [1] p.

1863 Feb. 9th Legis., ext. sess. Gen. 43, [1] p.

1861 Nov. 9th Legis., reg. sess. Spec. 66 p.

1863 Feb. 9th Legis., ext. sess. Spec. 22 p.

TEXAS-Continued

1863 Nov. 10th Legis., reg. sess. Gen. 60 p.
1863 Nov. 10th Legis., reg. sess. Spec. 44 p.
1864 May 10th Legis., call. sess. Gen. 64 p.
1864* May 10th Legis., call. sess. Gen. & spec. 45, [1] p.
1864 Oct. 10th Legis., 2d ext. sess. Gen. 28 p.
1864* Oct. 10th Legis., 2d ext. sess. Spec. 20 p.

DLC *M

B.2 Reel 4

Unit 1

1866 Aug. 11th Legis., reg. sess. Gen. 53, [1], ix, 272, [2], xxvi (sic xxvii) p.
1866 Aug. 11th Legis., reg. sess. Spec. 553 (sic 453), [1], xii p.

UTAH

B.2 Reel 1

Unit 1

1851* Sept. 1st ann. sess.
1852 Feb. Spec. sess.
In 1 vol. 8, 48, 37-258 p.
1852 Dec. 2d ann. sess.
1853 June Adj. sess.
In 1 vol. iv, [5]-168, [1] p.

USIC *U

Unit 2

1853* Dec. 3d ann. sess. iv, 5-39, [1] p.
1854 Dec. 4th ann. sess. (In Comp. Laws, 1855)
1855* Dec. 5th ann. sess. 51 p.
1856 Dec. 6th ann. sess. 35 p.
1857 Dec. 7th ann. sess. 21 p.
1858** Jan. sess. 221-236 p. MS.
1858 Dec. 8th ann. sess. 39, ii p.
1859 Dec. 9th ann. sess. 1 p.l., iv, 44 p.

USIC *U **U-Secy.

Unit 3

1860 Dec. 10th ann. sess. 1 p.l., 50 p.
1861* Dec. 11th ann. sess. 60 p.
1862 Dec. 12th ann. sess. 15 p.
1863* Dec. 13th ann. sess. 52 p.
1864* Dec. 14th ann. sess. 92 p.
1865 Dec. 15th ann. sess. (In Comp. Laws, 1866)
1866 Dec. 16th ann. sess. iv, 40, 8 p.
1868** Jan. 17th ann. sess. iv, 36 p.
1868 Jan. 17th ann. sess. iv, 56 p.
1869* Jan. 18th ann. sess. iv, 24 p.

U *USIC **MHL

UTAH-Continued

Unit 4

1870* Jan. 19th ann. sess. 1 p.l., iv-v, 148 p.
1872* Jan. 20th ann. sess. xiv, 43 p.
1874 Jan. 21st sess. [4], 52, [1] p.
1876 Jan. 22d sess. (In Comp. Laws, 1876)
1878 Jan. 23d sess. 2 p.l., v, 216 p.
1880 Jan. 24th sess. viii, 134 p.

U *USIC

Unit 5

1882 Jan. 25th sess. viii, 131 p.
1884 Jan. 26th sess. xiii, 639 p.

DLC

B.2 Reel 2

Unit 1

1886* Jan. 27th sess. viii, 72 p.
1888 Jan. 28th sess. viii, 244 p.
1890 Jan. 29th sess. viii, 171 p.

DLC - *U

Unit 2

1892 Jan. 30th sess. viii, 176 p.
1894 Jan. 31st sess. viii, 205 p.

U

B.2 Reel 3

Unit 1

1896 Jan. Spec. sess.
1896 Jan. 1st sess.
In 1 vol. 782 p.

Unit 2

1897 Jan. 2d sess. 327 p.

VERMONT

B.2 Reel 1

Unit 1

1778 Mar. sess. (Not contemp. printed)
1778 June sess. (Not contemp. printed)
1778 Oct. sess. (Not contemp. printed)
1779* Feb. Spec. sess. 2 p.l., 12, 110, [1] p.
1779 June Spec. sess. 111-112 p.
1779 Oct. Ann. sess.
1780 Mar. Spec. sess.
In 1 vol. [7] p.
1780** Oct. Ann. sess. 125-128, [6] p.
1780 Oct. Ann. sess.
1781 June Spec. sess.
Together [16] p.
1780*** Oct. Ann. sess.
1781 June Spec. sess.
Together [16] p. (Incomplete)
1781* Feb. Spec. sess. 11 p.

VERMONT-Continued

1781 Tax act. (See Stat.)
1781**** Apr. Spec. sess. 4 p.
1781**** June Spec. sess. 12 p.
1781 Oct. Ann. sess. 4 p.
1781***** Oct. 27 Tax act. 1 p.
1782 Jan. Spec. sess. (Not found)
1782 Feb. Tax act. (See Stat.)
1782 Feb. sess.
1782 June Spec. sess.
1782 Oct. Ann. sess.
1783 Feb. Spec. sess.
Together 12 p.
1782*** June Spec. sess.
1782*** Oct. Ann. sess.
In 1 vol. 38 p.
1783 Feb. Spec. sess. 9 p.
1783 Oct. Ann. sess. 10 p.
1783*** Oct. Ann. sess. 10, 39-43, 42-43, 46-47 p.
1784 Feb. Spec. sess. 49-54 p.
1784*** Feb. Spec. sess.
1784*** Mar. sess.
Together 15 p.
1784****** Mar. An act for the limitation of actions. Broadside.
1784****** Mar. An act to enable persons who have...made improvements on lands, under colour of title, who shall be driven out of possession...to recover value ... [2] p.
1784***** An act regulating choice of a council of censors. Broadside.
1784***** An act to enable persons who have settled and made improvements on lands...who shall be driven out of possession...to recover value... [3] p.
1784***** ...Extract from a proposed act for the limitation of actions. Broadside.
1784 Oct. Ann. sess. 12 p.
MWA *DLC **PHi - RPJCB ***MHL ****PHi *****VtU-W ******RPJCB

Unit 2

1785* June Spec. sess. 7 p.
1785 Oct. Ann. sess. 9 p.
1786 Oct. Ann. sess. 20 p.
1786** Oct. Ann. sess. 12 p.
1787*** Oct. Ann. sess. 16 p.

VERMONT-Continued

1787**** Militia act. 16 p.
1788 Oct. Ann. sess. 28 p.
1789 Oct. Ann. sess. 19 p.
1790***** Oct. Ann. sess. 11 p.
1791***** Jan. Adj. sess. 28 p.
1791 An act regulating the choice of a council of censors... Broadside.
1791***** Oct. Ann. sess. 43 p.
1792 Oct. Ann. sess. 95 p.
1792* ? 40 p.
1793 Oct. Militia act. 29 p.
1793 Oct. Ann. sess. 70 p.
1794 Oct. Ann. sess. 171 p.
1795 Oct. Ann. sess. 166 p.
1795***** Oct. Ann. sess. 77, [5] p.

DLC *VtU-W **MHi ***PHi ****Vt *****MHL

Unit 3

1796 Oct. Ann. sess. 185 p.
1797 Feb. Adj. sess. 100 p.
1797* Mar. Militia act. [58] p.
1797 Oct. Ann. sess. 1 p.l., 110 p.
1797 Nov. 10 Tax act. 2 p. (Not found)

DLC *VtU-W

B.2 Reel 2

Unit 1

1798 Oct. Ann. sess. 141, [4] p.
1798* Abstract of an act to provide for the valuation of lands and dwelling-houses... 35 p.
1798 Oct. An act establishing fees... 15 p. (Not found)
1799 Oct. Ann. sess. 133 p.

DLC *CSmH

Unit 2

1800 Oct. Ann. sess. 159 p.
1801 Oct. Ann. sess. 171, 12, [1] p.

DLC

Unit 3

1802 Oct. Ann. sess. 222 p.
1803 Oct. Ann. sess. 156 p.

DLC

Unit 4

1804 Jan. Adj. sess. 100 p.
1804 Oct. Ann. sess. 166 p., 1 l., x p.

MHL

Unit 5

1805 Oct. Ann. sess. 256 p.
1806 Oct. Ann. sess. 204 p.

DLC

VERMONT-Continued

B.2 Reel 3

Unit 1

1807 Oct. Ann. sess. 216 p.
1808 Oct. Ann. sess. 1 p.l., [5]-192 p.
DLC

Unit 2

1809 Oct. Ann. sess. 140 p.
[W] 1810* Oct. Ann. sess. 183 p.
DLC *MHL

Unit 3

1811 Oct. Ann. sess. 176 p.
1812 Oct. Ann. sess. 220 p.
DLC

Unit 4

1813 Oct. Ann. sess. 208 p.
1814 Oct. Ann. sess. 166 p.
DLC

Unit 5

1815 Oct. Ann. sess. 80, 91-178 p.
DLC

B.2 Reel 4

Unit 1

1816 Oct. Ann. sess. 151 p.
1817* Oct. Ann. sess. 144 p.
DLC *MHL

Unit 2

1818 Oct. Ann. sess. 109, [1], [119]-262 p.
DLC

Unit 3

1819 Oct. Ann. sess. 207 p.
1820 Oct. Ann. sess. 1 p.l., 184 p.
DLC

Unit 4

1821 Oct. Ann. sess. 221 p.
1822 Oct. Ann. sess. 102 p.
DLC

Unit 5

1823 Oct. Ann. sess. 1 p.l., 101, [1] p.
1824 Oct. Ann. sess. 1 p.l., 128 p.
1825 Oct. Ann. sess. 1 p.l., 152 p.
DLC

Unit 6

1826 Oct. Ann. sess. 1 p.l., 112 p.
1827 Oct. Ann. sess. 1 p.l., 102 p.
DLC

B.2 Reel 5

Unit 1

1828 Oct. Ann. sess. 1 p.l., 72 p.
1829 Oct. Ann. sess. 1 p.l., 84 p.

VERMONT-Continued

1830 Oct. Ann. sess. 1 p.l., 67 p.
1831 Oct. Ann. sess. 1 p.l., 126 p.
DLC

Unit 2

1832 Oct. Ann. sess. 124 p.
1833 Oct. Ann. sess. 110 p.
1834 Oct. Ann. sess. 111 p.
DLC

Unit 3

1835 Oct. Ann. sess. 159 p.
1836 Oct. Ann. sess. 1 p.l., 181 p.
DLC

Unit 4

1837 Oct. Ann. sess. 1 p.l., 112 p.
1838 Oct. Ann. sess. 115 p.
1839 Oct. Ann. sess. 1 p.l., 102 p.
DLC

Unit 5

1840 Oct. Ann. sess. 68 p.
1841 Oct. Ann. sess. 1 p.l., 69 p.
1842 Oct. Ann. sess. 1 p.l., [5]-133 p.
1843 Oct. Ann. sess. 1 p.l., [5]-77 p.
DLC

Unit 6

1844 Oct. Ann. sess. 31, [1], [40]-54, 24 p.
1845 Oct. Ann. sess. 95 p.
1846 Oct. Ann. sess. 96 p.
1847 Oct. Ann. sess. 128 p.
DLC

B.2 Reel 6

Unit 1

1848 Oct. Ann. sess. 110 p.
1849 Oct. Ann. sess. 172 p.
DLC

Unit 2

1850 Oct. Ann. sess. 182 p.
1851 Oct. Ann. sess. 166 p.
DLC

Unit 3

1852 Oct. Ann. sess. 219 p.
1853 Oct. Ann. sess. 220 p.
DLC

Unit 4

1854 Oct. Ann. sess. 189 p.
1855 Oct. Ann. sess. 239 p.
DLC

VERMONT-Continued

Unit 5

1856 Oct. Ann. sess. 229, [1] p.
1857 Feb. Spec. sess.
1857 Oct. Ann. sess.
In 1 vol. 199 p.

DLC

VIRGINIA

B.2 Reel 1a

Unit 1

1661-1677 Laws passed at various dates. 186 p. MS.

PHi

Unit 2

1660-1682 List of acts... 18, [3] p. MS.
1660-1677 Collection of acts passed at various dates. 102 p. MS.
1679 Apr.-1680 June Acts passed... 183-200 p. MS.
[W] 1659/60 Mar.-1677 Oct. Orders of various Grand Assemblies... 201-237 p. MS.
[W] 1676/77 Feb. Orders at a Grand Assembly... 239-253 p. MS.

PRO-C.O.5/1376

Unit 3

1660-1677 Abstract of acts... 1 p.l., [66] p. MS.
1679-1684 List of laws... [5] p. MS.
Warrant for Virginia laws and preamble. 2 p. MS.
Act of indemnity and oblivion. (In full) 3-15 p. MS.
Act of naturalization. (In full) 16-19 p. MS.
Act for raising revenue. (In full) 23-29 p. MS.
1682 Nov. 11 Abstract of laws passed at a General Assembly held at James Citty... 15 p. MS.
1684 Apr. 16 Collection of acts passed at a General Assembly begun at James Citty... 17, [1] p. MS.

PRO-C.O.5/1377

Unit 4

1661/62-1702 Acts, either in full or in abstract, passed at various dates. 227, [31] p. MS.

PRO-C.O.5/1379

VIRGINIA-Continued

B.2 Reel 1b

Unit 1

1704 Apr. 13 original acts passed... preceded by a list of acts. v.p. MS.

1705 Apr. 7 original loose acts passed ... v.p. MS.

PRO-C.O.5/1384

Unit 2

1706 Index to 2d volume. List of acts passed in Assembly... [3] p. MS.

1710 Index to 3d volume. [2] p. MS.

1705 Oct. 58 original acts passed. These agree with Index to 2d volume. 357 p. MS.

1710 Oct. 17 original acts passed... These agree with Index to 3d volume. 94 p. MS.

PRO-C.O.5/1385

Unit 3

1711 Nov. 5 original acts passed...preceded by index. 1 p.l., [5], 33 p. MS.

1712 Nov. 7 original acts passed.. 25 p. MS.

1713 Dec. 12 original acts passed... 27-79 p. MS.

1714 Dec. 17 original acts passed... 80-82, [81]-98 fol. MS.

1715 Aug. 3 original acts passed in Assembly... 100-[103] fol. MS.

PRO-C.O.5/1386

B.2 Reel 1c

Unit 1

1718 Apr. sess. 4 original acts. v.p. MS.

1718 Nov. sess. 3 original acts. v.p. MS.

1720 Nov. sess. 18 original acts. v.p. MS.

1722 May sess. 16 original acts. v.p. MS.

1723 May sess. 11 original acts. v.p. MS.

1723 Sept. sess. 4 original acts. v.p.

1726 July sess. 15 original acts. v.p. MS.

PRO-C.O.5/1387

VIRGINIA-Continued

Unit 2

1723 May-1726 May Acts passed at various dates... 1 p.l., 26, [1] p. MS.

DLC

Unit 3

1727 Feb. Original acts passed... Nos. 1-22. 116 p. MS.

1730 June 1 original act passed. 117-120 p. MS.

1730 July 1 original act and acts. Nos. 2-28. 121-228 p. MS.

PRO-C.O.5/1388

B.2 Reel 2a

Unit 1

1730 May ? sess. (Not found)

1732* May ? sess. 1 p.l., 44 p.

1734 Aug. 4th sess. 51 p.

1736** Aug. 1st sess. 48 p.

1738 Nov. 2d sess. 52 p.

1740 May 3d sess. 21 p.

1740*** Aug. 4th sess. 2 p.

1742** May 1st sess. 58 p.

1744 Sept. 2d sess. 1 p.l., 58 p.

1745/6 Feb. 3d sess. 1 p.l., 55 p.

1746*** July 4th sess. 4 p.

[W] 1747**** Mar. 5th sess. 4 p.

1748 Oct. 1st sess. 58 p.

DLC *PRO **PHi ***Vi ****ViW-Coleman

Unit 2

1752 Feb. 1st sess. 47, [1] p.

1753 Nov. 2d sess. 1 p.l., 46 p.

1754 Feb. 3d sess. 4 p.

1754 Aug. 4th sess. 6 p.

1754 Oct. 5th sess. 11 p.

1755 May 6th sess. 35 p.

1755 Aug. 7th sess. 22 p.

1755 Oct. 8th sess. 8 p.

1756 Mar. 1st sess. 28 p.

1756 Sept. 2d sess. 4 p.

1757 Apr. 3d sess. 48 p.

1758 Mar. 4th sess. 5 p.

1758 Sept. 1st sess. 34 p.

1758 Sept. (sic Nov.) 2d sess. 2 p.

1759 Feb. 3d sess. 36 p.

1759 Nov. 4th sess. 8 p.

VIRGINIA-Continued

1760 Mar. 5th sess. 6 p.
1760 May 6th sess. 6 p.
1760 Oct. 7th sess., 1st meet. 7 p.
1760 Dec. 7th sess., 2d meet. (No acts passed)
1761 Mar. 7th sess., 3d meet. 9-50 p.
1761 Nov. 1st sess. 14 p.
1762* Jan. 2d sess. 2 p.
1762 Mar. 3d sess. 10 p.
1762 Nov. 4th sess. 52 p.

DLC *PHi

B.2 Reel 2b

Unit 1

1763 May 5th sess. 9 p.
1764 Jan. 6th sess. 10 p.
1764 Oct. 7th sess., 1st meet.
1765 May 7th sess., 2d meet.
In 1 vol. 73 p.
1766 Nov. 1st sess., 1st meet.
1767 Mar. 1st sess., 2d meet.
In 1 vol. 58 p.
1768* Mar. 2d sess. 7 fol. MS.
1769 May 1st sess. (No laws passed)
1769* Nov. 1st sess., 1st meet. 11-64 fol. MS.
1770* May 1st sess., 2d meet. 65-92 fol. MS.

DLC *PRO-C.O.5/1403

Unit 2

1769 Nov. 1st sess., 1st meet.
1770 May 1st sess., 2d meet.
In 1 vol. 1 p.l., 83 p.
1771 July 2d sess. 1 p.l., 8 p.
1772 Feb. 1st sess. 1 p.l., 59 p.
1772 Feb. 1st sess. 1 p.l., 51 p.
1773* Mar. 2d sess. 16 p.

DLC *Vi

Unit 3

1774 May 3d sess. (No acts passed)
1775 Dec. 1 An ordinance passed at a convention... 34 p.
1775 July 17 An ordinance passed at a convention... 51 p.

DLC

B.2 Reel 3

Unit 1

1776 Oct. sess. 56 p.
1777 May sess. 1 p.l., 34 p.
1777 Oct. sess. 1 p.l., 40 p.
1778 May sess. 14 (sic 15) p.
1778 Oct. sess. 46 p.
1779 May sess. 57 p.
1779 Oct. sess. 48 p.

DLC

VIRGINIA-Continued

Unit 2

1780 May sess. 46 p.
1780 Oct. sess. 34 p.
1781 Mar. sess. 8, [1] p.
1781 May sess. 18, [1] p.
1781 Nov. sess. 1 p.l., 11 p. MS. [3]-32, 7 p.
1782 May sess. 38 p.
1782 Oct. sess. 32 p.
1783 May sess. 45, [1] p.
1783 Oct. sess. 26 p.
1784 May sess. 23 p.
1784 Oct. sess. 1 p.l., 31, 4, [4] p.

DLC

Unit 3

1785 Oct. sess. 1 p.l., 73 p.
1786 Oct. sess. 56 p., 3 l.
1787 Oct. sess. 47, [1] p. (Davis E. Nicolson)
1787 Oct. sess. 47, [2] p. (Dixon, Davis & Nicolson)
1788 June sess. [1] p. MS. [1] p.
1788 Oct. sess. 49, [1] p.
1789 Oct. sess. 50 p.

DLC

Unit 4

1790 Oct. sess. 66 p.
1791 Oct. sess. 44 p.
1792 Oct. sess. 126 (sic 123) p.

DLC

B.2 Reel 4

Unit 1

1793 Oct. sess. 56 p.
1794 Nov. sess. 39 p.
1795 Nov. sess. 59 p.
1796 Nov. sess. 48 p.
1797 Dec. sess. 51 p.
1798 Dec. sess. 36 p.
1799 Dec. sess. 35 p.

DLC

Unit 2

1800 Dec. sess. 39, [1] p.
1801 Dec. sess. 56 p.
1802 Dec. sess. 54, [2] p.
1803 Dec. sess. 91, v p.
1804 Dec. sess. 59, ii p.
1805 Dec. sess. 52, iii p.
1806 Dec. sess. 42, ii p.

DLC

VIRGINIA-Continued

Unit 3

1807 Dec. sess. 84, iv p.
(First octavo)
1808 Dec. sess. 108 p.
1809 Dec. sess. 108 p.
1810 Dec. sess. 136 p.

DLC

Unit 4

1811 Dec. sess. 152, [144]-
152 (sic 151), [153]-
160 p.
1812 Nov. sess. 159 p.

DLC

B.2 Reel 5

Unit 1

1813 May sess. 8 p.
1813 Dec. sess. 188 p.
1814 Oct. sess. 156, [27] p.
1815 Dec. sess. 298 p.

DLC

Unit 2

1816 Nov. sess. 219 p.
1817 Dec. sess. 251 p.
1818 Dec. sess. 224 p.

DLC

Unit 3

1819 Dec. sess. 136 p.
1820 Dec. sess. 157 p.
1821 Dec. sess. 120 p.
1822 Dec. sess. 135 p.

DLC

Unit 4

1823 Dec. sess. 117 p.
1824 Nov. sess. 114 p.
1825 Dec. sess. 125 p.
1826 Dec. sess. 155 p.

DLC

B.2 Reel 6

Unit 1

1827 Dec. sess. 142 p.
1828 Dec. sess. 191 p.
1829 Dec. sess. 151 p.

DLC

Unit 2

1830 Dec. sess. 358 p.

DLC

Unit 3

1831 Dec. sess. 346 p.

DLC

VIRGINIA-Continued

Unit 4

1832 Dec. sess. 231 p.
1833 Dec. sess. 367 p.

DLC

Unit 5

1834 Dec. sess. 283 p. DLC

B.2 Reel 7

Unit 1

1835 Dec. sess. 434 p. DLC

Unit 2

1836 Dec. sess. 338 p.
1837 June Ext. sess. 11 p.

DLC

B.2s Reel 1

Wheeling and Alexandria Governments

Unit 1

[W] 1861* July Ext sess. at Wheeling. 65 p.
[W] 1861** July Ext. sess. at Wheeling. 29 p.
1861 July Ext. sess. at Wheeling. 35 p. (Daily Press)
1861 Dec. Reg. sess. at Wheeling. 111 p.
1861 Dec. Reg. sess. at Wheeling. Sketches of acts... 52 p.
1862 May Ext. sess. at Wheeling. 31 p. (Trowbridge) (Not found)
1862 May Ext. sess. at Wheeling. 31 p. (Daily Press)
1862 May Ext. sess. at Wheeling. 23 p.
1862 Dec. Ext. sess. at Wheeling. 108 p.
1862 Dec. Ext. sess. at Wheeling. 84 p.
1863 Dec. Reg. sess. at Alexandria. 39 p.
1864 Dec. Reg. sess. at Alexandria. 75 p.

DLC *ViU **NjP

WASHINGTON

B.2 Reel 1

Unit 1

1854 Feb. 1st sess. 488, viii, lxviii p.

Wa

Unit 2

1854 Dec. 2d sess. 6, [5]-75 p.
1855 Dec. 3d sess. 1 p.l., [7]-79 p.
1856 Dec. 4th sess. 32, [3]-95 p.
1857* Dec. 5th sess. 106 p.
1858* Dec. 6th sess. 104 p.

Wa *DLC

WASHINGTON-Continued

Unit 3

1859 Dec. 7th sess. 523, [2] p.
DLC Wa

Unit 4

1860 Dec. 8th reg. sess. 1 p.l., 192 p.
1861 Dec. 9th reg. sess. 168 p.
Wa

Unit 5

1862 Dec. 10th ann. sess. 572 p., 1 l., xi, [iii]-xc, 144, v, [1] p.
Wa

B.2 Reel 2

Unit 1

1863 Dec. 11th ann. sess. 206 p.
1864* Dec. 12th ann. sess. 207 p.
Wa *DLC

Unit 2

1865 Dec. 13th ann. sess. 285 p.
1866 Dec. 14th ann. sess. 342 p.
Wa

Unit 3

1867 Dec. 1st bien. sess. 238 p.
Wa

Unit 4

1869 Oct. 2d bien. sess. 832 p.
Wa

Unit 5

1871 Oct. 3d bien. sess. 262 p.
Wa

B.2 Reel 3

Unit 1

1873 Oct. 4th bien. sess. 776 p.
Wa DLC

Unit 2

1875 Oct. 5th bien. sess. 341 p.
Wa

Unit 3

1877 Oct. 6th bien. sess. 545 p.
Wa

Unit 4

1879 Oct. 7th bien. sess. 375 p.
1881* Oct. 8th bien. sess.
1881* Dec. Spec. sess.
In 1 vol. 284 p.
Wa *DLC

B.2 Reel 4

Unit 1

1883 Oct. 9th bien. sess. 446 p., 1 l., xxxii p.
DLC

WASHINGTON-Continued

Unit 2

1885 Dec. 10th bien. sess. 555 p., 2 l., xxvii, xv p., 1 l., ix p. DLC

Unit 3

1887 Dec. 11th bien. sess. xlvi p., 1 l., 324 p. DLC

WEST VIRGINIA

B.2 Reel 1

Unit 1

1861 July Ext. sess. 35 p.
1862 May Ext. sess. 31 p.
DLC

Unit 2

1863 June 1st sess. 294, [2], xxii p.
1864 Jan. 2d sess. 47, [3], v p.
1865 Jan. 3d sess. 124, [1], ix p.
1866 Jan. 4th sess. 269, [2], xvii p.
1867 Jan. 5th sess. 280 p.
DLC

Unit 3

1868 Jan. 6th sess. 253 p.
1868 June Ext. sess.
1868 Nov. Adj. sess.
In 1 vol. 133 p.
1869 Jan. 7th sess. 173 p.

WISCONSIN

B.2 Reel 1

Unit 1

1836 Oct. 1st sess. 88 p.
1837 Nov. Winter sess.
1838 June Spec. sess.
In 1 vol. 1 p.l., [5]-372 p.
1838 Nov. Ann. sess. Loc.
1839 Jan. Adj. sess. Loc.
In 1 vol. 154, 34 p.
1838 Nov. Ann. sess.
1839 Jan. Adj. sess.
In 1 vol. iv p., 1 l., 457 p.
WHi

Unit 2

1839 Dec. Ann. sess. 93, 25 p.
1840 Aug. Spec. sess.
1840 Dec. Ann. sess.
In 1 vol. vii, [9]-205 p.
1840 Dec. Ann. sess. 74, 6 p. (Town and County Act)

WISCONSIN-Continued

1841 Dec. Ann. sess. 105, 55 p.
1842 Dec. Ann. sess. 87, 6 p.
WHi

Unit 3

1843 Dec. Ann. sess. 114 p.
1845 Jan. Ann. sess. 2 p.l., 133, 7 p.
1846 Jan. Ann. sess. 265 p.
WHi

B.2 Reel 2

Unit 1

1847 Jan. Ann. sess. 277 p.
1847 Oct. Spec. sess. 21 p.
1848 Feb. Ann. sess. 394 p.
WHi

B.2 Reel 3

Unit 1

1848 June 1st sess. 323 p.
1849 Jan. 2d sess. 181, ix p.
1850 Jan. 3d sess. 243, [1], 13 p.
WHi

WYOMING

B.2 Reel 1

Unit 1

1869 Oct. 1st sess. xvi, 784 p. DLC

Unit 2

1871 Nov. 2d sess. v, [6]-147 p.
1873 Nov. 3d sess. 288 p.
1875 Nov. 4th sess. (In Comp. Stat., 1876)
1877 Nov. 5th sess. 1 p.l., [v]-xvi, 149 p.
Wy

Unit 3

1879 Nov. 6th sess. viii, 182 p.
1882 Jan. 7th sess. vii, 232 p.
1884 Jan. 8th sess. viii, 198, xxiv p.
Wy

Unit 4

1886 Jan. 9th sess. xiv p., 1 l., 475, 67 p.
1888 Jan. 10th sess. 3 p.l., [9]-274 p.
Wy

Unit 5

1890 Jan. 11th sess. 1 p.l., [5]-242 p.
Wy

SPECIAL LAWS

MASSACHUSETTS

B.3 Reel 1

Tax Acts

Unit 1

1699 May 6 p.
1700 May 4 p.
1701 May 4 p.
1702 May 4 p.
1706 May [4] p.
1707 May [4] p.
1708 May [4] p.
1709 May [4] p.
1711 May [4] p.
1713 May 4 p.
1714 May 4 p.
1716* May 4 p.
1718 May 4 p.
1719 May 4 p.
1720 July 4 p.
1722 May 4 p.
1723 May 4 p.
1724 May 4 p.
1725* May 4 p.
1725* Nov. [4] p.
1727** May 7 p.
1728** May 5 p. (2-3 are fol.)
1729 May 5 p. (2-3 are fol.)
1730 May 5 p. (2-3 are fol.)
1731 May 5 p. (2-3 are fol.)
1732 May 5 p. (2-3 are fol.)
1733 May 7 p.
1734*** May 9 p.
1735*** May 9 p.
1736 May 6 p. (2-4 are fol.)
1736 May 6, [1] p.
1737 May 7 p.
1738 May 6 p. (2-4 are fol.)
1740 May 6 p. (2-4 are fol.)
1741 July [2] p.
1742 May 7 p. (2-4 are fol.)

PHi *M **DLC ***M-Ar

Unit 2

1743****** May 10 p.
1744* May 6 (sic 7) p. (2-4 are fol.)

MASSACHUSETTS-Continued

1745****** May [12] p.
1745*** May 4 p.
1746****** May [11] p.
1747 May 8 p. (2-5 are fol.)
1748 May Extract of... An act. 4 p.
1751** May 7 p. (2-5 are fol.)
1751** June 22 Order in council. Broadside.
1751** July Broadside.
1752** May 8 p. (2-5 are fol.)
1753 May 8 p. (2-5 are fol.)
1754****** May [12] p.
1755 May 8 p. (2-5 are fol.)
1755 Sept. 5 p.
1755** May 9, [1] p.
1756* May 7 p. (2-5 are fol.)
1757 May 7 p. (2-5 are fol.)
1758****** May 7 p.
1759* May 7 p. (2-5 are fol.)
1760* May 7 p. (2-5 are fol.)
1761* May 7 p. (2-5 are fol.)
1762 May 7 p. (2-5 are fol.)
1763** May 6, 8-9 p. (2-6 are fol.)
1764** May 8, [1] p. (2-6 are fol.; [1] p. is MS.)
1765** May 8 p. (2-6 are fol.)
1766 May 8 p. (2-6 are fol.)
1767****** May [14] p.
1769 May 8 p. (2-6 are fol.)
1769 June 4 p.
1770**** May 10 p. (4-8 are fol.)
1771 June 6 p.
1772 Aug. 7 p.
1773 May 6, 8-9 p. (2-6 are fol.)
1774 May 9 (sic 8) p. (2-6 are fol.)
1775 Sept. 9 p.
1776***** May 9 p. (Incomplete)
1777 May 9 p. (2-5 are fol.)
1778 ? 9 p.
1778 ? 9 p.
1779 ? 13 p.
1779 ? 5, 9-13 p. (2-4 are fol.)
1779 ? 7, 7-8 p. (2-7 are fol.)
1780***** Apr. 11 p.
1780***** Apr. [6] p.

MASSACHUSETTS-Continued

1780 ? 14 p.
1780 ? 8 p.
1781 ? 8 p. (2-8 are fol.)
1781 ? 10 p. (2-7 are fol.)
1782 ? 11 p.
PHi *MHL **M ***NN
****MHi *****DLC ******M-Ar
Unit 3
1783 ? 14 p.
1784** Mar. Broadside.
1784** July 8 p.
1786** Mar. Broadside.
1786* Mar. 24 p.
1787** Feb. Broadside.
1788* Mar. 19 p.
1789* Feb. 19 p.
1790* Mar. 19 p.
1791** Mar. 20 p.
1792** Feb. 8 p.
1793 June 23 p.
1794 June 24 p.
1795** June 24 p.
1796 ? 16 p. (Incomplete)
1797 Feb. 20 p.
1798 Feb. 20 p.
1799 Feb. 20 p.
1800 Feb. 19 p.
1801 Feb. 19 p.
1801** Mar. [4] p.
1802 Mar. 20 p.
1803 ? 20 p.
1804** Mar. 24 p.
1805** Mar. 24 p.
1806** Mar. 23 p.
1807 Feb. 23 p.
1808 Mar. 23 p.
1809 Mar. 24 p.
1810 Mar. 24 p.
1811** Feb. 24 p.
1812** ? 24 p. (Incomplete?)
1813** Feb. 27 p.
1814** Feb. 26 p.
1815 Mar. 26 p.
1816 Feb. 28 p.
1817 Dec. 28 p.
1818 Feb. 27 p.

MASSACHUSETTS-Continued

1819** Feb. 28 p.
1820** Feb. 24 p.
1821** Feb. 19 p.

MHL *MHi **DLC

CONSTITUTIONAL RECORDS

ALABAMA

C Reel 1

Convention, 1819 July 5-Aug. 2
Unit 1

Constitution... Huntsville, 1819. 26 p. DLC
Journal... Huntsville, 1819. 40 p. MHL
Journal... Huntsville, 1819. 40 p. DLC
Memorial...praying that a part of West Florida may be annexed to said state... Washington: 1821. 4 p. DLC

Convention, 1861 Jan. 7-Mar. 20
Unit 2

Ordinances and constitution...with constitution of the provisional government and of the Confederate States of America. Montgomery: 1861. 152 p.
Ordinances adopted... Montgomery, 1861. 30, [1] p.
DLC
[W] Journal... Montgomery: 1861. 258 p.
History and debates... Montgomery, 1861. 464, xii p. DLC

Convention, 1865 Sept. 12-30
Unit 3

Constitution and ordinances adopted... Montgomery, 1865. vii, [9]-80 p. NN
Journal... Montgomery, 1865. 88 p. DLC

Convention, 1867 Nov. 5-Dec. 6
Unit 4

Official journal... Montgomery, 1868. iii, 291, [1] p. DLC

Convention, 1875 Sept. 6-Oct. 2
Unit 5

Journal... Montgomery, 1875. 231 p. DLC

ARIZONA

C Reel 1

Unit 1

Constitution and schedule of provisional government...and proceedings ... Tucson: 1860. 23 p. CU-B
---- (Photostatic copy) DLC

Unit 2

Constitution...and address... Phoenix, 1891. 28 p.
Journals... Phoenix, 1891 59 p.
Az

Unit 3

Proceedings... [Tucson] 1893. 1 p.l., 19 p. DLC

ARIZONA-Continued

Unit 4

Proposed constitution... [Phoenix] 1910. 40 p.
Journals... (C. P. Cronin) [Phoenix] 1925. 1 p.l., 648 numb. l., 1 l. Typescript.

DLC

Unit 5

Minutes... Phoenix, 1910. 450 p. DLC

ARKANSAS

C Reel 1

Convention, 1836 Jan. 4-30

Unit 1

[W] Constitution and ordinances... Little Rock, 1838. 23 p. MHL
Journal... Little Rock, 1836. 52 p. NN

Convention, 1861 Mar. 4-21

Unit 2

Ordinances... Little Rock, 1861. 128 p. NN
Journal of both sessions... Little Rock, 1861. 509 p.
Journal... Little Rock, 1861. 144 p.

DLC

Convention, 1864 Jan. 8-?

Unit 3

Journal... Little Rock, 1870. 58 p. NN

Convention, 1868 Jan. 7-Feb. 11

Unit 4

[W] Ordinances, public resolutions and orders, and memorials addressed to Congress... Little Rock, 1868. [4], 30 p. MiU-L
Debates and proceedings... Little Rock, 1868. 812, 812 a-e, [813]-985 (sic 979) p. (w: p. 877-880)

C Reel 2

Convention, 1874 July 14-?

Unit 1

Proceedings... 1874. In 2 vols. v.1: 2-640 p.; v.2: 292 p. MS.
Ar-Secy.

CALIFORNIA

C Reel 1

Convention, 1849 Sept. 1-Oct. 13

Unit 1

Constitution... San Francisco: 1849. 19 p. CU-B
---- 19 p. MS. C-Ar
Constitución... San Francisco: 1849. 16 p. CU-B
---- 48 p. MS.
Journal... 200 p. MS.

C-Ar

CALIFORNIA-Continued

Unit 2

Report of the debates...on the formation of the state constitution... Washington, 1850. 479, xlvi, [1] p. DLC

Debates... New York, 1851. 439, xiii p. (Sp.) CLSM

Unit 3

Report of Select Committee...to whom was referred...Governor's message recommending certain alterations in state constitution. San Francisco, 1853. 14 p.

Report of Select Committee. San Francisco, 1853. 4 p.

Report of Special Committee on Constitutional Convention, March 3, 1860. Sacramento, 1860. 4 p.

Report of Special Committee on Constitutional Amendments. Sacramento, 1862. 9 p.

NN

Convention, 1878 Sept. 28-1879 Mar. 3

Unit 4

Constitution adopted...with references to similar provisions in constitutions of other states and decisions of courts... San Francisco, 1879. 431 p. DLC

C Reel 2

Convention, 1878 Sept. 28-1879 Mar. 3

Unit 1

Debates and proceedings... Sacramento, 1880-81. In 3 vols. v.1: 640 p. DLC

Unit 2

Debates and proceedings... v.2. 1 p.l., 641-1152 p. DLC

Unit 3

Debates and proceedings... v.3: 1 p.l., 1153-1578 p. DLC

COLORADO

C Reel 1

Unit 1

Constitution of State of Jefferson. [1859] 6 p. MS.

Proceedings of Constitutional Convention for State of Jefferson, June 6-7, 1859. 7 p. MS.

CoHi

Convention, 1864 July 4-?

Unit 2

Constitution and ordinances...together with an address to the people ... Denver [n.d.] 1 p.l., 19 p. CoD-1

Constitution and ordinances... 1 p.l., 48 p. MS. CoHi

Register - Extra, to the people. [n.d.] Broadside.

Proceedings, as reported in *The Daily Rocky Mountain news* (Denver) vol. 4, no. 266, July 1, 1864-vol. 4-no. 282, July 20, 1864. CoHi

Convention, 1865 Aug. ?

Unit 3

State constitution... [Denver?] 1865. 12, 3 p. DLC

COLORADO-Continued

Proceedings, as reported in *The Daily Rocky Mountain news* (Denver) vol. 5, no. 281, July 31, 1865-vol. 5, no. 297, Aug. 17, 1865. CoHi

Convention, 1875 Dec. 20, 1876 Mar. 14
Unit 4

Draft of a constitution... Denver, 1875. xiii, 54, [1] p. CoD
Die verfassung... Denver, 1876. 86 p.
Constitution... Denver, 1876. 65 p.
Proceedings... Denver, 1907. 778 p.
Rules for the government of the convention... Denver, 1876. 39 p. DLC

CONNECTICUT

C Reel 1

Unit 1

Fundamental orders, 1638. [5] p. MS. Ct
Charter granted by...King Charles II. New London: 1718. 1 p.l., 6 p.
[American charters, 1741] v.p. Contains Charter granted by King Charles II... 10 p.
Charters of...provinces of North America... London: 1766. v.p. Contains Charter granted by King Charles II... 4 p.
Charters of British colonies in America. London: 1774. [2], 142 p. Contains Charter granted by King Charles II... p. 24-33. DLC

Convention, 1818 Aug. 26-Sept. 16
Unit 2

Constitution... New Haven [1818] 16 p. DLC
Journal... Book 1: 36 p. MS. Appended: Committee reports. v.p. (Rough draft)
Journal... Book 2: 81-106, [5] p. MS. Ct
Journal... Hartford: 1873. 121 p. DLC
[W] Report of Committee to Whom Was Referred Consideration of Subject of Drafting a Constitution... Hartford, 1818. In 4 pts. NN

DAKOTA (Territory)

C Reel 1

Unit 1

[W] Proceedings of the Citizens Constitutional Association of Dakota, June 21, 1882. [Yankton] 1882. 14, [1] p. SdHi
[W] Address to the people. Call for a gathering to create a constitution, Mar. 12, 1883. [Yankton, 1883] Broadsheet. SdHi
[W] Official record of the proceedings of the Preliminary Constitutional Convention, June 19, 1883. [n.p., n.d.] 17 p. DNA
A memorial to the President and Congress. [Yankton, 1883] 16 p. MHL

DAKOTA-Continued

[W] Constitution adopted by the convention held in Sioux Falls. [Sioux Falls? 1883] 24 p. SdHi

Rules, order of business and standing committees...[of Constitutional Convention, 1883] [n.p., n.d.] [4] p. CTY

The state of Dakota: How it may be formed. Yankton, 1883. 58 p. DLC

Unit 2

Address to the people...constitution... Sioux Falls [1885] 46 p. WHi

Journal of the proceedings. [Sioux Falls, 1885] 2 p.l., 77 p. DLC

Presentation of Dakota's...memorial...constitution... Sioux Falls [1885] 2 p.l., 62 p. DLC

[W] Rules, order of business and standing committees. Sioux Falls, 1885. 17 p. SdHi

Convention, 1887 Dec. 15

Unit 3

[W] Call for a territorial convention. [Aberdeen? 1887] Broadside. SdHi

Proceedings... 1 p.l., 40 p. DLC

DELAWARE

C Reel 1

Convention, 1776 Aug. 27-Sept. 20

Unit 1

In convention... A declaration of rights and fundamental rules of the Delaware state... Also the constitution or form of government... Wilmington, 1776. 11 p.

Proceedings... Wilmington, 1776. 35 p.

Proceedings... Wilmington, 1927. 43 p.

DLC

Convention, 1791 Nov. 29-Dec. 31, 1792 May 29-June 12

Unit 2

Minutes of the Grand Committee...for Altering and Amending the Constitution... Nov. 29, 1791 25 p. MS.

---- 161-196 fol. MS.

DLC

Unit 3

Draught of a constitution of government... Wilmington: 1792. 24 p.

NN

Minutes... Nov. 29, 1791... Wilmington: 1792. 74 p.

Minutes... May 29, 1792... Wilmington: 1792. 107 p.

Minutes of the Grand Committee... Wilmington: 1792. 80 p.

DeHi

Convention, 1831 Nov. 8-Dec. 2

Unit 4

Journal... Wilmington, 1831. 130 p.

Journal of the Committee of the Whole... Wilmington, 1831. 44 p.

De

Unit 5

Debates... Wilmington, 1831. 264, [3] p. DLC

DELAWARE-Continued

Convention, 1852 Dec. 7-1853 Apr. 30

Unit 6

Debates and proceedings... Dover, 1853. 2 p.l., 317, [2] p. DeWI

Unit 7

Journal... Wilmington, 1853. 216 p.
Journal of Committee of the Whole... Wilmington, 1853. 60 p.
DeWI

FLORIDA

C Reel 1

Unit 1

Ordinances adopted by Convention of West Florida... Natchez, 1810. 32 p.
LNT-Favrot

Constitution of East Florida... [n.p.] July 17, 1812. [7] p. Typescript.
Report of Committee to Frame Plan of Provisional Government... [n.p.] 1817. 7 p.
FU-Yonge

Convention, 1838 Dec. 3-1839 Jan. 11

Unit 2

Constitution... Tallahassee, 1851. 1 p.l., 27, iii p.
Journal... St. Joseph, 1839. 120, 20 p.
FU

Convention, 1861 Jan. 3-21, Feb. 26-Mar. 1, Apr. 18-27; 1862 Jan. 14-27

Unit 3

Constitution...together with ordinances... Tallahassee, 1861. 68 p.
Constitution...together with ordinances... [Tallahassee? 1862?] 48 p.
Journal... Tallahassee, 1861. 112 p.
Proceedings... Tallahassee, 1861. 70 p.
Journal... Tallahassee, 1862. 110 p.
DLC

Convention, 1865 Oct. 25-Nov. 13

Unit 4

Constitution...together with ordinances... Tallahassee: 1865. 34, xxii p. NN
Journal... Tallahassee, 1865. 167 p. DLC

Convention, 1868 Jan. 20-Feb. 25

Unit 5

Constitution...together with ordinances... Jacksonville, 1868. 42 p.
Journal... Tallahassee: 1868. 134 p.
DLC

GEORGIA

C | Reel 1

Unit 1

[American charters, 1741] v.p. Contains Charter granted by King George II...June 9, 1731. 18 p.

Charters of...provinces of North America... London: 1766. v.p. Contains Charter granted by King George II... 7 p.

Charters of British colonies in America. London: 1774. [2], 142 p. Contains Charter granted by King George II... p. 127-142.

DLC

Convention, 1776 Oct.?-1777 Feb. 5

Unit 2

Constitution... Savannah, 1777. 1 p.l., [2], 11 p. DLC

Constitution... Savannah, 1785. 1 p.l., 21 p. MHL-1

Convention, 1787 Dec. 25-1788 Jan. 5

Unit 3

[Resolutions of the House of Assembly providing for consideration of the Federal Constitution] [2] p. MS. Appended: [List of delegates] [3] p. MS.

Journal... [11] p. MS.

G-Ar

Journal... Augusta: 1788. 20 p. R-Ar-1

Convention, 1788 Nov. 4-24

Unit 4

Original draft of constitution... [20] p. MS.

Convention, 1789 Jan. 4-20

Original draft of constitution... [14] p. MS.

[Resolutions of the House of Assembly] [10] p. MS.

[Resolution relating to payment of delegates] [4] p. MS.

Journal...also an address...to the people... [18] p. MS.

G-Ar

Convention, 1789 May 4-6

Constitution... Augusta, 1789. 24 p. MHL

[List of delegates] [11] p. MS.

Journal... [10] p. MS.

G-Ar

Convention, 1795 May 3-16

Unit 5

[Amendments to the constitution] [4] p. MS. G-Ar

Journal...to which are added amendments to the constitution. Augusta, 1795. 32, [2] p. DLC

Convention, 1798 May 8-30

Constitution... Louisburg, 1798. 24 p. DLC

Journal... 5, [2], 6-19, 19-60, 60-76 p. MS. G-Secy.

Journal... [n.p., n.d.] 28 p. GHi

Convention, 1833 May 6-15

Unit 6

Journal... Milledgeville: 1833. 56 p. DLC

GEORGIA-Continued

Convention, 1839 May 6-16

Journal... Milledgeville: 1839. 74 p. DLC
Debates and proceedings...Dec. 10, 1850. 28 p. NjP

Convention, 1861 Jan. 16-Mar. 23
Unit 7

Journal of the public and secret proceedings...together with ordinances ... Milledgeville, 1861. 416 p. DLC

C Reel 2

Convention, 1865 Oct. 25-Nov. 8
Unit 1

Journal...together with ordinances and resolutions... Milledgeville, 1865. 269 p. NN

Convention, 1867 Dec. 9-1868 Mar. 11
Unit 2

Constitution, ordinances and resolutions... Atlanta, 1868. 47, [1] p. DLC

Journal...and ordinances and resolutions... Augusta, 1868. 636 p. DLC

IDAHO

C Reel 1

Convention, 1889 July 4-Aug. 6
Unit 1

Organic act. [n.p.] 1864. 14 p. WHi
Call. For primaries to nominate and elect delegates to a county convention...said convention to elect members to the constitutional convention... Broadside. MS. IdB-Stewart
Constitution... Boise City, 1889. 1 p.l., 42 p. DLC
Constitution... Boise City, 1891. 59 p. IdB-Stewart
Constitution... Boise, 1903. 1 p.l., 52 p. DLC
Constitution... [n.p., n.d.] [2] p. IdB-Stewart
Admission bill. Boise, 1890. 11 p. IdB-Stewart.

Unit 2

Proceedings and debates... Caldwell, 1912. In 2 vols. v.1: x, 1024 p. DLC

Unit 3

---- v.2: 1 p.l., 1025-2143 p. DLC

ILLINOIS

C Reel 1

Convention, 1818 Aug. 3-26
Unit 1

Constitution... [n.p., 1818] 24 p. DLC
Journal... [3]-72 p. (Incomplete) IHi-1

ILLINOIS-Continued

Convention, 1847 June 7-Aug. 31

Unit 2

Journal... Springfield, 1847. 592 p. DLC

Unit 3

Constitutional debates... Springfield, 1919. 3 p.l., xxx, 1018, [2] p. DLC

Unit 4

State register, v.1, nos. 1-36, June 12-Sept. 3, 1847. Springfield, 1847. 137 p. DLC

C Reel 2

Convention, 1862 Jan. 7-Mar. 24

Unit 1

New constitution...with an address to the people. Springfield, 1862. 56 p. DLC

Journal... Springfield, 1862. 1131, xv p. DLC

Convention, 1869 Dec. 13-1870 May 13

Unit 2

Constitution...and address of convention... Chicago, 1870. 43, 6 p.

---- 62 p. (Fr.) DLC

Constitution...and address of convention... Peoria, 1870. 53 p., 1 l., 11 p. DLC

C Reel 3

Convention, 1869 Dec. 13-1870 May 13

Unit 1

Journal... Springfield, 1870. 1022, xi p. DLC

C Reel 4

Convention, 1869 Dec. 13-1870 May 13

Unit 1

Debates and proceedings... Springfield, 1870. In 2 vols. v.1: 2 p.l., 1076 p. DLC

C Reel 5

Unit 1

Debates and proceedings... v.2: 1 p.l., 1077-1895, [2], 132 p. DLC

INDIANA

C Reel 1

Convention, 1816 June 10-29

Unit 1

Constitution... Washington: 1816. 36 p.

Journal... Louisville, 1816. 69 p. DLC

Convention, 1850 Oct. 7-1851 Feb. 10

Unit 2

Constitution...and address of the convention... New Albany, Ia., 1851. 32 p.

Journal... Indianapolis, 1851. 1085 p. DLC

INDIANA-Continued

C Reel 2

Convention, 1850 Oct. 7-1851 Feb. 10

Unit 1

Report of debates and proceedings... Indianapolis, 1850-51. In 2 vols. v.1: 1008 p. DLC

Unit 2

---- v.2: 1 p.l., 1009-2107 p. DLC

IOWA

C Reel 1

Convention, 1837 Nov. 6-8

Unit 1

Proceedings, as reported in the *Iowa News,* vol 1, no. 23, Nov. 25, 1837. IaHi

Convention, 1844 Oct. 7-Nov. 1

Constitution... 21 p. (H. D. no. 77) DLC
Constitution... [n.p., 1844] 17 p. MHL
Journal... Iowa City, 1845. 224 p. IaHi

Unit 2

Fragments of debates...of 1844 and 1846... Iowa City, 1900. iv p., 1 l., 415 p. DLC

Convention, 1846 May 4-19

Unit 3

Constitution... 14 p. (S. D. no. 384) DLC
Constitution... Dubuque, 1851. 28, [1] p. (Ger.) IaHi
Journal... Iowa City, 1846. xxi, [23]-120 p. IaHi

Convention, 1857 Jan. 19-Mar. 5

Unit 4

Constitution... Muscatine, 1857. 26 p. IaHi
Journal... Muscatine, 1857. 406, 26 p. DLC

Unit 5

Debates... Davenport, 1857. In 2 vols. v.1: 1 p.l., ii, 644 p. DLC

Unit 6

---- v.2: xx p., 1 l., [645]-1096, 103 p. DLC

KANSAS

C Reel 1

Convention, 1855 Oct. 23-Nov. 11

Unit 1

Proceedings...as reported in the *Daily Kansas freeman* (Topeka) vol. 1, no. 1, Oct. 23, 1855-vol. 1, no. 15, Nov. 10, 1855. (No. 5 is missing from film.) KHi

Unit 2

Journal of the Topeka Constitutional Convention...1855 Oct. 24-Nov. 11. v.p. MS. (Incomplete) KHi
Proceedings... Lawrence, 1855. 16 p. DLC

KANSAS-Continued

Convention, 1858 Mar. 23-Apr. 3
Unit 3

Minutes of the Leavenworth Constitutional Convention... [234] p. MS. KHi

Convention, 1859 July 5-29
Unit 4

Journal of the Wyandot Constitutional Convention... 1 p.l., 188 p. MS. KHi

Unit 5

Proceedings and debates... Wyandot, 1859. 2 p.l., xlvi, 439, 16 p. DLC

KENTUCKY

C Reel 1

Unit 1

Journal of convention, July 1788-Apr. 1792. 112 fol. MS. (Neg. photo.)
---- v.p. MS. Ky

Convention, 1799 July 22-Aug. 17
Unit 2

Constitution... Frankfort, 1799. 30 p. DLC
New Constitution... [3]-36 p. (t.-p.w.)
Journal... 50 p. KyL-Bullitt

Convention, 1849 Oct. 1-1850 June 11
Unit 3

Report of debates and proceedings... Frankfort, 1849. 1129 p. DLC

Unit 4

[W] Report of debates and proceedings... Frankfort, 1849 [1850] 1168 p. DLC

Unit 5

Debates...relative to article XI concerning education. Louisville [1849?] 1 p.l., 47 p. DLC

Unit 6

Debate...upon exclusion of ministers of the gospel from civil offices. Frankfort, [1850?] 16 p. CSmH

LOUISIANA

C Reel 1

Convention, 1811 Nov. 4-1812 Jan. 22
Unit 1

Constitution... New Orleans, 1812. 32 p.
Constitution... [n.p., n.d.] 30 p. (Fr.)
Journal...for use of Convention of 1844. Jackson, 1844. 1 p.l., 19 p. (Fr.) LNT

LOUISIANA-Continued

Convention, 1844 Aug. 5-1845 May 16

Unit 2

Constitution... New Orleans, 1845. 11 p. (Fr.) LNT
Journal...Aug. 4-24... Jackson, 1845. 72 p. (Fr.) NN
Journal... New Orleans, 1845. 356 p. DLC

Unit 3

Journal... New Orleans, 1845. [2], 367 p. (Fr.) LNT

Unit 4

Official report of debates...Aug. 5, 1844-Jan. 17, 1845. [New Orleans? 1845?] 146 p. (Incomplete. n.t.-p.)
Proceedings and debates... New Orleans, 1845. 960 (sic 952), ii p. DLC

Unit 5

Official report of debates... New Orleans, 1845. 2 p.l., 460, 11 p. LNT

C Reel 2

Convention, 1852 July 5-31

Unit 1

Journal...to form a new constitution... New Orleans, 1852. 100 p.
---- 117 p. (Fr.)
DLC

Convention, 1861 Jan. 23-Mar. 26

Unit 2

Ordinances...together with constitution...as amended; rules of order... New Orleans, 1861. 57, vi, [67]-78 p.
Official journal... New Orleans, 1861. 330 p. (Eng. & Fr.) DLC

Unit 3

Official journal... New Orleans, 1861. 292 (sic 293) p. (Eng. & Fr.) (w: p. 119-122) DLC

Convention, 1864 Apr. 6-July 25

Unit 4

Official journal... New Orleans, 1864. 184 p., 1 l., x p.
---- 187, x p (Fr.)
DLC

Unit 5

Debates... New Orleans, 1864. 643 (sic 644) p. DLC

Convention, 1867 Nov. 23-1868 Mar. 9

Unit 6

Official journal... New Orleans, 1867-1868. 315, [1] p. DLC

MAINE

C Reel 1

Unit 1

Trelawny patent: A grant from the President and Council of New England to Mr. Robert Trelawny and Moses Goodyear of lands in New England, December 7, 1631. Parchment.

MAINE-Continued

Grants of land north of the Saco to Thomas Lewis and Richard Bonighton, Feb. 12-22, 1626/30. Parchment.

Thomas Danforth's deed of Scarborough, July 26, 1684. Parchment.

George Munjoy: Deed of land to Thomas Cloyce, May 20, 1674. Parchment.

Original deed of the Colony of Plymouth to Antipas Boyes and Company, Oct. 27, 1661. Parchment.

Kennebec purchase: John Winslow deed to Sir T. Temple and J. Joliff. Parchment.

MeHi

Unit 2

An address to the inhabitants...upon the subject of their separation from...Massachusetts. Portland, 1791. 54 p.

[W] Address...on the subject of...separation from Massachusetts. Portland, 1794. 7 p.

Address...on the subject of...separation from Massachusetts. Portland, 1795. 31 p.

MeHi

Convention, 1816 Sept. 10-Oct. 9

Unit 3

Journal...with principal speeches and debates... Kennebunk, 1817. 80 p.

Proceedings... [n.p., n.d.] 20 p.

An appeal to people...on the question of separation... [n.p.] 1816. 21 p.

---- 2d ed. 20 p.

[Address...with report and resolutions.] 8 p.

Report of Committee of Both Houses, upon the return of votes...with an act concerning the separation...from Massachusetts... 1 p.l., 16 p.

An address...on the question of separation... [n.p.] 1816. 24 p.

MeHi

Minutes of the Brunswick Convention. Augusta, 1894. 12, 120 p. NN

Unit 4

[Brunswick Convention. Meetings in various towns and counties.] v.p. MS.

[Address to the people of New England at a legal meeting of the inhabitants of the town of Ellsworth...May 1812.] Broadside.

Separation of Maine, a statement of the probable expense of organizing and supporting a new government... Broadside.

An address to the people of Maine against separation of Maine from Massachusetts...May 9, 1816. Broadside.

MeHi

Convention, 1819 Oct. 11-29

Unit 5

Constitution... Portland, 1819. 28 p. DLC

Journal... 105 p. MS. Me-Secy.

Journal...with articles of separation... Augusta, 1856. 112 p., 1 l.

NN

MAINE-Continued

Debates, resolutions, and other proceedings... Portland, 1820. iv, [5]-300, [1] p. DLC

Report of the Committee of Both Houses...concerning the separation of ...Maine from Massachusetts. 12 p. MeHi

An address to the people... Washington: 1820. 14 p. MeHi

An address to the people... Portland: 1819. 7 p. NN

An address to the people on the question of separation. [2] p.

[An address to the people...on separation] Broadside.

To the free electors... Broadside.

To the citizens of Portland... Broadside.

MeHi

MARYLAND

C Reel 1

Unit 1

Charter... London, 1632. 23 p. MdB-Garrett

Toleration act, 1649. Parchment. MdHi

Charter...with debates and proceedings of the Upper and Lower Houses of Assembly...1722-1724. See A.1b, Reel 4, Unit 1.

Constitution and form of government... Annapolis: 1792. 25 p. NN-Photo. Original-CSmH

Proceedings of the convention...held...June 22, 1774, Nov. 21, 1774, Dec. 8, 1774, Apr. 24, 1775, and July 26, 1775. Annapolis [n.d.] 26 p. Inserted between p. 4 and 5, 8 and 9: List of deputies.

Proceedings of the convention...held...Dec. 7, 1775. Annapolis [n.d.] 1 p.l., [5]-62 p.

Proceedings of the convention...held...May 8, 1775. Annapolis [n.d.] 1 p.l., 29 p.

Proceedings of the convention...held...June 21, 1776. 1 p.l., 33 p. MdHi

Convention, 1776 Aug. 14-Nov. 11

Unit 2

Constitution and form of government... [n.p., n.d.] 10 p. PHi

Declaration and charter of rights. [n.p., n.d.] [2] p. PHi

Declaration of rights...constitution and form of government... Annapolis [n.d.] 1 p.l., 26 p. PHi

Declaration of rights...constitution and form of government... Annapolis [n.d.] 1 p.l., [5]-43 p. DLC

Proceedings... Annapolis [n.d.] 1 p.l., 91 p.

---- 1 p.l., 30 p.

MdHi

Convention, 1850 Nov. 4-1851 May 13

Unit 3

Debates and proceedings of the Reform Convention...to which are prefixed the Bill of rights and Constitution... Annapolis, 1851. In 2 vols. v.1: 20, 52, [25]-550 p. DLC

Unit 4

---- v.2: 890 p. (No pages numbered 293-328, 665-696)

MARYLAND-Continued

Minority report of Committee on Credentials and Qualifications. Annapolis, 1850. 11 p. DLC

C Reel 2

Convention, 1864 Apr. 27-Sept. 6

Unit 1

Debates... Annapolis, 1864. In 3 vols. v.1: 744 p. DLC

Unit 2

---- v.2: 1 p.l., [745]-1384 p. DLC

Unit 3

---- v.3: 1 p.l., [1385]-1988 p. DLC

C Reel 3

Convention, 1867 May 8-Aug. 17

Unit 1

Proceedings... Annapolis. 1867. 850 p., Docs., v.p. DLC

Unit 2

Debates... Baltimore, [1923] 636 p. DLC

MASSACHUSETTS

C Reel 1

Unit 1

Patent for Plymouth in New-England. Boston, 1751. 1 p.l., 19, [1] p. RPJCB

A copy of the King Majesties charter...of 1628. Boston, 1689. 1 p.l., 26 p. MH

Explanatory charter granted by...King George...1725. 8 p. MHi

Charter granted by...King William and Queen Mary to the inhabitants of the Province of Massachusetts-Bay... Boston, 1726. 1 p.l., 14 p.

[American charters, 1741] v.p. Contains Massachusetts Bay charter granted by King William and Queen Mary... 21 p.

Charters of...provinces of North America... London: 1766. v.p. Contains Massachusetts Bay charter, granted by King William and Queen Mary... 9 p.

North American almanac for 1769. Boston, Edes and Gill. [16], 21, [3] p. Contains Charter of Province of Massachusetts-Bay. 21 p.

Charters of the British colonies in America. London: 1774. [2], 142 p. Contains: An authentic copy of the charter granted by... King William and Queen Mary, to the inhabitants of the Province of Massachusetts Bay... 23 p. First charter granted to Colony of Massachusetts Bay, 1644, p. 48-66.

Charter granted by...King William and Queen Mary...1775. 1 p.l., 45 p. DLC

Proceedings... Boston, n.d. [3] p. NHi

Report of a committee of convention of a form of government... [Boston], 1777. 8 p. MH

MASSACHUSETTS-Continued

Convention, 1778 Jan.-Feb. 28
Unit 2

Constitution and form of government...of Massachusetts-Bay... Boston: 1778. 23 p.
Result of the convention of delegates holden at Ipswich... Newbury-Port: 1778. 68 p.
MHi

Convention, 1779 Sept. 1-1780 June 16
Unit 3

Constitution... Boston, 1780. 53 p. MHi
Constitution... Boston, 1916. 36 p.
Journal...including list of new members... Boston, 1832. 264 p.
Proceedings... Boston, [1779] 2 l.
NN
An address...for framing a new constitution... Boston: 1780. 18 p.
MHi
Report of a constitution... Boston: 1779. 15 p. DLC
In convention...constitution. Boston, 1780. Broadside. NN

Convention, 1820 Nov. 15-1821 Jan. 9
Unit 4

Amendments of the constitution...with...address... Boston: 1821. 32 p.
Journal... Boston, 1821. 292 p.
DLC

Convention, 1853 May 4-Aug. 1
Unit 5

Constitutional propositions...with an address to the people... Boston, 1853. vii, 50 p.
Journal... Boston, 1853. 1 p.l., 560, [1] p.
DLC

C Reel 2

Convention, 1853 May 4-Aug. 1
Unit 1

Official report of debates and proceedings... Boston, 1853. In 3 vols.
v.1: 4, [3]-994, [1] p. (w: p. 100-101) DLC
Unit 2
---- v.2: 1 p.l., 840 p. (w: p. 725-756) DLC
Unit 3
---- v.3: 1 p.l., 797 p. (w: p. 737-758) DLC

MICHIGAN

C Reel 1

Convention, 1835 May 11-June 29
Unit 1

Constitution... Detroit: 1835. 20 p. PPL
Journal... Detroit: 1835. 224, viii p. Mi-Secy.

MICHIGAN-Continued

Convention, 1836 Sept. 26-Oct. 15

Unit 2

Journal... Pontiac: 1836. 36 p. DLC
Journal... Lansing, 1894. 54 p. Mi-Secy.

Convention, 1850 June 3-Aug. 15

Unit 3

Journal... Lansing: 1850. 1 p.l., 581 p., App. v.p. DLC

Unit 4

Report of proceedings and debates... Lansing: 1850. xliii p., 1 l., 937, [1] p. DLC

C Reel 2

Convention, 1867 May 15-Aug. 22

Unit 1

Journal... Lansing. 1867. 943 p. DLC

Unit 2

Debates and proceedings... Lansing: 1867. In 2 vols. v.1: lxiii, [1], 664 p. DLC

C Reel 3

Convention, 1867 May 15-Aug. 22

Unit 1

Debates and proceedings... Lansing: 1867. In 2 vols. v.2: 1 p.l., 1072 p. DLC

Unit 2

Constitution... Lansing: 1874. 50 p. DLC

MINNESOTA

C Reel 1

Unit 1

An act organizing the territorial government...Mar. 3, 1849. 8 p. MnHi

Convention, 1857 July 13-Aug. 29

Unit 2

Constitution...in the Dakota language... Boston, 1858. 36 p. DLC
Proposed constitution... Saint Paul, 1857. 15 p. MnHi
Journal... Saint Paul: 1857. 209 p. DLC

Unit 3

Debates and proceedings...including the Organic act... Saint Paul: 1857. xix p., 1 l., 685 p. DLC

Unit 4

Debates and proceedings...to form a state constitution... Saint Paul: 1858. 7, xvii, [9]-624 p. DLC

CONSTITUTIONAL RECORDS

MISSISSIPPI

C Reel 1

Convention, 1817 July 7-Aug. 15
Unit 1

Constitution and form of government... Natchez, 1817. 41 p. (Neg. photo.) DNA
Constitution and form of government... Natchez, 1821. 32 p. DLC
Constitution and form of government... Natchez, 1822. 36 p. Ms-Ar
Journal... [98] p. MS. Ms-Ar
Journal... Port Gibson, 1831. 108 p.
Constitution... Port Gibson, 1831. 36 p.
Ms-Ar

Convention, 1832 Sept. 10-Oct. 24
Unit 2

Constitution... Washington, 1832. 1 p.l., 26 p. Ms-Ar
Constitution... Philadelphia, 1833. 24 p. DLC
Journal... Jackson, 1832. 304 p.
Constitution... Jackson, 1832. 27 p.
DLC

Address of Committee...to the southern states. [Jackson, 1850] 20 p.
DLC

Convention, 1851 Nov. 10-30
Unit 3

Journal of convention...and act calling same; with constitution and Washington's farewell address... Jackson, 1851. 79 p.
DLC

Convention, 1861 Jan. 7-Mar. 30
Unit 4

Journal...and ordinances and resolutions...Jan., 1861... Jackson, 1861. 256 p., 1 l. (w: 1 l.) DLC
Journal...and ordinances and resolutions...Mar., 1861... Jackson, 1861. 104 p. DLC

Convention, 1865 Aug. 14-26
Unit 5

Constitution...with ordinances and resolutions... Jackson, 1865. 56 p. DLC
Journal of proceedings and debates... Jackson, 1865. 296, [2] p.
DLC

Convention, 1868 Jan. 7-May 15
Unit 6

Constitution and ordinances... Jackson, 1868. 48 p.
Journal... Jackson, 1871. 776 p.
DLC

MISSOURI

C Reel 1

Convention, 1820 June 12-19
Unit 1

Constitution... St. Louis, 1820. 40 p. MoHi

MISSOURI-Continued

Constitution... Washington, 1820. 25 p.
Journal... St. Louis, 1820. 48 p.

DLC

Convention, 1845 Nov. 17-1846 Jan. 14
Unit 2

Constitution... City of Jefferson, 1846. 26 p.
Journal... City of Jefferson, 1845. 366, 75 p.

DLC

Convention, 1861 Feb. 28-1863 July 1
Unit 3

Ordinances... St. Louis, 1862. 21, [1] p. CSmH
Journal and proceedings...Mar. 1861. St. Louis, 1861. 65, 269 p.
Minority report of Committee on Federal Relations...Mar. 1861. 9 p.
Journal...July, 1861. St. Louis, 1861. 36 p.
Proceedings...July, 1861. St. Louis, 1861. 136 p.
Journal...Oct. 1861. St. Louis, 1861. 27 p., 1 l., 111 p.

DLC

Unit 4

Journal...June, 1862. St. Louis, 1862. 51 p., 1 l., 32 p.
Proceedings...June, 1862. St. Louis, 1862. 253 p.

DLC

Unit 5

Journal...June, 1863. St. Louis, 1863. 54, 16 p., 1 l.
Proceedings...June, 1863. St. Louis, 1863. 380 p.

DLC

Convention, 1865 Jan. 6-Apr. 10
Unit 6

Journal... St. Louis, 1865. 287 p.
[W] List of state officers and names of delegates... St. Louis, 1865. 11, [1] p.

DLC

MONTANA

C Reel 1

Unit 1

Proceedings of the Territorial Convention of 1864, as reported in *The Montana post* (Virginia City) vol. 1, no. 1, Aug. 27, 1864-vol. 1, no. 35, May 13, 1865; vol. 1, no. 38. MtHi

Unit 2

Organic act... Virginia City: 1867. 1 p.l., 11 p. CtY-Coe

Convention, 1884 Jan.-?
Unit 3

Constitution...to which is appended an address to the electors... Helena, 1884. 40, 8 p.
Proceedings, as reported in *The Helena independent*, vol. 19, no. 241, Jan. 14, 1884-vol. 19, no. 264, Feb. 10, 1884.
Rules of the Constitutional Convention... [n.p., n.d.] 9 p.

MtHi

MONTANA-Continued

Convention, 1889-

Unit 4

Constitution...and address to the people... Helena, 1889. 76 p.
Proceedings and debates... Helena, 1921. 1 p.l., [16], [3]-974, xlii p.
DLC

NEBRASKA

C — Reel 1

Convention, 1871 June 13-Aug. 19

Unit 1

Official report of debates and proceedings... York, 1906-13. In 3 vols. v.1: 582 p. — DLC

Unit 2

---- v.2: 628 p. — DLC

Unit 3

---- v.3: 3 p.l., [9]-676 p. Includes the abortive Constitutional convention of 1864, p. 476-487; Constitution of 1866, p. [489]-495; Convention of 1875 May 11-June 12, p. [503]-676. — DLC

NEVADA

C — Reel 1

Convention, 1863

Unit 1

Constitution. [50] p. MS.
Journal... 1 v. (unpaged) MS. (Rough draft)
Roster of delegates. Amendments. [251] p. MS. (Rough draft)
Nv-Secy.

Convention, 1864 July 4-28

Unit 2

Constitution...together with resolutions and ordinances... Carson City: 1865. 42 p. — CtY-Coe
---- [2], 42 p. — CU-B
Homographic chart of constitutional convention. Broadside. — CtY-Coe
Constitution. [44] p. MS. — Nv-Secy.
Official report of debates and proceedings... San Francisco, 1866. xvi, 943, [1] p. — DLC

NEW HAMPSHIRE

C — Reel 1

Convention, 1775 Dec. 21-1776 Jan. 5

Unit 1

Constitution... 1 p.l., 151-162 p. (Incomplete) — DLC
Declaration of rights and plan of government... Exeter, 1779. [2] p.
NHi

NEW HAMPSHIRE-Continued

Convention, 1781 June?-1783 Oct. 31

A constitution, containing a bill of rights, and form of government... Portsmouth, 1783. 47 p.
An address...for framing a new constitution... Exeter, 1782. 63 p.
An address...for framing a constitution... Portsmouth, 1783. 8 p.

Nh

Convention, 1791 Sept. 7-1792 Sept. 5
Unit 2

Constitution... Concord [1792] 59 p.
Journal... Concord, 1876. 1 p.l., [23]-198 p.
Articles in addition to and amendment of the constitution... Dover, 1792. 31 p.

DLC

Articles in addition to and amendment of the constitution... Exeter, 1792. 33, [1] p.

Nh

Convention, 1850 Nov. 6-1851 Apr. 17
Unit 3

[W] Proceedings and debates... Concord, 1851. 16 p. NN

Convention, 1876 Dec. 6-16
Unit 4

Journal... Concord, 1877. 280 p. DLC

NEW JERSEY

C Reel 1

Unit 1

Concessions and agreements of the proprietors, freeholders and inhabitants of the Province of West New Jersey in America, 1676. 1 p. l., 30 p. MS. Appended: [Executive record, May 1681-July 1686] 31-39 p. MS.
Fundamental constitutions for the Province of East New Jersey in America, 1683. 24-33 p. In Deeds Liber C-3.

Nj-Secy.

Convention, 1776 June 10-July 2
Unit 2

Constitution... Burlington, 1776. 12 p. DLC
Journal...to which is annexed sundry ordinances, and the constitution. Burlington: 1776. 150 p.

PHi

Convention, 1787 Dec. 11-18
Unit 3

Minutes... 46 p. MS.
Minutes... Trenton: 1788. 31 p.

Nj

Unit 4

Memorial...on the subject of revising and amending the constitution... [n.p.] 1827. 7 p.
Report of the Committee of Council on the proposed alteration of the constitution... Trenton: 1841. 14 p.

NjP

NEW JERSEY-Continued

Convention, 1844 May 14-June 29

Unit 5

Constitution... Trenton [1844] 56 p. NN

Journal... Trenton, 1844. 297 p. DLC

NEW MEXICO

C Reel 1

Convention, 1849 Sept. 24-26

Unit 1

[W] Constitution... Santa Fe, 1850. 18 p. DNA

Constitution... [Santa Fe, 1850] 19 p. (Sp.) CSmH

---- 19 p. (Sp.) (Uncut copy) MHL

Journal... [n.p., n.d.] 12 p. RPB

---- MidB

Convention, 1866 May 1

Unit 2

Journal of proceedings as reported in *The New Mexican* (Santa Fe) vol. 4, no. 13, Apr. 27, 1866-vol. 4, no. 15, May 11, 1866. NmStM

Unit 3

Declaration of American independence, constitution...with amendments... and organic act... [Santa Fe, 1867] 91 p. (Eng. & Sp.)

Constitution... [n.p., 1872] 47 p. CU-B

---- 47 p. (Sp.) NmStM

Convention, 1889 Sept. 3-21, 1890 Aug. 18-19

Unit 4

Constitution... Santa Fe [1889] 1 p.l., 31 (sic 21) p.

Constitution...and address to the people... Santa Fe [1889] 1 p.l., 56 p.

Constitution...and address to the people... [Santa Fe, 1889] xii, 48 p. (Sp.) Nm

Unit 5

Journal... 148 p. MS. Nm-Secy.

Convention, 1910 Oct. 3-Nov. 21

Unit 6

Constitution... [n.p., 1910] 41 p. (Sp.)

---- 41 p. (Eng.)

Proceedings... Albuquerque, 1910. 1 p.l., 292 p. DLC

NEW YORK

C Reel 1

Unit 1

Duke of York's charter of liberties and privileges... 1683. 38 p. MS. See N. Y., B.1, Reel 1, Unit 3

NEW YORK-Continued

Convention, 1776 July 9-1777 Apr. 20

Constitution... 1777. [3] p. MS. N

Constitution... New York, 1783. 43 p. DLC

An address of the convention... Fish-Kill, 1776. 19 p. MHi

Ratification Convention, 1788 June 17-July 26

Unit 2

Journal... 1 p.l., 76, [3] p. MS.

Journal... Poughkeepsie [n.d.] 86 p. N

Unit 3

Manual... Albany, 1816. 1 p.l., iv, [3]-201 p. DLC

Convention, 1821 Aug. 28-Nov. 10

Unit 4

Constitution... New York, 1821. 24 p. DLC

Amendments (No. 1-9), reported by the Committee of the Whole, to different parts of the constitution. Albany, 1821 v.p. MHL

Journal... Albany, 1821. 564 p., 1 l., xii p. DLC

Unit 5

Report of the debates and proceedings... New York, 1821. 367, [1] p. DLC

Unit 6

Reports of the proceedings and debates... Albany, 1821. viii, [9]-703 p. DLC

Unit 7

Address of the delegates...together with constitution...as amended. [Albany] 1821. [2], 12, [2] p. MB

Convention manual... New York, 1821. 39 p. DLC

C Reel 2

Convention, 1846 June 1-Oct. 9

Unit 1

Journal... Albany, 1846. 1648 p. DLC

Unit 2

Debates and proceedings... [Albany] 1846. viii, 948 p. DLC

C Reel 3

Convention, 1846 June 1-Oct. 9

Unit 1

Report of debates and proceedings.. Albany, 1846. 1143, [1] p. DLC

Unit 2

Documents... [No. 1-136] Albany, 1846. In 2 vols. v.1: no. 1-63, v.p. DLC

Unit 3

---- v.2: no. 64-136, v.p. Appended: Constitution and index. 58, 20 p. DLC

Unit 4

Manual... New York, 1846. 371 p. DLC

CONSTITUTIONAL RECORDS

NORTH CAROLINA

C Reel 1

Unit 1

Two charters...(1663, 1669) and copy of the fundamental constitutions ... London [1698] 1 p.l., 60 p. PHi

An act for the...preservation of the government...
Fundamental constitutions... [1669] 2 p.l., 25 p.
MHL

Fundamental constitutions... [1681] 23 p. PHi

An act for establishing an agreement with seven of the Lords Proprietors of Carolina for the surrender of their title and interest in that province... London: 1729. 1 p.l., 543-562 p. NcU

Unit 2

Constitution or form of government... Philadelphia: 1779. 16 p.
Nc-Ar

---- 16 p. PHi

Constitution...and amendments thereto... Raleigh, 1835. 24 p. DLC

Surrender of seventh eighth parts of Carolina from Lord Carteret to his Majesty. [n.p., 1744] 22 p.

Ratification Convention, 1788 July 21-Aug. 4

Unit 3

Declaration of rights, and amendments to the constitution... Hillsboro [1788] 1 p. MS., [2] p. R-Ar

Journal... Hillsboro [n.d.] 10, 16 p. NcU-1

Proceedings and debates... Edenton: 1789. 280 p. DLC

Papers of the convention. 92 items. MS. Nc-Ar

Ratification Convention, 1789 Nov. 16-21

Unit 4

Journal... Edenton [n.d.] 16 p. NcU

---- 16 p.
Appended:
Constitution. 4 p.
Papers of the convention. 86 items. MS.

Journal... 82 p. MS.
Nc-Ar

C Reel 2

Unit 1

Report of the Convention Committee...1816. Raleigh: 1816. 8 p.

Debate of the convention question...Dec. 18-19, 1821. Raleigh: 1822. 78 p.

Proceedings of the friends of convention at a meeting held in Raleigh, Dec. 1822. Raleigh, 1822. 7 p.

Journal of a convention assembled at...Raleigh...Nov. 10, 1823... Raleigh: 1823. 11 p.
NcU

Convention, 1835 June 4-July 11

Unit 2

Articles prescribing the manner in which the Senate and House of Commons shall be constituted. [Raleigh] 1835. 3 p.

NORTH CAROLINA-Continued

Convention to amend the constitution... [Raleigh, 1834] 8 p. NN
Journal... Raleigh: 1835. 106 p. DLC

Unit 3

Proceedings and debates...to which are subjoined the Convention act and the amendments to the constitution... Raleigh: 1836. 424 p., 1 l., 6 p. DLC
[Reports of various committees] v.p.
Rules of order for the government of the convention... Raleigh: 1835. 7 p.
NN
Speech of Hon. Kenneth Rayner. [Raleigh, 1855] 31, [1] p. NcU
Speech of Hon. Judge Gaston... Baltimore [n.d.] 50 p.
A statement of the number of votes given...on the convention question... Raleigh: 1835. 4 p.
NN

Convention, 1861 May 20-1862 May 13

Unit 4

[W] Ordinances and resolutions... Raleigh: 1862. 3-175, [1], ii, ii, ii p.
Ordinances... Raleigh, 1861. 32 p.
NcU
Ordinances... Raleigh: 1863. [3]-93, ii p., 1 l., ii, ii p.
Journal... Raleigh: 1862. 4v. in 1. 193, 86, 119, 109, iii, ii, ii, iii p.
DLC
Speech of Hon. William A. Graham, of Orange... Raleigh: 1862. 31 p.
Articles of war: an act for establishing rules and articles for the government of the armies of the Confederate states. Raleigh, 1861. 23 p.
[Tabular statement exhibiting the public taxes paid into the treasury of the state from each county for the five years preceding the first of January, 1860] Raleigh, 1861. 87, [1] p.
NcU

C Reel 3

Convention, 1865 Oct. 2-19, 1866 May 24-July 25

Unit 1

Constitution...with amendments, and ordinances and resolutions... Raleigh, 1865. 78 p.
Constitution... [Raleigh, 1866] 18, 2 p.
NcU
Ordinances... Raleigh: 1867. 72 p.
Ordinances and resolutions... Raleigh: 1866. 57, 6, iii p.
Journal... Raleigh: 1865-66. 2v. in 1. 1 p.l., 94, iii, 192, iii p.
DLC
Rules of order. [Raleigh] 1865. 5 p.
Speech on the war debt of the state, delivered...Oct. 12, 1865 by Edward Conigland... Raleigh, 1865. 16 p.
Report of the Committee "to Revise the Constitution." [Raleigh] 1866. 17 p.
NcU

NORTH CAROLINA-Continued

Executive documents...constitution...with amendments, and ordinances and resolutions... Raleigh: 1865. v.p. M

Convention, 1868 Jan. 14-Mar. 16
Unit 2

Constitution...together with ordinances and resolutions... Raleigh: 1868. 129, iv p.
Review of the constitution. [n.p.] 1868. 13, [1] p.
To the people... [n.p.] 1868. 46, [2] p.
Journal... Raleigh: 1868. 488, [1] p.
DLC

Convention, 1875 Sept. 6-Oct. 11
Unit 3

Amendments to the constitution... Raleigh: 1875. 70 p. DLC
Ordinances... [Raleigh, n.d.] 30 p. NcU
Journal... Raleigh: 1875. 278 p., 1 l., xx p. DLC
Resolutions of instructions to the Committee on Privileges and Elections. [Raleigh] 1875. 8 p.
Report of the Select Committee on the Robeson County Contested Election Case. [Raleigh] 1875. 26 p.
NcU

NORTH DAKOTA

C Reel 1

Convention, 1889 July 4-Aug. 17
Unit 1

Journal...together with the Enabling act of Congress and proceedings of Joint Commission Appointed for Equitable Division of Territorial Property. Bismarck, 1889. 1 p.l., 400, 16, 32, vii p.
DLC

Unit 2

Official report of proceedings and debates... Bismarck, 1889. 935, lxiv p. DLC

OHIO

C Reel 1

Convention, 1802 Nov. 1-29
Unit 1

Constitution... Chillicothe, 1802. 32 p. O
Constitution...2d ed. Chillicothe, 1808? 31 p.
Letter from Thomas Worthington, inclosing an ordinance...together with the constitution...submitted to the Congress of the United States. Washington, 1802. 35 p.
DLC
Journal... Chillicothe, 1802. 46 p. NN
Journal... Chillicothe: 1827. 42 p.

OHIO-Continued

Convention, 1850 May 6-1851 Mar. 10

Unit 2

[W] Constitution... Columbus, 1851. 42, [2] p. IU

Official reports of debates and proceedings... Columbus, Scott & Bascom, 1851. xxvii, 1464 p. DLC

C Reel 2

Constitution, 1850 May 6-1851 Mar. 10

Unit 1

Report of debates and proceedings... Columbus, S. Medary, 1851. In 2 vols. v.1: 751 p. DLC

Unit 2

---- v.2: 1 p.l., 897 p. DLC

C Reel 3

Convention, 1873 May 13-1874 May 14

Unit 1

Constitution... Columbus, 1874. 1 p.l., 42 p.

Official report of proceedings and debates... Cleveland: 1873-74. 2v. in 4 pts. v.1: xxxvi, 1335 p. DLC

Unit 2

---- v.2, pt. 1: 1 p.l., xxx, 1058 p. DLC

C Reel 4

Unit 1

---- v.2, pt. 2: 1 p.l., xxx, 1059-2288 p. DLC

Unit 2

---- v.2, pt. 3: 1 p.l., xxxi, 2289-3570, xiv p. DLC

OKLAHOMA

C Reel 1

Unit 1

Resolutions and memorial of interterritorial statehood convention of Oklahoma and Indian Territories...Sept. 30, 1893. Norman, 1893. 8, [1] p. OKHi

Unit 2

Memorial to Congress and proceedings of the statehood convention... Dec. 10, 1900. 10 p. (n.t.-p.)

Proceedings, resolves and memorials of the people of the Indian Territory...Feb. 22-23, 1900... [3], 18, 21 p. (n.t.-p.) OKHi

Unit 3

Joint statehood convention...Muskogee, Nov. 14, 1901. 15 p. (n.t.-p.) OKHi

Unit 4

Constitution of the State of Sequoyah...14th day of Oct., 1905. 67, [1] p. (n.t.-p.) MHL

Sequoyah constitution... [Guthrie, 1905] 49, [1] p. OKHi

OKLAHOMA-Continued

Convention, 1906 Nov. 20-1907 Nov. 16

Unit 5

Constitution...etc. [n.p., n.d.] 176 p.
Constitution of the proposed state. Guthrie [n.d.] 156 p.
Proposed constitution... Washington, 1907. 96 p.

DLC

Unit 6

Proceedings... Muskogee [n.d.] 1 p.l., [5], 486, 73 p. DLC
Report of Committee on Revision, Compilation, Style and Arrangement... Guthrie, 1907. 54 p.
Constitutional amendments enacted through the initiative and referendum... [Guthrie?] 1914. 15 p.

NN

OREGON

C Reel 1

Convention, 1857 Aug. 18-Sept. 18

Unit 1

Constitution... Portland, 1857. 24 p.
Constitution... Salem, 1857. 23 p.

DLC

Unit 2

Journal...together with constitution... Salem, 1882. 130 p. OrHi

Unit 3

Constitution and proceedings and debates... Salem, 1926. 543 p.

DLC

PENNSYLVANIA

C Reel 1

Unit 1

Charter of King Charles to William Penn, 1681. 3 items. Parchment.
First frame of government, Apr. 25, 1682. 2 items. Parchment.
Indenture between the Duke of York and William Penn, Aug. 21, 1682. Parchment.
Great law of 1682. 7 items. Parchment.
Second frame of government, Apr. 2, 1683. Parchment. (Incomplete)
Penn's charter of privileges, 1701. 108-111 p. MS. (From Minutes of the Governor and Council.)

P-Ar

Unit 2

Frame of the government... [n.p.] 1682. [4], 11 p. DLC

Unit 3

1683-1696 Charters and frames of government. 233 items. v.p.

PHi-Penn MSS., v.8

Unit 4

Collection of charters... Philadelphia: 1740. 1 p.l., 46 p. DLC

PENNSYLVANIA-Continued

Proceedings of the convention...held...Jan. 23-28, 1775. Philadelphia: 1775. 10 p. PHi

Convention, 1776 July 15-Sept. 28
Unit 5

Constitution. 14 p. MS. P-Ar
Constitution... Philadelphia: 1781. 67 p. PHi
Constitution... Philadelphia: 1784. 49 p. (Ger.) MHL
Constitution...to which is added a report of the committee... Philadelphia: 1784. 64 p. DLC
Minutes... 83, [2] p. MS. P-Ar
Minutes... Philadelphia: 1776. 67 p.
Kurze anzeigen von dem verfahren der Convention... Philadelphia, 1776. 67 p.
PHi

Unit 6
E.4

Proceedings of the Provincial Conference of Committees...1776 June 18-25. 20 fol., [21]-37 p. MS.
Proceedings of the Provincial Conference of Committees... Philadelphia [n.d.] 31 p.
PHi

C Reel 2

Unit 1

Constitutions des treize Etats-Unis de l'Amerique. Philadelphia, 1783. 3 p.l., 540 p. (Pages 10-11 are missing from film.) PPAmP

Unit 2

Journal of the Council of Censors... Nov. 10, 1783. Philadelphia: 1783. 79, 12 p.
---- Second session, June 1, 1784. [81]-179 p.
PPL

A candid examination of the address of the minority of the Council of Censors... Philadelphia: 1784. 40 p.
Constitution...to which is added a report of the Committee... Philadelphia: 1784. 64 p.
Report of the Committee of the Council of Censors... Philadelphia: 1784. 15 p.
PHi

Ratification Convention, 1787 Nov. 7-Dec. 12
Unit 3

Minutes... Philadelphia: 1787. 28 p. Nj
Tagebuch der Convention... Philadelphia: 1788. 38 p. PPAmP

Convention, 1789 Nov. 24-1790 Sept. 2
Unit 4

Constitution... Philadelphia: 1790. 1 p.l., 20 p., 1 l. (Ger.)
Proceedings relative to calling the conventions of 1776-1790... Harrisburg: 1825. 1 p.l., v, [1], [9]-384, iv p.
DLC

C Reel 3

Convention, 1789 Nov. 24-1790 Sept. 2

Unit 1

Minutes... Philadelphia: 1789. 146 p. P

---- [147]-162 p. (Incomplete) Nj

Unit 2

Minutes... Philadelphia: 1789. 222 p. DLC

Minutes of the Grand Committee... Philadelphia [1790] 101 p. P

Convention, 1837 May 2-1838 Feb. 22

Unit 3

Journal... Harrisburg: 1837-38. In 2 vols. v.1: 852 p. DLC

Unit 4

---- v.2: 712 p. DLC

C Reel 4

Convention, 1837 May 2-1838 Feb. 22

Unit 1

Proceedings and debates... Harrisburg, 1837-39. In 14 vols. v.1: vi, [9]-616 p. DLC

Unit 2

---- v.2: 582 p. DLC

Unit 3

---- v.3: 1 p.l., [5]-815 p. DLC

C Reel 5

Unit 1

---- v.4: 591 p. DLC

Unit 2

---- v.5: 621, [663]-692, [1] p. DLC

Unit 3

---- v.6: 494 p. DLC

C Reel 6

Unit 1

---- v.7: 504 p. DLC

Unit 2

---- v.8: 378 p. DLC

Unit 3

---- v.9: 435 p. DLC

Unit 4

---- v.10: 344 p. DLC

C Reel 7

Unit 1

---- v.11: 365 p. DLC

Unit 2

---- v.12: 370 p. DLC

Unit 3

---- v.13: 296 p. DLC

Unit 4

---- v.14: 101 p., 2 l., ii p. DLC

PENNSYLVANIA-Continued

Unit 5

Minutes of the Committee of the Whole... Harrisburg: 1837. 289 p.

DLC

Unit 6

Amendments to the constitution... Philadelphia, 1838. 16 p.
Minority report of a Special Committee on the Subjects of the Currency and Corporations...together with the speech of Mr. Ingersoll... Harrisburg, 1837. 17 p.
Convention directory containing the rules of the convention... Philadelphia: 1838. 32 p.

NN

Convention, 1872 Nov. 3-1873 Dec. 29

Unit 7

New constitution... [Philadelphia, 1873] 1 p.l., 48 p. DLC
Proposed constitution... Harrisburg: 1873. 59 p. NN

RHODE ISLAND

C Reel 1

Unit 1

Charter of 1663. 4 p. (Incomplete)
Charter of 1719. ? p.
[American charters, 1741] v.p. Contains Charter granted by King Charles II. 14 p.
Charters of the provinces of North America... London, 1766. v.p. Contains Charter granted by King Charles II. 6 p.
Charters of the British colonies in America. London: 1774. 1 p.l., 142 p. Contains Charter granted by King Charles II. p. 34-47.
Bill of rights and amendments to the constitution... [n.p.] 1790. Broadside.

DLC

Convention, 1824 June 21-July 3

Unit 2

Proposed constitution... [n.p.] 1824. Broadside.
Journal... 48 p. MS.

R-Ar

Convention, 1841 Oct. 4-Nov. 18

Unit 3

Articles of a constitution. Providence, 1841. 16 p.
Draft of a constitution... Providence: 1841. 24 p.

DLC

Proposed constitution... Providence, n.d. 16 p. NN
Journal... Providence, 1841. 68, [1] p. R-Ar

Conventions, 1841 Nov. ?-1842 Nov. 5

Unit 4

Peoples constitution... [n.p.] 1841. 16 p. DLC
Proposed constitution... Providence: 1842. 32 p. NN
Constitution... Providence: 1842. 24 p.
Journal... Providence, 1859. 69 p.

RHODE ISLAND-Continued

Report of the Committee on the Action of the General Assembly on the Subject of the Constitution... [n.p., 1842] 15 p.
DLC

Conventions, 1841-1842
Unit 5

[Reports] v.p. MS. R-Ar

Unit 6

Proposed constitution... [Providence, 1841] 8 p.
Constitution... Providence: 1842. 27 p.
---- 27 p. (Official record, rough draft)
[Reports] v.p. MS.
R-Ar

Unit 7

Journal... Sept. 12, 1842. 71 p. MS. R-Ar

SOUTH CAROLINA

C Reel 1

Convention, 1775 Nov. 1-1776 Mar. 26
Unit 1

Constitution or form of government... [Charlestown, 1776] 8 p.
A bill for establishing the convention... Charles-town: 1777. 23 p.
DLC

Ratification Convention, 1788 May 12-24
Unit 2

Journals... Atlanta, 1928. 1 p.l., 59 p., MS., 59-60 p. facsimile.
NcU-Jenkins

Convention, 1790 May 1-June 3
Unit 3

Constitution... [Charlestown, 1790] 8 p.
---- 12 p.
DLC

Journal... Columbia, 1946. 38 p. NcU-Jenkins

Convention, 1832 Nov. 19-1833 Mar. 11
Unit 4

Journal... [99] p. MS. Sc-Ar
Journal... Columbia, 1833. 131 p. DLC
Address to the people... [n.p., n.d.] 15 p.
Documents... Columbia, 1832. v.p.
Governor's message. [n.p., 1833] 18 p.
Hints, suggestions, and contributions toward the labours of a convention. Columbia: 1832. 17 p.
Report, ordinance, and addresses of the convention... Columbia, 1832. 1 p.l., 28, 15 p.
NN

Convention, 1852 Apr. 26-30
Unit 5

Journal... 11 p. MS. Sc-Ar

SOUTH CAROLINA-Continued

Journal...together with the resolution and ordinance. Columbia: 1852. 1 p.l., 45 p. NN

Convention 1860 Dec. 17-1862 Sept. 17

Unit 6

Journal...together with reports, resolutions, ordinances and constitution... Charleston: 1861. 420, [1], 96 p. Prefixed: List of members of the convention. Broadside. DLC

Unit 7

Journal...together with ordinances, reports, resolutions... Columbia: 1862. 873 p. DLC

C Reel 2

Convention, 1860 Dec. 17-1861 Jan. 5

Unit 1

Journal of the public proceedings...together with ordinances... Charleston: 1860. 170 p. DLC

Address of the people...to the slaveholding states... Charleston: 1860. 16 p.

Declaration of the immediate causes which induce and justify the secession of South Carolina from the Federal Union and the ordinance of secession. Charleston: 1860. 1 p.l., 13 p. NN

Report on the address of a portion of the members of the General Assembly... Charleston, 1860. 6 p. DLC

Convention documents. Report of Special Committee of twenty-one...together with reports of heads of departments... Columbia, 1862. 181 p. NN

Convention, 1865 Sept. 13-27

Unit 2

[W] Constitution...and the ordinances, reports, and resolutions... Columbia, 1866. 76 p., 1 l.

Journal...together with the ordinances, reports, resolutions... Columbia, 1865. 216 p. DLC

Respectful remonstrance on behalf of the white people... [n.p.] 1866. [3]-14 p. NN

Convention, 1868 Jan. 14-Mar. 17

Unit 3

Constitution...with the ordinances thereunto appended... Charleston, 1868. 46 p. NN

Proceedings...including debates and proceedings... Charleston, 1868. 2v. in 1. iv, [5]-926 p. DLC

Convention, 1895 Sept. 10-Dec. 4

Unit 4

Journal... Columbia, 1895. 1 p.l., 741, 64, [1] p. DLC

SOUTH DAKOTA

C Reel 1

Unit 1

Presentation of Dakota's claims, and memorial praying for admission. The constitution adopted. Sioux Falls [1885?] See Dakota, C, Reel 1.

Debates...for 1885 and 1889. Huron, 1907. In 2 vols. v.1: 700 p. DLC

Unit 2

---- v.2: 1 p.l., 575 (sic 569) p. DLC

Convention, 1889 July 4-Aug. 5

Unit 3

Journal... Sioux Falls, 1889. 226, iii p. DLC

TENNESSEE

C Reel 1

Unit 1

[W] Cumberland compact, 1780 May 1, 13. 17 p. MS. THi

Declaration of independence, Declaration of rights and Constitution of the State of Franklin, December 1784. 399-408 p. (Printed in the *American historical magazine,* vol. IX, no. 4, Oct. 1904) DLC

Declaration of rights, also the constitution or form of government... of the State of Frankland...Nov. 14, 1785. Philadelphia, 1786. 23 p. MWA-1

Convention, 1796 Jan. 11-Feb. 6

Unit 2

Constitution... Philadelphia, 1796. 1 p.l., [5]-33 p.

Journal... Knoxville, 1796. [3]-37 p.

DLC

Convention, 1834 May 19-Aug. 30

Unit 3

Journal... Nashville, 1834. 415 p. DLC

Convention, 1870 Jan. 10-Feb. 22

Unit 4

New constitution... Nashville, 1870. 1 p.l., 32 p.

Journal... Nashville, 1870. 467 p.

DLC

TEXAS

C Reel 1

Unit 1

Declaracion del pueblo de Tejas... San Felipe de Austin, 1825. Broadside. TxU

Fredonian declaration of independence, Dec. 21, 1826. Nacogdoches, 1826. 1 p.l., [109]-110 p.

Political constitution of the free state of Coahuila and Texas...Mar. 11, 1827. Natchitoches, 1827. 48 p.

DLC

TEXAS-Continued

---- Mexico: 1827. 107, [2] p. (Sp.) (w: p. 8-9, 36-37) TxU

Convention, 1832 Oct. 1-6, 1833 Apr.

Unit 2

Journal and documents comprising the proceedings... Brazoria, Austin's Colony, 1832. 1 p.l., v, [7]-35 p.

Constitution or form of government...made in convention...Apr. 1833. New-Orleans, 1833. 13, [1] p. (Neg. photo. of Sam Houston copy) Tx

Unit 3

Actas de la diputacion permanente del congreso constitucional del estado libre de Coahuila y Texas. Jan. 5, 1832-Aug. 30, 1834. 1 p.l., 79 fol. Typescript. TxU-Ar

Convention, 1836 Mar. 1-9

Unit 4

Declaration of independence...and the constitution... Columbia: 1837. 7, [3]-19 p. TxU

Unanimous declaration of independence... [Washington, 1836] Broadside. Tx

Journal... 55 p. MS. TxDaHi

Journal... [3]-90 p. MHL

Convention, 1845 July 4-Aug. 27

Unit 5

Journals... Austin: 1845. 378 p. DLC

Convention, 1861 Jan. 21-Feb. 1

Unit 6

Constitution...as amended in 1861. The constitution of the Confederate States...ordinances...and an address to the people... Austin: 1861. 40, 40 p.

Ordinances and resolutions... Austin, 1861. 22 p. DLC

Journal of the Secession Convention... Austin, 1912. 469, [1] p. NcU

Declaration of the causes which impelled...Texas to secede from the Federal Union. [Austin, 1861] 7 p. DLC

Unit 7

Reports of the Committee on Public Safety... Austin: 1861. 173 p. NN

C Reel 2

Convention, 1866 Feb. 10-Apr. 2

Unit 1

Constitution... Austin: 1866. 48, 29 p.

Constitution as amended and ordinances... Austin: 1866. 53, [1], ix p.

Journal... Austin: 1866. 391 p. DLC

Convention, 1868 June 1-1869 Feb. 6

Unit 2

Constitution... Austin: 1869. 2 p.l., [3]-46, xxix p. NN

TEXAS-Continued

Ordinances... Austin: 1870. 143 p. DLC

Unit 3

Journal... Austin: 1870. In 2 vols. v.1: 1089 p. DLC

C Reel 3

Convention, 1868 June 1-1869 Feb. 6

Unit 1

Journal... Austin: 1870. v.2: 576 p. DLC

Unit 2

Constitution of...West Texas. [n.p., 1869] 35 p. MHL

Convention, 1875 Sept. 6-Nov. 24

Unit 3

Journal... Galveston: 1875. 821, xviii p. DLC

Cs Reel 1

Unit 1

Debates of Convention...July 4-Aug. 28, 1845. Houston, 1846. 759, 8 p. Tx

UTAH

C Reel 1

Convention, 1849 Mar. 5-8

Unit 1

Original copy of the constitution of the State of Deseret, memorial and abstract of proceedings. 15 p. MS. USlC

Constitution...with the journal...and proceedings... Kanesville, 1849. 16 p. DLC

Constitution of the State of Deseret...Ordinances. [n.p., n.d.] 34 p. (Incomplete. 31 p. on film.) USlC

[W] Constitution of the United States also Utah territorial organic act. Great Salt Lake City, 1852. 48 p. USlC

[W] Memorial of delegates of the convention...together with a copy of... constitution, April 20, 1858. 10 p. (U. S. 35th Cong., 1st sess., S. Misc. Doc. 240)

[W] Memorial...of the people of...Utah, accompanied by a state constitution. Dec. 31, 1860. 11 p. (U. S. 36th Cong., 2d sess., H. Misc. Doc. 10)

Unit 2

Constitution of the State of Deseret... Memorial to Congress. Salt Lake City, 1872. 28 p. DLC

Memorial of the convention...Feb. 19, 1872; with the constitution...of Deseret. April 2, 1872. Washington, 1872. 21 p. (U. S. 42d Cong., 2d sess., H. Misc. Doc. 165) NN

Convention 1882 April 10-26, June 6-7

Unit 3

Constitution of...Utah... Salt Lake City, Utah, Deseret News Company, Printers, 1882. 42 p. Includes Journal of proceedings of the Constitutional Convention. DLC

UTAH-Continued

Unit 4

Constitution of the state of Utah, and memorial to Congress... [Salt Lake City, 1887] 1 p.l., 27 p. DLC

Memorial...asking admission into the union, Jan. 12, 1888. Washington, 1888. 14 p. (U. S. 50th Cong., 1st sess., H. Misc. Doc. 104) NN

Convention, 1895 Mar. 4-May 8

Unit 5

Official report of the proceedings and debates... Salt Lake City, Star Printing Company, 1898. In 2 vols. v.1: 976 p. DLC

Unit 6

---- v.2: 1 p.l., 977-2011 p. DLC

VERMONT

Convention, 1775?

Unit 1

Proceedings... Hartford, 1775. 2 p.l., 17 p.

[W] Proceedings... New York City, 1917. 2 p.l., 17 p. DLC

Conventions, 1776?-1777 July 8

Unit 2

Records of conventinns in the New Hampshire grants for the independence of Vermont, 1776-1777... Washington, D. C., 1904. 1 v. v.p. MS. DLC

Convention, 1777 July 2-Dec. 25

Unit 3

Constitution... Hartford [n.d.] 24 p. Vt

Convention, 1786 June ?-1786 ?

Unit 4

Constitution... Windsor, 1785. 44 p. Vt

Constitution... Windsor, 1786. 30 p. NhHi

Proceedings of the Council of Censors... Windsor: 1786. 28 p. (w: p. 25-28) DLC

Unit 5

Vermont state papers... Middlebury: 1823. xx, [9]-567, [1] p. DLC

Unit 6

Constitution... Rutland [n.d.] 30 p. (w: p. 15-30)

Proceedings of the Council of Censors... Rutland, 1792. 80 p. Vt

Convention, 1793 July 3-9

Unit 7

Constitution... Windsor, 1793. 29 p. Vt

Unit 8

An address of the Council of Censors to the people... Bennington, 1800. 32, [1] p. RPJCB

An address of the Council of Censors, [chosen Mar. 26, 1806] to the people... Bennington: 1807. 12 p.

VERMONT-Continued

Journal of the Council of Censors...June and Oct. 1813, and Jan. 1814. Middlebury: 1814. 56 p.
Journal of the Council of Censors... June and Oct. 1820, and Mar. 1821. Danville: 1821. 64 p.
Journal of the Council of Censors... June, Oct. and Nov. 1827. Montpelier, 1828. 48 p.

Vt

Unit 9

Constitutionalist; or amendments to the constitution proposed by the Council of Censors... Montpelier, 1814. 36 p. DLC
An essay on the amendments proposed to the constitution...by the Council of Censors... Hanover, 1814. 24 p.
Journal of the convention...July 7-9, 1814. Danville: 1814. 23 p.

Vt

Articles of amendment to the constitution proposed by the Council of Censors... [n.p.] 1821. 28 p. DLC
Journal of the convention...Feb. 21-23, 1822. Burlington, 1822. 39 p.
Journal of the convention...June 26-28. Royalton [n.d.] 22 p.

Vt

Convention, 1836 Jan. 6-14

Unit 10

Journal... St. Albans: 1836. 124 p.
Articles of amendment by the Council of Censors with address of... Council. Burlington: 1842. 1 p.l., 20 p.

Convention, 1843 Jan. 4-12

Journal... Montpelier: 1843. 84, [1] p.

Convention, 1850 Jan. 2-14

Journal... Burlington: 1850. 114, [1] p.

Convention, 1857 Jan. 7-12

Journal... Burlington: 1856 [sic 1857] 39 p.
Reports and resolutions... Montpelier: 1857. 8 p.

Convention, 1869 June 2-Oct. 22

Proposed articles of amendment to the constitution adopted by the Council of Censors... Montpelier [1869] 13, [2] p. MS.

Convention, 1870 June 8-15

Journal... Burlington: 1870. 75, iii p.

DLC

VIRGINIA

C Reel 1

Unit 1

Charters of the provinces of North America... London, 1776. v.p. (Contains Charters nos. I-III granted by James I.)

Convention, 1775 Mar.-1776 July

Ordinances...17th of July, 1775. Williamsburg [n.d.] 51 p.
Ordinances...1st of December, 1775. Williamsburg [n.d.] 34 p.
Ordinances...6th of May, 1776. 44 p.

DLC

VIRGINIA-Continued

Unit 2

Journal of the proceedings...March 20-27, 1775. Williamsburg, J. Dixon and W. Hunter, 1775. 28, 12 p. DLC

Proceedings...March 20-27. Williamsburg, Alexander Purdie, 1775. 20 p. Vi

---- 25 p. (Pages 17-25 are supplied in MS.) DLC

Proceedings...July 17-Aug. 26, 1775. Williamsburg [n.d.] 59 p. DLC

Proceedings...Dec. 1-? 1775. Williamsburg, 1775. 2 p.l., 106 p. Vi

Proceedings...May 6-July 5, 1776. Williamsburg [n.d.] 185 p. DLC

Unit 3

[Proceedings and ordinances...] Richmond, 1816. 6 parts in 1 vol. 8, 116, 86, 19 p. DLC

An address to the convention... Philadelphia, 1776. 25 p. NN

Unit 4

The Articles of confederation, the Declaration of rights and the constitution. Richmond [1784-1785?] 25 p.

The Declaration of independence, adoption of the constitution... Richmond, 1799. 40 p.

[W] Journal of the convention held July 25-30, 1825. [n.p., n.d.] 30 p. (Not found)

Constitutional convention, 1829 Oct. 5-1830 Jan. 15.

Journals, acts and proceedings. Richmond, 1829. 302, 187, 8 p. DLC

C Reel 2

Convention, 1829 Oct. 5-1830 Jan. 5

Unit 1

Proceedings and debates... Richmond, 1830. iv, 919, [1] p. DLC

Convention, 1850 Oct. 14-1851 Aug. 1

Unit 2

Journal, acts and proceedings. Richmond, 1850. 424, 23 p., Repts., v.p. DLC

C Reel 3

Convention, 1850 Oct. 14-1851 Aug. 1

Unit 1

Journal, acts and proceedings... Richmond, 1850. 424, v p. NN

Unit 2

Register of debates and proceedings...1851 Jan. 6. 504, 19, 8, 12, 34, 8 p. (Imperfect) NcD

Unit 3

Documents containing statistics... Richmond, 1851. v.p. DLC

C Reel 4

Convention, 1861 Feb. 13-Nov. 27

Unit 1

Ordinances...April-July. Richmond, 1861. 53 p.

Ordinances...Nov.-Dec., 1861. [n.p., n.d.] 11 p. DLC

Unit 2

Journal of the acts and proceedings... Richmond, 1861. 459, xii, 136, 48, 66, [1] p., Repts., v.p. DLC

VIRGINIA-Continued

Unit 3

Documents. Nos. 1-38, 40-54. v.p. n.t.-p. NN

Convention, Alexandria 1864, Feb. 13-Apr. 11

Unit 4

The constitution and ordinances... Alexandria, 1864. 31 p.
---- Alexandria, 1864. 30 p.
Journal... Alexandria, 1864. 52 p.
DLC

C Reel 5

Convention, 1867 Dec. 3-1868 April 17

Unit 1

Journal... Richmond, 1867. 391 p. DLC

Unit 2

The debates and proceedings... Richmond, 1868. 750 p. DLC

Unit 3

Documents... Richmond, 1867. 310 p. DLC

WASHINGTON

C Reel 1

Unit 1

N

The Columbian (Olympia, Puget Sound) vol. 1, no. 1, Sept. 11, 1852-no. 52, Sept. 3, 1853. No. 10 reports resolutions of meeting at John R. Jackson's, Oct. 27. No. 14 reports proceedings of the New Territory Convention, Monticello, Nov. 25. No. 37 reports Organic act. OrHi

Unit 2

N

The Columbian (Olympia, Puget Sound) vol. 2, no. 1, Sept. 10, 1853-no. 12, Nov. 26, 1853.
Washington pioneer (Olympia, W. T.) vol. 2, no. 13, Dec. 3, 1853-no. 21, Jan. 28, 1854.
Pioneer and Democrat (Olympia, W. T.) vol. 2, no. 22, Feb. 4, 1854-no. 52, Sept. 2, 1854.
OrHi

Convention, 1878 June 11-July 27

Unit 3

Constitution... 117 p. MS. Wa-Secy.
---- 20 p. (n.t.-p.) DLC

Unit 4

Journal... 343 p. MS. (w: p. 216-217) Wa-Secy.

Unit 5

Washington standard (Olympia, W. T.) vol. XVIII, no. 30, June 15, 1878-no. 40, Aug. 24, 1878.
No. 31 reports proceedings for June 11, 1st-3d days.
No. 32 reports proceedings, 4th-8th days.
No. 34 reports proceedings, 9th-17th days.
No. 35 reports proceedings, 19th-24th days.

WASHINGTON-Continued

No. 38 Constitution.
No. 39 Constitution.
No. 40 Constitution.

The Weekly intelligencer (Seattle, W. T.) vol. XI, no. 50, July 13-no. 52, July 27, 1888.
No. 50 reports proceedings, 10th-15th days.
No. 51 reports proceedings, 17th-19th, 25th-27th days.
No. 52 reports proceedings, 27th-33d days.

Weekly courier (Olympia, W. T.) vol. VII, no. 32, Aug. 9-no. 34, Aug. 23, 1878. Constitution. Wa

Unit 6

Washington's first constitution, 1878, and proceedings of the convention. Edited by Edmond S. Meany and John T. Condon. Reprinted from the *Washington historical quarterly*, 1918-1919. 104 p. NN

C Reel 2

Convention, 1889 July 4-Aug. 22

Unit 1

Constitution... Olympia, 1889. 2 p.l., 28, [2] p. DLC

Unit 2

Minutes of proceedings. 529 p. MS. Wa-Secy.

Unit 3

Washington standard (Olympia, W. T.) vol. XXVIII, no. 32, July 5-no. 39 Sept. 13, 1889.
No. 32 reports proceedings of July 4.
No. 33 reports proceedings of July 9-11.
No. 34 reports proceedings of July 12-17.
No. 35 reports proceedings of July 18-25.
No. 36 reports proceedings of July 26 -Aug. 1.
No. 37 reports proceedings of Aug. 3-8.
No. 38 reports proceedings of Aug. 9-15.
No. 39 (Missing) Wa

WEST VIRGINIA

C Reel 1

Unit 1

Ordinances of the convention assembled at Wheeling... Wheeling, Va., 1861. 22 p. DLC

Convention, 1861 Nov. 26-1862 Feb. 19-1863 Feb. 12-20

Unit 2

Journal. Wheeling, 1861. 77 p. DLC
[Journal. Wheeling, 1862] 181 p.
---- [Accompanying documents: Propositions; resolutions; reports; constitution, as submitted. Wheeling, 1861-62] v.p. MHL

Amended constitution... [n.p., 1863] 32 p. DLC

WEST VIRGINIA-Continued

Address of the delegates composing the new state constitutional convention... Wheeling, 1863. 16 p. NN

Debates and proceedings... Huntington [1939] In 3 vols. v.1: 2 p.l., viii, 104, 920 p. DLC

Unit 3

---- v.2: 1183 p. DLC

C Reel 2

Convention, 1861 Nov. 26-1862 Feb. 19-1863 Feb. 12-20

Unit 1

Debates and proceedings... Huntington [1939] In 3 vols. v.3: 888, 91 p. DLC

Convention, 1872 Jan. 16-Apr. 9

Unit 2

Constitution and schedule... Charleston, 1872. 47 p.

Journal... Charleston, 1872. 353 p.

Standing committees and rules of the convention. Charleston, 1872. v.p.

DLC

WISCONSIN

C Reel 1

Convention, 1846 Oct. 5-Dec. 16

Unit 1

An act to enable the people of Wisconsin Territory to form a constitution... Madison, 1846. 8 p.

Constitution...together with acts of Congress...and the Legislature in relation to the formation of a state government... Madison, 1846. 60 p.

WHi

Message of the President...Mar. 1848...transmitting a copy of the constitution... 41 p. DLC

Journal... Madison, 1847. 506 p.

Rules of the convention to form a constitution... Madison, 1846. 8 p.

List of members... Broadside.

Sermon preached...before the constitutional convention...by Rev. Stephen McHugh. Madison: 1846. 13 p.

Report of the Committee on Boundaries and Name of State... Madison: 1846. 22 p.

Report of Committee relative to a division of the state... Madison, 1846. 12 p.

Speech of Hon. William Singer of Iowa...on bill to provide for a new convention... Madison, 1847. 14 p.

WHi

Convention, 1847 Dec. 15-1848 Feb. 1

Unit 2

Constitution... Madison, 1848. 43 p. (Imperfect) (w: p. 3-14)

Constitution... [Madison, 1848] 19 p.

WHi

WISCONSIN-Continued

Journal... Madison, 1848. 1 p.l., 678 p. DLC
Rules of the convention... Madison, 1847. 8 p.
Report of the Committee on Education and School Funds. 5 p.
List of members... Broadside.
Plan of convention chamber... Broadside.
Meeting of members of the first constitutional convention...January 14, 1851. Madison: 1851. 1 p.l., 21, [1] p.
WHi

WYOMING

C Reel 1

Convention, 1889 Sept. 2-30
Unit 1

Constitution. 111 p. MS. Wy
Constitution... Cheyenne, 1889. 60 p., 1 l. DLC
Memorial to the President and Congress for admission...to the Union. With appendices, showing action taken by people, and constitution as adopted. Cheyenne, 1889. xiv p., 1 l., 75, [1] p. NN
Proposed state... Proclamation, bill for admission, reports and other papers relating to statehood. Cheyenne, 1889. 52 p. NN

Unit 2

Journal and debates... Cheyenne, 1889. 864, 60, 15, [1] p. DLC

RATIFICATION CONVENTIONS, 1787-1790

C Reel 1

MASSACHUSETTS

Unit 1

Debates, resolutions and proceedings... Boston, 1788. 219 p. DLC

Unit 2

Debates and proceedings (including journal). Boston, 1856. viii, 442 p.
DLC

NEW YORK

Unit 3

The debates and proceedings... New York, 1788. 144 p. DLC

PENNSYLVANIA

Unit 4

Minutes... Philadelphia, 1787. 28 p.
Debates... Philadelphia, 1788. 147, [3] p. (In 2 v. Vol. 2 not printed.)
DLC

RATIFICATION CONVENTIONS, 1787-1790

RHODE ISLAND

Unit 5

Theodore Foster's Minutes of the convention...1790 Mar. 1-6. Providence, 1929. 99 p. DLC

SOUTH CAROLINA

Unit 6

Debates...in the House of Representatives [to call a convention to consider ratification of the constitution of the United States]... Charleston, 1788. 55 p. DLC

VIRGINIA

Unit 7

Journal... [n.p., n.d.] 42 p.
Debates and other proceedings... Petersburg, 1788. 194 p.
Debates and other proceedings... Petersburg, 1788-89. 3 v. in 1.
DLC

ADMINISTRATIVE RECORDS

ALABAMA

D.1 — Reel 1

State Documents

Binder	Report period			Imprint
	Unit 1			
1869-70	1868-69	[1-10]	v.p.	n.t.-p. DLC
	Unit 2			
1870	1869-70	[1-7]	v.p.	n.t.-p. DLC
	Unit 3			
1871-72	1871-72	[1-15]	v.p.	n.t.-p. DLC
	Public Documents			
	Unit 4			
1873	1872-73	[1-18]	v.p.	n.t.-p. DLC
	Unit 5			
1875	(Not found)			
1877	1876-77	[1-3]	v.p.	n.t.-p. DLC

D.1 — Reel 2

Binder	Report period			Imprint
	Unit 1			
1878	1877-78	[1-16]	v.p.	n.t.-p. DLC
	State Documents			
	Unit 2			
1879	1878-79	[1-2]	v.p.	n.t.-p. DLC

D.1 — Reel 3

Binder	Report period			Imprint
	Public Documents			
	Unit 1			
1880-81	1879 Nov.-1880 Sept.	[1-12]	v.p.	n.t.-p. NcD
	State Documents			
	Unit 2			
1881	1880 Nov.-1881 Sept.	[1-2]	v.p.	n.t.-p. N
	Public Documents			
	Unit 3			
1882-83	1881 Nov.-1882 Sept.	[1-15]	v.p.	n.t.-p. NcD

ADMINISTRATIVE RECORDS

ARIZONA

D.2 Reel 1a

Unit 1
D.25 1a L.1 F.X

1856 July 15-1861 Feb. 2. Recorder's record for Dona Ana County, Arizona. (Charles D. Poston, deputy clerk of Probate Court, Tubac, New Mexico.) 52, 179-222 p. MS. (Neg. photo. Original in Recorder's Office, Tucson, Ariz.)
AzTP

Unit 2
D.25 1a L.1 F.X

1862-64 Tucson property record, Pima County, Arizona. 79 p. MS. Index. 16 p. Typescript.
AzTP

Unit 3
C

1860 The constitution and schedule of the provisional government...and the proceedings of the convention...April 2, 1860. 23 p.
CU-B

D.21 E.1c

1860 Apr. 5 Governor L. S. Owing's appointment of a Chief Justice. Broadside.

D.X F.X

1860 Nov. 1 Judge M. Aldrich's resignation. 1 l. MS.

D.21 E.1b

1862 June 9 Proclamation of martial law by Federals. 4 p. MS.
AzTP

1863 Dec. 29 Governor John N. Goodwin's proclamation to the people of Arizona. Broadside. (Sp.)
AzPrHi-1

1864 May 26 Proclamation of Governor Richard C. McCormick. Broadside.
AzTP

Unit 4
D.21

Governors' Messages

1864 Sept. John N. Goodwin. 4 p. (Incomplete) CU-B
1865 Dec. 11 Richard C. McCormick. 13 p.
1866 Oct. 8 Richard C. McCormick. 10 p.
DLC
1866 Oct. 8 Richard C. McCormick. 20 p.
1867 Sept. 9 Richard C. McCormick. 16 p.
1868 Nov. Richard C. McCormick. 13 p.
CU-B
1871 Jan. 16 A. P. K. Safford. 12 p.
1873 Jan. 6 A. P. K. Safford. 12 p.
Az
1875 Jan. 4 A. P. K. Safford. 11 p. NN
1877 Jan. 1 A. P. K. Safford. 14 p.
[W] 1879 (Not found. See Journals.)
[W] 1881 (Not found. See Journals.)
1883 Jan. 8 Frederick A. Tritle. 23 p.
1885 Jan. 12 Frederick A. Tritle. 56 p.
1885 Jan. 12 Frederick A. Tritle. 72 p. (Sp.)
Az

ARIZONA-Continued

1887 Jan. C. Meyer Zulick. 30 p. AzTP
See E, Reel 1, Unit 2, p. 286 for copy from Az-Secy.
[W] 1889 (Not found. See Journals.)
1891 Jan. 20 N. O. Murphy. 47 p.
1893 Feb. 14 N. O. Murphy. 34 p.
1895 Jan. Louis C. Hughes. 26, x p.
1897 Jan. 28 Benjamin J. Franklin. 45 p.
1899 Jan. N. O. Murphy. 35 p.
1901 Jan. N. O. Murphy. 39 p.
1903 Jan. Alexander O. Brodie. 29 p.
1905 Jan. Alexander O. Brodie. 46 p.
1907 Jan. 21 Joseph H. Kibbey. 75 p.
1907 Mar. 1 Joseph H. Kibbey. 16 p.
1909 Jan. 18 Joseph H. Kibbey. 28 p.
Az

Unit 5
D.22

Auditors' Reports

1865 Dec. 16 Report of Board of Territorial Auditors. 3 fol. MS. No. 595.
1871 Aug. 1 Jan.-July 1871. 4 p. MS. No. 598
1872 Aug. 1 1871 Aug.-1872 July. 4 p. MS. No. 598.
1872 1872 Aug.-Dec. 2 p. MS. No. 598.
1873 Jan. 1 Special fund. 3 p. MS. No. 598.
1874 Dec. 31 Bien., 1873-74. 14 p. MS. No. 599.
1876 Dec. 30 Bien., 1875-76. 15 p. MS.
Az-Secy.
1881 Bien., 1879-80. 21 p. Az
1883 Bien., 1881-82. 31 p. Az-Secy.
1885 Bien., 1883-84. 50 p.
1887 Bien., 1885-86. 45, [1] p.
1889 Bien., 1887-88. 44 p.
1891 Bien., 1889-90. 52 p.
1893 Bien., 1891-92. 46 p.
1895 Bien., 1893-94. 59 p.
1897 Bien., 1895-96. 102 p.
Az

Unit 6

1899 Bien., 1897-98. 92, [1] p.
1900 Jan. 1899-June 1900. 143 p.
1902 Bien., July 1900-June 1902. 140 p.
Az

D.2 Reel 1b

Unit 1
D.22 D.24 D.25

1905 Reports of the Territorial Auditor, Treasurer and Board of Loan Commissioners for 1903-1904. 197 p. Az

ARIZONA-Continued

Unit 2

D.22

Auditor's Report

1906 Ann., July 1905-June 1906. v.p. Typescript.
Az

Unit 3

D.22 D.24 D.25

1908 Reports of the Territorial Auditor, Treasurer and Bank Comptroller. July 1907-June 1908. 208, 19, 47 p.

Auditors' Reports

1909 July 1908-June 1909. [41] p. Typescript.
1910 July 1909-Dec. 1910. [51] p. Typescript.
Az

Unit 4

D.24

1865 Jan. 3-1888. Territorial Treasurer's ledger. 8-489 p. MS. Az-Secy.

Unit 5

D.24

Treasurers' Reports

1867 Aug. 1 Ann., 1866-67. 5 p. MS. No. 597.
1885 Dec. 19 Special. 2 l. MS. No. 615.
1886 Jan. 8 Balance. 1 l. MS. No. 615.
1888 Mar. 6 Ann., 1887. 12 p. MS. No. 615.
1889 Nov. 1 Statement of funds. 2 l. MS. No. 616.
1889 Dec. 31 Ann., 1889. 1 table. MS. No. 616.
Az-Secy.

Unit 6

D.24

Treasurers' Reports

1887 Bien., 1885-86. 37, [1] p. DLC
[W] 1889 Bien., 1887-89. 70 p. NN
1891 Bien., 1889-90. 8, [3] p.
1893 Bien., 1891-92. 10 p.
1895 Bien., 1893-94. 12 p.
[W] 1897 Bien., 1895-96. (Not found)
1899 Bien., 1897-98. 26 p.
1900 Jan. 1899-June 1900. 39 p.
1902 Bien., July 1900-June 1902. 36 p.
1905 Bien., July 1902-June 1904. (Bound with Auditor's report. See Unit 1.)
1908 Bien., July 1907-June 1908. (Bound with Auditor's report. See Unit 3.)
1911 Ann., July 1910-June 1911. [33] p. Typescript.
Az

ARIZONA-Continued

D.2 Reel 1c

Unit 1
D.25ad

Adjutant Generals' Reports

1892 Ann., 1891. 28, [1] p.
1893 Ann., 1892. 28 p.
1894 Ann., 1893. 20 p.
1895 Ann., 1894. 36 p.
[W] 1896 Ann., 1895. (Not found)
[W] 1897 Ann., 1896. (Not found)
[W] 1898 Ann., 1897. (Not found)
1899 Ann., 1898. 16, [1] p.
[W] 1900 Ann., 1899. (Not found)
[W] 1901 Ann., 1900. (Not found)
[W] 1902 Ann., 1901. (Not found)
1902 Ann., 1902. 42 p.
1904 Bien. report, National Guard, 1903-4. 13 p.
1907 Bien. report, National Guard, 1905-6. 2 p. Typescript.
1911 Ann. report, National Guard, July 1910-June 1911. 2 p. Typescript.

Az

Unit 2
D.25at

Attorney Generals' Reports

1889 July 1888-Jan. 1889. 7 p.
1899 Aug. 1898-Jan. 1899. 10 p.
1902 Aug. 1901-Aug. 1902. 1 p.
1911 July 1910-June 1911. 5 p. Typescript.

Az

Unit 3
D.25ed

1879 Feb. 15-1887 Jan. 10. Record book of Territorial Board of Education. 126 p. MS. Az-S-Ed

Unit 4
D.25ed

Reports of Superintendents of Public Instruction

1872 Dec. 31 1871-72. [21] p. MS.
1876 Feb. 15 1875. 2 cols. newspaper.

Az-Secy.

1877 1875-76. 15 p.

(photo.) Az-U (orig.) CLSM

1883 1881-82. 44, [8] p. Az
1884 Bien., Sept. 1882-Aug. 1884. 76 p.
1886 Bien., July 1884-June 1886. 68 p.

(photo.) Az-U (orig.) CLSM

1887 Special. 1887. 5 p. Typescript.
1889 Bien., July 1886-June 1888. 35 p.

Az-Secy.

1890 Bien., July 1888-June 1890. 36 p. table. Az

ARIZONA-Continued

[W] 1893 Bien., 1890-92. (Not found)
1895 Bien., July 1892-June 1894. 44 p. Typescript.
Az-U
1897 Bien., July 1894-June 1896. 47 p.
1899 Bien., July 1897-June 1898. 22 p.
1900 Bien., July 1898-June 1900. 100 p.
1902 Bien., July 1900-June 1902. 50 p.
1904 Bien., July 1902-June 1904. 63, [4] p.
1906 Bien., July 1904-June 1906. 120 p.
1908 Bien., July 1906-June 1908. 164 p.
1911 Ann., July 1910-June 1911. [22] p.
Az

Unit 5
D.25ed B.3

1879 Arizona school laws. 15 p.
1887 School laws of Arizona. 61 p.
1899 Territorial laws concerning normal schools. 17 p.
Az

D.2 Reel 1d

Unit 1
D.25in

Reports of Board of Directors of the Insane Asylum

1886 Bien., 1885-86. 48 p. Az
1889 Bien., 1887-88. 10 p. MS. 28 p. Typescript.
1893 Bien., 1891-92. 24 p.
1898 Bien., 1897-98. 18 p.
Az-Secy.

Unit 2
D.25pr

Reports of Board of Territorial Prison Commissioners

1876 Aug. 1 Building fund. 7 p. MS. No. 626.
1876 Oct. 1 Construction Committee. 7 p. MS. No. 626.
1876 Ann., May 1875-May 1876. 5 p. MS. No. 627.
1878 Ann., 1877. 5 p. MS. No. 627.
1882 Ann., 1882. 3 p. MS. No. 624.
1883 Ann., Nov. 1882-Oct. 1883. 9, 10-34 p. MS. No. 625, 628.
1884 Ann., Nov. 1883-Oct. 1884. 35-64, 3 p. MS. No. 628.
1885 Ann., Nov. 1884-Oct. 1885. 29, 4 p. table. MS. No. 626.
1891* Ann., 1890. 26 p.
1893* Ann., 1891-92. 99 p.
[W] 1895 Ann., 1893-94. (Not found)
1897* Ann., 1895-96. 36 p.
1899* Ann., 1897-98. 36 p.
1899* Bien., 1897-98. 16 p.
1900* Bien., Jan. 1899-June 1900. 110 p.
Az-Secy. *Az

ARIZONA-Continued
Unit 3
D.25co

Reports of Board of Control

1899 Bien., 1897-98. 16 p.
1900 Bien., Jan. 1899-June 1900. 110 p.
1902 Bien., July 1900-June 1902. 72, [1] p.
1904 Bien., July 1902-June 1904. 94 p.
1895 Rules and regulations for the government and discipline of the Arizona Territorial Prison at Yuma. 20, [1] p.

Az

Unit 4
D.X

1857 Memoir of the proposed Territory of Arizona. (Sylvester Mowry.) 30 p.
1865 Arizona...resources and prospects. 22 p.
1866 The American pioneer. An oration. 8 p.
1866 Rules and orders. 12, [3] p.
1871 Trade and commerce. Indian tribes. 31 p.
1874 Territory of Arizona; a brief history and summary. 38 p.
1885 Third annual report of Fish Commission. 15 p.
1885 Report of Loan Commission, 1883-84. 4 p.
1885 Report of Bond Commission. 2 p.
1891 Report of Commissioner of Immigration, 1889-90. 2 p.
1894 Report of Board of Railroad Commissioners. 6 p.
1894 Blue book. 27 p.

Az

ARKANSAS

D.1 Reel 1

Message and Documents

Binder	Report period		Imprint
	Unit 1		
1854	1854 [1-3]	v.p.	n.t.-p.
			ArU
	Unit 2		
1856 Nov.	Bien., 1854-56 [1-9]	v.p.	n.t.-p.
			NcU
	Unit 3		
1858 Nov.	Bien., 1856-58 [1-10]	v.p.	n.t.-p.
			NcU
	Unit 4		
1860 Nov.	Bien., 1858-60 [1-17]	v.p.	n.t.-p.
			ArU

D.1 Reel 2

Binder	Report period		Imprint
	Unit 1		
1871	Bien., 1868-70 [1-11]	398 p.	1871
			DLC

ARKANSAS-Continued

Public Documents

Binder	Report period		Imprint
	Unit 2		
1879	Bien., 1876 Oct.-1878 Oct. [1-8]	v.p.	n.t.-p. ArU
	Unit 3		
1880-81	Bien., 1878 Oct.-1880 Oct. [1-9]	v.p.	n.t.-p. NcU
D.1			Reel 3
	Reports and Messages		
	Unit 1		
1882	Bien., 1880 Oct.-1882 Oct. [1-12]		n.t.-p. DLC
D.1			Reel 4
	Unit 1		
1883-84	Bien., 1882 Oct.-1884 Oct. [1-15]	v.p.	n.t.-p. NcU

CALIFORNIA

Binder	Report period		Imprint
D.1			Reel 1
	Appendix to Assembly Journals		
	Unit 1		
1855	1853 July-1854 June 2-26 [1]	v.p.	n.t.-p. DLC
	Unit 2		
1856	1854 July-1855 June [1], 2, 3, 5, 6, [1], 10, 11, [7]	v.p.	n.t.-p. DLC
	Unit 3		
1857	1855 July-1856 June [19]	v.p.	1857 DLC
	Appendix to Senate Journals		
	Unit 4		
1858	1856 July-1857 June [14]	v.p.	1858 DLC
	Appendix to Assembly Journals		
	Unit 5		
1859	1857 July-1858 June [12]	v.p.	1859 DLC
D.1			Reel 2
	Appendix to Assembly Journals		
	Unit 1		
1860	1858 July-1859 June 1-15	v.p.	1860 DLC
	Unit 2		
1861	1859 July-1860 June 1-30	v.p.	1861 DLC

CALIFORNIA-Continued

D.1 Reel 3

Binder	Appendix to Journals Report period	Imprint
	Unit 1	
1862 (S & A)	1861 1-39	1862 DLC

COLORADO

D.2 Reel 1a

Unit 1
D.21
Governors' Messages

	1861	Sept. 10	William Gilpin. 7 p.	CoHi
	1862	July 17	John Evans. 13 p.	CTY-Coe
	1864	Feb. 3	John Evans. 9 p.	DLC
	1865	Jan. 9	Sam H. Elbert. 11 p.	CoD
	1865	Dec. 16	William Gilpin. Broadside.	DLC
[W]	1866	Jan.	(Not found. See Council journal.)	
	1866	Dec. 13	Alexander Cummings. 7 p.	DLC
[W]	1867	Dec.	(Not found. See House journal.)	
	1870	Jan. 4	Edward M. McCook. 22 p.	
	1872	Jan. 3	Edward M. McCook. 26 p.	
	1874	Jan. 6	Samuel H. Elbert. 34 p.	
	1876	Jan. 5	John L. Routt. 13 p.	
				CoD

Unit 2
D.1

1876 Nov. Message and reports for 1876. v.p.

D.21

1879	Jan. 5	John L. Routt. 19 p.
1879	Jan. 5	John L. Routt. 23 p. (Sp.)
1879	Jan. 14	Frederick W. Pitkin. 25 p.
1881	Jan. 5	Frederick W. Pitkin. 44 p.
1881	Jan. 5	Frederick W. Pitkin. t.-p.-[3], p. 46. (Ger.)
1881	Jan. 5	Frederick W. Pitkin. t.-p.-[3], 44-45 p. (Sp.)
1881	Jan. 11	Frederick W. Pitkin. 21 p.
1881	Jan. 11	Frederick W. Pitkin. t.-p.-[3], p. 22. (Ger.)
1881	Jan. 11	Frederick W. Pitkin. t.-p.-[3], p. 22. (Sp.)
1883	Jan. 4	Frederick W. Pitkin. 40 p.
1883	Jan. 4	Frederick W. Pitkin. t.-p.-[3], p. 36. (Sp.)
1883	Jan. 9	James B. Grant. 10 p.
1883	Jan. 9	James B. Grant. 10 p. (Sp.)
1885	Jan. 7	James B. Grant. 26 p.
1885	Jan. 7	James B. Grant. t.-p.-[3], p. 30. (Ger.)
1885	Jan. 7	James B. Grant. t.-p.-[3], p. 30. (Sp.)
1885	Jan. 13	Benjamin H. Eaton. 8 p.
1885	Jan. 13	Benjamin H. Eaton. 8 p. (Ger.)
1887	Jan.	Benjamin H. Eaton. 67 p.
1887	Jan.	Alva Adams. 12 p.

COLORADO-Continued

1889 Jan. Alva Adams. 29 p.
1889 Jan. 8 Job A. Cooper. 20 p.
1891 Jan. Job A. Cooper. 34 p.
1891 Jan. Job A. Cooper. t.-p.-[3], 30-32 p. (Sp.)
1891 Jan. John L. Routt. 22 p.
1891 Jan. John L. Routt. 20 p. (Sp.)

CoD

Unit 3
D.1
Reports of Territorial Officers

1867 Nov. 30 Ann., 1866-67. 32 p. CSmH
1870 Jan. 1 Bien., 1868-69. 62 p.
1871 Dec. 31 Bien., 1870-71. 148, [1] p.

CoD

Unit 4
D.22
Auditors' Reports

1874 Jan. 5 Bien., 1872-73. 71 p.
1876 Jan. 4 Bien., 1874-75. 50 p.
1876 Nov. 1 Jan. 1-Nov. 1, 1876. 26 p.
1879 Jan. 3 Bien., Nov. 1876-Nov. 1878. 29 p.
[W] 1881 (Not found)
1883 Jan. 3 Bien., Dec. 1880-Nov. 1882. 36 p.
1885 Jan. 7 Bien., Dec. 1882-Nov. 1884. 111 p.
1886 Dec. 1 Bien., Dec. 1884-Nov. 1886. 268, xl p.

CoD

Unit 5
D.22

1888 Dec. 12 Dec., 1886-Nov. 1888. 181, viii p.
1890 Dec. 1 Dec., 1888-Nov. 1890. 155 p. tables.

CoD

D.2 Reel 1b

Unit 1
D.24
Treasurers' Reports

1873 Dec. 31 Bien., 1872-73. 21 p.
[W] 1875 Dec. (Not found)
1876 Nov. 1 Jan.-Nov., 1876. 24 p.
1878 Dec. 24 Bien., Dec. 1876-Nov. 1878. 37 p.
1880 Dec. 15 Bien., Dec. 1878-Nov. 1880. 37, [1] p.
1882 Dec. 1 Bien., Dec. 1880-Nov. 1882. 72 p.
1884 Dec. 6 Bien., Dec. 1882-Nov. 1884. 99 p.
1886 Dec. 10 Bien., Dec. 1884-Nov. 1886. 55 p.
1888 Dec. 12 Bien., Dec. 1886-Nov. 1888. 54 p.
1890 Bien., Dec. 1888-Nov. 1890. 56 p.

CoD

Unit 2
D.25ad
Adjutant Generals' Reports

1869 Dec. 31 Bien., 1868-69. 19 p.

COLORADO-Continued

1871 Dec. 31 Bien., 1870-71. 1 p.l., 15 p. Typescript.
1873 Dec. 31 Bien., 1872-73. 1 p.l., 7 p. Typescript.
CoHi

1876 Oct. 21 Jan.-Oct., 1876. 10 p.
[W] 1878 (Not found)
1880 Dec. 30 Bien., 1879-80. 34, [1] p.
1882 Dec. 30 Bien., 1881-82. 43 p.
1884 Dec. 31 Bien., 1883-84. 56 p.
1886 Nov. 30 Bien., 1885-Nov. 1886. 78 p.
1888 Nov. 30 Bien., Dec. 1886-Nov. 1888. 161 p. tables.
1890 Dec. 10 Bien., Dec. 1888-Nov. 1890. 75 p.
CoD

Unit 3
D.25ed

1869 Dec. Biennial reports of the Librarian and Superintendent of Public Instruction. 8 p.

Reports of Superintendents of Public Instruction

1871 Dec. 20 1st bien., Oct. 1869-Sept. 1871. [4], 133 p.
1873 Dec. 20 2d bien., Oct. 1871-Sept. 1873. [1], 142 p.
1875 Dec. 20 3d bien., Oct. 1873-Sept. 1875. 104 p.
CoD

Unit 4
D.25ed

1878 Dec. 10 1st bien., Sept. 1876-Aug. 1878. 56, [2] p. (Sp.)
1878 Dec. 10 1st bien., Sept. 1876-Aug. 1878. 59 p. Librarian, p. [47] 52. University, p. [53]-59.
1880 Dec. 10 2d bien., Sept. 1878-Aug. 1880. 134 p.
1882 Dec. 10 3d bien., Sept. 1880-Aug. 1882. 166 p.
1884 Dec. 10 4th bien., Sept. 1882-Aug. 1884. 5 p.l., 155 p.
CoD

Unit 5
D.25ed

1886 Dec. 10 5th bien., Sept. 1884-Aug. 1886. 149 p.
1888 Dec. 10 6th bien., Sept. 1886-June 1888. 177 p.
1890 Dec. 10 7th bien., July 1888-June 1890. 241 p.
CoD

Unit 6
D.25ed B.3

1868 Common school law. 16 p.
1874 Common school law. 43 p.
CoD

Unit 7
D.X X

1867 The silver mines of Colorado, by Orvando J. Hallister. viii, 87 p.

CONNECTICUT

D.1 Reel 1

Public Documents

Binder	Report period			Imprint
		Unit 1		
1837 May	1836-37	[1-11] H. J., Stat.	v.p.	n.t.-p. CtHi
		Unit 2		
1838 May	1837-38	[1-13], 1, 2 H. J., Stat.	v.p.	n.t.-p. CtHi
		Unit 3		
1839 May	1838-39	[1-13] H. J., Stat.	v.p.	n.t.-p. CtHi
		Unit 4		
1840 May	1839-40	[1-10] H. J., S. J., Stat.	v.p.	n.t.-p. CtHi
		Unit 5		
1841 May	1840-41	[1-14] Acts.	v.p.	n.t.-p. CtHi
1842	1841-42	(Not found)		
		Unit 6		
1843 May	1842-43	[1-11], [1-2] H. J., S. J., Stat.	v.p.	n.t.-p. CtHi

D.1 Reel 2

Binder	Report period			Imprint
		Unit 1		
1844 May	1843-44	1-6, [1-7] H. J., S. J., Acts.	v.p.	n.t.-p. CtHi
		Unit 2		
1845 May	1844-45	1-14, [1-2] H. J., S. J., Acts.	v.p.	n.t.-p. CtHi
		Unit 3		
1846 May	1845-46	1-14, [1-2] H. J., S. J., Acts.	v.p.	n.t.-p. CtHi
		Unit 4		
1847 May	1846-47	1-13 H. J., S. J., Acts.	v.p.	n.t.-p. CtHi
		Unit 5		
1848 May	1847-48	1-12 H. J., S. J., Acts.	v.p.	n.t.-p. CtHi

D.1 Reel 3

Binder	Report period			Imprint
		Unit 1		
1849 May	1848-49	[1-14] H. J., S. J., Acts.	v.p.	n.t.-p. CtHi
		Unit 2		
1850 May	1849-50	[1-16]	v.p.	1850 Ct
		Unit 3		
1851 May	1850-51	[1-20]	v.p.	1851 Ct

CONNECTICUT-Continued

Binder	Report period			Imprint
	Unit 4			
1852 May	1851-52	[1-23]	v.p.	1852 Ct
	Unit 5			
1853 May	1852-53	[1-27]	v.p.	1853 Ct
D.1				Reel 4
	Unit 1			
1854	1853-54	[1-18]		1854 DLC
	Unit 2			
1856	1855-56	[1-20]		1856 DLC
D.1				Reel 5
	Public Documents			
	Unit 1			
1857 May	1856	[1-24]	v.p.	1857 M
	Unit 2			
1859	1858-59	[1-17]	v.p.	1859 M
D.1				Reel 6
	Public Documents			
	Unit 1			
1861	1860-61	1-20	v.p.	1861 M
D.21				Reel 1

Unit 1

1640-1800 Governors' proclamations. Broadsides. CtHi

Unit 2

1752-1799 Governors' proclamations. Broadsides. CtY

Unit 3

Governors' Messages

1812 Aug. 25 Roger Griswold. 22 p.
Report of Committee on Governor's Speech. 14 p.
1813 May John Cotton Smith. 7 p. MS.
1813 Oct. John Cotton Smith. 11 p. MS.
1814 May, 1814 Oct. (Not found)
1815 Jan. 25 John Cotton Smith. Broadside.
1816 May, 1816 Oct. (Not found)
1817 May 13 Oliver Wolcott. Broadside.
1817 Oct., 1818 May, 1818 Oct. (Not found)
1819 May Oliver Wolcott. Broadside.
1820 May (Not found)
1821 May Oliver Wolcott. 26 p.
Document accompanying message. 27 p.
Ct
1822 May Oliver Wolcott. Broadside. DLC

CONNECTICUT-Continued

1823 May Oliver Wolcott. 13 p.
1824 May Oliver Wolcott. 19 p.
1825 May Oliver Wolcott. 16 p.
1826 May Oliver Wolcott. 15 p.
1827 May Gideon Tomlinson. 12 p.
1828 May Gideon Tomlinson. 15 p.
1829 May Gideon Tomlinson. 14 p.
1830 May Gideon Tomlinson. Broadside.
1831 May John S. Peters. 12 p.
1832 May John S. Peters. 12 p.
1833 May Henry W. Edwards. 12 p.
1834 May Samuel A. Foot. 11 p.
1835 May Henry W. Edwards. 15 p.
1836 May Henry W. Edwards. 8 p.
1837 May Henry W. Edwards. 7 p.
1838 May William W. Ellsworth. 14 p.
1839 May William W. Ellsworth. 16 p.
1840 May William W. Ellsworth. 16 p.
1841 May William W. Ellsworth. 16 p.
1842 May Chauncey F. Cleveland. 20 p.
1842 Oct. Chauncey F. Cleveland. 8 p.
1843 May Chauncey F. Cleveland. 18 p.
1844 May Roger S. Baldwin. 23 p.
1845 May Roger S. Baldwin. 20 p.
1846 May Isaac Toucy. Relative to War with Mexico. 4 p.
1846 May Isaac Toucy. 22 p.
1846 June 16 Isaac Toucy. Veto message. 4 p.
1847 May Clark Bissell. 16 p.
1848 May (Not found)
1849 May Joseph Trumbull. 11 p.
Ct

D.23 Reel 1

Comptrollers' Reports and Papers

Unit 1

1787-1798 [760] p. MS. Ct

Unit 2

1799-1813 [680] p. MS. Ct

D.23 Reel 2

Comptrollers' Reports and Papers

Unit 1

1807-1808 32 p.
1817 47 p.
Ct

Unit 2

1817-1840 [800] p. MS. Ct

Unit 3

1843 39 p.

CONNECTICUT-Continued

1848 40, [1] p.
1849 32, [1] p.
Ct

D.24 Reel 1

Treasurers' Reports and Papers

Unit 1

1673-1712 Account books. 135 fol. MS.
Ct

Unit 2

1755-58 Account books. 2 p.l., [1] p., 90 fol. MS. Ct

Unit 3

1756-58 Account books. 2 p.l., [1] p., 90 fol. MS. Ct

Unit 4

1766-70 Account books. 1 p.l., [1] p., 57 fol. MS. Ct

Unit 5

1776-90 Letter book. [216] p. MS.
Ct

Unit 6

1781-82 Ledger. 46 fol. MS.

D.24 Reel 2

Unit 1

1793 May Balance of taxes. [13] p. MS.
1793 Sept. Report no. 1. [19] p. MS.
1794 Apr. Report no. 2. [17] p. MS.
1795 Apr. Report no. 4. [17] p. MS.
1795 Sept. Report no. 5. [11] p. MS.
1796 Apr. Report no. 6. [13] p. MS.
1796 Oct. Report no. 7. [13] p. MS.
1797 May Report no. 8. [13] p. MS.
1797 Sept. Report no. 9 [13] p. MS.
1798 May Report no. 10. [11] p. MS.
1798 Oct. Report no. 11. [13] p. MS.
1799-1815 Day book no. 12. [35] p. MS.
1801 May Report. [11] p. MS.
1801 Sept. Report no. 17. [9] p. MS.
1802 May Report no. 18. [10] p. MS.
1802 Oct. Report no. 19. [9] p. MS.
1803 May Report no. 20. [11] p. MS.
1803 Oct. Report no. 21. [11] p. MS.
1804 May Report no. 22. [13] p. MS.
1804 Oct. Report no. 23. [11] p. MS.
1805 May Report no. 24. [13] p. MS.
1805 Oct. Report no. 25. [15] p. MS.
1806 May Report no. 26. [20] p. MS.
1806 Oct. Report no. 27. [13] p. MS.

CONNECTICUT-Continued

1807 May Report no. 28. [13] p. MS.
1807 Oct. Report no. 29. [11] p. MS.
1809 May Report no. 32. [11] p. MS.
1810 Apr. Report no. 34. [14] p. MS.
1810 Oct. Report no. 35. [13] p. MS.
1811 May Report no. 36. [11] p. MS.
1811 Oct. Report no. 37. [7] p. MS.
1812 May Report no. 38. [11] p. MS.
1812 Oct. Report no. 39. [9] p. MS.
1813 May Report no. 40. [11] p. MS.
1813 Oct. Report no. 41. [7] p. MS.
1814 May Report no. 42. [7] p. MS.
1814 Oct. Report no. 43. [8] p. MS.
1815 May Report no. 44. [13] p. MS.
1815 Oct. Report no. 45. [7] p. MS.
1816 May Report no. 46. [11] p. MS.
1816 Oct. Report no. 47. [9] p. MS.
1817 May Report no. 48. [9] p. MS.
1817 Oct. Report no. 49. [7] p. MS.
1818 May Report no. 50. [7] p. MS.
CtHi - Oliver Wolcott, Jr. Papers.

Unit 2
D.22 D.24

Auditors' and Treasurers' Reports
1777-78, 1790-1840. v.p. MS. Ct

D.25 Reel 1a

Unit 1
D.25ad

Reports of Adjutant Generals
1839 (Not found)
1847 Apr. Ann., 1847-48. 7 p.
1848 Apr. Ann., 1848-49. 7 p.
Ct

Unit 2
D.25ba

Reports of the Bank Commissioners
1838 May Ann., 1837-38. 22 p.
1839 May Ann., 1838-39. 22 p.
1840 May Ann., 1839-40. 12, [1] p.
1841 May Ann., 1840-41. 56 p.
1842 May Ann., 1841-42. 46 p.
1843 May Ann., 1842-43. 50 p. table.
1844 May Ann., 1843-44. 51 p. table.
1845 May Ann., 1844-45. 56 p. table.
1846 May Ann., 1845-46. 48, [3] p.
1847 May Ann., 1846-47. 60 p. table.
1847 May Concerning banking capital. 12 p.
1848 May Ann., 1847-48. 45, [3] p.

CONNECTICUT-Continued

1849 May Ann., 1848-49. 49, [3] p.

Ct

Unit 3
D.25dd

Reports of the Asylum for the Deaf and Dumb

1817 June 1st ann., 1816-17. 15 p.
1818 May 2d ann., 1817-18. 18 p.
1819 May 3d ann., 1818-19. 15, [4] p.
1820 May 4th ann., 1819-20. 24 p.
1821 May 5th ann., 1820-21. 28 p.
1822 May 6th ann., 1821-22. 32 p.
1823 May 7th ann., 1822-23. 40 p.
1824 May 8th ann., 1823-24. 16 p.
1825 May 9th ann., 1824-25. 13 p.
1826 May 10th ann., 1825-26. 13 p.
1827 May 11th ann., 1826-27. 17 p.
1828 May 12th ann., 1827-28. 39, [1] p.
1829 May 13th ann., 1828-29. 34 p.
1830 May 14th ann., 1829-30. 15, [1] p.
1831 May 15th ann., 1830-31. 27 p.
1832 May 16th ann., 1831-32. 28 p.
1833 May 17th ann., 1832-33. 35 p.
1834 May 18th ann., 1833-34. 32 p.
1835 May 19th ann., 1834-35. 24 p.
1836 May 20th ann., 1835-36. 36 p.
1837 May 21st ann., 1836-37. 48 p.
1838 May 22d ann., 1837-38. 39 p.
1839 May 23d ann., 1838-39. 26, [2] p.
1840 May 24th ann., 1839-40. 22, [2] p.
1841 May 25th ann., 1840-41. 21, [2] p.
1842 May 26th ann., 1841-42. 32, [2] p.
1843 May 27th ann., 1842-43. 33, [3] p.
1844 May 28th ann., 1843-44. 44, [4] p.
1845 May 29th ann., 1844-45. 130, [2] p.
1846 May 30th ann., 1845-46. 45 p.
1847 May 31st ann., 1846-47. 40 p.
1848 May 32d ann., 1847-48. 40 p.
1849 May 33d ann., 1848-49. 64 p.

Ct

Unit 4
D.25ed

Reports of the Commissioners of the School Fund

1809 Oct. 1809. 32 p.
1818 May 1817-18. 8 p.
1819 May Ann., 1818-19. 40 p.
1820 May Ann., 1819-20. 8 p.
1821 May Ann., 1820-21. 7 p.
1822 May Ann., 1821-22. 4 p.

CONNECTICUT-Continued

1823 May (Not found)
1824 May (Not found)
1825 May Ann., 1824-25. 8 p.
1826 May Ann., 1825-26. 15 p.
1827 May Ann., 1826-27. 12 p.
1828 May Ann., 1827-28. 13, [10] p.
1829 May Ann., 1828-29. 16 p.
1830 May Ann., 1829-30. 15 p.
1831 May Ann., 1830-31. 15 p.
1832 May Ann., 1831-32. 15 p.
1833 May (Not found)
1834 May Ann., 1833-34. 23 p.
1835 May Ann., 1834-35. 19 p.
1836 May Ann., 1835-36. 16 p.
1837 May Ann., 1836-37. 16 p.
1838 May Ann., 1837-38. 22 p.
1839 May Ann., 1838-39. 22 p.
1840 May Ann., 1839-40. 22 p.
1841 May Ann., 1840-41. 22 p.
1842 May Ann., 1841-42. 19 p.
1843 May Ann., 1842-43. 27, [1] p.
1844 May Ann., 1843-44. 29 p.
1845 May Ann., 1844-45. 30 p.
1846 May Ann., 1845-46. 27 p.
1847 May Ann., 1846-47. 32 p.
1848 May Ann., 1847-48. 29, [1] p.
1849 May Ann., 1848-49. 31 p.

Ct

D.25 Reel 1b

Unit 1
D.25ed

Reports of Commissioners of Common Schools

1839 May 1st ann., 1838-39. 64 p.
1840 May 2d ann., 1839-40. 56 p.
1841 May 3d ann., 1840-41. 40 p.
1842 May 4th ann., 1841-42. 68, 24 p.

Ct

Unit 2
D.25ed

Reports of Superintendents of Common Schools

1846 May Ann., 1845-46. 181, 23 p.
1847 May Ann., 1846-47. 119 p.
1848 May 3d ann., 1847-48. 153 p.
1849 May 4th ann., 1848-49. 144 p.

Ct

CONNECTICUT-Continued

Unit 3

D.25pr

Reports of Directors and Wardens of the Prison

1827 May Report of Prison Building Commissioners. 15 p.
1828 May Ann., 1827-28. 20 p.
1829 May Ann., 1828-29. 22 p.
1830 May Ann., 1829-30. 28 p.
1831 May Ann., 1830-31. 19 p.
1832 May Ann., 1831-32. 16 p.
1833 May Not printed.
1834 May With 1835. p. 33-48.
1835 May Ann., 1834-35. 48 p.
1836 May Ann., 1835-36. 16 p.
1837 May Ann., 1836-37. 24 p.
1838 May Ann., 1837-38. 22 p.
1839 May Ann., 1838-39. 20 p.
1840 May Ann., 1839-40. 36 p.
1841 May Ann., 1840-41. 28 p.
1842 May Ann., 1841-42. 19 p.
1843 May Ann., 1842-43. 28 p.
1844 May Ann., 1843-44. 33 p.
1845 May Ann., 1844-45. 31 p.
1846 May Ann., 1845-46. 24 p.
1847 May Ann., 1846-47. 31 p.
1848 May Ann., 1847-48. 25 p.
1849 May Ann., 1848-49. 28 p.

Ct

Unit 4

D.25ss

Reports of Secretaries of State

1839 May Relative to certain branches of industry. 38 p.
1848 Aug. Relative to registration of births, marriages and deaths. 14, [2] p.

Ct

Unit 5

D.3 A.4

Reports of Legislative Committees, etc.

1812 Aug. 25 Governor's message with documents. 22 p.
1812 Aug. Report of Committee on Governor's Speech. 14 p.
1814 Dec. Report of Committee on His Excellency's Speech. 8 p.
1809 Feb. Address of General Assembly to the people of Connecticut. 16 p.

CONNECTICUT-Continued

[1811] Report of Committee relative to petition for relief against navigation laws of New York. 2 p.
[1813] Report of Committee on Defence. 4 p.
1814 Oct. Report of Committee on His Excellency's Speech, etc. 8 p.
1819 May Reports of the Commissioners of the School Fund. 40 p.
1817 May Report of the Committee on Claims against the United States. 8 p.
1825 May Report of the Committee to Inspect New-Gate Prison. 18 p.
1826 May Report of the Committee on Common Schools. 7 p.
1828 May Report of the Joint Committee on the Common Schools. 11 p.
1829 May Report of the Committee on the Culture of Hemp, etc. 16 p.
1833 May Report of the Committee on the State Prison. 19 p.

A

1834 Minutes of the testimony taken before the Committee to Inquire into the Conditions of the State Prison. 119 p.
1834 Report of the Joint Committee on the Governor's Message as it relates to the Bank of the United States. 8 p.
1837 May Report of the Committee to Visit and Examine Banks. 23, [1] p.

Ct

DAKOTA

D.2 Reel 1a

Unit 1
D.21

Governors' Messages

[W] 1862 Mar. 19 William Jayne. 16 p. WHi DNA
1862 Dec. 18 William Jayne. 8 p. NN
[W] 1863 Dec. Newton Edmunds. 16 p. DNA
1863 Oct. 26 Thanksgiving proclamation. Broadside.
1864 Nov. 4 Newton Edmunds. [2] p.
1866 Oct. 31 A. J. Faulk. Broadside.
1867 July 10 Proclamation: War on Sioux Indians. Broadside.
1868 Dec. 2 Election proclamation. Broadside.
1872 Apr. 6 Proclamation: Occupation of Black Hills. Broadside.
CtY-Coe
1864 Dec. Newton Edmunds. 15 p. DNA
1865 Dec. Newton Edmunds. 15 p. DNA
1865 Apr. 21 Proclamation: Lincoln's death. Broadside. SdHi
1866 A. J. Faulk. 13 p. DNA
1867 Dec. A. J. Faulk. 20 p.
1868 Dec. A. J. Faulk. 14 p.
DLC
1871 Mar. 30 Proclamation: Special election, George Alexander Batchelder. Broadside. DNA
1872 Dec. 3 John A. Burbank. 8 p. NN
1874 Dec. 7 John L. Pennington. 15 p.
1877 Jan. 9 John L. Pennington. 18 p.
NN

DAKOTA-Continued

1879 Jan. 14 William A. Howard. 18 p.
1881 Jan. 12 Nehemiah G. Ordway. 32 p.
1883 Jan. 10 Nehemiah G. Ordway. 35 p.
1885 Jan. 14 Gilbert A. Pierce. 31 p.
DLC
1887 Jan. 12 Gilbert A. Pierce. 30 p.
1889 Jan. 9 Louis K. Church. 29 p.
M

Unit 2
D.22 D.24

Auditor's and Treasurer's Reports

[W] 1863 Dec. Ann., 1862-63. 24 p.
Adjutant General, p. 21-24.
Photo. NN Orig. SdHi
[W] 1864 Nov. Ann., 1863-64. 32 p.
NjMo-Streeter
1867 Dec. Ann., 1867. 15 p.
Adjutant General, 8 p. Auditor, p. 9-10. Treasurer, p. 11-15.
DLC
1872 Jan. 8 Bien., 1871-72. 15 p.
WHi
1873-78 (Not found)
1881 Dec. 13 Bien., 1878-80. 82 p.
DLC
1883 Dec. Bien., 1881-82. 119 p.
DLC

Unit 3
D.22

Auditors' Reports

1884 Nov. 30 Bien., 1883-84. xii, 159, 148, 28, 31 p.
1886 Nov. 30 Bien., 1885-86. 162 p.
1888 Nov. 30 Bien., 1887-88. 240 p.
1889 Nov. 4 Dec., 1888-Nov., 1889. 160 p.
DLC

D.2 Reel 1b

Unit 1
D.24

Treasurers' Reports

1884 Nov. 30 Bien., 1882-84. 93 p.
1886 Nov. 30 Bien., 1884-86. 76 p.
1888 Nov. 30 Bien., 1886-88. 99 p.
1889 Nov. 5 Dec., 1888-Nov., 1889. 68 p.
DLC

DAKOTA-Continued

Unit 2
D.25ad

Adjutant Generals' Reports

1863, 1867 See Dakota, D.2, Reel 1a, Unit 2.

[W] 1887 Jan. 1 1886. 42 p. NdHi
1888 Sept. 30 1887-88. 46 p.
1889 Nov. 4 1888-89. 54 p.
DLC

Unit 3
D.25dd

Reports of Superintendents of School for Deaf Mutes

1882 Dec. Bien., 1880-82. 11 p.
CtY-Coe
[W] 1884 Bien., 1882-84. (Not found)
[W] 1886 Nov. 30 Bien., 1884-86. 7 p.
NdPI
1888 Dec. 6 Bien., 1886-88. 10 p.
NdU
[W] 1889 Jan. Bien., 1886-88. 14 p. NdPI

Unit 4
D.25ed

Reports of Superintendent of Public Instruction

[W] 1865 Dec. 21 Ann., 1864-65. 11 p. DE
1866 Dec. Ann., 1865-66. 12 p.
1867 Dec. Ann., 1866-67. 26 p.
Textbooks for Dakota. 223-256 p.
M
1868 Dec., 1869 Dec. Ann., 1867-68, 1868-69. (Not found)
1870, 1871, 1872, 1873 (Not found. See Journals.)
1874 Dec. 31 Ann., 1874. 60, 15 p.
Speech of Hon. E. W. Miller. 10 p.
Address of Hon. Nathan Ford. p. 11-15.
1876 Dec. 31 Ann., year ending Aug. 31, 1875. 11 p. Ann., Sept., 1875-Aug., 1876. [13]-67 p.
1877 Dec. 15 Ann., Sept. 1876-Aug. 1877. 59, [1] p.
Ct
1878-1881 (Not found)
[W] 1882 Dec. 15 Ann., Apr. 1881-May 1882. 5, 5, [2] p. DLC
1883 (Not found)
1884 Ann., July 1883-June 1884. 101 p.
M

DAKOTA-Continued

1885 Ann., July 1884-June 1885. 31, [8] p. M
1886 Dec. 15 Ann., July 1885-June 1886. 76 p. DLC

Report of Board of Education

1888 Dec. 31 Bien., July 1886-June 1888. xli, 324 p. M

Unit 5

D.25ed B.3

1877 Act to establish a public school law. 30 p. Ct
[W] 1880 The school laws of Dakota. 15 p. SdHi
[W] 1881 Public school law, officers and statistics. 5 p. SdHi
1883 Common schools of Dakota. Public school law. 68 p. M
[W] 1885 Common schools of Dakota. Compiled enactments of the Legislative Assembly. 48 p. SdHi
[W] 1885 Compilation of the various...on schoolhouse bonds. 14 p. ICU
[W] 1885 Public school exhibit. 8 p. SdHi
1889 Common schools of Dakota. Compiled from the enactments of the Legislative Assembly. 48 p. WHi

D.2 Reel 1c

Unit 1

D.25im

Reports of Commissioner of Immigration

1871 Jan. 2 Ann., 1870. 47 p. Photo. NN Orig. SdHi
1872 Dec. 16 Bien., 1871-72. 92 p. NN
1876 The free lands of Dakota. 31, [1] p. WHi
1886 Dec. 15 Bien., 1885-86. 73 p. DLC
1888 Bien., 1887-88. 85 p. DLC - NN

Unit 2

D.25in

Reports of the Superintendent of the Hospital for the Insane

1880 Nov. 30 Bien., 1878-80. (Yankton) 32, 36 p.
1882 Nov. 30 Bien., 1880-82. (Yankton) 28 p. M
[W] 1884 Nov. 30 Bien., 1882-84. (Yankton) 36 p. DSG
[W] 1884 Nov. 30 Ann., 1883-84. (Jamestown) 10 p. NDJi DSG
[W] 1886 Nov. 30 Bien., 1884-86. (Yankton) 35 p. DSG SdHi SdYH
1886 Dec. 1 Bien., 1884-86. (Jamestown) 63, [1] p. NdU
1888 Nov. 30 Bien., 1886-88. (Yankton) 20 p. M
1888 Nov. 30 Bien., 1886-88. (Jamestown) 52 p. NdU

Unit 3

D.25pr

Reports of the Directors of the Penitentiary

1883 Jan. 20 Bien., 1881-83. 23, [5] p. M

DAKOTA-Continued

1883 Rules, regulations and bylaws of the penitentiary. 14 p. DLC
1884 Nov. 30 Bien., 1883-84. 83 p. DLC
[W] 1886 Dec. Bien., 1884-86. (Bismarck) 50 p. CU Nd-L NdHi
1886 Nov. 30 Bien., 1884-86. (Sioux Falls) 61 p. DLC
[W] 1886 Dec. Bien., 1884-86. (Bismarck) 84 p. SdHi
1888 Dec. 1 Bien., 1886-88. (Sioux Falls) 50 p. DLC
1888 Dec. Bien., 1886-88. (Bismarck) 46 p. M

Unit 4

D.25x

Reports of Board of Railroad Commissioners

1885 Apr. 2-Nov. 30, 1885. 166, vii p. DLC - NN
1886 Dec. 8 Ann., 1885-86. 344, xxx p. DLC

D.2 Reel 1d

Unit 1

D.25x

Reports of Board of Railroad Commissioners

1887 Nov. 8 Ann., July 1886-June 1887. 309 p. DLC

Unit 2

1888 Nov. 30 Ann., 1887 July-1888 June. 79, 248 p.
1889 Dec. 1 Ann., 1888 July-1889 June. 83 p. DLC

Unit 3

1875 Mar. Das Territorium Dakota. 22 p. PHi
1875 Laws of Lost Mining District, Deadwood Gulch. Broadside.
1876 Laws of the Whitewood Quartz District. 2 sheets. CtY-Coe

Unit 4

D.25im

1887 Resources of Dakota. 498 p. DLC

Unit 5

D.X

1885 Jan. 1 Report of Board of Grain Inspectors. 32, [4] p. MnHi

FLORIDA

D.2 Reel 1

Unit 1

D.21

1827 Dec. 10 Message of William M. McCarthy. 10 p. FU

FLORIDA-Continued

Unit 2

D.22

1831 Dec.-1833 Dec. Auditor's day book. 38 fol. MS. F-Ar

Unit 3

D.24

1825 Treasurer's statement. 2 p. MS.
1827 Treasurer's statement. 3 p. MS.
1827 Treasurer's report. 6 p. MS.
1827 Treasurer's report. 2 p. MS.
1828 Treasurer's report. 2 p. MS.

F-Ar

Unit 4

D.25ad

1850 Dec.-1868 Feb. Commissary activities and correspondence. 200, [6] p. MS. F-Ar

Unit 5

D.25at

1845 July 28-1858 Dec. 31 Attorney General's Office. Record A. 141, [5], [58] p. MS.

F-Ar

Unit 6

D.25 la

1825-1831 Record book sales of public lands. 183, 205-255 fol. MS. F-Ar

GEORGIA

D.23 Reel 1

Comptrollers' Reports

Unit 1

1840 Oct.-1845 Oct. Journal. 133-325 p. MS.

G-Ar

1846 Oct. Ann., 1845-46. 60 p.
1847 Oct. Ann., 1846-47. 33 p.

G

1847 Nov.-1849 Oct. Journal. 390-456 p. MS.

G-Ar

1850 Oct. Ann., 1849-50. 43 p.
1851 Oct. Ann., 1850-51. 36 p.

G

Unit 2

1852 Oct. Ann., 1851-52. 47 p.
1853 Oct. Ann., 1852-53. 39 p.
1854 Oct. Ann., 1853-54. 56 p.
1855 Oct. Ann., 1854-55. 37 p.
1856 Oct. Ann., 1855-56. 49 p.
1857 Oct. Ann., 1856-57. 68 p.

G

Unit 3

1858 Oct. Ann., 1857-58. 86 p.

GEORGIA-Continued

1859 Oct. Ann., 1858-59. 124 p.
1860 Oct. Ann., 1859-60. 118 p.

G

Unit 4

1861 Oct. Ann., 1860-61. 156 p.
(p. 3-6, 35-36, 81-82 missing from original)
1862 Oct. Ann., 1861-62. 140 p.
1863 Oct. Ann., 1862-63. Pt. 1: 126 p.
Pt. 2: 69 p.
1864 Oct. Ann., 1863-64. Pt. 1: 134 p.
Pt. 2: 47 p.
1865 Oct. Ann., 1864-65. 80 p.
1866 Oct. Ann., 1865-66. 89 p.
1869 Jan. Aug. 11, 1868-Jan. 1, 1869.
23 p. tables.
1870 Jan. Supplemental report. 283 p.
1870 Jan. Ann., 1869. 138, 1 p.
1871 Apr. Ann., 1870. 143 p.

G

D.24 Reel 1

Treasurers' Reports

Unit 1

D.24

1787 Treasury receipts. [73] p.
Index. 5 p. Typescript.
1788 Treasury receipts. [50] p.
Index. 3 p. Typescript.
1789 Jan.-Nov. Treasury receipts. [61] p.
Index. 3 p. Typescript.
1789 Dec.-1793 Nov. Treasury receipts.
[160] p.
1792 Dec.-1794 Dec. Treasury receipts.
[58] p.
Index. 3 p. Typescript.

G-Ar

Unit 2

D.24 D.3

1839 Report of Commissioners on State Finance. 64, 62 p.
1848 Report of Finance Committee. 13 p.
1851 Report of Finance Committee. 7 p.
1853 Report of Finance Committee. 33 p.
1854 Report of Finance Committee. 28 p.
1857 Report of Finance Committee. 22 p.
1851 Report of State Road Finance Committee. 10 p.
1868 Report of Joint Committee on Treasurer and Comptroller. 14 p.

G

GEORGIA-Continued

1869 Report of Finance Committee. 45 p.
GU-De

Unit 3
D.24

1845 Ann., 1844-45. 87 p. G

Unit 4
D.24 D.3

1870 May 5-June 28 Proceedings of the Investigating Committee. Governor Bullock and state bonds. 193, 24, 16, 7 p.

1870 June 15-June 27 Proceedings of the Investigating Committee. State Treasurer, N. L. Angier. 179, 33 p.

1872 Report of the Committee to Investigate Bonds Issued... 184 p.
G

D.25 Reel 1

Unit 1
D.25ad

Adjutant Generals' Reports

1861 Feb. 15 General order no. 4. 10 p.

1862 Oct. Ann., 1861-62. 24 p.
GEU

1863 Oct. Ann., 1862-63. 44 p.
GU-De

1864 Jan. 7 General order no. 1. 3 p.
GEU

Unit 2
D.25ad

Quartermaster Generals' Reports

1861 Regulations for the Quartermaster's department. 80 p.
GEU

1864 Oct. Ann., 1863-64. 23 p. GU-De

Unit 3
D.25bl

Reports of Trustees of Academy for the Blind

1855 Jan. 3d ann., 1854. 8 p.

1858 Nov. 7th ann., 1857-58. 15 p.

1862 Nov. 11th ann., 1861-62. 16 p.

1866 Nov. 15th ann., 1865-66. 15, [3] p.

1871 Nov. Ann., 1870-71. 1 p.l., 13, [2] p.
G

GEORGIA-Continued
Unit 4
D.25dd

Reports of Commissioners of the
Deaf and Dumb Asylum

1851 Jan. 2d ann., 1850. 20, [1] p.
1855 July 6th ann., 1854-55. 16, [3] p.
1856 July 7th ann., 1855-56. 21, [2] p.
1868 July 12th ann., 1867-68. 26 p.
1869 July 13th ann., 1868-69. 26 p.
1871 July Bien., 1869-71. 49 p.

G

D.25in

Reports of the Trustees, etc. of the
Lunatic Asylum

1845 Jan. 1st ann., 1844. 71, 10 p.
1858 Oct. Ann., 1857-58. 8 p.
1859 Oct. Ann., 1858-59. 31 p.
1860 Oct. Ann., 1859-60. 16 p.
1861 Oct. (Not found)
1862 Oct. Ann., 1861-62. 11 p.

G

1863 Oct., 1864 Oct. (Not found)
1865 Oct. Ann., 1864-65. 16 p.

G-Ar

1867 Oct. Ann., 1866-67. 38 p. G
1868 Oct. Ann., 1867-68. 39 p. G-Ar
1869 Oct. Ann., 1868-69. 39 p.
1866 Feb. Information and explanations from the Superintendent of the Lunatic Asylum. 12 p.
1866 Report of the majority and minority of the Committee on the Lunatic Asylum. 13 p.

G

Unit 5
D.25pr

Reports of the Principal Keeper of
the Penitentiary

1853 Oct. Bien., 1851-53. 19, [3] p.
1855 Oct. Bien., 1853-55. 12, 3 p.
1856 Oct. (Not found)
1857 Oct. Ann., 1856-57. 7 p.
1858 Oct. Ann., 1857-58. 11 p.
1859 Oct. (Not found)
1860 Oct. Ann., 1859-60. 32 p.
1861 Oct. (Not found)
1862 Oct. Ann., 1861-62. 31 p.
1863 Oct.-1867 Oct. (Not found)
1869 Jan. Ann., 1868. 28 p.

GEORGIA-Continued

1870 Jan. Ann., 1869. 19, [6] p.
1871 Jan. Ann., 1870. 29 p.

G

Unit 6
D.25ed

1798 July 5-1817 Nov. 13 Minutes of the Trustees of the University of Georgia. 151 p. MS. GU

Unit 7
D.3

1822 Report of Select Committee of House of Representatives on Governor's Message relative to the Secretary of State. 104 p. G

D.X

1862 Papers relative to the mission of Hon. T. Butler King to England. 31 p.

D.X

1864 Mar. 19 Resolutions of the General Assembly declaring the act of Congress for the suspension of the writ of habeas corpus unconstitutional. 8 p.

A.X

1865 Rules of the House of Representatives. 7 p. GEU

IDAHO

D.2 Reel 1

Governors' Messages

Unit 1
D.21

[W] 1863 July 10 William Wallace. Proclamation relative to organizing territory. Broadside.
[W] 1863 Sept. 22 Proclamation designating date of first election. Broadside.

Id-Secy.

1863 Dec. 7 Message. (Not found. See House journal, p. 11-16.)
1864 Nov. 16 Caleb Lyons. 7 p.
1865 Dec. 8 Caleb Lyons. 8 p.
1866 Dec. 5 David W. Ballard. 8 p.

DLC

1866 Dec. 24 David W. Ballard. Veto message. 3 p.
[W] 1868 June 2 David W. Ballard. Proclamation calling election. Broadside.

Id-Secy.

1868 Dec. David W. Ballard. 12 p.
1868 Dec. 12 David W. Ballard. Special. 3 p.

DLC

1870 Dec. E. J. Curtis. 14 p.
1872 Dec. 3 Thomas W. Bennett. 20 p.
1874 Dec. 8 Thomas W. Bennett. 33 p.

IDAHO-Continued

1876 Dec. 4 Mason Brayman. 16 p.
1879 Jan. 12 Mason Brayman. 16 p.
1880 Dec. 13 John B. Neal. 19 p.

Id-L

1881 John B. Neal. Special. 3 p. NN
1882 Dec. 11 John B. Neal. 24 p.
1884 Dec. 9 William H. Bunn. 22 p.
1886 Dec. 8 Edward A. Stevenson. 21 p.
1888 Dec. 5 Edward A. Stevenson. 32 p.

Id-L

Unit 2

D.21

1890 Dec. 10 George L. Shoup. 24 p.
(n.t.-p.)
1893 Jan. 2 Norman B. Wiley. 63 p.
1893 Jan. 4 William J. McConnell. 24 p.
1893 Communications. 27 p.
1895 Jan. 8 William J. McConnell. 32 p.
(n.t.-p.)
1897 William J. McConnell. 23 p.
1897 Jan. 5 Frank Steunenberg. 17 p.
1899 Jan. 5 Frank Steunenberg. 36 p.
1901 Jan. 9 Frank W. Hunt. 24 p.
1903 Jan. 5 John T. Morrison. 29 p.
1905 Frank R. Gooding. 22 p.
1907 Jan. 8 Frank R. Gooding. 40 p.
1909 Jan. 4 James H. Brady. 40 p.
1911 Jan. 3 James H. Hawley. 46 p.
1912 Jan. James H. Hawley. 19 p.
1913 Jan. John M. Haines. 43 p.
1915 Moses Alexander. 23 p.

Id-L

Unit 3

D.22

Auditors' Reports

1864 Ann., 1863-64. 9 p. CU-B
1865 Ann., 1864-65. 8 p. IdHi
1866 (Not found. See Appendix to Council
and House journals.)

D.23

Comptrollers' Reports

1868 Bien., 1867-68. 12 p.
1870 Bien., 1869-70. 47 p.
1872 Bien., 1871-72. 22 p.
1874 Bien., 1873-74. 20 p.
1876 Bien., 1875-76. 20 p.
1878 Bien., 1877-78. 15 p.

IdHi

1880 Bien., 1879-80. 14 p.

IdB-Stewart-1

IDAHO-Continued

1882 Bien., 1881-82. 29 p. Id-L
1884 Bien., 1883-84. 29 p. IdHi
1887 Bien., 1885-86. 77 p. WHi Id-L
1889 Bien., 1887-88. iv, [5], 91 p.
Id-L

Unit 4
D.24

Treasurers' Reports

[W] 1864 Ann., 1864. (Not found)
1865 Ann., 1865. 4 p.
(Bound with Report of Prison Commissioner, 1865.) 8 p.
IdHi
1866 Ann. (Not found. See Appendix to Council and House journals.)
1868 Bien., 1867-68. 14 p.
IdB-Stewart
1870 Bien., 1868 Dec.-1870 Dec. 13 p.
1872 Bien., 1870 Dec.-1872 Dec. 9 p.
1874 Bien., 1872 Dec.-1874 Dec. 1 p.l., 4 p.
1876 Bien., 1874 Dec.-1876 Dec. 8 p.
1879 Bien., 1876 Dec.-1878 Dec. 7 p.
IdHi
[W] 1880 Bien., 1878 Dec.-1880 Dec. (Not found)
1882 Bien., 1880 Dec.-1882 Nov. 1 p.l., 3 p.
1884 Bien., 1882 Nov.-1884 Nov. 5 p.
1886 Bien., 1884 Nov.-1886 Nov. 15 p.
IdHi
1888 Bien., 1886-88. (Not found)

Unit 5
D.25ed

Reports of Superintendents of Public Instruction

1865 Ann., 1864 Dec.-1865 Dec. (Not found. See Appendix to Council and House journals.)
1866 Ann., 1865 Dec.-1866 Dec. (Not found. See Appendix to Council and House journals.)
1868 Bien., 1866 Dec.-1867 Dec. 8 p.
DLC
1870 Bien., 1868 Dec.-1870 Dec. 10 p.
1872 Bien., 1871-72. 27 p.
1874 Bien., 1873-74. 44 p.
1876 Bien., 1875-76. 43 p.
1879 Bien., 1877-78. 44 p.
1880 Bien., 1879-80. 30 p.

IDAHO-Continued

1882 Bien., 1881-82. 58 p.
Id-L
1884 Bien., 1883-84. 57 p. PPL
[W] 1886 Bien., 1885-86. (Not found)
1888 Bien., 1887-88. 58 p.
1890 Bien., 1889-90. 36 p.
Id-L
1892 Bien., 1890-91. 22, xxxviii p. Id-L

Unit 6

D.25ed

1875 School law, County Commissioners' law and Revenue law. 75 p. IdB-Stewart
1881 School law of Idaho. 22 p.
1883 School law of Idaho. 23 p.
IdHi
1887 The general school laws of Idaho. 26 p.
CU-B

Unit 7

D.25pr

Reports of Prison Commissioners

1865 1865. 8 p. (Bound with Treasurer's report.)
IdB-Stewart
[W] 1870 Bien., 1868 Nov.-1870 Nov. 9 p. DLC

D.X

1864 Idaho directory, 1864. [2], 56, [2] p.
DLC
1865 Council bill no. 42: An act to amend "An act to regulate proceedings in civil cases." 20 p.
1866 Report of Secretary Howlett to the State Department. 11 p. MS.
1867 Report of Committee on Territorial Affairs on the repeal of the Specific contract act. 3 p.
1867 Majority report of the Committee on Territoial Affairs. 11 p.
1867 Majority report of Joint Committee on Ways and Means and Education. 7 p.
1867 Minority report of Joint Committee on Ways and Means and Education. 7 p.
Id-Secy.

D.21

1878 Nov. 5 Mason Brayman. Thanksgiving proclamation. Broadside.
1879 Nov. 10 Mason Brayman. Thanksgiving proclamation. Broadside.
1881 Nov. 10 Theodore F. Singiser, Acting Governor. Broadside.
IdB-Stewart

IDAHO-Continued

1886 Apr. 27 Edward A. Stevenson. Proclamation relative to expulsion of Chinese. Broadside. DLC

A.X

1872 Rules of the Council, 7th sess. 7 p.
1876 Members and attachés, 9th sess. Broadside.
IdB-Stewart

ILLINOIS

D.1 — Reel 1

Legislative Documents

Binder	Report period		Imprint
		Reports	
		Unit 1	
1838-39	1838	v.p.	1839
			NcU
		Unit 2	
1839-40	1839	v.1: xii, 454 p.	1840
		v.2: xii, 478 p.	1840
			NcU
		Unit 3	
1840-41	1840	408 p.	1841
			NcU

D.1 — Reel 2

Legislative Documents

Binder	Report period		Imprint
		Reports	
		Unit 1	
1842-43	1841-42	v.1: iv, 216 p.	1842
		v.2: xiii, 431 p.	1842
			NcU
		Unit 2	
1844-45	1843-44	v.1: vi, 207 p.	1845
		v.2: xii, 395 p.	1845
			DLC
		Unit 3	
1846-47	1845-46	v.1: vi, 219 p.	1846
		v.2: viii, 351 p.	1846
			DLC
		Unit 4	
1849	1846-48	702 p.	1849
			DLC

D.1 — Reel 3

Legislative Documents

Binder	Report period		Imprint
		Reports	
		Unit 1	
1851	1848-50	146, [1], 496, [2] p.	1851
			M

ILLINOIS-Continued

Binder Report period Imprint

Unit 2

1853 1850-52 250, [1], 353, [1] p. 1853
M

Unit 3

1855 1852-54 1156, iv p. 1855
M

D.22 D.24 Reel 1

Unit 1

1813 Jan. 2-1817 Oct. 22 Auditor's and Treasurer's book. [1], 66, [69-199] p. MS. I-Ar

INDIANA

D.1 Reel 1

Documentary Journal

Binder	Report period			Imprint
	Unit 1			
1835	1835	[1-35]	v.p.	n.t.-p. In
	Unit 2			
1836	1836	[1-16]	v.p.	n.t.-p. In
	Unit 3			
1837	1837	[1-43]	v.p.	1838 In
	Unit 4			
1838	1838	1-40 (w: p. 645-646 of Doc. 36)	680 p.	1839 In

D.1 Reel 2

Documentary Journal

Unit 1

1839 1839 (S) 1-27, (H) 1-35 208, 298 p. 1840
(S. doc. 9, p. 189-190 inserted between p. 156-157. H. doc. 10, p. 113-116 and H. doc. 13, p. 141-171 are missing. Not listed in index.)
In

Unit 2

1840 1840 (H) 1-53, (S) 1-10 582, 186, [1] p. n.t.-p.
(H. doc. 5, 6, p. 83-95 are missing.) In

Unit 3

1841 1841 (S) 1-5, (H) 1-17 632, 510 p. 1842
In

D.1 Reel 3

Documentary Journal

Unit 1

1842 1842 (S) 1-8, (H) 1-19 463, 341 p. 1842
In

INDIANA-Continued

Binder		Report period		Imprint
		Unit 2		
1843	1843	(H) 1-13, (S) 1-7	397, [1], 80, [1] p.	1843 In
		Unit 3		
1844 (S & H)	1844	Pt. I: 1-11 Pt. II: 1-18	199, [1], 164 p.	1845 In
		Unit 4		
1845 (S & H)	1845	Pt. I: 1-9 Pt. II: 1-26	185, 297 p.	1846 In
D.1				Reel 4
		Documentary Journal		
		Unit 1		
1846 (S & H)	1846	Pt. I: 1-11 Pt. II: 1-26	295, 290, [1] p.	1847 In
		Unit 2		
1847 (S & H)	1847	Pt. I: 1-9 Pt. II: 1-17	625 (sic 267), [1], 388 p.	In
		Unit 3		
1848 (S & H)	1848	Pt. I: 1-9 Pt. II: 1-9	301, 309 p.	1849 In
		Unit 4		
1849 (S & H)	1849	Pt. I: 1-9 Pt. II: 1-13	167, 321 p.	1850 In
D.1				Reel 5
		Documentary Journal		
		Unit 1		
1850 (S & H)	1850	Pt. I: 1-17 Pt. II: 1-12	323, 364 p.	1851 In
		Unit 2		
1851 (S & H)	1851	Pt. I: 1-21 Pt. II: 1-21	408, 518 p.	1852 In
		Unit 3		
1853 (S & H)	1853	Pt. I: 1-22 Pt. II: 1-11	410, 411 p.	1853
D.1				Reel 6
		Documentary Journal		
		Unit 1		
1853	1853	[1-12]	v.p.	n.t.-p. DLC
		Unit 2		
1854	1854	[1-22]	931 p., 3 l, 883-85 p.	1855 DLC
D.1				Reel 7
		Documentary Journal		
		Unit 1		
1855	1854	Pt. I: 1-6	559 p.	1855
1855	1854	Pt. II: 1-20	[561]-1178 p.	1855 In

INDIANA-Continued

Binder		Report period		Imprint
		Unit 2		
1856	1855	Pt. I: 1-6	452 p.	1856
1856	1855	Pt. II: 1-6	368 p.	1856
				DLC

D.1 Reel 8

Documentary Journal

		Unit 1		
1857	1856	Pt. I: 1-11	624 p.	1857
				NcU
		Unit 2		
1857	1856	Pt. II: 1-11	607 p.	1857
				NcU
		Unit 3		
1858	1857	1-5, 1-7	435, 359 p.	1857
		(Pts. I & II in 1 vol.)		DLC

D.1 Reel 9

Documentary Journal

		Unit 1		
1859	1858	Pt. I: 1-6	385 p.	1859
1859	1858	Pt. II: 1-10	406 p.	1859
				DLC

Reports of Officers

		Unit 2		
1860	1859-60	Pt. I: 1-4	350 p.	1860
1860	1859-60	Pt. II: 1-6	291 p.	1860
				DLC

D.24 Reel 1

Unit 1

D.24

1806 May-1815 Dec. Treasurer's ledger. [19], 33 fol. MS.

1806 Aug.-1814 Feb. Treasurer's day book. 31 fol. MS.

In-Ar

Unit 2

E.1

1800 July 4-1816 Sept. 7 Journal of the proceedings of the executive government of Indiana Territory. 81 p. MS. In-Ar

IOWA

D.1 Reel 1

Appendix to Journals

Binder		Report period		Imprint
		Unit 1		
1854-55	1853-54	[1-19]	v.p.	n.t.-p.
				IaHi
		Unit 2		
1856 (H)	1856	[1-13]	743 p.	1857
				DLC

IOWA-Continued

Legislative Documents

Binder	Report period				Imprint
		Unit 3			
1858	1857	[1-22]	v.p.		n.t.-p. DLC

KANSAS

Binder	Report period				Imprint
D.1					Reel 1
		Documents			
		Unit 1			
1860	1859	[1-11]	v.p.		n.d. DLC
		Public Documents			
		Unit 2			
1861	1861	[1-15]	80 p.		1862 DLC
		Unit 3			
1863	1862	[1-7]	167 p.	table.	n.d. DLC
		Unit 4			
1864	1863	[1-10]	v.p.		n.t.-p. DLC
		Unit 5			
1865	1864	[1-3]	v.p.		n.d. DLC
		Unit 6			
1868	1868	[1-5]	v.p.		n.t.-p. DLC
		Unit 7			
1869	1869	[1-6]	v.p.		1870 DLC
D.1					Reel 2
		Public Documents			
		Unit 1			
1870	1870	[1-6]	v.p.		1870 DLC
		Unit 2			
1871	1871	[1-5]	v.p.		1872 DLC
		Unit 3			
1872	1872	[1-5]	v.p.		1873 DLC
		Unit 4			
1873	1873	[1-5]	v.p.		1874 DLC

KENTUCKY

D.1 — Reel 1

Unit 1

D.24

1792 Sept. 1-1798 July 30 Kentucky Treasurer. Journal A. 229 fol. MS. — Ky-Hi

Appendix to House Journal

Binder	Report period		Imprint
	Unit 2		
1839	1839	723, iii p.	n.t.-p. DLC

Reports

Binder	Report period		Imprint
	Unit 3		
1840-41	1839-40	558 p. tables.	1840 DLC

D.1 — Reel 2

Legislative Documents

Binder	Report period		Imprint
	Unit 1		
1841-42	1840-41	479 p.	1842 DLC

Reports

Binder	Report period		Imprint
	Unit 2		
1842-43	1841-42	544 p.	1843 DLC
	Unit 3		
1843-44	1842-43	558 p.	1843 DLC
	Unit 4		
1844-45	1843-44	591 p.	1844 NcU

D.1 — Reel 3

Reports

Binder	Report period		Imprint
	Unit 1		
1845-46	1844-45	733 p. table.	1845 NcU
	Unit 2		
1846-47	1845-46	733 p.	1846 NcU
	Unit 3		
1847-48	1846-47	794 p.	1847 NcU

D.1 — Reel 4

Reports

Binder	Report period		Imprint
	Unit 1		
1848-49	1847-48	722 p.	1848 NcU
	Unit 2		
1849-50	1848-49	821 p.	1849 NcU

KENTUCKY-Continued

Binder	Report period			Imprint
	Unit 3			
1850-51	1849-50	829 p.		1850 NcU
D.1				Reel 5
	Reports			
	Unit 1			
1851-52	1850-51	768 p.		1851 NcU
	Unit 2			
1852	1851-52	596 p.		1852 NcU
	Legislative Documents			
	Unit 3			
1861 Sept.	1860-61	3-12	v.p.	n.t.-p. KyHi

LOUISIANA

Binder	Report period			Imprint
D.1				Reel 1
	Documents[1]			
	Unit 1			
1856	1855	[1-32]	v.p.	1856 DLC
	Unit 2			
1857	1856	I-XI.	v.p.	n.d. DLC
D.1				Reel 2
	Documents			
	Unit 1			
1858	1857	I-XLVII	v.p.	1858 DLC
	Unit 2			
1858	1857	I-III	v.p.	1858

Incomplete. Includes Governor's message, Auditor's report, Report of Superintendent of Public instruction.

DLC

Binder	Report period			Imprint
D.1				Reel 3
	Documents			
	Unit 1			
1859	1858	1-49	v.p.	1859 DLC
	Unit 2			
1860	1859	1-35	v.p.	1860 DLC

1. Documents for 1850, 1852, 1853, 1854, 1855 are appendices in the House journals; 1845, 1848, 1853, 1855 are in the Senate journals. These will be found on reels listed under Louisiana A.1a and A.1b.

LOUISIANA-Continued

D.1 Reel 4

Documents

Binder	Report period			Imprint
		Unit 1		
1860	1859	1-36 (Fr.)	v.p.	1860 DLC
		Unit 2		
1861	1860	1-36 (Nos. 34-36 missing)	v.p.	1861 LNT

D.1 Reel 5

Documents

Binder	Report period			Imprint
		Unit 1		
1862	1861	1-38	v.p.	1862 LU-1
		Unit 2		
1864-65	1864	Appendix. Reports of state officers. 220 p. (Bound with Debates of the House and Senate.)		n.d. LU
		Unit 3		
1866	1865	[1-20]	v.p.	1866 DLC

D.1 Reel 6

Documents

Binder	Report period			Imprint
		Unit 1		
1867	1866	1-31	v.p.	1867 DLC
		Unit 2		
1868	1867	[1-10]	v.p.	1868 DLC
		Unit 3		
1869	1868	[1-16]	v.p.	1869 DLC

D.1 Reel 7

Documents

Binder	Report period			Imprint
		Unit 1		
1870	1869	[1-19]	v.p.	1870 DLC
		Unit 2		
1871	1870	[1-16]	v.p.	1871 DLC

D.1 Reel 8

Documents

Binder	Report period			Imprint
		Unit 1		
1872	1871	[1-14]	v.p.	1872 DLC

LOUISIANA-Continued

Binder	Report period			Imprint
		Unit 2		
1873	1872	[1-10]	v.p.	1873 DLC
D.1				Reel 9
		Documents Unit 1		
1879	1878	[1-6] H. J., S. J.	v.p.	n.t.-p. NN
D.1				Reel 10
		Documents Unit 1		
1882	1881	v.1: [1-8]	v.p.	n.t.-p. NN
		Unit 2		
1882	1881	v.2: [9-15]	v.p.	n.t.-p. NN

MAINE

Binder	Report period			Imprint
D.1				Reel 1
		Public and Legislative Documents Unit 1		
1819-1825		[1-49]	v.p.	n.t.-p. MeHi
		Unit 2		
1824-1828		[1-45]	v.p.	n.t.-p. MeHi
		Unit 3		
1828-1830		[1-50]	v.p.	n.t.-p. Me
D.1				Reel 2
		Public and Legislative Documents Unit 1		
1830-1831		[1-49]	v.p.	n.t.-p. MeHi
		Unit 2		
1833	1832	[1-38]	v.p.	n.t.-p. MeHi
		Unit 3		
1834	1833	[1-50]	v.p.	1834 Me
D.1				Reel 3
		Public and Legislative Documents Unit 1		
1835	1834	1-46, [1-5]	v.p.	1835
1836	1835	1-78, [1-7]	v.p.	n.t.-p. Me

MAINE-Continued

	Binder	Report period			Imprint
			Unit 2		
	1837	1836	1-44, [1-8]	v.p.	1837 Me
	D.1				Reel 4
			Documents Unit 1		
	1838	1837	(H) 1-33	v.p.	n.t.-p.
		1837	(S) 1-18, [1-9]	v.p.	n.t.-p. DLC
			Unit 2		
[W]	1839	1838	Pt.1: [1-6]	v.p.	1839
			Pt.2: 1-46	v.p.	1839
	(Doc. 29 missing)				DLC
	D.1				Reel 5
			Public and Legislative Documents Unit 1		
	1840	1839	[1-11], 1-36	v.p.	1840 DLC
			Unit 2		
	1841	1840	[1-7], (S) 1-28, (H) 1-27	v.p.	1841 DLC
	D.1				Reel 6
			Public and Legislative Documents Unit 1		
	1842	1841	[1-11], (H & S) 1-50, 1-6	v.p.	1842 DLC
			Unit 2		
	1843	1842-43	[1-11], (H & S) 1-52	v.p.	1843 DLC
	D.1				Reel 7
			Public and Legislative Documents Unit 1		
	1844	1843-44	[1-9], 1-55	v.p.	1844 DLC
			Unit 2		
	1845	1844-45	[1-12], 1-34	v.p.	1845 DLC
	D.1				Reel 8
			Public and Legislative Documents Unit 1		
	1846	1845-46	[1-9], (H & S) 1-34	v.p.	1847 DLC
			Unit 2		
	1847	1846-47	[1-13], (H & S) 1-26	v.p.	1848 DLC

MAINE-Continued

D.1				Reel 9
		Public and Legislative Documents		
Binder		Report period		Imprint
		Unit 1		
1848	1847-48	[1-14], (H & S) 1-35	v.p.	1849 DLC
		Unit 2		
1849	1848-49	[1-14], (H & S) 1-38	v.p.	1850 DLC
D.1				Reel 10
		Public and Legislative Documents		
		Unit 1		
1850	1849-50	[1-18], (H & S) 1-37	v.p.	1850 DLC
D.1				Reel 11
		Public and Legislative Documents		
		Unit 1		
1851-52	1850-51	Pt.1: [1-16]	v.p.	1852 DLC
		Unit 2		
1851-52	1850-51	Pt.2: [1-2], 1-51	v.p.	n.t.-p. DLC
D.1				Reel 12
		Public and Legislative Documents		
		Unit 1		
1853	1852-53	[1-12], [1-2], (S) 1-13, (H) 1-36	v.p.	1853 DLC
D.1				Reel 13
		Public and Legislative Documents		
		Unit 1		
1854	1853-54	[1-14], [1-2], [1-3], (S) 1-20, (H) 1-34	v.p.	1854 DLC
D.1				Reel 14
		Public and Legislative Documents		
		Unit 1		
1855	1854-55	[1-18], (H) 1-19, (S) 1-22	v.p.	1855 DLC
D.1				Reel 15
		Public and Legislative Documents		
		Unit 1		
1856	1855-56	[1-16]	v.p.	1856 DLC
		Unit 2		
1856	1855-56	(H) 1-36, (S) 1-42	v.p.	1856 DLC

MAINE-Continued

D.1 Reel 16

Public and Legislative Documents

Binder	Report period		Imprint
		Unit 1	
1857	1856-57	Pt.1: [1-14]	v.p. 1858 DLC
		Unit 2	
1857	1856-57	Pt.2: [1-3], (H) 1-48, (S) 1-17	v.p. 1858 DLC

D.1 Reel 17

Public and Legislative Documents

		Unit 1	
1858	1857-58	[1-15], (H & S) 1-43, 1-42	v.p. 1858 DLC

D.1 Reel 18

Public and Legislative Documents

		Unit 1	
1859	1858-59	[1-17], (H & S) 1-44	v.p. 1859 DLC

D.1 Reel 19

Public and Legislative Documents

		Unit 1	
1860	1859-60	[1-16], (H) 1-35, (S) 1-24	v.p. 1860 DLC

D.1 Reel 20

Public and Legislative Documents

		Unit 1	
1861	1860-61	Pt.1: [1-19]	v.p. 1861 DLC
		Unit 2	
1861	1860-61	Pt.2: (H) 1-69, (S) 1-25, (H) 1-5, (S) 1	v.p. 1861 DLC

D.1 Reel 21

Public and Legislative Documents

		Unit 1	
1862	1861-62	[1-6]	v.p. 1862 DLC
		Unit 2	
1862	1861-62	[1-13], (H) 1-10, (S) 1-27	v.p. 1862 DLC

D.1 Reel 22

Public and Legislative Documents

		Unit 1	
1863	1862-63	[1-16], (H) 1-13, (S) 1-19	v.p. 1863 DLC

MAINE-Continued

D.1 Reel 23

Public and Legislative Documents

Binder	Report period			Imprint
		Unit 1		
1864	1863-64	[1-15], (H) 1-36, (S) 1-29	v.p.	1864 DLC

D.1 Reel 24

Public and Legislative Documents

Unit 1

1865	1864-65	[1-17], (H) 1-53, (S) 1-29	v.p.	1865 DLC

D.1 Reel 25

Public and Legislative Documents

Unit 1

1866	1865-66	[1-15], (H) 1-77, (S) 1-35	v.p.	1866 DLC

D.25 1a a Reel 1a

Pejebscot Records

Unit 1

1659 June-1767 June Book 1. [4], [2], 295, [2] p. MS.
Votes and proceedings of proprietors, July 14, 1717-Feb. 12, 1767. 46-245 p. MS.
Appended: Votes of the proprietors of Smallpoint now George Town, Mar. 9, 1748-Aug. 7, 1751. [4], 21 p. MS.
MeHi

Unit 2

1767 June 3-1817 Oct. 17 Book 2. 1 p.l., 107, [10] p. MS. MeHi

Unit 3

1713 May 29-1779 Mar. 31 v.3: 202, [1] p. MS. MeHi

Unit 4

1670 July 22-1823 Aug. 17 v.4: 459 p. MS. MeHi

D.25 1a a Reel 1b

Pejebscot Papers

Unit 1

1760 July 3-1843 July 5 v.5: 482 p. MS. MeHi

Unit 2

1635-1832 v.6: 366 p. MS.
Lord Edgecombe's claim. 62 p.
Merriconeag, Harpswell and Sebascodegan. p. 63-224.
Harvard College claim. p. 225-302.
North Yarmouth. p. 303-366.
Sebascodegan, Merriconeag. p. 343-356.
MeHi

D.25 1a a Reel 1c

Pejebscot Papers

Unit 1

1672-1834 v.10: 828 p. MS.
Brunswick. 614 p.
Topsham. p. 615-680.
Woolwick and Georgetown. p. 681-728.

MAINE-Continued

Royalsboro. p. 729-742.
Small Point. p. 743-828.

MeHi

Unit 2

1797 Feb. The title of the Pejebscot Proprietors to lands on both sides of the Androscoggin River. 71 p. MS. MeHi

Unit 3

Notes, memoranda, etc. [9] p., 1 l., 50, [15] p., 7 l. MS. MeHi

D.25 la b Reel la

Kennebeck Records

Unit 1

1749 Sept. 1-1750? Minute book. v.1: 183, [18] p. MS. MeHi

Unit 2

1753 Jan. 24-1768 Oct. 12 Minute book. v.2: 425, [24] p. MS. MeHi

Unit 3

1768 Oct. 12-1800 Nov. 6 Minute book. v.3: [40], 562 p. MS. MeHi

Unit 4

The several shares and proportions of the proprietors of the Kennebeck purchase...traced down to May 5, 1756. 90 p. MS.
The Draper case. 147-165, 173-177 p. MS.

MeHi

D.25 la b Reel lb

Kennebeck Records

Unit 1

1800 Nov. 6-1811 Dec. 4 Minute book. v.4: 546, [16], [14] p. MS. MeHi

Unit 2

1811 Dec. 4-1822 Apr. 25 276, [14] p. MS. MeHi

Unit 3

1766 Dec. 3-1809 July 6 Letter book. 304 p. MS. MeHi

Unit 4

1809 July 13-1820 Feb. 8 Letter book. 71, [12] p. MS. MeHi

Unit 5

1754 Mar.-1800 Nov. Kennebeck purchase ledger. [4], 77 fol. MS. MeHi

MARYLAND

D.1 Reel 1

Public Documents

Binder	Report period			Imprint
	Unit 1			
1829	1829	1-14	v.p.	n.t.-p. Md
	Unit 2			
1830	1830	1-12, 1-5	v.p.	n.t.-p. Md
1831	(Not found)			

MARYLAND-Continued

	Binder	Report period			Imprint
			Unit 3		
[W]	1832	1832		v.p.	n.t.-p. Md
	D.1				Reel 2
			Public Documents Unit 1		
[W]	1833	1833		v.p.	n.t.-p. Md
			Unit 2		
[W]	1834	1834		v.p.	n.t.-p. Md
	1835	(Not found)			
			Unit 3		
[W]	1836	1836		v.p.	n.t.-p. Md
			Unit 4		
[W]	1837	1837		v.p.	n.t.-p. Md
	D.1				Reel 3
			Public Documents Unit 1		
	1838	1838	[35]	v.p.	n.t.-p. DLC
			Unit 2		
	1839	1839	[41]	v.p.	n.t. p. DLC
			Unit 3		
	1840	1840	1-20, [8]	v.p.	n.t.-p. DLC
	D.1				Reel 4
			Public Documents Unit 1		
	1841	1841	[A]-O, [1-2]	v.p.	n.t.-p. DLC
			Unit 2		
	1842	1842	A-Z, AA (5)	v.p.	n.t.-p. DLC
			Unit 3		
	1843	1843	A-Z, AA-II	v.p.	n.t.-p. DLC
	D.1				Reel 5
			Public Documents Unit 1		
	1844	1844	(H) A-X	v.p.	n.t.-p. NcU
			Unit 2		
	1845	1845	(H) A-T	v.p.	n.t.-p. NcU

MARYLAND-Continued

	Binder	Report period			Imprint
			Unit 3		
[W]	1846	1846	(H) A-U	v.p.	n.t.-p. Md
			Unit 4		
[W]	1847	1847	(H) A-BB, [1-?]	v.p.	n.t.-p. Md
			Unit 5		
	1849	1848-49	(H) A-CC, [1-3]	v.p.	n.t.-p. DLC
			Unit 6		
	1852	1850-51	(H) A-Q, [1-4]	v.p.	n.t.-p. DLC
			Unit 7		
	1853	1852	(H) A-Y, [1-2]	v.p.	n.t.-p. DLC

D.1 Reel 6

Public Documents

Binder	Report period			Imprint
		Documents Unit 1		
1854	1853	(H) A-L, [1-2], (S) A-I, [1-2]	v.p.	n.t.-p. DLC
		Unit 2		
1856	1854-55	(H) A-R, [1-6]	v.p.	n.t.-p. DLC
		Unit 3		
1861-62	1860-61	(H) A-I, [1-3]	v.p.	n.t.-p. DLC

D.25x Reel 1

Unit 1

1714-1722 Maurice Birchfield's account of fees. [32] p. MS.
MdHi-Calvert Papers 908

Unit 2

1731-1761 Accounts of Lord Baltimore's revenues.

1731	t.-p., [27] p. MS.	MdHi-Calvert Papers 912
1733	t.-p., 29 p. MS.	MdHi-Calvert Papers 914
1748	t.-p., 22 p. MS.	MdHi-Calvert Papers 922
1752	t.-p., 22 p. MS.	MdHi-Calvert Papers 927
1753	t.-p., 6 fol. MS.	MdHi-Calvert Papers 932
1755	t.-p., 10 fol. MS.	MdHi-Calvert Papers 939
1754	t.-p., 7 fol. MS.	MdHi-Calvert Papers 935
1756	t.-p., 14 fol. MS.	MdHi-Calvert Papers 943
1757	t.-p., 15 fol. MS.	MdHi-Calvert Papers 955
1758	t.-p., 16 fol. MS.	MdHi-Calvert Papers 956
1759	t.-p., 11 fol. MS.	MdHi-Calvert Papers 960
1760	t.-p., 13 fol. MS.	MdHi-Calvert Papers 963
1761	t.-p., 13 fol. MS.	MdHi-Calvert Papers 977

MARYLAND-Continued

Unit 3

D.24

1734 May 8-1767 Aug. 20 Iron chest accounts. 132 fol. MS.
Md-Ar-No. 8031

Unit 4

D.24

1752-1758 Sheriff's accounts, license. [7], 12 fol. MS.
Md-Ar-No. 1790

Unit 5

1751-1752 Proceedings of a Court of Delegates. 186 p. MS.
Md-Ar-No. 3999

Unit 6

D.24

1768 Apr. 5-1775 Jan. 11 Board of Revenue. 145 p. MS.
Md-Ar-No. 4014

MASSACHUSETTS

D.1 | Reel 1

Legislative Documents

Binder	Report period			Imprint
	Unit 1			
1798-1809	1798-1809	[1-45]	v.p.	n.t.-p. M
	Unit 2			
1810-1812	1810-12	[1-50]	v.p.	n.t.-p. M

D.1 | Reel 2

Legislative Documents

Binder	Report period			Imprint
	Unit 1			
1813-1816	1813-16	[1-48]	v.p.	n.t.-p. M
	Unit 2			
1817-1822	1817-22	[1-67]	v.p.	n.t.-p. M

D.1 | Reel 3

Legislative Documents

Binder	Report period			Imprint
	Unit 1			
1823-24	1823-24	[1-37]	v.p.	n.t.-p.
1824-25	1824-25	[38-59]	v.p.	n.t.-p. M
	Unit 2			
1825-26	1825-26	[1-69]	v.p.	n.t.-p. M

D.1 | Reel 4

Legislative Documents

Binder	Report period		Imprint
	Unit 1		
1826-27	1826-27	1st sess. (S) 1-5, (H) 4-10	n.t.-p.

MASSACHUSETTS-Continued

Binder		Report period			Imprint
1826-27	1826-27	2d sess.	(S) 1-30, (H) 1-71[1], 81-83	v.p.	n.t.-p. M
		Unit 2			
1827-28	1827	1st sess.	(H) 1-5		
		2d sess.[2]	(S) 1-20, (H) 2-61	v.p.	n.t.-p. M
D.1					Reel 5
		Legislative Documents Unit 1			
1828-29	1828	1st sess.	(S) 1-6, (H) 1		
		2d sess.	(S) 1-17, 19-24, (H) 1-54	v.p.	n.t.-p. M
		Unit 2			
1829-30	1829	1st sess.	(S) 1-3, (H) 1-7		
		2d sess.	(S) 1-24, (H) 1-61	v.p.	n.t.-p. M
D.1					Reel 6
		Legislative Documents Unit 1			
1830-31	1830	1st sess.	(S) 2-5, (H) 1-5		
		2d sess.	(S) 1-31, (H) 1-71	v.p.	n.t.-p. M
		Unit 2			
1831	1831	(S) 1-11, (H) 1-31		v.p.	n.t.-p. M
D.1					Reel 7
		Legislative Documents Unit 1			
1832	1831	1-3, (S) 1-36, (H) 1-58		v.p.	n.t.-p. M
		Unit 2			
1833	1832	1-2, (S) 1-57, (H) 1-69		v.p.	n.t.-p. M
D.1					Reel 8
		Legislative Documents Unit 1			
1834 (S)	1833	[1-2], 1-67		v.p.	1834 M
		Unit 2			
1834 (H)	1833	[1], 1-76		v.p.	1834 M
D.1					Reel 9
		Legislative Documents Unit 1			
1835 (S)	1834	[1-2], 1-71		v.p.	1835 M

1. No indication that Nos. 72-80 were printed.
2. Missing from film: Governor's message and p. 1-22 of Treasurer's statement.

MASSACHUSETTS-Continued

Binder	Report period			Imprint
		Unit 2		
1835 (H)	1834	[1], 1-72	v.p.	1835 M
		Unit 3		
1835 (Ext. sess.)	1835	(S) 1-9, (H) 1-15	v.p.	1835 M
D.1				Reel 10
		Legislative Documents Unit 1		
1836 (S)	1835	[1], 1-92	v.p.	1836 M
		Unit 2		
1836 (H)	1835	[1-2], 1-66	v.p.	1836 DLC
D.1				Reel 11
		Legislative Documents Unit 1		
1837 (S)	1836	[1-2], 1-105	v.p.	1837 DLC
		Unit 2		
1837 (H)	1836	[1], 1-65	v.p.	1837 DLC
D.1				Reel 12
		Legislative Documents Unit 1		
1838 (S)	1837	[1], 1-104	v.p.	1838 DLC
D.1				Reel 13
		Legislative Documents Unit 1		
1838 (H)	1837	[1-2], 1-86	v.p.	1838 DLC
D.1				Reel 14
		Legislative Documents Unit 1		
1839 (S)	1838	[1-2], 1-73	v.p.	1839 DLC
		Unit 2		
1839 (H)	1838	[1-5], 1-76	v.p.	1839 DLC
D.1				Reel 15
		Legislative Documents Unit 1		
1840 (S)	1839	[1], 1-50	v.p.	1840 M

MASSACHUSETTS-Continued

Binder	Report period			Imprint
		Unit 2		
1840 (H)	1839	[1-5], 1-69, [1]	v.p.	1840 M
D.1				Reel 16
		Legislative Documents		
		Unit 1		
1841 (S)	1840	[1-2], 1-54, [1]	v.p.	1841 DLC
		Unit 2		
1841 (H)	1840	[1-3], 1-84	v.p.	1841 DLC
D.1				Reel 17
		Legislative Documents		
		Unit 1		
1842 (S)	1841	[1], 1-72	v.p.	1842 DLC
		Unit 2		
1842 (H)	1841	[1-6], 1-42	v.p.	1842 DLC
D.11				Reel 1
		Public Documents		
		Unit 1		
1838	1837	[1-4]	v.p.	n.t.-p. M
		Unit 2		
1839	1838	[1-4]	v.p.	n.t.-p. M
		Unit 3		
1846	1845	[1-7]	v.p.	1846 DLC
D.11				Reel 2
		Public Documents		
		Unit 1		
1847	1846	[1-6]	v.p.	1847 DLC
		Unit 2		
1848	1847	[1-6]	v.p.	1848 DLC
		Unit 3		
1849	1848	[1-6]	v.p.	1849 DLC
		Unit 4		
1850	1849	[1-5]	v.p.	1850 DLC

MASSACHUSETTS-Continued

D.11 — Reel 3

Public Documents

Binder	Report period			Imprint
		Unit 1		
1851	1850	[1-5]	v.p.	1851 DLC
		Unit 2		
1852	1851	[1-7]	v.p.	1852 DLC

D.11 — Reel 4

Public Documents

Binder	Report period			Imprint
		Unit 1		
1853	1852	[1-6]	v.p.	1853 M
		Unit 2		
1854	1853	[1-8]	v.p.	1854 M
		Unit 3		
1855	1854	[1-8]	v.p.	1855 M

D.11 — Reel 5

Public Documents

Binder	Report period			Imprint
		Unit 1		
1856	1855	1-10	v.p.	1856 DLC
		Unit 2		
1857	1856	1-8	v.p.	1857 M

D.24 — Reel 1

Treasurers' Reports and Papers

Unit 1

1692-1713 v.122: 1 p.l., 437, [33] p. MS. — M-Ar

D.24 — Reel 2

Unit 1

1703-1734 v.123: 2 p.l., 481, [45] p. MS. — M-Ar

D.24 — Reel 3

Unit 1

1734-57 v.124: 3 p.l., 502, [16] p. MS. (w: p. 220-230) — M-Ar

Unit 2

1759-70 v.125: [17], 396 p. MS. — M-Ar

Unit 3

Treasurers' Reports

1778 Sept. [1] p. MS. — M-Ar-H. Doc. 291
1779 Apr. [4] p. MS. — M-Ar-H. Doc. 553
1781 June [1] p. MS. — M-Ar-H. Doc. 831
1782 [4] p. MS. — M-Ar-H. Doc. 1080
1785 June [4] p. MS. — M-Ar-H. Doc. B1915

MASSACHUSETTS-Continued

1786 Mar. [1] p. MS.	M-Ar-H. Doc. 2236
1787 Oct. [2] p. MS.	M-Ar-H. Doc. 2606
1787 Oct. [1] p. MS.	M-Ar-H. Doc. 2694
1788 Mar. [8] p. MS.	M-Ar-H. Doc. 2915
1788 Mar. [10] p. MS.	M-Ar-H. Doc. 2928
1789 Jan. [2] p. MS.	M-Ar-H. Doc. 3218
1790 Jan. [2] p. MS.	M-Ar-H. Doc. 3363
1790 [2] p. MS.	M-Ar-H. Doc. 3374
1790 June [6] p. MS.	M-Ar-H. Doc. 3309
1792 Nov. [10] p. MS.	M-Ar-H. Doc. 3749
1793 [6] p. MS.	M-Ar-H. Doc. 3994
1794 Jan. [5] p. MS.	M-Ar-H. Doc. 4167
1794 Feb. [3] p. MS.	M-Ar-H. Doc. 4168
1796 Jan. [2] p. MS.	M-Ar-H. Doc. 4472
1798 June [3] p. MS.	M-Ar-H. Doc. 4812
1799 June [3] p. MS.	M-Ar-S. Doc. 2451
1800 May [3] p. MS.	M-Ar-H. Doc. 5053
1801 May [3] p. MS.	M-Ar-H. Doc. 5194

MICHIGAN

D.11 Reel 1

Joint Documents

Binder	Report period			Imprint
		Unit 1		
1841	1840	1-13	610 p.	1841
		Unit 2		
1842	1841	1-9	441 p.	1842
		Unit 3		
1843	1842	1-12	447 p.	1843
		Unit 4		
1844	1843	[1-2], 1-14	v.p.	1844

D.11 Reel 2

Joint Documents

		Unit 1		
1845	1844	[1], 1-16	v.p.	1845
1846	1845	[1], 1-15	v.p.	1846
1847	1846	[1], 1-15	v.p.	1847 DLC
		Unit 2		
1848	1847	[1], 1-13	v.p.	1848 DLC
		Unit 3		
1849	1848	[1], 1-13	v.p.	1849 DLC

D.11 Reel 3

Joint Documents

		Unit 1		
1850	1849	1-14	v.p.	1850 DLC

MICHIGAN-Continued

Binder		Report period		Imprint
		Unit 2		
1851	1850	1-14	v.p.	1851 DLC
		Unit 3		
1851	1851	1-7	v.p.	1851 DLC
		Unit 4		
1853	1852	1-10	v.p.	1853 DLC
		Unit 5		
1853	1853	1-6	v.p.	1854 DLC

D.12 Reel 1

Documents

Binder	No. of documents		Imprint
	Unit 1		
1838 (S)	1-53	532 p.	1838 DLC
	Unit 2		
1838 (H)	1-69	573 p.	1838 DLC

D.12 Reel 2

Binder	No. of documents		Imprint
	Unit 1		
1839 (S)	1-41, [1]	569 p.	1839 DLC
	Unit 2		
1839 (H) (Doc. 1, p. 18-19, 24-25 missing)	1-51	939 p.	1839 Mi

D.12 Reel 3

Binder	No. of documents		Imprint
	Unit 1		
1840 (S)	1-4	v.1: 700 p.	1840 DLC
	Unit 2		
1840 (S)	5-67	v.2: 596 p.	1840 DLC
	Unit 3		
1841 Jan. sess. Senate journal. 569 p.			DLC

D.12 Reel 4

Binder	No. of documents		Imprint
	Unit 1		
1840 (H)	1-13	v.1: 660 p.	1840 Mi
	Unit 2		
1840 (H)	14-70	v.2: 613 p.	1840 Mi

D.12 Reel 5

Binder	No. of documents		Imprint
	Unit 1		
1841 (S)	1-13 Vol. 1		1841

Not on film. Duplicated in House documents, vol. 1. See Unit 2.

MICHIGAN-Continued

Binder	No. of documents		Imprint
1841 (S)	14-42	v.2: v, 6-228 p.	1841
			DLC
	Unit 2		
1841 (H)	1-13	v.1: 610 p. table.	1841
			DLC
	Unit 3		
1841 (H)	14-82	v.2: vii, [8]-286 p.	1841
			DLC
	Unit 4		
1842 (S)	1-23	vi, [7]-55 p.	1832 (sic 1842)
1842 (H)	1-24	vi, [7]-117 p.	1842
			DLC
	Unit 5		
1843 (S & H)	(S) 1-7, (H) 1-15	49, 82 p.	1843
			DLC
	Unit 6		
1844 (S & H)	(S) 1-11, (H) 1-27	v.p.	1844
			DLC
	Unit 7		
1845 (S & H)	(S) 1-16, (H) 1-17	v.p.	1845
			DLC
	Unit 8		
1846 (S & H)	(S) 1-26, (H) 1-13	v.p.	1846
			DLC
D.12			Reel 6
	Unit 1		
1847 (S)	1-15	v.p.	1847
1847 (H)	1-19	v.p.	1847
			DLC
	Unit 2		
1848 (S)	1-23	v.p.	1848
1848 (H)	1-24	v.p.	1848
			DLC
	Unit 3		
1849 (S)	1-25	vi, 132 p.	1849
1849 (H)	1-21	93 p.	1849
			DLC
	Unit 4		
1850 (S)	1-37	v.p.	1850
1850 (H)	1-26	v.p.	1850
			DLC
	Unit 5		
1851 (S & H)	(S) 1-17, (H) 1-17	v.p.	1851
			DLC
	Unit 6		
1853 (S & H)	(S) 1-21, (H) 1-11	v.p.	1853
			DLC

MICHIGAN-Continued

D.12 — Reel 7

Documents

Binder	No. of documents		Imprint
	Unit 1		
1855 (S)	1-21	v.p.	1855
1855 (H)	1-34	v.p.	1855
			DLC
	Unit 2		
1857 (S)	1-31	v.p.	1857
1857 (H)	1-21	v.p.	1857
			DLC
	Unit 3		
1859 (S)	1-30	v.p.	1859
1859 (H)	1-34	v.p.	1859
			DLC
	Unit 4		
1861 (S)	1-33	v.p.	1861
1861 (H)	1-42	v.p.	1861
			DLC

D.12 — Reel 8

Binder	No. of documents		Imprint
	Unit 1		
1862 (S & H Spec. sess.)	(S) 1-7, (H) 1-15	v.p.	1862
1863 (S)	8, 1-13	v.p.	1863
1863 (H)	1-28	v.p.	1863
			DLC
	Unit 2		
1864 (S & H Ext. sess.)	(S) 1-6, (H) 1-5	v.p.	1864
1865 (S)	1-44	v.p.	1865
1865 (H)	1-48	v.p.	1865
			DLC
	Unit 3		
1867 (S & H)	(S) 1-11, (H) 1-12	v.p.	1867
			Mi

MISSISSIPPI

D.1 — Reel 1

Department Reports

		Unit 1		
1886-87	1886-87	[1-18]	v.p.	1888
				C-St
		Unit 2		
1888-89	1888-89	[1-22]	v.p.	1890
				NcU

D.1 — Reel 2

		Unit 1		
1890-91	1890-91	[1-17]	v.p.	1892
				ICU

MISSISSIPPI-Continued

D.1 | | Reel 3

Binder	Department Reports Report period			Imprint
	Unit 1			
1892-93	1892-93	[1-18]	v.p.	1894 ICU

D.1 | | Reel 4

	Unit 1			
1894-95	1894-95	[1-17]	v.p.	1896 ICU

D.1p | | Reel 1

	Appendix to Journals		
	Unit 1		
1871 (H)	Ann., 1870	1290 p.	n.t.-p. NcU
	Unit 2		
1872 (H)	Ann., 1871	919 p.	1872 DLC

D.1p | | Reel 2

	Unit 1			
1874 (S)	Ann., 1873		1054 p.	n.d. DLC
	Reports of State Officers Unit 2			
1877	Ann., 1876	[1-12]	v.p.	1877 DLC
	Unit 3			
1878	Ann., 1877	[1-13]	v.p.	1878 DLC

D.1p | | Reel 3

	Department Reports Unit 1			
1880	Bien., 1878-79	[1-13]	v.p.	1880 DLC
	Unit 2			
1882	Bien., 1880-81	[1-14]	v.p.	1882 DLC

D.1p | | Reel 4

	Unit 1			
1882-83	Bien., 1882-83	[1-13]	v.p.	1884 DLC
	Unit 2			
1884-85	Bien., 1884-85	[1-20]	v.p.	1886 DLC

D.22 D.24 | | Reel 1

Unit 1

D.22

1803-15 Auditor's record. 222 fol. MS.
(w: fol. 37) | Ms-Ar

MISSISSIPPI-Continued

Unit 2

D.22

1819-33 Auditor's record. 529 p. MS. Ms-Ar

Unit 3

D.24

1805 Apr.-June Treasurer's record. 19 p. MS. Register of territorial debts previous to April 1, 1805. 21-[43] p. MS.

Ms-Ar

Unit 4

D.24

Treasurers' Reports

1801 Mar.-1802 May 6 p. MS.
1802 Mar.-1803 June 8 p. MS.
1804 Feb.-1804 May 2 p. MS.

Ms-Ar

MONTANA

D.2 Reel 1a

Governors' Messages

Unit 1

D.21

1864 Dec. 24 1st sess. Sidney Edgerton. 1 p.l., 7 p.
1866 Mar. 6 2d sess. Thomas Francis Meagher. 8 p.
1866 Nov. 5 3d sess. Green Clay Smith.
Montana post (Virginia City) vol. 3, no. 12, Nov. 10, 1866, p. 3, cols. 1-3.

D.1

1867 Nov. 5 4th sess. Green Clay Smith. 22 p.
Reports, 1866 Nov.-1867 Nov. Message, 9 p. Auditor, p. 9-12. Treasurer, p. 12-13. Superintendent of Public Instruction, p. 13-15. Surveyor-General, p. 15-16. Report of Prof. A. K. Eaton on mineral and agricultural wealth of Montana, p. 17-19. Report on natural resources of Montana, p. 19-22.

D.21

[W] 1867 Dec. 14 Ext. sess. Green Clay Smith. (Not found. See House journal, p. 7-10.)
1868 Dec. 7 5th sess. James Tufts. 14 p.
1869 Dec. 11 6th sess. James M. Ashley. 14 p.
1871 Dec. 4 7th sess. Benjamin F. Potts. 29 p.
1873 Apr. 14 Ext. sess. Benjamin F. Potts. 12 p.
1874 Jan. 8th sess. Benjamin F. Potts. 21 p.
1876 Jan. 9th sess. Benjamin F. Potts. 13 p.
1877 Jan. 8 10th sess. Benjamin F. Potts. 8 p.
[W] 1879 Jan. 11th sess. (Not found. See Council journal, p. 8-11.)
[W] 1879 July 1 Ext. sess. Benjamin F. Potts. (Not found. See Council journal, p. 12-14.)
1881 Jan. 10 12th sess. Benjamin F. Potts. 8 p.
1883 Jan. 25 13th sess. John Schuyler Crosby. 11 p.

MONTANA-Continued

[W] 1885 Jan. 14 14th sess. B. Platt Carpenter.
(Not found. See House journal.)
[W] 1887 Jan. 15th sess. Samuel T. House. (Not found)
[W] 1887 Feb. 8 15th sess. Preston H. Leslie. (Not found)
1889 Jan. 14 16th sess. Preston H. Leslie. 23 p.
1889 Dec. 17 1st sess. Joseph K. Toole. 1 p.l., 11 p.
1891 Jan. 5 2d sess. Joseph K. Toole. 41 p.
1893 Jan. 5 3d sess. John E. Richards. 34 p.
Treasurer's report, p. 31-34.
1895 Jan. 4th sess. John E. Richards. 32 p.
1897 Jan. 4 5th sess. Robert B. Smith. 29 p.
1899 Jan. 3 6th sess. Robert B. Smith. 31 p.
1897-1901 Robert B. Smith. Messages. Public documents.
101 p.

MtHi

Unit 2

D.21

1901 Jan. 7 7th sess. Joseph K. Toole. 9 p.
1903 Jan. 5 8th sess. Joseph K. Toole. 57 p.
1903 May 26 Ext. sess. Joseph K. Toole. [3] p.
1903 Dec. 1 Ext. sess. Joseph K. Toole. [4] p.
1905 Jan. 2 9th sess. Joseph K. Toole. 14 p.
Veto message, 33 p.
1907 Jan. 10th sess. Joseph K. Toole. 39 p.
1907 Jan. 9 Special message on finance. 11 p.
1909 Jan. 11th sess. Edwin L. Norris. 33 p.
1909 Dec. 27 Ext. sess. Edwin L. Norris. 4 p.
1911 Jan. 3 12th sess. Edwin L. Norris. 29 p.
1913 Jan. 13th sess. S. V. Stewart. 6 p.
1915 Jan. 14th sess. S. V. Stewart. 24 p.
1917 Jan. 15th sess. S. V. Stewart. 14 p.

MtHi

Unit 3

D.22 D.23

Auditors' and Treasurers' Reports

1866 Feb. 1 Ann., 1865. 8 p.
Auditor, 4 p. Treasurer, p. 4-5. Commissioner of Indian Affairs, p. 6-8.
1866 Apr. 2 Report of the Commission Appointed to Examine the Accounts of the Late Auditor and Treasurer. Broadside.
1867 Ann., 1866. (Not found. See Journal.)
1868 Ann., 1867. See Governor's message and reports, Unit 1.
1868 Nov. 3 Ann., 1867 Nov.-1868 Nov. 22 p. (t.-p.w.)
Auditor, 11 p., Treasurer, p. [14]-15. Superintendent of Public Instruction, p. 16-22.
1869 Dec. 1 Ann., 1869. 11 p.
Auditor, 10 p. Treasurer, p. [11].
1870 Ann., 1870. (Not found)
1871 Ann., 1871. (Not found)

MONTANA-Continued

1872 Dec. 1 Ann., 1872. 16 p.
Auditor, 8 p. Treasurer, p. [9]-16.
1874 Jan. 1 Ann., 1873. 19 p.
Auditor, 14 p. Treasurer, p. [15]-19.
1875 Jan. 1 Ann., 1874. 16 p.
Auditor, 10 p. Treasurer, p. [11]-16.
1875 Ann., 1875. 24 p.
Auditor, 18 p. Treasurer, p. [19]-24.
1876 Dec. 30 Ann., 1876. 31 p.
Auditor, 21 p. Treasurer, p. [23]-31.
1878 Jan. 1 Ann., 1877. 40 p.
Auditor, 15 p. Treasurer, p. [17]-26.
Brands and marks, p. [27]-40.
1878 Dec. 31 Ann., 1878. 52 p.
Auditor, 19 p. Treasurer, p. [21]-29. Brands and marks, p. [31]-52.
1880 Jan. 1 Ann., 1879. 79 p.
Auditor, 15 p. Treasurer, p. [17]-26. Brands and marks, p. [27]-79.
1881 Jan. 1 Ann., 1880. 32, 43 p.
Auditor, 21 p. Treasurer, p. [23]-32. Brands and marks, 43 p.
1882 Jan. 1 Ann., 1881. 30, 43 p.
Auditor, 18 p. Treasurer, p. [21]-30. Brands and marks, 43 p.
1883 Jan. 1 Ann., 1882. 36, 51 p.
Auditor, 25 p. Treasurer, p. [27]-36. Brands and marks, 51 p.
1884 Jan. 1 Ann., 1883. 41, 98 p.
Auditor, 27 p. Treasurer, p. [29]-41. Brands and marks, 98 p.
1885 Jan. 1 Ann., 1884. 63, 120 p.
Auditor, 44 p. Treasurer, p. [45]-63. Brands and marks, 120 p.

MtHi

D.2 Reel 1b

Auditors' and Treasurers' Reports
Unit 1
D.22 D.23

1886 Jan. 1 Ann., 1884-85. 217 p.
Auditor, 41 p. Treasurer, p. [43]-70. Brands and marks, p. [71]-217.

MtHi

Unit 2

1887 Jan. 1 Ann., 1885-86. 244 p.
Auditor, 51 p. Treasurer, p. [53]-81. Brands and marks, p. [83]-244.
1888 Jan. 1 Ann., 1887. 145 p.
Auditor, 81 p. Treasurer, p. [83]-145.

MtHi

MONTANA-Continued

Unit 3

1889 Jan. 1 Ann., 1888. 75 p.
Auditor, 50 p. Treasurer, p. [53]-75.
1890 Jan. 1 Ann., 1889. 96 p.
Auditor, 67 p. Treasurer, p. [69]-96.
MtHi

Reports of Superintendent of Public Instruction

Unit 4

D.25ed

1867 Ann., 1867. Printed with Governor's message. See D.2, Reel la, Unit 1.
1874 Bien., 1872-73. 44 p.
School laws, p. [21]-38. Forms, p. 39-44.
1876 Bien., 1873-75. 14 p.
1877 Ann., 1876. 44 p.
School laws, p. 14-35. Forms, p. 36-44.
1879 Bien., 1877-78. 43 p.
School laws, p. 14-32. Forms, p. 33-43.
1880 Ann., 1879. 51 p.
1881 Ann., 1880. 54, [1] p.
School laws, p. 21-44.
1882 3d ann., 1881. 48 p.
1883 4th ann., 1882. 50 p.
MtHi

Unit 5

D.22 D.23

1884 5th ann., 1883. 60 p.
School laws, p. 30-60.
1885 6th ann., 1884. 43 p.
1886 7th ann., 1885. 62 p.
School laws, p. [25]-62.
1887 8th ann., 1886. 1 p.l., 48 p.
1888 9th ann., 1887. 92 p.
School laws, p. 41-92.
1889 10th ann., 1888. 43 p.
1890 11th ann., 1889. 75 p.
School laws, p. [27]-75.
MtHi

Unit 6

D.25pr

Reports of the Directors and Wardens of the Montana Penitentiary

1873 Ann., 1873. 31 p. MtHi

Unit 7

D.25x

1866 Prospectus of the Mining Bureau of Montana. 14, [1] p. CtY-Coe

NEBRASKA

D.1 Reel 1

Collected Public Documents
Unit 1
D.21

Governors' Messages

1854 Dec. 20 Thomas B. Cuming. Proclamation. Broadside.
1855 Jan. 16 Thomas B. Cuming. Message. 7 p.
NbO
[W] 1855 Oct. 15 Mark W. Izard. Proclamation. Broadside.
NbMu-Gilmore
1855 Dec. (Not found. See House journal, p. 8-18.)
1857 Jan. 6 Mark W. Izard. 14 p. CtY-Coe
1857 Jan. 9 Sterling Morton (Squatter Governor). 8, [5], [3] p.
NbHi
1857 Dec. 9 Thomas B. Cuming. 8 p.

D.1

Messages and Accompanying Documents

1858 Sept. 21 5th sess. 9 p.
Message, 5 p. Treasurer, p. [6]-7. Auditor, p. 8-9.
Nb-Secy.
1859 Dec. 6 6th sess. 24 p.
Message, 16 p. Auditor, p. 16-17. Treasurer, p. 17-18.
Librarian, p. 18-24.
NbU
1860 Dec. 4 7th sess. 23 p.
Message, 8 p. Auditor, p. [9]-10. Treasurer, p. [11]-12.
Librarian, p. [13]-23.
Nb-Secy.
1861 Dec. 2 8th sess. 1 p.l., 34 p.
Message, 11 p. Auditor, p. [12]-15. Treasurer, p. [16]-25.
Librarian, p. [26]-34. Nb
1864 Jan. 8 9th sess. 48 p.
Message, 18 p. Auditor, p. [19]-46. Treasurer, p. [47]-48.
NbHi
1865 Jan. 9 10th sess. 82 p.
Message, 12 p. Auditor, p. [13]-70. Treasurer, p. [71]-82.
Nb
1866 Jan. 4 11th sess. 64 p.
Message, 16 p. Auditor, p. [17]-37. Treasurer, p. [38]-40.
Librarian, p. [41]-64.
1867 Jan. 10 12th sess. 1 p.l., 36 p.
Message, 12 p. Treasurer, p. [13]-15. Auditor and School Commissioner, p. [17]-36.
1867 May 3d sess. 21 p.
Message, 20 p. Treasurer, p. 21.
NbHi

Unit 2
D.25ed

Reports of the Commissioner of Common Schools

1860 1st ann., 1859. 16 p. Nb

NEBRASKA-Continued

1861 2d ann., 1860. 205 p. NbHi

1859 Nov. 16-1860 Feb. 27 Office of Commissioner of Common Schools. Record. 25 p. MS.

D.X F.X

1856 Court guide to the Second Judicial District. 8 p.

Unit 3

D.1

1866 Dec.-1868 Nov. Reports in Appendix to House journal, Jan., 1869.

1868 Dec.-1870 Jan. Reports in Appendix to House journal, Jan., 1871.

Binder	Report period			Imprint
1873	1871-72	[1-9]	v.p.	n.t.-p. Nb
1875	1873-74	[1-5]	v.p.	n.t.-p. DLC

D.1 Reel 2

Reports of State Officers

Binder	Report period			Imprint
	Unit 1			
1877	1875 Dec.-1876 Nov.	[1-11]	v.p.	n.t.-p. Nb
	Unit 2			
1877	1875 Dec.-1876 Nov.	[1-11]	v.p.	n.t.-p. Nb
	Unit 3			
1878-79	1876 Nov.-1878 Nov.	[1-11]	v.p.	n.t.-p. Nb

D.1 Reel 3

Binder	Report period			Imprint
	Unit 1			
1881	1878 Dec.-1880 Nov.	[1-14]	v.p.	n.t.-p. DLC
	Unit 2			
1883	1880 Dec.-1882 Nov.	[1-14]	v.p.	n.t.-p. M
	Unit 3			
1885	1882 Dec.-1884 Nov.	[1-17]	v.p.	n.t.-p. Nb

NEVADA

D.1 Reel 1

Unit 1

1862 Nov. 13 James W. Nye. Annual message. 30 p.
Superintendent of Public Instruction, p. [31]-36. Auditor, p. 36-43. Treasurer, p. 44-48.

1864 Jan. 13 James W. Nye. Message. 11 p.

DLC

Appendix to Journals

Binder	Report period			Imprint
	Unit 2			
1864 (S)	Ann., 1863-64	1-14	v.p.	n.d. DLC

NEVADA-Continued

Binder | Report period | Imprint

Unit 3

1873 (A) Bien., 1870-72 [1-16] v.p. 1873
DLC

Unit 4

1875 (S & A) Bien., 1872-74 1-22 v.p. 1875
DLC

D.2 Reel 1a

Reports and Papers of Permanent Agencies

Unit 1

R

1851 Nov. 12-1855 Aug. 30 First records of Carson Valley, Utah Territory. 12, [13-36], 25-31, 34-81 p. MS. NvC-Sanford

Unit 2

F

1855 Oct. 3-1856 July 5 Record of Probate Court of Carson County. 21 p. MS. Nv-Secy.

Unit 3

F

1855 Oct. 15-1861 July 30 Carson County court record book. 122 p. MS. Nv-Secy.

Unit 4

F

1855 Oct. 10-1861 July 31 Probate records of Carson County. [4], 2 p. MS.

1855 Dec.-1857 Apr. Road and school district records. [6] p. MS.

1860 Sept. 13-1861 May 13 Carson County court records. 346 p. MS. Nv-Secy.

Unit 5

E.1

1861-64 Executive record. [39], 268, [1], 281-303, 616-633 p. MS. Nv-Secy.

D.2 Reel 1b

Reports and Papers of Permanent Agencies

Unit 1

E.3

1861 Apr. 1-1864 Nov. 10 Correspondence of Rion Clemmons, Secretary of the Territory. 497 p. MS. Nv-Secy.

Unit 2

A.6

1862 Correspondence of House and Council. [92] p. MS. Nv-Secy.

Unit 3

D.X

1862 First directory of Nevada Territory. xvi, [2], 266, [1] p. Typescript. Nv

Unit 4

D.X

1862 Second directory of Nevada Territory. xliv, [4], viii, 486, [2] p. Typescript. NvHi

NEVADA-Continued

Unit 5

D.25ed

1864 Jan. 13 Report of Superintendent of Public Instruction. 21 sheets. MS.

D.22

1862 Nov. 11 Report of Auditor. 12 sheets. MS.

D.24

1862 Nov. 11 Report of Treasurer. 11 sheets. MS.

D.25at

1861 Oct. 14 Report of U. S. Attorney. 10 p. MS.

D.X

1863 Report of Butler Ives, Commissioner of the Boundary Survey between Nevada and California. 8 p. MS.

Nv-Secy.

NEW HAMPSHIRE

D.24 Reel 1

Treasurer's Reports and Papers

Unit 1

1734-46 Province accounts. [96] p. MS. NhHi

Unit 2

1766-75 Cash accounts. [218] p. MS. NhHi

Unit 3

1775-83 Treasurer's accounts. War of Revolution. 113 fol. MS. NhHi

NEW MEXICO

D.1 Reel 1

Official Reports

Binder	Report period		Imprint
		Unit 1	
1882-83	1882-83	144, xvii, 140, [1] p.	1844 CU-B
		Messages of Governor and Appendix	
		Unit 2	
1899	1897-98	14, 305, 168 p.	1899 DLC
		Unit 3	
1901	1899-1900	568 p.	1901 DLC
		Unit 4	
1903	1901-02	v.p.	1903 DLC

NEW MEXICO-Continued

D.1 Reel 2

Messages of Governor and Appendix

Binder	Report period			Imprint
	Unit 1			
1905	Bien., 1903-1904	A-Z, ZZ, A1-A20	v.p.	1905 NN
	Unit 2			
1907	Bien., 1905-1906	[1], 1-48	v.p.	1907 DLC

D.25 1a Reel 1

Record of Land Titles

Unit 1

1847 Jan. 27-1849 Jan. 22 Kearny Code.
Book A. [50] p., 137 fol., [1] p. MS. (Sp.)
Prefixed: Index. [7] p. Typescript. (Eng.)
Book B. (Eng.) (Lost)
NmSt-U.S.Eng.

Unit 2

1849 Jan. 1-July 25 Kearny Code.
Book C. [5] p., 91 fol., [1] p. MS. (Sp.)
Prefixed: Index. 9 p. Typescript. (Eng.)
NmSt-U.S.Eng.

Unit 3

1851 Dec. 18-1853 July 26 Kearny Code.
Book D. 16 p. MS. (Eng. & Sp.) Nm-Secy.

Unit 4

1859-1880 Pueblo grants. [1], 84 p. MS. NmSt-U.S.Eng.

Unit 5

L.2

1713 Book of Cabildo. [29] p. MS. (Sp.) NmSt-U.S.Eng.

Unit 6

1854 Aug. 9-1867 Jan. 1 U. S. Surveyor General's Office. Letters sent.
v.1: 565 p. MS.
Index. 41 p. Typescript. NmSt-U.S.Eng.

D.25 1a Reel 2

Unit 1

1856 May 14-1874 Dec. 26 U. S. Surveyor General's Office. Letters sent.
v.2: 518 p. MS. NmSt-U.S.Eng.

Unit 2

1854 Aug. 5-1876 Mar. 8 U. S. Surveyor General's Office. Letters received. 606 p. MS. NmSt-U.S.Eng.

Unit 3

1855 Instructions from the Commissioner of the General Land Office to ...the Surveyor General. 45 p. NmSt-U.S.Eng.

NEW YORK

D.22, 24 — Reel 1

Auditor's and Treasurer's Reports and Papers

Unit 1

1775-85 Auditor's journal. 5-39 p. MS. — N-Ar

Unit 2

1775-82 Treasurer's journal. 275 p. MS. — N-Ar

NORTH CAROLINA

D.1 — Reel 1

Legislative Documents

Binder	Report period			Imprint
		Unit 1		
1829	1828-29	1-16, [1-4]	v.p.	n.t.-p. NcU
		Unit 2		
1831-35	1830-31	1-18	v.p.	n.t.-p.
	1831-32	1-2, 12, 19-20	v.p.	n.t.-p.
	1832-33	1-24	v.p.	n.t.-p.
	1833-34	1-17	v.p.	n.t.-p. NcU
		Unit 3		
1835-39	1834-35	1-5, 7-12, 14-16	v.p.	n.t.-p.
	1835-36	1-2, 10,(S) 5-6, (H) 3-6, 13, 20, 15	v.p.	n.t.-p.
	1836-38	1-6, 8-9, 12-14, [1-2]	v.p.	n.t.-p. NcU
		Unit 4		
1840-41	1838-40	1-31	v.p.	n.t.-p. NcU
		Unit 5		
1842-43	1840-42	[1-27], 31	v.p.	1843 NcU

D.1 — Reel 2

Binder	Report period			Imprint
		Unit 1		
1844-45	1842-44	[1-54]	v.p.	n.t.-p. NcU
		Unit 2		
1846-48	1844-46	[1-5], (S) vi-xxi, (H) vi-xxii	v.p.	n.t.-p. DLC

D.1 — Reel 3

Binder	Report period			Imprint
		Unit 1		
1848-49	1846-48	1-12, (S) 1-18, (H) 1-25	v.p.	n.t.-p. DLC
		Unit 2		
1850-51 (Ex.)	1848-50	v.1: 1-24	v.p.	1851 DLC

NORTH CAROLINA-Continued

Binder	Report period			Imprint
		Unit 3		
1850-51 (Legis.)	1850-51	v.2: 1-112	v.p.	1851 DLC
D.1				Reel 4
		Unit 1		
1852 (Ex.)	1850-52	v.1: 1-19	v.p.	1852 DLC
		Unit 2		
1852 (Legis.)	1852	v.2: (S) 1-33 275, [4], 6 p. (H) 1-55 413 p.		1852 DLC
D.1				Reel 5
		Unit 1		
1854-55 (Ex.)	1852-54	v.1: 1-12, 1-5	v.p.	1855 DLC
		Unit 2		
1854-55 (Legis.)	1854-55	v.2: (S) 1-29 322 p. (H) 1-52, 13 490, 4 p.		1855 DLC
D.1				Reel 6
		Unit 1		
1856-57	1854-56	1-57	v.p.	1857 DLC
D.1				Reel 7
		Unit 1		
1858-59	1856-58	1-79	v.p.	n.t.-p. NcU
		Executive and Legislative Documents Unit 2		
1860-61	1858-60	1-42	v.p.	1861 NcU
D.1				Reel 8
		Legislative Documents Unit 1		
1862-63	1860-62	1-12, 1-24	v.p.	n.t.-p. NcU
		Executive and Legislative Documents Unit 2		
1863-64	1862-63	1-4, 1-4, 1-5	v.p.	1864 NcU
		Unit 3		
1865-66	1863-65	[1-9], 1-13	v.p.	n.t.-p. NcU
		Unit 4		
1866-67	1865-66	1-28	v.p.	1867 NcU

NORTH CAROLINA-Continued

Binder	Report period			Imprint
	Unit 5			
1868-69	1866-68	[1-37]	v.p.	n.t.-p.
				NcU
D.23				Reel 1

Comptrollers' Reports and Papers

Unit 1

1764-1769 Lists of taxes for various counties. 24 items. MSS. Nc-Ar

Unit 2

1782 May-1785 May Richard Caswell's account as comptroller. [8] p. MS.

1784-1786 Abstract of the Army accounts of the North Carolina line, settled by the Commissioners at Halifax...and at Warrenton. 224 p. MS.

Nc-Ar

Unit 3

1786 May-1786 Dec. Accounts of several Commissioners of Confiscated Property. [12] p. MS.

1791 Apr.-1793 Nov. Journal of receipts and disbursements. 255 fol. MS.

Nc-Ar

Unit 4

1793 Sept.-1808 May Journal of receipts and disbursements. 122 p. MS.

Nc-Ar

D.23

Reel 2

Unit 1

Comptrollers' Statements

1816-17 3-17, [1] p.
1819-20 13 p.
1820-21 15, [1] p.
1821-22 12, [1] p.
1822-23 13, [1] p.
1823-24 [1], 12, [1] p.
1824-25 [1], 15, [1] p.
1825-26 [2], 15, [1] p.
1826-27 [2], 15, [1] p.
1827-28 [2], 19, [1] p.
1828-29 [2], 23, [1] p.
1829-30 [2], 19, [1] p.
1830-31 [2], 19, [1] p.
1831-32 [2], 15, [1] p.
1832-33 [2], 15, [1] p.
1833-34 (Not found)
1834-35 25, [4] p.
1835-36 15, [5] p.

NcU

Unit 2

1836 Nov.-1837 Report...showing receipts and disbursements at the Treasury Dept. 47, [2] p.

1861 Nov. Comptroller's report to the State Convention. 87, [1] p.

NcU

NORTH CAROLINA-Continued

D.24 Reel 1

Treasurers' Reports and Papers

Unit 1

1775 Aug.-1776 May State treasurer's book. Journal A. Receipts and disbursements. 1 p.l., 194 p. MS. Nc-Ar

Unit 2

1778 May-1783 Ledger A. Receipts and disbursements. 1 p.l., 291 fol. MS. Nc-Ar

Unit 3

1780 May-1790 Jan. Ledger B. 176 fol. MS. Nc-Ar

D.24 Reel 2

Unit 1

1785 Account with M. Hunt, treasurer. 8 p. MS. Nc-Ar

1788-93 Report of the state treasurer, Hillsborough District. 163, [237] p. MS. Nc-Ar-T.O.26

Unit 2

1801-23 Journal of receipts and disbursements. 110 fol. MS. Nc-Ar-T.O.30

Unit 3

1802 Report of John Haywood, treasurer. 2 p.

1809-10 Public treasurer's report. 1 p.

1820 General Assembly. Committee to Investigate the State of the Treasury and to Inquire into the Official Conduct of John Haywood. 19 p.

NcU

D.25e Reel 1

Literary Board Journal

Unit 1

1827 Jan.-1835 Nov. v.1: 62 p. MS. Nc-Ar

Unit 2

1837 Mar.-1842 Sept. v.2: [11], 379 p. MS. Nc-Ar

Unit 3

1842 Sept.-1848 Oct. v.3: 549 p. MS. Nc-Ar

D.25e Reel 2

Literary Board Journal

Unit 1

1848 Oct.-1853 Dec. v.4: 557 p. MS. Nc-Ar

Unit 2

1853 Dec.-1868 June v.5:[1], 527, [43] p. MS. Nc-Ar

D.25e Reel 3

Unit 1

1867 May-1883 May Literary Board. Records of the swamp land. [25], 198 p. MS. Nc-Ar

Unit 2

1868 July-1890 Board of Education. Journal. 5-346 p. MS. Nc-Ar

NORTH CAROLINA-Continued

D.25i Reel 1

Reports of Departments, Boards, Commissions and Institutions

Unit 1

1815 Nov. Report of the Committee on Inland Navigation. 16 p.
1816 Dec. Mr. Murphey's report on inland navigation. 19 p.
1818 Reports of sundry surveys made in obedience to certain resolutions of the General Assembly passed in the year 1817. 40 p.
1819 Memoir on the internal improvements contemplated by the Legislature ...and on the resources and finances of the state. 88 p.
1819 Report of sundry surveys made by Hamilton Fulton. 70 p.
NcU

Unit 2

1816-20 Board of Internal Improvement. Reports. [67] p. MS.
Nc-Ar-G.O.133
1819 Reports to the Board of Internal Improvements. 166 p. MS.
Nc-Ar-G.O.133.3
1819 July-1819 Dec. Commissioners of Navigation. Journal. [20] p. MS.
Nc-Ar-G.O.133.1
1819-35 Board of Internal Improvements. Accounts. 1 p.l., 95 p. MS.
Nc-Ar-G.O.135

Unit 3

1820 Nov. Board of Public Improvements. Annual report. 56 p. NcU
1820 Feb.-1821 June Board of Internal Improvements. Journal. [2], 215 p. MS.
Nc-Ar-G.O.133.1
1820-35 Board of Internal Improvements. Accounts. [13], 100 fol. MS.
Nc-Ar-G.O.136
1821 Nov. Board of Public Improvements. Annual report. xxviii, 68 p.
NcU

D.25i Reel 2

Unit 1

1821 Nov.-1835 Dec. Board of Internal Improvements. Journal. [256] p. MS.
Nc-Ar-G.O.133.2
1822 Dec. Board of Public Improvements. Annual report. xii, 72 p.
NcU
1822 Reports to the Board of Internal Improvements. [2], 139 p. MS.
Nc-Ar-G.O.133.4

Unit 2

1823 Dec. Board for Internal Improvements. Annual report. 45 p.
1824 Nov. Board for Internal Improvements. Annual report. 38, [1] p.
1824 Dec. Committee on Internal Improvements in the House of Commons. Report. 8 p.
1825 Dec. Board of Internal Improvement. Report. 25 p.
1827 Jan. Board for Internal Improvements. Report. 28 p.
1827 Dec. Board of Internal Improvements. Report. 35 p.
1827 Nov. Reports relative to the swamp lands in North Carolina. 28 p.
1828 Nov. Board for Internal Improvements. Annual report. 43 p.
1829 Nov. Board for Internal Improvements. Annual report. 20 p.
1830 Nov. Board for Internal Improvements. Annual report. 35 p.
NcU

NORTH CAROLINA-Continued

Unit 3

1837 Apr.-1850 Dec. Board of Internal Improvements. Journal. 253, [41] p. MS. Nc-Ar-G.O.138

D.25i Reel 3

Unit 1

1845-1852 Directors of the Raleigh and Gaston Railroad. Journal of the proceedings. [207], 20, [2] p. MS. Nc-Ar-G.O.150

Unit 2

1851 Apr.-1912 Board of Internal Improvements. Minutes. [394] p. MS. Nc-Ar-G.O.142

D.25un Reel 1a

Minutes of University Trustees

Unit 1

1789 Dec. 18-1797 Dec. 6 254, [1] p. NcU

Unit 2

1798 Dec. 3-1801 June 26 63 p. NcU

Journals of the Trustees of the University

Unit 3

1801 Nov. 21-1810 Dec. 20 1 p.l., 251 p. NcU

Unit 4

1811 July 4-1822 Dec. 17 273, [10] p. NcU

Unit 5

1823 Dec. 4-1840 Dec. 19 [10], 352, [2] p. NcU

D.25un Reel 1b

Unit 1

1789 Dec. 18-1810 Jan. University waste book. 169 p. NcU

Unit 2

1789-96 University treasurer's book. 33 p. NcU

Unit 3

1789-95 University account book. 33 p. NcU

Unit 4

1799-1814 Faculty records. 195, [49] p. NcU

Unit 5

1814-23 Faculty records. [130] p. NcU

Unit 6

1821 July 20-1841 June 6 Minutes of the faculty. [543] p. NcU

Unit 7

1795-98 Minutes of the Dialectic Society. [100] p. NcU

Unit 8

Miscellaneous documents and papers of the Philanthropic Society. [31] p.

1797 Jan.-1799 Mar. Minutes of the Philanthropic Society. 117-222, [48] p.

1802 Dec. 15 University trustees circular letter. Broadside. NcU

D.25x Reel 1

Unit 1

1754-1770 Lists of taxables, militia and magistrates. 54 items. MS. Nc-Ar-G.O.146

NORTH CAROLINA-Continued

Unit 2

1755 Treasurer. Tax lists. 39 items. MS.
Nc-Ar-T.O.105

1782 List of taxables, Surry County. 98 p.
Nc-Ar-L.P.46.2

Unit 3

1720-1779 Secretary of State. Tax lists. MS.
Beaufort County, 1764. [12] p.
Bladen County, 1763. [12] p.
Brunswick County, 1769. [16] p.
Caswell County, 1777, 1780. [50] p.
Craven County, 1720. [1] fol.
Craven County, 1769. [32] p.
Dobbs County, 1769. [54] p.
Hyde County, 1764. [1] p.
Granville County, 1769. [30] p.
New Hanover County, 1762. [18] p.
Onslow County, 1769. [22] p.
Onslow County, 1770. [18] p.
Pasquotank County, 1754. [17] p.
Pasquotank County, 1769. [31] p.
Pitt County, 1762. [51] p.
Pitt County, 1775. [8] p.
Randolph County, 1779. [42] p.
Nc-Ar-S.S.837

Unit 4

1755 Treasurer. Tax lists. MS.
Beaufort County, 1755. [30] p.
Orange County, 1755. [21] p.
Nc-Ar-T.O.105.1

D.25x Reel 2

Unit 1

1771-1785 Tax lists of various counties. v.p.
Nc-Ar-L.P.Box 11.1

Unit 2

1779 Tax lists of various counties. v.p.
Nc-Ar-L.P.Box 30.1

Unit 3

1780-1782 Tax lists of various counties. v.p.
Nc-Ar-L.P.Box 46.1

Unit 4

1783-1785 Tax lists of various counties. v.p.
Nc-Ar-L.P.Box 64.1

D.25x Reel 3

Unit 1

1682-1760 Custom House papers. v.1: 168 fol.
MS. Nc-Ar

Unit 2

1760-1775 Custom House papers. v.2: 159-
303 fol. MS. Nc-Ar

NORTH CAROLINA-Continued

Unit 3

1725-1751 Book of registers, Collector's Office at Port of Roanoke. [34] fol. MS. Nc-Ar

D.25x Reel 4

Unit 1

1784-1787 Census returns. v.p. MS. G.O.Box 130

1784-1787 Census returns. v.p. MS. G.O.Box 131

Nc-Ar

OHIO

D.1 Reel 1

Executive Documents

Binder	Report period			Imprint
		Unit 1		
1835-36	1835	1-14	v.p.	n.t.-p.
				O-LR
		Unit 2		
1836-37	1836	1-73	v.p.	1836
				O-LR
		Unit 3		
1837-38	1837	1-52	v.p.	1837
D.1				Reel 2
		Unit 1		
1838-39	1838	Pt.I: 1-34	v.p.	1838
				O-LR
		Unit 2		
1838-39	1838	Pt.II: 35-89	v.p.	n.d.
				DLC
D.1				Reel 3
		Unit 1		
1839-40	1839	Pt.I: 1-46	v.p.	1840
				DLC
		Unit 2		
1839-40	1839	Pt.II: 47-111	v.p.	1840
				DLC
		Unit 3		
1840-41	1840	1-77	v.p.	1841
				DLC
D.1				Reel 4
		Unit 1		
1841-42	1841	v.6, pt.1: 1-40	v.p.	1842
				DLC
		Unit 2		
1841-42	1841	v.6, pt.2: 41-77	v.p.	1842
				DLC
		Unit 3		
1842-43	1842	v.7: 1-79	v.p.	1843
				O-LR

OHIO-Continued

Binder	Report period			Imprint
D.1				Reel 5
	Executive Documents			
	Unit 1			
1843-44	1843	v.8: 1-73	v.p.	1844 DLC
	Unit 2			
1844-45	1844	v.9: 1-72	v.p.	1845 DLC
D.1				Reel 6
	Unit 1			
1845-46	1845	v.10, pt. I: 1-70	v.p.	1846 DLC
	Unit 2			
1845-46	1845	v.10, pt. II: 1-2	820 p.	1846 DLC
D.1				Reel 7
	Unit 1			
1846-47	1846	v.XI, pt. 1: 1-57	v.p.	1847 DLC
	Unit 2			
1846-47	1846	v.XI, pt. 2: 1-5	551 p.	1847 DLC
D.1				Reel 8
	Unit 1			
1847-48	1847	v.XII, pt. 1: 1-30	v.p.	1848 DLC
	Unit 2			
1847-48	1847	v.XII, pt. 2: 1-29	v.p.	1848 DLC
D.1				Reel 9
	Unit 1			
1848-49	1848	v.XIII, pt. 1: 1-21	531 p.	1849 DLC
	Unit 2			
1848-49	1848	v.XIII, pt. 2: 1-49	553 p.	1849 DLC
D.1				Reel 10
	Unit 1			
1849-50	1849	v.XIV, pt. 1: 1-40	472 p.	1850 DLC
	Unit 2			
1849-50	1849	v.XIV, pt. 2: 1-6	604 p.	1850 DLC
D.1				Reel 11
	Unit 1			
1850-51	1850	v.XV, pt. 1: 1-37	791 p.	1851 DLC

OHIO-Continued

Binder	Report period			Imprint
	Unit 2			
1850-51	1850	v.XV, pt. 2: 1-4	966 p.	1851 DLC

D.1 Reel 12

	Unit 1			
1851-52	1851	v.XVI, pt. 1: 1-49	744 p.	1852 DLC
	Unit 2			
1851-52	1851	v.XVI, pt. 2: 1-2	715 p.	1852 DLC

D.1 Reel 13

Reel 13 reserved for companion volume to Reel 12.

D.1 Reel 14

	Unit 1			
1852-53	1852	v.XVII, pt. 1: 1-29	461 p.	1853 DLC
	Unit 2			
1852-53	1852	v.XVII, pt. 2: 1-5	571 p.	1853 DLC

D.1 Reel 15

	Unit 1			
1854	1853	v.XVIII, pt. 1: 1-18	531 p.	1854 DLC
	Unit 2			
1854	1853	v.XVIII, pt. 2: 1-27	868 p.	1854 DLC

Annual Reports

	Unit 3			
1854	1854	1-11	584 p.	1855 DLC

D.22 24 Reel 1

Unit 1

D.22

1800 May 13-1807 Dec. 11 Auditor's journal. [218] p. MS. OHi

Unit 2

D.24

1800 May 7-1811 Dec. 4 Treasurer's cash journal. [3], 94, [1] fol. MS. OHi

OREGON

D.1 Reel 1

Message and Accompanying Documents

	Unit 1			
1856	1856	1-2	12 p.	1856
1864	1863-64	1-16	79 p.	1864 Or

OREGON-Continued

Binder | Report period | Imprint

Unit 2

1880 1878-80 1-12 v.p. n.t.-p. Or

Unit 3

1882 1880-82 1-13 v.p. n.t.-p. Or

Unit 4

1885 1882-84 1-12 v.p. n.t.-p. Or

D.1p Reel 1

Unit 1

1857 Dec. 7 Message of Governor George L. Curry. 15 p.
1864 Sept. 23 Special message of A. C. Gibbs. 13 p. Or

Unit 2

D.25ad

1866 Sept. 1 Adjutant General's report, 1864-66. 353 p. Or

Message and Accompanying Documents

Binder | Report period | Imprint

Unit 3

1865 Dec. Appendix to general laws. Reports for 1864-65. See Oregon, B.2

1868 1866-68 [1-11] v.p. n.t.-p. DLC

Unit 4

1870 1868-70 [1-9] v.p. n.t.-p. DLC

Unit 5

1872 1870-72 [1-6] v.p. n.t.-p. DLC

D.1p Reel 2

Message and Accompanying Documents

Unit 1

1874 1872-74 [1-8] v.p. n.t.-p. DLC

Unit 2

1874 1872-74 [1-11] v.p. n.t.-p. DLC

Unit 3

1876 1874-76 [1-16] v.p. n.t.-p. DLC

Unit 4

1878 1876-78 [1-6] v.p. n.t.-p. DLC

PENNSYLVANIA

D.11 Reel 1

Executive Documents

Binder	Report period	Reports		Imprint
		Unit 1		
1843	1843	I-VII	v.p.	1844 P
		Unit 2		
1844	1844	I-X	v.p.	1845 P
		Unit 3		
1846	1845	I-X	v.p.	1846 NcU

D.11 Reel 2

Binder	Report period	Reports		Imprint
		Unit 1		
1846	1846	I-IX	v.p.	1847 NcU
		Unit 2		
1847	1847	I-X	v.p.	1848 NcU
		Unit 3		
1848	1848	I-XII	v.p.	1849 NcU

D.11 Reel 3

Binder	Report period	Reports		Imprint
		Unit 1		
1849	1849	I-XI	v.p.	1850 P
		Unit 2		
1850	1850	I-XIII	v.p.	1851 NcU

D.11 Reel 4

Binder	Report period	Reports		Imprint
		Unit 1		
1851	1851	I-XI	v.p.	1852 NcU
		Unit 2		
1852	1852	I-XII	v.p.	1853 NcU

D.22 Reel 1

Unit 1

1699-1703 Cash book of William Penn. 1 p.l., 33 fol. MS.
1719-1720* Thomas Penn's account book. [1], 31 fol. MS.

PPAmP *PHi

Unit 2

1740-1755 Accounts of the Province of Pennsylvania with Richard Partridge, agent, London. [20], 10 p. MS.
1769-1776 Reports of the Committee on the State of Public Accounts. 203 p.
Appended: Remarks on accounts of the state of Pennsylvania. 1 l., [17] p. MS.

PHi

PENNSYLVANIA-Continued

Unit 3

1777-1778 Report of the Committee of the Assembly on the State of Public Accounts. 67 p.

1776-1781 A brief view of the accounts of the treasury of Pennsylvania. 237 p.

PHi

Unit 4

1779 Report of the Committee of the Assembly on the State of Public Accounts. 39 p.

1780 Report of the Committee of the Assembly on the State of Public Accounts. 46 p.

1781 Report of the Committee of the Assembly on the State of Public Accounts. 51 p.

PHi

Unit 5

1782-1785* State of the accounts of the treasury. 135 p.

1786** A view of the debts and expenses. 25 p.

1785-86 State of the accounts of Treasurer Rittenhouse. 52 p.

1786-87 State of the accounts of Treasurer Rittenhouse. 64 p.

1787 State of the accounts of Treasurer Rittenhouse. 70 p.

1788 State of the accounts of Treasurer Rittenhouse. 56 p.

1789 State of the accounts of Treasurer Rittenhouse. 84 p.

NN *PHi **PPAmP

Unit 6

1787 Report on state of finances. 11 p.

1792* Report on state of finances. 8 p.

1794* Report on state of finances. 19 p.

MHi *MWA

D.24 Reel 1

Treasurers' Reports and Papers

Unit 1

1701 Nov.-1710 Apr. Journal A, no. 1.[1] [1], 211, [1] p. MS.

PHi

Unit 2

1712 Apr.-1732 May Journal B, no. 2.[2] 143 p. MS. PHi

Unit 3

1719/20 Mar.-1736 June Journal, no. 1. 201 p. MS. PHi

Unit 4

1738 Nov.-1741 Dec. Journal, no. 2.[1] 187 p. MS. PHi

Unit 5

1741/2 Jan.-1742/3 Mar. Journal, no. 3. 1 p.l., 118 p. MS. PHi

Unit 6

1743 Mar.-1757 June Journal, no. 3. 180 p. MS. PHi

Unit 7

1749 Dec.-1751 Oct. Journal, no. 4.[1] 1 p.l., 365 p. MS. PHi

1. The series is made up of the account books of the Lord Proprietors of the Province. These are copies of the original made in 1780.

2. From the handwriting it appears that this volume is also a copy of the original, but there is no certification stating definitely that it is transcribed.

PENNSYLVANIA-Continued

D.24 Reel 2

Unit 1

1757 June-1776 Nov. Journal, no. 4.[1] 133, [1] p. MS. PHi

Unit 2

1765 June-1769 Dec. Journal, no. 5.[1] 359 p. MS. PHi

Unit 3

1773 Jan.-1773 Dec. Journal, no. 6.[1] 338 p. MS. PHi

Unit 4

1774 Jan.-1774 Dec. Journal, no. 7. 364 p. MS. PHi

Unit 5

1775 Jan.-1775 Oct. Journal, no. 8.[1] 339 p. MS. PHi

D.24 Reel 3

Unit 1

1701-78 Cash accounts. (Amounts of the several general cash accounts. Extracts from Ledgers A, B, C, D, E, F, G, H.) 376 p. MS. PHi

Unit 2

1759-68 Collectors accounts of the provincial tax of the city and county of Philadelphia. [2], 14, [2], 15, 15, [1], 11, [1], 9, [4], [1], 12, [2], [1], 14, [1], 16, [1], 17 fol. MS. PHi

Unit 3

1759-70 Receipt book-provincial tax. [55] p. MS. PHi

Unit 4

1775 Dec.-1780 Feb. Cash book, Tr. 9. 259 p. MS. P-Ar

Unit 5

1781-89 State of taxes of the seven counties. 37 fol. MS. P-Ar

Unit 6

1771-95 Treasury. General ledger of receipts and expenditures. 369 p. MS. P-Ar

RHODE ISLAND

D.2 Reel 1

Unit 1

D.21

Governors' Messages

1732 May 24 Joseph Jencks. 1 p. MS.
1739 Feb. 26 John Wanton. 1 p. MS.
1744 June 20 W. Greene. 1 p. MS.
1755 Aug. 11 Stephen Hopkins. 3 p. MS.
1756 Feb. 26 Stephen Hopkins. 2 p. MS.
1756 May 5 Stephen Hopkins. 3 p. MS.
1756 Aug. 23 Stephen Hopkins. 2 p. MS.
1756 June 24 Stephen Hopkins. 4 p. MS.
1756 Oct. 28 Stephen Hopkins. 2 p. MS.
1821 Jan. 9 N. R. Knight. 3 p. MS.

1. The series is made up of the account books of the Lord Proprietors of the Province. These are copies of the original made in 1780.

RHODE ISLAND-Continued

1821 Oct. 30 William C. Gibbs. 1 p. MS.
1841 June 21 Sam W. King. 1 p. MS.
1842 Jan. 14 Sam W. King. 2, 4, 1 p. MS.
1862 Jan. 14 Sam W. King. 16 p. MS.
1864 Jan. 9 Sam W. King. 19 p. MS.

R-Ar

Unit 2
D.25ed

1845 Nov. 1 Report on the conditions...the public schools. 252 p.

R

Unit 3
D.25ed

1848 Report and documents relating to the public schools... 560 p.

R

Unit 4

1856 Report of the Commissioner of Public Schools on truancy and absenteeism. 39 p. R

Unit 5
D.25dd A.4

1829 Jan. 16 Report of the Committee on the Deaf and Dumb Asylum. 10 p. MS.

D.22 A.4

1833 June 23 Resolve of Finance Committee. 1 p. MS.
1839 June Report of Finance Committee. 4 p. MS.

D.22 D.25ed

1828 Treasurer's abstract showing account of public money spent on schools. 1 l. MS.

D.25ed A.4

1859* Minority report of Committee on Education. 8 p.

R-Ar *R

D.24 Reel 1

Treasurers' Reports and Papers
Unit 1

1672-1711 General treasurers' accounts. 157 fol. MS. R-Ar

Unit 2
D.22 D.24

1712-1812 General treasurers' accounts and auditors' reports. xi, 539 p. MS. R-Ar

SOUTH CAROLINA

D.1 Reel 1

Reports and Resolutions

Binder	Report period		Imprint
	Unit 1[1]		
1837	1837	5, 59, [1] p.	n.t.-p.
1839	1839	102, x p.	n.t.-p.

DLC

1. Before 1837 Reports and Resolutions were printed with the Acts and Legislative proceedings, and in 1838 and 1839 with the Senate and House journals.

SOUTH CAROLINA-Continued

Binder	Report period		Imprint
		Unit 2	
1840	1840	120, xi p.	1841
1841	1841	141, x p.	1842
1842	1842	128 p.	1843
			DLC
		Unit 3	
1843	1843	181 p.	1844
1844	1844	204 p.	1844
1845	1845	221 p.	1845
			DLC
		Unit 4	
1846	1846	239, 2 p.	1846
1847	1847	424 p.	1847
			DLC
D.1			Reel 2
		Unit 1	
1848	1848	260 p.	1848
			DLC
		Unit 2	
1849	1849	480 p.	1849
			DLC
		Unit 3	
1850	1850	245, 7, 2 p.	1850
			DLC
		Unit 4	
1851	1851	293, [1], 10 p.	1851
			DLC
		Unit 5	
1852	1852	254 p.	1852
			DLC
		Unit 6	
1853	1853	298, 9, 2 p.	1853
			DLC
D.1			Reel 3
		Unit 1	
1854	1854	317 p.	1854
			DLC
		Unit 2	
1855	1855	383 p.	1855
			DLC
		Unit 3	
1856	1856	436 p.	1856
			DLC
		Unit 4	
1857	1857	476 p.	1857
			DLC
D.1			Reel 4
		Unit 1	
1858	1858	468, 18 p.	1858
			DLC

SOUTH CAROLINA-Continued

Binder	Report period		Imprint
		Unit 2	
1859	1859	598 p.	1859
			DLC
		Unit 3	
1860	1860	535, vii p.	1860
			DLC
D.1			Reel 5
		Unit 1	
1861	1861	357 p.	1861
			DLC
		Unit 2	
1862	1862	418 p.	1862
Includes called session, Apr., 1863. p. [392]-405.			
			DLC
		Unit 3	
1863	1863	474, [2] p.	1863
			DLC
		Unit 4	
1864	1864	111, vii, [1] p.	n.t.-p.
			DLC
		Unit 5	
1864-65	1865	v.p.	1866
Constitutional convention, Sept., 1865. 13, x, 6, 19, ii, 15, ii, 9 p.			
General Assembly, Nov. 1865. 201, xl, [1] p.			
			DLC
		Unit 6	
1866 (Ext. sess.)	1866	41, iii p.	1866
			DLC
		Unit 7	
1866	1866	341 p.	1866
			DLC
		Unit 8	
1868-69	1867-68	466, 10 p.	1869
			DLC

D.24 — Reel 1

Unit 1

1725-1730 Ledger C. Records of general accounts. 137 fol. MS. — Sc-Ar

Unit 2

1735-1748 Ledger A. Treasurer's journal. 371 p. MS. — Sc-Ar

Unit 3

1740-1747 Ledger. 103 fol. MS. — Sc-Ar

Unit 4

1735-1773 Ledger B. 83 fol. MS. — Sc-Ar

D.25x — Reel 1

Unit 1

1732-1734 Journal BB, recording deeds, mortgages, bills, sales and other instruments. 109-133, 334, [7] p. MS. — Sc-Ar

SOUTH CAROLINA-Continued

Unit 2

1784-1785 Book of manifests and entries. 85-256, [13] fol. MS.
Sc-Ar

Unit 3

1785 Dec.-1787 Dec. Book of manifests and entries. 257-489, [18] fol. MS.
Sc-Ar

Unit 4

1694/5-1719 A book for recording of cattle marks. [14], 21 p. MS.
Sc-Ar

Unit 5

1820 Astronomical observations of South Carolina. 58 p. MS. Sc-Ar

TEXAS

D.1 Reel 1

Unit 1

D.21 X

Messages of the Presidents

1838 May 12 Veto message. 9 p.
1838 Nov. Submitting documents from heads of the departments. 31 p.
1838 May 21 Concerning Indian relations. 23 p.
1838 Nov. 19 Relative to Indian affairs. 13 p.
1838 Dec. 21 Mirabeau B. Lamar. 32 p.
CU-B
1838 Rules of the Senate. 3d Congress. 42 p.
Neg. photo. Tx Orig. TxH
1837 Rules of the House. 2d Congress. 30 p.
1838 Rules of the House. 3d Congress. 12 p.
Neg. photo. Tx
1838 Dec. 21 Message of Mirabeau B. Lamar with accompanying documents. [162] p. v.p.
1838 Dec. 21 Instructions for the Consular and Commercial agents. 62 p.
DLC
1840 Nov. Report of the Secretary of the Navy. 28 p. Tx

Unit 2

D.1 X

Appendix to Journals

1840-41 House Reports for 1839-40. 448 p. DLC
1840 Oct. 29 Report of Secretary of State. 24 p.
1841 Review of finances. 18 p.
1841 Review of Finance Committee. 8 p.
1841 Letter from President of Texas to the Governor of Yucatan. 3 p.
Photo., orig. TxH
1841 Report of the Retrenchment Committee. 4 p.
1841 Dec. 30 Message of President with accompanying documents. 4 p.
1842 Jan. 3 Report of Finance Committee. 15 p.
1842 Jan. 1 Report of Committee on Weights and Measures. 4 p.
Tx

TEXAS-Continued

Unit 3

1844-45 (H) Reports for 1843-44. 91 p.
1845 Feb. 24 Message with accompanying documents. 8 p.
1846 Feb. sess.-1850 Aug. sess. Appendix bound with Journals.
1847 Dec. 3 First biennial report of Comptroller. 27 p.
1848 Dec. First biennial report of Commissioner of the General Land Office. 12 p.

Tx

Unit 4

1850 (H) Reports for 1849-50. 109 p.
1853 Documents accompanying the Governor's message. 130 p. (w: p. 65-80)

DLC

Unit 5

1853-54 (H) Reports for 1852-53. 375, [2] p. Tx

Unit 6

1856 Documents accompanying the Governor's message. v.p. n.t.-p.

Tx

Unit 7

1855-56 (H) Reports for 1853-55. 372, 48 p. (w: p. 54-55, 166-167)

DLC

D.1 Reel 2

Appendix to Journals

Unit 1

1857-58 House Reports for 1857-58. v.p. Tx

Unit 2

D.21

Messages of Governors

1863 Feb. 5 F. R. Lubbock. 24 p.
1863 Nov. 5 F. R. Lubbock. 19 p.
1863 Nov. 5 Valedictory. 8 p.
1863 Nov. 5 P. Murrah, Inaugural. 8 p.
1863 Nov. P. Murrah. 11 p.
1864 May 11 P. Murrah. 23 p.
1864 Oct. 20 P. Murrah. 8 p.

TxU

Unit 3

D.23

Reports of Comptroller Generals

1863 Aug. Bien., 1861-63. 69 p. MS. Tx
1866 Condensed statement for 1863-66. 18, 9, 12, 10, [2] p.
1870 Sept. Bien., 1867-69. 111, 34 p.
1871 Sept. Ann., 1869-70. 85 p.

TxU

Unit 4

D.24

Reports of Treasurers

1859 Sept. 1 Ann., 1858-59. 15 p.
1861 Sept. 1 Ann., 1860-61 14 p.

TEXAS-Continued

1868 Sept. 1 Ann., 1867-68. 11 p.
1869 Sept. 1 Ann., 1868-69. 19 p.

TxU

Unit 5
D.25at

Reports of Attorney Generals

1860 For 1859. 15 p.
1867 Nov. 2 15 p.
1870 Feb. 20 For 1868-69. 61 p.

TxU

Unit 6
D.25ed

Reports of Superintendents of Schools

1859 Sept. 1 For 1858-59. 37 p.
1861 Sept. 1 For 1860-61. 24 p.

TxU

1871 Dec. Ann., 1870 Aug.-1871 Aug.
Supplementary, Aug.-Dec. 1871. 109 p.
1873 May 9 Report of Committee on Official Conduct and Accounts of Superintendent of Public Instruction. 158 p.
1866 Feb. 24 The minority report on the right of suffrage. 16 p.

Tx

D.25 la   Reel la

Spanish Archives
Unit 1
E.1c

1823 June 16-1835 May 6
File 51 Appointments of officers. 165 fol., [48] p. MS. (Sp.)
Sec. 1 State officers. fol. 33.
Sec. 2 Department officers. fol. 34-61.
Sec. 3 Land commissions and instructions. fol. 62-145.
Sec. 4 Judicial officers. fol. 146-165.

Tx-LO

Unit 2

File 51 Appointments of officers. 257-342 p. MS. (Eng.)
File 53 Appendix to empresario contracts. 342-389 p. MS. (Eng.)

Tx-LO

Unit 3
B.2

File 53 Appendix to empresario contracts. v.1: 293 fol., [25] p. MS.
General provisions relative to colonization in Texas under the Spanish and Mexican governments.
Laws and regulations of the government of the State of Coahuila and Texas.

Tx-LO

Unit 4

File 54 Appendix to empresario contracts. v.2: 311 fol. MS.
I. Austin's colonies. fol. 175.
II. DeWitt's colonies. fol. 176-276.
III. Roberson's colonies. fol. 277-311.

Tx-LO

TEXAS-Continued

D.25 1a — Reel 1b

Spanish Archives

Unit 1

File 55 Appendix to empresario contracts. v.3: 301 fol., [34] p. MS.
- I. Milam's colony. fol. 13.
- II. Wavel's colony. fol. 14-23.
- III. Vehlein's, Burnet's and Tavala's colony. fol. 24-111.
- IV. Cameron's colony. fol. 112-128.
- V. Waden Edwards' colony. fol. 129-162.
- VI. McMullen's and McGloin's colony. 163-218 fol.
- VII. Grant's and Beal's colony. 219-233 fol.
- VIII. Extracts of sundry contracts. 234-248 fol.
- IX. Indian tribes.
  1. Shawnee. fol. 249-253.
  2. Coshatee and Alibamo. fol. 254-258.
  3. Choctaws. fol. 259-264.
  4. Cherokees. fol. 265-301.

Tx-LO

Unit 2

File 56 Appendix to empresario contracts. v.4: 295 fol., [40] p. MS.
- I. De Leon's colony. fol. 116.
- II. Power's and Hewetson's colony. fol. 117-295.

Tx-LO

Unit 3

File 50 Missions in Texas. 287 fol., [3] p. MS.
- I. General provisions relative to missions. fol. 12.
- II. Missions near Besar. fol. 13-129.
- III. Missions near Goliad. fol. 130-275.
- IV. Missions near Nacogdoches. fol. 276-287.

Tx-LO

D.25 1a — Reel 1c

Spanish Archives

Unit 1

File 57 Miscellaneous. 169 fol. MS.
- I. Organization of the Mexican Government. 43 fol.
- II. Treaty between the United States of America and Mexico. fol. 44-56.
- III. Message of Governor of State of Coahuila and Texas. fol. 57-73.
- IV. Spanish marriage law. fol. 74-79.
- V. Slavery in the Spanish Dominions and Mexico. fol. 80-150.
- VI. Copies of titles not delivered. fol. 151-169. (w: fol. 111, 116)

Tx-LO

Unit 2

E.3

1834 Aug. 12-1835 Aug. 21 Correspondence between the political chief of Nacogdoches and the secretary of the State of Coahuila and Texas. 75 p. MS. Tx-LO

TEXAS-Continued
Unit 3
E.3

1834 Aug. 12-1835 Nov. 28 Correspondence of Vital Flores, political chief of Nacogdoches. 54 p. MS.
1834 Sept. 18-1835 Oct. 12 Correspondence of Enriquez Rueg. 39, [8] p. MS.

Tx-LO

Unit 4

1825 July 11-1831 Dec. 2 Book A. Register of families in Austin's colonies. 26, 119 p. MS.
1831 Dec.-1836 Feb. Book B. Memorandum book of applications for land in Austin's colony. 104 p. MS.

Tx-LO

Unit 5

1835 Feb.-Sept. 650 oaths of colonists in Milam's colony. 65 fol. MS.
1830-31 Register of families in Wavell's colony. 25 fol. MS.
1835-36 List of families received in Robinson's colony. [4], 52-77 p. MS.
1835-36 List of orders of survey issued by Charles S. Taylor. 26 p. MS.
1830-32 Records of colony of Green De Witt and founding of Gonzales. 811-866 p. MS. (File 13)
1830-32 Original grant of town of Austin. 16-17 p. MS.
1830-32 Town plan and plot. p. 18. MS.

Tx-LO

UTAH

D.2

Reel 1

Unit 1
D.21

Governors' Proclamations

1851 Sept. 18 Brigham Young. For an election. Broadside.
1851 Oct. 4 Brigham Young. For a special election. Broadside.
1852 Feb. 4 Brigham Young. Convening a special session. Broadside.
1852 Mar. 12 Brigham Young. Election of militia officers. Broadside.
1852 June 12 Brigham Young. Caution to emigrants. Broadside.
1853 Apr. 23 Brigham Young. Indian expedition. Broadside.
1857 Sept. 15 Brigham Young. Proclamation of martial law. Broadside.

USlC

Unit 2
D.21

Governors' Messages

1851 Sept. 22 1st ann., Brigham Young. 4 p.
1852 Jan. 5 Brigham Young. 8 p.
1853 Dec. 12 2d ann., Brigham Young. 8 p.

USlC

1854 Dec. 11 3d ann., Brigham Young. 7 p.

D.22

1854 Dec. 11 General report of the auditor. 8 p. DLC

UTAH-Continued

D.21

1855 Dec. 11 4th ann., Brigham Young. 8 p.
[W] 1856 (Not found)
1857 Dec. 15 6th ann., Brigham Young. 3 p. (From Deseret News.)
US1C

D.21

1857 Dec. 15 Brigham Young. 11 p.
1858 (Not found)
1859 (Not found)
DLC

D.1

1860 Nov. 12 10th ann., Alfred Cummings. 14 p.
Auditor, p. 5-11. Treasurer, p. 12-14. DLC

D.21

1861 Dec. 10 11th ann., John W. Dawson. 9 p. CU-B
1862 Dec. 12th ann. (Not found)
1863 Dec. 14 13th ann., Amos Reed, Acting Governor. 8 p.
US1C

D.1

1866 Dec. 10 16th ann., Charles Durkee. 16 p.
Auditor, p. 7-14. Treasurer, p. 15-16. DLC
[W] 1868 Jan. 17th ann. (Not found)
1869 Jan. 11 18th ann., Edwin Higgins, Acting Governor. 16 p.
Auditor, p. 9-14. Treasurer, p. 15-16.
1870 Jan. 11 19th ann., S. A. Mann, Acting Governor. 18 p.
Auditor, p. 9-14. Treasurer, p. 14-15. Judge, p. 15-18.
CU-B
1872 Jan. 9 Bien., 1870-71, George L. Woods. 12 p.
Auditor, p. 6-10. Treasurer, p. 11-12.
1874 Jan. 13 Bien., 1872-73, George L. Woods. 16 p.
Auditor, p. 10-14. Treasurer, p. 15-16.
Names of members. 6 p.
US1C
1876 Jan. 11 Bien., 1874-75, George W. Emery. 26 p.
Auditor, p. 9-19. Treasurer, p. 19-26.
1878 Jan. 14 Bien., 1876-77, George W. Emery. 35 p.
Auditor, p. [23]-34. Treasurer, p. [35].
DLC
1880 Jan. Bien., 1878-79, Arthur L. Thomas, Acting Governor. 27 p.
Auditor, p. [12]-25. Treasurer, p. [26]-27. NN
1882 Bien., 1880-81, Eli H. Murray. 27 p.
Auditor, p. [16]-25. Treasurer, p. [26]-27.
1882 Report on the Governor's message, by the Committees on the Judiciary and Education. 13 p.
1884 Jan. 14 Bien., 1882-83, Eli H. Murray. 23 p.
Auditor, p. [19]-22. Treasurer, p. 22-23.
CU-B
[W] 1886 (Not found)

UTAH-Continued

1888 Jan. 9 Bien., 1886-87, Caleb W. West. 24 p.
Auditor, p. [16]-19. Treasurer, p. [20].
Deaf Mute Institute, p. [21]-24.
NN

1890 Jan. 13 Bien., 1888-89 Arthur L. Thomas. ? p.
Auditor, p. 13-22. DLC

1892 Bien., 1890-1891, Arthur L. Thomas. 159 p.
Deaf Mute Institute, p. [47]-48. Reform School, p. [49]-71. Librarian, p. [73]-78. Statistician, p. [79]-91.

1894 Jan. 8 Bien., 1892-1893, Caleb W. West. 51 p.
Auditor, p. [9]-17. Treasurer, p. 19-25. Librarian, p. [27]-34.
NN

Reports of Superintendents of Common Schools

Unit 3

D.25ed

1864 Dec. 31 Ann., 1864. 10 p. School code, p. 5-10.
1865 Ann., 1865. 12 p. School code, p. 5-12.
[W] 1866 Ann., 1866. (Not found)
1868 Feb. 19 Ann., 1867. 19 p.
School code, p. 11-19.
1869 Ann., 1868. (Not found)
1870 Jan. 19 Ann., 1869. 17 p.
School code, p. 10-17.
1871 (Not found)
1872 Jan. 31 Ann., 1871. 9 p.
School code, p. 6-9.
1876 Jan. 10 Bien., 1874 Dec.-1875 Nov. 70 p.
1878 Jan. 31 Bien., 1876 Dec.-1877 Nov. 62 p.
University of Deseret, p. 39-49. School code, p. [5]-62.
1880 Feb. 20 Bien., 1878 Nov.-1879 Nov. 80 p.
Chancellor of University, p. [56]-80.
1882 Jan. 30 Bien., 1879 July-1881 June. 127 p.
Regents of University, p. [99]-111.
School code, p. 112-127.
1884 Jan. 24 Bien., 1881 July-1883 June. 119, 19, 21 p.
Regents of University, 19 p. School code, 21 p.
DLC
[W] 1888 Bien., 1885-1887. NN

Unit 4

B.3

1852 Militia act. 24 p.

F.X

1868 Rules of the District Court. 8 p.

D.25x

1869 County financial reports. 20 p.

X

1870 The Cullom bill remonstrance and resolutions. 6 p.
1874 Utah affaire, Congress and polygamy. 30 p.

UTAH-Continued

B.3

1882 Utah election laws. 13 p. CU-B

Unit 5

D.1

1896 Jan. Bien. reports, 1894-1895. v.p. n.t.-p. U

VIRGINIA

D.1 Reel 1

Governor's Message and Annual Reports

Binder	Report period			Imprint
	Unit 1			
1847	1847	1-61	v.p.	1847 DLC
	Unit 2			
1848-49	1848	1-83	v.p.	1848 DLC

D.1 Reel 2

Binder	Report period			Imprint
	Unit 1			
1861-62	1860-61	1-68, 1-4	v.p.	1861 DLC

D.1 Reel 3

Binder	Report period			Imprint
	Unit 1			
1861-62	1860-61	14-15	756, 688, 11 p.	1861 DLC

D.1 Reel 4

Binder	Report period			Imprint
	Unit 1			
1861-62	1860-61		553, viii, 622 p.	n.t.-p. DLC

D.1 Reel 5

Binder	Report period			Imprint
	Unit 1			
1863-64	1861-63	1-19, 1-34	v.p.	1863 DLC
	Unit 2			
1865-66	1864-65	1-26	v.p. v.p.	n.t.-p. DLC
	Annual Reports			
	Unit 3			
1866-67	1866	1-5	v.p.	n.t.-p. DLC
	Unit 4			
1869-70	1867-69	1-21, [2]	v.p.	n.t.-p. DLC

WASHINGTON

D.1 Reel 1

Public Documents

Binder	Report period			Imprint
	Unit 1			
1895-96	1895-96	1-19	v.p.	n.t.-p.
				Wa

D.2 Reel 1a

Unit 1[1]

D.22

1864 Jan. Auditor's report, 1863. 13 p.

D.25 li

1864 Jan. Librarian's report, 1863. 7 p.

D.24

1864 Jan. Treasurer's report, 1863. 7 p.

D.22

1864 Jan. Auditor's report, 1863. 21 p.

D.25 li

1864 Dec. Librarian's report, 1864. 4 p.

D.22

1865 Dec. Auditor's report, 1865. 24 p.

D.21

1865 Jan. 16 Veto message. 4 p.
1864 Dec. 27 Veto message. 7 p.
1865 Jan. 10 Veto message. 8 p.

D.25un

1865 Report of Joint Committee relative to Territorial University. 7 p.

D.25 li

1865 Dec. Librarian's report, 1865. 4 p.

D.22

1866 Jan. 12 Supplemental report of the auditor. 4 p.
1866 Dec. 31 Auditor's report, 1866. 16 p.

D.21

1866 Dec. Message of Governor Pickering. 8 p.

D.24

1866 Jan. 4 Treasurer's report, 1865. 8 p.

D.25 li

1866 Dec. 13 Librarian's report, 1866. 5 p.

D.24

1867 Jan. Treasurer's report, 1866. 5 p.

D.25un

1864 Dec. Report of university regents. 5 p.

WaU

1. Unit 1 consists of items appearing on film out of regular classification order.

WASHINGTON-Continued

Unit 2

D.21

Governors' Messages

1855 Dec. 7 Charles H. Mason. 11 p. WHi

1856 Dec. 3 Isaac I. Stevens. 1 p.l., 23 p.

1857 Dec. 12 Fayette McMullen. 8 p.

CtY-Coe

1857 Isaac I. Stevens. Message and official correspondence. 1 p.l., xvii, 406, xvii p. CU-B

1857 Fayette McMullen. Official correspondence. 12, [1] p.

1858 Dec. 7 Charles H. Mason. 13 p.

1859 Jan. 4 William S. Harvey. Answer to the Governor of Washington. 7 p.

NHi

1859 Dec. 7 R. D. Gholson. 13 p.

1860 Dec. 5 Henry M. McGill, Acting Governor. 19 p.

1861 Dec. 19 L. Jay S. Turney, Acting Governor. 16 p.

1862 Dec. 17 William Pickering. (A. M. Poe, printer.) 12 p.

1862 Dec. 17 William Pickering. (George A. Barnes, printer.) 11 p.

CtY-Coe

[W] 1864 Dec. (Not found. See Council and House journals.)

[W] 1865 Dec. (Not found. See Council and House journals.)

1865 Jan. 16 Veto message. See Unit 1.

1864 Dec. 27 Veto message. 7 p.

CU-B

1865 Jan. 10 Veto message. See Unit 1.

1866 Dec. 31 William Pickering. 8 p.

1867 Dec. 9 Marshall F. Moore. 20 p.

[W] 1869 Oct. (Not found. See Council and House journals.)

1871 Oct. 2 Edward S. Solomon. 27 p.

1873 Oct. 9 Elisha P. Ferry. 1 p.l., 15 p.

1875 Oct. 9 Elisha P. Ferry. 1 p.l., 20 p.

1877 Oct. 3 Elisha P. Ferry. 20 p.

CtY-Coe

1877 Oct. 3 Extract from message. 8 p.

1879 Oct. 6 Extract from message. 20 p.

1881 Oct. William A. Newell. 20 p.

[W] 1883 Oct. (Not found. See Council and House journals.)

1885 Dec. Watson C. Squire. 98 p.

1885 Resources and development of Territory of Washington. 72 p. map.

1887 Eugene Semple. 104 p.

1889 Nov. 18 Elisha P. Ferry. Inaugural. 13 p.

1889 Nov. 22 Miles C. Moore, Ex-Governor. 14-16 p.

Wa

Unit 3

D.22

Auditors' Reports

1860 Ann., 1860. 17 p.

1862 Ann., 1861. 22 p.

CU-B

WASHINGTON-Continued

[W] 1863? Ann., 1862. (Not found. See Council and House journals.)
1864 Jan. 4 Ann., 1863. See Unit 1.
1864 Ann., 1864. See Unit 1.
1865 Ann., 1865. See Unit 1.
1866 Ann., 1866. See Unit 1.
1866 Supplemental report. See Unit 1.

WaU

[W] 1867 Ann., 1867. (Not found. See Council and House journals.)
[W] 1869 Bien., 1867-69. (Not found. See Council and House journals.)
1871 Bien., 1869 Nov. 5-1871 Sept. 30. 50 p.

CU-B

[W] 1873 Bien., 1871-73. (Not found)
[W] 1875 Bien., 1873-75. (Not found)
1877 Bien., 1875 Oct. 1-1877 Oct. 1. 32 p.
1879 Bien., 1877 Oct. 1-1879 Oct. 1. 61 p.
1881 Bien., 1879 Oct. 1-1881 Oct. 1. 62 p.

WaU

1883 Bien., 1881 Oct.-1883 Oct. 61 p.
1883 Bien., 1881 Oct.-1883 Oct. 40 p.
1885 Bien., 1883 Oct.-1885 June 30. 76, xxix p.
1887 Bien., 1885 July 1-1887 Sept. 30. 112 p.
1889 Bien., 1887 Oct. 1-1889 Sept. 30. 130 p.

Wa

D.2 Reel 1b

Unit 1
D.24

Treasurers' Reports

1862 Ann., 1861. 5 p.
[W] 1862 Ann., 1862. (Not found. See Council and House journals.)
1864 Jan. Ann., 1863. See Reel 1a, Unit 1.
[W] 1864 Ann., 1864. (Not found. See Council and House journals.)
1866 Ann., 1865. See Reel 1a, Unit 1.
1867 Ann., 1866. See Reel 1a, Unit 1.

WaU

[W] 1869 Bien., 1867-69. (Not found. See Council and House journals.)
[W] 1871 Bien., 1869-71. (Not found. See Council and House journals.)
[W] 1873 Bien., 1871-73. (Not found. See Council and House journals.)
[W] 1875 Bien., 1873-75. (Not found. See Council and House journals.)
[W] 1877 Bien., 1875-77. (Not found. See Council and House journals.)
1879 Bien., 1877 Oct. 1-1879 Oct. 1. 40 p.
1881 Bien., 1879 Oct. 1-1881 Oct. 1. 42 p.
1883 Bien., 1881 Oct. 1-1883 Sept. 30. 40 p.
1885 Bien., 1883 Oct. 1-1885 June 30. 44 p.

WASHINGTON-Continued

1887 Bien., 1885 Oct.1-1887 Oct. 1. 51 p.
1889 Bien., 1887 Oct. 1-1889 Oct. 1 52, [1] p.
Wa

Unit 2
D.25ad

Adjutant Generals' Reports

1885 Bien., 1883 Oct. 7-1885 Sept. 30. 15 p.
1887 Bien., 1886-87. 90 p.
1888 Bien., 1888-89. 95 p.

D.25at

Attorney General's Report

1889 1888 Jan.-1889 Nov. 8 p. Wa

Unit 3
D.25ed

Reports of Superintendents of Public Instruction

1861 Dec. 10 Ann., 1861. 24 p.
[W] 1875 (Not found)
1877 Bien., 1875 Oct.-1877 Sept. 38 p.
CU-B
1879 Bien., 1877 Oct.-1879 Sept. 58 p.
1881 Bien., 1879 Oct.-1881 Sept. 40 p.
1883 Bien., 1881 Oct.-1883 Sept. 72 p.
1883 School law of Washington Territory. 25 p.
1885 Bien., 1883 Oct.-1885 Sept. 90, [1] p.
1887 Bien., 1885 Oct.-1887 Sept. 96 p.
1888 Bien., 1887 Oct.-1888 June. (Not printed)
1889 Bien., 1888 July-1889 June. 120 p.
Wa

Unit 4
D.25ed B.3

School Laws

1854 Apr. 12. 14 p.
1863 Jan. 27. 22 p.
1867 Dec. 2. 24 p.
1871 Nov. 28. 16 p.
1873 Nov. 14. 16 p.
1877 Nov. 9. 24 p.
1883 Nov. 28. 44 p.
Wa

Unit 5
D.25dd

1886 Feb. Report of Board of Commissioners... for Deaf Mute School. 4 p.

D.25in

1877 Aug. Report of the Superintendent of the Hospital for the Insane, 1885-1887. 16 p.
1885 June Report of Trustees and Resident Officers...Insane Hospital. 15, [1] p.

WASHINGTON-Continued

1887 Report of Board of Commissioners...Hospital for the Insane. 5, [1] p. CU-B

D.25ss

1888 Statistical report of Secretary of Territory. 14 p.

D.25un

1861 Report of University Commissioners on expenditures. 10 p.
1861 Report of the University Commissioners. 21 p. CU-B
1864 Dec. Annual report of University Regents, 1864. 5 p. WaU
[W] 1866 Jan. Annual report of University Regents, 1865. 7 p. DLC

WEST VIRGINIA

D.1 Reel 1

Governors' Messages and Accompanying Documents

	Binder	Report period			Imprint
		Unit 1			
	1866	1865	[1-6]	v.p.	n.t.-p. M
	1867	1866 (Not found)			
	1869	1868 (Not found)			
		Unit 2			
	1870	1870	[1-8]	v.p.	1871 DLC
		Unit 3			
	1872	1871	[1-12]	v.p.	1872 DLC
		Unit 4			
	1875	Bien., 1872-74	[1-8]	v.p.	n.t.-p. DLC

D.1 Reel 2

	Binder	Report period			Imprint
		Unit 1			
	1877	Bien., 1874-76	[1-5]	v.p.	1877 DLC
		Unit 2			
	1879	Bien., 1876-78	[1-7]	v.p.	1879 DLC
		Unit 3			
	1881	Bien., 1878-80	[1-8]	v.p.	1881 DLC

D.1 Reel 3

	Binder	Report period			Imprint
		Unit 1			
	1883	Bien., 1880-82	[1-13]	v.p.	1883 DLC
		Unit 2			
[W]	1885	Bien., 1882-84			1885 M
		Unit 3			
	1887	Bien., 1884-86	[1-15]	v.p.	1887 M

WISCONSIN

D.1 Reel 1

Governors' Messages and Accompanying Documents

Binder	Report period			Imprint
	Unit 1			
1852	Assembly appendix, 1851		374 p.	n.t.-p. DLC
	Unit 2			
1853	1852	[1-21]	v.p.	n.t.-p. DLC
	Unit 3			
1854	1853		v.p.	n.t.-p. DLC
	Unit 4			
1855	Senate appendix, 1854	[1-19]	v.p.	n.d. DLC

D.1 Reel 2

Binder	Report period			Imprint
	Unit 1			
1856	Senate appendix, 1855		v.1: v.p.	n.d. DLC
	Unit 2			
1856	Senate appendix, 1855		v.2: v.p.	n.d. DLC
	Unit 3			
1857	Senate appendix, 1856		v.1: v.p.	n.d. DLC
	Unit 4			
1857	Senate appendix, 1856		v.2: v.p.	n.d. DLC

D.1 Reel 3

Binder	Report period			Imprint
	Unit 1			
1858	Assembly appendix, 1857	[A-V]	v.p.	n.d. DLC
	Unit 2			
1859	1858	[A-S]	v.p.	1859 DLC

D.1 Reel 4

Binder	Report period			Imprint
	Unit 1			
1860	1859	[A]-Q	v.p.	1860 DLC
	Unit 2			
1861	1860	[A]-Sa	v.p.	n.t.-p. DLC

D.1 Reel 5

Binder	Report period			Imprint
	Unit 1			
1861	Ann., 1860-61	[1-16]	v.p.	1861 DLC
	Unit 2			
1862	Ann., 1861-62		xxviii, 1788, 9 p.	1862 DLC

WISCONSIN-Continued

D.1 — Reel 6

Governors' Messages and Accompanying Documents

Binder	Report period		Imprint
		Unit 1	
1863	1863	xiii, 1230 p.	1864 DLC
		Unit 2	
1865	1864	xx, 991 p.	1865 DLC

D.1 — Reel 7

Binder	Report period		Imprint
		Unit 1	
1865	1865	v.1: xvi, 682 p.	1866 DLC
		Unit 2	
1865	1865	v.2: [683]-1589 p.	n.t.-p. DLC
		Unit 3	
1866	1866	xxiv, 790 p.	1867 DLC

D.1 — Reel 8

Binder	Report period		Imprint
		Unit 1	
1867	1867	xvi, 1030 p.	1868 DLC
		Unit 2	
1869	1868	v.1: v.p.	1869 DLC
		Unit 3	
1869	1868	v.2: v.p.	n.t.-p. DLC

WYOMING

D.2 — Reel 1

Unit 1

D.21

Governors' Messages

1869 Oct. 1st Assy. John A. Campbell. 12 p. — Wy
1869 Oct. 1st Assy. John A. Campbell. 13 p. — WHi
1871 Nov. 7 2d Assy. John A. Campbell. 15 p. — DLC
1873 Nov. 4 3d Assy. John A. Campbell. 17 p.
1875 Nov. 2 4th Assy. John M. Thayer. 25 p.
1877 Nov. 6 5th Assy. John M. Thayer. 15 p.

D.1

1879 Nov. 6 6th Assy. Reports. 94 p.
Message, 39 p. Penitentiary Commission, p. [41]-51.
Supt. of Public Instruction, p. 52-63. Assayer, p. [64]-69.
Auditor, p. [70]-91. Treasurer, p. [92]-94.

WYOMING-Continued

1882 Jan. 12 7th Assy. Reports. 121 p.
Message, 32 p. Auditor, p. [33]-45. Treasurer, p. [46]-54. Special Committee on Auditor and Treasurer, p. [55]-64. Board of Penitentiary Commissioners, p. [65]-81. Librarian, p. [82]-99. Geologist, p. [100]-112. Fish Commissioner, p. [113]-119. Report on insane patients, p. [120]-121.
Wy

Unit 2
D.1

1884 Jan. 16 8th Assy. Bien. reports, 1882 Mar. 31-1883 Dec. 31.
Message, 19 p. Auditor, p. [21]-30. Treasurer, p. [71]-72. Auditing Committee, p. [73]-76. Veterinarian, p. [77]-82. Fish Commissioner, p. [83]-114. Penitentiary Commissioners, p. [115]-122. Librarian and Superintendent of Public Instruction, p. [123]-133. Geologist, p. [134]-144. Denver expositions, p. [145]-174.
CU-B

Unit 3
D.1

1886 Jan. 18 9th Assy. Reports, 1884-85. 200 p.
Message, 23 p. Auditor, [25]-51. Treasurer, p. [52]-81. Geologist, p. [53]-200.
Wy

Unit 4
D.21

Governors' Messages

1888 10th Assy. Seven vetoes, by Thomas Moonlight. 23 p. NN
1888 Jan. 10 10th Assy. Message. Synopsis reports, 1886-87. 53 p.
1890 Jan. 11th Assy. Francis E. Warren. 44 p.
Wy

Unit 5
D.22

Auditors' Reports

1888 Ann., 1887. 35 p. CU-B
1889 Ann., 1889. 28 p.

D.25en

Engineers' Reports

1888 1888 Apr.-Nov. 35 p. Typescript.
1889 2d ann., 1886 Apr.-1889 Nov. 3 p.l., 100 p.
1890 3d ann., 1890. 13 p. Typescript.

D.25ve

Veterinarian's Report

1887 Dec. 15 6th ann., 1887. 16 p.

D.25ge

Geologists' Reports

1888 Jan. Ann., 1887. 87 p.
1890 Jan. Ann., 1889. 81, [2] p. tables.

WYOMING-Continued

D.21

Governor's Message

1920 Jan. 26 Special session. 3 p. Typescript. Wy

Unit 6

D.25im

Board of Immigration

1874 The territory of Wyoming, its history, soil, climate, resources, etc. 83, [1] p.

DLC

Unit 7

D.2 B.3

1876 Election, school and assessment laws. 1 p.l., 44 p.
1878 Election, school and assessment laws. 1 p.l., 63 p.
1880 School, election and stock laws. 78, [1] p.
1884 Election, stock, school and irrigation laws. 139 p.

Wy

Unit 8

D.25ed

1886 Mar. 25-1888 Jan. 6 Proceedings of meetings of the University Building Commission. 47 p. MS.

Wy-Secy.

EXECUTIVE RECORDS

ARIZONA

E Reel 1

Unit 1

E.1

1863 Dec.-1882 Apr. Executive record. 192, 344-444, 466-470, 476-479 p. MS. Az-Secy.

Unit 2

E.1

1882 Mar.-1887 Aug. Executive record. [23], 332, 9 p. MS. Az-Secy.

Unit 3

E.3

1863 June-1877 May Record book of letters of the Secretary of the Territory. 344 p. MS. Az-Secy.

Unit 4

E.3

1865-1888 Secretary of the Territory. Cash journal. 276, 300-309, 316-318, 325-330, 350-378, 400-403, 410, 414, 426, 430-433, 442-443. 450-453, 457-458 p. MS.

1893-1897 Secretary of the Territory. Cash journal. 47 p. MS. Az-Secy.

ARKANSAS

E.1 Reel 1

Unit 1

1819 Aug.-1835 Oct. Civil records. 276, [11] p. MS. Ar-Secy.

Unit 2

1836 Sept.-1864 Dec. Civil records. 14-638 p. MS. Ar-Secy.

Unit 3

1866 Oct.-1869 June Civil records. 315 p. MS. Ar-Secy.

E.1 Reel 2

Unit 1

1868 July-1871 June Civil records. 386, [4] p. MS. Ar-Secy.

Unit 2

1868 July-1874 Civil records. 268 p. MS. Ar-Secy.

Unit 3

1868 July-1876 Civil records. 751 p. MS. Ar-Secy.

E.1 Reel 3

Unit 1

1876-1882 Civil records. 775 p. MS. Ar-Secy.

Unit 2

[W] 1882-1886 Civil records. Ar-Secy.

Unit 3

1886-1890 Civil records. 393 p. MS. Ar-Secy.

EXECUTIVE RECORDS

COLORADO

E.1 Reel 1

Executive Department Journals

Unit 1

1861 July-1870 May v.1: 418 p. MS. Co-G

Unit 2

1869 June-1875 Sept. v.2: 467 p. MS. Co-G

Unit 3

1875 Sept.-1876 Nov. v.3: 147 p. MS. Co-G

Unit 4

E.1x

1862 Apr.-1876 Oct. Criminal record. 7-218 p. MS. Co-G

E.3 Reel 1

Unit 1

1861 June-1863 Feb. Official letters. 233 p. MS. (Pages 150-199 are blank.) Co-Secy.

Unit 2

1866 May-1875 Aug. Secretary's record. 530 p. MS. Co-Secy.

CONNECTICUT

E.1 Reel 1

Journal of the Governor and Council

Unit 1

1710 Oct.-1712 Oct. v.1: [179] p. MS. Ct

Unit 2

1712/13 Jan.-1743 Sept. v.2: 275 p. MS. Ct

Unit 3

1770 May-1782 Dec.? v.3: 43, 87-90, [12] p. MS. (The proceedings in this volume are not in chronological order.) Ct

Unit 4

1785 May-1811 Oct. v.4: [270] p. MS. Ct

Unit 5

1812 May-1818 Oct. v.5: [125] p. MS. Included in this volume is the Record of the resolves of Governor and Council, May 1785. Ct

E.4 Reel 1

Journal of the Council of Safety

Unit 1

1782 July 1-1783 Nov. 15 127 p. MS.
1782 Jan. 17-1782 June 21 186-293 p. MS. Ct

Unit 2

1782 Jan. 17-1783 Nov. 15 592-759 p. MS. Ct

EXECUTIVE RECORDS

FLORIDA

E.1 Reel 1

Executive Department Journals

Unit 1

1845 July-1858 Dec. 351 p. MS. F

Unit 2

1845 July-1865 Feb. 390, [30] p. MS. F

Unit 3

1865 Nov.-1874 Dec. 140 p. MS. F

E.2 Reel 1

Governor's Letterbooks

Unit 1

1836 Apr.-1836 Sept. [136] p. MS. F

Unit 2

1839 Dec.-1844 Sept. [312] p. MS. F

Unit 3

1845 July-1857 Oct. 424 p. MS. F

E.3 Reel 1

Unit 1

1831 Jan.-1845 Apr. Executive correspondence. 148 p. MS. (Pages 5-8, 67-70, 113-114 are blank.) F

Unit 2

1845 July-1865 May Correspondence of the Secretary of State. 76, 177-501, [162] p. MS. F

GEORGIA

E.1 Reel 1

Unit 1

1738 June 9-1741 June 8 Transactions of the trustees of Georgia. [20] p., 246, [17] fol. MS. G-Secy.

Unit 2

1741 June 9-1744 June 9 Transactions of the trustees of Georgia. 52, [12], 6, 23, [12], 10 fol., 28 p. MS. G-Secy.

Unit 3

1732-1752 General accounts of all monies and effects received and expended by the trustees. 1 p.l., 302 p. MS. G-Secy.

GEORGIA-Continued

Unit 4

A list of persons who went from Europe to Georgia on their own account, or at the trustees charge, or who joined the colony, or were born in it distinguishing such as had grants there or were only inmates. 251 p. MS.
GU

E.1 Reel 2

Unit 1

1774 Oct.-1780 Sept. Minutes of the Governor (Royal) and Council. [90], 11, 84 p. MS. G-Ar

Unit 2

1777 May-1777 Oct. Minutes of the Executive Council - first meeting. [83] p. MS. G-Hi

Unit 3

1778 Jan.-1783 Jan. Executive Council journal. 430 p. MS. G-Ar

Unit 4

1783 Jan.-1784 May Executive Council journal. 321 p. MS. G-Ar

Unit 5

1785 Jan.-1786 Jan. Executive Council journal. [20] p. typescript, 217 p. MS. G-Ar

E.1 Reel 3

Unit 1

1786 Jan.-1788 Jan. Minutes of the Executive Council. 460 p. MS. G-Ar

Unit 2

1788 Jan.-1788 Feb. Minutes of the Executive Council. 2 p.l., 101 p. MS. G-Ar

Unit 3

1788 Feb.-1788 Dec. Minutes of the Executive Council. [1], 251, [1] p. MS. G-Ar

Unit 4

1788 Dec.-1789 Jan. Minutes of the Executive Council. 2 p.l., 17 p. MS. G-Ar

Unit 5

1789 Jan.-1789 May Minutes of the Executive Council. 1 p.l., 268 p. MS. G-Ar

Unit 6

1789 May 12-1789 May 26 Minutes of the Executive Council. 1 p.l., 44 p. MS. G-Ar

Unit 7

1789 May-1789 June Minutes of the Executive Council. 2 p.l., 47 p. MS. G-Ar

E.1 Reel 4

Unit 1

1789 June-1789 July Minutes of the Executive Council. 2 p.l., 43 p. MS. G-Ar

Unit 2

1789 July-1789 Aug. Minutes of the Executive Council. 1 p.l., [11] p. MS. G-Ar

GEORGIA-Continued

Unit 3

1789 Aug.-1789 Nov. Minutes of the Executive Council. 1 p.l., 447-601 p. MS.
G-Ar

Journal of Proceedings of the Executive Department

Unit 4

1789 Nov.-1790 May 1 p.l., 256, [13] p. MS.
G-Ar

Unit 5

1790 May-1790 Dec. 1 p.l., 256, [13] p. MS.
G-Ar

Unit 6

1790 Dec.-1791 Nov. 1 p.l., 228 p. MS.
G-Ar

Unit 7[1]

1791 Feb.-1791 Mar. 1 p.l., [71] p. MS.
1791 Mar.-1791 May 1 p.l., [40] p. MS.
1791 Sept.-1791 Nov. 1 p.l., [28] p. MS.
G-Ar

E.1 Reel 5

Unit 1

1791 Nov.-1792 Nov. 1 p.l., 385, [25] p. MS.
G-Ar

Unit 2[2]

1792 Dec.-1793 Nov. 1 p.l., 45 p., 1 l., 46-82 p., 1 l., 83-127, [3] p., 1 l., 128-166 p. MS.
G-Ar

Minutes of the Executive Department

Unit 3

1793 Nov.-1796 Sept. [78], 409, 501-509, 600-775, [2] p. MS.
G-Ar

E.1 Reel 6

Unit 1

1796 Sept.-1797 Oct. [55], 277 p. MS.
G-Ar

Unit 2

1797 Oct.-1798 June [61], 412 p. MS. G-Ar

Unit 3

1798 June-1799 Feb. [51], 437 p. MS. G-Ar

E.1 Reel 7

Unit 1

1799 Feb.-1799 Nov. [65], 540 p. MS. G-Ar

1. The three items in Unit 7 are "rough minutes."

2. The four items in Unit 2 are "rough minutes."

GEORGIA-Continued

Unit 2

1799 Nov.-1800 Nov. [63] p., 1 l., 529 p. MS. G-Ar

E.1 Reel 8

Unit 1

1800 Nov.-1802 Oct. [111] p., 1 l., 579 p. MS. G-Ar

Unit 2

1802 Nov.-1805 Mar. [101] p., 1 l., 622 p. MS. G-Ar

E.1 Reel 9

Unit 1

1805 Apr.-1806 Jan. [91] p., 1 l., 213, [8] p. MS. G-Ar

Unit 2

1806 Sept.-1808 Feb. [95], 347 p. MS. (Pages 35-40 are blank.) G-Ar

Unit 3

1808 Feb.-1809 Nov. [107] p., 1 l., 534 p. MS. G-Ar

E.1 Reel 10

Unit 1

1809 Nov.-1810 Dec. [93] p., 1 l., 310 p. MS. G-Ar

Unit 2

1811 Jan.-1812 Sept. [91] p., 1 l., 410 p. MS. G-Ar

Unit 3

1812 Oct.-1814 Apr. [81] p., 1 l., 434 p. MS. G-Ar

E.1 Reel 11

Unit 1

1814 May-1815 Dec. [99] p., 1 l., 359 p. MS.

[W] 1815 Dec.-1816 Jan. (Missing from the files of the Georgia Archives.) G-Ar

Unit 2

1816 Jan.-1817 Nov. [97] p., 1 l., 309 p. MS. G-Ar

E.1 Reel 12

Unit 1

1860 Jan.-1866 July 886, [54] p. MS. G-Ar

Unit 2

1865 July-1865 Dec. 37 p. MS. G-Ar

E.1 Reel 13

Unit 1

1866 July-1870 Dec. 721, [63] p. MS. G-Ar

GEORGIA-Continued

E.1b Reel 1

Governor's Proclamations

Unit 1

1754 Oct.-1777 May 213 p. MS.
1777 June-1794 Jan. 214-352 p. MS.
Inserted between p. 336 and p. 339: Proclamation, Dec. 17, 1792, by Governor Edward Telfair. Broadside.
G-Ar

Unit 2

1782 Nov.-1823 July [22], 369 p. MS.
G-Ar

Unit 3

1823 Dec.-1853 Nov. 366 p. MS. G-Ar

E.1c Reel 1

Unit 1

1754-1776 State officer appointments, part 1, Commission book B. [24], 225 p. MS.
1778-1827 State officer appointments, part 2, Commission book B. 226-513 p. MS.
G-Ar

Governor's Letterbooks

E.2 Reel 1

Unit 1

1785 Feb.-1786 Oct. 1 p.l., 82 p. MS.
G-Hi

Unit 2

1786 Oct.-1789 May 1 p.l., 265 p. MS.
G-Ar

Unit 3

1789 May-1789 Nov. 35 p. MS. G-Ar

Unit 4

1793 Nov.-1794 Oct. [1] p., 1 l., 87 p, 1 l., 88-175 p. MS. G-Ar

Unit 5

1795 Aug.-1799 Jan. [1] p., 1 l., 62, [1] p., 3 l., 64-146, [1], 147-245, [1] p., 1 l., 246-339 p. MS.
G-Ar

Unit 6

1799 Jan.-1799 Oct. [1] p., 1 l., 79, [1] p., 1 l., 80-177, [1] p. 1 l., 178-190 p. MS. G-Ar

Unit 7

1800 Mar.-1802 July [1] p., 1 l., 83, [1], 84-128, [1], 129-177 p., 1 l., 178-214 p. MS. G-Ar

GEORGIA-Continued

E.2 Reel 2

Unit 1

1802 Nov.-1809 Nov. 365 p. MS. G-Ar

Unit 2

1809 Nov.-1814 May [21], 248 p. MS. G-Ar

Unit 3

1814 May-1821 Oct. [20], 414 p. MS. G-Ar

Unit 4

1821 Nov.-1829 Oct. [21], 656 p. MS. G-Ar

E.2 Reel 3

Unit 1

1829 Nov.-1831 June [21], 303 p. MS. G-Ar

Unit 2

1831 July-1833 Feb. [26], 382 p. MS. G-Ar

Unit 3

1833 Feb.-1835 June [23], 376 p. MS. G-Ar

E.2 Reel 4

Unit 1

1835 June-1840 Dec. [54], 550 p. MS. G-Ar

Unit 2

1841 Jan.-1843 May 1 p.l., 563, [53] p. MS. G-Ar

E.2 Reel 5

Unit 1

1843 June-1846 Dec. 806, [8] p. MS. G-Ar

Unit 2

1847 Jan.-1861 Apr. 1 p.l., 580, [252] p. MS. G-Ar

E.2 Reel 6

Unit 1

1861 Apr.-1865 May 758, 13 p. MS. G-Ar

IDAHO

E.1 Reel 1

Executive Record

Unit 1

1863 Mar.-1874 Oct. v.1: 208 p. MS. Id-Secy.

IDAHO-Continued

Unit 2

1876 July-1881 May v.2: 206 p. MS.
Id-Secy.

Unit 3

1881 May-1890 June v.3: [45], 4-522 p. MS.
Id-Secy.

ILLINOIS

Executive Register

E.1 Reel 1

Unit 1

1809 Sept.-1818 Sept. [100] p. MS. (Original. Missing to Sept. 9, 1809.)
I-Ar

Unit 2

1809 Apr.-1818 Sept. [21], 82 p. MS. (A complete copy of the original made at an early date.)
I-Ar

Unit 3

1818 Oct.-1832 Oct. 382 p. MS.
I-Ar

Unit 4

1832 Oct.-1837 Nov. 345 p. MS.
I-Ar

Unit 5

1837 Oct.-1843 Jan. 396 p. MS.
I-Ar

E.1 Reel 2

Unit 1

1843 Jan.-1847 June 564 p. MS.
I-Ar

Unit 2

1847 July-1852 Apr. 557 p. MS.
I-Ar

E.1 Reel 3

Unit 1

1852 Apr.-1856 July 617 p. MS.
I-Ar

Unit 2

1856 July-1859 Dec. 5-61, 3-654 p. MS.
I-Ar

E.1 Reel 4

Unit 1

1860 Jan.-1861 Dec. [38], 517 p. MS.
I-Ar

Unit 2

1862 Jan.-1862 Dec. 10, 433 p. MS.
I-Ar

ILLINOIS-Continued

Unit 3

1863 Jan.-1865 Sept. [75], 447 p. MS.
I-Ar

E.1 Reel 5

Unit 1

1865 Oct.-1867 Dec. 433 p. MS. I-Ar

IOWA

E.1 Reel 1

Unit 1

1838 Sept.-1841 June Executive Department journals. [1], 282 p. MS.
Appended: Hymns and verses composed by Governor Robert Lucas. 119 p. MS. IaHi

Unit 2

E.2

1838 Aug.-1846 Oct. Original letters from the correspondence of the governors and ex officio superintendents of Indian affairs. 129 letters. MSS.

1838 Aug.-1842 Aug. v.1: 65 letters.
IaHA

Unit 3

1842 Sept.-1846 Oct. v.2: 64 letters. IaHA

E.1 Reel 2

Unit 1

1846 Dec.-1858 Dec. Executive register. 1 p.l., 490 p. MS. Ia-Ar

Unit 2

1858 Jan.-1862 Jan. Executive journal. [61], 291, [33], 292-566 p. MS.
Ia-Ar

E.1 Reel 3

Unit 1

1859 Jan.-1869 Jan. Executive register. [74], 550 p. MS. Ia-Ar

Unit 2

1862 Jan.-1863 Dec. Executive journal. [14] p. typescript, 563 p. MS.
Ia-Ar

E.1 Reel 4

Unit 1

1864 Jan.-1865 Dec. Executive journal. 201, 214-234 p. MS. Ia-Ar

IOWA-Continued

Unit 2

1865 Dec.-1866 Mar. Executive journal. [86] p. MS. Ia-Ar

KENTUCKY

Executive Department Journals

E.1 Reel 1

Unit 1

1792 June-1796 May 80 p. MS.
1796 June-1799 July 81-214 p. MS. KyHi

Unit 2

1800 Feb.-1804 Aug. Civil transactions, pt. 1. [83] p. MS. KyHi

Unit 3

1799 Dec.-1804 Aug. Civil appointments, pt. 2. 1 p.l., 94 p. MS. KyHi

Unit 4

1799 Apr.-1808 Mar. Military appointments. [62] p. MS. KyHi

Unit 5

1799 July-1804 Mar. A record of arrangements made with relation to the militia. 2 p.l., 21 p. MS. KyHi

Unit 6

1804 Aug.-1808 Aug. 21, [22-283] p. MS. KyHi

Unit 7

1808 Sept.-1812 Aug. 230, [34] p. MS. KyHi

E.1 Reel 2

Unit 1

1812 Aug.-1816 Sept. [15], 366 p. MS. KyHi

Unit 2

1816 Sept.-1820 Sept. [12], 244, [1] p. MS. KyHi

Unit 3

1820 Sept.-1824 Sept. 286 p. MS. KyHi

Unit 4

1824 Sept.-1825 Dec. 1 p.l., 258 p. MS.
1825 Dec.-1828 Sept. 259-634 p. MS. KyHi

E.1 Reel 3

Unit 1

1828 Sept.-1832 Sept. [1], 94, [95-226] p. MS. KyHi

KENTUCKY-Continued

Unit 2

1832 Sept.-1834 Jan. 135 p. MS. KyHi

Unit 3

1859 Aug.-1862 Aug. 3-345 p. MS. KyHi

Unit 4

1862 Aug.-1863 Aug. 111 p. MS. KyHi

Unit 5

1863 Sept.-1867 July 419 p. MS. KyHi

E.2 Reel 1

Unit 1

1812 Aug.-1815 Jan. Letterbook A. [21], 222 p. MS. KyHi

Unit 2

1813 Mar.-1816 Nov. Letterbook B. [21], 113, [114-163] p. MS. KyHi

LOUISIANA

Executive Department Journals

E.1 Reel 1

Unit 1

1803 Nov.-1804 Oct. 467 p. MS. See also Miss. E.1, Reel 1. Ms-Ar

Unit 2

1805 May-1806 Feb. 398 p. MS. (w: 311-358) Ms-Ar

Unit 3

1806 Mar.-1807 Mar. 352 p. MS. (w: p. 28-31, 75-82, 181-186, 215-220, 228-229, 231-236, 331-342, 347-350) Ms-Ar

Unit 4

1808 Aug.-1809 June [20], 312 p. MS. (w: p. 59-62, 75-76, 83-86) Ms-Ar

E.1 Reel 2

Unit 1

1811 Jan.-1811 Dec. [20], 469 p. MS. Ms-Ar

Unit 2

1812 Jan.-1812 June [36], 109 p. MS.
1812 June-1813 June 110-265 p. MS. Ms-Ar

Unit 3

1812 Aug.-1813 Dec. 69 p. MS. Ms-Ar

Unit 4

1814 Oct.-1816 July [1], 86 p. MS. Ms-Ar

Unit 5

1815 Jan.-1815 Feb. [7] p. typescript, 39 p. MS.
1815 Feb.-1827 Feb. Adjutant General's book. 40-207 p. MS. LNSM

E.2 Reel 1

Unit 1

1804 Feb.-1814 Oct. Governor's Office. Letters. [770] p. MS. (Fr.) LN

EXECUTIVE RECORDS

MAINE

E.1 Reel 1

Unit 1

1820 June-1825 June Journal of the Council. v.1: [62], 474 p. MS. Me-Secy.

Unit 2

1820 June-1826 Jan. Register of the Council. v.1: 392, [16] p. MS. Me-Secy.

Unit 3

1825 Oct.-1829 July Journal of the Council. v.2: [50], 394 p. MS. Me-Secy.

E.1 Reel 2

Unit 1

1826 Jan.-1829 Jan. Register of the Council. v.2: 563, [12] p. MS. Me-Secy.

Unit 2

1829 Jan.-1832 Jan. Journal of the Council. v.3: [58], 468 p. MS. Me-Secy.

E.1 Reel 3

Unit 1

1829 Jan.-1831 Jan. Register of the Council. v.3: 446, [16] p. MS. Me-Secy.

Unit 2

1832 Jan.-1834 Jan. Journal of the Council. [v.4]: 1 p.l., 211, [26] p. MS. Me-Secy.

Unit 3

1831 Jan.-1834 Mar. Register of the Council. v.4: [22], 511 p. MS. Me-Secy.

E.1 Reel 4

Unit 1

1834 Jan.-1836 Jan. Journal of the Council. v.5: 199, [24] p. MS. Me-Secy.

Unit 2

1834 June-1838 Jan. Register of the Council. v.5: [47], 471 p. MS. Me-Secy.

Unit 3

1836 Jan.-1838 Jan. Journal of the Council. [v.6]: 1 l., 143, 144-281, [37] p. MS. Me-Secy.

E.1 Reel 5

Unit 1

1838 Jan.-1839 Dec. Register of the Council. v.6: [48], 414 p. MS. Me-Secy.

Unit 2

1838 Jan.-1840 Jan. Journal of the Council. [v.7]: 1 p.l., 184, 21, 185-355, [43] p. MS. Me-Secy.

Unit 3

1840 Jan.-1842 Jan. Register of the Council. v.7: [49], 436 p. MS. Me-Secy.

EXECUTIVE RECORDS

MAINE-Continued

E.1 Reel 6

Unit 1

1840 Jan.-1842 Jan. Journal of the Council. [v.8]: 1 p.l., 172, [173]-475 p. MS. Me-Secy.

Unit 2

1842 Jan.-1843 Jan. Register of the Council. v.8: 1 p.l., 326, [46] p. MS. Me-Secy.

Unit 3

1842 Jan.-1843 Jan. Journal of the Council. [v.9]: 1 p.l., 232, [48] p. MS. Me-Secy.

E.1 Reel 7

Unit 1

1843 Jan.-1843 Dec. Register of the Council. v.9: 1 p.l., 281, [50] p. MS. Me-Secy.

Unit 2

1843 Jan.-1844 Jan. Journal of the Council. [v.10]: 1 p.l., 209, [46] p. MS. Me-Secy.

Unit 3

1844 Jan.-1844 Dec. Register of the Council. v.10: 1 p.l., 280, [44] p. MS. Me-Secy.

Unit 4

1844 Jan.-1845 Jan. Journal of the Council. [v.11]: 1 p.l., 189, [42] p. MS. Me-Secy.

E.1 Reel 8

Unit 1

1845 Jan.-1846 May Register of the Council. v.11: 1 p.l., 245, [48] p. MS. Me-Secy.

Unit 2

1845 Jan.-1846 May Journal of the Council. [v.12]: 1 p.l., 219, [46] p. MS. Me-Secy.

Unit 3

1846 May-1847 May Register of the Council. v.12: 1 p.l., 199, [48] p. MS. Me-Secy.

Unit 4

1846 May-1847 May Journal of the Council. [v.13]: 1 p.l., 146, [50] p. MS. Me-Secy.

Unit 5

1847 May-1848 May Register of the Council. v.13: 1 p.l., 181, [47] p. MS. Me-Secy.

E.1 Reel 9

Unit 1

1847 May-1848 May Journal of the Council. [v.14]: 1 p.l., 137, [48] p. MS. Me-Secy.

Unit 2

1848 May-1849 May Register of the Council. v.14: 1 p.l., 218, [47] p. MS. Me-Secy.

Unit 3

1848 May-1849 May Journal of the Council. [v.15]: 1 p.l., 168, [48] p. MS. Me-Secy.

MAINE-Continued

Unit 4

1849 May-1850 May Register of the Council. v.15: 1 p.l., 215, [48] p. MS. Me-Secy.

Unit 5

1849 May-1850 May Journal of the Council. [v.16]: 1 p.l., 164, [55] p. MS. Me-Secy.

E.3 Reel 1

Unit 1

1820 Aug.-1828 Mar. Record letters. v.1: 334, [1] p. MS. Me-Secy.

Unit 2

1828 Mar.-1838 Jan. Record letters. v.2: [42], 409 p. MS. Me-Secy.

Unit 3

1838 Jan.-1844 Dec. Record letters. v.3: [45], 496 p. MS. Me-Secy.

MARYLAND

E.1 Reel 1

Extracts from Council Books

Unit 1

E.1x

1638-1685 34, 25, [1] p. MS.
1659 Aug.-1685 Mar. 62 p. MS.
1659 Sept.-1685 Jan. 5-43 p. MS. (w: p. 29-32)
1677 Apr.-June [6] p. MS.
1677 June Seating the Seaboard. [5] p. MS.
1683/4 Mar. Planting Northern Border. 4 p. MS.
1683/4 Mar.-1685/6 Mar. Mr. Talbert's commission for taking New Castle. 4 p. MS.
1685 Apr. Treaty with Indians. 4 p. MS.
MdHi-Calvert Papers 703-711

Proprietary Records

Unit 2

1636 Aug.-1657 Nov. Liber C.B. 323 p. MS. Md-Ar-3822

Unit 3

1637 Dec.-1642 Liber Z. 166 p. MS. Md-Ar-3820

Unit 4

1642 Aug.-1644/5 Feb. Liber P.R. or Liber E. 200, [9] p. MS. Md-Ar-3821

Council Proceedings

Unit 5

1647 Feb-1651 Feb. Liber A. 59-396 p. MS. (w: p. 123-124, 276-277, 283-284) Md-Ar-3821a

E.1 Reel 2

Unit 1

1656 Oct.-1669 Oct. Liber H.H. 317, [9] p. MS. Md-Ar-3823

Unit 2

1669 Oct.-1674 Liber A.M. 120 p. MS. Md-Ar-3824

MARYLAND-Continued

Unit 3

1671/2 Jan.-1685/6 Mar. Liber R.R. and R.R.R. 320, [25] p. MS.
Md-Ar-4549

Unit 4

1677/8 Mar.-1683 Mar. Liber R. 351, [19] p. MS. Md-Ar-4550

E.1 Reel 3

Unit 1

1692 Apr.-1694 July Liber K. 361 p. MS. Md-Ar-3825

Unit 2

1693 Sept.-1694 July Liber C.B. 104, [10] p. MS. Md-Ar-3826

Unit 3[1]

1694 July-1697/8 Feb. Liber H.D., no. 2. 638, 14 p. MS.
1697 Apr.-1706 Feb. Liber H.D., no. 13. 300 p. MS.
Md-Ar-3827

E.1 Reel 4

Unit 1

1697 Mar.-1703 Oct. Liber X, no. 14. 345 p. MS. Md-Ar-3829

Unit 2

1704 Apr.-1708 Sept. Liber C.B., no. 15. 140 p. MS.
Md-Ar-3831

Unit 3

1714 Oct.-1715 Dec. Liber W.B., Liber C.P. 68 p. MS. Md-Ar

Unit 4

1715 Aug. 24-Sept. 2 6, [8] p. MS.
1715 Dec.-1716 Feb. [1], 30 p. MS.
1715 Apr. 12 p. MS.
1716/17 Jan. [16] p. MS.
1719 Sept. [17] p. MS.
MdHi-Calvert Papers 712-716

Unit 5

1721 Aug.-1728 July Liber X. 211 p. MS. Md-Ar-3833

Unit 6

1728 Oct.-1738 July Liber M, no. 17. [171] p. MS. Md-Ar-3834

Unit 7

1738 Oct.-1753 July Liber C.B., no. 18. 537, [1] p. MS.
Md-Ar-3835

E.1 Reel 5

Unit 1

1753 May-1767 June Liber J.R. and U.S. 464 p. MS. Md-Ar-3836

Unit 2

1767 July-1770 Sept. Liber C.B., no. 20. 124 p. MS.
Md-Ar-3837

Proceedings of the Governor and Council

Unit 3

1777 Mar.-1779 Mar. Liber C.B., no. 21. 351, [1] p. MS.
Md-Ar-3842

Unit 4

1779 Apr.-1780 Mar. Liber C.B., no. 23. 226 p. MS.
Md-Ar-3846

1. The two items in Unit 3 are bound together.

MARYLAND-Continued

E.1 Reel 6

Unit 1

1780 Nov.-1784 Nov. Liber C.B. 511, [1] p. MS. Md-Ar-3853

Unit 2

1784 Nov.-1788 Nov. Liber C.B. [374] p. MS. Md-Ar-3858

Unit 3

1788 Nov.-1791 Nov. Liber C.B., no. 26. [356] p. MS. Md-Ar-3850

E.1 Reel 7

Unit 1

1791 Nov.-1793 Nov. 283 p. MS. Md-Ar-859

Unit 2

1793 Nov-1799 Nov. [410] p. MS. Md Ar 1884

Unit 3

1799 Nov.-1807 Nov. [462] p. MS. Md-Ar-1886

E.1 Reel 8

Unit 1

1807 Nov.-1813 Dec. [526] p. MS. Md-Ar-1887

Unit 2

1813 Dec.-1817 Dec. [398] p. MS. Md-Ar-1888

Unit 3

1817 Dec.-1821 Dec. [396] p. MS. Md-Ar-1891

Executive Proceedings

E.1 Reel 9

Unit 1

1812 Dec.-1824 Nov. [454] p. MS. Md-Ar-1894

Unit 2

1825 Jan.-1830 Feb. [612] p. MS. Md-Ar-1895

E.1 Reel 10

Unit 1

1830 Mar.-1835 Oct. [610] p. MS. Md-Ar-1896

Proceedings of the Governor[1]

Unit 2

1835 Oct.-1839 Jan. [554] p. MS. Md-Ar-7894

1. The title *Executive proceedings* continued through Feb. 15, 1838.

MARYLAND-Continued

E.1 Reel 11

Unit 1

1839 Jan.-1845 Jan. [292] p. MS.
Md-Ar-7895

Unit 2

1845 Jan.-1853 Jan. [480] p. MS.
Md-Ar-7896

Unit 3

1853 Jan.-1861 May [432] p. MS. Md-Ar-5256

E.1 Reel 12

Unit 1

1861 June-1869 Jan. [580] p. MS. Md-Ar-7897

E.1c Reel 1

Appointments and Commissions

Unit 1

1726 Oct.-1786 July [314] p. MS. Md-Ar-4010

Unit 2

1733 July-1773 Dec. 344, [8] p. MS.
Md-Ar-4012A

Unit 3

1774 Jan.-1776 May 41 p. MS. Md-Ar-4012

Unit 4

1777 Dec.-1794 Oct. 160 p., 161-251 fol. MS.
Md-Ar-4013

E.1x Reel 1

Unit 1

1658-1681 Proclamations, orders, commissions, etc. 32 p. MS.
MdHi-Calvert Papers 205

1667 Oct. Order on the cessation of tobacco planting. 3 p. MS.
MdHi-Calvert Papers 215

1669-1670 Instructions about settling the Seaboard. 7 p. MS.
MdHi-Calvert Papers 216

1685 Aug. 10 Instructions from James II to Charles Lord Baltimore. [18] p. MS.
MdHi-Calvert Papers 241

1715 Instructions from George I to Lord Guilford, guardian of Charles, fifth Lord Baltimore. 44, [3] p. MS.
MdHi-Calvert Papers 254

1722-1736 Instructions from Charles Lord Baltimore. 18 p. MS.
MdHi-Calvert Papers 278

1729-1750 Copies of orders and instructions of Charles Lord Baltimore. 118 p. MS.
MdHi-Calvert Papers 295½

MARYLAND-Continued

1751-1753 Entry of letters on several occasions from the Right Honorable the Lord Proprietary of Maryland and Avalon, etc. 199 p. MS.

Record of Pardons

Unit 2

1785 Dec.-1790 Nov. 1 p.l., 162, [7] p. MS. Md-Ar-1930

Unit 3

1791 Jan.-1806 Apr. 62, [230] p. MS. Md-Ar-1931-1932

Unit 4

1806 May-1818 Dec. [323] p. MS. Md-Ar-1931-1932

E.2 Reel 1

Governor's Letterbooks

Unit 1

1753 Aug.-1755 Mar. Governor Horatio Sharpe, no. 1. 382, [2] p. MS. Md-Ar-4000

Unit 2

1754 Aug.-1756 Mar. Governor Horatio Sharpe, no. 2. 183 p. MS. Md-Ar-4001

Unit 3

1756 Mar.-1769 Feb. Governor Horatio Sharpe, no. 3. [312] p. MS. Md-Ar-4002

Unit 4

1753 Sept.-1767 June Governor Horatio Sharpe, no. 4. [478] p. MS. Md-Ar-4003

E.2 Reel 2

Unit 1

1767 June-1771 June Governor Horatio Sharpe, no. 5. [89] p. MS.

Letterbooks of Governor and Council

Unit 2

1777 Mar.-1779 May [19], 266 p. MS. Md-Ar-4007

Unit 3

1779 May-1780 Nov. 210 p. MS. Md-Ar-3847

Unit 4

1780 Nov.-1787 Nov. 536 p. MS. Md-Ar-4008

E.2 Reel 3

Unit 1

1787 Dec.-1793 Nov. 167, [99] p. MS. Md-Ar-4009

Unit 2

1793 Nov.-1796 Aug. [158] p. MS. Md-Ar-1883

Unit 3

1796 Aug.-1818 May [328] p. MS. Md-Ar-1885

Unit 4

1818 June-1820 Dec. [492] p. MS. Md-Ar-1889

E.2 Reel 4

Unit 1

1819 Jan.-1823 Sept. [108] p. MS.
1825 Jan.-1834 Sept. [194] p. MS.

Md-Ar-1882

MARYLAND-Continued

Unit 2

E.3

1822 Dec.-1823 Mar. Secretary's letterbook. Ninian Pinkney. [22] p. MS. Md-Ar-1745

Governor's Letterbooks

Unit 3

1839 Mar.-1843 Sept. 67 p. MS. Md-Ar-7929

Unit 4

1845 Feb.-1854 Jan. 489 p. MS. Md-Ar-5206

E.2 Reel 5

Unit 1

1854 Feb.-1866 Jan. [46], 5-709 p. MS. Md-Ar-5207

MASSACHUSETTS

E.1 Reel 1

Unit 1

1628 Feb.-1646 A true copie of the court booke of the Governor and Society of the Massachusetts Bay in New England. 2 p. l., 313 p. MS. MB

Unit 2

1650 Aug.-1656 July Council records. v.1: [79] p. MS. M-Ar

Unit 3

1686 May-1687 Dec. Council records. v.2: 164 p.[1] MS.

1692 May-1698 Dec. Council records. v.2: 165-578, [37] p. MS. M-Ar

E.1 Reel 2

Unit 1

1698/99 Feb.-1703 Dec. Council records. v.3: 515, [33] p. MS. M-Ar

Unit 2

1703/04 Jan.-1708 Dec. Council records. v.4: 661, [45] p. MS. M-Ar

E.1 Reel 3

Unit 1

1708/09 Jan.-1712 Dec. Council records. v.5: 643, [49] p. MS. M-Ar

Unit 2

1712/13 Jan.-1718 Dec. Council records. v.6: 653, [47] p. MS. M-Ar

E.1 Reel 4

Unit 1

1718/19 Jan.-1723 Dec. Council records. v.7: 568, [39] p. MS. M-Ar

1. Volumes 2-11 and 16 are transcripts from the Public Record Office, London.

MASSACHUSETTS-Continued

Unit 2

1723/24 Jan.-1727 Dec. Council records. v.8: 629, [51] p. MS. M-Ar

E.1 Reel 5

Unit 1

1727/28 Jan.-1735 Dec. Council records. v.9: 653, [48] p. MS. M-Ar

Unit 2

1735/36 Jan.-1742 Dec. Council records. v.10: 680, [39] p. MS. M-Ar

E.1 Reel 6

Unit 1

1742/43 Jan.-1747 Dec. Council records. v.11: 777, [52] p. MS. M-Ar

Unit 2

1747 July-1755 Aug. Council records. [v.12]: 2 428, [44] p. MS. M-Ar

E.1 Reel 7

Unit 1

1755 Sept.-1759 Feb. Council records. [v.13]: 490, [63] p. MS. M-Ar

Unit 2

1759 Feb.-1761 Apr. Council records. [v.14]: 403, [16], [46] p. MS. M-Ar

E.1 Reel 8

Unit 1

1761 June-1765 Apr. Council records. [v.15]: 374, [44] p. MS. M-Ar

Unit 2

1765 May-1774 May Council records. v.16: 795, [64] p. MS. M-Ar

Unit 3

1774 Apr.-1776 Apr. Proceedings in Council of the Province of Massachusetts Bay; extracted from documents in Her Majesty's State Paper Office, London. 79 p. MS. M-Ar

E.1 Reel 9

Unit 1

1775 July-1776 Mar. Council records. v.17: 1 p.l., 290, [35] p. MS. M-Ar

Unit 2

1776 Mar.-1776 May Council records. [v.18]: [12], 156 p. MS. M-Ar

Unit 3

1776 May-1776 Oct. Council records. v.19: 1 p.l., 279, [26] p. MS. M-Ar

Unit 4

1776 Oct.-1777 May Council records. v.20: 1 p.l., [23], 485, [32] p. MS. M-Ar

MASSACHUSETTS-Continued

E.1 Reel 10

Unit 1

1777 May-1777 Dec. Council records. v.21: [42], 485-946 p. MS. M-Ar

Unit 2

1778 Jan.-1778 Oct. Council records. v.22: [54], 546 p. MS. M-Ar

E.1 Reel 11

Unit 1

1778 Nov.-1779 June Council records. v.23: 453, [47] p. MS. M-Ar

Unit 2

1779 July-1780 Mar. Council records. v.24: [75], 521, [1] p. MS. M-Ar

E.1b:c Reel 1

Unit 1

1626-1763 Charters, commissions, proclamations, etc. 257, [10] p. MS. M-Ar

Unit 2

1663-1774 Commissions, indentures, etc. 1 p.l., 158, [17] p. MS. M-Ar

Unit 3

1734-1757 Commissions, proclamations, etc. 339, [14] p. MS. M-Ar

E.1b:c Reel 2

Unit 1

1756-1767 Commissions, proclamations, pardons, etc. 518, [18] p. MS. M-Ar

Unit 2

1767-1775 Commissions, proclamations, pardons, etc. [6], 3-552 p. MS. M-Ar

Board of War Minutes

E.4 Reel 1

Unit 1

1776 Nov.-1777 Sept. v.148: 507, [24] p. MS. M-Ar

Unit 2

1777 Sept.-1778 Nov. v.149: [18], 564, [23] p. MS. M-Ar

E.4 Reel 2

Unit 1

1778 Nov.-1781 July v.150: [18], 616, [22] p. MS. M-Ar

Board of War Letters

Unit 2

1776 Dec.-1780 Oct. v.151: [17], 514, 24 p. MS. (Pages 220 and 221 are blank.) M-Ar

EXECUTIVE RECORDS

MICHIGAN

E.1 Reel 1

Unit 1

[W] 1805-1806 Records of the Executive Department. 51 p. MS.
1806* Nov.-1813 Feb. Executive record. [2], 37, [6] p. MS.
DNA *MiD-B

Records of Acts and Proceedings of the Executive Department

Unit 2

1814-1836 Index. [94] p. MS. Mi-Secy.

Unit 3

1814 Oct.-1830 June v.1: 1 p.l., 500, [40] p. MS.
Mi-Secy.

Unit 4

1830 July-1836 June v.2: 1 p.l., 165 p. MS. Mi-Secy.

E.1 Reel 2

Executive Department Journals

Unit 1

1835 Nov.-1846 June 1 p.l., 380 p. MS. Mi-Secy.

Unit 2

1860 Jan.-1862 Dec. 382-598 p. MS. Mi-Secy.

Unit 3

1863 Jan.-1867 Dec. 242 p. MS. Mi-Secy.

E.2 Reel 1

Unit 1

1802-1829 Correspondence of the Governor and Judges.
[312] p. MS. Mi-Secy.

Unit 2

1814 May-1820 Mar. Executive letterbook. 177 p. MS.
Mi-Secy.

MINNESOTA

E.1 Reel 1

Unit 1

1849 Apr.-1853 June Executive record. [60] p. MS. MnHi

Unit 2

1853 June-1858 May Executive record. [142] p. MS. MnHi

Unit 3

1849 Sept.-1857 Executive record. Messages to the Legislature. [98] p. MS. MnHi

Unit 4

1849 Apr.-1858 Jan. Executive record. Requisitions. 112, [7] p. MS. MnHi

Unit 5

1858 May-1862 Dec. Executive record A. [46], 638 p. MS.
MnHi

E.1 Reel 2

Unit 1

1863 Jan.-1864 Nov. Executive record B. [44], 559 p. MS.
MnHi

MINNESOTA-Continued

Unit 2

1864 Nov.-1865 Dec. Executive record C. [46], 571 p. MS. MnHi

MISSISSIPPI

Executive Department Journals

E.1 Reel 1

Unit 1

1797 June-1799 Jan. [115], [30] p. MS. Ms-Ar

Unit 2

1798 May-1801 Apr. 447 p. MS. Ms-Ar

Unit 3

1801 July-1803 Mar. 1 p.l., 360 p. MS. Ms-Ar

Unit 4

1803 Nov.-1804 Apr. 271 p. MS. See also La. E.1, Reel 1. Ms-Ar

Unit 5

1805 May-1810 Aug. 464 p. MS. Ms-Ar

Unit 6

E.3

1805 Aug.-1810 Apr. Letterbook of Secretary Thomas Hill Williams. 46 p. MS. Ms-Ar

E.1 Reel 2

Unit 1

1810 July-1814 Apr. 445 p. MS. Ms-Ar

Unit 2

1814 Apr.-1817 Aug. 318 p. MS. Ms-Ar

Unit 3

1817 Aug.-1827 Dec. 327 p. MS. Ms-Ar

E.1 Reel 3

Unit 1

1859 Dec.-1870 Jan. 184-[701], [3] p. MS. Ms-Ar

Unit 2

1860 Jan.-1866 Dec. 203-[304] p. MS. Ms-Ar

E.1c Reel 1

Unit 1

The proceedings of the Governor as Superintendent of Indian affairs. 115 p. MS.

1798-1802 Register of appointments. 116-154 p. MS.

Ms-Ar

MISSISSIPPI-Continued

Unit 2

1805-1812 Register of appointments. 109 p. MS.
Ms-Ar

Unit 3

1812-1817 Register of appointments. 91, 88 p. MS.
(Pages 82-83, 86-87 missing from 91 p.)
Ms-Ar

MISSOURI

Register of Civil Proceedings

E.1 Reel 1

Unit 1

1837 Dec.-1852 Mar. 618 p. MS.
1837-1852 Index. 101 p. Typescript.
Mo-Secy.

Unit 2

1852 Mar.-1859 Oct. 480 p. MS.
1852-1860 Index. 40, 8 p. Typescript.
Mo-Secy.

E.1 Reel 2

Unit 1

1860 Nov.-1861 Jan. 54 p. MS.
1860-1861 Index. 11 p. Typescript.
Mo-Secy.

Unit 2

1861 Aug.-1868 Oct. [1], 494, 518-531 p. MS.
Mo-Secy.

MONTANA

E.1 Reel 1

Unit 1

1865 Oct.-1867 Aug. Executive record. Book 1.
40-45, 50-53, 194, 201-203 p. MS. Mt-Secy.

Unit 2

1867 June-1883 Jan. Executive record. Book 2.
608 p. MS. Mt-Secy.

Unit 3

1883 Jan.-1888 Feb. Executive record. Book 3.
183 p. MS. Mt-Secy.

Unit 4

1887 Feb.-1889 Nov. Executive record. Book 4.
217 p. MS. Mt-Secy.

NEBRASKA

E.1 Reel 1

Unit 1

1855 Jan.-1861 May Executive proceedings and official correspondence. 316 p. MS. Nb-Hi

NEBRASKA-Continued

Unit 2

1861 May-1867 Feb. Executive record. 253 p. MS. Nb-Hi

E.1x Reel 1

Unit 1

1861-1866 Requisitions for criminals. 3-47 p.
1861-1866 Abstract of votes cast for territorial officers. 150-161 p.
1861-1867 Territorial officers: Legislative. 250-259 p.

Nb-Secy.

NEW JERSEY

E.1 Reel 1

Unit 1

1665 Aug.-1681 Jan.[1] Commissions, etc. [East Jersey] [22], 177, [44] p. MS. Nj-Ar

Unit 2

1682-1702 The entries of the public commissions, writs, warrants and acts of the Assembly... [East Jersey] [7], 344 p. MS. Nj-Ar

Unit 3

1686 Mar.-1703 July Liber C of patents. [East Jersey] 278 p. MS. Nj-Ar

Unit 4

1680-1697 Book A, or Revell's book of surveys. [7], 3-172 p. MS. Nj-Ar

Unit 5

1676-1705 "Fenwick's surveys." The register of Liber H of surveyor's certificates... 1 p.l., 35 p. MS. Nj-Ar

Unit 6

1680-1716 Burlington records. A-D, 36, [2], 16 p. MS. Nj-Ar

E.1c Reel 1

Unit 1

1703 Aug.-1774 Apr. 437, [11] p. MS. Nj-Ar

Unit 2

1718 May-1772 Sept. Liber C-2. [8], 348 p. MS. Nj-Ar

Unit 3

1767 July-1815 Liber AB. [15], 223, [1], 74 fol., 75-151 p. MS. Nj-Ar

Unit 4

1772 June-1844 Oct. Liber C-3. [12], 153 p. MS. Nj-Ar

Minutes of the Council of Safety

E.4 Reel 1

Unit 1

1777 Mar.-June v.1: 88 p. MS.
1777 July-Sept. v.2: 94 p. MS.
1777 Sept.-1778 Jan. v.3: 93, [2] p. MS.

Nj-Ar

1. This volume was formerly bound with Liber H. See note on p. 177. Included in the volume are 44 p. from Liber H.

NEW JERSEY-Continued

Unit 2

1778 Jan.-June v.4: 86 p. MS.
1778 June-Oct. [v.5]: 44 p. MS.

Nj-Ar

NEW MEXICO

E.1 Reel 1

Unit 1
E.1c

1846-1854* Civil register. [76] p. MS.

Nm-Secy.

Executive Record
Unit 2

1851 June-1867 July v.1: [70], 426 p. MS.

Nm-Secy.

Unit 3

1867 July-1882 Nov. v.2: [110], 638, [3] p. MS.

Nm-Secy.

E.1 Reel 2

Executive Record
Unit 1

1882 Nov.-1890 Dec. v.3: [48], 568 p. MS.

Nm-Secy.

Unit 2

1891 Jan.-1898 June v.4: [59], 534 p. MS.

Nm-Secy.

E.1 Reel 3

Executive Record
Unit 1

1898 July-1903 June v.5: [55], 367 p. MS., 368-569 p. typescript.

Nm-Secy.

Unit 2

1903 July-1907 Aug. v.6: [51] p. MS., 472 p. typescript.

Nm-Secy.

E.1 Reel 4

Executive Record
Unit 1

1907 Aug.-1912 Jan. v.7: 549 p. Typescript.

Nm-Secy.

E.3 Reel 1

Unit 1

1852 Aug.-1861 June Secretary of the Territory. Official correspondence. 163 p. MS.

Nm-Secy.

Unit 2

1858 June-1861 Letters from first Comptroller, U. S. Treasury, approving the several accounts of A. M. Jackson, Secretary of Territory of New Mexico. 9 items. MSS.

NEW MEXICO-Continued

1858 May-1861 Feb. Account book of A. M. Jackson, Secretary, New Mexico Territory. [20] p. MS.

1857-1860 Fee book of A. M. Jackson, Secretary, New Mexico Territory. [86] p. MS.

TxDaH

Unit 3

1876 Jan.-1882 Jan. Miscellaneous records. 719 p. MS.

1882 Jan.-1915 Mar. Miscellaneous records. 104 p. MS.

Nm-Secy.

NEW YORK

Council Minutes

E.1 A.1a F.1 Reel 1

Unit 1

1638 Apr.-1649 Aug. Calendar, 61-123 p.[1] 465 p. MS.
N-Ar-Dutch MSS., vol. 4, Box 1-2

Unit 2

1652 Jan.-1654 Dec. Calendar, 123-144 p. [1] p. typescript, 469, 147-152 p. MS. (Pages 147-152 are negative photostats.) N-Ar-Dutch MSS., vol. 5

E.1 A.1a F.1 Reel 2

Unit 1

1655 Jan.-1656 Apr. Calendar, 145-166 p. 389 p. MS.
N-Ar-Dutch MSS., vol. 6

E.1 A.1a F.1 Reel 3

Unit 1

1656 May-1658 Dec. Calendar, 167-205 p. 1090 p. MS.
N-Ar-Dutch MSS., vol. 8, Box 1-2

E.1 A.1a F.1 Reel 4

Unit 1

1660 Jan.-1661 June Calendar, 205-232 p. 950, [10] p. MS. N-Ar-Dutch MSS., vol. 9, Box 1-2

E.1 A.1a F.1 Reel 5

Unit 1

1662 Jan.-Dec. Calendar, 232-243 p. 315 p. MS. (w: p. 51-52, 181-182, 255-256, 259-260, 265-270)
N-Ar-Dutch MSS., vol. 10, pt. 1

Unit 2

1663 Jan.-Dec. Calendar, 243-257 p. 472 p. MS.
N-Ar-Dutch MSS., vol. 10, pt. 2

Unit 3

1664 Jan.-1665 Apr. Calendar, 258-269 p. 332 p. MS. (w: p. 69-70, 167-168, 224, 319-320)
N-Ar-Dutch MSS., vol. 10, pt. 3

1. Preceding each manuscript volume of *Council minutes* is a calendar of that volume taken from the *Calendar of historical manuscripts*.

NEW YORK-Continued

E.1 A.1a F.1 — Reel 6

Unit 1

1665-1672 Minutes of the Court of Assize. [v.2]: [87], 45-205, [142], 724-740 p. MS. N-Ar

Unit 2

1668 Sept.-1673 July Calendar, [10]-19 p. v.3, pt.1: [1] p. typescript, 72 p. MS., [1] p. typescript, 73-159 p. MS. N-Ar

Unit 3

1674 Jan.-1680 Nov. Calendar, 82-95 p. Council minutes. v.p. (Excerpts of the minutes from vol. XXIX of the New York colonial manuscripts) N-Ar

E.1 A.1a F.1 — Reel 7

Unit 1

1674 Oct.-1678 Calendar, 32 p. v.3, pt.2: [1] p. typescript, 88 p. MS., [1] p. typescript, 89-188 p. MS. N-Ar

Unit 2

1683 Sept.-1688 Aug. Calendar, 32-36 p. v.5: [1] p. typescript, 115 p. MS., [1] p. typescript, 116-244 p. MS. N-Ar

Unit 3

1687 Aug.-1693 July Calendar, 62-89 p. v.6: [1] p. typescript, 36, 76 p. MS. N-Ar

E.1 A.1a F.1 — Reel 8

Unit 1

1691 Mar.-1693 July v.6: 218 p. MS. (A typescript page precedes p. 1 and 100.) N-Ar

Unit 2

1686 Sept.-1688 May Calendar, 32-50, 50a-50e, 51-61 p.[1] v.5: 1a-39a, 75 p. MS. (Photostat of PRO copy-C.O. 5/1135, 5/1183) N-Ar

Unit 3

1691 Mar.-1693 July v.6: 234-325, 328-355, 384-444, 358-378 p. MS. (Photostat of PRO copy-C.O. 5/1183) N-Ar

Unit 4

1693 July-1697 May Calendar, 88-123 p. v.7: 243, lxxx, 129 p. MS. (A typescript page precedes p. 1, 95, 203 and 129 p.) N-Ar

Unit 5

1693 July-1695 Dec. v.7: 446-503, 510-584, 80 p. MS. (Photostat of PRO copy-C.O. 5/1183, 5/1184) N-Ar

E.1 A.1a — Reel 9

Unit 1

1697 June-1702 May Calendar, 122-169 p. v.8: 346, 93 p. MS. (A typescript page precedes p. 1, 103, 226 and 93 p.) N-Ar

Unit 2

1698 Apr.-1702 May v.8: 83-136, 141-175, 181-206, 213-254, 259-[286], 293-299, 305-323, 329-[352], 357-397, 405-475, 481-563, 567-593, 599-637, 643-[666] p. (Photostat of PRO copy-C.O. 5/1184) N-Ar

1. Pages 50a-50e are typescript pages which list material not included in New York Archives, vol. 5.

NEW YORK-Continued

E.1 A.1a Reel 10

Unit 1

1702 Apr.-1706 Apr. Calendar, 168-209 p. v.9: 9 l., 591 p. MS. (A typescript page precedes 9 l., p. 101, 223, 345 and 471.) N-Ar

Unit 2

1706 Apr.-1711 Aug. Calendar, 208-243 p. v.10: 10 l., 733 p. MS. (A typescript page precedes 10 l., p. 109, 224, 346, 473 and 604.) N-Ar

E.1 A.1a Reel 11

Unit 1

1706 Apr.-1711 Aug. v.10: 159 p. MS. (Photostat of PRO copy-C.O. 5/1185) N-Ar

Unit 2

1711 June-1719 July Calendar, 242-271 p. v.11: 8 l., 654 p. MS. (A typescript page precedes 8 l., p. 97, 208, 321, 433 and 544.) N-Ar

Unit 3

1711 Sept.-1718 Nov. v.11: 160-345 p., 1-45 fol., [90-362] p. MS. N-Ar

E.1 A.1a Reel 12

Unit 1

1719 July-1720 Sept. Calendar, 270-279 p. v.12: [1] p. typescript, 8 l., 91 p. MS., [1] p. typescript, 92-184 p. MS. N-Ar

Unit 2

1719 July-1720 Sept. v.12: [365-500, 1-65] p. MS. (Photostat of PRO copy-C.O. 5/1186-87) N-Ar

Unit 3

1720 Sept.-1722 Sept. Calendar, 278-287 p. v.13: 10 l., 375 p. MS. (A typescript page precedes 10 l., p. 113 and 245.) N-Ar

Unit 4

1720 Sept.-1722 Sept. v.13: [67-503] p. MS. (Photostat of PRO copy-C.O. 5/1187) N-Ar

E.1 A.1a Reel 13

Unit 1

1722 Sept.-1725 May Calendar, 286-299 p. v.14: 9 l., 455 p. MS. (A typescript page precedes 9 l, p. 105, 221 and 341.) N-Ar

Unit 2

1722 Sept.-1725 May v.14: [1-488, 176-306] p. MS. (Photostat of PRO copy-C.O. 5/1188) N-Ar

E.1 A.1a Reel 14

Unit 1

1725 May-1729 Oct. Calendar, 298-309 p. v.15: 9 l., 372 p. MS. (A typescript page precedes 9 l., p. 113 and 241.) N-Ar

Unit 2

1725 May-1726 Nov. v.15: [308-538] p. MS. (Photostat of PRO copy-C.O. 5/1189) N-Ar

Unit 3

1729 Oct.-1734 July Calendar, 308-323 p. v.16: 8 l., 316 p. MS. (A typescript page precedes 8 l., p. 95 and 211.) N-Ar

E.1 Reel 15

Unit 1
A.1a E.1

1734 Oct.-1738 Feb. Calendar, 322-333 p. v.17: 3-310 p. MS. (A typescript page precedes p. 3 and 159.) (w: p. 26) N-Ar

Unit 2

1738/9 Mar.-1774 Dec. Calendar, 332-347 p. v.19: 8 l., 75, 292 p. MS. (A typescript page precedes 8 l., p. 37 and 165.) N-Ar

E.1 Reel 16

Unit 1

1745 Jan.-1751 Oct. Calendar, 346-383 p. v.21: 13 l., 464 p. MS. (A typescript page precedes 13 l., p. 105, 225 and 334.) N-Ar

Unit 2

1751 Oct.-1764 Aug. Calendar, 382-413 p. v.23: 14 l., 479 p. MS. (A typescript page precedes 14 l., p. 101, 225 and 349.) N-Ar

E.1 Reel 17

Unit 1

1755 Mar.-1764 Dec. Calendar, 414-467 p. v.25: 19 l., 537 p. MS. (A typescript page precedes 19 l., p. 81, 197, 309 and 425.) N-Ar

Unit 2

1765 Jan.-1783 Nov. Calendar, 466-509 p. v.26: 28 l., 477 p. MS. (A typescript page precedes 19 l., p. 105, 227 and 351.) N-Ar

E.1 Reel 18

Unit 1

1764 Nov.-1772 Mar. Calendar, 508-563 p. v.29: 10 l., 550 p. MS. (A typescript page precedes p. 109, 217, 329 and 441.) N-Ar

Unit 2

1772 Apr.-1775 Nov. Calendar, 562-[581] p. v.31: 8 l., 150 p. MS. (A typescript page precedes 8 l. and p. 73.) N-Ar

E.1c Reel 1

Council of Appointment Minutes
Unit 1

1778-1786 Vol. 1 (Missing from New York Archives.)

1786 May-1793 Mar. Civil and military. v.2: 351, [16] p. MS. N-Ar

Unit 2

1793 June-1797 Apr. Civil and military. v.3: 388, [21] p. MS. N-Ar

Unit 3

1798 Jan.-1801 Aug. Civil. v.4: 1 p.l., 341, [9] p. MS. N-Ar

Unit 4

1801 Aug.-1805 Apr. Civil. v.6: 362, [12] p. MS. N-Ar

Colonial Manuscripts

E.1x Reel 1a

Unit 1

1664 Dec.-1674 June Calendar, 8 p. v.22: 1-156, [55] p. MS. (A typescript page precedes p. 1, 25, 59, 97, 129.)

Book 1. [1], 24 p.

Book 2. [1], 25-58 p.
Book 3. [1], 59-96 p.

N-Ar

Unit 2

Book 4. [1], 97-128 p.
Book 5. [1], 129-156 p.
Appended: Document no. 99. [55] p.

N-Ar

E.1x Reel 1b

Unit 1

1673 Aug.-1674 Nov. Calendar, 8-31 p. v.23: 433, 31 p.[1] MS. Pt.1: 276 p. N-Ar

Unit 2

Pt.2: 277-423 p.
Pt.3: 424a-433, 31 p.
(w: p. 282, 304b, 334 and 342)

N-Ar

E.1x Reel 2

Unit 1

1674 July-1675 Oct. Calendar, 31-40 p. v.24: 196, [70] p. MS. (A typescript page precedes p. 1, 30, 63, 99, 128 and 157.)

Box 1 Book 1. [1], 29 p.
Book 2. [1], 30-62 p.
Book 3. [1], 63-98 p.
Book 4. [1], 99-127 p.

N-Ar

Unit 2

Box 2 Book 1. [1], 128-156 p.
Book 2. [1], 157-196 p.
Appended: Document no. 172. [70] p.
(w: Documents on p. 6a, 84, 136a, 173-178, 184, 186b)

N-Ar

E.1x Reel 3

Unit 1

1675 Nov.-1676 Dec. Calendar, 41-53 p. v.25: 259 p. MS. (A typescript page precedes p. 1, 40, 67, 101, 134, 168, 204, 234.)

Box 1 Book 1. [1], 39 p.
Book 2. [1], 40-66 p.
Book 3. [1], 67-100 p.
Book 4. [1], 101-133 p.

N-Ar

Unit 2

Box 2 Book 1. [1], 134-167 p.
Book 2. [1], 168-203 p.
Book 3. [1], 204-233 p.
Book 4. [1], 234-259 p.
(w: Documents on p. 62, 172, 180 and 219)

N-Ar

1. Most of the items in Volume 23 are in Dutch.

E.1x Reel 4

Unit 1

1676 Dec.-1677 Dec. Calendar, 53-63 p. v.26: 182 p. MS. (A typescript page precedes p. 1, 36, 72, 105, 139, 161.)
Box 1 Book 1. [1], 1-35 p., [1], 36-71 p., [1], 72-104 p.
N-Ar

Unit 2

Box 2 Book 1. [1], 105-133 p.
Book 2. [1], 134-160 p.
Book 3. [1], 161-182 p.
(w: Documents on p. 47, 149)
N-Ar

E.1x Reel 5

Unit 1

1678 Jan.-1678 Aug. Calendar, 63-73 p. v.27: 191 p. MS. (A typescript page precedes p. 1, 39, 72, 108, 131, 161.)
Box 1 Book 1. [1], 38 p.
Book 2. [1], 39-71 p.
Book 3. [1], 72-106 p.
N-Ar

Unit 2

Box 2 Book 1. [1], 108-130 p.
Book 2. [1], 131-160 p.
Book 3. [1], 161-191 p.
(w: Documents on p. 58a, 60, 64, 68, 73, 82, 93b, 107, 128, 188)
N-Ar

E.1x Reel 6

Unit 1

1678 Aug.-1679 Dec. Calendar, 73-82 p. v.28: 180 p. MS. (A typescript page precedes p. 1, 34, 64, 133, 147.)
Box 1 Book 1. [1], 1-32 p.
Book 2. [1], 34-64 p.
Book 3. [1], 64-97 p.
Box 2 Book 1. 98-132 p.
N-Ar

Unit 2

Book 2. [1], 133-146 p.
Book 3. [1], 147-180 p.
N-Ar

E.1x Reel 7

Unit 1

1682-1683 v.33: [6], 81 p.[1] MS. N-Ar

Unit 2

1689 Jan.-1691 Jan. Calendar, 172-201 p. v.36: 158 p., 47 l. MS. (A typescript page precedes p. 1, 33, 70, 97, 136 and 47 l.) (w: Documents on p. 31b, 32a, 38d, 58, 92, 111, 117, 124, 141 and 154)
N-Ar

1. This is all of vol. 33 that was salvaged from the Capitol fire at Albany in 1911.

NEW YORK-Continued

Minutes of the Council of Revision

E.1x A.X Reel 8

Unit 1

1778 Jan.-1783 Mar. v.1: [467] p. MS.
NHi

Unit 2

1784 Jan.-1790 July v.2: [464] p. MS.
NHi

Unit 3

1790 Apr.-1794 Mar. v.3: [162] p. MS.
NHi

Unit 4

1793 Mar.-1797 Apr. [119] p. MS.
N-Ar

E.1x A.X Reel 9

Unit 1

1798 Jan.-1806 Apr. 406, [5] p. MS.
N-Ar

Unit 2

1806 Apr.-1814 Oct. 372, [3] p. MS.
N-Ar

Unit 3

1815 Feb.-1824 Nov. 410, [2] p. MS.
N-Ar

Colonial Manuscripts

Delaware Papers

E.2a Reel 1

Unit 1

1646 Sept.-1660 Dec. Calendar, 334-341 p. v.18: 100 items. v.p.
N-Ar

E.2a Reel 2

Unit 1

1661 Jan.-1664 Jan. Calendar, 340-347 p. v.19: 92 items. v.p.
N-Ar

Unit 2

1664 Oct.-1678 July Calendar, 348-357 p. v.20: 159 p. MS. (A typescript page precedes p. 1, 33, 64, 96 and 126.)
N-Ar

E.2a Reel 3

Unit 1

1679 July-1680 Calendar, 356-363 p. v.2: 149 p. MS. (A typescript page precedes p. 1, 34, 67, 97 and 124.)
N-Ar

NEW YORK-Continued

Colonial Manuscripts

Correspondence

E.2b Reel 1

Unit 1

1646-1653 Dec. Calendar, 268-279 p. v.11: 92 p. MS.
N-Ar

Unit 2

1654 Mar.-1658 Nov. Calendar, 278-285 p. v.12: 98 p. MS.
N-Ar

E.2b Reel 2

Unit 1

1659 Feb.-1660 Nov. Calendar, 286-295 p. v.13: 144 p. MS.
(w: Documents on p. 138 and 139) N-Ar

E.2b Reel 3

Unit 1

1661 Jan.-1662 Dec. Calendar, 294-299 p. v.14: 123 p. MS.
(w: Documents on p. 31) N-Ar

E.2b Reel 4

Unit 1

1663 Jan.-1664 Sept. Calendar, 300-309 p. v.15: 145 p. MS.
Box 1 1663 Jan.-July 72 p. N-Ar

Unit 2

Box 2 1663 Oct.-1664 Sept. 73-145 p. N-Ar

E.3 Reel 1

Register of Provincial Secretary

Unit 1

1638 Apr.-1642 Apr. Vol. 1. (Lost from New York Archives)
1642 Jan.-1647 Sept. Calendar, 41 p. v.2: 170 p. MS. (w: p. 69a b, 80a-b, 81, 110a-c)
N-Ar-Dutch MSS., vol. 2

Unit 2

1648 Aug.-1660 Aug. Calendar, 40-60 p. v.3: 142 p. MS.
N-Ar-Dutch MSS., vol. 3

NORTH CAROLINA

E.1 Reel 1

Unit 1

1693 May-1709/10 Feb. Lord Proprietors of Carolina and Bahama Islands, 3d Book. 259 p. MS. (Pages 108-109, 112-152 are blank.) A negative photostat of the original at the Public Record Office, London. C.O. 5, no. 289.
Nc-Ar-E.R. Box 6

Unit 2

1707 Dec.-1727 July The minute book. 130, 149-159 p. MS. A negative photostat of the original at the Public Record Office, London. C.O. 5, no. 292.
Nc-Ar-E.R. Box 7

NORTH CAROLINA-Continued

Unit 3

1712-1728 Council journal. 1 p.l., 1-14, 111-330, 15-110, 331-438, [25] p. MS. Nc-Ar-G.O. 111

1734 Nov.-1735 Apr. Council journal. 30 p. MS.

1741 Aug.-1769 June Proclamations, etc. 31-88 p. MS. Nc-Ar-G.O. 114

E.1 Reel 2

Unit 1

1743 Feb.-1750 Oct. Council journal. 38, 11-161, [85] p. MS. Nc-Ar-G.O. 115

Unit 2

1747 Mar.-1767 Dec. Council journal. [468] p. MS. (Rough draft) Nc-Ar-G.O. 116

Unit 3

1755 Mar.-1764 Apr. Council journal. [287] p. MS. Nc-Ar

Unit 4

1764 Aug.-1775 Apr. Council journal. [250] p. MS. Nc Ar G.O. 117

E.1 Reel 3

Unit 1

1764 Oct.-1771 Dec. Executive Department journal. 1 p.l., 311, [10] p. MS.

1765 Apr.-1771 June Minutes of the Council (Executive).[1] [230] p. MS. MHL

Unit 2

1761 Orders and instruction. [74] p. MS. Nc-Ar

Unit 3

1765-1775 Aug. Proclamation book. 9-101, [15] p. MS. Nc-Ar-G.O. 59

Council of State Journal

Unit 4

1781 July-1782 Dec. [90] p. MS. Nc-Ar-G.O. 120

Unit 5

1781 July-1784 May [155] p. MS. Nc-Ar

Unit 6

1785 Dec.-1790 June 92, [29] p. MS. Nc-Ar-G.O. 119.1

E.1 Reel 4

Unit 1

1788 Mar.-1791 July [86] p. MS.
Appended: Warrants granted by Governor Alexander Martin, 1790-91. [13] p. MS.

1792 Aug. 1-2 [8] p. MS. Nc-Ar-G.O. 121

Unit 2

1795 Dec.-1855 Feb. [594] p. MS. Nc-Ar-G.O. 122

Unit 3

1855 Feb.-1889 Jan. 321 p. MS. Nc-Ar-G.O. 125

1. This volume is the original. For a copy see N. C., E.2b, Reel 1.

NORTH CAROLINA-Continued

E.1x Reel 1

Council Papers

Unit 1

1663-1730 7 items. MSS.
1730-1735 9 items. MSS.
1736-1740 12 items. MSS.
1741-1745 11 items. MSS.
1746-1750 9 items. MSS.
1751-1755 5 items. MSS.
1756-1760 15 items. MSS.
1761-1766 74 items. MSS.

Nc-Ar

Unit 2

1767-1770 27 items. MSS.
1771-1775 49 items. MSS.
Undated 26 items. MSS.

Nc-Ar-G.O. 110

Unit 3

1766-1768 38 items. MSS.
1784 21 items. MSS.

Nc-Ar-G.O. 118

Unit 4

1777 Proceedings at a treaty with Overhill Cherokee Indians held at Fort Patrick Henry near the long island on Holston River in June and July 1777. 102 p. MS.

Nc-Ar-G.O. 119

E.1x Reel 2

Unit 1

1777 Jan.-1780 Feb. Council papers and minutes. 44 items. MSS.

Nc-Ar-G.O. Box 119

Governor's Letterbooks and Papers

E.2a Reel 1

Unit 1

1694-1707 33 items. MSS.

Nc-Ar-C.G.P. Box 1

Unit 2

1734-1752 29 items. MSS.

Nc-Ar-C.G.P. Box 2

Unit 3

1752-1753 3 items. MSS.

Nc-Ar-C.G.P. Box 3

NORTH CAROLINA-Continued

Unit 4
1753-1754 17 items. MSS.
Nc-Ar-C.G.P. Box 4

Unit 5
1754-1765 123 items. MSS.
Nc-Ar-C.G.P. Box 5

E.2a Reel 2

Unit 1
1765-1771 94 items. MSS.
Nc-Ar-C.G.P. Box 6

Unit 2
1771 July-1771 Aug. 3 items.
Nc-Ar-C.G.P. Box 7

Unit 3
1771-1775 64 items. MSS.
Nc-Ar-C.G.P. Box 8

Governor's Papers: State Series

Unit 4
1777 Jan.-1777 Sept. v.1: 144 items. MSS.
Nc-Ar

E.2a Reel 3

Unit 1
1777 Sept.-1778 Apr. v.2: 144 items. MSS.
Nc-Ar

Unit 2
1778 Apr.-1778 Oct. v.3: 145 items. MSS.
Nc-Ar

E.2a Reel 4

Unit 1
1778 Oct.-1779 July v.4: 146 items. MSS.
Nc-Ar

Unit 2
1779 July-1780 Apr. v.5: 146 items. MSS.
Nc-Ar

E.2a Reel 5

Unit 1
1780 May-1781 June v.6: 131 items. MSS.
Nc-Ar

Unit 2
1781 June-1781 Aug. v.7: 129 items. MSS.
Nc-Ar

E.2a Reel 6

Unit 1
1781 Sept.-1782 Apr. v.8: 132 items. MSS.
Nc-Ar

Unit 2
1781 June-1782 Feb. v.9: 131 items. MSS.
Nc-Ar

NORTH CAROLINA-Continued

E.2a Reel 7

Unit 1

1781 Oct.-1785 Apr. v.10: 55 items. MSS.
Nc-Ar

Governor's Letterbooks and Papers

E.2b Reel 1

Unit 1

1764 Oct.-1771 Dec. 1 p.l., 296 p. MS.
1765 Apr.-1771 June Minutes of the Council (Executive).[1] 301-466 p. MS.
Nc-Ar-G.L.B. 1

Unit 2

1777 Jan.-1779 July 641 p. MS.
Nc-Ar-G.L.B. 1.1

E.2b Reel 2

Unit 1

1779 July-1786 Oct. 313, 322-346 p. MS.
Nc-Ar-G.L.B. 2

Unit 2

1774 May-1782 Jan. [577] p. MS.
Nc-Ar-G.L.B. 3

Unit 3

1781 Oct.-1782 Dec. [202] p. MS.
Nc-Ar-G.L.B. 4

E.2b Reel 3

Unit 1

1782 Apr.-1785 Feb. 2 p.l., 829 p. MS.
Nc-Ar-G.L.B. 5

Unit 2

1784 Dec.-1787 Sept. 1 p.l., 531 p. MS.
Nc-Ar-G.L.B. 6

E.2b Reel 4

Unit 1

1784 Oct.-1787 Sept. 716 p. MS.
Nc-Ar-G.L.B. 7

Unit 2

1785 Sept.-1786 Mar. 1 p.l., 273 p. MS.
Nc-Ar-G.L.B. 8

Unit 3

1787 Dec.-1789 Oct. 204 p. MS.
Nc-Ar-G.L.B. 9

Unit 4

1789 Dec.-1791 Aug. 284 p. MS.
Nc-Ar-G.L.B. 10

E.2b Reel 5

Unit 1

1792 Dec.-1795 Aug. 296, [1] p. MS. (w: p. 25-26) Nc-Ar-G.L.B 11

1. This volume is a copy of the original at the Harvard University Library. See N.C., E.1, Reel 3 for the original.

NORTH CAROLINA-Continued

Unit 2

1795 Dec.-1797 Aug. 1 p.l., 16 p. MS.
1795 Dec.-1796 Nov. 27-37 p. MS.
1799 List of grants executed by William R. Davie. [32] p. MS.
1818 Mar. List of grants sent to His Excellency John Branch. [16] p. MS.
Nc-Ar-G.L.B. 12

Unit 3

1798 Dec.-1799 Nov. 1 p.l., 167 p. MS.
Nc-Ar-G.L.B. 13

Unit 4

1799 Nov.-1802 Oct. 1 p.l., 676 p. MS.
Nc-Ar-G.L.B. 14

E.2b Reel 6

Unit 1

1803 Jan.-1805 Nov. 1 p.l., [4], 641 p. MS.
Nc-Ar-G.L.B. 15

Unit 2

1805 Dec.-1808 Dec. 1 p.l., [5], 216, [3], 218-378 p. MS. Nc-Ar-G.L.B. 16

Unit 3

1808 Nov.-1810 Aug. [4], 342 p. MS.
Nc-Ar-G.L.B. 17

E.2b Reel 7

Unit 1

1811 Dec.-1812 Dec. [10], 381 p. MS.
Nc-Ar-G.L.B. 18

Unit 2

1812 July-1813 Nov. [12], 471, [16] p. MS.
Nc-Ar-G.L.B. 19

E.2b Reel 8

Unit 1

1814 Dec.-1816 Apr. [11], 450 p. MS.
Nc-Ar-G.L.B. 21

Unit 2

1816 Apr.-1817 Dec. [10], 423, [3] p. MS.
Nc-Ar-G.L.B. 22

Unit 3

1817 Dec.-1820 Dec. [10], 353 p. MS.
Nc-Ar-G.L.B. 23

E.2b Reel 9

Unit 1

1820 Dec.-1821 Dec. [6], 175 p. MS.
Nc-Ar-G.L.B. 24

Unit 2

1821 Dec.-1824 June [9], 282 p. MS.
Nc-Ar-G.L.B. 25

NORTH CAROLINA-Continued

Unit 3
1824 Dec.-1827 Oct. [4], 106 p. MS.
Nc-Ar-G.L.B. 26

Unit 4
1827 Dec.-1828 Dec. [4], 177 p. MS.
Nc-Ar-G.L.B. 27

Unit 5
1828 Dec.-1830 Dec. [9], 269 p. MS.
Nc-Ar-G.L.B. 28

Unit 6
1830 Dec.-1832 Dec. 150 p. MS.
Nc-Ar-G.L.B. 29

E.2b Reel 10a

Unit 1
1832 Dec.-1835 Oct. 407, [8] p. MS.
Nc-Ar-G.L.B. 30

E.2b Reel 11

Unit 1
1859 Jan.-1861 July [53], 437 p. MS.
Nc-Ar-G.L.B. 45

E.2b Reel 12

Unit 1
1865 June-1865 Dec. 93 p. MS.
Nc-Ar-G.L.B. 51

Unit 2
1865-1868 Index to letterbooks. [61] p.
Nc-Ar-G.L.B. 52

Unit 3
1865 Dec.-1867 Dec. [24], 711, [1] p.
Nc-Ar-G.L.B. 53

Unit 4
1867 Dec.-1868 July [37], 171 p. MS.
Nc-Ar-G.L.B. 54

E.3 Reel 1

Unit 1
1677-1701 Council minutes, wills and inventories of estates. [175] p.
MS. Nc-Ar-S.S. 330

Unit 2
1695-1712 Wills and inventories. [4], 52 p. MS. Nc-Ar-S.S. 329

Unit 3
1712-1753 Proceedings: Court of Chancery and Wills. 115, [13], 231 p.
MS. Nc-Ar-S.S. 334

Unit 4
1714-1738 Patents book. [25], 449 p.
MS. Nc-Ar

NORTH CAROLINA-Continued

Unit 5

1728-1741 Inventories of estates. [96] p. MS.
Nc-Ar

OHIO

E Reel 1

Unit 1

E.3

1788-1803 The record of the secretaries of the Territory of the United States northwest of the River Ohio. 300, [235] p. MS.
OHi

Governor's Letterbooks

Unit 2

E.2

1814 Dec.-1821 May 2 p.l., 344 p. MS. OHi

Unit 3

E.2

1821 Apr.-1829 Dec. [60], [14], [4] p. MS.
OHi

Unit 4

E.2

1832 Dec.-1836 Dec. [270] p. MS. OHi

OREGON

E Reel 1

Unit 1

E.1

1844-1864 Oregon archives: Letter, reports, messages, memorials and other papers not published in the Office of Secretary of State. 216 p. MS. CU-B

1849-1850 Journal. Papers relating to Oregon Civil Government. First message to the legislature, July 16, 1847. Accounts and disbursements as Governor and Superintendent of Indian Affairs. [60] p. MS.
OrHi

1849 Mar.-1859 Jan. Executive record: Journal. 178, [13] p. MS. Or-Secy.

Unit 2

E.1a

1845 Aug.-1862 Sept. Governor's messages. 5 items. MSS. OrHi

Unit 3

E.2

1853-1855 Executive letters and accounts. [39] p. MS.

1854-1856 Executive letterbooks. [180] p. MS.
Or-Secy.

OREGON-Continued

Unit 4

E.3

1853 May-1859 July Secretary of Oregon Territory. Letterbook. [128] p. MS. Or-Secy.

PENNSYLVANIA

Journal of the Council

E.1 A.1a Reel 1

Unit 1

1682/83 Mar. 10-1688 Dec. 18 210, [14] p. MS. P-Ar

Unit 2

1688 Dec. 18-1690 173, [45] p. MS. P-Ar

Provincial Record

Unit 3

1693 Apr. 26-1705 Feb. 21 Book C. 15, 265 p. MS.

1693 May 15-1700 Nov. 27 342-266 p. MS. (Pages numbered in reverse order.)

Index. [46] p. MS.

P-Ar

Unit 4

1706 Mar. 19-1716 Dec. 10 Book D. 342, [16], 343-349 p. MS. P-Ar

Unit 5

1717 May 31-1719 May 11 Book E. 76, [20] p. MS. P-Ar

E.1 A.1a Reel 1a

Rough Minutes of the Provincial Council

Unit 1

1693 May 15-1704 Oct. 19 v.1: 174 items. MSS. PPAmP

Unit 2

1704 Oct. 23-1709 Mar. 16 v.2: 181 items. MSS. PPAmP

E.1 A.1a Reel 1b

Unit 1

1709 Mar. 16-1717 Aug. 31 v.3: 165 items. MSS. PPAmP

E.1 A.1a Reel 2

Provincial Council

Unit 1

1719 July 8-1722 Oct. 8 Book F. 154, [13] p. MS. P-Ar

Unit 2

1723 May 20-1725/26 Mar. 5 Book G. 61, [50] p. MS. P-Ar

Unit 3

1726 June 22-1736 May 31 Book H. 372, [12] p. MS. P-Ar

Unit 4

1744 Aug. 21-24 Council journal. 11-16 p.

A treaty between the President and Council...and the Indians of Ohio, Nov. 13, 1747. 8 p.

A treaty held by Commissioners, Members of Council...with some of the Chiefs of the Six Nations...July, 1748. 10 p.

P

PENNSYLVANIA-Continued

E.1x Reel 1

Unit 1

1664 Aug.-1712 Sept.[1] Provincial papers. v.1: 99 items. MSS. P-Ar

Unit 2

1670-1775* Governor's proclamations. 59 items. MSS. PHi

Unit 3

1688 Dec.-1769 Feb. Miscellaneous collection: Provincial Council. 12 items. [106], [100] p. MSS. PHi

E.1x Reel 2

Unit 1

1694 Aug.-1706 July Documents of the Provincial Council. 126 items. MSS. PHi-Logan Papers, vol. 3

Unit 2

1701 Oct.-1742 Miscellaneous manuscript collection. 8 items. MSS. PPAmP

Unit 3

1706 July-1760 Aug. Documents of the Provincial Council. 123 items. MSS. PHi-Logan Papers, vol. 4

E.1x Reel 3

Unit 1

1712 Oct.-1724 Dec. Provincial papers. 82 items. MSS. P-Ar

Penn Manuscripts: Official Correspondence

E.2a Reel 1

Unit 1

1683 May-1727 Dec. v.1: 157 items. MSS. PHi

Unit 2

1728 Jan.-1735 Sept. v.2: 133 items. MSS. PHi

E.2a Reel 2

Unit 1

1736 May-1743 Dec. v.3: 146 items. MSS. PHi

Unit 2

1744 Mar.-1749 Dec. v.4: 133 items. MSS. PHi

E.2a Reel 3

Unit 1

1750 Apr.-1752 Dec. v.5: 159 items. MSS. PHi

Unit 2

1753 Feb.-1754 Dec. v.6: 130 items. MSS. PHi

E.2a Reel 4

Unit 1

1755 Jan.-1755 Dec. v.7: 108 items. MSS. PHi

Unit 2

1756 Jan.-1757 Nov. v.8: 144 items. MSS. PHi

E.2a Reel 5

Unit 1

1758 Jan.-1764 Dec. v.9: 149 items. MSS. PHi

Unit 2

1765 Mar.-1771 Dec. v.10: 154 items. MSS. PHi

1. This volume also contains early papers of New Jersey prior to the founding of Pennsylvania in 1681.

PENNSYLVANIA-Continued

E.2a Reel 6

Unit 1

1772 Jan.-1775 Dec. v.11: 131 items. MSS.
PHi

Unit 2

1776 Jan.-1817 Dec. v.12: 141 items. MSS.
PHi

E.2b Reel 1

William Penn's Letterbooks

Unit 1

X

1667-1675[1] [12], 180 p. MS. PHi

Unit 2

1681 June-1692 Nov. 2 p.l., 34 p. MS.
PHi

Unit 3

1699 Oct.-1703 May 153 p. MS. PHi

Penn Letterbooks

Unit 4

1729 Jan.-1742 Aug. v.1: 379 p. MS. PHi

Unit 5

1742 Sept.-1750 July v.2: [5], 321 p. MS.
PHi

E.2b Reel 2

Unit 1

1750 July-1754 Aug. v.3: [8], 377 p. MS.
PHi

Unit 2

1754 Aug.-1756 Sept. v.4: [5], 366 p. MS.
PHi

Unit 3

1756 Sept.-1758 July v.5: [6], 372 p. MS.
PHi

E.2b Reel 3

Unit 1

1758 Oct.-1761 Jan. v.6: [6], 367 p. MS.
PHi

Unit 2

1761 Mar.-1763 July v.7: [6], 358 p. MS.
PHi

Unit 3

1763 Oct.-1766 Apr. v.8: [6], 367 p. MS.
PHi

1. This volume does not contain the official letters of William Penn as Governor of the Province of Pennsylvania. The letters are personal and relate to the Society of Friends.

PENNSYLVANIA-Continued

E.2b Reel 4

Unit 1

1766 Apr.-1769 May v.9: [10], 361 p. MS.
PHi

Unit 2

1769 May-1775 July [v.10]: [6], 364 p. MS.
PHi

Unit 3

X

1804 Sept.-1832 July 245 p. MS. PHi

E.2c Reel 1

Penn Letters and Ancient Documents Relating to Pennsylvania and New Jersey

Unit 1

1681 Mar.-1694 June v.1: 22 items. MSS.
PPAmP

Unit 2

1694 July-1727 Aug. v.2: 37 items. MSS.
PPAmP

Unit 3

1669 June-1769 Jan. v.3: 32 items. MSS.
Includes a proclamation of George III for giving currency to a new coinage of copper money, July 26, 1797. Broadside.
PPAmP

Unit 4

1738 Jan.-1741 Mar. Thomas Penn's small letterbook. 42 p. MS. PHi

Unit 5

1757 July-1775 Nov. Thomas Penn's letterbook. 66 p. MS. PHi

E.3 Reel 1

Secretary's Journals and Letterbooks

Unit 1

1702 Apr.-1709 June v.1: 2 p.l., 340 p. MS.
PHi-Logan Papers

Unit 2

1702 May-1726 June v.2: 1 p.l., 303 p. MS.
PHi-Logan Papers

Unit 3

1720/21 Jan.-1731 Apr. v.3: [2], 376 p. MS.
PHi-Logan Papers

Unit 4

1716/7 Aug.-1742 Nov. v.4: 1 p.l., [2], 446 p. MS. PHi-Logan Papers

EXECUTIVE RECORDS

RHODE ISLAND

E.1 Reel 1

Unit 1

1660 Fore's record. 90, 113-118 p. MS. R-Ar

Unit 2

1667 May 1-1753 Aug.?[1] The book of records containing the acts and orders made by the Governor and Council. 2 p.l., 199 p. MS. R-Ar

Unit 3

1655 June-1772 May[1] Governor and Council. Records. 40 p. MS. R-Ar

Unit 4

E.2

1652-1703/4[1] Governor and Council. Miscellaneous papers. [26] p. v.p. MS. R-Ar

Unit 5

1798 Jan.-1806 Oct. Governor and Council. Records. 65 p. MS.

E.4 Reel 1

Unit 1

1775 Nov. 11-1776 Dec. 6 Interior Committee. Proceedings. 51 p. MS. R-Ar

Council of War Minutes

Unit 2

1775 Dec. 13-1777 June 7 [2], 182 p. MS. R-Ar

Unit 3

1777 June 9-1778 Jan. 29 269 p. MS. R-Ar

Unit 4

1778 Jan. 29-1779 Sept. 30 1 p.l., 260 p. MS. R-Ar

Unit 5

1779 Oct. 1-1781 July 6 1 p.l., 198, 1 p. MS. R-Ar

Unit 6

1781 Aug. 27-Oct. 16 28 p. MS.
1781 Nov. 8-1782 Apr. 24 21 p. MS.
1812 Aug.-1818 Feb. 28 33 p. MS.
R-Ar

SOUTH CAROLINA

E.1 Reel 1

Executive Department Journals

Unit 1

1800 Jan.-1801 Sept. 1 p.l., 348 p. MS. Sc-Ar

Unit 2

1801 Sept.-1802 Sept. 1 p.l., 255, [6] p. MS. Sc-Ar

Unit 3

1808 Dec.-1810 June 1 p.l., 462, [12] p. MS. Sc-Ar

Unit 4

1810 June-1810 Dec. 1 p.l., 113, [16] p. MS. Sc-Ar

Unit 5

1800-1802, 1808-1810 Index. 1 p.l., 97 p. MS. Sc-Ar

1. The proceedings of the Governor and Council.

SOUTH CAROLINA-Continued

Journal of His Majesty's Honorable Council

E.1p Reel 1

Unit 1

1734 June 28-July 25 [33] p. MS.
Sc-Ar-Photostat of PRO-C.O.5/436

Unit 2

1734 Nov. 8-1735 Dec. 15 [47] p. MS.
Sc-Ar-Photostat of PRO-C.O.5/437

Unit 3

1735/36 Jan. 15-Sept. 30 78 p. MS.
Sc-Ar-Photostat of PRO-C.O.5/437

Unit 4

1736 Oct. 1-1737 Dec. 7 106 p. MS.
Sc-Ar-Photostat of PRO-C.O.5/438

Unit 5

1737/38 Jan. 11-1738 Dec. 16 39 p. MS.
Sc-Ar-Photostat of PRO-C.O.5/440

Unit 6

1738 Dec. 16-1739 Aug. 18 42 p. MS.
Sc-Ar-Photostat of PRO-C.O.5/440

Unit 7

1741/42 Mar. 15-1742/43 Feb. 19 522, [25] p. MS.
Sc-Ar

E.1p Reel 2

Unit 1

1741/42 Mar. 15-1742 Dec. 15 33-292 p. MS.
Sc-Ar-Transcript made about 1890 of a copy at PRO

Unit 2

1742/43 Feb. 21-1743 Dec. 16 458, [22] p. MS.
Sc-Ar

Unit 3

1743 Dec. 17-1744 Dec. 8 551, [29] p. MS. Sc-Ar

E.1p Reel 3

Unit 1

1744 Dec. 24-1775 Dec. 13 363, [31] p. MS.
Sc-Ar

Unit 2

1745/46 Jan. 8-Nov. 4 180, 8 p. MS.
Sc-Ar-Photostat of PRO-C.O.5/455

Unit 3

1746 Nov. 20-1747 May 29 112, 9 p. MS.
Sc-Ar-Photostat of PRO-C.O.5/455

Unit 4

1747 June 4-1748 July 20 375, [30] p. MS.
Sc-Ar

E.1p Reel 4

Unit 1

1748 Dec. 20-1749 Dec. 6 776, [43] p. MS. Sc-Ar

SOUTH CAROLINA-Continued

Unit 2

1749 Dec. 6-1750 Dec. 16 [447] p. MS.
Sc-Ar-Photostat of copy at PRO

E.1p Reel 5

Unit 1

1750 Dec. 14-1751 Mar. 25 60, [10] p. MS.
Sc-Ar

Unit 2

1751 Apr. 1-1752 Jan. 25 572, [41] p. MS.
Sc-Ar

Unit 3

1752 Feb. 4-Nov. 8 571, [45] p. MS.
Sc-Ar

E.1p Reel 6

Unit 1

1752 Dec. 0-1753 Dec. 14 694, [55] p. MS.
Sc-Ar

Unit 2

1754 Jan. 1-Aug. 7 386, [34] p. MS.
Sc-Ar

E.1p Reel 7

Unit 1

1754 Sept. 3-1755 Jan. 1 158 p. MS.
Sc-Ar-Photostat of copy at PRO

Unit 2

1755 Jan. 6-1756 Jan. 1 602 p. MS.
Sc-Ar-Photostat of copy at PRO

Unit 3

1756 Jan. 1-Dec. 31 416, [21] p. MS.
Sc-Ar

E.1p Reel 8

Unit 1

1757 Jan. 3-May 24 94, [17] p. MS.
1757 June 7-1758 June 6 210, [43] p. MS.
Sc-Ar

Unit 2

1758 June 6-1760 Apr. 1 184, [22] p. MS.
Sc-Ar

Unit 3

1760 Apr. 1-1760 June 30 102-151 p. MS.
Sc-Ar-Photostat of copy at PRO

Unit 4

1760 July 1-1760 Dec. 30 61 p. MS.
Sc-Ar-Photostat of copy at PRO

Unit 5

1760 July 1-1761 Dec. 18 197, [5] p. MS.
PRO-C.O.5/477

Unit 6

1761 Jan. 5-1761 Dec. 28 295-576 p. MS.
Sc-Ar-Transcript made about 1890 of copy at PRO

SOUTH CAROLINA-Continued

E.1p Reel 9

Unit 1

1763 Jan. 4-1763 Dec. 6 114, [9] p. MS.
Sc-Ar

Unit 2

1763 Dec. 28-1764 Dec. 24 391, [17] p. MS.
Sc-Ar

Unit 3

1765 Jan. 1-1766 Dec. 13 391-885, [21] p. MS.
Sc-Ar

Unit 4

1767 Jan. 6-Dec. 22 326, [10] p. MS. Sc-Ar

E.1p Reel 10

Unit 1

1768 Jan. 5-Dec. 24 300, [10] p. MS. Sc-Ar

Unit 2

1769 Jan. 3-Dec. 26 577-648 p. MS.
Sc-Ar-Transcript made about 1890 of copy at PRO

Unit 3

1769 Jan. 3-Dec. 29 174 p. MS.
PRO-C.O.5/494

Unit 4

1770 Jan. 5-Dec. 25 218, [7] p. MS. Sc-Ar

Unit 5

1771 Jan. 1-Dec. 26 238, [9] p. MS. Sc-Ar

Unit 6

1772- Jan. 1-Dec. 24 252, [7] p. MS. Sc-Ar

E.1p Reel 11

Unit 1

1772 Dec. 1-1773 Sept. 17 189, [1] p. MS.
Sc-Ar

Unit 2

1773 Oct. 20-1774 Dec. 9 260, [8] p. MS.
Sc-Ar

E.3 Reel 1

Unit 1

1671 May-1775 June Records of the Secretary of the Province and the register of the Province of South Carolina. [50] p. MS.
Sc-Ar

Unit 2

1675-1709 An alphabet to Old Grant Book G. [40] p. MS.

1675-1696 Register of the Province of South Carolina. [1], 538 p. MS.
Sc-Ar

Unit 3

1682-1690 Miscellaneous records. 376 p. MS.
Sc-Ar

SOUTH CAROLINA-Continued

Unit 4

1696-1703 Register of the Province of South Carolina. 1 p.l., [14], 298 p. MS. Sc-Ar

E.3 Reel 2

Unit 1

1685-1712 Register of the Province of South Carolina. 13-355 p. MS. Sc-Ar

Unit 2

1705-1708 Register of the Province of South Carolina. [7], 259 p. MS. Sc-Ar

Unit 3

1704-1709 Register of the Province of South Carolina. [10], 359 p. MS. Sc-Ar

Unit 4

1708-1712 Register of the Province of South Carolina. 1 p.l., 246, [6] p. MS. Sc-Ar

E.3 Reel 3

Unit 1

1707-1711 Register of the Province of South Carolina. [6], 260 p. MS. Sc-Ar

Unit 2

1712-1713 Register of the Province of South Carolina. [5], 175 p. MS. Sc-Ar

Unit 3

1711-1714 Register of the Province of South Carolina. 490 p. MS. Sc-Ar

Unit 4

1714-1719 Register of the Province of South Carolina. [443] p. MS. Sc-Ar

TEXAS

Executive Department Journals

E.1 Reel 1

Unit 1

1836 Mar.-1836 Sept. 510, [58] p. MS. Tx-Ar

Unit 2

1836 Apr.-1836 Oct. 95 p. MS. Tx-Ar

Unit 3

1838 Dec.-1841 Dec. 295, [42], [6] p. MS. Tx-Ar

Unit 4

1841 Dec.-1844 Dec. 385, [55] p. MS. Tx-Ar

E.1 Reel 2

Unit 1

1844 Dec.-1845 Sept. [3], 52 p. MS. Tx-Ar

Unit 2

1846 Feb.-1846 May 62, [3] p. MS. Tx-Ar

Unit 3

1846 May-1846 Nov. 75 p. MS. Tx-Ar

EXECUTIVE RECORDS

TEXAS-Continued

Unit 4

1846 Feb.-1847 Nov. 30 p. MS. Tx-Ar

Unit 5

1847 Dec.-1849 Dec. [2], 284 p. MS. Tx-Ar

Unit 6

1849 Dec.-1850 Dec. 1 p.l., [18], 11, 311 p. MS. Tx-Ar

Unit 7

1849 Dec.-1854 Feb. 303, [54] p. MS. Tx-Ar

E.1 Reel 3

Unit 1

1851 Dec.-1852 Sept. 84 p. MS. Tx-Ar

Unit 2

1853 Dec.-1857 Dec. 782 p. MS. Tx-Ar

Unit 3

1857 Dec.-1859 Nov. [24], 443 p. MS. Tx-Ar

E.1 Reel 4

Unit 1

1859 Dec.-1860 Dec. [50], 270 p. MS. Tx-Ar

Unit 2

1859 Dec.-1861 Nov. [50], 367 p. MS. Tx-Ar

Unit 3

1861 Mar.-1861 Oct. [48], 157 p. MS. Tx-Ar

Unit 4

1861 Nov.-1863 Jan. [23], 451 p. MS. Tx-Ar

E.1 Reel 5

Unit 1

1861 Nov.-1863 Nov. [49], 258 p. MS. Tx-Ar

Unit 2

1863 Jan.-1863 Nov. [25], 199 p. MS. Tx-Ar

Unit 3

1863 Nov.-1863 Dec. 16 p. MS. Tx-Ar

Unit 4

1863 Nov.-1865 Jan. [45], 178 p. MS. Tx-Ar

Unit 5

1865 Feb.-1865 June [41], 23 p. MS. Tx-Ar

TEXAS-Continued

Unit 6

1865 Aug.-1866 Aug. 231 p. MS. Tx-Ar

Unit 7

1866 Aug.-1867 Aug. 389 p. MS. Tx-Ar

E.1 Reel 6

Unit 1

1866 Aug.-1867 Aug. 166 p. MS. Tx-Ar

Unit 2

1867 Jan.-1867 Aug. 211 p. MS. Tx-Ar

Unit 3

1867 Aug.-1869 Sept. 428 p. MS. Tx-Ar

E.1b Reel 1

Unit 1

1836 Nov.-1841 Dec. Record book and documents under the Great Seal. [21], 68, [5] p. MS. Tx-Ar

Unit 2

1842 Jan.-1846 Feb. Proclamations. Colony charters. 235 p. Tx-Ar

E.1p Reel 1[1]

Unit 1

1820-1822 6 miscellaneous items. Vol. XV. 120 p. MS.

1823 Dec. 3-1824 June 8 Libro de actas de la excelentísima diputación provencial de Coahuila. Vol. XV: 121-283 p. MS. TxU-Ar

Unit 2

1825 Sept. 21-1831 June 11 Libro de actas del Consejo del estado. Vol. XVII: 1 p.l., 239 p. MS. TxU-Ar

Unit 3

1826 Documentos relativos a Texas. 162-183 p. MS. TxU-Ar

Unit 4

1834 Relativo a la pretención de algunos ayuntamientos del Departamento de Texas... Vol. XXXIX: 14-32 p. MS.

1824-34 Empresas de colonización. Vol. XXXIX: 33-61 p. MS. TxU-Ar

Unit 5

1834 Ocursos, comunicaciones y minutas relativo a la colonización... Vol. XXXVII: 42-208 p. MS. TxU-Ar

Unit 6

1828 Minutas de los acuerdos...sobre terrenos... Vol. XXIII: 88-106 p. MS. TxU-Ar

Unit 7

1831 Minutas del Gobierno...sobre terrenos. Vol. XXX: 156-173 p. MS. TxU-Ar

Unit 8

1830 Memoria en que el Gobernador...da cuenta de los ramos de su administración... 208-239 p. MS.

1831 ---- Vol. XXXII: 38-69 p. MS.

1. Photostatic copies from originals at Archivo de la Secretaría de Gobierno, Saltillo, Coahuila.

EXECUTIVE RECORDS

TEXAS-Continued

1832 ---- 9, 12 p.
1833 ---- 7, 15 p.
1834 ---- 7, 9, [2] p.
TxU-Ar

Unit 9

1827 Reglamento para el Gobierno económico político... 42 p. TxU-Ar

E.3 Reel 1

Unit 1

1835 Dec.-1836 Feb. Department of State. Correspondence. [47], 279 p. MS. Tx-Ar

Unit 2

1836 Nov.-1841 Dec. Department of State. Letterbook. [21], 218 p. MS. Tx-Ar

Unit 3

1836 Nov.-1842 Jan. Department of State. Letterbook 1. 262, [8] p. MS. Tx-Ar

Unit 4

1836 Nov.-1841 Mar. Department of State. Letterbook 2. [24], 265, [1] p. MS. Tx-Ar

E.3 Reel 2

Unit 1

1836 Nov.-1841 Oct. Department of State. Letterbook 41, foreign correspondence. [23], 592 p. MS. Tx-Ar

Unit 2

1839 May-1844 Aug. Legation records. 529, [41] p. MS. Tx-Ar

Unit 3

1839 Dec.-1841 May Department of State. Journal. [56] p. MS. Tx-Ar

Unit 4

1839 Aug.-1841 Aug. Department of State. Letterbook. 38 p. MS. Tx-Ar

Unit 5

1842 Jan.-1846 July Department of State. Home letters. 44-145 p. MS. (w: p. 1-43) Tx-Ar

Unit 6

1842 Feb.-1846 Jan. Department of State. Home letters. 44-271, [56] p. MS. Tx-Ar

E.3 Reel 3

Unit 1

1841 Jan.-1844 Apr. Department of State. Foreign letters. 51-552 p. MS. Tx-Ar

Unit 2

1841 Dec.-1846 Feb. Department of State. Foreign letters. [23], 38-284 p. MS. Tx-Ar

Unit 3

1844 Oct.-1845 Dec. Department of State. Foreign letters. 128, [46] p. MS. Tx-Ar

Unit 4

1843 Jan.-1845 Oct. Department of State. Foreign legation letters. 152, [13] p. MS. Tx-Ar

TEXAS-Continued

Unit 5

1844 Aug.-1845 Nov. Department of State. Records of legation. 45, [18] p. MS. Tx-Ar

E.3 Reel 4

Unit 1

1845 Feb.-1849 Dec. Department of State. Diary. 2 p.l., 85, [15] p. MS. Tx-Ar

Unit 2

1867 Aug.-1870 Department of State. Public correspondence. 1 p.l., 458 p. MS. Tx-Ar

UTAH

E.1 Reel 1

Executive Department Journals

Unit 1

1850 Sept.-1855 Oct. Book A. [5], 114 p. MS. U-Secy.

1851-1863 Elections and commissions. 115-145, 270-323 p. MS. U-Secy.

Unit 2

1852 June-1871 Nov. Book B. 375, [7] p. MS. U-Secy.

Unit 3

1872 Jan.-1887 July Book C. 599 p. MS. U-Secy.

Unit 4

1887 May-1895 Dec. Book D. [22], 32, 50-441 p. MS. U-Secy.

VERMONT

E Reel 1

Unit 1

A.4

1778 Mar. 18-1794 Oct. 23 State papers: Committee reports. v.31: 141 items. v.p. MS. Vt-Secy.

Unit 2

E.2

1781 Feb. 3-1793 Nov. 14 State papers: Official letters. v.24: 147 items. v.p. MS. Vt-Secy.

Unit 3

D.24

1777-1796 State papers: Treasurer's miscellany. v.39: 80, v, 81-114 p. MS. Vt-Secy.

Unit 4

E.4

1779 Mar. 11-1781 Mar. 6 Minutes of proceedings of the Board of War and also copies of letters. 151, [1] p. MS. Vt-Secy.

EXECUTIVE RECORDS

WISCONSIN

E.1 Reel 1

Unit 1

1836 May-1848 Apr. Record of the acts and proceedings of the Executive Department. 1 p.l., 325, 402-543 p. (402-543 p. MS.) WHi

Unit 2

1848 June-1869 June Record of the executive acts. 1 p.l., 344 p. MS. WHi

E.2 Reel 1

Unit 1

1836 Apr.-1847 Dec. General correspondence. [248] p. MS.
1848 Jan.-1848 Dec. General correspondence. [52] p. MS. WHi

Unit 2

1838 Feb.-1848 Apr. Letter books, general. 82 p. MS. 7 p. Typescript. WHi

Unit 3

1848 June 1857 Jan. Letter books, general 1 p.l., [39], 107 p. MS. WHi

COURT RECORDS

ARIZONA

F.1 Reel 1

Unit 1

1865 Dec.-1886 Mar. Supreme Court record. v.1: 472 p. MS.
Az-S-Ar

Unit 2

1875 Jan.-1876 Mar. Supreme Court judgements. 22 p. MS.
1877 Jan.-1890 Jan. Supreme Court judgements. 223 p. MS.
Az-S-Ar

Unit 3

1886 July-1893 Jan. Supreme Court record. v.2: [26], 403 p. MS.
Az-S-Ar

Supreme Court Record

F.1 Reel 2

Unit 1

1893 Jan.-1897 Nov. v.3: 578 p. MS. Az-S-Ar

Unit 2

1898 Jan.-1902 Mar. v.4: 638 p. MS. Az-S-Ar

F.1 Reel 3

Unit 1

1902 Jan.-1906 May v.5: 500 p. MS. Az-S-Ar

Unit 2

1906 May-1909 Jan. v.6: 398 p. MS. Az-S-Ar

Unit 3

1909 Jan.-1912 v.7: 368 p. MS. Az-S-Ar

DAKOTA

F.1 Reel 1

Unit 1

1862 June-1885 Feb. Journal of the U. S. Supreme Court of the Territory of Dakota. 877 p. MS. Nd-S-Ar

FLORIDA

F.1 Reel 1

Unit 1

1825 Jan.-1845 Feb. Supreme Court record book. 408, [25] p. MS.
F-S-Ar

COURT RECORDS

ILLINOIS

F.1 Reel 1

Supreme Court Records

Unit 1

1809-1820 213 p. MS. I-S-Ar

Unit 2

1814-1823 [21], 279, [3] p. MS. I-S-Ar

INDIANA

F.1 Reel 1

Unit 1

1801-1804 Court docket. 45 p. fol. MS. In-Ar

Unit 2

1801 Mar.-1810 Sept. General Court order book. v.1: 464 p. MS. In-Ar

Unit 3

1811 Apr.-1816 Sept. General Court order book. v.2: 120 p. MS. In-Ar

IOWA

F.1 Reel 1

Unit 1

1838 Nov.-1853 June Supreme Court record. [49], 559 p. MS. Ia-S-Ar

Supreme Court

Unit 2

1842 July-1843 Jan. Minute book. [36] p. MS.
1843 Jan. Bar dockett. [20] p. MS.
1844 Jan. Docket for the members of the bar. [14] p. MS.
1844 Jan. Clerk's docket. [14] p. MS.
1844 Jan. Minute book. [26] p. MS.
1844 Jan. Court calendar, no. 1. [14] p. MS.
1844 Jan. Court calendar, no. 2. [16] p. MS.
1844 Jan. Court calendar, no. 3. [16] p. MS.
1845 Jan. Court calendar, no. 1. [14] p. MS.
1845 Jan. Court calendar, no. 2. [18] p. MS.
1845 Jan. Clerk's dockett. [16] p. MS.
1845 Jan. Dockett for the members of the bar. [16] p. MS.
1845 Jan. Order book, no. 3. [34] p. MS.
1845 Jan. Calendar, no. 1. [20] p. MS.
1846 Jan. Calendar, no. 2. [20] p. MS.
1846 Jan. Calendar, no. 3. [18] p. MS.
1846 Jan. Minute book. [31] p. MS.
1846 Jan. Memorandum book. [14] p. MS.
1846 Jan. Bar docket. [18] p. MS.
1846 Jan. Clerk's docket. [18] p. MS.

Ia-S-Ar

Unit 3

1843 Jan. Rules and regulations in bankruptcy. [23] p. MS. Ia-S-Ar

COURT RECORDS

LOUISIANA

F.1 Reel 1

U. S. District Court

Unit 1

F.12

?-1808 Nov. Minutes. Vol. 1. (Missing from the District Court Archives.)

1808 Nov.-1811 July Minutes. v.2: 315 p. MS.

1810 Nov.-1812 Apr. Minutes. 53 p. MS.

1811 July-1812 Apr. Minutes. v.3: 23, 49 p. MS.

1815 Jan.-1815 June Minutes. v.4: 51 p. MS.
LN-Fed. Dist. Ct.-Ar

Unit 2

F.13

1806 Aug.-1812 Apr. Docket of suits. [4], 243 p. MS.

1812 Apr.-1814 Dec. Docket of suits. 243-381 p. MS.
LN-Fed. Dist. Ct. Ar

Unit 3

F.14

1815 Papers relating to U. S. v. Major General Andrew Jackson. 14 items. MSS. LN-Fed. Dist. Ct.-Ar

MICHIGAN

F.1 Reel 1

Unit 1

1805 Sept. [Minutes of the Supreme Court] 23 p. MS.
MiD-D

Unit 2

1805 July-1814 Oct. Transactions of the Supreme Court. 422 p. MS. MiD-B

MINNESOTA

F.1 Reel 1

Unit 1

1851 July-1858 May Docket of the Supreme Court. [21], 139 p. MS. Mn-S-Ar

Unit 2

1850 Jan.-1858 Mar. Minute record of the Supreme Court. Book A. [2], 169 (sic 179) p. MS. Mn-S-Ar

MISSISSIPPI

F Reel 1

Unit 1

1802 Nov. At a Superior Court of Law held at Natchez in and for the District of Natchez. 33 p. MS.

1802 Dec.-1804 Aug. At a Special Court of Sessions of the Peace, Oyer and Terminer. 34-223, [48] p. MS.
MsN-Chan. Ct.

MISSISSIPPI-Continued

Unit 2

1802 Nov.-1811 Apr. Record of judgments...Superior Court of Law at Natchez... 484, [1] p. MS. MsN-Chan. Ct.

Unit 3

1805 Apr.-1808 Apr. Minutes of Circuit Court. [43], 314 p. MS. MsN-Chan. Ct.

Unit 4

1810 Oct.-1815 Oct. Record of judgments of Criminal Circuit Court. 283 p. MS. MsN-Chan. Ct.

MISSOURI

F.1 Reel 1

Unit 1

1805 May-1843 May Return docket. 203 p. MS. Mo-S-Ar

Unit 2

1811 May-1826 Nov. Court record. 359 p. MS. Mo-S-Ar

Unit 3

1821 Apr.-1834 Mar. General record: Supreme Court, 3d Judicial District. 446, [7] p. MS. Mo-S-Ar

NEBRASKA

F.1 Reel 1

Supreme Court

Unit 1

1858 June Criminal calendar. [14] p. MS.
1858 June Civil calendar. [44] p. MS.
1858 Dec. Civil calendar. [16] p. MS.
1859 June Civil calendar. [48] p. MS.

Nb-S-Ar

Unit 2

1858 June-1867 June Minute book. 188 p. MS. Nb-S-Ar

NEW JERSEY

F.1 Reel 1

Unit 1

1683 May-1698 May Journal of the proceedings of the Court of Common Right. a-i, [237] p. MS. (The [237] p. are numbered in reverse order, p. 536-299.) Nj-Secy.

Unit 2

F.X

A bill in the Chancery of New Jersey, at a suit of John, Earl of Stair, and others, proprietors of the Eastern Division of New Jersey, against Benjamin Bond, and some other persons of Elizabethtown, distinguished by the name of the Clinker Lost Rights Men... New York: James Parker, 1747. 124 p., 3 maps, 11, [4], 13-39, [1] p.

MWA

COURT RECORDS

NEW MEXICO

F.1 Reel 1

Unit 1

1846-1849 Court papers. 9 items. MSS. Nm-S-Ar

Unit 2

1852 Jan.-1867 Jan. Supreme Court record. [8] p. typescript, 11, 488 p. MS. Nm-S-Ar

Unit 3

1867 July -1879 Jan. Supreme Court record, [8] p. typescript, 480, [3] p. MS. Nm-S-Ar

Unit 4

1868 May-1872 Oct. Bankruptcy proceedings. 25 p. MS. Nm-S-Ar

Unit 5

1868 Jan.-1885 Jan. Supreme Court docket. 111 p. MS. Nm-S-Ar

F.1 Reel 2

Unit 1

1879 Jan.-1891 Jan. Supreme Court record. 718 p. MS. Nm-S-Ar

F.1 Reel 3

Unit 1

1891 Jan.-1897 Oct. Supreme Court record. [19] p. typescript, 600 p. MS. Nm-S-Ar

Unit 2

1897 Oct.-1906 Jan. Supreme Court record. [22] p. typescript, 141 p. MS, 142-599 p. typescript. Nm-S-Ar

F.1 Reel 4

Unit 1

1906 Jan.-1912 Jan. Supreme Court record. [23], 554 p. Typescript. Nm-S-Ar

NORTH CAROLINA

F.1 Reel 1

General Court

Unit 1

1684, 1715 Minutes and reference docket. [20] p. MS. (Negative photostat) Nc-Ar

Unit 2

1693-1695 Papers: Minutes. 132 fol. MS. Nc-Ar

Unit 3

1695-1712 Papers: Minutes. 469 p. MS. Nc-Ar

Unit 4

1703-1704, 1712-1714 Papers: Minutes. 152 fol. MS. Nc-Ar

F.1 Reel 2

General Court Papers

Unit 1

1716-1724 Minutes. 91-429, [32] p. MS. Nc-Ar

Unit 2

1723, 1736, 1739, 1744 Dockets. [236] p. MS. Nc-Ar

Unit 3

1724-1730 Minute docket. 445, [18] p. MS. Nc-Ar

NORTH CAROLINA-Continued

F.1 Reel 3

Unit 1

1725-1751 Minutes, pt. 1 [90], 138 p. MS. Nc-Ar

Unit 2

1737, 1745-1746 Dockets, pt. 1. [186] p. MS. Nc-Ar

District Courts of Assize, Oyer, Terminer and General Gaol Delivery

Unit 3

1739-1742 Assize docquet. [76] p. MS. Nc-Ar

Unit 4

1745-1751 Minutes, pt. 2. 139-354, [2] p. MS. Nc-Ar

F.1 Reel 4

Unit 1

1745-1746 Dockets, pt. 2. 120-243 fol. MS. Nc-Ar

Unit 2

1746-1747 Dockets. 322 fol. MS. Nc-Ar

F.1 Reel 5

Unit 1

1748-1752 Dockets. 330 fol. MS. Nc-Ar

F.1 Reel 6

Unit 1

1750-1767 Minutes. 274 fol. MS. Nc-Ar

F.1 Reel 7

Unit 1

1752-1753 Dockets. 203 fol. MS. Nc-Ar

Unit 2

1754-1755 Dockets. 246, 11 fol. MS. Nc-Ar

F.1 Reel 8

Unit 1

1752-1762 Dockets. 233 fol. MS. Nc-Ar

F.1 Reel 9

Unit 1

1751-1787 Court papers: District of Edenton. 345 p. MS. Nc-Ar

Unit 2

1786-1788 New Bern District, Superior Court: Docket. [124] p. MS. Nc-Ar

Unit 3

1787-1792 New Bern District, Superior Court: Minutes. [170] p. MS. Nc-Ar

F.1 Reel 10

Court of Conference

Unit 1

1800 Jan. Minutes. [20] p. MS. Nc-Ar

NORTH CAROLINA-Continued

1800 June-1801 Dec. Records. [18], 402 p. MS. Nc-S-Ar

Unit 2

1802 June-1805 Dec. Records. [15], 378 p. MS.

Supreme Court

1806 June-1808 July Records. [9], 321 p. MS.

Nc-S-Ar

F.1 Reel 11

Records of the Supreme Court

Unit 1

1809 July-1810 July [10], 418 p. MS.

Nc-S-Ar

Unit 2

1810 July [7], 106, [14] p. MS.

Nc-S-Ar

Unit 3

1811 July-1812 July [12], 380 p. MS.

Nc-S-Ar

Unit 4

1813 Jan.-1813 July [9], 117 p. MS.

Nc-S-Ar

F.1 Reel 12

Unit 1

1814 Jan.-1815 Jan. [11], 398 p. MS.

Nc-S-Ar

Unit 2

1814 July [5], 406 p. MS. Nc-S-Ar

Unit 3

1815 July-1816 July [8], 421 p. MS.

Nc-S-Ar

F.1 Reel 13

Unit 1

1816 July-1817 Jan. 455 p. MS.

Nc-S-Ar

Unit 2

1818 Jan.-1818 July [6], 253 p. MS.

Nc-S-Ar

F.14 Reel 1

General Court Papers

Unit 1

1690-1716 v.1: 125 items. MSS.

Nc-Ar

Unit 2

1717-1754 v.2: 159 items. MSS.

Nc-Ar

NORTH CAROLINA-Continued

F.3 Reel 1

Vice Admiralty Papers

Unit 1

1697 Mar.-1738 Mar. v.1: 124 items. MSS. Nc-Ar

Unit 2

1739 Mar.-1744 Nov. v.2: 125 items. MSS. Nc-Ar

F.3 Reel 2

Unit 1

1746 Feb.-1753? v.3: 132 items. MSS. Nc-Ar

Unit 2

1754 Jan.-1759 v.4: 128 items. MSS. Nc-Ar

OKLAHOMA

Journal of the Supreme Court

F.1 Reel 1

Unit 1

1890 May 29-1895 Sept. 7 v.1: [44], 592 p. MS. Ok-Ar

Unit 2

1895 Sept. 7-1896 Nov. 2 v.2: [43], 200 p. MS. Ok-Ar

Unit 3

1897 Jan. 5-1898 Dec. 3 v.3: 345, [3] p. Typescript. Ok-Ar

F.1 Reel 2

Unit 1

1899 Jan. 3-1900 v.4: [23], 376 p. Typescript. Ok-Ar

Unit 2

1901 Jan. 1-1902 Dec. 31 v.5: [21], 412 p. Typescript. Ok-Ar

F.1 Reel 3

Unit 1

1903 Jan. 1-1904 Dec. 1 v.6: [25], 544 p. Typescript. Ok-Ar

Unit 2

1905 Jan. 3-1906 Dec. 31 v.7: [25], 517 p. Typescript. Ok-Ar

F.1 Reel 4

Unit 1

1907 Jan. 2-Nov. 14 v.8: [16] p. MS., [245] p. typescript. Ok-Ar

OREGON

F.1 Reel 1

Unit 1

1844 Jan.-1849 Aug. Supreme Court records. 108 p. MS. Or-S-Ar

OREGON-Continued

Unit 2

1851 Dec.-1853 June Supreme Court records. Book 2. 46, [19] p. MS.
Or-S-Ar

Unit 3

1853 June-1858 Aug. Supreme Court records. Book 3. 203, [1] p. MS.
Or-S-Ar

TEXAS

F.1 Reel 1

Unit 1

1840-1843 Index and Docket of the causes in the Supreme Court of Texas, with a list of all the determinations and the costs in this Court, including the causes from the commencement of the Court. [138] p. MS.
Tx-S-Ar

Unit 2

1842-1845 Docket: Austin. [240] p. MS. Tx-S-Ar

Unit 3

1841 Jan.-1845 Dec. Minutes of the proceedings, judgement and decrees of the Supreme Court of the Republic of Texas. 168 p. MS.
Tx-S-Ar

WISCONSIN

F.1 Reel 1

Unit 1

1836 Dec.-1839 July Supreme Court minutes. 23 p. MS. W-S-Ar

Unit 2

1836 Dec.-1847 Aug. Supreme Court journal. Liber A. 221 p. MS.
W-S-Ar

AN ADDENDUM

ALABAMA

EXECUTIVE RECORDS

E

Reel 1

Unit 1

E.1

1818 Feb. 8-1819 Nov. 14 Register of appointments, civil and military. [256] p. MS.

1818 Feb. 8-1822 Oct. 4 Index. 44 p. Typescript.

A-Ar

Unit 2

E.2

1821 Nov. 17-1822 Dec. 13 Executive letter book. 54 p. MS. A-Ar

Unit 3

E.2

1822 Dec. 18-1836 May 18 Executive letter book. 207 p. MS. A-Ar

Unit 4

E.2

1861 Dec. 6-1863 May 13 Governor's answers to letters. 393, [50] p. MS.

A-Ar

CONNECTICUT

LEGISLATIVE RECORDS

General Assembly

A

Reel 1

Unit 1

A.6

Records

1774 Nov. 32 p. MS.
1775 Apr. 42-74 p. MS.
1775 May 74-120 p. MS.
1775 July 120-135 p. MS.
1775 Oct. 135-164 p. MS.
1776 May 193-266 p. MS.
1776 June 266-486 p. MS. (w: p. 165-192, 308-468)

DLC-Force transcript

Unit 2

A.1b.

Journal of the House of Representatives

1781 May 10-June 16 65 p. MS. Ct

AN ADDENDUM

DAKOTA

EXECUTIVE RECORDS

E.1 Reel 1

Unit 1

1884 Sept.-1889 Oct. Executive record.[1] 149 p. MS. Nd-Gov.

DELAWARE

LEGISLATIVE RECORDS

A Reel 1

Votes and Proceedings of the House of Representatives

Unit 1

1739 Apr. 5-Oct. 24 26-64 p. MS. (w: p. 52-53)
1740 Aug. 6-1741 Mar. 13 94-183 p. MS.

De-Ar

Unit 2

Extracts from Assembly journals. 35 p. MS.

1777 Dec. 12, 20.
1778 Feb. 28.
1778 Aprl 20, 30.
1778 May 2, 7, 9.
1778 Dec. 4, 9.
1779 Feb. 5.
1779 June 2.
1780 Oct. 31.
1780 Nov. 3, 4.
1781 Jan. 29.
1781 Nov. 8.
1782 Feb. 4.
1782 June 5, 22, 25.
1784 Apr. 9.
1784 June 23, 26.

De-Ar

Unit 3

1782 Oct. 21.-Nov. 1 Reg. sess. 17 p.
1783 Jan. 6-Feb. 8 Adj. sess. 19-75 p.
1783 May 26-31 Adj. sess. 77-119 p.

De-Ar

Unit 4

1791 Oct. 20-26 Reg. sess. 13 p. De-Ar

Minutes of the Legislative Council

Unit 5

1782 Oct. 20-Nov. 1 Reg. sess. 16 p. MS.
1783 Oct. 20-Nov. 15 Adj. sess. 18 p. MS.
1784 Jan. 5-13 Adj. sess. p. [19] MS.
1784 Mar. 29-Apr. 9 Adj. sess. [19-22] p. MS.
1784 May 24-June 26 Adj. sess. p. [23] MS.
1784 Oct. 20-30 Reg. sess. [24-33] p. MS.
1785 Jan. 3-Feb. 5 Adj. sess. [34-78] p. MS.

1. The *Executive record* for 1861-1884 is missing from the Office of the Governor of North Dakota.

AN ADDENDUM

DELAWARE-Continued

1785 May 16-June 6 Adj. sess. [79-86] p. MS.
1786 May 29-June 24 Adj. sess. 53 p. MS.
1786 Oct. 20-28 Reg. sess. [54-67] p. MS.
1787 Jan. 9-Feb. 6 Adj. sess. [68-88] p. MS.
1787 May 28-June 9 Adj. sess. [89-104] p. MS.
1787 Aug. 27-31 Spec. sess. [4] p. MS.
1787 Oct. 20-Nov. 10 Reg. sess. [5-36] p. MS.
1788 Oct. 20-28 Reg. sess. [13] p. MS.
1789 Jan. 12-Feb. 4 Adj. sess. [53] p. MS.
1789 May 26-June 5 Call. sess. [18] p. MS.
1790 Jan. 4-29 34 p. MS.
1790 Oct. 20-26 [35]-44 p. MS.
1791 Jan. 4-27 [44] p. MS.

De-Ar

Unit 6

1789 Jan. 12-Feb. 4 Adj. sess. 6 p. Typescript.
1789 May 26-June 5 Call. sess. 19 p. Typescript.
1789 Oct. 20-24 Reg. sess. 11 p. Typescript.

De-Ar

Unit 7

B.2

1734 An act for the relief of insolvents. 10 p. MS.
1734 An act for regulating attachments within the government. 11-16 p. MS.
1733 Oct. Session acts. 12 p. (Incomplete)

DeHi

Unit 8

1734-1765 Several acts passed at various sessions. 128 p. MS.

De-Ar

ADMINISTRATIVE RECORDS

D.2 Reel 1

Unit 1

1629-1774 Papers relating to the three lower counties. 286 fol. MS.

PHi-Penn MSS., vol. 15

Unit 2

E.4

1774 July 20-1775 Sept. 11 Book of proceedings and transactions of the Committee of Correspondence for Kent County. [8], 29 p. MS.

D.24

1775-? Kent County. Treasury papers. [56] p. MS.

D.25x

1698-1742 William Rumsey. Surveyor's field book. [26] p. MS.

DeHi

Unit 3

D.25ba

1795 June 1-1843 June 1 Minutes of stockholders of Bank of Delaware. [82] p. MS.

DeHi

AN ADDENDUM

DELAWARE-Continued

D.22 Reel 1

Unit 1
D.24

1776 May 7-1787 Settlement of Delaware Revolutionary War claims with the United States. xxxiv, 54 p. MS. De

Unit 2
D.22

1784 Apr.-1880 Dec. Account book of state auditor. 332 p. MS. De

COURT RECORDS

F.3 Reel 1

Unit 1

1797 July 25-1806 Mar. 29 Court of Admiralty records. 356, [19] p. MS. DeHi

FLORIDA, EAST

LEGISLATIVE RECORDS

A Reel 1

Unit 1
E.1

1764 Oct. 31-1765 July 15 Journals of the Council. 29 fol. MS.
1765 July 29-1766 June 25 Proceedings of the Council. 30-44 fol. MS.
1766 Oct. 13-1767 June 25 Journals of the Council. 44-72 fol. MS.
1768 July 15-1769 July 18 ---- 74-145 fol. MS.

PRO-C.O.5/570

Unit 2
E.1

1769 July 24-1770 July 3 Minutes of the Governor in Council. 33 fol. MS.
1770 July 5-1771 June 29 ---- 33-64 fol. MS.
1771 Aug. 7-1772 July 6 Minutes of the Lieutenant Governor in Council. 65-90 fol. MS.
1773 Aug. 2-1774 July 19 ---- 91-114 fol. MS.
1774 Oct. 3-1775 July 10 ---- 116-173 fol. MS.
1775 July 15-1776 Sept. 20 Minutes of the Governor in Council. 174-206 fol. MS.

PRO-C.O.5/571

Unit 3
A.1a

1781 Mar. 27-Nov. 12 Journals of the Upper House of Assembly. 63 fol. MS.

E.1

1780 Oct. 7-1781 Nov. 16 Minutes of the Council. 65-74 fol. MS.
1781 Mar. 27-Nov. 12 Journals of the Commons House of Assembly, with two royal proclamations calling an Assembly, etc.; and the state oaths and declaration. 75-152 fol. MS.

PRO-C.O.5/572

AN ADDENDUM

FLORIDA, EAST-Continued

Unit 4

B.2

1781 May 31-1783 Jan. 25 Acts passed at several sessions. Nos. 1-8. 122 fol. MS.
PRO-C.O.5/624

FLORIDA, WEST

LEGISLATIVE RECORDS

A — Reel 1

Unit 1

B.2

1766 Dec. 20-1771 July 30 Acts passed at various sessions. Nos. 1-46. 131 fol. MS.
PRO-C.O.5/623

Unit 2

E.1

1764 Nov. 24-1765 Apr. 24 Minutes of the Governor in Council. 136 fol. MS.

1765 May 18-1766 Feb. 26 ---- 140-182 fol. MS.
See also Reel 5, Unit 2.
PRO-C.O.5/625

Unit 3

E.1

1767 Sept. 29-1768 Feb. 16 Minutes of the Governor in Council. 10 fol. MS.

1768 Feb. 20-1769 Jan. 30 ---- 11-45 fol. MS.
See Reel 6, Unit 1 for Feb. 7 and 24, 1769.

1769 Apr. 3-28 ---- 46-61 fol. MS.

1769 May 3-9 ---- 62-72 fol. MS.

1769 Aug. 12-Nov. 7 ---- 73-88 fol. MS.

1769 Dec. 20-1770 Mar. 16 ---- 89-145 fol. MS.

1770 Apr. 3-June 5 ---- 146-155 fol. MS.

A.1a

1767 May 12-June 5 Minutes of the Council in Assembly. 157-172 fol. MS.
PRO-C.O.5/626

A — Reel 2

Unit 1

A.1a

1767 Dec. 15-1768 Jan. 11 Minutes of the Council in Assembly. 173-190 fol. MS.

1768 Aug. 23-Oct. 20 Journal of the Upper House met in General Assembly. 191-198 fol. MS.

1769 Jan. 25-Feb. 2 ---- 199-202 fol. MS.

1770 Mar. 1-May 19 ---- 203-224 fol. MS.
PRO-C.O.5/626

Unit 2

A.1b

1767 Feb. 23-June 6 Minutes of the Commons House of Assembly. 34 fol. MS.

AN ADDENDUM

FLORIDA, WEST-Continued

1767 Dec. 15-1769 June 29 ---- 35-119 fol. MS.
1770 Mar. 1-May 19 ---- 120-145 fol. MS.

PRO-C.O.5/627

Unit 3
A.1b

1767 Feb. 23-1768 Oct. 21 Journal of the Commons House of Assembly. No. 13. 72 fol. MS.
1769 Jan. 25-Feb. 2 ---- No. 14. 73-96 fol. MS.
See Reel 2, Unit 2 for May and June, 1869.
1770 Mar. 1-Apr. 2 ---- No. 15. 97-115 fol. MS.

PRO-C.O.5/628

A Reel 3

Unit 1
A.1a A.1b

1770 Apr. 3-May 19 Journal of the Commons House of Assembly. No. 15. 114-123 fol. MS.
1770 Mar. 1-May 19 Journal of the Upper House in General Assembly. No. 10. 126-139 fol. MS.
1771 June 25-July 30 Minutes of the Commons House of Assembly. No. 16. 141-170 fol. MS.
1771 June 25-July 30 Journal of the Upper House in General Assembly. No. 11 172-189 fol. MS.
1778 Oct. 1-Nov. 5 Minutes of the Upper House of Assembly. No. 12. 191-219 fol. MS.
1778 Oct. 1-Nov. 5 Journals and votes of the Commons House of Assembly. 221-282 fol. MS.

PRO-C.O.5/628

Unit 2
E.1

1770 June 5-July 18 Minutes of the Governor in Council. 8 fol. MS.
1770 Aug. 11-1771 Feb. 11 ---- 9-50 fol. MS.
1771 Mar. 13-Apr. 8 ---- 52-67 fol. MS.
1771 Apr. 23-Sept. 9 ---- 68-109 fol. MS.
1771 Oct. 1-Nov. 23 Minutes of the Governor and Council. 110-123 fol. MS.
1772 Jan. 13-May 14 Minutes of the Governor in Council. 124-172 fol. MS.

PRO-C.O.5/629

A Reel 4

Unit 1
E.1

1772 July 9-30 Minutes of the Governor in Council. 24 fol. MS.
1772 July 9-30 ---- 25-47 fol. MS.
1772 Aug. 1-Sept. 1 ---- 49-70 fol. MS.
1772 Sept. 21-Dec. 15 ---- 72-91 fol. MS.
1773 Jan. 18-Apr. 19 ---- 92-105 fol. MS.
1773 May 5-July 10 ---- 106-125 fol. MS.
1773 July 21-Sept. 13 ---- 126-135 fol. MS.
1773 Sept. 27-Dec. 22 ---- 136-156 fol. MS.

AN ADDENDUM

FLORIDA, WEST-Continued

1774 Feb. 11-Mar. 28 ---- 158-175 fol. MS.
1774 Apr. 20-June 13 ---- 176-191 fol. MS.

PRO-C.O.5/630

A Reel 5

Unit 1

E.1

1776 Jan. 6-Mar. 23 Minutes of the Governor in Council. 22 fol. MS.
1776 Apr. 20-Sept. 21 ---- 24-82 fol. MS.
1776 Nov. 5-6 ---- 83-104 fol. MS. See Reel 7, Unit 2 for Nov. 1776 to Jan. 1777.
1777 Mar. 26-29 ---- 107-135 fol. MS. See Reel 7, Unit 2 for Apr. to June 1777.
1777 Aug. 28-Sept. 1 ---- 137-158 fol. MS.
1777 Sept. 16-Oct. 1 ---- 160-190 fol. MS.
1777 Oct. 3-Nov. 18 ---- 191-222 fol. MS.
1778 Jan. 10-Feb. 11 ---- 224-243 fol. MS.
1778 Mar. 2-Apr. 25 246-305 fol. MS.

PRO-C.O.5/631

Unit 2

E.1

Oaths of allegiance of the several members of the government of West Florida. 5 fol. MS.
1764 Nov. 24-Dec. 13 Minutes of the Council. 6-21 fol. MS.
1765 Jan. 7-22 ---- 22-56 fol. MS.

PRO-C.O.5/632

A Reel 6

Unit 1

E.1

1765 Jan. 22-Dec. 24 Minutes of the Council. 133 fol. MS.
1766 Jan. 7-Dec. 6 ---- 134-180 fol. MS.
1767 Jan. 2-1769 Feb. 24 ---- 181-244 fol. MS.

PRO-C.O.5/632

Unit 2

E.1

1766 Nov. 3-1768 Jan. 11 Minutes of the Council. 65 fol. MS.

A.1a

1768 Aug. 23-Oct. 20 Journal of the Upper House in General Assembly. 66-71 fol. MS.
1769 Jan. 25-Feb. 2 ---- 72-73 fol. MS.
1769 May 22-June 28 ---- 74-84 fol. MS.
1770 Mar. 1-May 19 ---- 84-100 fol. MS.
1771 June 25-July 30 ---- 101-115 fol. MS.

PRO-C.O.5/633

A Reel 7

Unit 1

A.1a

1771 July 30 Journal of the Upper House in General Assembly. fol. 115. MS.

AN ADDENDUM

FLORIDA, WEST-Continued

1778 Oct. 1-Nov. 5 Minutes of the Upper House of Assembly. 116-136 fol. MS.

PRO-C.O.5/633

Unit 2
E.1

1772 July 9-1777 Sept. 16 Minutes of the Governor in Council. Nos. 1-163. 278 fol. MS.

PRO-C.O.5/634

A

Reel 8

Unit 1
E.1

1777 Sept. 29-1780 Mar. 3 Minutes of the Council. A-Y, 303 p.

PRO-C.O.5/635

As

Reel 1

Unit 1
A.1a

1767 Feb. 23-1769 June 29 Minutes of Upper House. [280] p. MS.

DLC

Unit 2
A.1b

1766 July 2-1767 Jan. 3 Minutes of the Assembly. 53, 80 p. MS.

DLC

EXECUTIVE RECORDS

E

Reel 1

Unit 1
E.1

1769 Apr. 3-July 22 Minutes of the Council. 96 p. MS. DLC

Unit 2
E.1

1769 Dec. 27-1772 May 14 Minutes of the Council. 234 p. MS. DLC

Unit 3
E.1c

1764 Nov. 2-1781 June 3 Records of sign-manuals, patents, commissions, etc. [48], 355 p. MS.

DLC

Unit 4
E.3

1770 Apr. 14-1774 Sept. 23 Secretary of State. Letter book. 275 p. MS.

DLC

GEORGIA

LEGISLATIVE RECORDS

A

Reel 1

Unit 1
L

1753 Sept. 3-1754 Oct. 30 Proceedings of the President and assistants of the town and county of Savannah. 34 fol. MS.

PRO-C.O.5/693

AN ADDENDUM

GEORGIA-Continued

E.1

1754 Oct. 30-1756 Mar. 20 Minutes of the Governor and Council. 35-203 fol. MS. PRO-C.O.5/693

Unit 2

A.1a

1755 Jan. 7-1756 Feb. 19 Journal of the Council in Assembly. 204-240 fol. MS.

A.1b

1755 Jan. 7-1756 Feb. 19 Journal of the Assembly. 246-297 fol. MS. PRO-C.O.5/693

Unit 3

E.1

1756 Mar. 31-1757 July 5 Minutes of the Governor and Council. 124 fol. MS. PRO-C.O.5/693

A Reel 2

Unit 1

A.1a

1756 Nov. 1-1757 Feb. 17 Journal of the Council in General Assembly. 44 fol. MS.

1757 June 16-1759 Mar. 27 Journal of the Upper House of Assembly. 47-132 fol. MS.

PRO-C.O.5/695

Unit 2

A.1b

1757 Jan. 11-1759 Mar. 26 Minutes of the Commons House of Assembly. 134-286 fol. MS. PRO-C.O.5/695

A Reel 3

Unit 1

E.1

1757 July 14-1759 May 25 Minutes of the Governor in Council. 175 fol. MS. PRO-C.O.5/696

Unit 2

E.1

1759 June 5-1760 Nov. 8 Proceedings of the Governor in Council. 171 fol. MS.

A.1a

1759 Oct. 22-1761 Jan. 12 Proceedings of the Upper House in General Assembly. 226 fol. MS.

A.1b

1760 July 18-1761 Jan. 12 Proceedings of the Commons House of Assembly. 227-248 fol. MS.

PRO-C.O.5/697

A Reel 4

Unit 1

1760 Nov. 13-1765 Dec. 18 Minutes of the proceedings of the Governor in Council. 370 fol. MS. PRO-C.O.5/698

AN ADDENDUM

GEORGIA-Continued

A

Reel 5

Unit 1

A.1b

1761 Mar. 24-1766 Apr. 11 Journal of the proceedings of the Commons House of Assembly. 295 fol. MS. PRO-C.O.5/699

A

Reel 6

Unit 1

1861 Mar. 24-1868 Dec. 1 Minutes of the Upper House in Assembly. 239 fol. MS. PRO-C.O.5/700

A

Reel 7

Unit 1

E.1

1766 Jan. 7-1767 Dec. 1 Minutes of the proceedings of the Governor in Council. 260 fol. MS. PRO-C.O.5/701

Unit 2

A.1b

1766 June 16-1768 Mar. 4 Journal of the Commons House of Assembly. 93 fol. MS. PRO-C.O.5/702

A

Reel 8

Unit 1

A.1b

1768 Mar. 4-Dec. 24 Journal of the Commons House of Assembly. 93-145 fol. MS. PRO-C.O.5/702

Unit 2

E.1

1768 Jan. 5-Dec. 9 Minutes of the proceedings of the Governor in Council. 126 fol. MS. PRO-C.O.5/703

Unit 3

A.1a

1768 Nov. 7-1773 Sept. 29 Journal of the Upper House in General Assembly. 125 fol. MS. PRO-C.O.5/704

Unit 4

E.1

1769 July 4-1769 Aug. 1 Minutes of the proceedings. 24 fol. MS. PRO-C.O.5/705

A

Reel 9

Unit 1

E.1

1769 Aug. 1-1772 Jan. 7 Minutes of the proceedings of the Governor and Council. 24-230 fol. MS. PRO-C.O.5/705

Unit 2

A.1b

1769 Oct. 30-1770 May 10 Journals of the proceedings of the Commons House of Assembly. 113 fol. MS.

1770 Oct. 22-Nov. 7 Journals of the proceedings of the Commons House of Assembly. 127 fol. MS.

PRO-C.O.5/706

AN ADDENDUM

GEORGIA-Continued

A Reel 10

Unit 1

A.1b

1770 Oct. 7-1771 Feb. 22 Journal of the proceedings of the Commons House of Assembly. 127-166 fol. MS.

1771 Apr. 23-26 ---- 168-178 fol. MS.

1772 Apr. 21-25 ---- 180-184 fol. MS.

1772 Dec. 9-1773 Sept. 29 ---- 185-308 fol. MS.

PRO-C.O.5/706

A Reel 11

Unit 1

E.1

1772 Jan. 7-1773 Dec. 7 Minutes of the proceedings of the Governor in Council. 201 fol. MS. PRO-C.O.5/707

Unit 2

A.1b

1780 May 9-July 10 Journal of the Commons House of Assembly. 32 fol. MS. (w: fol. 1-4)

1780 Sept. 25-Dec. 19 ---- 33-45 fol. MS.

PRO-C.O.5/708

COURT RECORDS

F Reel 1

Unit 1

1791 July 16-1806 May 5 Proceedings of the Register of Probate of Richmond County. 322 p. MS. GAu-Ord

ILLINOIS

EXECUTIVE RECORDS

E.1x Reel 1

Unit 1

Record of the Council of Revision, 1809 June 13-1845 Mar. 3. 34 p. (Incomplete. Copied to p. 34 of original manuscript of 404 p.)

I-Ar

Unit 2

Minutes of the proceedings of the Council of Revision... 1822 Dec. 19-1831 Feb. 9. [178] p. MS. (Original) I-Ar

Unit 3

---- 1831 Feb. 10-16. 8 p. MS. (Original) I-Ar

Unit 4

Records of the Council of Revision... 1830 Dec. 24-1847 Mar. 1. [322] p. MS. (Original) I-Ar

AN ADDENDUM

LOUISIANA

LEGISLATIVE RECORDS

Miscellaneous Papers

A — Reel 1

Unit 1

1731-1733 Various unpaged items. MS. [Box 1] DLC

Unit 2

1734-1744 Various unpaged items. MS. [Box 2] DLC

Unit 3

1746-1749 Various unpaged items. MS. [Box 3] DLC

Unit 4

1750-1753 Various unpaged items. MS. [Box 4] DLC

A — Reel 2

Unit 1

1754-1755 Various unpaged items. MS. [Box 5] DLC

Unit 2

1756-1762 Various unpaged items. MS. [Box 6] DLC

Unit 3

1763-1784 Various unpaged items. MS. [Box 7] DLC

Unit 4

1785-1789 Various unpaged items. MS. [Box 8] DLC

A — Reel 3

Unit 1

1790-1795 Various unpaged items. MS. [Box 9] DLC

Unit 2

1796-1806 Various unpaged items. MS. [Box 10] DLC

Unit 3

1807-1820 Various unpaged items. MS. [Box 11] DLC

As — Reel 1

Miscellaneous Spanish and French Documents

Unit 1

1789 Dec. 23-1800 Dec. 21 Vol. I: Documents 1-181. v.p. MS. LN-Ar

Unit 2

1792 Feb. 10-1801 May 22 Vol. II: Documents 182-315. v.p. MS. LN-Ar

Unit 3

1771 May 6-1801 Feb. 8 Vol. III: Documents 316-350. v.p. MS. LN-Ar

Unit 4

1797 Sept. 23-1816 Jan. 31 Vol. IV: Documents 351-361. v.p. MS. LN-Ar

Unit 5

1803 Nov. 30-1804 Mar. 31 Clement de Laussat: Documents and letters of the Colonial Prefect and of the Spanish Commissioners. Various unpaged items. MS. LN-Ar

AN ADDENDUM

MARYLAND

EXECUTIVE RECORDS

E.4 Reel 1

Unit 1

1776 Jan. 18-Oct. 11 Letter books of the Council of Safety. 371 p. MS. Md-Ar-4005

Unit 2

1776 Oct. 10-1777 Mar. 19 Letter books of the Council of Safety. 130 p. MS. Md-Ar-4006

Unit 3

1775 Aug. 29-1777 Mar. 20 Journal of the Council of Safety. [564] p. MS. Md-Ar-3983

MICHIGAN

ADMINISTRATIVE RECORDS

D.25 1a Reel 1

Unit 1

1806 Sept. 6-1807 June 11 Journal of the Governor and Judges regarding the Detroit fund. 147 p. MS. MiD-B

Unit 2

1808 Oct. 24-1809 Sept. 27 Journal of the Governor and Judges as a land board. [23], 52, [4] p. MS. MiD-B

Unit 3

1808 Oct. 24-1809 Mar. 13 Proceedings of the Detroit Land Board. Rough minutes A, No. 2. 68 p. MS.
1809 Mar. 15-Sept. 27 ---- B, No. 2. 13 p. MS.
1811 Jan. 16-1812 Jan. 15 ---- C, No. 3. 13 p. MS.
1812 Feb. 17-1812 Aug. 12 ---- D, No. 4. 5 p. MS.
MiD-B

Unit 4

1816 Oct. 8-1821 Feb. 5 Journal of the Governor and Judges as a land board. 177, [10] p. MS. MiD-B

Unit 5

1819 May 13-1826 Apr. 20 Receipt book - Detroit fund. [26] p. MS. MiD-B

Unit 6

1821 Feb. 12-1836 Sept. 24 Journal of Governor and Judges as a land board. 302, [18] p. MS. MiD-B

Unit 7

1805-1806 Index to records of the Governor and Judges. [46] p. MS. MiD-B

NEW JERSEY

LEGISLATIVE RECORDS

A Reel 1

New Jersey Archives - Manuscript Collection

Unit 1

1681-1772 39 items. v.p. Box 1. Nj-Ar

AN ADDENDUM

NEW JERSEY-Continued

Unit 2

1773-1777 39 items. v.p. Box 2. Nj-Ar

Unit 3

1778-1781 12 items. v.p. Box 3. Nj-Ar

Unit 4

1782-1786 5 items. v.p. Box 4. Nj-Ar

PROCEEDINGS OF EXTRAORDINARY BODIES

A.3 Reel 1

Unit 1

1775 May 23-Aug. 31 Extracts from the journal of the proceedings of the Provincial Congress. 42 p.

1775 Oct. 3-28 Journal of the votes and proceedings of the Provincial Congress. 78, [1] p.

1776 Jan. 9-Mar. 1 Journal of the votes and proceedings of the Committee of Safety...and the Provincial Congress. 146, [1] p.

PHi

ADMINISTRATIVE RECORDS

D.24 Reel 1

Unit 1

1778 Oct.-1780 Nov. Treasurer's ledger. 328 p. MS.

1785 Nov. 14-1789 Weekly returns of monies received and paid on account of the United States. 64 p. MS.

Nj-Ar

NEW MEXICO

ADMINISTRATIVE RECORDS

D.21 Reel 1

Governor's Messages and Proclamations

Unit 1

1846 Sept. 22 S. W. Kearney. Notice of appointments... Broadside. (Sp.)

1847 Jan. 5 Carlos Bent. Proclamation. Broadside. (Sp.)

1847 Jan. 25 Donaciano Vigil. Proclamation. Broadside. (Sp.)

1847 Feb. 12 Donaciano Vigil. Circular. Broadside. Photo. (Sp.)

1847 July 1 Donaciano Vigil. 8 proclamations. Broadsides. (Sp.)

CSmH

1847 July 1 Donaciano Vigil. 5 proclamations. Broadsides. (Sp.)

? Los Electores...de Nuevo México... Broadside.

1845 July 21 El payo del Nuevo México---Prospecto. Broadside.

1847 Feb. 22 Donaciano Vigil. Proclamation. Broadside. (Sp.)

? Christobal Sanchez y Baca. Manifesto al pueblo... Broadside.

1850 May 28 John Monroe. Proclamation. Broadside. (Sp.)

CU-B

[W] 1850 Apr. 23 John Monroe. Proclamation. Broadside.

NjMo-Streeter

AN ADDENDUM

NEW MEXICO-Continued

1849 Apr. 21 J. M. Washington. Al pueblo. Broadside.
1850 May 28 John Monroe. Proclamation. Broadside. (Sp.)
1850 May 28 John Monroe. Proclamation (Election). Broadside.
1850 June 6 John Monroe. Proclamation (Indians). Broadside. (Sp.)
1850 May 15 Para la historia... 19 p.
1851 Mar. 12 James S. Calhoun. Proclamation. Broadside. (Eng. & Sp.)
1851 Mar. 18 James S. Calhoun, Proclamation. Broadside. (Eng. & Sp.)
1851 Mar. 19 James S. Calhoun. Proclamation. Broadside. (Sp.)
1852 Feb. 6 James S. Calhoun. Election writ. Broadside.
CSmH

1852 June 29 E. V. Sumner, Col., U.S.A. Proclamation. Broadside. (Eng. & Sp.) Nm
1859 Aug. 22 Probate judge proclamation. Broadside. (Sp.)
1860 Aug. 20 Proclamation of the President of the General Convention. Broadside. (Sp.)
1860 Aug. 13 Address...in relation to difficulties...with Navajo Indians. Broadsheet.
NmHi

1861 Sept. 9 Henry Connelly. Proclamation. Broadside.
1862 Jan. 29 Address of the Legislative Assembly. Broadside. (Sp.)
1863 Aug. 20 Army proclamation. Broadside. (Sp.)
1867? To the people...of New Mexico. Broadside.
1869 Aug. 2 Robert H. Mitchell. Proclamation. Broadside.
1869 Sept. 8 William A. Pile. Proclamation. Broadside.
CSmH

1859 Dec. 10 Thomas B. Catron, Promoter General. To the Legislative Council. Broadside. (Sp.) NmHi

Unit 2

1847 Dec. 6 Donaciano Vigil. Broadside. CSmH
[W] 1851 June 2 James S. Calhoun. 7 p. DS
1851 Dec. 1 James S. Calhoun. [1], 8 p.
1852 Dec. 2 William Carr Lane. 14 p.
CSmH

1851 Dec. 30 Communication of the Secretary of the Territory. 9 p.
DLC

1852 James T. Collins. Reply to...statements of R. H. Weightman. 23 p. CSmH
1853 Dec. 6 David Meriwether. 13 p. MoS
1855 Dec. 3 W. W. H. Davis. 12 p. DLC
[W] 1855 Dec. 3 W. W. H. Davis. 13 p. (Sp.) NN
1856 Dec. 2 David Meriwether. 7 p.
1857 Dec. 7 Abraham Renchey. 8 p.
CSmH

[W] 1858 Dec. 8 Abraham Renchey. 7 p.
[W] 1858 Dec. 8 Abraham Renchey. 7 p. (Sp.)
DS

AN ADDENDUM

NEW MEXICO-Continued

[W] 1858 Dec. 17 Abraham Renchey. Special message. 3 p. NjMo-Streeter
[W] 1860 Dec. 6 Abraham Renchey. 11 p. WHi

Unit 3

1861 Dec. 4 Henry Connelly. 13 p. DLC
1862 Dec. 2 W. F. M. Arny. 26 p.
1862 Dec. 2 W. F. M. Arny. 23 (sic 30) p. (Sp.) CSmH
1862 Dec. 2 W. F. M. Arny. 40 p. MS. NmU-Ar
1863 Dec. 9 Henry Connelly. 10 p. CSmH
1863 Dec. 9 Henry Connelly. 12 p. (Sp.) DLC
1864 Dec. 4 Henry Connelly. 18 p. CU-B
1865 Dec. Henry Connelly. 1 p.l., 31 p.
1865 Dec. Henry Connelly. 1 p.l., 23 p. (Sp.)
1866 July 16 Henry Connelly. Valedictory address. 1 p.l., 7 p.
1866 July 16 Henry Connelly. Valedictory address. 1 p.l., 8 p. (Sp.) DLC
1866 Dec. W. F. M. Arny. 40 p. NmStM
1866 Dec. W. F. M. Arny. 1 p.l., 40 p. (Sp.) DLC
1867 Jan. 15 W. F. M. Arny. 3 p. MS. NmU-Ar
1867 Dec. 3 Robert B. Mitchell. 31 p.
1867 Dec. 3 Robert B. Mitchell. 1 p.l., 32 p. (Sp.) DLC
1867 C. P. Clever, Delegate to Congress. Address. 18 p. CSmH
1868 Dec. Robert B. Mitchell. 28 p. CU-B
[W] 1869 Dec. 8 William A. Pile. 15 p. WHi

Unit 4

1871 Dec. 7 Marsh Giddings. 54 p. NmStM
1873 Dec. 7 Marsh Giddings. 46 p. DLC
1875 Dec. Samuel B. Axtell. 16 p. NmStM
1878 Jan. Samuel B. Axtell. 16 p.
1880 Jan. Lewis Wallace. 8 p. DLC
1882 Jan. 2 Lionel A. Sheldon. 20 p.
1882 Jan. 2 Lionel A. Sheldon. 1 p.l., 22 p. (Sp.)
1884 Feb. 19 Lionel A. Sheldon. 1 p.l., 16 p. NmStM
1886 Dec. 27 Edmund G. Ross. 20 p. DLC
1888 Dec. 29 Edmund G. Ross. lxxxiii p.
1889 Jan. 10 Edmund G. Ross. 6 p.
1889 Jan. 10 Edmund G. Ross. 12 p. MS. (Sp.) NmU
1890 Dec. 30 L. Bradford Prince. 1 p.l., xliii p.
1890 Dec. 30 L. Bradford Prince. xlvi p. (Sp.)
1892 Dec. 28 L. Bradford Prince. xxxviii p.
1892 Dec. 28 L. Bradford Prince. 44 p. (Sp.)
1894 Dec. 21 William T. Thornton. xxvi p.
1894 Dec. 21 William T. Thornton. xxxi p. (Sp.)

AN ADDENDUM

NEW MEXICO-Continued

1897 Jan. 18 William T. Thornton. xxv p.
1897 Jan. 18 William T. Thornton. xxiv p. (Sp.)

Unit 5

1899-1907 See New Mexico, D.1, Reels 1-2.
1909 Jan. 18 George Curry. 36 p.
1912 Mar. 12 William C. McDonald. 38 p.
1913 Jan. 15 William C. McDonald. 37 p.
1915 Jan. 13 William C. McDonald. 24 p.
1917 Jan. 10 E. C. DeBaca. 18 p.
1917 May 1 W. E. Lindsey. 6 p.
1919 Jan. 15 O. A. Larrigoio. 26 p.
1920 Feb. 16 O. A. Larrigoio. Special message. 12 p.

Nm

1921 Jan. 1 Merritt C. Meachem. Inaugural. [4] p.
1921 Jan. 12 Merritt C. Meachem. Inaugural. [4] p.

NmU

Nm

1921 Jan. 12 Merritt C. Meachem. 3 p. Typescript.

Unit 6

1923 Jan. 10 J. F. Hinkle. 9 p.
1925 Jan. 13 A. T. Hannett. 8 p.
1927 Jan. 11 Richard C. Dillon. 2 p.
1929 Jan. 8 Richard C. Dillon. 6 p.
1931 Jan. 1 Arthur Seligman. Inaugural. [9] p.
1931 Jan. 14 Arthur Seligman. Inaugural. [10]-18 p.
1933 Jan. 11 Arthur Seligman. Inaugural. 14 p.
1935 Jan. 1 Clyde Tingley. Inaugural. [9] p.
1935 Jan. 8 Clyde Tingley. Inaugural. [10-21] p.
1937 Jan. 1 Clyde Tingley. Inaugural. [11] p.
1937 Jan. 12 Clyde Tingley. Inaugural. [13-24] p.
1938 Aug. 22 Clyde Tingley. Inaugural. [8] p. Typescript.
1939 Jan. 2 John E. Miles. Inaugural. [10] p.
1939 Jan. 10 John E. Miles. Inaugural. [12-20] p.
1941 Jan. 1 John E. Miles. Inaugural. [8] p.
1941 Jan. 14 John E. Miles. Inaugural. [9-17] p.
1943 Jan. 1 John J. Dempsey. Inaugural. [9] p.
1943 Jan. 12 John J. Dempsey. Inaugural. [9] p.
1943 Feb. 4 John J. Dempsey. Inaugural. 7 p.
1945 Jan. 1 John J. Dempsey. Inaugural. [9] p.
1945 Jan. 9 John J. Dempsey. Inaugural. [12]-15 p.

Nm

D.22 D.24 Reel 1

Reports of the Auditor

Unit 1

D.22

1867 Nov. Ann., 1866-67. [4], 50 p. MS. (Sp.)
1869 Nov. Ann., 1868-69. 62 p. MS. (Sp.)
1871 Nov. Ann., 1870-71. 34 p. MS. (Sp.)
1881 Nov. Ann., 1880-81. 3 p. tables. (Sp.)
1888 Dec. Bien., 1886-88. 43 p. tables. (Sp.)

NmU-Ar

AN ADDENDUM

NEW MEXICO-Continued

Unit 2

D.22

1888 Dec. Bien., 1886-88. 37 p. tables.
1890 Dec. Bien., 1888-90. 56 p.
1892 Dec. Bien., 1890-92. 50 p.
1894 Dec. Bien., 1892-94. 87 p.
1896 Dec. Bien., 1894-96. 97 p.
1898 Dec. Bien., 1896-98. 91 p.

NmStM

Unit 3

D.24

1764-1775 Planes formados por los contradors generals de alcavals y tributos... 134 fol. MS. NmU-Ar

Unit 4

1846 Nov. 16-1851 July 1 Treasurer's day book. 126 p. MS.

NmU-Ar

Treasurers' Reports

Unit 5

1867 Dec. Ann., 1866-67. 4 p. MS. (Sp.)
1869 Dec. Ann., 1868-69. 25 p. MS. (Sp.)
1870 Dec. Ann., 1869-70. 19 p. MS. (Sp.)
1871 Dec. Ann., 1870-71. 38 p. MS. (Sp.)
1881 Dec. Bien., 1880-81. 5 p. MS.

NmU-Ar

Unit 6

1888 Dec. Bien., 1886-88. 41 p.
[W] 1890 Dec. (Not found)
1892 Dec. Bien., 1890-92. 43 p.
1894 Dec. Bien., 1892-94. 25 p.
1896 Dec. Bien., 1894-96. 16 p.
1898 Dec. Bien., 1896-98. 23 p. tables.

NmStM

D.25 Reel 1

Unit 1

D.25ad

Reports of Adjutant General

1869 Dec. For 1868-69. 9 p. MS. (Sp.) NmU-Ar
1888 Dec. Bien., 1886-88. 15 p.
1888 Dec. Bien., 1886-88. 17 p. (Sp.)
[W] 1890 (Not found)
1892 Bien., 1891-92. 17 p.
1894 Bien., 1893-94. 16 p.
1896 Bien., 1894-96. 25 p.
1898 Bien., 1897-98. 10 p. (Sp.)

Nm

Unit 2

D.25 li

Reports of Librarian

1867 Dec. For 1866-67. 5 p. MS. (Sp.)

AN ADDENDUM

NEW MEXICO-Continued

1881 Bien., 1880-81. 9 p. MS. Nm-Ar
1888 Dec. Bien., 1887-88. 5 p.
1888 Dec. Bien., 1887-88. 5 p. (Sp.)
Nm

Unit 3
D.25ed

1874 Education in New Mexico. Report of Hon. W. G. Ritch to the Commissioner of Education. For the year 1874. 14 p.
1875 ---- For the year 1875. 14, [2] p.

Reports of Superintendent of Public Instruction

1891 Dec. 31 For period 1891 Mar. 1-Dec. 31. 44 p.
1892 Dec. 31 Ann., 1892. 31 p.
1893 Dec. 31 Ann., 1893. 65 p.
1894 Dec. 31 Ann., 1894. 50 p.
1895 Dec. 31 Ann., 1895. 52 p.
1896 Dec. 31 Ann., 1896. 52, [1] p.
DLC

Unit 4
D.25x

1888 Report of Special Joint Committee on the Conduct of the Courts. 20 p.
1893 Report of the Penitentiary Committee. 71 p.
1893 ---- (Sp.)
1893 Report of the Capitol Committee. 39 p.
NmU-Ar

B.3

1891 Cattle sanitary laws. 23 p. NmU-Ar

X

1859 Noticias historicas y estadísticas. iv, 98, [4] p. Mills' handbook of mining laws and guide to New Mexico. 1 p.l., 35, [1] p.
CU-B

NEW YORK

JOURNALS, MINUTES AND PROCEEDINGS

A.1bs Reel 1

General Assembly
Journal of the House of Representatives
Unit 1

1701 Aug. 19-Oct. 18 8th Assy., 1st sess. 38 p. PRO-C.O.5/1184

General Assembly
Journal
Unit 2

1702 Oct. 20-Nov. 27 9th Assy., 1st sess. 20 p.
1703 Apr. 6-June 19 9th Assy., 2d sess. 72 p. MS.
1703 Oct. 14-23 9th Assy., 3d sess. 7 p. MS.
1704 Apr. 11-June 27 9th Assy., 4th sess. 64 p. MS.
1704 Oct. 12-Nov. 4 9th Assy., 5th sess. 12 p. MS.

AN ADDENDUM

NEW YORK-Continued

1705 June 7-Aug. 4 10th Assy., 1st sess. 40 p. MS.
1705 Sept. 19-Oct. 13 10th Assy., 2d sess. 13 p. MS.
1706 May 24-June 27 10th Assy., 3d sess. 20 p. MS.
1706 Sept. 24-Oct. 21 10th Assy., 4th sess. 14 p. MS.
1710 Sept. 1-Nov. 25 13th Assy., 1st sess. 31 p.
1711 July 2-Aug. 4 14th Assy., 1st sess. 12 p. MS.
1711 Oct. 2-Nov. 24 14th Assy., 2d sess. 22 p.
1712 Apr. 30-June 26 14th Assy., 3d sess. 18 p.
1712 Aug. 25-Dec. 10 14th Assy., 4th sess. 17 p.

PRO-C.O.5/1185

Unit 3

1717* Aug. 20-Dec. 23 17th Assy., 4th sess. 37 p. MS.
1764** Apr. 17-21 29th Assy., 10th sess. 9 p.
1767 May 27-June 6 29th Assy., 15th sess. 13 p.
1767 Nov. 17-Feb. 6 29th Assy., 16th sess. 94 p.
1768 Oct. 27-Jan. 2 30th Assy., 1st sess. 80 p.
1769 Apr. 4-May 20 31st Assy., 1st sess. 88 p.

PRO-C.O.5/1218 *PRO-C.O.5/1186 **PRO-C.O.5/1071

Unit 4

1769 Nov. 21-Jan. 27 31st Assy., 2d sess. 120 p.
1770 Dec. 11-Feb. 16 31st Assy., 3d sess. 88 p.
1772 Jan. 7-Mar. 24 31st Assy., 4th sess. 118 p.

PRO-C.O.5/1219

Unit 5

1773 Jan. 5-Mar. 8 31st Assy., 5th sess. 120 p.
1774 Jan. 6-Mar. 19 31st Assy., 6th sess. 105 p.
1775 Jan. 10-Apr. 3 31st Assy., 7th sess. 131 p.

PRO-C.O.5/1220

COURT RECORDS

F Reel 1

Unit 1

1656 Oct. 4-1657 Dec. 11 Court minutes of Fort Orange and Beverwyck. 129 p. MS. N-Ar-Dutch MSS., vol. XVI, pt. II
1658 Jan. 8-Dec. 2 Court minutes of Fort Orange and Beverwyck, vol. A. 211 p. MS. (In County Clerk's office, Albany, N.Y., indorsed "A" mortgages no. 1, 1652-1660.) Not included on film.

Unit 2

1660 Jan. 13-Dec. 30 Fort Orange records. 133-233 p. MS.
N-Ar-Dutch MSS., vol. XVI, pt. III

Unit 3

1658 July 2-1663 Oct. 1 Writs of appeal. 33 p. MS.
N-Ar-Dutch MSS., vol. XVI, pt. IV

Unit 4

1680 Oct. 6-1682 Minutes of the General Court of Assizes. [6], 37 p. MS. NHi

Unit 5

1697-1701 Minutes of the Supreme Court of Judicature. [100] p. MS. NHi

AN ADDENDUM

NEW YORK-Continued

Unit 6

1701 Aug. 11-1703 Apr. Minutes of the Supreme Court. [90] p. MS.
1703 Apr.-1704 Oct. ---- [84] p. MS. NHi

NORTH CAROLINA

STATUTORY LAW

B Reel 1

Unit 1

Cases determined in the Court of King's bench; during the I, II, and III years of Charles I. Collcted by John Latch. Tr. by Francois-Zavier Martin. Newbern, 1793. 4 p.l., 275 (sic 215), [20] p. DLC

Unit 2

Notes of a few decisions in the Superior Courts of North Carolina and in the Circuit Court of the U. States... Newbern, 1797. 4 p.l., 78, 83, [6] p. DLC

ADMINISTRATIVE RECORDS

D Reel 1

Unit 1

1678-1714 Albemarle County papers. 114 p. MS. Nc-Ar

Unit 2

1715-1739 Albemarle County papers. 121 p. MS. Nc-Ar

D Reel 2

Unit 1

1685 Oct. 25-1738 May 29 Chowan County papers. 141 p. MS. Nc-Ar

COURT RECORDS

F.1s Reel 2

Unit 1

1716-1722 General Court papers. Minutes. Pt.1: 91-281 p. MS.
Nc-Ar

OHIO

JOURNALS, MINUTES AND PROCEEDINGS

A.1a:b Reel 1

Unit 1

Journal of the Governor and Judges

1795 May 29 70, 80-81 p. MS. (Pages 1-68 are the original MS. Pages 69-70, 80-81 are from a copy.)
---- 70, [3] p. MS. (A copy of the original)
OHi

AN ADDENDUM

OHIO-Continued

General Assembly

Journals of the Legislative Council and House of Representatives

Unit 2

1799 Sept. 16-Oct. 27 1st Assy., 1st sess. [90] p. MS. (H)
1799 Oct. 28-Nov. 27 1st Assy., 1st sess. [92] p. MS. (H)

OCHP

Unit 3

1799 Sept. 16-Dec. 19 1st Assy., 1st sess. 211 p. (H) OCLaw

Unit 4

1799 Sept. 16-Dec. 19 1st Assy., 1st sess. 211 p. (H)
1799* Sept. 16-Dec. 19 1st Assy., 1st sess. 103 p. (C)

OCHP-*1

Unit 5

1800 Nov. 3-Dec. 9 1st Assy., 2d sess. 77 p. (C)
1800 Nov. 3-Dec. 9 1st Assy., 2d sess. 103 p. (H)
1801 Nov. 23-Jan. 23 2d Assy., 1st sess. 12, 82 p. (C)
1801 Nov. 23-Jan. 23 2d Assy., 1st sess. 178 p. (H)

O

PENNSYLVANIA

JOURNALS, MINUTES AND PROCEEDINGS

General Assembly

Journal of the Senate

A.1a Reel 3

Unit 1

1800 Nov. 5-Feb. 27 25th Assy. 365 p., Repts., 16 p. P

Unit 2

1801 Dec. 1-Apr. 6 26th Assy. 404, 70, 20 p. PPL

Unit 3

1802 Dec. 7-Apr. 4 27th Assy. 576, 27 p., Repts. (w: 27 p.) DLC

A.1a Reel 4

Unit 1

1803 Dec. 6-Apr. 3 28th Assy. 586 p., Repts., 28 p. DLC

Unit 2

1804 Dec. 4-Apr. 4 29th Assy. 462 p., Repts., XXIV p. DLC

Unit 3

1805 Dec. 3-Mar. 31 30th Assy. 478 p., Repts. (w: Repts.) DLC

A.1a Reel 5

Unit 1

1806 Dec. 2-Apr. 13 31st Assy. 571, [1], 22, 33 p., Repts. DLC

Unit 2

1807 Dec. 1-Mar. 28 32d Assy. 548, 27, 23 p., Repts. DLC

A.1a Reel 6

Unit 1

1808 Dec. 6-Apr. 4 33d Assy. 557, [1], 16 p., Repts. DLC

Unit 2

1809 Dec. 5-Mar. 20 34th Assy. 569, [1], 27 p., Repts. DLC

AN ADDENDUM

PENNSYLVANIA-Continued

Unit 3

1810 Dec. 4-Apr. 2 35th Assy. 651, 24 p., Repts. DLC

A.1a Reel 7

Unit 1

1811 Dec. 3-Mar. 31 36th Assy. 607, 25 p., Repts. DLC

Unit 2

1812 Dec. 1-Mar. 29 37th Assy. 620, 24 p., Repts. DLC

Unit 3

1813 Dec. 7-Mar. 28 38th Assy. 560, 24 p., Repts. (w: Repts.) DLC

A.1a Reel 8

Unit 1

1814 Dec. 6-Mar. 13 39th Assy. 488 p., Repts., 22 p. DLC

Unit 2

1815 Dec. 5-Mar. 19 40th Assy. 415, [1] p., Repts., 14 p. DLC

Unit 3

1816 Dec. 3-Mar. 25 41st Assy. 463, [1] p., Repts., 16 p. DLC

Unit 4

1817 Dec. 7-Mar. 24 42d Assy. 515, [1] p., Repts., xii p. DLC

A.1a Reel 9

Unit 1

1818 Dec. 1-Mar. 30 43d Assy. 549, [1], 13 12 p., Repts. DLC

Unit 2

1819 Dec. 7-Mar. 28 44th Assy. 588, [1], 17, 13 p., Repts. DLC

A.1a Reel 10

Unit 1

1820 Dec. 5-Apr. 3 45th Assy. 816, xiii, 16 p., Repts. (w: p. 246-247 and xiii p.) P

Unit 2

1821 Dec. 4-Apr. 2 46th Assy. 852, [1] p., Repts., xx p. DLC

A.1a Reel 11

Unit 1

1822 Dec. 3-Apr. 1 47th Assy. 647, [1], 35 p., Repts. DLC

Unit 2

1823 Dec. 2-Mar. 30 48th Assy. 735, xxxvii p. DLC

Unit 3

1824 Dec. 7-Mar. 12 49th Assy. 814, 12 p., Repts., 61, 39 p. DLC

A.1a Reel 12

Unit 1

1825 Dec. 6-Apr. 11 50th Assy. 673, 62, 30, 43 p., Repts. (w: Repts.) DLC

Unit 2

1826 Dec. 5-Apr. 17 51st Assy. 999, 62 p. DLC

General Assembly

Journal of the House of Representatives

A.1b Reel 7

Unit 1

1801 Dec. 1-Apr. 6 26th Assy. 507 p., App., [16] p. P

AN ADDENDUM

PENNSYLVANIA-Continued

Unit 2

1802 Dec. 7-Apr. 4 27th Assy. 679, 36 p., App. DLC

A.1b Reel 8

Unit 1

1803 Dec. 6-Apr. 3 28th Assy. 771, 26 p., Repts. DLC

Unit 2

1804 Dec. 4-Apr. 4 29th Assy. 681, 34, [1] p., Repts. DLC

A.1b Reel 9

Unit 1

1805 Dec. 3-Mar. 31 30th Assy. 641, xlviii, [1] p. DLC

Unit 2

1806 Dec. 2-Apr. 13 31st Assy. 876, xxxix p. DLC

Unit 3

1807 Dec. 1-Mar. 28 32d Assy. 455, 16, 40 p. DLC

A.1b Reel 10

Unit 1

1808 Dec. 6-Apr. 4 33d Assy. 946, 40, 47 p. DLC

Unit 2

1809 Dec. 5-Mar. 20 34th Assy. 891, 44 p. DLC

A.1b Reel 11

Unit 1

1810 Dec. 4-Apr. 2 35th Assy. 814, 39 p. DLC

Unit 2

1811 Dec. 3-Mar. 31 36th Assy. 815, [1] p. DLC

A.1b Reel 12

Unit 1

1812 Dec. 1-Mar. 29 37th Assy. 696, xliii, 150 p. DLC

Unit 2

1813 Dec. 7-Mar. 28 38th Assy. 603, xliii p. DLC

Unit 3

1814 Dec. 6-Mar. 13 39th Assy. 640, xlvi p. DLC

A.1b Reel 13

Unit 1

1815 Dec. 5-Mar. 19 40th Assy. 715, 84, lvii p. DLC

Unit 2

1816 Dec. 3-Mar. 25 41st Assy. 754, [1], lii p. DLC

Unit 3

1817 Dec. 2-Mar. 24 42d Assy. 773, 9, xliii p. P

A.1b Reel 14

Unit 1

1818 Dec. 1-Mar. 30 43d Assy. 779, liv p. DLC

Unit 2

1819 Dec. 7-Mar. 28 44th Assy. 1126, 15, xlv p. DLC

A.1b Reel 15

Unit 1

1820 Dec. 5-Apr. 3 45th Assy. 1015, lviii, [1] p. DLC

AN ADDENDUM

PENNSYLVANIA-Continued

Unit 2

1821 Dec. 4-Apr. 2 46th Assy. 1196, xiii, [4], li p. (Missing from film: p. 382-383) P

A.1b Reel 16

Unit 1

1822 Dec. 3-Apr. 1 47th Assy. 1022, x, 98, li p. DLC

Unit 2

1823 Dec. 2-Mar. 30 48th Assy. 1161, 8, 48 p. DLC

A.1b Reel 17

Unit 1

1824 Dec. 7-Mar. 12 49th Assy. 821, 8, li p. DLC

Unit 2

1825 Dec. 6-Apr. 11 50th Assy. 876, 9, li, [1] p. DLC

COURT RECORDS

F Reel 1

Unit 1

1676 Nov. 14-1681 June 21 Records of court held at Upland under Edmund Andros. 107, [1] p. MS. PHi

Unit 2

1681-1684 Sussex County Court records. v.1: [225] p.
1683-1692 ---- v.2: 106a, 92b, 102c p. MS. PHi

Unit 3

1693-1710 Sussex County Court records. v.3: 84d, 80e, 60f, 15g, 12h p. MS. PHi

SOUTH CAROLINA

ADMINISTRATIVE RECORDS

D.25x Reel 2

Unit 1

1760 Muster rolls. 34 items. v.p. MS.
1769 May 22 William Earl of Craven, one of the Lord Proprietors of Carolina. 6 items. v.p. MS.
1760? Muster rolls. 14 items. v.p. MS. Sc-Ar

Unit 2

1735 July-1765 Nov. Register port of Charleston. [380] p. Sc-Ar

COURT RECORDS

F Reel 1

Unit 1

1672-1692 Court of Ordinary records, grants. 494 p. MS. Sc-Ar

AN ADDENDUM

TEXAS

CONSTITUTIONAL RECORDS

Cs Reel 1

Unit 1

Debates of the convention...July 4-Aug. 28, 1845. Houston, 1846.[1]
759, 8 p. Tx

VERMONT

LEGISLATIVE RECORDS

A Reel 1

Vermont Records

Unit 1

1761-1772 Ira Allen. Miscellaneous papers. [8] p.; No. 238: 65 items; [72] p. MS. DLC-Force transcript

Unit 2

1777-1783 New Hampshire claims. No. 256: 113 items; No. 258; 74 items. MS. DLC-Force transcript

Unit 3

1777-1782 Council of Safety journal. DLC-Force transcript

A Reel 2

Vermont Records

Unit 1

1773-1783 Miscellaneous papers. No. 235: 124 items; No. 237: 11-214 items; No. 239: 34 items. DLC-Force transcript

EXECUTIVE RECORDS

E.1 Reel 1

Vermont Records

Unit 1

1777-1785 Governor and Council journal. No. 231: 724 p. MS. DLC-Force transcript

WYOMING

EXECUTIVE RECORDS

E.1 Reel 1

Unit 1

1869 Apr. 14-1890 Aug. 7 Executive records. [57], 254 p. MS. Wy-Secy.

Unit 2

1873-1881 Record of officers appointed and elected. Book 1. 19 p. MS. Wy-Secy.

1. Reel is not ready for distribution at date of publication of *Guide*.

LIST OF ERRATA

JOURNALS, MINUTES AND PROCEEDINGS

ALABAMA

A.1a Reel 5

Unit 1

Page 3: 1868 Nov. 2-Dec. 31 (w: p. 273-276)

ARKANSAS

A.1a:b Reel 1

Unit 2

Page 7: 1825 Oct. 3-Nov. 3 (C & H) Delete [W].

Unit 4

Page 8: 1827 Oct. 1-31 (C & H) Delete [W].
1828 Oct. 6-22 (C & H) Delete [W]. 96 p. should read 69 p.

A.1a Reel 7

Unit 1

Page 10: 1877 Jan. 8-Mar. 8 (w: p. 9-10, 240-241, 656-657)

A.1b Reel 8

Unit 1

Page 11: 1874 May 11-28 (w: p. 354-355)

A.1b Reel 9

Unit 2

Page 12: 1875 Nov. 1-18 v.1 (w: p. 218-219)

A.1b Reel 10

Unit 2

Page 12: 1877 Feb. 26-Mar. 8 v.2 (w: p. 216-217)

CONNECTICUT

A.1b Reel 2

Unit 2

Page 21: 1781 May 12-June 3 42 p. should read 65 p.

DAKOTA

A.1a Reel 2

Unit 3

Page 26: *The Yankton press*, vol. III, nos. 22-26. Detete [W's].
The Yankton press and Dakotaian, vol. 15, nos. 41-45, 47-48. Delete [W].

LIST OF ERRATA

DELAWARE

A.la

Reel 1

Unit 1

Page 28: Delete all [W's].
Page 29: Delete [W's] for the following sessions:
1786 Oct. 20-28
1787 Jan. 10-Feb. 5
1787 May 28-June 8 211-291 p. should read 211-219 p.
1787 Aug. 27-31
1787 Oct. 20-Nov. 10
1788 Oct. 20-28
1790 Jan. 4-29
1790 Oct. 20-26
1791 Jan. 4-29

Unit 3

Page 29: 1796 Jan. 5-Feb. 10 Delete [W].

GEORGIA

A.lb

Reel 2

Unit 2

Page 48: 1806*** Nov. 3-Dec. 6 Delete [W] and ***. Location symbol is G-1.

IOWA

A.la

Reel 1

Unit 2

Page 59: 1840 July 13-Aug. 1 Location symbol is DLC.

Unit 3

Page 59: 1841 Dec. 6-Feb. 18 Delete (w: p. 260, 261, 294, 295).

Unit 5

Page 59: 1845 Dec. 1-Jan. 19 Delete (w: p. 202-203, 232-233).

A.lb

Reel 1

Unit 2

Page 59: 1840 July 13-Aug. 1 Location symbol is DLC.

KENTUCKY

A.la

Reel 1

Unit 3

Page 61: 1803 Nov. 7-Dec. 27 Location symbol is Ky-1.

Unit 4

Page 62: 1806 Nov. 3-Dec. 27 (w: p. 147-148)

MARYLAND

A.lb

Reel 10

Unit 1

Page 88: [W] 1818 Dec. 7-Feb. 20

A.lb

Reel 14

Unit 1

Page 89: 1835 Dec. 28-Apr. 4 944, 18, 24 p. (w: 18 p.)

LIST OF ERRATA

MICHIGAN

A.1a — Reel 3

Unit 1

Page 107: 1844 Jan. 1-Mar. 12 Paging should read 1 p.l., 445, [1], 38 p.

MISSISSIPPI

A.1a — Reel 6

Unit 1

Page 112: 1848 Jan. 3-Mar. 4 (w: p. 192-224, 1006)

A.1b — Reel 2

Unit 3

Page 115: 1814 Nov. 7-Dec. 27 The following issues of *The Washington republican* are not included on the film: Vol. II, part of no. 35 and nos. 36, 37, 39-42.

Unit 4

Page 115: 1815 Nov. 6-Dec. 27 *The Washington republican,* vol. 3, no. 29, Nov. 11, 1815 reports the proceedings of Nov. 7.

Unit 5

Page 115: Entry should read: 1817 Oct. 6-Feb. 6 1st sess. 416 p. MsU

A.1b — Reel 7

Unit 1

Page 117: 1884 Jan. 1-Feb. 24 Delete note.

A.1b — Reel 8

Unit 1

Page 117: 1848 Jan. 3-Mar. 4 (w: p. 192-224)

A.1b — Reel 10

Unit 1

Page 117: [W] 1856 Jan. 7-Mar. 12

MISSOURI

A.1a — Reel 3

Unit 1

Page 120: 1830 Nov. 15-Jan. 19 (w: p. 15-18)

NEW HAMPSHIRE

A.1a — Reel 1

Unit 1

Page 129: 1785 Feb. 9-24 45-67 (sic 68) p. Location symbol is NN.
1786 Feb. 1-Mar. 4 Location symbol is NN.

Page 130: 1799 June 5-15 Location symbol is M.

A.1b — Reel 1

Unit 5

Page 132: 1789 Dec. 23-Jan. 26 (w: p. 97)

LIST OF ERRATA

NEW JERSEY

A.la — Reel 2

Unit 3

Page 140: 1801 Oct. 27-Dec. 3 (w: [3] p. and p. 17-18 of [13]-28 p.)

A.lb — Reel 1

Unit 1

Page 146: 1738 Oct. 27-Mar. 15 Delete [W].

NEW YORK

A.lb — Reel 4

Unit 3

Page 168: 1784 Jan. 6-May 12 (w: p. 140-141)

A.lb — Reel 9

Unit 2

Page 169: 1812 Jan. 28-June 19 (w: [8] p.)

NORTH CAROLINA

A.lb — Reel 1

Unit 1

Page 172: 1755 Sept. 25-Oct. 15 (w: p. 1-6)

Unit 3

Page 172: 1760 May ? sess. (Not found) Entry should read 1760 Apr. 24-May 23. See MS., North Carolina, A.lb, Reel 3, Unit 2.

A.la:b — Reel 6

Unit 3

Page 176: 1791 Dec. 5-Jan. 20 (H) (w: p. 64 and [2] p.)

Unit 4

Page 176: 1795 Nov. 2-Dec. 9 (S) and (H) Location symbol is NC-SC-l.

A.la:b — Reel 7

Unit 2

Page 176: 1803 Nov. 21-Dec. 22 (H) (w: p. 57-60)

A.la:b — Reel 8

Unit 3

Page 177: 1819 Nov. 15-Dec. 25 (H) (w: p. 103)

Unit 4

Page 178: 1820 Nov. 20-Dec. 25 (H) (w: p. 73-80, 105)

OHIO

A.la — Reel 4

Unit 6

Page 181: 1826 Dec. 4-Jan. 31 (w: p. 41-42 of 42 p.)

A.lb — Reel 6

Unit 4

Page 185: 1833 Dec. 2-Mar. 3 (w: p. 401-416)

LIST OF ERRATA

SOUTH CAROLINA

A.1b Reel 3

Page 245: Delete [W's] from entire reel.

A.1b Reel 10

Unit 2

Page 248: 1744 Oct. 2-5 (w: p. 14-15)

A.1b Reel 22

Unit 2

Page 253: 1789 Jan. 5-Mar. 13 (w: p. 119-121)

TENNESSEE

A.1a Reel 1

Unit 1

Page 258: Unit 1 should read

Journal of the Legislative Council
1794 Feb. 24-Mar. 1 (Not found)
1794* Aug. 25-Sept. 30 39 p.

Journals of the Council and House of Representatives
1794 Aug. 25-1796 Aug. 9 v.p. (Printed 1852)
NcU-Jenkins *MWA-1

Unit 2

Page 258: Unit 2 should read

Journal of the Senate
1796 Mar. 28-Apr. 23 1st Assy., 1st sess. 72 p. (Typescript and MS. are supplied for p. 1-8.)
1796* July 30-Aug. 9 1st Assy., 2d sess. 68 p. MS.
T-1 *T-A1

A.1a Reel 2

Unit 4

Page 259: 1822 July 22-Aug. 24 (w: p. 48)

A.1a Reel 3

Unit 3

Page 259: 1827 Sept. 17-Dec. 15 (w: t.-p.-p. 4, 9-10. Mutilated: p. 119-120)

A.1a Reel 7

Unit 2

Page 260: 1849 Oct. 1-Feb. 11 (w: p. 305-320 of 381 p.) Location symbol should read DLC - M.

A.1b Reel 1

Unit 1

Page 260: 1794 Aug. 25-Sept. 30 See Tenn., A.1a, Reel 1, Unit 1.
1795 June 29-July 11 See Tenn., A.1a, Reel 1, Unit 1.

Unit 2

Page 261: [W] 1798** Dec. 3-Jan. 5

A.1b Reel 8

Unit 2

Page 263: 1851 Oct. 6-Mar. 1 (w: p. 5-6)

LIST OF ERRATA

TEXAS

A.1a

Reel 1

Unit 4

Page 264: 1842 June 27-July 23 Delete [W]. See Texas, A.1b, Reel 2, Unit 3.

A.1a

Reel 3

Unit 3

Page 265: 1853 Jan. 10-Feb. 7 (w: p. 73-80, 145-152, 177-192)

A.1b

Reel 2

Unit 3

Page 267: Delete [W]. Unit 3 should read

A.1a:b

Journals of the Senate and House of Representatives

1842 June 27-July 23 6th Cong., spec. sess. 521 p.

(Printed 1945)

Tx

A.1b

Reel 3

Unit 3

Page 267: 1844 Dec. 2-Feb. 3 9th Cong., reg. sess. 395, 94 p.
Delete 94 p.

A.1b

Reel 5

Unit 1

Page 268: 1849 Nov. 5-Feb. 11 3d Legis., reg. sess. 816, [1], 306 p. Delete [1], 306 p.

VIRGINIA

A.1b

Reel 1

Unit 1

Page 278: 1742 May 6-June 19 (Mutilated: 3 p.l., p. 1-11)
1745/46 Feb. 20-Apr. 12 (w: p. 46-51)

Unit 2

Page 279: 1753 Nov. 1-Dec. 19 (w: 4 p.)

A.1b

Reel 2

Unit 3

Page 279: [W] 1767 Mar. 12-Apr. 11

Page 280: 1768 Mar. 31-Apr. 16 Delete [W].

A.1b

Reel 3

Unit 3

Page 280: 1779 May 3-June 26 Delete [W].
1779 Oct. 4-Dec. 24 Delete [W].
1780 May 1-July 14 56 p. should read 88 p. (Incomplete)
Delete location symbol CSmH-Brock-1.

Unit 4

Page 280: 1780 Oct. 16-Jan. 2 (w: p. 33-36)

A.1b

Reel 4

Unit 4

Page 281: 1788 Oct. 20-Dec. 30 (w: p. 25-92)
1789 Oct. 19-Dec. 19 (w: p. 77-120)

LIST OF ERRATA

VIRGINIA-Continued

A.1b Reel 5

Unit 1

Page 282: 1791 Oct. 17-Dec. 20 Delete [W].

A.1a:bs Reel 1

Unit 3

Page 286: [W] 1862 May 6-15 Ext. sess. at Wheeling.

PROCEEDINGS OF EXTRAORDINARY BODIES

MASSACHUSETTS

A.3 Reel 1

Unit 2

Page 300: 2 p.l., lix p. should read 2 p.l., lix, 778 p.

CODES AND COMPILATIONS

NEW JERSEY

B.1 Reel 1

Unit 3

Page 18: Delete [W]. Pagination should read 2 p.l., 60 (sic 58), 4, 102-136 p.

VIRGINIA

B.1 Reel 1

Unit 4

Page 28: [W] Continuance of abridgement of old laws, and resolves of the Committee for Revisall...

WISCONSIN

B.1 Reel 1

Unit 4

Page 30: Location symbol is IU.

SESSION LAWS

COLORADO

B.2 Reel 1a

Unit 1

Page 35: Location symbol is MH.

B.2 Reel 1b

Units 1 and 2

Page 36: Location symbol is CoHi.

LIST OF ERRATA

MARYLAND

B.2 Reel 2

Unit 1

Page 74: The first entry under Unit 1 is 1649 Act of toleration. Original parchment. MdHi

MASSACHUSETTS

B.2 Reel 1

Unit 3

Page 79: 1685 Apr. sess. 1 p. On film following 1684/5 Jan. sess. MBAt

1689 Mar. sess. 1 p. On film following 1685/6 Feb. sess. MBAt

Unit 7

Page 81: 1704 May sess. 2 acts. [4] p. On film following 1704 Aug. sess. Location symbol is MWA - NN.

B.2c Reel 6

Unit 1

Page 95: 1808 May sess. [8], [152]-204, [2] p. Delete the [8] p.

NEW HAMPSHIRE

B.2 Reel 1a

Unit 1

Page 104: Delete the footnote.

[W] 1692-1702 Laws passed at various dates... Nos. 1-55. v.p. MS. Nos. 1-32 appear in *Council Book*, vol. 4, 1680-1740, p. 76-116; no. 34 *ibid*, p. 117-126; no. 33 appears in *Acts of Council and Assembly*, 1692-1699, p. 38-39.

NEW JERSEY

B.2 Reel 1

Unit 4

Page 111: 1704 A catalog of fees... 41 p. should read 4 p. Delete [W].

NEW MEXICO

B.2 Reel 3

Unit 5

Page 122: 1886 Dec. 27th Assy. 1 p.l., 152 p. (Sp.) Delete [W]. Location symbol is MH.

NEW YORK

B.2 Reel 2

Unit 3

Page 124: Delete [W's] from the following sessions:

1712 Apr.

LIST OF ERRATA

NEW YORK-Continued

1712 Aug.
1713 May
1714 Mar.
1715 May
Page 125: 1719 Apr.

Unit 5

Page 125: 1724 May Delete [W].

B.2 Reel 3

Unit 2

Page 127: 1744*** Apr. Delete [W].

Unit 4

Page 127: 1748 Sept. Delete [W].

B.2 Reel 9

Unit 4

Page 131: 1808 Nov. 32d Assy. Priv. Delete [W]. Location symbol is NN.

Unit 5

Page 131: 1810 Jan. 33d Assy. Pub. Delete [W]. Location symbol is NN.
1810 Jan. 33d Assy. Pub. (Not found)

NORTH CAROLINA

B.2 Reel 1c

Unit 4

Page 132: 1770 Dec. sess. Delete [W]. Location symbol is DLC-1.

OHIO

B.2 Reel 7

Unit 1

Page 139: [W] 1842 July Delete [W].

PENNSYLVANIA

B.2 Reel 3

Unit 2

Page 148: 1774 Sept. sess. Delete [W]. Entry should read 1774 July, Sept., Dec. 46-48 p. MS. (MS. pages are taken from Law Book A, Vol. 6, 1773-1776.) Location symbol is P-Secy.

RHODE ISLAND

B.2 Reel 1a

Page 153: Delete Unit 5.

LIST OF ERRATA

TEXAS

B.2 Reel 1

Unit 5

Page 185: 1840 Nov. Location symbol is DLC.

VERMONT

B.2 Reel 1

Unit 1

Page 189: [W] 1784 ...Extract from a proposed act for the limitation of actions.

Unit 2

Page 189: 1786** Oct. Location symbol is MH.
Page 190: [W] 1787 Militia act.

B.2 Reel 2

Unit 1

Page 190: [W] 1798 Abstract of an act to provide for the valuation of lands and dwelling-houses...

B.2 Reel 3

Unit 2

Page 191: 1810 Oct. Delete [W]. Location symbol is DLC.

VIRGINIA

B.2 Reel 1a

Unit 2

Page 193: 1659/60 Mar.-1677 Oct. Orders of various Grand Assemblies ... Delete [W].
1676/77 Feb. Orders at a Grand Assembly... Delete [W].

B.2s Reel 1

Unit 1

Page 199: 1861* July Delete [W].
1861** July Delete [W].
1861 Dec. Reg. sess. at Wheeling. 75 p. Added to film following 1861 Dec. Reg. sess. at Wheeling. 111 p. Location symbol is NjP.

SPECIAL LAWS

MASSACHUSETTS

B.3 Reel 1

Unit 2

Page 204: [W] 1745*** May 4 p.
[W] 1755 May 9, [1] p.
[W] 1776 May 9 p.
Page 205: 1780 ? 8 p. Entry should read 1780 Mar. 8 p.
1781 ? 8 p. (2-8 are fol.) Entry should read 1781 Apr. 8 p. (2-8 are fol.)

LIST OF ERRATA

MASSACHUSETTS-Continued

1781 Oct. Broadside. Added to film following 1781 Apr.

Unit 3

Page 205: 1803 ? 20 p. Entry should read 1803 Feb. 20 p.

CONSTITUTIONAL RECORDS

ALABAMA

C Reel 1

Unit 2

Page 1: Journal... Montgomery: 1861. 258 p. Delete [W]. Location symbol is A-Ar.

ADMINISTRATIVE RECORDS

DAKOTA

D.2 Reel 1a

Unit 1

Page 20: [W] 1864 Dec. Newton Edmunds.
[W] 1865 Dec. Newton Edmunds.
[W] 1865 Apr. 21 Proclamation: Lincoln's death.
[W] 1866 A. J. Faulk.
[W] 1871 Mar. 30 Proclamation: Special election, George Alexander Batchelder.

Unit 2

Page 21: 1863 Dec. Ann., 1862-63. Delete [W].
Page 22: 1882 Dec. 15 Ann., Apr. 1881-May 1882. Delete [W].

D.2 Reel 1c

Unit 1

Page 23: 1888 Bien., 1887-88. Delete location symbol NN.

Unit 2

Page 23: 1884 Nov. 30 Bien., 1882-84. (Yankton) Delete [W].
1884 Nov. 30 Ann., 1883-84. (Jamestown) Delete [W] and location symbol NdJI.
1886 Nov. 30 Bien., 1884-86. (Yankton) Delete [W] and location symbols SdHi and SdYH.

Unit 3

Page 24: [W] 1883 Rules, regulations and bylaws of the penitentiary.

Unit 5

Page 24: The following material has been added to film:
1868 Report of the Joint Committee...on the Mineral, Agricultural and Manufacturing Resources... 56 p. CSmH

1885 Jan. 24 Report of the Board of Capitol Commissioners. 1 p.l., 14 p. CtY-Coe

LIST OF ERRATA

COURT RECORDS

NORTH CAROLINA

F.1 Reel 2

Unit 1

Page 5: Unit 1 should read 1716-1724 Minutes. 1722-1724 Pt. 2: 282-429, [32] p. MS. For Pt. 1 see N.C., F.1, Reel 2s in the Addendum.